Théâtre complet

Racine

Théâtre complet

Classiques Garnier

En couverture :
L'évanouissement d'Esther (détail),
1697, peinture d'Antoine Coypel,
Musée du Louvre, Paris
Ph. H. Josse © Archives Photeb

ISBN 2-10-002803-0

Établissement du texte, repères chronologiques, introduction, note bibliographique, notices, notes, relevé des variantes, dossier de la critique et des interprétations modernes, index, par

Jacques Morel

Professeur émérite à l'université
de la Sorbonne Nouvelle-Paris III

et

Alain Viala

Professeur à l'université
de la Sorbonne Nouvelle-Paris III

Édition revue et mise à jour (1995)

Édition illustrée

NOTE SUR LA PRÉSENTE ÉDITION

CETTE édition voudrait offrir du théâtre de Racine un texte aussi sûr que possible, et en faciliter la lecture, que le lecteur soit étudiant ou amateur. Elle repose sur quelques choix simples

1) Le texte

Nous reproduisons le texte de l'édition collective de 1697, la dernière parue du vivant de Racine. Certes Louis Racine affirme que son père n'en eut pas personnellement soin ; une étude des variantes nous a incité à juger que, les retouches de 1697 étant assez nombreuses et importantes, et surtout orientées vers une certaine « unification » de l'ensemble de l'œuvre, il était sage de suivre ici la règle ordinaire.

Nous avons consulté, bien entendu, la monumentale édition procurée par P. Mesnard voici un siècle (coll. des Grands Écrivains), ainsi que les corrections proposées depuis par R. Picard et B. Freeman. Mais nous avons vérifié notre texte sur les éditions du XVIIe siècle. S'il ne restait guère d'erreurs à relever, cela nous a conduit à quelques options différentes. Ainsi nous ne réintroduisons pas les quatre vers d'*Iphigénie* supprimés en 1697, rien ne permettant de juger qu'il s'agit là d'un simple oubli. De même, nous avons quelquefois, dans *Mithridate* notamment, remis certaines indications scéniques à leur place exacte de 1697, car cela impliquait des nuances de sens. Enfin nous donnons une numérotation des vers conforme à l'état réel du texte de 1697, ce qui conduit à quelques différences avec l'édition Mesnard (voir, par ex., *Bajazet* v. 1267 et suiv.). Signalons ici une petite difficulté technique : outre la commodité du repérage, la numérotation des vers peut permettre l'utilisation de la *Concordance* de Freeman et Batson ; mais celle-ci prend en compte des variantes (en particulier une scène entre Narcisse et Burrhus au début de l'acte III de *Britannicus*) que rien ne nous autorisait à inclure dans notre texte; son utilisation de pair avec la présente édition demande donc une certaine vigilance à cet égard.

Le souci de respecter le texte de 1697 ne nous a tout de même pas conduit à en conserver les graphies et la ponctuation, que nous avons modernisées; quelques cas litigieux, où cela engagerait le sens, sont mentionnés en note. Nous avons corrigé aussi les coquilles manifestes.

2) *L'apparat critique*

L'apparat critique est orienté dans une perspective documentaire, et non vers un commentaire esthétique ou interprétatif. Mais comme il serait absurde de donner l'illusion que l'accès de tels textes est immédiat, que toutes les difficultés en sont d'avance résolues, nous avons misé sur une attitude active de la part du lecteur.

C'est pourquoi nous proposons surtout des orientations, des points de départ pour des recherches plus approfondies. Les repères chronologiques (fondés sur le *Nouveau Corpus Racinianum,* et limités à la vie et la carrière de Racine, et ses rapports avec Port-Royal, sans préjuger d'éventuelles influences, sans hasarder de rapprochements), l'index des références historiques, bibliques et mythologiques, les variantes, la bibliographie sont conçus dans cet esprit. Pour ne pas trop entrecouper la lecture, nous ne donnons pas d'appels pour les variantes et l'index; la numérotation des vers en permet une utilisation assez commode. Dans le même esprit, il nous a paru qu'un glossaire serait vain, qui — sous peine de devenir monstrueux — ne pourrait rendre compte de toutes les difficultés de langue et de style : on trouvera en fin de volume une note d'orientation générale à ce sujet. Pour chaque pièce, la première note indique les ouvrages plus particulièrement utiles à son étude.

Enfin, l'introduction et les notices esquissent une problématique de ce théâtre dans ses rapports à son temps et à ses modèles; mais il connaît de nos jours une audience considérable et une grande richesse de lectures et d'interprétations, qui sont à bien des égards exemplaires pour la vie présente de l'institution théâtrale, de l'université, et des classiques de la littérature française : nous avons donc tenu à donner un aperçu de cette vie présente et des interprétations de Racine, tant à la scène que dans la critique. Une large part de la bibliographie moderne se trouve ainsi présentée en détail dans le dossier Racine aujourd'hui, en fin de volume; nous avons allégé d'autant la note bibliographique d'ensemble.

Pour la nouvelle édition ici proposée, nous avons conservé les mêmes principes, et les mêmes données fondamentales : il s'agissait d'une mise à jour, non d'une refonte. Le texte a été revu. L'information bibliographique tient compte des publications récentes les plus significatives; on nous pardonnera d'avoir dû citer les travaux que nous-mêmes avons consacrés à Racine, alors même que cette bibliographie ne peut être exhaustive car Racine (signe de sa place dans la culture française actuelle) suscite quantité de travaux et d'essais. En particulier, nombre d'œuvres de Racine ont fait l'objet, depuis une dizaine d'années, d'éditions séparées, le plus souvent en collections de poche, mais très souvent aussi avec des préfaces et dossiers de qualité : nous avons dû renoncer à les répertorier, sous peine d'alourdir le volume et de perdre de vue le but d'une édition du *Théâtre complet*. Il en va de même pour les mises en scène : nous avons fait un choix restreint, guidé par le souci de montrer des tendances fortes.

A l'approche du tricentenaire de sa mort, on peut penser que Racine et son œuvre susciteront encore longtemps des quantités d'interprétations : notre but ici a été d'accompagner cette vie présente de son théâtre, et d'inviter à le lire et à l'aller voir représenter.

N.B. Cette édition est le fruit d'un travail commun, les auteurs ont tous deux la responsabilité de l'ensemble. Cependant, J. Morel a eu plus particulièrement la charge de l'introduction, la bibliographie générale, l'index; A. Viala : de l'établissement du texte et des variantes, la chronologie, le dossier des interprétations modernes, l'illustration, la présente note. Nous nous sommes partagé les notices; les notes ont été établies en commun. Les initiales de chacun figurent au bas des textes qu'il a rédigés.

REPÈRES CHRONOLOGIQUES

1639. 22 décembre. Baptême de Jean Racine, en l'église de La Ferté-Milon. Son père, après avoir été cadet au régiment des gardes, est procureur au bailliage et greffier au grenier à sel. Son grand-père maternel est président au grenier à sel et garde du sceau de La Ferté. C'est donc une famille honorable, mais de rang modeste. Une autre branche de cette famille, les Vitart, a donné asile l'année précédente à trois « solitaires » de Port-Royal qui fuyaient des tracasseries policières (Lancelot, Antoine Le Maître et le Maître de Séricourt), et dont le jeune Nicolas Vitart était l'élève.

1641. 29 janvier. Inhumation de la mère du poète, morte des suites de couches, huit jours après le baptême de sa fille Marie.

1642. Agnès Racine, tante de Jean, entre à Port-Royal, à l'âge de 18 ans elle y prendra le voile sous le nom de sœur Agnès de Sainte-Thècle. Le père de Racine se remarie le 4 novembre.

1643. Décès du père (inhumé le 7 fév.). Succession à peu près nulle. L'enfant est recueilli par ses grands-parents maternels.

1649. Décès du grand-père paternel ; la grand-mère entre à Port-Royal en qualité de femme de service semble-t-il. Peu après, le petit Jean est admis aux Petites Écoles, à titre gracieux. Il y a pour maîtres : Arnauld, Lancelot (helléniste réputé), Nicole (latiniste réputé), Antoine Le Maître (ex-avocat, orateur réputé), M. Hamon.

1653. Racine est l'élève du collège de la ville de Beauvais.

1655. Il revient à Port-Royal.

1656. Mars. Les Petites-Écoles sont dissoutes. Racine reste à Port-Royal, travaillant sous la direction d'A. Le Maître, puis de M. Hamon. Il se perfectionne en grec, fait des extraits de Tacite et de Quintilien, annote Plutarque, écrit des poésies latines et les sept odes des *Promenades de Port-*

Royal des Champs. C'est le moment où paraissent les *Provinciales;* Antoine Vitart est mêlé à leur diffusion.

1658. Racine fait sa philosophie au collège d'Harcourt (à Paris) dont le principal a été associé à la publication des *Provinciales*.

1659. Il loge un temps chez Antoine Vitart, qui est entré au service du duc de Luynes. Premiers pas dans le monde des Lettres : il se fait des amis parmi des gens d'esprit (La Fontaine, l'abbé Le Vasseur), adresse un sonnet — perdu — à Mazarin sur la paix des Pyrénées.

1660. Il présente aux comédiens du Marais une tragédie, *Amasie;* refus. A l'occasion du mariage du roi, il compose l'ode *La Nymphe de la Seine à la Reine;* elle sera imprimée et surtout, par l'entremise d'Antoine Vitart, montrée à Perrault, et à Chapelain qui donne des éloges et des conseils.

1661. Racine est en contact avec la troupe de l'Hôtel de Bourgogne pour une nouvelle pièce — perdue. En octobre, il part pour Uzès où un de ses oncles, le vicaire général Sconin, pense pouvoir lui obtenir un bénéfice ecclésiastique. Une *Relation* des réjouissances faites à Uzès pour la naissance du Dauphin, envoyée à la *Gazette de France* à la fin de l'année, est attribuée à Racine.

1662. Difficultés dans l'affaire du bénéfice. Racine étudie la théologie, lit beaucoup, exerce sa plume (correspondance, petits vers : *Les bains de Vénus*).

1663. Retour à Paris, sans bénéfice. A l'occasion de la rougeole de Louis XIV, il compose l'*Ode sur la convalescence du roi* (juill.) qui lui vaut promesse de gratification ; d'où une nouvelle ode (nov.) : *La Renommée aux Muses*. Il fréquente les milieux littéraires, rencontre Boileau et Molière. Le duc de Saint-Aignan le présente à la Cour.

1664. Première (le 20 juin) de *La Thébaïde* par la troupe de Molière, édition le 30 octobre. Racine figure à la fin de la liste des gratifications royales aux hommes de lettres (22 août) pour 600 livres.

1665. Création d'*Alexandre* (4 déc.) par la troupe de Molière. Quelques jours après, Racine donne sa pièce à l'Hôtel de Bourgogne qui, à dater du 18 décembre, la joue concurremment avec Molière; au bout d'une semaine, ce dernier renonce.

1666. Édition (13 janv.) d'*Alexandre,* avec une épître dédicatoire au Roi. Polémique (janv.) contre Nicole qui condamnait les auteurs de théâtre : *Lettre à l'auteur des Hérésies Imaginaires* qui marque, malgré l'anonymat, la rupture avec Port-Royal.

1667. Deuxième *Lettre,* et préface pour une édition des deux qui ne verra pas le jour. La gratification royale s'élève (21 mai) à 800 livres. Racine pousse la comédienne Du Parc à quitter la troupe de Molière pour celle de l'Hôtel de Bourgogne qui crée *Andromaque* (17 nov.) dans l'appartement de la Reine, devant le Roi et la Cour; immense succès.

1668. Édition d'*Andromaque* (janv.). Molière monte *La Folle Querelle* de Subligny, une critique d'*Andromaque.* Racine touche des revenus du prieuré de l'Épinay, en Anjou, autrefois détenu par son oncle. Saint-Évremond publie sa *Dissertation sur le Grand Alexandre :* la polémique entre les tenants de Corneille et ceux de Racine est engagée. Création (en nov., date exacte inconnue) des *Plaideurs.* La gratification royale atteint 1 200 livres (déc.).

1669. Édition des *Plaideurs* (janv.).
Racine vend (juin) la moitié des rentes du prieuré de l'Épinay au prête-nom d'Arnauld d'Andilly; ce, malgré la rupture avec Port-Royal.
Création (13 déc.) de *Britannicus* à l'Hôtel de Bourgogne.

1670. Édition (fin janv.) de *Britannicus.*
Racine est mentionné dans un acte (mai) comme « Prieur de Saint-Jacques de La Ferté ».
A l'occasion des fiançailles du duc de Nevers, création de *Bérénice* devant la Cour (14 déc.; représentation à l'Hôtel de Bourgogne le 21).
La gratification royale s'élève à 1 500 livres.

1671. Édition de *Bérénice* (24 fév.).

1672. Création de *Bajazet* à l'Hôtel de Bourgogne (5 janv.). Édition le 20 février. Réédition d'*Alexandre.* Racine est élu (5 déc.) à l'Académie française, au siège de La Mothe Le Vayer.

1673. Réception à l'Académie (12 janv.), et création (13 janv.) de *Mithridate* à l'Hôtel de Bourgogne; édition le 16 mars. Réédition d'*Andromaque* avec des remaniements (6 juin).

1674. Création d'*Iphigénie* à Versailles (18 août) au cours des fêtes célébrant l'annexion de la Franche-Comté.

Racine accède à la charge de trésorier de France en la généralité de Moulins (27 oct.).

Édition d'*Iphigénie* (fév.-mars). Barbier d'Aucour publie *Apollon vendeur de Mithridate* (juin) où il récapitule les critiques faites à Racine.

1676. Édition collective des *Œuvres* de Racine : texte revu, préface pour *La Thébaïde,* autres préfaces refaites (achevé d'imprimer du 31 déc. 1675).

1677. Création de *Phèdre et Hippolyte* (1er janv.) aussitôt concurrencée par la *Phèdre* de Pradon (3 janv.); édition le 15 mars.

Racine épouse Catherine de Romanet (30 mai).

Le roi, après avoir mis à l'épreuve Racine et Boileau en leur demandant un panégyrique, leur alloue une gratification exceptionnelle de 6 000 livres chacun (11 sept.) et les charge d'être ses historiographes.

1678. Racine et Boileau suivent la campagne de Gand (mars-avril).

Naissance du premier enfant de Racine, Jean-Baptiste (baptisé le 11 nov.).

1679. Racine a renoué avec Port-Royal; il rend visite à s tante (mai) et à cette occasion rencontre l'archevêque de Paris, académicien comme lui, venu édicter les mesures prises contre le monastère; par la suite, Racine interviendra de plus en plus souvent en faveur de Port-Royal.

Dans « l'Affaire des Poisons », la Voisin l'accuse d'avoir fait mourir la Du Parc (21 nov.).

1680. Louvois tient prêt un ordre d'arrestation contre Racine (11 janv.) mais les poursuites en restent là.

Naissance d'une fille, Marie-Catherine (baptisée le 17 mai).

La gratification royale s'élève à 2 000 livres (12 août).

1681. Nouvelle édition d'*Alexandre.*

1682. Le roi examine avec Mme de Maintenon les travaux de ses historiographes.

Naissance d'une autre fille, Anne (baptisée le 29 juil.).

1683. Racine et Boileau collaborent à un petit opéra pour le carnaval de la Cour. Le roi les gratifie de 10 000 livres chacun. A la demande de l'abbesse de Fontevrault, sœur de Mme de Montespan, Racine traduit partiellement le *Banquet* de Platon. Il entre à l'Académie des Inscriptions.

1684. Directeur trimestriel de l'Académie française au moment du décès de Corneille, il essaye d'obtenir l'entrée du jeune duc du Maine (12 ans) dans la compagnie. Le roi s'y opposant, il doit recevoir Thomas Corneille comme successeur de son frère.

Naissance de sa fille Élizabeth (baptisée le 2 août).

Le 31 décembre, Mme de Montespan offre au roi, pour étrennes, un livre de miniatures de villes de Hollande prises en 1672 : les textes sont de Racine et Boileau. *L'éloge historique du Roi sur ses conquêtes depuis 1672 jusqu'en 1678* date sans doute de cette même année.

1685. Dans son discours pour la réception de Thomas Corneille à l'Académie (2 janv.) Racine fait l'éloge de Pierre Corneille.

Lors des fêtes données à Sceaux pour le roi : *Idylle sur la Paix,* sur une musique de Lully.

1686. Racine et Boileau préparent les inscriptions qui doivent remplacer celles de Charpentier au bas des peintures de Le Brun à Versailles. Le roi, lors d'une maladie (mars), se fait lire les travaux de ses historiographes et s'en montre satisfait. Le nom de Racine vient en tête de la liste des gratifications aux gens de lettres.

Naissance de sa fille Françoise (baptisée le 29 nov.).

1687. Deuxième édition collective des *Œuvres* avec quelques retouches.

Racine a composé des *Hymnes tirés du Bréviaire romain* qui datent de 1687 au plus tard.

1688. Naissance de la cinquième fille, Madeleine (baptisée le 18 mars).

Nouvelle gratification exceptionnelle à Racine et Boileau : 1 000 pistoles chacun; Boileau, malade, ne peut guère travailler.

Racine prête 22 000 livres au duc de Chevreuse (3 juil.).

Il travaille à *Esther;* en novembre, il en dirige les répétitions par les élèves de la maison fondée à Saint-Cyr par Mme de Maintenon.

1689. Création d'*Esther* devant le Roi (26 janv.); grand succès mondain, édition peu après (début mars).

Racine est reçu dans la Cour restreinte qui accompagne le roi à Marly (sept.).

Il prête 6 000 livres à Boileau (20 déc.).

Il travaille à *Athalie,* destinée à Saint-Cyr.

1690. Répétitions d'*Athalie* (mars). Racine accède, par brevet du roi (12 déc.) à une des 24 charges de gentilhomme ordinaire de la chambre, moyennant un versement de 10 000 livres à la veuve du précédent détenteur; la charge en vaut 50 000.

1691. Création (5 janv.) devant le roi et un public restreint, et édition (3 mars) d'*Athalie.*

1692. Par brevet, les deux historiographes se voient allouer une pension de : 2 000 livres pour Boileau et 4 000 pour Racine (15 avril).

Racine suit le siège de Namur (mai-juin) dont il donne une *Relation.*

Naissance d'un second fils, Louis (baptisé le 2 nov.).

Réédition d'*Athalie.*

1693. Cette année est marquée par la querelle autour des deux Parallèles entre Corneille et Racine : celui de La Bruyère — qui déclare Racine égal à Corneille — et celui de Fontenelle — favorable à son oncle Corneille.

Racine suit la campagne des Pays-Bas. Le roi lui octroie par brevet la survivance de sa charge de gentilhomme ordinaire pour son fils aîné (2 nov.).

1694. Racine suscite l'intervention d'Arnauld dans la Querelle des Anciens et des Modernes pour réconcilier Boileau et Perrault.

Après la mort d'Arnauld, il assiste, seul des courtisans, au service funèbre célébré à Port-Royal. Il intervient en faveur du monastère auprès de l'archevêque de Paris, et le fera sans cesse les années suivantes.

Il collabore assidûment aux travaux de l'Académie des Inscriptions.

Il compose les *Cantiques spirituels.*

1695. Opérations financières : remboursé de 22 000 livres prêtées au duc de Chevreuse (25 mai), il en prête 13 000 puis encore 3 000 à Boileau.

Le roi lui attribue un logement à Versailles (20 juin).

1696. Racine négocie toujours pour Port-Royal.

Acquisition d'une charge de conseiller secrétaire du roi — 55 000 livres (13 févr.).

Il est dispensé d'assister aux séances de cette chambre (10 mars) en raison de ses obligations à la Cour.

Septembre. Le roi, malade, se fait lire par lui du Plutarque *(Vie d'Alexandre).*

1697. Troisième édition collective, revue, de ses *Œuvres.*

1698. Racine semble avoir des difficultés financières. Par ailleurs, il semble avoir commis quelque maladresse qui lui vaut la froideur du roi et de Mme de Maintenon. Toujours lié à Port-Royal, il se défend cependant d'être janséniste. Il retire sa fille aînée du monastère, où elle espérait pouvoir être reçue novice, si l'interdiction faite à la communauté sur ce point était levée. Sa fille cadette prend le voile aux Ursulines de Melun (5 nov.).

Rédaction de l'*Abrégé de l'Histoire de Port-Royal* (date exacte inconnue, entre 1695 et 1699).

1699. Mariage de sa fille aînée (7 janv.).

Une maladie grave se déclare, on le dit à l'extrémité (15 mars). Il meurt le 21 avril (diagnostic : abcès au foie). Le lendemain, par autorisation du roi, son corps est transféré à Port-Royal, où il est enseveli, selon ses volontés, près de M. Hamon. (Après la destruction de Port-

Royal, les restes de Racine seront transférés à Saint-Étienne du Mont.)

Le roi donne 1 000 livres de pension à son fils aîné, autant à sa veuve.

A. V.

RACINE POÈTE TRAGIQUE

Aux yeux des hommes de notre temps, Racine est le poète tragique par excellence. La perfection de sa langue, la souplesse de sa rhétorique, la rigueur de sa versification, la violence dominée de son imagination font de sa poétique le modèle de l'art français de l'alexandrin. Les thèmes et sujets qu'il met en œuvre, l'horlogerie de ses intrigues et la transparence de ses dénouements désignent son art dramatique comme l'exemple le plus pur de la tragédie « classique ». C'est à partir de l'œuvre de Racine qu'on a pris l'habitude de définir le tragique, pour l'accepter ou le refuser, et toujours pour en définir les dimensions philosophiques, morales ou simplement psychologiques, voire psychanalytiques. Racine serait la tragédie, comme La Fontaine la fable et Molière la comédie.

Cette vision n'est pas tout à fait conforme à la réalité historique. Il est vrai qu'elle ne se veut point historique, et sépare consciemment le poète de son temps et les textes qu'il a laissés de leur contexte. Elle entend présenter Racine comme un bloc indépendant, à la manière des métopes exposées dans nos musées, et qui sont détachées du temple où elles figuraient, ou des statues qu'on isole du groupe auquel elles s'intégraient. Il semble aux auteurs de cette édition que Racine ne perd rien à être réintroduit dans son époque ni son œuvre à être étudiée comme un moment (sans doute privilégié) de l'histoire d'un genre ou comme un des monuments de l'architecture littéraire du règne de Louis XIV. Il n'est pas sans intérêt à cet égard de noter que Racine débute en 1664, l'année où le roi inaugure Versailles avec les *Plaisirs de l'île enchantée,* que *Phèdre* est représentée à la veille de la paix de Nimègue, qu'*Esther* et *Athalie* ont pour arrière-fond la guerre de la Ligue d'Augsbourg et la deuxième révolution d'Angleterre. Racine a dédié *La Thébaïde* à l'organisateur des *Plaisirs,* offert *Alexandre* au jeune souverain, *Andromaque* à la duchesse d'Orléans, *Bérénice* à Colbert. Il est revenu au théâtre pour servir les desseins, pédagogiques, de Mme de Maintenon et, politiques, de Louis XIV. A la visible insertion de la « carrière » de Racine dans le monde pour lequel il a écrit correspond l'insertion de son œuvre dans le milieu et dans la tradition littéraires auxquels il a conscience d'appartenir.

***

Racine ne s'est pas défini d'abord en opposition à la tradition tragique française. *La Thébaïde,* cinq ans après *Œdipe* de Corneille, désigne un choix : celui de « l'histoire la plus tragique de l'antiquité ». Rival de l'auteur du *Cid,* Racine n'a jamais eu conscience d'opposer un système à un autre ni une philosophie du théâtre à une autre. Il a dit lui-même en recevant Thomas Corneille à l'Académie française (1685) ce que devait son siècle à la restauration de la scène française dont Pierre Corneille avait été l'artisan. Il n'a pas prétendu créer un genre théâtral nouveau; il a voulu seulement, en bon ouvrier, porter à la plus grande perfection possible celui que d'autres avaient pratiqué avant lui. Cette recherche l'engageait sans doute à la lecture et à la méditation des traités théoriques. Il connaissait les poétiques modernes, de Scaliger (1561) à Vossius (1647) et à D'Aubignac (1657). Il avait lu les *Discours* et les *Examens* de Corneille (1660). Il avait étudié Aristote et Horace. Ses préfaces le montrent attaché à une certaine tradition théâtrale comme un croyant est attaché à la tradition d'une église. Il retrouvait en cela l'ambition qui avait été celle de Ronsard dans le domaine de la poésie lyrique; il cherchait lui aussi à transmettre un flambeau. Aussi a-t-il feuilleté et annoté les Grecs et les Latins avec la même passion que le poète de l'*Ode à Michel de l'Hospital.* Il reprochait parfois aux tragiques grecs des manquements à l'idéal qu'ils lui paraissaient implicitement professer. Mais c'est leur exemple et leurs leçons (ainsi que ceux de Sénèque, dont il a moins parlé mais qu'il a également étudié) qui lui ont permis de définir une norme.

Cette norme, il l'a progressivement dégagée dans ses *Préfaces,* en critiquant, chez ses rivaux, Corneille, Pradon ou Quinault, non l'esthétique à laquelle ils se référaient, mais les libertés qu'ils se donnaient en la pratiquant. Des œuvres comme le *Timocrate* de Thomas Corneille ou *La Mort de Cyrus* de Quinault (1656), ou même l'*Œdipe* de Corneille

(1659), qui ont marqué la renaissance du genre après la Fronde, devaient lui apparaître comme autant de trahisons. Privilégiant le « tendre » aux dépens de la « tristesse majestueuse », adaptant volontiers des épisodes de roman au lieu de se tenir à la double voie royale de la mythologie et de l'histoire, accumulant des inventions fantaisistes ou peu vraisemblables, la nouvelle production tragique française prenait apparemment en effet la relève de la tragi-comédie romanesque et semblait oublier le « grand chemin » de la tragédie à l'antique. Ce devait être plus vrai encore des tragédies lyriques, c'est-à-dire des premiers opéras. La querelle d'*Alceste,* en 1674, a donné à Racine l'occasion de préciser sur ce point la doctrine qui était la sienne et de réclamer des adaptateurs modernes, avec la hauteur d'un poète au génie incontesté, le respect scrupuleux des œuvres de l'antiquité et de l'esprit qui les animait.

***

L'HÉRITAGE

Il n'a pas défini la tragédie à partir de la notion de tragique. Comme les hommes de son siècle, et comme Aristote, il a surtout précisé l'esthétique du genre. Pour lui comme pour Molière, la poésie théâtrale a un objet précis, même s'il est difficile à cerner : le « plaisir » du public. La préface de *Bérénice* associe ce plaisir à certaines émotions, qu'avec tout son siècle il nomme des passions. La terreur et la pitié sont dites, dans la préface d'*Iphigénie,* « les véritables effets de la tragédie ». Ce n'est pas qu'il donne à ces mots un sens précisément aristotélicien, ni qu'il les glose à partir de la notion cornélienne de l'admiration. Il les assimile au pathétique, au « plaisir de pleurer et d'être attendris ». C'est ce plaisir-là que procurait en effet à Boileau le spectacle d'*Iphigénie*. Mais l'objet ainsi défini — la « tristesse majestueuse » — renvoie au sujet choisi. L'émotion provoquée est en proportion de la « grandeur » de l'action et du caractère « héroïque » des personnages. Comme l'ode et le poème héroïque, la tragédie est un genre « noble ». Elle ne saurait descendre trop bas (quoiqu'il lui soit dangereux de se guinder trop haut). Les sujets qu'elle met en œuvre doivent inspirer la « révérence ». Cela suppose qu'ils soient *authentiques,* c'est-à-dire reçus par la tradition de l'histoire ou par celle de la légende; qu'ils soient grands, autrement dit qu'ils engagent des actions éclatantes accomplies par des personnages proches des demi-dieux d'Euripide; que leur éloignement dans le temps ou, comme c'est le cas pour *Bajazet,* dans l'espace, impose au spectateur la distance poétique; enfin que malgré cette distance l'homme de ce siècle s'y reconnaisse avec ses passions, ses élans et ses inquiétudes.

Racine est plus de son temps qu'il ne semble. Si son dessein ultime est de donner aux sujets du grand roi et au roi lui-même une idée des splendeurs et des misères autrefois évoquées par ces « grands hommes de l'antiquité » qu'il a, selon la préface de *Britannicus,* « choisis pour modèles », c'est à son siècle qu'il entend s'adresser, et les soucis de convenance et de bienséance lui imposent de parler le langage de ce temps et d'adapter les sujets qu'il traite aux exigences de l'esprit et du cœur des Français ses contemporains.

Pour que ce double projet s'exécute, le génie ne suffit pas. Une double culture est indispensable : celle qui permet de ressusciter les œuvres du passé et celle qui facilite leur compréhension auprès d'un public moderne. Racine se trouve ainsi, quand il réécrit les textes anciens, dans une situation comparable à celle du critique ou du metteur en scène d'aujourd'hui quand ils s'efforcent de faire « passer » ses tragédies devant les hommes du XXe siècle. La culture de Racine est vaste : il connaît Euripide et Sénèque, mais aussi Corneille et Rotrou; il a lu Pausanias, mais aussi Natale Conti, au moins dans sa traduction française du début du XVIIe siècle, ou ses émules mythographes. Dans la recherche des détails utilisables de l'histoire et de la légende, il utilise les historiens du second rayon aussi bien que Tacite ou Suétone et les auteurs les moins connus de *Mythologiae* tout autant qu'Homère, Virgile et Ovide. Stace lui est aussi familier qu'Eschyle et Sophocle. On peut avancer sans imprudence excessive, à son propos, l'expression d'érudition humaniste. Mais cette érudition se double d'une culture moderne presque aussi impressionnante, même si elle est moins avouée. Alexandre « n'avait pas lu nos romans », certes; mais Racine les a lus et utilisés. On sait, par exemple, ce que *Bérénice* et *Bajazet* doivent à Segrais.

L'œuvre apparaît ainsi comme un lieu où se rassemblent un grand nombre d'éléments d'information et d'inspiration, en apparence disparates.

La recherche des sources crée parfois un malaise. On craint d'y voir disparaître l'œuvre ou du moins de détruire son unité. Dans le cas de Racine, cette recherche est imposée par les aveux du poète lui-même. Mais la compréhension de l'œuvre est possible à la seule condition de découvrir quelques-uns au moins des principes ordonnateurs du matériel hérité. Certains d'entre eux ressortissent au contexte social, littéraire et spirituel; d'autres ne peuvent se discerner qu'au terme de l'analyse du texte lui-même. Nous ne proposerons ici que quelques voies d'approche.

Racine n'échappe pas à la « mondanisation » que connaît l'ensemble de la production littéraire après 1650, et dont témoigne, par exemple, l'édition des *Œuvres* de Sarasin par Ménage et Pellisson (1654). Il y a une parenté de ton, de style, parfois d'inspiration, entre Racine et le La Fontaine d'*Adonis* ou de *Psyché,* voire entre Racine et le Molière des fêtes de Vaux et de Versailles. Ce temps est celui de la politesse des manières et de la parole, et de la complaisance à l'expression des sentiments rares, ceux qui, depuis Desportes, tentent les poètes galants du siècle et qu'ils sont parvenus à exprimer sous une forme toujours plus exquise. Il fallait au poète d'*Andromaque,* au départ de ses analyses les plus cruelles, passer par ce langage à la fois exigeant et retenu et montrer qu'il n'ignorait rien des anatomies du cœur humain chères aux héritiers de la préciosité.

De la même manière, Racine avait conscience de l'importance du roman pour l'éducation de la sensibilité des hommes de son époque. Il a refusé, certes, le romanesque outré d'un Magnon, qui, dans son *Tite,* célébrait le mariage et la fuite de Bérénice et de son impérial amant (1660). Mais il comprenait la puissance et l'obstination des rêveries nostalgiques qu'il trouvait dans les premières œuvres de romancières telles que Mme de Villedieu ou de Mme de Lafayette. Une synchronie semble à cet égard remarquable, celle des années 1669-1670 où paraissent *La Religieuse portugaise, Psyché* de La Fontaine, *Zayde,* et les deux œuvres de Racine où s'unissent la recherche des amours parfaites et la conscience des amours impossibles, *Britannicus* et *Bérénice.*

Enfin, Racine connaissait les nouvelles exigences de la

sensibilité religieuse et morale du temps où se préparaient les *Essais* de Nicole et où les maîtres spirituels imposaient une décisive intériorisation de la vie personnelle. Ses personnages se livrent dans le « secret » à des examens de conscience et s'interrogent dans l'intimité de leur cœur sur leur identité. Ils sont un peu disciples de M. Hamon. C'est de là peut-être que vient le reproche que leur a fait Saint-Évremond : ils semblent être des représentants de la « nature » plutôt que de la « condition » humaine.

D'autres accès au théâtre de Racine sont fournis par l'œuvre même. L'un d'eux consiste à rechercher son goût et son discernement dans la confrontation des sources et des tragédies qu'il en a tirées. L'érudition du poète n'a pas fait de son œuvre l'illisible centon qu'elle aurait pu être. A une transmission de la légende et de l'histoire supposant l'accumulation des textes et la multiplication des traditions, le goût de Racine impose décantation et simplification. Il l'amène à ne garder du mythe ou de l'épisode historique que ce qui est conforme, comme il l'écrit à propos du personnage d'Andromaque, « à l'idée que nous [en] avons maintenant ». Autrement dit, Racine ne garde que l'authentique, mais dans la mesure où il peut être accepté par ceux que Molière appelle « les gens de maintenant ». Le goût permet aussi à Racine de donner à son œuvre, aux sources cependant multiples, l'homogénéité dans la manière et l'unité dans l'ordonnance. Racine avait dans sa bibliothèque un Vitruve, dans la traduction de Claude Perrault. Ce que l'architecte romain entendait faire avec les éléments grecs et latins (anciens et modernes déjà), colonnes, chapiteaux, frises et frontons, triglyphes et métopes, Racine l'accomplit dans ses tragédies. Il réduit ses imitations et ses transpositions directes (de quasi-citations) aux pages qu'il juge les plus belles des auteurs qu'il aime le plus, Sophocle ou Euripide, Homère ou Virgile, Tacite ou Suétone. Il insère ses propres inventions dans le tissu hérité de la Fable ou de l'histoire aux lieux exacts où elles pourront faire illusion (on pense ici aux rôles de Junie et d'Eriphile). Il fond en une seule scène une page d'Homère et une page de Virgile, par exemple la vision du sac de Troie et le souvenir des adieux d'Hector dans *Andromaque* : l'unité réside alors dans le mouvement dramatique de l'ensemble et dans la netteté toujours égale de l'expression.

Une autre voie d'accès au théâtre de Racine peut être recherchée dans un regard d'ensemble qui s'efforcerait de définir chaque poème par rapport à tous les autres. On aperçoit les rapports que la branche historique et la branche mythique peuvent entretenir l'une avec l'autre. Les conquêtes d'Alexandre, et ses amours, renvoient à celles d'Énée; *Britannicus* rappelle à la fois le mythe de Daphné et l'histoire des Atrides; *Bajazet,* œuvre à sujet historique moderne, se souvient d'*Hippolyte* et prélude à *Phèdre*. Inversement, la Fable rejoint l'histoire, lointaine ou proche, par le biais de l'évocation de la cité, des malheurs des grands, des rivalités et des complots. Aricie et Junie sont l'une et l'autre parentes de la famille régnante, appartiennent toutes deux à une branche dont le souverain actuel redoute les restes, et toutes deux s'abandonnent à un amour dangereux pour celui qu'elles aiment. Quand Racine aborde la tragédie biblique, il ne le fait pas en rupture avec le drame historique (on a souvent comparé Agrippine à Athalie, et Aman à Narcisse), ni avec le drame mythologique : *Esther* est, comme *Andromaque,* une tragédie de la captivité; le drame conté dans *Athalie* n'est pas sans analogie avec le thème d'*Électre,* naguère adapté à un sujet historique dans *Rodogune* de Corneille. Il se tisse ainsi, entre les œuvres de Racine, des réseaux complexes qui ne sont pas dépourvus de signification. L'unité de son théâtre est comparable à celle de la mythologie grecque et romaine, ou des grandes épopées religieuses de l'Inde. C'est celle d'un monde géographiquement et historiquement ordonné : celui de la Méditerranée orientale. On y passe de l'Italie à la Grèce et au Proche-Orient, avec, dans *Bajazet*, *Esther* et surtout *Alexandre,* une obsession de l'Asie qui restitue les rêves des anciens Latins et Grecs, des Hébreux et des Européens modernes, également sensibles aux brillants et dangereux prestiges de l'Orient. Ce monde où s'affrontent, au long de l'histoire, des civilisations, des cultures, des religions différentes et proches à la fois ressemble à une vaste scène tragique. Les janissaires de *Bajazet* descendent des chrétiens de Byzance. Les pas d'Amurat croisent ceux d'Alexandre ou d'Assuérus. Dans *Mithridate,* l'orient des rois invaincus rencontre l'occident romain et se souvient de la Grèce en sa grandeur, dont le « dernier héros », Philopoemen, est présenté comme ancêtre de Monime. Dans *Bérénice,* les personnages des *Actes des Apôtres* conversent avec ceux de Suétone. L'univers racinien ressemble à celui de *L'Astrée* ou de *Faramond* en ce que s'y rencontrent, dans la guerre et l'amour, dans la cruauté et la tendresse, les diverses mentalités du monde antique tel que le reconstituaient la culture et l'imagination des hommes du XVIIe siècle. Seulement, le vaste tableau brossé par Racine est dépourvu de toute complaisance.

***

MYTHE ET TRAGÉDIE

Le théâtre de Racine repose sur le mythe. L'ancien élève des Petites-Écoles connaissait, sans doute, la fonction rhétorique de ce récit exemplaire, traduction noble d'une idée morale que les animaux de l'apologue ou les épisodes de l'histoire humaine pouvaient d'autre manière exprimer. Toute forme littéraire, au XVIIe siècle, tendait à l'allégorie, c'est-à-dire à la présentation d'une idée par le détour d'un récit orné. Les théoriciens du roman et de l'épopée, de Scudéry au père Le Bossu, se sont expliqués sur ce point. La Fontaine aussi, dans la préface du premier recueil des *Fables*. Mais le fabuliste, en mettant en doute l'univocité du récit ésopique, faisait de ce récit l'objet d'une interrogation et lui restituait son mystère : la fable est à la fois en effet transparence et opacité. De la même manière, Racine a respecté le mystère des histoires d'autrefois. A la conception allégorisante il a substitué une conception herméneutique des légendes et des annales. Comme La Fontaine, il les interroge avec la conviction qu'elles ont encore une signification essentielle, en dépit ou en raison de leurs obscurités. L'imagination inspirée d'Homère ou d'Euripide, ou la méditation de Tacite sur l'histoire, dit à l'homme quelque chose de l'homme. Aujourd'hui, comme au moment de leur conception, leurs récits sont des ensembles cohérents qui n'imposent pas pourtant une interprétation unique. En témoigne, dans beaucoup de cas, l'histoire des gloses et des commentaires qui leur ont été consacrés et qui, d'âge en âge, renouvellent leur intelligence sans en masquer le dessin primitif. Racine sait bien que des transpositions et des adaptations sont indispensables à qui veut préserver l'intelligibilité littérale du récit et la jouissance littéraire qu'il doit procurer. Mais il n'entend pas les trahir sous le prétexte de les rendre accessibles. Leur structure essentielle et leur noyau d'ombre doivent demeurer. On lit dans la préface d'*Iphigénie* : « J'ai reconnu avec plaisir, par l'effet qu'a produit sur notre théâtre tout ce que j'ai imité ou d'Homère ou d'Euripide, que le bon sens et la raison étaient les mêmes dans tous les siècles. Le goût de Paris s'est trouvé conforme à celui d'Athènes. » La « raison » n'est pas ici sans doute faculté de raisonner, mais intuition sensible et intellectuelle à la fois de la cohérence d'un objet. C'est en ce sens que le caractère de Phèdre peut apparaître à Racine comme ce qu'il a « mis de plus raisonnable sur le théâtre », ce dont il rend grâce à son premier créateur. La fidélité au modèle, dans l'intention du moins, ne fait aucun doute. Elle traduit la croyance de Racine en la solidité du mythe et en la permanence de l'esprit humain qui l'interprète.

Sur ces bases assurées, le théâtre de Racine compose pourtant un univers mythique nouveau qui traduit, sans trahir l'héritage, des préoccupations éthiques et esthétiques nouvelles. Réseau complexe dont on ne peut ici que suivre quelques fils.

Aristote donnait, comme exemple d'excellent sujet tragique, le conflit entre frères. Racine a entendu la leçon. La rivalité d'Étéocle et de Polynice est au centre de *La Thébaïde*. Britannicus et Néron, Bajazet et Amurat, Xipharès et Pharnace sont eux aussi frères ennemis, renouvelant l'histoire de Caïn et Abel. Ce thème n'est cependant que l'illustration particulière d'un drame général, qui est l'éclatement douloureux et sanglant de la cellule humaine primitive. Les histoires contées par Racine sont des histoires familiales. Ne reprenons pas l'exemple trop clair de *La Thébaïde*. Notons seulement que, dans toutes les tragédies de Racine, la famille est présentée comme le cadre de conflits fondamentaux. L'époux se sépare de son épouse, l'épouse trahit l'époux, le fils se révolte contre son père, ou renie sa mère. Tous ces éléments, présents dès le départ, se retrouvent encore dans *Athalie*. Racine les a empruntés aux mythes anciens, à l'histoire romaine, aux faits divers récents, à la Bible. Ils ne varient que par leurs motivations. Parmi elles, cependant, la politique joue un rôle essentiel.

Les héros de Racine, en effet, ne sont pas seulement des

personnages d'amoureux auxquels la dignité princière donnerait un éclat supplémentaire. Ils sont tous plongés, de gré ou de force, dans des intrigues d'État qui ne constituent pas un simple arrière-fond. Alexandre est guerrier et conquérant avant d'être amoureux. Il y a un drame politique dans chacune des tragédies qui ont suivi. Rivalités autour d'un trône, comme dans *Britannicus*, *Bajazet*, *Phèdre* et *Athalie;* conflits extérieurs, comme dans *Andromaque*, *Bajazet*, *Mithridate;* intrigues de palais longuement préparées où interviennent des personnages aussi différents que Créon, Agrippine, Acomat ou Aman : les querelles familiales se doublent de combats ouverts où les bons et les mauvais conseillers, les confidents loyaux ou trompeurs, l'aristocratie, le clergé, le peuple entier ont leur mot à dire.

La famille et l'État imposent d'austères devoirs. Les héros positifs de Racine sont fils soumis, sujets loyaux, souverains conscients de l'importance de leur charge. On s'est quelquefois moqué d'eux, et vu de la faiblesse dans la vertu politique de Titus, dans le respect pudique d'Hippolyte pour Thésée, ou dans les égards d'Abner pour Athalie. C'est oublier que le même sérieux, sinon la même vertu, s'attache aux yeux des héros même criminels à la préservation de la cité, à sa grandeur, à ses conquêtes. C'est le mystère de l'ambition, passion tragique par excellence, qui pousse tantôt à la conquête pour soi et tantôt à la conquête pour une communauté. C'est le mystère du pouvoir, qui peut s'entendre tour à tour chez un même personnage comme domination et comme service. De Balzac à Bossuet, les politiques du XVIIe siècle ont mis en garde les princes contre l'abandon au caprice personnel qui les perdrait aussi bien que l'État. Alexandre, Titus, Agamemnon ont conscience de ne pas pouvoir *tout*. Tous trois savent que le poids du pouvoir est plus lourd que leurs sujets ne peuvent l'imaginer. Tous trois rêvent un instant de le rejeter. L'un promet de « borner » ses conquêtes et de vivre auprès de Cléofile. Le second voudrait remonter le temps pour n'être plus que ce prince heureux qui pouvait aimer Bérénice. Agamemnon s'abandonne un moment à la plainte euripidéenne, que Garnier et Rotrou avaient déjà reprise, sur le malheur des grands de ce monde. Vains regrets : on n'échappe pas à son destin héroïque; on n'échappe pas à la condition qui vous a été imposée. Bien plus : ils assument tous trois cette condition, par leur volonté de ne pas déchoir aux yeux de leur famille, de leur peuple, de l'histoire. Agamemnon souffre d'être, comme le Venceslas de Rotrou, père et roi en même temps. Mais si le père en lui s'attendrit aux prières d'Iphigénie, le roi se montre chatouilleux dès qu'il soupçonne Achille de trahison. La tragédie racinienne est écrite d'abord dans la violence d'une situation objective. Les héros y sont contraints à l'action, aux décisions radicales, entraînés dans des conflits qu'ils n'ont pas choisis. Le paradoxe est qu'ils les acceptent et s'y engagent, au nom de la colère, de la vengeance et de la gloire, comme si le monde où ils ont été jetés leur était consubstantiel. Leur condition devient une des faces de leur nature. C'est le sens de l'aveu de Titus à Bérénice au quatrième acte :

> *Tout l'Empire parlait; mais la gloire, Madame,*
> *Ne s'était point encor fait entendre à mon cœur*
> *Du ton dont elle parle au cœur d'un Empereur.*

On lutte plus aisément contre les obstacles extérieurs que contre les obstacles intérieurs.

Ce monde devenu part de l'âme héroïque s'oppose en elle à une autre part, celle où l'être se révèle à soi-même dans son identité profonde. C'est la passion amoureuse qui permet cette révélation. Elle s'associe généralement à la nostalgie de l'innocence originelle, celle de l'univers pastoral qui n'a pas cessé de hanter l'imagination des hommes du XVIIe siècle. Dans les ballets de cour, dans la pastorale aristocratique, dans les prologues de comédies-ballets et d'opéras, et bien sûr dans le roman, de *L'Astrée* à *La Princesse de Clèves,* les poètes et les musiciens se sont efforcés de délasser les rois et les grands en leur faisant rencontrer l'amour simple des bergeries. Non sans en montrer les contradictions et les difficultés. L'amour, même livré à soi, débarrassé des contraintes familiales et politiques, n'est pas un sentiment reposant. Le dénouement heureux des pastorales ne peut masquer les épreuves qui ont précédé, malentendus, tentatives criminelles des rivaux, passages par les ombres de la mort. Du moins permet-il ou promet-il l'éblouissant dialogue du cœur au cœur où les amants se disent à eux-mêmes en se disant l'un à l'autre. La famille et la cité sont les lieux du conflit, de la séparation, de la solitude. Le sentiment amoureux inspire le rêve de l'union, de la transparence mutuelle, de la vie ensemble. Les amours « innocentes » de Britannicus et Junie, Bajazet et Atalide, Hippolyte et Aricie sont présentées au moyen de l'image de la cachette : lieu secret, échappant aux contraintes du reste du monde, et remontant pour ainsi dire le cours de l'histoire humaine en retrouvant la solitude à deux du premier couple avant la chute. La jalousie consiste à soupçonner l'existence de cette cachette, et sa démarche première est de vouloir la surprendre. Ainsi font Néron, Roxane et Phèdre. C'est qu'être ensemble, vivre dans la complicité mutuelle, au besoin comploter contre le monde est aussi le rêve de ceux qui aiment sans être aimés, que les hommes et eux-mêmes jugent ou non leur passion coupable. Les amants raciniens, qu'ils soient ou non aimés en retour, construisent toujours un monde imaginaire où les obstacles disparaîtraient, où la fuite hors de toute contrainte serait possible. Comme dans les romans chers à Magdelon et Cathos, l'amant enlèverait sa dame « à l'ombre des forêts », dans le vaisseau auquel songe Oreste (et où en effet il emmenait Hermione dans l'œuvre d'Euripide), dans le temple saint où Hippolyte rêve d'épouser Aricie. C'est rêver à la fois de l'instant « béni » du premier baiser et de sa perpétuation indéfinie. Mais hors d'un univers pastoral cet instant n'est qu'un instant, quand il arrive, et sa perpétuation n'est pas possible. Elle ne le serait pas même si tous les obstacles disparaissaient. Les amours même parfaites entraînent des malentendus : Bérénice peut soupçonner Titus d'indifférence et Britannicus croire Junie infidèle. L'élan d'Aricie vers Hippolyte est désir de conquête. Surtout, le sentiment amoureux ne peut à lui seul combler une âme. Aux yeux de Racine, le monde pastoral est illusion. L'homme véritable est toujours double. L'intériorisation évoquée plus haut des valeurs mondaines peut bien un temps faire croire qu'amour et héroïsme sont compatibles : c'est l'amour qui a converti Titus aux vertus qu'il professe et pratique. Mais il prend enfin conscience qu'il ne pourra conserver sa stature héroïque qu'à condition de renoncer à son amour. Dans d'autres cas, la légitime ambition du héros l'amène à trahir son sentiment vrai pour exprimer (même si c'est par son silence) un sentiment feint. C'est l'attitude de Bajazet à l'acte III de la tragédie, et l'on sait quelles en sont les conséquences. Le pur élan amoureux, comme le pur élan héroïque, affleure partout dans la tragédie de type racinien.

Mais chacun d'eux tend à se nier lui-même et l'un et l'autre (qui devraient se répondre et s'inspirer mutuellement) s'entre-détruisent. On peut bien imaginer un double code de morale mondaine et de morale amoureuse. On se trouve contraint de les transgresser et de mourir comme Phèdre ou de les respecter ensemble à en mourir comme Hippolyte. Les mythes raciniens mettent ainsi en relief les contradictions en droit insurmontables de l'homme qui sent et de l'homme qui agit, du cœur et de la cité, de la nature et de la condition humaines.

***

DIMENSIONS DU TRAGIQUE RACINIEN

Les drames familiaux, politiques et amoureux où sont engagés les personnages de Racine constituent autant d'histoires, moins simples qu'il ne le prétend, et qui demandent à être interprétées. Les héros ne se chargent pas de fournir eux-mêmes les clefs de leurs aventures, comme ils pouvaient le faire chez Corneille. Le poète les laisse se débattre et succomber au milieu de problèmes insolubles pour eux. Ils ne peuvent jamais entièrement décrypter la situation où ils se trouvent. C'est qu'ici comme dans les *Pensées* la lucidité est interdite sous peine de désespérance. La vérité ne peut se regarder « fixement », pas plus que le soleil ou la mort chez La Rochefoucauld. Le temps où se déroule la tragédie est celui de l'espoir : on veut y croire à la possibilité de l'action, une action précise, souvent aussi intelligemment conçue que dans les tragédies politiques du vieux Corneille. Chaque personnage a un plan, qu'il adapte et modifie au fur et à mesure du déroulement de l'intrigue. Oreste croit savoir comment il parviendra à enlever Hermione; Antiochus se voit pendant quelques instants autorisé à partir avec Bérénice; Acomat bâtit une conjuration très élaborée; Hippolyte, à la nouvelle de la mort de son père, imagine qu'il pourra donner Athènes à Aricie, renvoyer Phèdre en Crète et garder pour lui Trézène; Aman et Mardochée, Athalie et Joad conçoivent des plans opposés mais jouent également en habiles tacticiens. Mais les choses ne se déroulent jamais comme on avait cru être autorisé à les prévoir. Tout acte a des significations secondes qui échappent à celui qui l'accomplit; on croit pouvoir l'assumer en toute clarté et en pleine liberté; on s'aperçoit trop tard des conséquences catastrophiques de l'entreprise, et on se croit alors victime de la mauvaise foi du partenaire, de la persécution des dieux ou des caprices de la fortune. En réalité, chaque personnage est tout à la fois parfaitement responsable de son destin et parfaitement étranger à son accomplissement : c'est le double thème sénéquien de l'imprudence et de la prédestination que retrouve ici Racine. Il en résulte une alternance d'ombre et de clarté, d'espoir et de désespoir, de révolte et de soumission. Ce qui est seulement révélé au dénouement, c'est l'impossibilité de la vie ou du bonheur, c'est-à-dire l'inconfort de la condition humaine.

Mais cette formule générale ne rend pas compte de l'itinéraire particulier que chaque histoire tragique oblige à parcourir. Le texte n'est clair qu'en surface, dans son interprétation immédiate, voire dans l'interprétation de chacun de ses instants. Le style seul lui confère l'apparence du continu. La suite des moments d'une scène ou d'un acte, celle encore des déclarations d'un même personnage est marquée par des ruptures et des reniements. La fréquence des « liaisons » de vue ou de fuite l'atteste d'ailleurs. Ce théâtre est sans doute un miroir de l'histoire humaine; mais c'est un miroir éclaté. Il semble pourtant que Racine veuille dire autre chose que le clair-obscur tragique, et qu'il attende et juge les « connaisseurs » à la découverte de la cohérence de son univers poétique.

Il est vrai que le simple hasard se joue souvent des personnages. Amurat revient trop vite, Néron assiste par simple curiosité à l'arrivée de Junie au palais, une fausse nouvelle fait croire à la mort de Thésée, Mardochée est par hasard informé d'un complot contre Assuérus. Mais ces accidents ont un sens. Alors que les dramaturges du début du XVIIe siècle se contentaient volontiers d'opposer la force du destin à l'imprévu de la fortune, Racine fait la démonstration de leur correspondance, et cette démonstration peut être aperçue des spectateurs attentifs même lorsqu'elle échappe aux personnages de la pièce. Il utilise certes quelques moyens éprouvés, comme les prémonitions, les propos à double entente involontaire, les oracles et les songes. Mais il prend soin aussi, dans la marquetterie de l'invention thématique, de mettre en évidence l'enchaînement secret des événements sous leurs apparents caprices. Il ne se contenterait pas de conter l'histoire trop claire et trop brutale d'Œdipe, bien que cette histoire le hante. Il entend accumuler les signes de cette « destinée » dont Théramène dit qu'on ne peut la « vaincre », ces signes ne devant prendre signification qu'*in extremis,* au dernier vers de la tragédie. L'étrange est que ces signes sont fréquemment liés à des thèmes seconds, que le fondu du poème fait confondre avec des images sans rapport avec la suite des accidents qu'elles accompagnent. L'exemple le plus remarquable de ce procédé est peut-être l'aventure d'Hippolyte. Pourquoi le jeune prince meurt-il? En apparence à la suite du malentendu qui a trompé Thésée. C'est d'ailleurs l'explication apportée par la légende recueillie par Racine. Un second niveau d'interprétation fait intervenir Phèdre : sur le point de s'accuser, elle y renonce par dépit, en apprenant l'amour d'Hippolyte et Aricie. Le poète à ce niveau déjà adapte à ses desseins la tradition euripidéenne. Il rend l'amour doublement responsable de cette mort : non seulement la passion adultère de Phèdre, mais aussi l'amour innocent des jeunes gens. Mais Racine a encore compliqué les choses comme pour imposer cette interprétation. A plusieurs reprises apparaît le thème de l' « art par Neptune inventé », c'est-à-dire l'art de dresser et de mener les chevaux. Or, dès la première scène, on apprend qu'Hippolyte, victime de sa mélancolie amoureuse, ne pratique plus cet art : il ne sait plus « faire voler un char sur le rivage », de même qu'il ne sait plus chasser. Au dénouement, le héros retrouve bien sa fougue de sportif en maîtrisant le monstre (effet d'ironie : il est ainsi semblable à son père débarrassant les rivages des monstres qui les infestaient, et c'est pour le récompenser de ces exploits que Neptune a promis à Thésée d'accomplir le premier vœu qu'il lui adresserait). Mais ses chevaux ne reconnaissent pas sa voix, et Hippolyte semble puni d'avoir oublié le noble art de la cavalerie pour s'abandonner à sa passion pour Aricie.

On voit comment peut se traduire, dans les événements et dans leur liaison, la diversité et l'unité harmonique des thèmes. L'amour est au départ, la mort est à la fin : mais le lien de cause à effet de l'un à l'autre n'est pas affirmé par un discours moral : il s'exprime par plusieurs séries d'événements enchaînés et s'appelant les uns les autres qui ont, de plus, le double avantage de renvoyer à une vivante réalité et d'avoir valeur de métaphores.

Au-delà de ces enchaînements particuliers, c'est tout un réseau de significations qui se tisse et manifeste la présence au monde d'une volonté plus puissante que toute volonté humaine. Le destin qu'elle impose à des personnages hors du commun et presque hors de l'humain a valeur de leçon pour des spectateurs qui ne sont pas, eux, des personnages tragiques parce qu'ils ne sont pas des demi-dieux (comme Thésée, ou comme Titus fils du « dieu » Vespasien). Leçon de prudence sans doute, et de prudence stoïcienne. Peut-être aussi leçon de piété. Et par là encouragement à l'audace.

Il n'y a pas de véritable rupture entre les tragédies profanes et les tragédies bibliques de Racine. Racine a comme joué à cache-cache avec Dieu tout au long de sa carrière. Malgré les prophéties et les oracles, il a, avec l'aide paradoxale d'Antigone, désacralisé *La Thébaïde*. Mais il a fait d'Alexandre, dans sa seconde tragédie, un personnage divin, annonçant les pages de Bossuet dans l'*Oraison funèbre du Prince de Condé* sur ces héros que Dieu « a faits pour éclairer ce grand théâtre du monde ». *Andromaque* paraît illustrer une révolte contre la Némésis. Mais *Britannicus* fait intervenir (par le choix délibéré du poète) le divin Auguste et la déesse Vesta dans le salut accordé, dans la retraite, à Junie. *Bajazet* paraît assimiler les dieux et le plus sombre destin. Mais *Mithridate* fait assister le spectateur à une sorte de rédemption par le sacrifice consenti de Monime et par la conversion ultime du héros aux vertus de tendresse désintéressée et de pitié intelligente. Ces hésitations disparaissent pourtant avec *Iphigénie* et *Phèdre,* œuvres totalement investies par le sacré, et préparant de ce fait, consciemment ou non, les tragédies bibliques. Corneille avait évoqué, dans le *Discours de la Tragédie,* une formule tragique inconnue d'Aristote : celle qui montre « un homme très vertueux », « persécuté par un très méchant », mais qui « échappe du péril où le méchant demeure enveloppé ». Il citait comme exemples *Rodogune* et *Héraclius*. Dans le même *Discours,* il définissait autrement le même type d'action, en parlant de ceux qui, voulant perdre leur ennemi, « connaissent, entreprennent et n'achèvent pas ». Il ajoutait qu'un tel schéma n'était acceptable qu'à la condition que les agresseurs soient « empêchés d'en venir à l'effet par quelque puissance supérieure, ou par quelque changement de fortune qui les fait périr eux-mêmes, ou les réduit sous le pouvoir de ceux qu'ils voulaient perdre ». Ce genre d'intrigue, tout moderne, a tenté Racine dès *Alexandre,* où Taxile périt dans l'action même où son adversaire Porus devait tomber. Il en a gardé quelques traces dans certaines des tragédies qui ont suivi : qu'on songe au triomphe final d'Andromaque (notamment dans le texte définitif de la tragédie), à la fuite de Junie, à la victoire chèrement acquise de Xipharès sur Pharnace. Pourtant ce qui l'emporte encore dans les œuvres évoquées, c'est le côté sombre du dénouement; c'est aussi et surtout le déchirement intérieur de personnages bons et méchants à la fois, bourreaux et victimes tour à tour, alternativement lucides et aveugles. Les perspectives (ou le dosage des éléments) changent avec *Iphigénie* et *Phèdre,* qui peuvent s'interpréter, moyennant d'importantes retouches, à partir des formules de Corneille. De plus, ce sont les éléments inventés par Racine qui assurent la parenté de ces deux tragédies avec *Rodogune* ou *Nicomède*. Ici et là, un personnage (Ériphile, Phèdre) poursuit un rival (Iphigénie, Aricie) qui près d'être vaincu se voit enfin « justifié » au sens spirituel du terme, c'est-à-dire sauvé par le ciel et proclamé innocent : Iphigénie est consacrée par Diane, Aricie proclamée « fille » de Thésée. Une sorte de contagion du salut agit en faveur d'Agamemnon et d'Achille, et d'Hippolyte, sorte de martyr dont Racine savait que l'Antiquité grecque avait fait une divinité. Quand il écrit ses tragédies bibliques, Racine retrouve une action analogue, à ceci près que les raisons de la poursuite ne sont plus amoureuses, mais politiques : Aman poursuit Mardochée; il est sur le point de l'emporter; l'intervention divine, par l'intermédiaire d'Esther, renverse la situation, et c'est Aman qui périt. Athalie, secondée par Mathan, poursuit Joad et son double royal Joas; l'inspiration divine impose ici aussi un ultime retournement qui place Joas sur le trône et consacre la puissance spirituelle du prophète.

Ces histoires providentielles ont un sens. Racine paraît les interpréter comme autant de moments d'une Histoire menée par Dieu. Dans les sombres comme dans les heureux épisodes de cette geste divine, le Verbe ne se cache que pour agir plus efficacement. Les combats entre humains et leurs réconciliations doivent être envisagés en effet sous le regard de l'éternel : si l'on voit bien que la mythologie est exemplaire, on devine aussi que l'instant où l'histoire devient tragédie fixe à jamais une vérité intemporelle et que le clair-obscur des chroniques sacrées prend sens dans la perspective du salut.

Il peut sembler paradoxal, dans cette perspective, que le théâtre de Racine naisse à l'espérance avec *Iphigénie,* au moment où le théâtre de Corneille sombre dans la mélancolie avec *Suréna.* Il faut certes nuancer. Jamais Racine ne manque de mettre en évidence le caractère irréparable de la catastrophe tragique. Inversement, il a toujours introduit dans ses œuvres une dimension providentialiste qui prend sens avec *Bérénice* (« servons tous deux d'exemple à l'univers... ») avant de se faire consciente de soi dans les dernières tragédies mythologiques ou d'éclater dans les drames bibliques. L'urgence du danger n'est que la cellule première du temps racinien. Au-delà sourd une première espérance, fragile et vaine comme le « papillon de mai » du *Bateau ivre,* celle de la fuite ou du secret refuge. Plus loin, c'est la violence connue, le monde accepté, le « devoir » assumé dans la mélancolie, la mort dont le souffle semble tout détruire. Plus loin encore, dans certains aspects du dénouement, Racine place une pierre d'attente vers un espoir plus fondamental : c'est Junie sauvée, Aricie adoptée, Iphigénie choisie par Diane, Esther et Mardochée reconnus et Joas consacré. Au-delà, nouveau clair-obscur, alternance de l'échec et de la réussite : les Juifs d'*Esther* vont se faire massacreurs (c'est dit avec la pudeur d'expression qui convient aux lèvres des petites filles de Saint-Cyr), le jeune Eliacin va se révéler comme un tyran et faire périr son frère d'adoption Zacharie. Mais tout au bout il y a la lumière : splendeur d'Athènes, gloire de Rome, éclat de la « Jérusalem Nouvelle », peut-être aussi grandeur de la France, héritière de tous ces « temps » antiques.

La tragédie de Racine présente des actes décisifs longuement préparés et destinés à retentir en longs échos, tour à tour sinistres et heureux, dont l'essentiel est donné dans le discours tragique lui-même, à l'intérieur de l'œuvre. Le poète y convoque le passé. Hautement, sans tromper le spectateur, Agrippine, Roxane, Phèdre et Athalie disent d'où elles viennent, ce qu'elles ont été, ce qu'elles ont fait. Le présent de l'acte accompli par Néron, Assuérus ou Joad prépare leur avenir et celui de l'histoire où ils s'insèrent. Ainsi se rassemblent les divers éléments d'un mystère du devenir de l'homme.

Mais l'homme tragique par excellence, c'est le prince. L'œuvre de Racine constitue un long dialogue avec Louis XIV. Elle lui donne à voir les grandeurs et les faiblesses, les bonheurs et les échecs des hommes qui sur terre sont les plus proches de Dieu. Le roi, personnage tout-puissant mais exposé à toutes les tentations, élu par Dieu mais parfois repoussé par lui, est dans la tragédie moderne ce que le héros ou demi-dieu était dans les œuvres d'Euripide : l'homme exemplaire parce que résumant la communauté dont il est responsable, pouvant plus radicalement que tout autre choisir le Bien ou le Mal, portant plus que tout autre le poids de la responsabilité. Racine, comme tant de ses contemporains, a été ébloui et effrayé à la fois par la splendeur fascinante et dangereuse du Roi-Soleil : il voyait en lui, dirait-on, l'incarnation des grandeurs et des misères de l'homme.

J. M.

GERMANIE
GAULE
PANNONIE
Sarmates
Scythes
Chersonèse
taurique
DACIE
ILLYRIE
Tibre
Danube
Pont·Euxin
Rome
Ostie
MACEDOINE
Pella
THRACE
Byzance
EPIRE
Hellespont
BITHYNIE
Troie
Gordion
Aulis
Egée
IONIE
PHRYGIE
Thèbes
COMAGENE
Carthage
Corinthe
Athènes
Ephèse
Issos
Trézène
SILICIE
Cap
Ténare
Antioche
NUMIDIE
RHODES
LIBAN
CRETE
CHYPRE
Damas
Tyr
Jourdain
Philistins
Jérusalem
JUDÉE
CYRENAÏQUE
Alexandrie
EGYPTE
Nil
Golfe Arabique

Le monde des tragédies de Racine

NOTE BIBLIOGRAPHIQUE

N. B. On n'a retenu ici qu'un petit nombre d'ouvrages destinés à faciliter la compréhension immédiate du texte, et à ouvrir quelques voies à son interprétation. Les études consacrées particulièrement à une œuvre figurent en tête des notes qui la concernent. On trouvera à la fin du volume, dans le dossier *Racine aujourd'hui,* une présentation commentée des principaux travaux qui, depuis une trentaine d'années, ont contribué au renouvellement de la critique racinienne.

1. Ouvrages d'introduction et de synthèse :

Jacques MOREL, *Racine,* Paris, Bordas, 1991, pour une présentation d'ensemble. Pour une synthèse sur la réception de Racine du XVIIIe siècle à nos jours : Jean ROHOU, *Jean Racine, Bilan critique,* Paris, Nathan, 1994.

2. Bibliographies :

Gustave LANSON, *Manuel bibliographique de la littérature française,* Nouvelle édition, Paris, 1921. Travail prolongé par Jeanne GIRAUD, *Manuel de bibliographie littéraire pour les XVIe, XVIIe et XVIIIe siècles français,* trois volumes : I, Paris, 1939, 2e éd. 1958 (1921-1935); II, Paris, 1956 (1936-1945); III, Paris, 1970 (1946-1955).

D. C. CABEEN et J. BRODY, *A Critical Bibliography of French Literature,* vol. III, éd. par Nathan EDELMAN, Syracuse Univ. Press, 1961. Travail prolongé par un supplément en cours de publication sous la direction de H. G. HALL.

Al. CIORANESCU, *Bibliographie de la Littérature française du XVIIe siècle,* 1965-1966.

On complétera, pour les dernières années, avec les bibliographies courantes de René RANCŒUR, depuis 1948 *(Rev. d'Hist. litt.),* de Fr. W. GRAVIT et autres, depuis 1953 *(Publ. of the Modern Langu. Association),* d'Otto KLAPP, depuis 1956 (Francfort), et par les dossiers bibliographiques de la *Revue d'Hist. du Théâtre* (depuis 1948).

Touchant Racine lui-même, Edw. E. WILLIAMS, *Racine depuis 1885, Bibliographie raisonnée,* Baltimore, 1940. A compléter notamment avec les collections des *Cahiers raciniens* et de *Jeunesse de Racine.*

3. Principales éditions :

Demeurent utiles les éditions de N. M. BERNARDIN, Paris, Delagrave, 1882 et de P. MESNARD, Hachette, 1885-1888.

Éditions récentes : R. PICARD, Bibl. de la Pléiade, N.R.F., 1951, 1952; P. CLARAC, éd. du Seuil, 1962; J.-P. COLLINET, Gallimard; Coll. «Folio», 2 vol., 1983.

4. Biographie :

G. BRERETON, *Jean Racine, a critical Biography,* Londres, 1951; R. PICARD, *La Carrière de Jean Racine,* Paris, 1956 (éd. revue et complétée, 1961); A. VIALA, Racine, *La stratégie du caméléon,* Paris, Seghers, 1990; J. ROHOU, *Jean Racine,* Paris, Fayard, 1991.

5. Documentation :

A. J. GUIBERT, *Bibliographie des œuvres de Racine publiées au XVIIe siècle,* Paris, C.N.R.S., 1970; R. PICARD, *Nouveau Corpus Racinianum,* Paris, C.N.R.S., 1976.

6. Sources :

R. C. KNIGHT, *Racine et la Grèce,* Paris, 1950; R. W. TOBIN, *Racine and Seneca,* Univ. of North Carolina Press, U.S.A., 1971.

7. Vocabulaire et style :

P. FRANCE, *Racine's Rhetoric,* Oxford, 1965; Br. C. FREEMAN et Al. BATSON, *Concordance du théâtre et des poésies de J. Racine,* Ithaca, U.S.A., 1968.

8. Principales études sur le théâtre de Racine :

Th. MAULNIER, *Racine,* Paris, 1935; P. MOREAU, *Racine, l'homme et l'œuvre,* Paris, 1943; G. MAY, *Tragédie cornélienne, tragédie racinienne,* Urbana (Illinois, U.S.A.), 1948; E. VINAVER, *Racine et la poésie tragique,* Paris, 1951 (éd. augmentée, 1961); J. POMMIER, *Aspects de Racine,* Paris, 1954; J. LAPP, *Aspects of racinian Tragedy,* Toronto, 1956 (nouv. édition, 1964); J. HUBERT, *Essai d'exégèse racinienne,* Paris, 1956;

Ph. Butler, *Classicisme et baroque dans l'œuvre de Racine,* Paris, 1959; O. de Mourgues, *Autonomie de Racine,* Paris, 1967; M. Gutwirth, *J. Racine, un itinéraire poétique,* Montréal, 1970; M. Delcroix, *Le Sacré dans les tragédies profanes de Racine,* Paris, 1970; M. Edwards, *La Tragédie racinienne,* Paris, 1972.

On situera Racine dans l'histoire de la tragédie française en utilisant : G. Lanson, *Esquisse d'une histoire de la tragédie française,* Paris, 1927; J. Morel, *La Tragédie,* Paris, 1964; J. Truchet, *La Tragédie classique en France,* Paris, 1975.

9. Interprétations :

L'histoire de la critique racinienne a fait l'objet de nombreuses publications : R. C. Knight, *Racine, Modern Judgments, selection of critical Essays,* Londres, 1969; M. Descotes, *Racine,* Bordeaux, 1969; J. J. Roubine, *Lectures de Racine,* Paris, 1971; *Actes* du 2e colloque de Marseille, Marseille, 1973.

Des mises au point ont été proposées dans les *Actes du premier colloque international racinien,* rassemblés par J. Dubu, Uzès, 1962 et dans *Racine, Mythes et Réalités,* Actes d'un colloque tenu à London (Canada) rassemblés par C. Venesoen (Paris et London, 1976). Les ouvrages qui, depuis une vingtaine d'années, ont suscité le plus d'enthousiasme et le plus grand nombre de controverses sont ceux de L. Goldmann, *Le Dieu caché,* Paris, 1956; Ch. Mauron, *L'Inconscient dans l'œuvre et la vie de Jean Racine,* Aix, 1957 (rééd. Paris, 1969); R. Jasinski, *Vers le vrai Racine,* Paris, 1958; R. Barthes, *Sur Racine,* Paris, 1963.

Parmi les ouvrages récents sur la dramaturgie, on retiendra notamment (en regrettant de ne pouvoir mentionner tous les articles sur ce sujet) : J. Scherer, *Racine et/ou la cérémonie,* Paris, PUF, 1982. Parmi les ouvrages touchant aux questions de style, de même : L. Spitzer, *Etudes de style,* Gallimard, 1972, pour le chapitre consacré à Racine et à l'« effet de sourdine » qui selon lui caractérise son écriture.

Ce recueil d'illustrations est directement lié au dossier « Racine aujourd'hui ». Les clichés y sont donc classés par ordre chronologique des mises en scène. Chacun est accompagné de l'indication de la page où se trouve la notice correspondante dans le dossier. La place limitée nous contraint à ne citer que certains noms d'acteurs.

Nous prions les autres de nous en excuser.

Cl. Roger Viollet.

1. — PHÈDRE
M.e.s. G. Baty, 1939 (v. p. 784).
Acte II, scène III. M. Jamois dans le rôle de Phèdre.

Cl. Roger Viollet.

2. BÉRÉNICE
M.e.s. J.-L. Barrault, 1955 (v. p. 784).
Acte V, scène finale. J.-L. Barrault, Marie Bell, J. Dacqmine.

Cl. Roger Viollet.

3. — PHÈDRE
M.e.s. J. Vilar, 1957 (v. p. 784).
Acte II, scène III. Maria Casarès, Michel Piccoli.

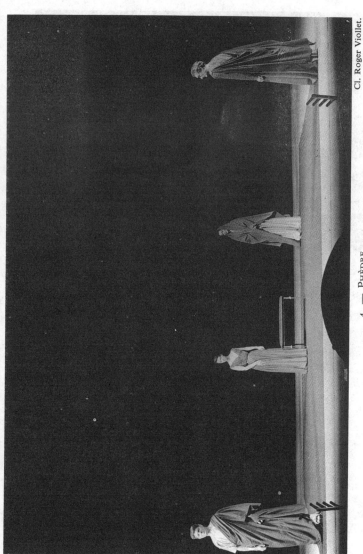

Cl. Roger Viollet.

4. — PHÈDRE
M.e.s. J. Vilar.
Acte V, scène finale. Alain Cuny, Maria Casarès, J. Vilar (Thémamène).

Cl. Roger Viollet.

5. — Décor de PHÈDRE
M.e.s. J. Meyer, 1959 (v. p. 789)

Cl. Roger Viollet.

6. — PHÈDRE
M.e.s. J. Meyer.
Acte III, scène II. J. Marchat (Thésée).

Cl. Roger Viollet.

7. — ANDROMAQUE
M.e.s. P. Dux, 1964 (v. p. 787).
A. Falcon, G. Descrières, Louise Conte, T. Marney,
une photo d'avant-première.

Cl. René Basset.

8. — Décor de BÉRÉNICE
M.e.s. R. Planchon, 1966. 1970 (v. p. 790).

Cl. René Basset.

9. — Bérénice
M.e.s. R. Planchon.
Acte II, scène III. Marc Michel, dans le rôle de Titus, F. Bergé et Christiane Lénier.

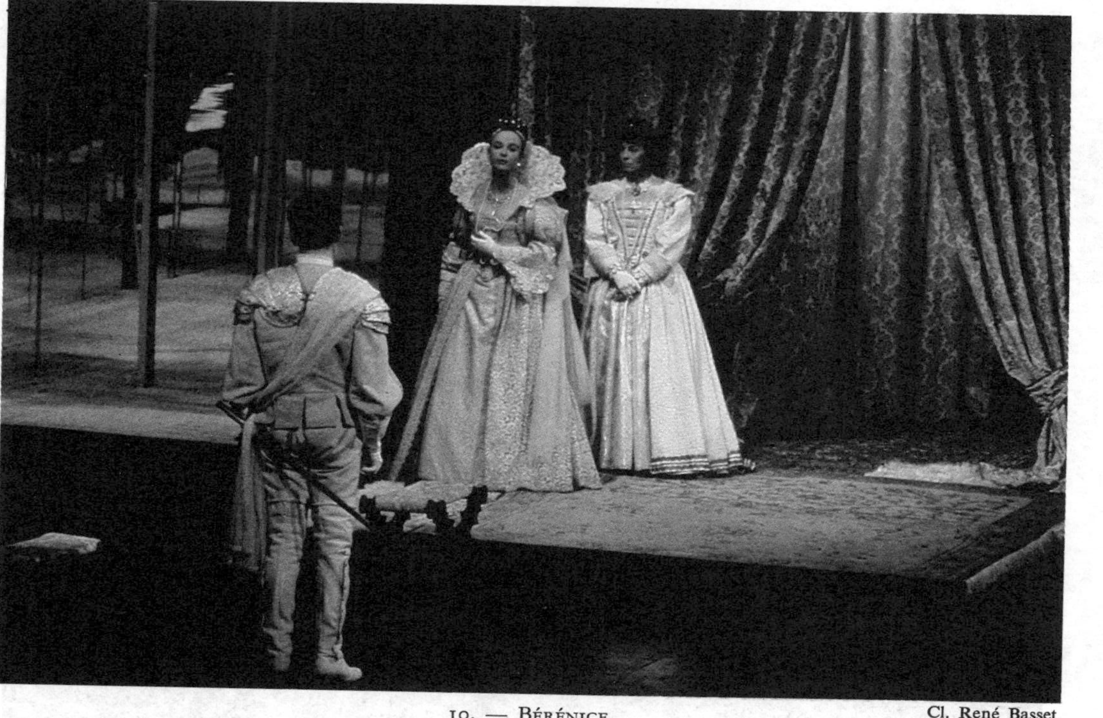

Cl. René Basset.

10. — Bérénice
M.e.s. R. Planchon.
Acte IV, scène v. Francine Bergé dans le rôle de Bérénice, Marc Michel et C. Lénier.

Cl. Roger Viollet.

11. — Bajazet
M.e.s. J. Gillibert, 1974 (v. p. 788).
Acte I, scène II. Maria Casarès dans le rôle de Roxane.

Cl. Roger Viollet.

12. — ANDROMAQUE
M.e.s. J.-P. Roussillon, 1974 (v. p. 784).
J.-P. Roussillon (au centre), J.-L. Boutté.

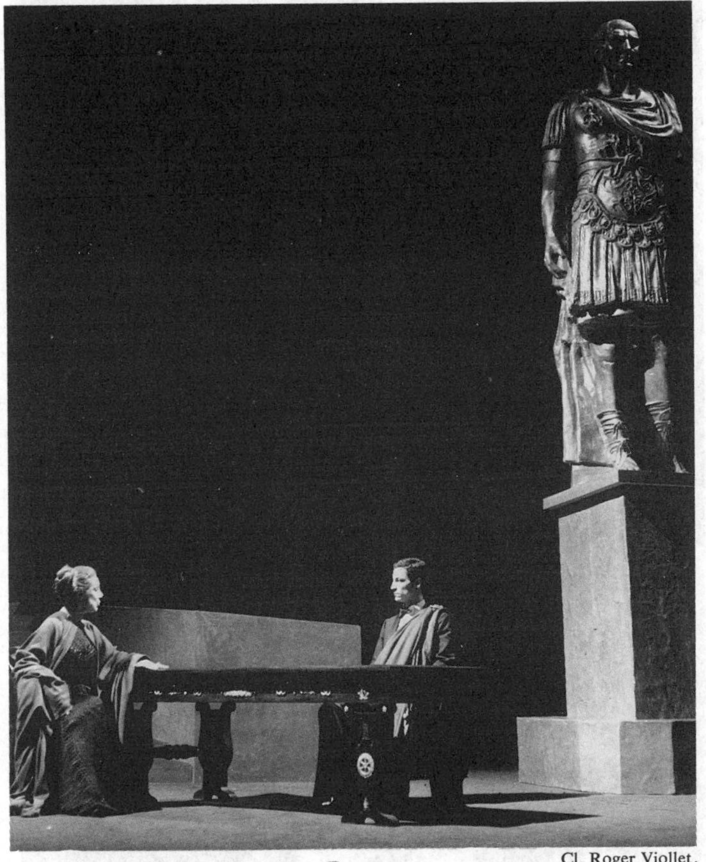

Cl. Roger Viollet.

13. — Britannicus
M.e.s. J.-P. Miquel, 1978 (v. p. 788).
Acte IV, scène II. D. Gence, J.-L. Boutté.

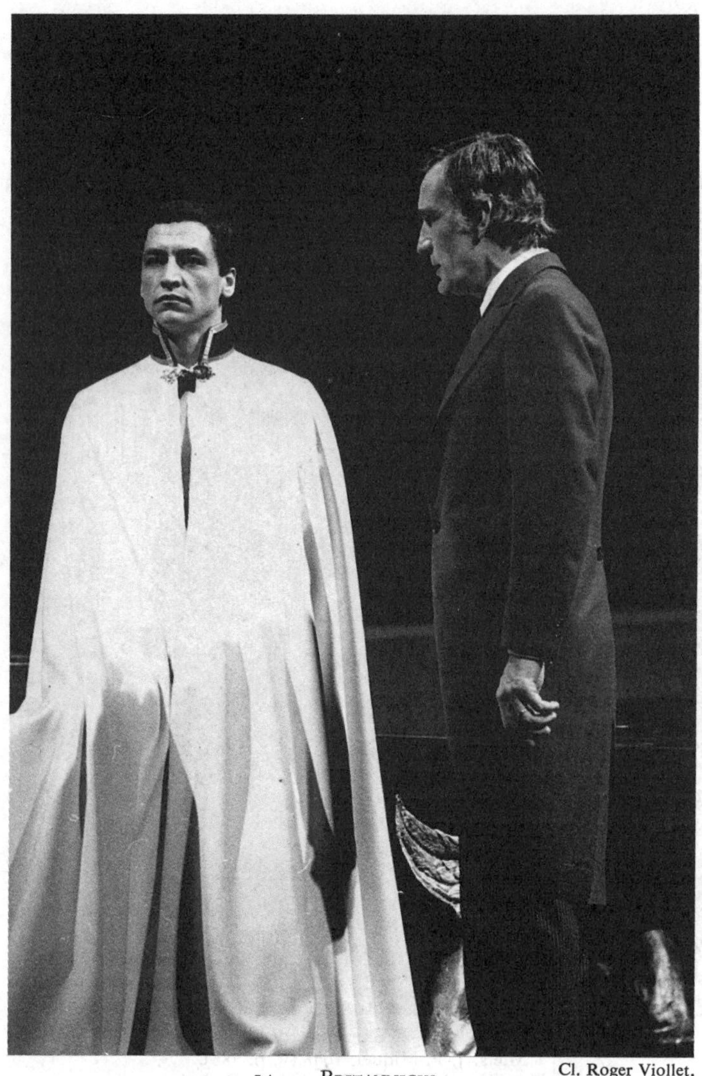

Cl. Roger Viollet.

14. — BRITANNICUS
M.e.s. J.-P. Miquel, 1978.
Acte IV, scène III. J.-F. Rémi dans le rôle de Burrhus.

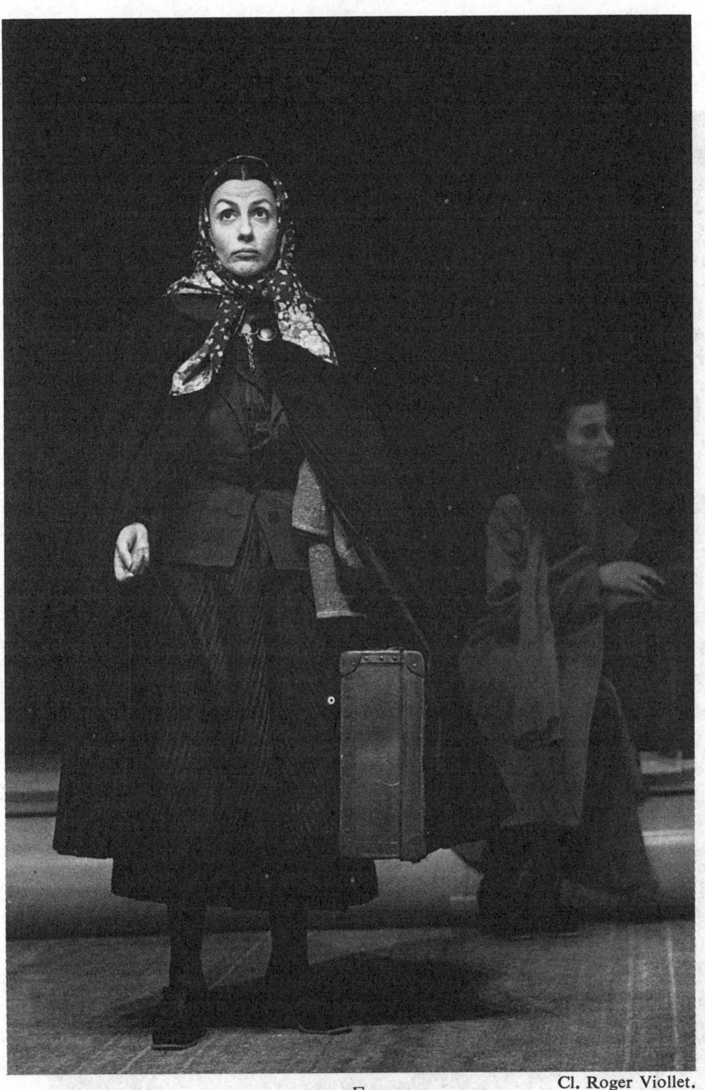

Cl. Roger Viollet.

15. — Esther
M.e.s. J. Baillon, 1978 (v. p. 789).
Prologue (C. Athanassiou).

Photo Michel Sarti.

16. — ATHALIE

M.e.s. R. Planchon, 1980 (v. p. 791).

Prologue, G. Desarthe (tête nue) dans le rôle de Mathan et C. Rist dans celui de l'Ange.

THÉATRE COMPLET

DE

RACINE

LA THÉBAÏDE

OU LES FRÈRES ENNEMIS [1]

TRAGÉDIE

LA THÉBAÏDE

La Thébaïde ou les Frères ennemis fut représentée pour la première fois le 20 juin 1664 par la troupe de Molière au théâtre du Palais-Royal. Le succès fut très moyen : au cours de la première saison, la pièce eut dix-sept représentations (dont trois en « visite »), chiffre très honorable pour une première pièce, mais avec des recettes assez faibles. Elle fut éditée à la fin d'octobre, sans préface, puis reprise dans les éditions collectives de 1676 — avec une préface — 1687 et 1697. Au fil des éditions, Racine la revoit et la retouche : l'importance des variantes montre que le Racine de la maturité ne reniait nullement cette première création, mais qu'il essayait de la rendre plus conforme au modèle des œuvres de sa pleine gloire.

Une tradition voudrait que la pièce ait été commandée par Molière qui, en outre, en aurait fourni le canevas. Nous disposons de lettres de Racine datant de la période où il rédige ses *Frères ennemis* mais, pas plus que la préface de 1676, elles ne permettent de rétablir le détail exact des faits. On n'a aucune raison de penser que Molière soit intervenu dans la conception même : Racine parle assez souvent de lui dans ses lettres, et jamais il n'y fait une quelconque allusion à une collaboration de cet ordre. Y avait-il, pour le moins, eu commande? Partant des mêmes textes, les historiens de la littérature arrivent à des conclusions opposées. Certains, à la suite de P. Mesnard, pensent que Racine avait d'abord destiné sa pièce à l'Hôtel de Bourgogne, car dans une lettre (déc. 1663) il écrit : « On promet depuis hier *La Thébaïde* à l'Hôtel. » R. Picard, remarquant que le titre le plus employé pour désigner la pièce de Racine au XVIIe siècle est celui des *Frères ennemis,* croit que la *Thébaïde* annoncée à l'Hôtel de Bourgogne serait une pièce de Boyer (*Carrière*... p. 104); Racine se trouverait ainsi, dès ses débuts, engagé dans ces rivalités théâtrales qui sont si fréquentes au long de sa carrière. A considérer une nouvelle fois les documents d'époque, on ne peut conclure pour l'une ou l'autre de ces hypothèses.

Mais on peut en tirer quelques renseignements intéressant la genèse de l'œuvre. La pièce est déjà bien avancée dès l'automne 1663; jusqu'à la représentation Racine a donc le temps de la polir. Au cours de la rédaction, il modifie parfois de façon considérable l'économie d'ensemble : ainsi une première version faisait tirer les épées sur scène et Racine a dû retrancher deux cents vers pour les faire rengainer. Ce détail appelle deux remarques. Tout d'abord, il montre que Racine, dès sa première pièce, a le souci de respecter scrupuleusement les bienséances et que, si dans un premier mouvement il avait utilisé des procédés admis à la génération précédente mais qui ne le sont plus dans les années 1660, il n'hésite pas à reprendre tout un acte pour s'y conformer exactement. D'autre part, lorsque Racine parle de ces corrections, il emploie la première personne (même s'il mentionne aussi des avis amicaux) : la tradition selon laquelle il aurait été dirigé n'est pas recevable; et quand il parle dans sa préface des « personnes d'esprit » qui l'incitent à traiter ce sujet, ce n'est sans doute que clause de style (de celles dont Furetière se gaussait, tant elles étaient répandues et conventionnelles).

Dans sa préface, Racine avoue deux modèles : les *Phéniciennes* d'Euripide et *l'Antigone* de Rotrou. Il ne faut pas perdre de vue que cette préface date de 1676; elle n'est pas le fait du débutant, mais une sorte de justification que le poète sûr de sa gloire apporte, après coup, à une première œuvre dont il reconnaît les faiblesses. On a tout lieu de penser qu'outre les deux textes qu'il cite, il connaissait la *Thébaïde* attribuée à Sénèque, qui l'a peut-être plus influencé que ne le laisserait croire le mépris qu'il affiche à son endroit, celle de Stace également, et aussi *Les Sept contre Thèbes* d'Eschyle, *L'Antigone* de Sophocle et celle de Garnier (1580) : on le voit, loin de chercher à faire preuve d'originalité dans le choix de son sujet, Racine en reprend un fort connu et maintes fois illustré et un thème — la haine entre frères — qu'Aristote recommandait. Aussi — l'ultime péripétie du mythe œdipien étant assez célèbre pour qu'on ne l'analyse pas ici — est-il intéressant de voir ce que le Racine de 1676 met en avant dans sa première création, par rapport aux modèles qu'il avoue : il a cherché l'intensité et l'unité. De fait, les annotations qu'il portait dans les marges de son exemplaire des *Phéniciennes* concernaient souvent les moments où l'action languit; quant à Rotrou, il lui reproche la duplicité d'action d'*Antigone*. Dans cette pièce, après la mort des deux frères, on assistait encore à l'affrontement de Créon et d'Antigone au sujet de la sépulture de Polynice. Racine au contraire fait se succéder les morts des protagonistes en un temps très court, concentrant à l'extrême l'action et l'intérêt dramatique.

Certes cela ne va pas sans maladresses. Racine reconnaît lui-même que la fin est excessivement sanglante. Les caractères sont assez sommairement dessinés, la duplicité cynique de Créon choque la vraisemblance. A plusieurs reprises, il suit les modèles de la dramaturgie cornélienne : discussions politiques, stances (V, 1)... Mais ceux-ci paraissent en porte à faux puisque l'action n'est pas soutenue par les débats intérieurs des protagonistes, mais par une alternance de détresse et d'espérance, au fil de la réalisation d'une volonté divine qu'ils ne peuvent que subir (voir v. 397-400); enfin, la passion amoureuse semble ici introduite artificiellement.

Racine, conscient de ces défauts, ne renie pourtant pas *La Thébaïde*. Au contraire, il s'efforce de l'amender. Pourtant, elle n'a sur la scène qu'une carrière des plus modestes : la brouille entre l'auteur et Molière qui survient l'année suivante la rejette dans l'ombre. Après la réunion des troupes à la Comédie-Française en 1680, elle n'est reprise que de loin en loin. Peut-être le soin particulier que Racine donne à cette tragédie, lors des éditions collectives, tient-il aux thèmes essentiels qui l'animent et qui animeront tout son théâtre ensuite : haine entre les frères, rivalité amoureuse entre père et fils, et responsabilité de la mort de la mère imputée au fils.

A. V.

A MONSEIGNEUR
LE DUC DE SAINT-AIGNAN [2]
PAIR DE FRANCE.

MONSEIGNEUR,

Je vous présente un ouvrage qui n'a peut-être rien de considérable que l'honneur de vous avoir plu. Mais véritablement cet honneur est quelque chose de si grand pour moi que, quand ma pièce ne m'aurait produit que cet avantage, je pourrais dire que son succès aurait passé mes espérances. Et que pouvais-je espérer de plus glorieux que l'approbation d'une personne qui sait donner aux choses un juste prix, et qui est lui-même l'admiration de tout le monde? Aussi, MONSEIGNEUR, si la *Thébaïde* a reçu quelques applaudissements, c'est sans doute qu'on n'a pas osé démentir le jugement que vous avez donné en sa faveur; et il semble que vous lui ayez communiqué ce don de plaire qui accompagne toutes vos actions. J'espère qu'étant dépouillée des ornements du théâtre, vous ne laisserez pas de la regarder encore favorablement. Si cela est, quelques ennemis qu'elle puisse avoir, je n'appréhende rien pour elle, puisqu'elle sera assurée d'un protecteur que le nombre des ennemis n'a pas accoutumé d'ébranler. On sait, MONSEIGNEUR, que si vous avez une parfaite connaissance des belles choses, vous n'entreprenez pas les grandes avec un courage moins élevé, et que vous avez réuni en vous ces deux excellentes qualités qui ont fait séparément tant de grands hommes. Mais je dois craindre que mes louanges ne vous soient aussi importunes que les vôtres m'ont été avantageuses : aussi bien, je ne vous dirais que des choses qui sont connues de tout le monde, et que vous seul voulez ignorer. Il suffit que vous me permettiez de vous dire, avec un profond respect, que je suis,

MONSEIGNEUR,

Votre très humble et très obéissant serviteur,

RACINE.

PRÉFACE [3]

Le lecteur me permettra de lui demander un peu plus d'indulgence pour cette pièce que pour les autres qui la suivent; j'étais fort jeune quand je la fis. Quelques vers que j'avais faits alors tombèrent par hasard entre les mains de quelques personnes d'esprit; elles m'excitèrent à faire une tragédie, et me proposèrent le sujet de *la Thébaïde*. Ce sujet avait été autrefois traité par Rotrou, sous le nom d'*Antigone*. Mais il faisait mourir les deux frères dès le commencement de son troisième acte. Le reste était, en quelque sorte, le commencement d'une autre tragédie, où l'on entrait dans des intérêts tout nouveaux; et il avait réuni en une seule pièce deux actions différentes, dont l'une sert de matière aux *Phéniciennes* d'Euripide, et l'autre à l'*Antigone* de Sophocle. Je compris que cette duplicité d'action avait pu nuire à sa pièce qui, d'ailleurs, était remplie de quantité de beaux endroits. Je dressai à peu près mon plan sur *les Phéniciennes* d'Euripide. Car pour *la Thébaïde* qui est dans Sénèque, je suis un peu de l'opinion d'Heinsius, et je tiens, comme lui, que non seulement ce n'est point une tragédie de Sénèque, mais que c'est plutôt l'ouvrage d'un déclamateur qui ne savait ce que c'était que tragédie.

La catastrophe de ma pièce est peut-être un peu trop sanglante. En effet, il n'y paraît presque pas un acteur qui ne meure à la fin. Mais aussi c'est la *Thébaïde,* c'est-à-dire le sujet le plus tragique de l'antiquité.

L'amour, qui a d'ordinaire tant de part dans les tragédies, n'en a presque point ici; et je doute que je lui en donnasse davantage si c'était à recommencer, car il faudrait, ou que l'un des deux frères fût amoureux, ou tous les deux ensemble. Et quelle apparence de leur donner d'autres intérêts que ceux de cette fameuse haine qui les occupait tout entiers? Ou bien il faut jeter l'amour sur un des seconds personnages, comme j'ai fait; et alors cette passion, qui devient comme étrangère au sujet, ne peut produire que de médiocres effets. En un mot, je suis persuadé que les tendresses ou les jalousies des amants ne sauraient trouver que fort peu de place parmi les incestes, les parricides, et toutes les autres horreurs qui composent l'histoire d'Œdipe et de sa malheureuse famille.

ACTEURS [4]

ÉTÉOCLE, roi de Thèbes.
POLYNICE, frère d'Étéocle.
JOCASTE, mère de ces deux princes et d'Antigone.
ANTIGONE, sœur d'Étéocle et de Polynice.
CRÉON, oncle des princes et de la princesse.
HÉMON, fils de Créon, amant d'Antigone.
OLYMPE, confidente de Jocaste.
ATTALE, confident de Créon.
UN SOLDAT de l'armée de Polynice.
GARDES.

La scène est à Thèbes, dans une salle du palais royal.

LA THÉBAÏDE
OU LES FRÈRES ENNEMIS

ACTE PREMIER
SCÈNE I. — JOCASTE, OLYMPE

JOCASTE

Ils sont sortis, Olympe? Ah! mortelles douleurs!
Qu'un moment de repos me va coûter de pleurs!
Mes yeux depuis six mois [5] étaient ouverts aux larmes
Et le sommeil les ferme en de telles alarmes?
Puisse plutôt la mort les fermer pour jamais,
Et m'empêcher de voir le plus noir des forfaits!
Mais en sont-ils aux mains?

OLYMPE

Du haut de la muraille
Je les ai vus déjà tous rangés en bataille;
J'ai vu déjà le fer briller de toutes parts;
Et pour vous avertir j'ai quitté les remparts.
J'ai vu, le fer en main, Étéocle lui-même;
Il marche des premiers, et d'une ardeur extrême
Il montre aux plus hardis à braver le danger.

JOCASTE

N'en doutons plus, Olympe, ils se vont égorger.
Que l'on coure avertir et hâter la princesse;
Je l'attends. Juste ciel, soutenez ma faiblesse!
Il faut courir, Olympe, après ces inhumains;
Il les faut séparer, ou mourir par leurs mains.
Nous voici donc, hélas! à ce jour détestable
Dont la seule frayeur me rendait misérable!
Ni prière ni pleurs ne m'ont de rien servi,
Et le courroux du sort voulait être assouvi.
O toi, soleil, ô toi qui rends le jour au monde,
Que ne l'as-tu laissé dans une nuit profonde!

A de si noirs forfaits prêtes-tu tes rayons?
Et peux-tu sans horreur voir ce que nous voyons?
Mais ces monstres, hélas! ne t'épouvantent guères :
La race de Laïus les a rendus vulgaires;
Tu peux voir sans frayeur les crimes de mes fils,
Après ceux que le père et la mère ont commis.
Tu ne t'étonnes pas si mes fils sont perfides,
S'ils sont tous deux méchants, et s'ils sont parricides;
Tu sais qu'ils sont sortis d'un sang incestueux,
Et tu t'étonnerais s'ils étaient vertueux.

SCÈNE II. — JOCASTE, ANTIGONE, OLYMPE

JOCASTE

Ma fille, avez-vous su l'excès de nos misères?

ANTIGONE

Oui, Madame : on m'a dit la fureur de mes frères.

JOCASTE

Allons, chère Antigone, et courons de ce pas
Arrêter, s'il se peut, leurs parricides bras.
Allons leur faire voir ce qu'ils ont de plus tendre;
Voyons si contre nous ils pourront se défendre,
Ou s'ils oseront bien, dans leur noire fureur,
Répandre notre sang pour attaquer le leur.

ANTIGONE

Madame, c'en est fait, voici le roi lui-même.

SCÈNE III. — JOCASTE, ÉTÉOCLE, ANTIGONE, OLYMPE

JOCASTE

Olympe, soutiens-moi, ma douleur est extrême.

ÉTÉOCLE

Madame, qu'avez-vous? et quel trouble...

JOCASTE

Ah, mon fils !
Quelles traces de sang vois-je sur vos habits?
Est-ce du sang d'un frère? ou n'est-ce point du vôtre?

ÉTÉOCLE

Non, Madame, ce n'est ni de l'un ni de l'autre.
Dans son camp jusqu'ici Polynice arrêté,
Pour combattre à mes yeux ne s'est point présenté.
D'Argiens seulement une troupe hardie
M'a voulu de nos murs disputer la sortie :
J'ai fait mordre la poudre à ces audacieux,
Et leur sang est celui qui paraît à vos yeux.

JOCASTE

Mais que prétendiez-vous? et quelle ardeur soudaine
Vous a fait tout à coup descendre dans la plaine?

ÉTÉOCLE

Madame, il était temps que j'en usasse ainsi,
Et je perdais ma gloire à demeurer ici.
Le peuple, à qui la faim se faisait déjà craindre,
De mon peu de vigueur commençait à se plaindre,
Me reprochant déjà qu'il m'avait couronné,
Et que j'occupais mal le rang qu'il m'a donné.
Il le faut satisfaire; et quoi qu'il en arrive,
Thèbes dès aujourd'hui ne sera plus captive :
Je veux, en n'y laissant aucun de mes soldats,
Qu'elle soit seulement juge de nos combats.
J'ai des forces assez pour tenir la campagne,
Et si quelque bonheur nos armes accompagne,
L'insolent Polynice et ses fiers alliés
Laisseront Thèbes libre, ou mourront à mes pieds.

JOCASTE

Vous pourriez d'un tel sang, ô ciel! souiller vos armes?
La couronne pour vous a-t-elle tant de charmes?
Si par un parricide il la fallait gagner,
Ah! mon fils, à ce prix voudriez-vous régner?
Mais il ne tient qu'à vous, si l'honneur vous anime,
De nous donner la paix sans le secours d'un crime,

Et de votre courroux triomphant aujourd'hui,
Contenter votre frère, et régner avec lui.

ÉTÉOCLE

Appelez-vous régner partager ma couronne,
Et céder lâchement ce que mon droit me donne?

JOCASTE

Vous le savez, mon fils, la justice et le sang
Lui donnent, comme à vous, sa part à ce haut rang.
Œdipe, en achevant sa triste destinée,
Ordonna que chacun régnerait son année;
Et n'ayant qu'un état à mettre sous vos lois,
Voulut que tour à tour vous fussiez tous deux rois.
A ces conditions vous daignâtes souscrire.
Le sort vous appela le premier à l'empire,
Vous montâtes au trône; il n'en fut point jaloux;
Et vous ne voulez pas qu'il y monte après vous!

ÉTÉOCLE

Non, Madame, à l'empire il ne doit plus prétendre.
Thèbes à cet arrêt n'a point voulu se rendre;
Et lorsque sur le trône il s'est voulu placer,
C'est elle, et non pas moi, qui l'en a su chasser.
Thèbes doit-elle moins redouter sa puissance,
Après avoir six mois senti sa violence?
Voudrait-elle obéir à ce prince inhumain,
Qui vient d'armer contre elle et le fer et la faim?
Prendrait-elle pour roi l'esclave de Mycène,
Qui pour tous les Thébains n'a plus que de la haine,
Qui s'est au roi d'Argos indignement soumis,
Et que l'hymen attache à nos fiers ennemis?
Lorsque le roi d'Argos l'a choisi pour son gendre,
Il espérait par lui de voir Thèbes en cendre.
L'amour eut peu de part à cet hymen honteux,
Et la seule fureur en alluma les feux.
Thèbes m'a couronné pour éviter ses chaînes,
Elle s'attend par moi de voir finir ses peines.
Il la faut accuser si je manque de foi;
Et je suis son captif, je ne suis pas son roi.

JOCASTE

Dites, dites plutôt, cœur ingrat et farouche,
Qu'auprès du diadème il n'est rien qui vous touche.

Mais je me trompe encor : ce rang ne vous plaît pas,
Et le crime tout seul a pour vous des appas.
Eh bien! puisqu'à ce point vous en êtes avide,
Je vous offre à commettre un double parricide :
Versez le sang d'un frère; et si c'est peu du sien,
Je vous invite encore à répandre le mien.
Vous n'aurez plus alors d'ennemis à soumettre,
D'obstacle à surmonter, ni de crime à commettre,
Et n'ayant plus au trône un fâcheux concurrent,
De tous les criminels vous serez le plus grand.

ÉTÉOCLE

Eh bien, Madame, eh bien! il faut vous satisfaire;
Il faut sortir du trône et couronner mon frère;
Il faut, pour seconder votre injuste projet,
De son roi que j'étais devenir son sujet,
Et pour vous élever au comble de la joie,
Il faut à sa fureur que je me livre en proie;
Il faut par mon trépas...

JOCASTE

Ah ciel! quelle rigueur!
Que vous pénétrez mal dans le fond de mon cœur!
Je ne demande pas que vous quittiez l'empire :
Régnez toujours, mon fils, c'est ce que je désire.
Mais si tant de malheurs vous touchent de pitié,
Si pour moi votre cœur garde quelque amitié,
Et si vous prenez soin de votre gloire même,
Associez un frère à cet honneur suprême.
Ce n'est qu'un vain éclat qu'il recevra de vous;
Votre règne en sera plus puissant et plus doux.
Les peuples, admirant cette vertu sublime,
Voudront toujours pour prince un roi si magnanime,
Et cet illustre effort, loin d'affaiblir vos droits,
Vous rendra le plus juste et le plus grand des rois.
Ou s'il faut que mes vœux vous trouvent inflexible,
Si la paix à ce prix vous paraît impossible,
Et si le diadème a pour vous tant d'attraits,
Au moins consolez-moi de quelque heure de paix.
Accordez cette grâce aux larmes d'une mère,
Et cependant, mon fils, j'irai voir votre frère.
La pitié dans son âme aura peut-être lieu,
Ou du moins pour jamais j'irai lui dire adieu.

Dès ce même moment permettez que je sorte :
J'irai jusqu'à sa tente, et j'irai sans escorte;
Par mes justes soupirs j'espère l'émouvoir.

ÉTÉOCLE

Madame, sans sortir vous le pouvez revoir;
Et si cette entrevue a pour vous tant de charmes,
Il ne tiendra qu'à lui de suspendre nos armes.
Vous pouvez dès cette heure accomplir vos souhaits
Et le faire venir jusque dans ce palais.
J'irai plus loin encore; et pour faire connaître
Qu'il a tort en effet de me nommer un traître,
Et que je ne suis pas un tyran odieux,
Que l'on fasse parler et le peuple et les dieux.
Si le peuple y consent, je lui cède ma place;
Mais qu'il se rende enfin, si le peuple le chasse.
Je ne force personne, et j'engage ma foi
De laisser aux Thébains à se choisir un roi.

SCÈNE IV. — JOCASTE, ÉTÉOCLE, ANTIGONE, CRÉON, OLYMPE

CRÉON

Seigneur, votre sortie a mis tout en alarmes :
Thèbes, qui croit vous perdre, est déjà toute en larmes;
L'épouvante et l'horreur règnent de toutes parts,
Et le peuple effrayé tremble sur ses remparts.

ÉTÉOCLE

Cette vaine frayeur sera bientôt calmée,
Madame, je m'en vais retrouver mon armée;
Cependant vous pouvez accomplir vos souhaits,
Faire entrer Polynice et lui parler de paix.
Créon, la reine ici commande en mon absence :
Disposez tout le monde à son obéissance.
Laissez, pour recevoir et pour donner ses lois,
Votre fils Ménécée, et j'en ai fait le choix;
Comme il a de l'honneur autant que de courage,
Ce choix aux ennemis ôtera tout ombrage,
Et sa vertu suffit pour les rendre assurés.
Commandez-lui, Madame.

(A Créon.)
Et vous, vous me suivrez.

CRÉON

Quoi? Seigneur,...

ÉTÉOCLE

Oui, Créon, la chose est résolue.

CRÉON

Et vous quittez ainsi la puissance absolue?

ÉTÉOCLE

Que je la quitte ou non, ne vous tourmentez pas;
Faites ce que j'ordonne, et venez sur mes pas.

SCÈNE V. — JOCASTE, ANTIGONE, CRÉON,

CRÉON

Qu'avez-vous fait, Madame? et par quelle conduite
Forcez-vous un vainqueur à prendre ainsi la fuite?
Ce conseil va tout perdre.

JOCASTE

Il va tout conserver;
Et par ce seul conseil Thèbes se peut sauver.

CRÉON

Eh quoi, Madame, eh quoi? dans l'état où nous sommes,
Lorsqu'avec un renfort de plus de six mille hommes
La fortune promet toute chose aux Thébains,
Le roi se laisse ôter la victoire des mains?

JOCASTE

La victoire, Créon, n'est pas toujours si belle;
La honte et les remords vont souvent après elle.
Quand deux frères armés vont s'égorger entre eux,
Ne les pas séparer, c'est les perdre tous deux.
Peut-on faire au vainqueur une injure plus noire,
Que lui laisser gagner une telle victoire?

CRÉON

Leur courroux est trop grand...

JOCASTE

Il peut être adouci.

CRÉON

Tous deux veulent régner.

JOCASTE

Ils régneront aussi.

CRÉON

On ne partage point la grandeur souveraine;
Et ce n'est pas un bien qu'on quitte et qu'on reprenne.

JOCASTE

L'intérêt de l'État leur servira de loi.

CRÉON

L'intérêt de l'État est de n'avoir qu'un roi,
Qui d'un ordre constant gouvernant ses provinces,
Accoutume à ses lois et le peuple et les princes.
Ce règne interrompu de deux rois différents,
En lui donnant deux rois lui donne deux tyrans.
Par un ordre, souvent l'un à l'autre contraire,
Un frère détruirait ce qu'aurait fait un frère;
Vous les verriez toujours former quelque attentat,
Et changer tous les ans la face de l'État.
Ce terme limité que l'on veut leur prescrire
Accroît leur violence en bornant leur empire.
Tous deux feront gémir les peuples tour à tour,
Pareils à ces torrents qui ne durent qu'un jour :
Plus leur cours est borné, plus ils font de ravage,
Et d'horribles dégâts signalent leur passage.

JOCASTE

On les verrait plutôt, par de nobles projets,
Se disputer tous deux l'amour de leurs sujets.
Mais avouez, Créon, que toute votre peine
C'est de voir que la paix rend votre attente vaine,
Qu'elle assure à mes fils le trône où vous tendez,
Et va rompre le piège où vous les attendez.
Comme, après leur trépas, le droit de la naissance
Fait tomber en vos mains la suprême puissance,
Le sang qui vous unit aux deux princes mes fils [6]
Vous fait trouver en eux vos plus grands ennemis;
Et votre ambition, qui tend à leur fortune,
Vous donne pour tous deux une haine commune.

Vous inspirez au roi vos conseils dangereux,
Et vous en servez un pour les perdre tous deux.

CRÉON

Je ne me repais point de pareilles chimères.
Mes respects pour le roi sont ardents et sincères,
Et mon ambition est de le maintenir
Au trône où vous croyez que je veux parvenir.
Le soin de sa grandeur est le seul qui m'anime;
Je hais ses ennemis, et c'est là tout mon crime :
Je ne m'en cache point. Mais à ce que je voi,
Chacun n'est pas ici criminel comme moi.

JOCASTE

Je suis mère, Créon, et si j'aime son frère,
La personne du roi ne m'en est pas moins chère.
De lâches courtisans peuvent bien le haïr,
Mais une mère enfin ne peut pas se trahir.

ANTIGONE

Vos intérêts ici sont conformes aux nôtres,
Les ennemis du roi ne sont pas tous les vôtres;
Créon, vous êtes père, et dans ces ennemis,
Peut-être songez-vous que vous avez un fils.
On sait de quelle ardeur Hémon sert Polynice.

CRÉON

Oui, je le sais, Madame, et je lui fais justice;
Je le dois, en effet, distinguer du commun,
Mais c'est pour le haïr encor plus que pas un.
Et je souhaiterais, dans ma juste colère,
Que chacun le haït comme le hait son père.

ANTIGONE

Après tout ce qu'a fait la valeur de son bras,
Tout le monde en ce point ne vous ressemble pas.

CRÉON

Je le vois bien, Madame, et c'est ce qui m'afflige;
Mais je sais bien à quoi sa révolte m'oblige;
Et tous ces beaux exploits qui le font admirer,
C'est ce qui me le fait justement abhorrer.
La honte suit toujours le parti des rebelles;
Leurs grandes actions sont les plus criminelles,

Ils signalent leur crime en signalant leur bras,
Et la gloire n'est point où les rois ne sont pas.

ANTIGONE

Écoutez un peu mieux la voix de la nature.

CRÉON

Plus l'offenseur m'est cher, plus je ressens l'injure.

ANTIGONE

Mais un père à ce point doit-il être emporté?
Vous avez trop de haine.

CRÉON

Et vous trop de bonté.
C'est trop parler, Madame, en faveur d'un rebelle.

ANTIGONE

L'innocence vaut bien que l'on parle pour elle.

CRÉON

Je sais ce qui le rend innocent à vos yeux.

ANTIGONE

Et je sais quel sujet vous le rend odieux.

CRÉON

L'amour a d'autres yeux que le commun des hommes.

JOCASTE

Vous abusez, Créon, de l'état où nous sommes;
Tout vous semble permis; mais craignez mon courroux :
Vos libertés enfin retomberaient sur vous.

ANTIGONE

L'intérêt du public agit peu sur son âme,
Et l'amour du pays nous cache une autre flamme.
Je la sais; mais, Créon, j'en abhorre le cours,
Et vous ferez bien mieux de la cacher toujours.

CRÉON

Je le ferai, Madame, et je veux par avance
Vous épargner encor jusques à ma présence.
Aussi bien mes respects redoublent vos mépris,
Et je vais faire place à ce bienheureux fils.

Le roi m'appelle ailleurs, il faut que j'obéisse.
Adieu. Faites venir Hémon et Polynice.

JOCASTE

N'en doute pas, méchant, ils vont venir tous deux;
Tous deux ils préviendront tes desseins malheureux.

SCÈNE VI. — JOCASTE, ANTIGONE, OLYMPE

ANTIGONE

Le perfide! A quel point son insolence monte!

JOCASTE

Ses superbes discours tourneront à sa honte.
Bientôt, si nos désirs sont exaucés des cieux,
La paix nous vengera de cet ambitieux.
Mais il faut se hâter, chaque heure nous est chère :
Appelons promptement Hémon et votre frère;
Je suis pour ce dessein prête à leur accorder
Toutes les sûretés qu'ils pourront demander.
Et toi, si mes malheurs ont lassé ta justice,
Ciel, dispose à la paix le cœur de Polynice,
Seconde mes soupirs, donne force à mes pleurs,
Et comme il faut enfin fais parler mes douleurs.

ANTIGONE, *demeurant un peu après sa mère.*

Et si tu prends pitié d'une flamme innocente,
O ciel, en ramenant Hémon à son amante,
Ramène-le fidèle, et permets en ce jour
Qu'en retrouvant l'amant je retrouve l'amour.

ACTE DEUXIÈME

SCÈNE I. — ANTIGONE, HÉMON

HÉMON

Quoi, vous me refusez votre aimable présence,
Après un an entier de supplice et d'absence?
Ne m'avez-vous, Madame, appelé près de vous,
Que pour m'ôter sitôt un bien qui m'est si doux?

ANTIGONE

Et voulez-vous sitôt que j'abandonne un frère?
Ne dois-je pas au temple accompagner ma mère?
Et dois-je préférer, au gré de vos souhaits,
Le soin de votre amour à celui de la paix?

HÉMON

Madame, à mon bonheur c'est chercher trop d'obstacles;
Ils iront bien sans nous consulter les oracles.
Permettez que mon cœur, en voyant vos beaux yeux,
De l'état de son sort interroge ses dieux.
Puis-je leur demander, sans être téméraire,
S'ils ont toujours pour moi leur douceur ordinaire?
Souffrent-ils sans courroux mon ardente amitié?
Et du mal qu'ils ont fait ont-ils quelque pitié?
Durant le triste cours d'une absence cruelle,
Avez-vous souhaité que je fusse fidèle?
Songiez-vous que la mort menaçait loin de vous
Un amant qui ne doit mourir qu'à vos genoux?
Ah! d'un si bel objet quand une âme est blessée,
Quand un cœur jusqu'à vous élève sa pensée,
Qu'il est doux d'adorer tant de divins appas!
Mais aussi que l'on souffre en ne les voyant pas!
Un moment loin de vous me durait une année;
J'aurais fini cent fois ma triste destinée,
Si je n'eusse songé jusques à mon retour
Que mon éloignement vous prouvait mon amour,
Et que le souvenir de mon obéissance
Pourrait en ma faveur parler en mon absence;
Et que pensant à moi vous penseriez aussi
Qu'il faut aimer beaucoup pour obéir ainsi.

ANTIGONE

Oui, je l'avais bien cru qu'une âme si fidèle
Trouverait dans l'absence une peine cruelle;
Et si mes sentiments se doivent découvrir,
Je souhaitais, Hémon, qu'elle vous fît souffrir,
Et qu'étant loin de moi, quelque ombre d'amertume
Vous fît trouver les jours plus longs que de coutume.
Mais ne vous plaignez pas : mon cœur chargé d'ennui
Ne vous souhaitait rien qu'il n'éprouvât en lui;
Surtout depuis le temps que dure cette guerre,
Et que de gens armés vous couvrez cette terre.

O dieux! à quels tourments mon cœur s'est vu soumis,
Voyant des deux côtés ses plus tendres amis!
Mille objets de douleur déchiraient mes entrailles;
J'en voyais et dehors et dedans nos murailles;
Chaque assaut à mon cœur livrait mille combats,
Et mille fois le jour je souffrais le trépas.

HÉMON

Mais enfin qu'ai-je fait, en ce malheur extrême,
Que ne m'ait ordonné ma princesse elle-même?
J'ai suivi Polynice, et vous l'avez voulu :
Vous me l'avez prescrit par un ordre absolu.
Je lui vouai dès lors une amitié sincère;
Je quittai mon pays, j'abandonnai mon père;
Sur moi par ce départ j'attirai son courroux;
Et pour tout dire enfin, je m'éloignai de vous.

ANTIGONE

Je m'en souviens, Hémon, et je vous fais justice :
C'est moi que vous serviez en servant Polynice;
Il m'était cher alors comme il l'est aujourd'hui,
Et je prenais pour moi ce qu'on faisait pour lui.
Nous nous aimions tous deux dès la plus tendre enfance,
Et j'avais sur son cœur une entière puissance;
Je trouvais à lui plaire une extrême douceur,
Et les chagrins du frère étaient ceux de la sœur.
Ah! si j'avais encor sur lui le même empire,
Il aimerait la paix, pour qui mon cœur soupire.
Notre commun malheur en serait adouci :
Je le verrais, Hémon; vous me verriez aussi!

HÉMON

De cette affreuse guerre il abhorre l'image.
Je l'ai vu soupirer de douleur et de rage,
Lorsque, pour remonter au trône paternel,
On le força de prendre un chemin si cruel.
Espérons que le ciel, touché de nos misères,
Achèvera bientôt de réunir les frères.
Puisse-t-il rétablir l'amitié dans leur cœur,
Et conserver l'amour dans celui de la sœur!

ANTIGONE

Hélas! ne doutez point que ce dernier ouvrage
Ne lui soit plus aisé que de calmer leur rage.

Je les connais tous deux, et je répondrais bien
Que leur cœur, cher Hémon, est plus dur que le mien.
Mais les dieux quelquefois font de plus grands miracles.

SCÈNE II. — ANTIGONE, HÉMON, OLYMPE

ANTIGONE

Eh bien! apprendrons-nous ce qu'ont dit les oracles?
Que faut-il faire?

OLYMPE

Hélas!

ANTIGONE

Quoi? qu'en a-t-on appris?
Est-ce la guerre, Olympe?

OLYMPE

Ah! c'est encore pis!

HÉMON

Quel est donc ce grand mal que leur courroux annonce?

OLYMPE

Prince, pour en juger, écoutez leur réponse :
Thébains, pour n'avoir plus de guerres,
Il faut, par un ordre fatal,
Que le dernier du sang royal
Par son trépas ensanglante vos terres.

ANTIGONE

O dieux, que vous a fait ce sang infortuné?
Et pourquoi tout entier l'avez-vous condamné?
N'êtes-vous pas contents de la mort de mon père?
Tout notre sang doit-il sentir votre colère?

HÉMON

Madame, cet arrêt ne vous regarde pas;
Votre vertu vous met à couvert du trépas :
Les dieux savent trop bien connaître l'innocence.

ANTIGONE

Et ce n'est pas pour moi que je crains leur vengeance :
Mon innocence, Hémon, serait un faible appui;
Fille d'Œdipe, il faut que je meure pour lui.
Je l'attends, cette mort, et je l'attends sans plainte;
Et s'il faut avouer le sujet de ma crainte,
C'est pour vous que je crains : oui, cher Hémon, pour vous,
De ce sang malheureux vous sortez comme nous;
Et je ne vois que trop que le courroux céleste
Vous rendra, comme à nous, cet honneur bien funeste,
Et fera regretter aux princes des Thébains
De n'être pas sortis du dernier des humains.

HÉMON

Peut-on se repentir d'un si grand avantage?
Un si noble trépas flatte trop mon courage,
Et du sang de ses rois il est beau d'être issu,
Dût-on rendre ce sang sitôt qu'on l'a reçu.

ANTIGONE

Eh quoi! si parmi nous on a fait quelque offense,
Le ciel doit-il sur vous en prendre la vengeance?
Et n'est-ce pas assez du père et des enfants,
Sans qu'il aille plus loin chercher des innocents?
C'est à nous à payer pour les crimes des nôtres :
Punissez-nous, grands dieux; mais épargnez les autres.
Mon père, cher Hémon, vous va perdre aujourd'hui,
Et je vous perds peut-être encore plus que lui.
Le ciel punit sur vous et sur votre famille
Et les crimes du père et l'amour de la fille;
Et ce funeste amour vous nuit encore plus
Que les crimes d'Œdipe et le sang de Laïus.

HÉMON

Quoi? mon amour, Madame? Et qu'a-t-il de funeste?
Est-ce un crime qu'aimer une beauté céleste?
Et puisque sans colère il est reçu de vous,
En quoi peut-il du ciel mériter le courroux?
Vous seule en mes soupirs êtes intéressée :
C'est à vous à juger s'ils vous ont offensée;
Tels que seront pour eux vos arrêts tout-puissants,

Ils seront criminels, ou seront innocents.
Que le ciel à son gré de ma perte dispose,
J'en chérirai toujours et l'une et l'autre cause,
Glorieux de mourir pour le sang de mes rois,
Et plus heureux encor de mourir sous vos lois.
Aussi bien que ferais-je en ce commun naufrage?
Pourrais-je me résoudre à vivre davantage?
En vain les dieux voudraient différer mon trépas,
Mon désespoir ferait ce qu'ils ne feraient pas.
Mais peut-être, après tout, notre frayeur est vaine;
Attendons... Mais voici Polynice et la reine.

SCÈNE III. — JOCASTE, POLYNICE, ANTIGONE, HÉMON

POLYNICE

Madame, au nom des dieux, cessez de m'arrêter :
Je vois bien que la paix ne peut s'exécuter.
J'espérais que du ciel la justice infinie
Voudrait se déclarer contre la tyrannie,
Et que lassé de voir répandre tant de sang,
Il rendrait à chacun son légitime rang.
Mais puisque ouvertement il tient pour l'injustice,
Et que des criminels il se rend le complice,
Dois-je encore espérer qu'un peuple révolté,
Quand le ciel est injuste, écoute l'équité?
Dois-je prendre pour juge une troupe insolente,
D'un fier usurpateur ministre violente,
Qui sert mon ennemi par un lâche intérêt,
Et qu'il anime encor, tout éloigné qu'il est?
La raison n'agit point sur une populace.
De ce peuple déjà j'ai ressenti l'audace,
Et loin de me reprendre après m'avoir chassé,
Il croit voir un tyran dans un prince offensé.
Comme sur lui l'honneur n'eut jamais de puissance,
Il croit que tout le monde aspire à la vengeance;
De ses inimitiés rien n'arrête le cours :
Quand il hait une fois, il veut haïr toujours.

JOCASTE

Mais s'il est vrai, mon fils, que ce peuple vous craigne,
Et que tous les Thébains redoutent votre règne,

Pourquoi par tant de sang cherchez-vous à régner
Sur ce peuple endurci que rien ne peut gagner?

POLYNICE

Est-ce au peuple, Madame, à se choisir un maître?
Sitôt qu'il hait un roi, doit-on cesser de l'être?
Sa haine ou son amour, sont-ce les premiers droits
Qui font monter au trône ou descendre les rois?
Que le peuple à son gré nous craigne ou nous chérisse,
Le sang nous met au trône, et non pas son caprice.
Ce que le sang lui donne, il le doit accepter,
Et s'il n'aime son prince, il le doit respecter.

JOCASTE

Vous serez un tyran haï de vos provinces.

POLYNICE

Ce nom ne convient pas aux légitimes princes;
De ce titre odieux mes droits me sont garants[7];
La haine des sujets ne fait pas les tyrans.
Appelez de ce nom Étéocle lui-même.

JOCASTE

Il est aimé de tous.

POLYNICE

C'est un tyran qu'on aime,
Qui par cent lâchetés tâche à se maintenir
Au rang où par la force il a su parvenir;
Et son orgueil le rend, par un effet contraire,
Esclave de son peuple et tyran de son frère.
Pour commander tout seul il veut bien obéir,
Et se fait mépriser pour me faire haïr.
Ce n'est pas sans sujet qu'on me préfère un traître :
Le peuple aime un esclave et craint d'avoir un maître.
Mais je croirais trahir la majesté des rois,
Si je faisais le peuple arbitre de mes droits.

JOCASTE

Ainsi donc la discorde a pour vous tant de charmes?
Vous lassez-vous déjà d'avoir posé les armes?
Ne cesserons-nous point, après tant de malheurs,

Vous, de verser du sang, moi, de verser des pleurs?
N'accorderez-vous rien aux larmes d'une mère?
Ma fille, s'il se peut, retenez votre frère :
Le cruel pour vous seule avait de l'amitié.

ANTIGONE

Ah! si pour vous son âme est sourde à la pitié,
Que pourrais-je espérer d'une amitié passée,
Qu'un long éloignement n'a que trop effacée?
A peine en sa mémoire ai-je encor quelque rang;
Il n'aime, il ne se plaît qu'à répandre du sang.
Ne cherchez plus en lui ce prince magnanime,
Ce prince qui montrait tant d'horreur pour le crime,
Dont l'âme généreuse avait tant de douceur,
Qui respectait sa mère et chérissait sa sœur.
La nature pour lui n'est plus qu'une chimère;
Il méconnaît sa sœur, il méprise sa mère,
Et l'ingrat, en l'état où son orgueil l'a mis,
Nous croit des étrangers, ou bien des ennemis.

POLYNICE

N'imputez point ce crime à mon âme affligée;
Dites plutôt, ma sœur, que vous êtes changée,
Dites que de mon rang l'injuste usurpateur
M'a su ravir encor l'amitié de ma sœur.
Je vous connais toujours et suis toujours le même.

ANTIGONE

Est-ce m'aimer, cruel, autant que je vous aime,
Que d'être inexorable à mes tristes soupirs,
Et m'exposer encore à tant de déplaisirs?

POLYNICE

Mais vous-même, ma sœur, est-ce aimer votre frère
Que de lui faire ici cette injuste prière,
Et me vouloir ravir le sceptre de la main?
Dieux! qu'est-ce qu'Étéocle a de plus inhumain[8] ?
C'est trop favoriser un tyran qui m'outrage.

ANTIGONE

Non, non, vos intérêts me touchent davantage.
Ne croyez pas mes pleurs perfides à ce point;

Avec vos ennemis ils ne conspirent point.
Cette paix que je veux me serait un supplice,
S'il en devait coûter le sceptre à Polynice;
Et l'unique faveur, mon frère, où je prétends,
C'est qu'il me soit permis de vous voir plus longtemps.
Seulement quelques jours souffrez que l'on vous voie,
Et donnez-nous le temps de chercher quelque voie
Qui puisse vous remettre au rang de vos aïeux,
Sans que vous répandiez un sang si précieux.
Pouvez-vous refuser cette grâce légère
Aux larmes d'une sœur, aux soupirs d'une mère?

JOCASTE

Mais quelle crainte encor vous peut inquiéter?
Pourquoi si promptement voulez-vous nous quitter?
Quoi? ce jour tout entier n'est-il pas de la trêve?
Dès qu'elle a commencé, faut-il qu'elle s'achève?
Vous voyez qu'Étéocle a mis les armes bas;
Il veut que je vous voie, et vous ne voulez pas.

ANTIGONE

Oui, mon frère, il n'est pas comme vous inflexible :
Aux larmes de sa mère il a paru sensible;
Nos pleurs ont désarmé sa colère aujourd'hui.
Vous l'appelez cruel, vous l'êtes plus que lui.

HÉMON

Seigneur, rien ne vous presse, et vous pouvez sans peine
Laisser agir encor la princesse et la reine :
Accordez tout ce jour à leur pressant désir;
Voyons si leur dessein ne pourra réussir.
Ne donnez pas la joie au prince votre frère
De dire que sans vous la paix se pouvait faire.
Vous aurez satisfait une mère, une sœur,
Et vous aurez surtout satisfait votre honneur.
Mais que veut ce soldat? Son âme est toute émue!

SCÈNE IV. — JOCASTE, POLYNICE, ANTIGONE, HÉMON, UN SOLDAT

LE SOLDAT

Seigneur, on est aux mains, et la trêve est rompue!
Créon et les Thébains, par ordre de leur roi,

Attaquent votre armée et violent leur foi.
Le brave Hippomédon s'efforce, en votre absence,
De soutenir leur choc de toute sa puissance.
Par son ordre, Seigneur, je vous viens avertir.

POLYNICE

Ah! les traîtres! Allons, Hémon, il faut sortir.
(A la reine.)
Madame, vous voyez comme il tient sa parole :
Mais il veut le combat, il m'attaque, et j'y vole.

JOCASTE

Polynice! Mon fils! ... Mais il ne m'entend plus :
Aussi bien que mes pleurs mes cris sont superflus.
Chère Antigone, allez, courez à ce barbare
Du moins allez prier Hémon qu'il les sépare.
La force m'abandonne et je n'y puis courir;
Tout ce que je puis faire, hélas! c'est de mourir.

ACTE TROISIÈME

SCÈNE I. — JOCASTE, OLYMPE

JOCASTE

Olympe, va-t'en voir ce funeste spectacle;
Va voir si leur fureur n'a point trouvé d'obstacle,
Si rien n'a pu toucher l'un ou l'autre parti.
On dit qu'à ce dessein Ménécée est sorti.

OLYMPE

Je ne sais quel dessein animait son courage;
Une héroïque ardeur brillait sur son visage.
Mais vous devez, Madame, espérer jusqu'au bout.

JOCASTE

Va tout voir, chère Olympe, et me viens dire tout.
Éclaircis promptement ma triste inquiétude.

OLYMPE

Mais vous dois-je laisser en cette solitude?

JOCASTE

Va : je veux être seule en l'état où je suis,
Si toutefois on peut l'être avec tant d'ennuis !

SCÈNE II. — JOCASTE

Dureront-ils toujours ces ennuis si funestes ?
N'épuiseront-ils point les vengeances célestes ?
Me feront-ils souffrir tant de cruels trépas,
Sans jamais au tombeau précipiter mes pas ?
O ciel, que tes rigueurs seraient peu redoutables
Si la foudre d'abord accablait les coupables !
Et que tes châtiments paraissent infinis,
Quand tu laisses la vie à ceux que tu punis !
Tu ne l'ignores pas, depuis le jour infâme
Où de mon propre fils je me trouvai la femme,
Le moindre des tourments que mon cœur a soufferts
Égale tous les maux que l'on souffre aux enfers.
Et toutefois, ô dieux, un crime involontaire
Devait-il attirer toute votre colère ?
Le connaissais-je, hélas ! ce fils infortuné ?
Vous-mêmes dans mes bras vous l'avez amené.
C'est vous dont la rigueur m'ouvrit ce précipice.
Voilà de ces grands dieux la suprême justice !
Jusques au bord du crime ils conduisent nos pas,
Ils nous le font commettre, et ne l'excusent pas !
Prennent-ils donc plaisir à faire des coupables,
Afin d'en faire après d'illustres misérables ?
Et ne peuvent-ils point, quand ils sont en courroux,
Chercher des criminels à qui le crime est doux ?

SCÈNE III. — JOCASTE, ANTIGONE

JOCASTE

Eh bien ! en est-ce fait ? L'un ou l'autre perfide
Vient-il d'exécuter son noble parricide ?
Parlez, parlez, ma fille.

ANTIGONE

Ah ! Madame, en effet,
L'oracle est accompli, le ciel est satisfait.

JOCASTE

Quoi? mes deux fils sont morts!

ANTIGONE

Un autre sang, Madame,
Rend la paix à l'État, et le calme à votre âme;
Un sang digne des rois dont il est découlé,
Un héros pour l'État s'est lui-même immolé.
Je courais pour fléchir Hémon et Polynice;
Ils étaient déjà loin, avant que je sortisse,
Ils ne m'entendaient plus et mes cris douloureux
Vainement par leur nom les rappelaient tous deux.
Ils ont tous deux volé vers le champ de bataille,
Et moi, je suis montée au haut de la muraille,
D'où le peuple étonné regardait, comme moi,
L'approche d'un combat qui le glaçait d'effroi.
A cet instant fatal, le dernier de nos princes,
L'honneur de notre sang, l'espoir de nos provinces,
Ménécée, en un mot, digne frère d'Hémon,
Et trop indigne aussi d'être fils de Créon,
De l'amour du pays montrant son âme atteinte,
Au milieu des deux camps s'est avancé sans crainte,
Et se faisant ouïr des Grecs et des Thébains [9] :
« Arrêtez, a-t-il dit, arrêtez, inhumains! »
Ces mots impérieux n'ont point trouvé d'obstacle :
Les soldats, étonnés de ce nouveau spectacle,
De leur noire fureur ont suspendu le cours;
Et ce prince aussitôt poursuivant son discours :
« Apprenez, a-t-il dit, l'arrêt des destinées,
« Par qui vous allez voir vos misères bornées.
« Je suis le dernier sang de vos rois descendu,
« Qui par l'ordre des dieux doit être répandu.
« Recevez donc ce sang que ma main va répandre;
« Et recevez la paix où vous n'osiez prétendre ».
Il se tait, et se frappe en achevant ces mots;
Et les Thébains, voyant expirer ce héros,
Comme si leur salut devenait leur supplice,
Regardent en tremblant ce noble sacrifice.
J'ai vu le triste Hémon abandonner son rang
Pour venir embrasser ce frère tout en sang.
Créon, à son exemple, a jeté bas les armes

Et vers ce fils mourant est venu tout en larmes;
Et l'un et l'autre camp, les voyant retirés,
Ont quitté le combat et se sont séparés.
Et moi, le cœur tremblant et l'âme toute émue,
D'un si funeste objet j'ai détourné la vue,
De ce prince admirant l'héroïque fureur.

JOCASTE

Comme vous je l'admire, et j'en frémis d'horreur.
Est-il possible, ô dieux, qu'après ce grand miracle
Le repos des Thébains trouve encor quelque obstacle?
Cet illustre trépas ne peut-il vous calmer,
Puisque même mes fils s'en laissent désarmer?
La refuserez-vous, cette noble victime?
Si la vertu vous touche autant que fait le crime,
Si vous donnez les prix comme vous punissez,
Quels crimes par ce sang ne seront effacés?

ANTIGONE

Oui, oui, cette vertu sera récompensée :
Les dieux sont trop payés du sang de Ménécée;
Et le sang d'un héros, auprès des immortels,
Vaut seul plus que celui de mille criminels.

JOCASTE

Connaissez mieux du ciel la vengeance fatale :
Toujours à ma douleur il met quelque intervalle,
Mais, hélas ! quand sa main semble me secourir,
C'est alors qu'il s'apprête à me faire périr.
Il a mis cette nuit quelque fin à mes larmes,
Afin qu'à mon réveil je visse tout en armes.
S'il me flatte aussitôt de quelque espoir de paix,
Un oracle cruel me l'ôte pour jamais.
Il m'amène mon fils, il veut que je le voie,
Mais, hélas ! combien cher me vend-il cette joie !
Ce fils est insensible et ne m'écoute pas;
Et soudain il me l'ôte et l'engage aux combats.
Ainsi, toujours cruel, et toujours en colère,
Il feint de s'apaiser, et devient plus sévère :
Il n'interrompt ses coups que pour les redoubler,
Et retire son bras pour me mieux accabler.

ANTIGONE

Madame, espérons tout de ce dernier miracle.

JOCASTE

La haine de mes fils est un trop grand obstacle.
Polynice endurci n'écoute que ses droits;
Du peuple et de Créon l'autre écoute la voix,
Oui, du lâche Créon! Cette âme intéressée
Nous ravit tout le fruit du sang de Ménécée;
En vain pour nous sauver ce grand prince se perd,
Le père nous nuit plus que le fils ne nous sert.
De deux jeunes héros cet infidèle père...

ANTIGONE

Ah! le voici, Madame, avec le roi mon frère.

SCÈNE IV. — JOCASTE, ÉTÉOCLE, ANTIGONE, CRÉON

JOCASTE

Mon fils, c'est donc ainsi que l'on garde sa foi?

ÉTÉOCLE

Madame, ce combat n'est point venu de moi,
Mais de quelques soldats, tant d'Argos que des nôtres,
Qui s'étant querellés les uns avec les autres,
Ont insensiblement tout le corps ébranlé,
Et fait un grand combat d'un simple démêlé.
La bataille sans doute allait être cruelle,
Et son événement vidait notre querelle,
Quand du fils de Créon l'héroïque trépas
De tous les combattants a retenu le bras.
Ce prince, le dernier de la race royale,
S'est appliqué des dieux la réponse fatale;
Et lui-même à la mort il s'est précipité,
De l'amour du pays noblement transporté.

JOCASTE

Ah! si le seul amour qu'il eût pour sa patrie
Le rendit insensible aux douceurs de la vie,
Mon fils, ce même amour ne peut-il seulement

De votre ambition vaincre l'emportement?
Un exemple si beau vous invite à le suivre.
Il ne faudra cesser de régner ni de vivre :
Vous pouvez, en cédant un peu de votre rang,
Faire plus qu'il n'a fait en versant tout son sang;
Il ne faut que cesser de haïr votre frère,
Vous ferez beaucoup plus que sa mort n'a su faire.
O dieux! aimer un frère est-ce un plus grand effort
Que de haïr la vie et courir à la mort?
Et doit-il être enfin plus facile en un autre
De répandre son sang, qu'en vous d'aimer le vôtre?

ÉTÉOCLE

Son illustre vertu me charme comme vous,
Et d'un si beau trépas je suis même jaloux.
Et toutefois, Madame, il faut que je vous die
Qu'un trône est plus pénible à quitter que la vie :
La gloire bien souvent nous porte à la haïr,
Mais peu de souverains font gloire d'obéir.
Les dieux voulaient son sang, et ce prince sans crime
Ne pouvait à l'État refuser sa victime;
Mais ce même pays qui demandait son sang
Demande que je règne et m'attache à mon rang,
Jusqu'à ce qu'il m'en ôte, il faut que j'y demeure :
Il n'a qu'à prononcer, j'obéirai sur l'heure,
Et Thèbes me verra, pour apaiser son sort,
Et descendre du trône, et courir à la mort.

CRÉON

Ah! Ménécée est mort, le ciel n'en veut point d'autre.
Laissez coulez son sang sans y mêler le vôtre;
Et puisqu'il l'a versé pour nous donner la paix,
Accordez-la, Seigneur, à nos justes souhaits.

ÉTÉOCLE

Eh quoi? même Créon pour la paix se déclare?

CRÉON

Pour avoir trop aimé cette guerre barbare,
Vous voyez les malheurs où le ciel m'a plongé :
Mon fils est mort, Seigneur.

ÉTÉOCLE

Il faut qu'il soit vengé.

CRÉON

Sur qui me vengerais-je en ce malheur extrême?

ÉTÉOCLE

Vos ennemis, Créon, sont ceux de Thèbes même;
Vengez-la, vengez-vous.

CRÉON

Ah! dans ses ennemis
Je trouve votre frère, et je trouve mon fils!
Dois-je verser mon sang, ou répandre le vôtre?
Et dois-je perdre un fils pour en venger un autre?
Seigneur, mon sang m'est cher, le vôtre m'est sacré :
Serai-je sacrilège ou bien dénaturé?
Souillerai-je ma main d'un sang que je révère?
Serai-je parricide afin d'être bon père?
Un si cruel secours ne me peut soulager,
Et ce serait me perdre au lieu de me venger.
Tout le soulagement où ma douleur aspire,
C'est qu'au moins mes malheurs servent à votre empire.
Je me consolerai, si ce fils que je plains
Assure par sa mort le repos des Thébains.
Le ciel promet la paix au sang de Ménécée;
Achevez-la, Seigneur, mon fils l'a commencée;
Accordez-lui ce prix qu'il en a prétendu,
Et que son sang en vain ne soit pas répandu.

JOCASTE

Non, puisqu'à nos malheurs vous devenez sensible,
Au sang de Ménécée il n'est rien d'impossible,
Que Thèbes se rassure après ce grand effort :
Puisqu'il change votre âme, il changera son sort.
La paix dès ce moment n'est plus désespérée :
Puisque Créon la veut, je la tiens assurée.
Bientôt ces cœurs de fer se verront adoucis :
Le vainqueur de Créon peut bien vaincre mes fils.
(A Étéocle.)
Qu'un si grand changement vous désarme et vous touche;
Quittez, mon fils, quittez cette haine farouche;

Soulagez une mère, et consolez Créon :
Rendez-moi Polynice, et lui rendez Hémon.

ÉTÉOCLE

Mais enfin c'est vouloir que je m'impose un maître.
Vous ne l'ignorez pas, Polynice veut l'être;
Il demande surtout le pouvoir souverain,
Et ne veut revenir que le sceptre à la main.

SCÈNE V. — JOCASTE, ÉTÉOCLE, ANTIGONE, CRÉON, ATTALE

ATTALE

Polynice, Seigneur, demande une entrevue;
C'est ce que d'un héraut nous apprend la venue.
Il vous offre, Seigneur, ou de venir ici,
Ou d'attendre en son camp.

CRÉON

Peut-être qu'adouci
Il songe à terminer une guerre si lente,
Et son ambition n'est plus si violente.
Par ce dernier combat il apprend aujourd'hui
Que vous êtes au moins aussi puissant que lui.
Les Grecs mêmes sont las de servir sa colère,
Et j'ai su depuis peu que le roi son beau-père,
Préférant à la guerre un solide repos,
Se réserve Mycène, et le fait roi d'Argos.
Tout courageux qu'il est, sans doute il ne souhaite
Que de faire en effet une honnête retraite.
Puisqu'il s'offre à vous voir, croyez qu'il veut la paix.
Ce jour la doit conclure ou la rompre à jamais.
Tâchez dans ce dessein de l'affermir vous-même,
Et lui promettez tout, hormis le diadème.

ÉTÉOCLE

Hormis le diadème, il ne demande rien.

JOCASTE

Mais voyez-le du moins.

CRÉON

Oui, puisqu'il le veut bien
Vous ferez plus tout seul que nous ne saurions faire,
Et le sang reprendra son empire ordinaire.

ÉTÉOCLE

Allons donc le chercher.

JOCASTE

Mon fils, au nom des dieux,
Attendez-le plutôt. Voyez-le dans ces lieux.

ÉTÉOCLE

Eh bien, Madame, eh bien ! qu'il vienne, et qu'on lui donne
Toutes les sûretés qu'il faut pour sa personne.
Allons.

ANTIGONE

Ah ! si ce jour rend la paix aux Thébains,
Elle sera, Créon, l'ouvrage de vos mains.

SCÈNE VI. — CRÉON, ATTALE

CRÉON

L'intérêt des Thébains n'est pas ce qui vous touche,
Dédaigneuse princesse ; et cette âme farouche,
Qui semble me flatter après tant de mépris,
Songe moins à la paix qu'au retour de mon fils.
Mais nous verrons bientôt si la fière Antigone
Aussi bien que mon cœur dédaignera le trône ;
Nous verrons, quand les dieux m'auront fait votre roi,
Si ce fils bienheureux l'emportera sur moi.

ATTALE

Et qui n'admirerait un changement si rare ?
Créon même, Créon pour la paix se déclare !

CRÉON

Tu crois donc que la paix est l'objet de mes soins ?

ATTALE

Oui, je le crois, Seigneur, quand j'y pensais le moins;
Et voyant qu'en effet ce beau soin vous anime,
J'admire à tous moments cet effort magnanime
Qui vous fait mettre enfin votre haine au tombeau.
Ménécée, en mourant, n'a rien fait de plus beau;
Et qui peut immoler sa haine à sa patrie
Lui pourrait bien aussi sacrifier sa vie.

CRÉON

Ah! sans doute, qui peut d'un généreux effort
Aimer son ennemi peut bien aimer la mort.
Quoi? je négligerais le soin de ma vengeance,
Et de mon ennemi je prendrais la défense?
De la mort de mon fils Polynice est l'auteur,
Et moi je deviendrais son lâche protecteur?
Quand je renoncerais à cette haine extrême,
Pourrais-je bien cesser d'aimer le diadème?
Non, non : tu me verras, d'une constante ardeur,
Haïr mes ennemis et chérir ma grandeur.
Le trône fit toujours mes ardeurs les plus chères :
Je rougis d'obéir où régnèrent mes pères,
Je brûle de me voir au rang de mes aïeux,
Et je l'envisageai dès que j'ouvris les yeux.
Surtout depuis deux ans, ce noble soin m'inspire;
Je ne fais point de pas qui ne tende à l'empire.
Des princes mes neveux j'entretiens la fureur,
Et mon ambition autorise la leur.
D'Étéocle d'abord j'appuyai l'injustice;
Je lui fis refuser le trône à Polynice.
Tu sais que je pensais dès lors à m'y placer;
Et je l'y mis, Attale, afin de l'en chasser.

ATTALE

Mais, Seigneur, si la guerre eut pour vous tant de charmes,
D'où vient que de leurs mains vous arrachez les armes?
Et puisque leur discorde est l'objet de vos vœux,
Pourquoi par vos conseils vont-ils se voir tous deux?

CRÉON

Plus qu'à mes ennemis la guerre m'est mortelle,
Et le courroux du ciel me la rend trop cruelle.

Il s'arme contre moi de mon propre dessein,
Il se sert de mon bras pour me percer le sein.
La guerre s'allumait lorsque pour mon supplice
Hémon m'abandonna pour servir Polynice;
Les deux frères par moi devinrent ennemis,
Et je devins, Attale, ennemi de mon fils.
Enfin, ce même jour, je fais rompre la trêve,
J'excite le soldat, tout le camp se soulève,
On se bat; et voilà qu'un fils désespéré
Meurt, et rompt un combat que j'ai tant préparé.
Mais il me reste un fils, et je sens que je l'aime,
Tout rebelle qu'il est, et tout mon rival même.
Sans le perdre, je veux perdre mes ennemis.
Il m'en coûterait trop, s'il m'en coûtait deux fils.
Des deux princes d'ailleurs la haine est trop puissante :
Ne crois pas qu'à la paix jamais elle consente.
Moi-même je saurai si bien l'envenimer,
Qu'ils périront tous deux plutôt que de s'aimer,
Les autres ennemis n'ont que de courtes haines,
Mais quand de la nature on a brisé les chaînes,
Cher Attale, il n'est rien qui puisse réunir
Ceux que des nœuds si forts n'ont pas su retenir :
L'on hait avec excès lorsque l'on hait un frère.
Mais leur éloignement ralentit leur colère;
Quelque haine qu'on ait contre un fier ennemi,
Quand il est loin de nous on la perd à demi.
Ne t'étonne donc plus si je veux qu'ils se voient :
Je veux qu'en se voyant leurs fureurs se déploient,
Que rappelant leur haine, au lieu de la chasser,
Ils s'étouffent, Attale, en voulant s'embrasser.

ATTALE

Vous n'avez plus, Seigneur, à craindre que vous-même :
On porte ses remords avec le diadème.

CRÉON

Quand on est sur le trône, on a bien d'autres soins,
Et les remords sont ceux qui nous pèsent le moins.
Du plaisir de régner une âme possédée
De tout le temps passé détourne son idée;
Et de tout autre objet un esprit éloigné
Croit n'avoir point vécu tant qu'il n'a point régné.

Mais allons. Le remords n'est pas ce qui me touche,
Et je n'ai plus un cœur que le crime effarouche :
Tous les premiers forfaits coûtent quelques efforts
Mais, Attale, on commet les seconds sans remords.

ACTE QUATRIÈME

SCÈNE I. — ÉTÉOCLE, CRÉON

ÉTÉOCLE

Oui, Créon, c'est ici qu'il doit bientôt se rendre,
Et tous deux en ce lieu nous le pouvons attendre.
Nous verrons ce qu'il veut; mais je répondrais bien
Que par cette entrevue on n'avancera rien.
Je connais Polynice et son humeur altière :
Je sais bien que sa haine est encor toute entière,
Je ne crois pas qu'on puisse en arrêter le cours,
Et pour moi, je sens bien que je le hais toujours.

CRÉON

Mais s'il vous cède enfin la grandeur souveraine,
Vous devez, ce me semble, apaiser votre haine.

ÉTÉOCLE

Je ne sais si mon cœur s'apaisera jamais :
Ce n'est pas son orgueil, c'est lui seul que je hais.
Nous avons l'un et l'autre une haine obstinée :
Elle n'est pas, Créon, l'ouvrage d'une année,
Elle est née avec nous, et sa noire fureur
Aussitôt que la vie entra dans notre cœur.
Nous étions ennemis dès la plus tendre enfance;
Que dis-je? nous l'étions avant notre naissance.
Triste et fatal effet d'un sang incestueux!
Pendant qu'un même sein nous renfermait tous deux,
Dans les flancs de ma mère une guerre intestine
De nos divisions lui marqua l'origine.
Elles ont, tu le sais, paru dans le berceau,

Et nous suivront peut-être encor dans le tombeau.
On dirait que le ciel, par un arrêt funeste,
Voulut de nos parents punir ainsi l'inceste,
Et que dans notre sang il voulut mettre au jour
Tout ce qu'ont de plus noir et la haine et l'amour.
Et maintenant, Créon, que j'attends sa venue,
Ne crois pas que pour lui ma haine diminue :
Plus il approche, et plus il me semble odieux,
Et sans doute il faudra qu'elle éclate à ses yeux.
J'aurais même regret qu'il me quittât l'empire :
Il faut, il faut qu'il fuie, et non qu'il se retire.
Je ne veux point, Créon, le haïr à moitié,
Et je crains son courroux moins que son amitié.
Je veux, pour donner cours à mon ardente haine,
Que sa fureur au moins autorise la mienne;
Et puisqu'enfin mon cœur ne saurait se trahir,
Je veux qu'il me déteste afin de le haïr.
Tu verras que sa rage est encore la même,
Et que toujours son cœur aspire au diadème;
Qu'il m'abhorre toujours, et veut toujours régner;
Et qu'on peut bien le vaincre, et non pas le gagner.

CRÉON

Domptez-le donc, Seigneur, s'il demeure inflexible.
Quelque fier qu'il puisse être, il n'est pas invincible,
Et puisque la raison ne peut rien sur son cœur,
Éprouvez ce que peut un bras toujours vainqueur.
Oui, quoique dans la paix je trouvasse des charmes,
Je serai le premier à reprendre les armes,
Et si je demandais qu'on en rompît le cours,
Je demande encor plus que vous régniez toujours.
Que la guerre s'enflamme et jamais ne finisse,
S'il faut avec la paix recevoir Polynice.
Qu'on ne nous vienne plus vanter un bien si doux;
La guerre et ses horreurs nous plaisent avec vous.
Tout le peuple thébain vous parle par ma bouche;
Ne le soumettez pas à ce prince farouche :
Si la paix se peut faire, il la veut comme moi;
Surtout, si vous l'aimez, conservez-lui son roi.
Cependant écoutez le prince votre frère,
Et s'il se peut, Seigneur, cachez votre colère;
Feignez... Mais quelqu'un vient.

SCÈNE II. — ÉTÉOCLE, CRÉON, ATTALE

ÉTÉOCLE

Sont-ils bien près d'ici?
Vont-ils venir, Attale?

ATTALE

Oui, Seigneur, les voici.
Ils ont trouvé d'abord la princesse et la reine,
Et bientôt ils seront dans la chambre prochaine.

ÉTÉOCLE

Qu'ils entrent. Cette approche excite mon courroux.
Qu'on hait un ennemi quand il est près de nous!

CRÉON

Ah! le voici! Fortune [10], achève mon ouvrage,
Et livre-les tous deux aux transports de leur rage!

SCÈNE III. — JOCASTE, ÉTÉOCLE, POLYNICE, ANTIGONE, CRÉON, HÉMON

JOCASTE

Me voici donc tantôt au comble de mes vœux,
Puisque déjà le ciel vous rassemble tous deux.
Vous revoyez un frère, après deux ans d'absence,
Dans ce même palais où vous prîtes naissance;
Et moi, par un bonheur où je n'osais penser,
L'un et l'autre à la fois je vous puis embrasser.
Commencez donc, mes fils, cette union si chère,
Et que chacun de vous reconnaisse son frère :
Tous deux dans votre frère envisagez vos traits :
Mais pour en mieux juger, voyez-les de plus près,
Surtout que le sang parle et fasse son office.
Approchez, Étéocle; avancez, Polynice...
Hé quoi? loin d'approcher, vous reculez tous deux?
D'où vient ce sombre accueil et ces regards fâcheux?
N'est-ce point que chacun, d'une âme irrésolue,
Pour saluer son frère attend qu'il le salue,
Et qu'affectant l'honneur de céder le dernier,
L'un ni l'autre ne veut s'embrasser le premier?
Étrange ambition qui n'aspire qu'au crime,

Où le plus furieux passe pour magnanime!
Le vainqueur doit rougir en ce combat honteux,
Et les premiers vaincus sont les plus généreux.
Voyons donc qui des deux aura plus de courage,
Qui voudra le premier triompher de sa rage...
Quoi? vous n'en faites rien? C'est à vous d'avancer,
Et venant de si loin vous devez commencer :
Commencez, Polynice, embrassez votre frère,
Et montrez...

ÉTÉOCLE

Hé, Madame! à quoi bon ce mystère?
Tous ces embrassements ne sont guère à propos :
Qu'il parle, qu'il s'explique, et nous laisse en repos.

POLYNICE

Quoi? faut-il davantage expliquer mes pensées?
On les peut découvrir par les choses passées :
La guerre, les combats, tant de sang répandu,
Tout cela dit assez que le trône m'est dû.

ÉTÉOCLE

Et ces mêmes combats, et cette même guerre,
Ce sang qui tant de fois a fait rougir la terre,
Tout cela dit assez que le trône est à moi;
Et tant que je respire, il ne peut être à toi.

POLYNICE

Tu sais qu'injustement tu remplis cette place.

ÉTÉOCLE

L'injustice me plaît, pourvu que je t'en chasse.

POLYNICE

Si tu n'en veux sortir, tu pourras en tomber.

ÉTÉOCLE

Si je tombe, avec moi tu pourras succomber.

JOCASTE

O dieux! que je me vois cruellement déçue!
N'avais-je tant pressé cette fatale vue,

Que pour les désunir encor plus que jamais?
Ah! mes fils, est-ce là comme on parle de paix?
Quittez, au nom des dieux, ces tragiques pensées.
Ne renouvelez point vos discordes passées :
Vous n'êtes pas ici dans un champ inhumain.
Est-ce moi qui vous mets les armes à la main?
Considérez ces lieux où vous prîtes naissance :
Leur aspect sur vos cœurs n'a-t-il point de puissance?
C'est ici que tous deux vous reçûtes le jour;
Tout ne vous parle ici que de paix et d'amour :
Ces princes, votre sœur, tout condamne vos haines,
Enfin moi, qui pour vous pris toujours tant de peines,
Qui pour vous réunir immolerais... Hélas!
Ils détournent la tête, et ne m'écoutent pas!
Tous deux, pour s'attendrir, ils ont l'âme trop dure;
Ils ne connaissent plus la voix de la nature,
(A Polynice.)
Et vous, que je croyais plus doux et plus soumis...

POLYNICE

Je ne veux rien de lui que ce qu'il m'a promis :
Il ne saurait régner sans se rendre parjure.

JOCASTE

Une extrême justice est souvent une injure.
Le trône vous est dû, je n'en saurais douter;
Mais vous le renversez en voulant y monter.
Ne vous lassez-vous point de cette affreuse guerre?
Voulez-vous sans pitié désoler cette terre,
Détruire cet empire afin de le gagner?
Est-ce donc sur des morts que vous voulez régner?
Thèbes avec raison craint le règne d'un prince
Qui de fleuves de sang inonde sa province.
Voudrait-elle obéir à votre injuste loi?
Vous êtes son tyran avant qu'être son roi.
Dieux! si devenant grand souvent on devient pire,
Si la vertu se perd quand on gagne l'empire,
Lorsque vous régnerez, que serez-vous, hélas!
Si vous êtes cruel quand vous ne régnez pas?

POLYNICE

Ah! si je suis cruel, on me force de l'être;
Et de mes actions je ne suis pas le maître.

J'ai honte des horreurs où je me vois contraint,
Et c'est injustement que le peuple me craint.
Mais il faut en effet soulager ma patrie;
De ses gémissements mon âme est attendrie.
Trop de sang innocent se verse tous les jours,
Il faut de ses malheurs que j'arrête le cours;
Et sans faire gémir ni Thèbes ni la Grèce,
A l'auteur de mes maux il faut que je m'adresse :
Il suffit aujourd'hui de son sang ou du mien.

JOCASTE

Du sang de votre frère?

POLYNICE

Oui, Madame, du sien.
Il faut finir ainsi cette guerre inhumaine.
Oui, cruel, et c'est là le dessein qui m'amène,
Moi-même à ce combat j'ai voulu t'appeler;
A tout autre qu'à toi je craignais d'en parler :
Tout autre aurait voulu condamner ma pensée,
Et personne en ces lieux ne te l'eût annoncée.
Je te l'annonce donc. C'est à toi de prouver
Si ce que tu ravis tu le sais conserver.
Montre-toi digne enfin d'une si belle proie.

ÉTÉOCLE

J'accepte ton dessein, et l'accepte avec joie.
Créon sait là-dessus quel était mon désir :
J'eusse accepté le trône avec moins de plaisir.
Je te crois maintenant digne du diadème,
Et te le vais porter au bout de ce fer même [11].

JOCASTE

Hâtez-vous donc, cruels, de me percer le sein,
Et commencez par moi votre horrible dessein.
Ne considérez point que je suis votre mère,
Considérez en moi celle de votre frère.
Si de votre ennemi vous recherchez le sang,
Recherchez-en la source en ce malheureux flanc.
Je suis de tous les deux la commune ennemie,
Puisque votre ennemi reçut de moi la vie.
Cet ennemi, sans moi, ne verrait pas le jour;

S'il meurt, ne faut-il pas que je meure à mon tour?
N'en doutez point, sa mort me doit être commune;
Il faut en donner deux, ou n'en donner pas une;
Et sans être ni doux ni cruel à demi,
Il faut me perdre, ou bien sauver votre ennemi.
Si la vertu vous plaît, si l'honneur vous anime,
Barbares, rougissez de commettre un tel crime;
Ou si le crime enfin vous plaît tant à chacun,
Barbares, rougissez de n'en commettre qu'un.
Aussi bien, ce n'est point que l'amour vous retienne
Si vous sauvez ma vie en poursuivant la sienne :
Vous vous garderiez bien, cruels, de m'épargner,
Si je vous empêchais un moment de régner.
Polynice, est-ce ainsi que l'on traite une mère?

POLYNICE

J'épargne mon pays.

JOCASTE

Et vous tuez un frère!

POLYNICE

Je punis un méchant.

JOCASTE

Et sa mort, aujourd'hui,
Vous rendra plus coupable et plus méchant que lui.

POLYNICE

Faut-il que de ma main je couronne ce traître,
Et que de cour en cour j'aille chercher un maître?
Qu'errant et vagabond je quitte mes États,
Pour observer des lois qu'il ne respecte pas?
De ses propres forfaits serai-je la victime?
Le diadème est-il le partage du crime?
Quel droit ou quel devoir n'a-t-il point violé?
Et cependant il règne, et je suis exilé!

JOCASTE

Mais si le roi d'Argos vous cède une couronne...

POLYNICE

Dois-je chercher ailleurs ce que le sang me donne?
En m'alliant chez lui n'aurai-je rien porté?

Et tiendrai-je mon rang de sa seule bonté?
D'un trône qui m'est dû faut-il que l'on me chasse,
Et d'un prince étranger que je brigue la place?
Non, non : sans m'abaisser à lui faire la cour,
Je veux devoir le sceptre à qui je dois le jour.

JOCASTE

Qu'on le tienne, mon fils, d'un beau-père ou d'un père,
La main de tous les deux vous sera toujours chère.

POLYNICE

Non, non, la différence est trop grande pour moi :
L'un me ferait esclave, et l'autre me fait roi.
Quoi? ma grandeur serait l'ouvrage d'une femme?
D'un éclat si honteux je rougirais dans l'âme.
Le trône, sans l'amour, me serait donc fermé?
Je ne régnerais pas si l'on ne m'eût aimé?
Je veux m'ouvrir le trône ou jamais n'y paraître;
Et quand j'y monterai, j'y veux monter en maître,
Que le peuple à moi seul soit forcé d'obéir,
Et qu'il me soit permis de m'en faire haïr.
Enfin, de ma grandeur je veux être l'arbitre,
N'être point roi, Madame, ou l'être à juste titre;
Que le sang me couronne; ou, s'il ne suffit pas,
Je veux à son secours n'appeler que mon bras.

JOCASTE

Faites plus, tenez tout de votre grand courage;
Que votre bras tout seul fasse votre partage,
Et dédaignant les pas des autres souverains,
Soyez, mon fils, soyez l'ouvrage de vos mains.
Par d'illustres exploits couronnez-vous vous-même,
Qu'un superbe laurier soit votre diadème;
Régnez et triomphez, et joignez à la fois
La gloire des héros à la pourpre des rois.
Quoi? votre ambition serait-elle bornée
A régner tour à tour l'espace d'une année?
Cherchez à ce grand cœur, que rien ne peut dompter,
Quelque trône où vous seul ayez droit de monter.
Mille sceptres nouveaux s'offrent à votre épée,
Sans que d'un sang si cher nous la voyions trempée.
Vos triomphes pour moi n'auront rien que de doux,
Et votre frère même ira vaincre avec vous.

POLYNICE

Vous voulez que mon cœur, flatté de ces chimères,
Laisse un usurpateur au trône de mes pères?

JOCASTE

Si vous lui souhaitez en effet tant de mal,
Élevez-le vous-même à ce trône fatal.
Ce trône fut toujours un dangereux abîme;
La foudre l'environne aussi bien que le crime;
Votre père et les rois qui vous ont devancés,
Sitôt qu'ils y montaient, s'en sont vus renversés.

POLYNICE

Quand je devrais au ciel rencontrer le tonnerre,
J'y monterais plutôt que de ramper à terre.
Mon cœur, jaloux du sort de ces grands malheureux,
Veut s'élever, Madame, et tomber avec eux.

ÉTÉOCLE

Je saurai t'épargner une chute si vaine.

POLYNICE

Ah! ta chute, crois-moi, précédera la mienne!

JOCASTE

Mon fils, son règne plaît.

POLYNICE

Mais il m'est odieux.

JOCASTE

Il a pour lui le peuple.

POLYNICE

Et j'ai pour moi les dieux.

ÉTÉOCLE

Les dieux de ce haut rang te voulaient interdire,
Puisqu'ils m'ont élevé le premier à l'empire.
Ils ne savaient que trop, lorsqu'ils firent ce choix,
Qu'on veut régner toujours quand on règne une fois.
Jamais dessus le trône on ne vit plus d'un maître.

Il n'en peut tenir deux, quelque grand qu'il puisse être :
L'un des deux, tôt ou tard, se verrait renversé,
Et d'un autre soi-même on y serait pressé.
Jugez donc, par l'horreur que ce méchant me donne,
Si je puis avec lui partager la couronne.

POLYNICE

Et moi je ne veux plus, tant tu m'es odieux,
Partager avec toi la lumière des cieux.

JOCASTE

Allez donc, j'y consens, allez perdre la vie;
A ce cruel combat tous deux je vous convie;
Puisque tous mes efforts ne sauraient vous changer,
Que tardez-vous? allez vous perdre et me venger.
Surpassez, s'il se peut, les crimes de vos pères;
Montrez, en vous tuant, comme vous êtes frères :
Le plus grand des forfaits vous a donné le jour,
Il faut qu'un crime égal vous l'arrache à son tour.
Je ne condamne plus la fureur qui vous presse;
Je n'ai plus pour mon sang ni pitié ni tendresse :
Votre exemple m'apprend à ne le plus chérir
Et moi je vais, cruels, vous apprendre à mourir.

ANTIGONE

Madame... O ciel! que vois-je? Hélas! rien ne les touche!

HÉMON

Rien ne peut ébranler leur constance farouche.

ANTIGONE

Princes...

ÉTÉOCLE

Pour ce combat, choisissons quelque lieu.

POLYNICE

Courons. Adieu, ma sœur.

ÉTÉOCLE

Adieu, Princesse, adieu.

ANTIGONE

Mes frères, arrêtez! Gardes, qu'on les retienne;
Joignez, unissez tous vos douleurs à la mienne.
C'est leur être cruels que de les respecter.

HÉMON

Madame, il n'est plus rien qui les puisse arrêter.

ANTIGONE

Ah! généreux Hémon, c'est vous seul que j'implore.
Si la vertu vous plaît, si vous m'aimez encore,
Et qu'on puisse arrêter leurs parricides mains,
Hélas! pour me sauver, sauvez ces inhumains.

ACTE CINQUIÈME

SCÈNE I. — ANTIGONE, *seule*[12].

A quoi te résous-tu, princesse infortunée?
Ta mère vient de mourir dans tes bras;
Ne saurais-tu suivre ses pas,
Et finir en mourant ta triste destinée?
A de nouveaux malheurs te veux-tu réserver?
Tes frères sont aux mains, rien ne les peut sauver
De leurs cruelles armes.
Leur exemple t'anime à te percer le flanc;
Et toi seule verses des larmes,
Tous les autres versent du sang.

Quelle est de mes malheurs l'extrémité mortelle?
Où ma douleur doit-elle recourir?
Dois-je vivre? dois-je mourir?
Un amant me retient, une mère m'appelle :
Dans la nuit du tombeau je la vois qui m'attend;
Ce que veut la raison, l'amour me le défend
Et m'en ôte l'envie.
Que je vois de sujets d'abandonner le jour!
Mais, hélas! qu'on tient à la vie,
Quand on tient si fort à l'amour!

Oui, tu retiens, Amour, mon âme fugitive;
Je reconnais la voix de mon vainqueur :
L'espérance est morte en mon cœur,
Et cependant tu vis, et tu veux que je vive;
Tu dis que mon amant me suivrait au tombeau,
Que je dois de mes jours conserver le flambeau
Pour sauver ce que j'aime.
Hémon, vois le pouvoir que l'amour a sur moi :
Je ne vivrais pas pour moi-même,
Et je veux bien vivre pour toi.

Si jamais tu doutas de ma flamme fidèle...
Mais voici du combat la funeste nouvelle.

SCÈNE II. — ANTIGONE, OLYMPE

ANTIGONE

Eh bien! ma chère Olympe, as-tu vu ce forfait?

OLYMPE

J'y suis courue en vain, c'en était déjà fait.
Du haut de nos remparts j'ai vu descendre en larmes
Le peuple qui courait et qui criait aux armes;
Et pour vous dire enfin d'où venait sa terreur,
Le roi n'est plus, Madame, et son frère est vainqueur.
On parle aussi d'Hémon : l'on dit que son courage
S'est efforcé longtemps de suspendre leur rage,
Mais que tous ses efforts ont été superflus.
C'est ce que j'ai compris de mille bruits confus.

ANTIGONE

Ah! je n'en doute pas, Hémon est magnanime;
Son grand cœur eut toujours trop d'horreur pour le crime.
Je l'avais conjuré d'empêcher ce forfait,
Et s'il l'avait pu faire, Olympe, il l'aurait fait.
Mais, hélas! leur fureur ne pouvait se contraindre :
Dans des ruisseaux de sang elle voulait s'éteindre.
Princes dénaturés, vous voilà satisfaits :
La mort seule entre vous pouvait mettre la paix.
Le trône pour vous deux avait trop peu de place;
Il fallait entre vous mettre un plus grand espace,
Et que le ciel vous mît, pour finir vos discords,

L'un parmi les vivants, l'autre parmi les morts.
Infortunés tous deux, dignes qu'on vous déplore!
Moins malheureux pourtant que je ne suis encore,
Puisque de tous les maux qui sont tombés sur nous,
Vous n'en sentez aucun, et que je les sens tous!

OLYMPE

Mais pour vous ce malheur est un moindre supplice
Que si la mort vous eût enlevé Polynice.
Ce prince était l'objet qui faisait tous vos soins;
Les intérêts du roi vous touchaient beaucoup moins.

ANTIGONE

Il est vrai, je l'aimais d'une amitié sincère;
Je l'aimais beaucoup plus que je n'aimais son frère,
Et, ce qui lui donnait tant de part dans mes vœux,
Il était vertueux, Olympe, et malheureux.
Mais, hélas! ce n'est plus ce cœur si magnanime,
Et c'est un criminel qu'a couronné son crime.
Son frère plus que lui commence à me toucher :
Devenant malheureux, il m'est devenu cher.

OLYMPE

Créon vient.

ANTIGONE

Il est triste; et j'en connais la cause :
Au courroux du vainqueur la mort du roi l'expose.
C'est de tous nos malheurs l'auteur pernicieux.

SCÈNE III. — ANTIGONE, CRÉON, OLYMPE, ATTALE, Gardes

CRÉON

Madame, qu'ai-je appris en entrant dans ces lieux?
Est-il vrai que la reine...

ANTIGONE

Oui, Créon, elle est morte.

CRÉON

O dieux! puis-je savoir de quelle étrange sorte
Ses jours infortunés ont éteint leur flambeau?

OLYMPE

Elle-même, Seigneur, s'est ouvert le tombeau,
Et s'étant d'un poignard en un moment saisie,
Elle en a terminé ses malheurs et sa vie.

ANTIGONE

Elle a su prévenir la perte de son fils.

CRÉON

Ah! Madame, il est vrai que les dieux ennemis...

ANTIGONE

N'imputez qu'à vous seul la mort du roi mon frère,
Et n'en accusez point la céleste colère.
A ce combat fatal vous seul l'avez conduit :
Il a cru vos conseils, sa mort en est le fruit.
Ainsi de leurs flatteurs les rois sont les victimes;
Vous avancez leur perte en approuvant leurs crimes;
De la chute des rois vous êtes les auteurs;
Mais les rois en tombant entraînent leurs flatteurs.
Vous le voyez, Créon, sa disgrâce mortelle
Vous est funeste autant qu'elle nous est cruelle :
Le ciel, en le perdant, s'en est vengé sur vous,
Et vous avez peut-être à pleurer comme nous.

CRÉON

Madame, je l'avoue; et les destins contraires
Me font pleurer deux fils si vous pleurez deux frères.

ANTIGONE

Mes frères et vos fils? Dieux! que veut ce discours?
Quelque autre qu'Étéocle a-t-il fini ses jours?

CRÉON

Mais ne savez-vous pas cette sanglante histoire?

ANTIGONE

J'ai su que Polynice a gagné la victoire,
Et qu'Hémon a voulu les séparer en vain.

CRÉON

Madame, ce combat est bien plus inhumain.
Vous ignorez encor mes pertes et les vôtres.
Mais, hélas! apprenez les unes et les autres.

ANTIGONE

Rigoureuse Fortune, achève ton courroux!
Ah! sans doute, voici le dernier de tes coups.

CRÉON

Vous avez vu, Madame, avec quelle furie
Les deux princes sortaient pour s'arracher la vie,
Que d'une ardeur égale ils fuyaient de ces lieux,
Et que jamais leurs cœurs ne s'accordèrent mieux.
La soif de se baigner dans le sang de leur frère
Faisait ce que jamais le sang n'avait su faire :
Par l'excès de leur haine ils semblaient réunis,
Et prêts à s'égorger, ils paraissaient amis.
Ils ont choisi d'abord pour leur champ de bataille,
Un lieu près des deux camps, au pied de la muraille.
C'est là que reprenant leur première fureur
Ils commencent enfin ce combat plein d'horreur.
D'un geste menaçant, d'un œil brûlant de rage,
Dans le sein l'un de l'autre ils cherchent un passage,
Et la seule fureur précipitant leurs bras,
Tous deux semblent courir au-devant du trépas.
Mon fils, qui de douleur en soupirait dans l'âme,
Et qui se souvenait de vos ordres, Madame,
Se jette au milieu d'eux, et méprise pour vous
Leurs ordres absolus qui nous arrêtaient tous.
Il leur retient le bras, les repousse, les prie,
Et pour les séparer s'expose à leur furie.
Mais il s'efforce en vain d'en arrêter le cours,
Et ces deux furieux se rapprochent toujours.
Il tient ferme pourtant, et ne perd point courage;
De mille coups mortels il détourne l'orage,
Jusqu'à ce que du roi le fer trop rigoureux,
Soit qu'il cherchât son frère, ou ce fils malheureux,
Le renverse à ses pieds prêt à rendre la vie.

ANTIGONE

Et la douleur encor ne me l'a pas ravie!

CRÉON

J'y cours, je le relève, et le prends dans mes bras;
Et me reconnaissant : « Je meurs, dit-il tout bas,

« Trop heureux d'expirer pour ma belle princesse.
« En vain à mon secours votre amitié s'empresse :
« C'est à ces furieux que vous devez courir;
« Séparez-les, mon père, et me laissez mourir ».
Il expire à ces mots. Ce barbare spectacle
A leur noire fureur n'apporte point d'obstacle;
Seulement Polynice en paraît affligé :
« Attends, Hémon, dit-il, tu vas être vengé ».
En effet sa douleur renouvelle sa rage,
Et bientôt le combat tourne à son avantage.
Le roi, frappé d'un coup qui lui perce le flanc,
Lui cède la victoire et tombe dans son sang.
Les deux camps aussitôt s'abandonnent en proie,
Le nôtre à la douleur, et les Grecs à la joie;
Et le peuple, alarmé du trépas de son roi,
Sur le haut de ses tours témoigne son effroi.
Polynice, tout fier du succès de son crime,
Regarde avec plaisir expirer sa victime;
Dans le sang de son frère il semble se baigner :
« Et tu meurs, lui dit-il, et moi je vais régner.
« Regarde dans mes mains l'empire et la victoire;
« Va rougir aux enfers de l'excès de ma gloire;
« Et pour mourir encore avec plus de regret,
« Traître, songe en mourant que tu meurs mon sujet ».
En achevant ces mots, d'une démarche fière
Il s'approche du roi couché sur la poussière,
Et pour le désarmer il avance le bras.
Le roi, qui semble mort, observe tous ses pas;
Il le voit, il l'attend, et son âme irritée
Pour quelque grand dessein semble s'être arrêtée.
L'ardeur de se venger flatte encor ses désirs,
Et retarde le cours de ses derniers soupirs.
Prêt à rendre la vie, il en cache le reste,
Et sa mort au vainqueur est un piège funeste;
Et dans l'instant fatal que ce frère inhumain
Lui veut ôter le fer qu'il tenait à la main,
Il lui perce le cœur; et son âme ravie,
En achevant ce coup abandonne la vie.
Polynice frappé pousse un cri dans les airs,
Et son âme en courroux s'enfuit dans les enfers.
Tout mort qu'il est, Madame, il garde sa colère,
Et l'on dirait qu'encore il menace son frère :

Son visage, où la mort a répandu ses traits,
Demeure plus terrible et plus fier que jamais.

ANTIGONE

Fatale ambition, aveuglement funeste!
D'un oracle cruel suite trop manifeste!
De tout le sang royal il ne reste que nous;
Et plût aux dieux, Créon, qu'il ne restât que vous,
Et que mon désespoir, prévenant leur colère,
Eût suivi de plus près le trépas de ma mère!

CRÉON

Il est vrai que des dieux le courroux embrasé
Pour nous faire périr semble s'être épuisé;
Car enfin sa rigueur, vous le voyez, Madame,
Ne m'accable pas moins qu'elle afflige votre âme.
En m'arrachant mes fils...

ANTIGONE

Ah! vous régnez, Créon,
Et le trône aisément vous console d'Hémon.
Mais laissez-moi, de grâce, un peu de solitude,
Et ne contraignez point ma triste inquiétude.
Aussi bien mes chagrins passeraient jusqu'à vous.
Vous trouverez ailleurs des entretiens plus doux :
Le trône vous attend, le peuple vous appelle;
Goûtez tout le plaisir d'une grandeur nouvelle.
Adieu. Nous ne faisons tous deux que nous gêner :
Je veux pleurer, Créon, et vous voulez régner.

CRÉON, *arrêtant Antigone.*

Ah, Madame! régnez, et montez sur le trône :
Ce haut rang n'appartient qu'à l'illustre Antigone.

ANTIGONE

Il me tarde déjà que vous ne l'occupiez :
La couronne est à vous.

CRÉON

Je la mets à vos pieds.

ANTIGONE

Je la refuserais de la main des dieux même,
Et vous osez, Créon, m'offrir le diadème!

CRÉON

Je sais que ce haut rang n'a rien de glorieux
Qui ne cède à l'honneur de l'offrir à vos yeux.
D'un si noble destin je me connais indigne;
Mais si l'on peut prétendre à cette gloire insigne,
Si par d'illustres faits on la peut mériter,
Que faut-il faire enfin, Madame?

ANTIGONE

M'imiter.

CRÉON

Que ne ferais-je point pour une telle grâce!
Ordonnez seulement ce qu'il faut que je fasse :
Je suis prêt...

ANTIGONE, *en s'en allant.*

Nous verrons.

CRÉON, *la suivant.*

J'attends vos lois ici.

ANTIGONE, *en s'en allant.*

Attendez.

ATTALE

Son courroux serait-il adouci?
Croyez-vous la fléchir?

SCÈNE IV. — CRÉON, ATTALE

CRÉON

Oui, oui, mon cher Attale;
Il n'est point de fortune à mon bonheur égale,
Et tu vas voir en moi, dans ce jour fortuné,
L'ambitieux au trône, et l'amant couronné.
Je demandais au ciel la princesse et le trône :
Il me donne le sceptre et m'accorde Antigone.
Pour couronner ma tête et ma flamme en ce jour,
Il arme en ma faveur et la haine et l'amour,
Il allume pour moi deux passions contraires :

Il attendrit la sœur, il endurcit les frères,
Il aigrit leur courroux, il fléchit sa rigueur,
Et m'ouvre en même temps et leur trône et son cœur.

ATTALE

Il est vrai, vous avez toute chose prospère,
Et vous seriez heureux si vous n'étiez point père.
L'ambition, l'amour, n'ont rien à désirer;
Mais, Seigneur, la nature a beaucoup à pleurer :
En perdant vos deux fils...

CRÉON

Oui, leur perte m'afflige,
Je sais ce que de moi le rang de père exige,
Je l'étais; mais surtout j'étais né pour régner,
Et je perds beaucoup moins que je ne crois gagner.
Le nom de père, Attale, est un titre vulgaire :
C'est un don que le ciel ne nous refuse guère.
Un bonheur si commun n'a pour moi rien de doux,
Ce n'est pas un bonheur, s'il ne fait des jaloux.
Mais le trône est un bien dont le ciel est avare;
Du reste des mortels ce haut rang nous sépare,
Bien peu sont honorés d'un don si précieux :
La terre a moins de rois que le ciel n'a de dieux.
D'ailleurs tu sais qu'Hémon adorait la princesse,
Et qu'elle eut pour ce prince une extrême tendresse.
S'il vivait, son amour au mien serait fatal.
En me privant d'un fils, le ciel m'ôte un rival.
Ne me parle donc plus que de sujets de joie,
Souffre qu'à mes transports je m'abandonne en proie;
Et sans me rappeler des ombres des enfers,
Dis-moi ce que je gagne, et non ce que je perds.
Parle-moi de régner, parle-moi d'Antigone :
J'aurai bientôt son cœur, et j'ai déjà le trône.
Tout ce qui s'est passé n'est qu'un songe pour moi :
J'étais père et sujet, je suis amant et roi.
La princesse et le trône ont pour moi tant de charmes,
Que... Mais Olympe vient.

ATTALE

Dieux! elle est tout en larmes.

SCÈNE V. — CRÉON, OLYMPE, ATTALE

OLYMPE

Qu'attendez-vous, Seigneur? La princesse n'est plus.

CRÉON

Elle n'est plus, Olympe?

OLYMPE

Ah! regrets superflus!
Elle n'a fait qu'entrer dans la chambre prochaine,
Et du même poignard dont est morte la reine,
Sans que je pusse voir son funeste dessein,
Cette fière princesse a percé son beau sein.
Elle s'en est, seigneur, mortellement frappée,
Et dans son sang, hélas! elle est soudain tombée.
Jugez à cet objet ce que j'ai dû sentir.
Mais sa belle âme enfin, toute prête à sortir :
« Cher Hémon, c'est à toi que je me sacrifie »,
Dit-elle; et ce moment a terminé sa vie.
J'ai senti son beau corps tout froid entre mes bras,
Et j'ai cru que mon âme allait suivre ses pas,
Heureuse mille fois, si ma douleur mortelle
Dans la nuit du tombeau m'eût plongée avec elle!
(Elle s'en va.)

SCÈNE DERNIÈRE. — CRÉON, ATTALE

CRÉON

Ainsi donc vous fuyez un amant odieux,
Et vous-même, cruelle, éteignez vos beaux yeux!
Vous fermez pour jamais ces beaux yeux que j'adore,
Et pour ne me point voir, vous les fermez encore!
Quoique Hémon vous fût cher, vous courez au trépas
Bien plus pour m'éviter que pour suivre ses pas.
Mais dussiez-vous encor m'être aussi rigoureuse,
Ma présence aux enfers vous fût-elle odieuse,
Dût après le trépas vivre votre courroux,
Inhumaine, je vais y descendre après vous.
Vous y verrez toujours l'objet de votre haine,
Et toujours mes soupirs vous rediront ma peine,
Ou pour vous adoucir, ou pour vous tourmenter;

Et vous ne pourrez plus mourir pour m'éviter.
Mourons donc...

ATTALE *et des gardes*[13].

Ah! Seigneur! quelle cruelle envie...

CRÉON

Ah! c'est m'assassiner que me sauver la vie!
Amour, rage, transports, venez à mon secours,
Venez, et terminez mes détestables jours!
De ces cruels amis trompez tous les obstacles.
Toi, justifie, ô ciel, la foi de tes oracles :
Je suis le dernier sang du malheureux Laïus,
Perdez-moi, dieux cruels, ou vous serez déçus.
Reprenez, reprenez cet empire funeste :
Vous m'ôtez Antigone, ôtez-moi tout le reste.
Le trône et vos présents excitent mon courroux;
Un coup de foudre est tout ce que je veux de vous.
Ne le refusez pas à mes vœux, à mes crimes;
Ajoutez mon supplice à tant d'autres victimes.
Mais en vain je vous presse, et mes propres forfaits
Me font déjà sentir tous les maux que j'ai faits.
Polynice, Étéocle, Iocaste, Antigone,
Mes fils, que j'ai perdus pour m'élever au trône,
Tant d'autres malheureux dont j'ai causé les maux,
Font déjà dans mon cœur l'office des bourreaux.
Arrêtez... Mon trépas va venger votre perte,
La foudre va tomber, la terre est entr'ouverte,
Je ressens à la fois mille tourments divers,
Et je m'en vais chercher du repos aux enfers.

(Il tombe entre les mains des gardes.)

ALEXANDRE LE GRAND[1]

TRAGÉDIE

ALEXANDRE LE GRAND

Si La *Thébaïde* était un apprentissage, avec *Alexandre* Racine s'impose comme un auteur à succès, habile à réaliser en tous domaines des coups d'audace calculés et sachant trouver les voies pour plaire à son public.

Il choisit pour sa seconde tragédie un sujet, très connu des gens cultivés de son époque, qu'il tire de Quinte-Curce mais aussi de Plutarque, et qui avait déjà été traité par Boyer dans son *Porus ou la Générosité d'Alexandre*. Mais surtout, il reprend le thème de la magnanimité à l'égard d'un adversaire que Corneille avait illustré dans *Cinna*. Dès le mois de mars 1665, il donne lecture de trois actes et demi de sa pièce à l'Hôtel de Nevers, devant un auditoire où figurent des admirateurs de Corneille : Mme de Sévigné, Mme de La Fayette, La Rochefoucauld, Pomponne, entre autres. Il reçoit leur approbation, et dès lors, on attend, dans la bonne société, la création de sa pièce avec un préjugé favorable. Selon un témoignage tardif, il serait allé ensuite, une fois sa pièce terminée, la soumettre à Corneille lui-même; ce dernier, après en avoir loué la versification, lui aurait conseillé de s'appliquer à un autre genre que le théâtre pour lequel son génie n'était point fait. Passant outre, Racine fait jouer *Alexandre;* sa rivalité avec Corneille commence.

La première représentation eut lieu au Palais-Royal, le 4 décembre 1665. Dans le public se trouvaient : Monsieur, La Princesse Palatine, Condé et son fils, et une suite nombreuse. A en juger par les gazettes du temps et par les chiffres de recette, l'accueil fut favorable. Au même moment, la troupe de l'Hôtel de Bourgogne, qu'une concurrence acharnée opposait à celle de Molière, reprenait le *Porus* de Boyer, rebaptisé pour la circonstance *Alexandre.* Puis, le 18 décembre, c'est le même *Alexandre* de Racine qui est joué sur les deux théâtres à la fois. Ces représentations parallèles dureront une semaine, après quoi Molière renoncera.

Ce procédé outrageant révèle chez Racine un tempérament d'arriviste capable de bien des manœuvres, mais on ignore les raisons exactes qui l'ont poussé à agir ainsi. Les faits établis sont que la troupe royale était réputée sans égale dans la tragédie, en particulier Floridor (qui jouera Alexandre) et Montfleury (Porus) dans les rôles de roi, tandis que la troupe de Molière qui réussissait bien dans le comique était assez sévèrement jugée dans les tragédies : il est vraisemblable que Racine trouvait que son *Alexandre* était mal mis en valeur au Palais-Royal.

Il en publia le texte dès le 13 janvier 1666, non sans avoir agi pour faire interdire des rééditions concurrentes de l'œuvre de Boyer. La pièce était précédée d'une épître dédicatoire au roi, et d'une préface très polémique, répondant aux critiques qu'il avait dû subir, notamment de la part de Saint-Évremond dans une lettre que ses correspondants firent circuler. Celui-ci reprochait à Racine de faire ses héros non point tels qu'ils avaient dû être dans leur époque et leur milieu, mais Français de tempérament et de mœurs, de faire Porus plus grand qu'Alexandre, celui-ci étant, par ailleurs, « froid » et « languissant » lorsqu'il paraît sur scène, enfin d'avoir fait une pièce fort peu « héroïque ». Cette analyse soulignait de façon pertinente la contradiction qui marque cette œuvre : quoique le sujet en soit politique et le thème héroïque, l'amour en fait le ressort principal et l'atmosphère en est galante. Racine, pour se justifier, eut un argument décisif : malgré ses défauts, *Alexandre* était un succès.

De fait, c'est celle de ses pièces qui eut, de son vivant, le plus grand nombre d'éditions. Les registres de la Comédie-Française montrent qu'elle était très régulièrement reprise dans les années 1680. Ce succès tient sans doute, pour une part, à des qualités proprement dramatiques : l'action y est conduite avec nécessité, le conflit tragique est tout intérieur aux personnages, le langage en est très travaillé. Mais cela tient surtout à l'impact idéologique de cette œuvre. Au XVIIe siècle, l'héroïsation du souverain est un thème courant dans la littérature. La comparaison entre le jeune Louis XIV et le plus célèbre prince de l'Antiquité s'inscrivait dans cette tradition (et cf., plus tard, les tapisseries de l'*Histoire d'Alexandre* aux Gobelins, le salon d'Apollon à Versailles). Mais pour que la flatterie soit bien venue, il fallait éviter des maladresses qui se seraient retournées contre l'auteur. Il est possible de voir dans l'*Alexandre* une anticipation sur les conquêtes que le roi ne pourra manquer de faire (on commence à cette date à parler de la succession d'Espagne) ou une allusion à un passé récent (le pardon de Condé), mais de tels rapprochements n'expliquent rien. La rencontre de la pièce et de son public se situe ailleurs. Dans les premières années de son règne, Louis XIV apparaît comme le roi pacifique, le restaurateur de la paix dans un pays épuisé par la Guerre de Trente Ans et la Fronde : Racine ne pouvait donc insister sur la gloire d'Alexandre comme roi combattant. L'euphorie des classes privilégiées dans les années 1660 s'organise autour de l'image d'un monarque juste, qui impose le respect sans devoir recourir à la force (cf. les *Mémoires* de Louis XIV) et dont la grandeur éclate même dans la galanterie — terme très laudatif à ce moment — dont il fait preuve. Ce que Saint-Évremond reproche à Racine se trouve contrebalancé par cette coïncidence de l'œuvre avec le goût de la Cour et même certaines faiblesses de la technique dramatique apparaissent alors comme des habiletés : en s'écartant des modèles établis, Racine répond à l'attente objective du public. L'*Alexandre* est de ces œuvres qui marquent que le temps de l'héroïsme triomphant s'éloigne, qu'une nouvelle esthétique, fondée sur d'autres passions, se fait jour : plus que héros invincible, Alexandre est ici magnanime et galant.

A. V.

AU ROI [a]

SIRE,

Voici une seconde entreprise qui n'est pas moins hardie que la première. Je ne me contente pas d'avoir mis à la tête de mon ouvrage le nom d'Alexandre, j'y ajoute encore celui de VOTRE MAJESTÉ, c'est-à-dire que j'assemble tout ce que le siècle présent et les siècles passés nous peuvent fournir de plus grand. Mais, SIRE, j'espère que VOTRE MAJESTÉ ne condamnera pas cette seconde hardiesse, comme elle n'a pas désapprouvé la première. Quelques efforts que l'on eût faits pour lui défigurer mon héros, il n'a pas plutôt paru devant elle, qu'elle l'a reconnu pour Alexandre. Et à qui s'en rapportera-t-on, qu'à un roi dont la gloire est répandue aussi loin que celle de ce conquérant, et devant qui l'on peut dire que tous les peuples du monde se taisent comme l'Écriture l'a dit d'Alexandre? Je sais bien que ce silence est un silence d'étonnement et d'admiration, que jusques ici la force de vos armes ne leur a pas tant imposé que celle de vos vertus. Mais, SIRE, votre réputation n'en est pas moins éclatante, pour n'être point établie sur les embrasements et sur les ruines; et déjà VOTRE MAJESTÉ est arrivée au comble de la gloire par un chemin plus nouveau et plus difficile que celui par où Alexandre y est monté. Il n'est pas extraordinaire de voir un jeune homme gagner des batailles, de le voir mettre le feu par toute la terre. Il n'est pas impossible que la jeunesse et la fortune l'emportent victorieux jusqu'au fond des Indes. L'histoire est pleine de jeunes conquérants; et l'on sait avec quelle ardeur VOTRE MAJESTÉ elle-même a cherché les occasions de se signaler dans un âge où Alexandre ne faisait encore que pleurer sur les victoires de son père. Mais elle me permettra de lui dire que devant elle, on n'a point vu de roi qui, à l'âge d'Alexandre, ait fait paraître la conduite d'Auguste; qui, sans s'éloigner presque du centre de son royaume, ait répandu sa lumière jusqu'au bout du monde; et qui ait commencé sa carrière par où les plus grands princes ont tâché d'achever la leur. On a disputé chez les anciens si la fortune n'avait point eu plus de part que la vertu dans les conquêtes d'Alexandre. Mais quelle part la fortune peut-elle prétendre aux actions d'un roi qui ne doit qu'à ses seuls conseils l'état florissant de son royaume, et qui n'a besoin que de lui-même, pour se rendre redoutable à toute l'Europe? Mais, SIRE, je ne songe pas qu'en voulant louer VOTRE MAJESTÉ je m'engage dans une carrière trop vaste et trop difficile. Il faut auparavant m'essayer encore sur quelques autres héros de l'antiquité; et je prévois qu'à mesure que je prendrai de nouvelles forces, VOTRE MAJESTÉ se couvrira elle-même d'une gloire toute nouvelle; que nous la reverrons peut-être, à la tête d'une armée, achever la comparaison qu'on peut faire d'elle et d'Alexandre, et ajouter le titre de conquérant à celui du plus sage roi de la terre. Ce sera alors que vos sujets devront consacrer toutes leurs veilles au récit de tant de grandes actions, et ne pas souffrir que VOTRE MAJESTÉ ait lieu de se plaindre, comme Alexandre, qu'elle n'a eu personne de son temps qui pût laisser à la postérité la mémoire de ses vertus. Je n'espère pas être assez heureux pour me distinguer par le mérite de mes ouvrages, mais je sais bien que je me signalerai au moins par le zèle et la profonde vénération avec laquelle je suis,

SIRE

DE VOTRE MAJESTÉ,

Le très humble, très obéissant, et très fidèle serviteur et sujet,

RACINE.

PREMIÈRE PRÉFACE [3]

Je ne rapporterai point ici ce que l'histoire dit de Porus, il faudrait copier tout le huitième livre de Quinte-Curce; et je m'engagerai moins encore à faire une exacte apologie de tous les endroits qu'on a voulu combattre dans ma pièce. Je n'ai pas prétendu donner au public un ouvrage parfait : je me fais trop justice pour avoir osé me flatter de cette espérance. Avec quelque succès qu'on ait représenté mon *Alexandre,* et quoique les premières personnes de la terre et les Alexandres de notre siècle se soient hautement déclarés pour lui, je ne me laisse point éblouir par ces illustres approbations. Je veux croire qu'ils ont voulu encourager un jeune homme, et m'exciter à faire encore mieux dans la suite; mais j'avoue que, quelque défiance que j'eusse de moi-même, je n'ai pu m'empêcher de concevoir quelque opinion de ma tragédie, quand j'ai vu la peine que se sont donnée certaines gens pour la décrier. On ne fait point tant de brigues contre un ouvrage qu'on n'estime pas; on se contente de ne plus le voir quand on l'a vu une fois, et on le laisse tomber de lui-même, sans daigner seulement contribuer à sa chute. [Cependant j'ai eu le plaisir de voir plus de six fois de suite à ma pièce le visage de ces censeurs; ils n'ont pas craint de s'exposer si souvent à entendre une chose qui leur déplaisait; ils ont prodigué libéralement leur temps et leurs peines pour la venir critiquer, sans compter les chagrins que leur ont peut-être coûté les applaudissements que leur présence n'a pas empêché le public de me donner.] Ce n'est pas, comme j'ai déjà dit, que je croie ma pièce sans défauts. On sait avec quelle déférence j'ai écouté les avis sincères de mes véritables amis, et l'on verra même que j'ai profité en quelques endroits des conseils que j'en ai reçus. Mais je n'aurais jamais fait si je m'arrêtais aux subtilités de quelques critiques, qui prétendent assujettir le goût du public aux dégoûts d'un esprit malade, qui vont au théâtre avec un ferme dessein de n'y point prendre de plaisir, et qui croient prouver à tous les spectateurs, par un branlement de tête et par des grimaces affectées, qu'ils ont étudié à fond la *Poétique* d'Aristote.

En effet, que répondrais-je à ces critiques qui condamnent jusques au titre de ma tragédie, et qui ne veulent pas que je l'appelle *Alexandre,* quoique Alexandre en fasse la principale action, et que le véritable sujet de la pièce ne soit autre chose que la générosité de ce conquérant? Ils disent que je fais Porus plus grand qu'Alexandre. Et en quoi paraît-il plus grand? Alexandre, n'est-il pas toujours le vainqueur? Il ne se contente pas de vaincre Porus par la force de ses armes, il triomphe de sa fierté même par la générosité qu'il fait paraître en lui rendant ses États. Ils trouvent étrange qu'Alexandre, après avoir gagné la bataille, ne retourne pas à la tête de son armée, et qu'il s'entretienne avec sa maîtresse, au lieu d'aller combattre un petit nombre de désespérés qui ne cherchent qu'à périr. Cependant, si l'on en croit un des plus grands capitaines de ce temps, Éphestion n'a pas dû s'y trouver lui-même. [Ils ne peuvent souffrir qu'Éphestion fasse le récit de la mort de Taxile en présence de Porus, parce que ce récit est trop à l'avantage de ce prince. Mais ils ne considèrent pas que l'on ne blâme les louanges que l'on donne à une personne en sa présence, que quand elles peuvent être suspectes de flatterie, et qu'elles font un effet tout contraire quand elles partent de la bouche d'un ennemi et que celui qu'on loue est dans le malheur. Cela s'appelle rendre justice à la vertu, et la respecter même dans les fers. Il me semble que cette conduite répond assez bien à l'idée que les historiens nous donnent du favori d'Alexandre. Mais au moins, disent-ils, il devrait épargner la patience de son maître, et ne pas tant vanter devant lui la valeur de son ennemi. Ceux qui tiennent ce langage ont sans doute oublié que Porus vient d'être défait par Alexandre, et que les louanges qu'on donne au vaincu retournent à la gloire du vainqueur.] Je ne réponds rien à ceux qui blâment Alexandre de rétablir Porus en présence de Cléofile.

C'est assez pour moi que ce qui passe pour une faute auprès de ces esprits qui n'ont lu l'histoire que dans les romans, et qui croient qu'un héros ne doit jamais faire un pas sans la permission de sa maîtresse, a reçu des louanges de ceux qui, étant eux-mêmes de grands héros, ont droit de juger de la vertu de leurs pareils. Enfin la plus grande objection que l'on me fasse, c'est que mon sujet est trop simple et trop stérile.

Je ne représente point à ces critiques le goût de l'antiquité; [je vois bien qu'ils le connaissent médiocrement]. Mais de quoi se plaignent-ils, si toutes mes scènes sont bien remplies, si elles sont bien liées nécessairement les unes aux autres, si tous mes acteurs ne viennent point sur le théâtre que l'on ne sache la raison qui les y fait venir et si, avec peu d'incidents et peu de matière, j'ai été assez heureux pour faire une pièce qui les a peut-être attachés malgré eux depuis le commencement jusqu'à la fin? Mais ce qui me console, c'est de voir mes censeurs s'accorder si mal ensemble : les uns disent que Taxile n'est point assez honnête homme, les autres, qu'il ne mérite point sa perte; les uns soutiennent qu'Alexandre n'est point assez amoureux, les autres, qu'il ne vient sur le théâtre que pour parler d'amour. Ainsi je n'ai pas besoin que mes amis se mettent en peine de me justifier, je n'ai qu'à renvoyer mes ennemis à mes ennemis, et je me repose sur eux de la défense d'une pièce qu'ils attaquent en si mauvaise intelligence, et avec des sentiments si opposés.

SECONDE PRÉFACE [4]

Il n'y a guère de tragédie où l'histoire soit plus fidèlement suivie que dans celle-ci. Le sujet en est tiré de plusieurs auteurs, mais surtout du huitième livre de Quinte-Curce. C'est là qu'on peut voir tout ce qu'Alexandre fit lorsqu'il entra dans les Indes, les ambassades qu'il envoya aux rois de ce pays-là, les différentes réceptions qu'ils firent à ses envoyés, l'alliance que Taxile fit avec lui, la fierté avec laquelle Porus refusa les conditions qu'on lui présentait, l'inimitié qui était entre Porus et Taxile, et enfin la victoire qu'Alexandre remporta sur Porus, la réponse généreuse que ce brave Indien fit au vainqueur, qui lui demandait comment il voulait qu'on le traitât, et la générosité avec laquelle Alexandre lui rendit tous ses États, et en ajouta beaucoup d'autres.

Cette action d'Alexandre a passé pour une des plus belles que ce prince ait faites en sa vie, et le danger que Porus lui fit courir dans la bataille lui parut le plus grand où il se fût jamais trouvé. Il le confessa lui-même, en disant qu'il avait trouvé enfin un péril digne de son courage. Et ce fut en cette même occasion qu'il s'écria : « O Athéniens, combien de travaux j'endure pour me faire louer de vous! » J'ai tâché de représenter en Porus un ennemi digne d'Alexandre, et je puis dire que son caractère a plu extrêmement sur notre théâtre, jusque-là que des personnes m'ont reproché que je faisais ce prince plus grand qu'Alexandre. Mais ces personnes ne considèrent pas que, dans la bataille et dans la victoire, Alexandre est en effet plus grand que Porus; qu'il n'y a pas un vers dans la tragédie qui ne soit à la louange d'Alexandre; que les invectives même de Porus et d'Axiane sont autant d'éloges de la valeur de ce conquérant. Porus a peut-être quelque chose qui intéresse davantage, parce qu'il est dans le malheur; car, comme dit Sénèque : « Nous sommes de telle nature, qu'il n'y a rien au monde qui se fasse tant admirer qu'un homme qui sait être malheureux avec courage. *Ita affecti sumus, ut nihil æque magnam apud nos admirationem occupet, quam homo fortiter miser.* »

Les amours d'Alexandre et de Cléofile ne sont pas de mon invention : Justin en parle, aussi bien que Quinte-Curce. Ces deux historiens rapportent qu'une reine dans les Indes, nommée Cléofile, se rendit à ce prince avec la ville où il la tenait assiégée, et qu'il la rétablit dans son royaume, en considération de sa beauté. Elle en eut un fils, et elle l'appela Alexandre. Voici les paroles de Justin : *Regna Cleofidis reginæ petit, quæ, cum se dedisset ei, regnum ab Alexandro recepit, illecebris consecuta quod virtute non potuerat; filiumque, ab eo genitum, Alexandrum nominavit, qui postea regno Indorum potitus est.*

ACTEURS [5]

ALEXANDRE.
PORUS, TAXILE, } rois dans les Indes.
AXIANE, reine d'une autre partie des Indes.
CLEOFILE, sœur de Taxile.
ÉPHESTION.
SUITE D'ALEXANDRE.

La scène est sur le bord de l'Hydaspe, dans le camp de Taxile.

ALEXANDRE LE GRAND

ACTE PREMIER

SCÈNE I. — TAXILE, CLÉOFILE

CLÉOFILE

Quoi? vous allez combattre un roi dont la puissance
Semble forcer le ciel à prendre sa défense,
Sous qui toute l'Asie a vu tomber ses rois,
Et qui tient la fortune attachée à ses lois?
Mon frère, ouvrez les yeux pour connaître Alexandre :
Voyez de toutes parts les trônes mis en cendre,
Les peuples asservis, et les rois enchaînés,
Et prévenez les maux qui les ont entraînés.

TAXILE

Voulez-vous que, frappé d'une crainte si basse,
Je présente la tête au joug qui nous menace,
Et que j'entende dire aux peuples indiens
Que j'ai forgé moi-même et leurs fers et les miens?
Quitterai-je Porus? Trahirai-je ces princes
Que rassemble le soin d'affranchir nos provinces,
Et qui sans balancer sur un si noble choix,
Sauront également vivre ou mourir en rois?
En voyez-vous un seul qui sans rien entreprendre
Se laisse terrasser au seul nom d'Alexandre,
Et le croyant déjà maître de l'univers,
Aille, esclave empressé, lui demander des fers?
Loin de s'épouvanter à l'aspect de sa gloire,
Ils l'attaqueront même au sein de la victoire.
Et vous voulez, ma sœur, que Taxile aujourd'hui,
Tout prêt à le combattre, implore son appui!

CLÉOFILE

Aussi n'est-ce qu'à vous que ce prince s'adresse;
Pour votre amitié seule Alexandre s'empresse :
Quand la foudre s'allume et s'apprête à partir,
Il s'efforce en secret de vous en garantir.

TAXILE

Pourquoi suis-je le seul que son courroux ménage?
De tous ceux que l'Hydaspe oppose à son courage,
Ai-je mérité seul son indigne pitié?
Ne peut-il à Porus offrir son amitié?
Ah! sans doute il lui croit l'âme trop généreuse
Pour écouter jamais une offre si honteuse :
Il cherche une vertu qui lui résiste moins,
Et peut-être il me croit plus digne de ses soins.

CLÉOFILE

Dites, sans l'accuser de chercher un esclave,
Que de ses ennemis, il vous croit le plus brave,
Et qu'en vous arrachant les armes de la main,
Il se promet du reste un triomphe certain.
Son choix à votre nom n'imprime point de taches,
Son amitié n'est point le partage des lâches :
Quoiqu'il brûle de voir tout l'univers soumis,
On ne voit point d'esclave au rang de ses amis.
Ah! si son amitié peut souiller votre gloire,
Que ne m'épargniez-vous une tache si noire?
Vous connaissez les soins qu'il me rend tous les jours :
Il ne tenait qu'à vous d'en arrêter le cours.
Vous me voyez ici maîtresse de son âme;
Cent messages secrets m'assurent de sa flamme;
Pour venir jusqu'à moi, ses soupirs embrasés
Se font jour au travers de deux camps opposés.
Au lieu de le haïr, au lieu de m'y contraindre,
De mon trop de rigueur je vous ai vu vous plaindre :
Vous m'avez engagée à souffrir son amour,
Et peut-être, mon frère, à l'aimer à mon tour.

TAXILE

Vous pouvez, sans rougir du pouvoir de vos charmes,
Forcer ce grand guerrier à vous rendre les armes,
Et sans que votre cœur doive s'en alarmer,
Le vainqueur de l'Euphrate a pu vous désarmer.
Mais l'État aujourd'hui suivra ma destinée,
Je tiens avec mon sort sa fortune enchaînée,
Et quoique vos conseils tâchent de me fléchir,
Je dois demeurer libre afin de l'affranchir.
Je sais l'inquiétude où ce dessein vous livre,

Mais comme vous, ma sœur, j'ai mon amour à suivre.
Les beaux yeux d'Axiane, ennemis de la paix,
Contre votre Alexandre arment tous leurs attraits :
Reine de tous les cœurs, elle met tout en armes
Pour cette liberté que détruisent ses charmes,
Elle rougit des fers qu'on apporte en ces lieux,
Et n'y saurait souffrir de tyrans que ses yeux.
Il faut servir, ma sœur, son illustre colère;
Il faut aller...

CLÉOFILE

Eh bien! perdez-vous pour lui plaire :
De ces tyrans si chers suivez l'arrêt fatal,
Servez-les, ou plutôt servez votre rival.
De vos propres lauriers souffrez qu'on le couronne.
Combattez pour Porus, Axiane l'ordonne,
Et par de beaux exploits appuyant sa rigueur,
Assurez à Porus l'empire de son cœur.

TAXILE

Ah! ma sœur, croyez-vous que Porus...

CLÉOFILE

Mais vous-même
Doutez-vous en effet qu'Axiane ne l'aime?
Quoi? ne voyez-vous pas avec quelle chaleur
L'ingrate à vos yeux même étale sa valeur?
Quelque brave qu'on soit, si nous la voulons croire,
Ce n'est qu'autour de lui que vole la Victoire;
Vous formeriez sans lui d'inutiles desseins,
La liberté de l'Inde est toute entre ses mains;
Sans lui déjà nos murs seraient réduits en cendre;
Lui seul peut arrêter les progrès d'Alexandre.
Elle se fait un dieu de ce prince charmant,
Et vous doutez encor qu'elle en fasse un amant?

TAXILE

Je tâchais d'en douter, cruelle Cléofile.
Hélas! dans son erreur affermissez Taxile.
Pourquoi lui peignez-vous cet objet [6] odieux?
Aidez-le bien plutôt à démentir ses yeux :
Dites-lui qu'Axiane est une beauté fière,

Telle à tous les mortels qu'elle est à votre frère;
Flattez de quelque espoir...

CLÉOFILE

Espérez, j'y consens;
Mais n'espérez plus rien de vos soins impuissants.
Pourquoi dans les combats chercher une conquête
Qu'à vous livrer lui-même Alexandre s'apprête?
Ce n'est pas contre lui qu'il la faut disputer;
Porus est l'ennemi qui prétend vous l'ôter.
Pour ne vanter que lui, l'injuste Renommée
Semble oublier les noms du reste de l'armée :
Quoi qu'on fasse, lui seul en ravit tout l'éclat,
Et comme ses sujets il vous mène au combat.
Ah! si ce nom vous plaît, si vous cherchez à l'être [7],
Les Grecs et les Persans vous enseignent un maître :
Vous trouverez cent rois compagnons de vos fers,
Porus y viendra même avec tout l'univers.
Mais Alexandre enfin ne vous tend point de chaînes :
Il laisse à votre front ces marques souveraines
Qu'un orgueilleux rival ose ici dédaigner.
Porus vous fait servir, il vous fera régner.
Au lieu que de Porus vous êtes la victime,
Vous serez... Mais voici ce rival magnanime.

TAXILE

Ah! ma sœur, je me trouble; et mon cœur alarmé,
En voyant mon rival, me dit qu'il est aimé.

CLÉOFILE

Le temps vous presse. Adieu. C'est à vous de vous rendre
L'esclave de Porus ou l'ami d'Alexandre.

SCÈNE II. — PORUS, TAXILE

PORUS

Seigneur, ou je me trompe, ou nos fiers ennemis
Feront moins de progrès qu'ils ne s'étaient promis.
Nos chefs et nos soldats, brûlants d'impatience,
Font lire sur leur front une mâle assurance [8];
Ils s'animent l'un l'autre; et nos moindres guerriers
Se promettent déjà des moissons de lauriers.
J'ai vu de rang en rang cette ardeur répandue

Par des cris généreux éclater à ma vue :
Ils se plaignent qu'au lieu d'éprouver leur grand cœur,
L'oisiveté d'un camp consume leur vigueur.
Laisserons-nous languir tant d'illustres courages?
Notre ennemi, Seigneur, cherche ses avantages :
Il se sent faible encore, et, pour nous retenir,
Éphestion demande à nous entretenir,
Et par de vains discours...

TAXILE

Seigneur, il faut l'entendre,
Nous ignorons encor ce que veut Alexandre.
Peut-être est-ce la paix qu'il nous veut présenter.

PORUS

La paix! Ah! de sa main pourriez-vous l'accepter?
Hé quoi? nous l'aurons vu, par tant d'horribles guerres,
Troubler le calme heureux dont jouissaient nos terres,
Et le fer à la main, entrer dans nos États
Pour attaquer des rois qui ne l'offensaient pas;
Nous l'aurons vu piller des provinces entières,
Du sang de nos sujets faire enfler nos rivières
Et quand le ciel s'apprête à nous l'abandonner,
J'attendrai qu'un tyran daigne nous pardonner?

TAXILE

Ne dites point, Seigneur, que le ciel l'abandonne :
D'un soin toujours égal sa faveur l'environne.
Un roi qui fait trembler tant d'États sous ses lois
N'est pas un ennemi que méprisent les rois.

PORUS

Loin de le mépriser, j'admire son courage;
Je rends à sa valeur un légitime hommage;
Mais je veux, à mon tour, mériter les tributs
Que je me sens forcé de rendre à ses vertus.
Oui, je consens qu'au ciel on élève Alexandre;
Mais si je puis, Seigneur, je l'en ferai descendre,
Et j'irai l'attaquer jusque sur les autels
Que lui dresse en tremblant le reste des mortels.
C'est ainsi qu'Alexandre estima tous ces princes
Dont sa valeur pourtant a conquis les provinces.
Si son cœur dans l'Asie eût montré quelque effroi,
Darius en mourant l'aurait-il vu son roi?

TAXILE

Seigneur, si Darius avait su se connaître,
Il régnerait encore où règne un autre maître.
Cependant cet orgueil qui causa son trépas
Avait un fondement que vos mépris n'ont pas :
La valeur d'Alexandre à peine était connue;
Ce foudre [9] était encore enfermé dans la nue.
Dans un calme profond Darius endormi
Ignorait jusqu'au nom d'un si faible ennemi.
Il le connut bientôt; et son âme étonnée
De tout ce grand pouvoir se vit abandonnée.
Il se vit terrassé d'un bras victorieux,
Et la foudre en tombant lui fit ouvrir les yeux.

PORUS

Mais encore à quel prix croyez-vous qu'Alexandre
Mette l'indigne paix dont il veut vous surprendre?
Demandez-le, Seigneur, à cent peuples divers
Que cette paix trompeuse a jetés dans les fers.
Non, ne nous flattons point : sa douceur nous outrage;
Toujours son amitié traîne un long esclavage.
En vain on prétendrait n'obéir qu'à demi :
Si l'on n'est son esclave, on est son ennemi.

TAXILE

Seigneur, sans se montrer lâche ni téméraire,
Par quelque vain hommage on peut le satisfaire.
Flattons par des respects ce prince ambitieux
Que son bouillant orgueil appelle en d'autres lieux.
C'est un torrent qui passe, et dont la violence
Sur tout ce qui l'arrête exerce sa puissance;
Qui, grossi du débris de cent peuples divers,
Veut du bruit de son cours remplir tout l'univers.
Que sert de l'irriter par un orgueil sauvage?
D'un favorable accueil honorons son passage;
Et lui cédant des droits que nous reprendrons bien,
Rendons-lui des devoirs qui ne nous coûtent rien.

PORUS

Qui ne nous coûtent rien, Seigneur! L'osez-vous croire?
Compterai-je pour rien la perte de ma gloire?
Votre empire et le mien seraient trop achetés,
S'ils coûtaient à Porus les moindres lâchetés.

Mais croyez-vous qu'un prince enflé de tant d'audace
De son passage ici ne laissât point de trace?
Combien de rois, brisés à ce funeste écueil,
Ne règnent plus qu'autant qu'il plaît à son orgueil!
Nos couronnes, d'abord devenant ses conquêtes,
Tant que nous régnerions flotteraient sur nos têtes,
Et nos sceptres, en proie à ses moindres dédains,
Dès qu'il aurait parlé, tomberaient de nos mains.
Ne dites point qu'il court de province en province :
Jamais de ses liens il ne dégage un prince;
Et pour mieux asservir les peuples sous ses lois,
Souvent dans la poussière il leur cherche des rois [10].
Mais ces indignes soins touchent peu mon courage :
Votre seul intérêt m'inspire ce langage.
Porus n'a point de part dans tout cet entretien,
Et quand la gloire parle il n'écoute plus rien.

TAXILE

J'écoute, comme vous, ce que l'honneur m'inspire,
Seigneur; mais il m'engage à sauver mon empire.

PORUS

Si vous voulez sauver l'un et l'autre aujourd'hui,
Prévenons Alexandre, et marchons contre lui.

TAXILE

L'audace et le mépris sont d'infidèles guides.

PORUS

La honte suit de près les courages timides.

TAXILE

Le peuple aime les rois qui savent l'épargner.

PORUS

Il estime encor plus ceux qui savent régner.

TAXILE

Ces conseils ne plairont qu'à des âmes hautaines.

PORUS

Ils plairont à des rois, et peut-être à des reines.

TAXILE

La reine, à vous ouïr, n'a des yeux que pour vous.

PORUS

Un esclave est pour elle un objet de courroux.

TAXILE

Mais croyez-vous, Seigneur, que l'amour vous ordonne
D'exposer avec vous son peuple et sa personne?
Non, non, sans vous flatter, avouez qu'en ce jour
Vous suivez votre haine, et non pas votre amour.

PORUS

Eh bien! je l'avouerai que ma juste colère
Aime la guerre autant que la paix vous est chère;
J'avouerai que, brûlant d'une noble chaleur,
Je vais contre Alexandre éprouver ma valeur.
Du bruit de ses exploits mon âme importunée
Attend depuis longtemps cette heureuse journée.
Avant qu'il me cherchât, un orgueil inquiet
M'avait déjà rendu son ennemi secret.
Dans le noble transport de cette jalousie,
Je le trouvais trop lent à traverser l'Asie;
Je l'attirais ici par des vœux si puissants
Que je portais envie au bonheur des Persans;
Et maintenant encor, s'il trompait mon courage,
Pour sortir de ces lieux s'il cherchait un passage,
Vous me verriez moi-même, armé pour l'arrêter,
Lui refuser la paix qu'il nous veut présenter.

TAXILE

Oui, sans doute, une ardeur si haute et si constante
Vous promet dans l'histoire une place éclatante;
Et sous ce grand dessein dussiez-vous succomber,
Au moins c'est avec bruit qu'on vous verra tomber.
La reine vient. Adieu. Vantez-lui votre zèle;
Découvrez cet orgueil qui vous rend digne d'elle.
Pour moi, je troublerais un si noble entretien,
Et vos cœurs rougiraient des faiblesses du mien.

SCÈNE III. — PORUS, AXIANE

AXIANE

Quoi? Taxile me fuit! Quelle cause inconnue...

PORUS

Il fait bien de cacher sa honte à votre vue;
Et puisqu'il n'ose plus s'exposer aux hasards,
De quel front pourrait-il soutenir vos regards?
Mais laissons-le, Madame, et puisqu'il veut se rendre,
Qu'il aille avec sa sœur adorer Alexandre.
Retirons-nous d'un camp où, l'encens à la main,
Le fidèle Taxile attend son souverain.

AXIANE

Mais, Seigneur, que dit-il?

PORUS

Il en fait trop paraître.
Cet esclave déjà m'ose vanter son maître;
Il veut que je le serve...

AXIANE

Ah! sans vous emporter,
Souffrez que mes efforts tâchent de l'arrêter.
Ses soupirs, malgré moi, m'assurent qu'il m'adore.
Quoi qu'il en soit, souffrez que je lui parle encore;
Et ne le forçons point par ce cruel mépris
D'achever un dessein qu'il peut n'avoir pas pris.

PORUS

Hé quoi? vous en doutez? et votre âme s'assure
Sur la foi d'un amant infidèle et parjure,
Qui veut à son tyran vous livrer aujourd'hui,
Et croit, en vous donnant, vous obtenir de lui!
Eh bien! aidez-le donc à vous trahir vous-même.
Il vous peut arracher à mon amour extrême,
Mais il ne peut m'ôter, par ses efforts jaloux,
La gloire de combattre et de mourir pour vous.

AXIANE

Et vous croyez qu'après une telle insolence
Mon amitié, Seigneur, serait sa récompense?
Vous croyez que mon cœur s'engageant sous sa loi,
Je souscrirais au don qu'on lui ferait de moi?
Pouvez-vous, sans rougir, m'accuser d'un tel crime?
Ai-je fait pour ce prince éclater tant d'estime?
Entre Taxile et vous s'il fallait prononcer,
Seigneur, le croyez-vous, qu'on me vît balancer?

Sais-je pas que Taxile est une âme incertaine,
Que l'amour le retient quand la crainte l'entraîne?
Sais-je pas que sans moi sa timide valeur
Succomberait bientôt aux ruses de sa sœur?
Vous savez qu'Alexandre en fit sa prisonnière,
Et qu'enfin cette sœur retourna vers son frère;
Mais je connus bientôt qu'elle avait entrepris
De l'arrêter au piège où son cœur était pris.

PORUS

Et vous pouvez encor demeurer auprès d'elle!
Que n'abandonnez-vous cette sœur criminelle?
Pourquoi par tant de soins, voulez-vous épargner
Un prince...

AXIANE

C'est pour vous que je le veux gagner.
Vous verrai-je, accablé du soin de nos provinces,
Attaquer seul un roi vainqueur de tant de princes?
Je vous veux dans Taxile offrir un défenseur
Qui combatte Alexandre en dépit de sa sœur.
Que n'avez-vous pour moi cette ardeur empressée?
Mais d'un soin si commun votre âme est peu blessée,
Pourvu que ce grand cœur périsse noblement,
Ce qui suivra sa mort le touche faiblement.
Vous me voulez livrer, sans secours, sans asile,
Au courroux d'Alexandre, à l'amour de Taxile,
Qui me traitant bientôt en superbe vainqueur,
Pour prix de votre mort demandera mon cœur.
Eh bien! Seigneur, allez, contentez votre envie;
Combattez; oubliez le soin de votre vie;
Oubliez que le ciel, favorable à vos vœux,
Vous préparait peut-être un sort assez heureux.
Peut-être qu'à son tour Axiane charmée
Allait... Mais non, Seigneur, courez vers votre armée :
Un si long entretien vous serait ennuyeux,
Et c'est vous retenir trop longtemps en ces lieux.

PORUS

Ah! Madame, arrêtez, et connaissez ma flamme.
Ordonnez de mes jours, disposez de mon âme.
La gloire y peut beaucoup, je ne m'en cache pas,
Mais que n'y peuvent point tant de divins appas?

Je ne vous dirai point que pour vaincre Alexandre
Vos soldats et les miens allaient tout entreprendre,
Que c'était pour Porus un bonheur sans égal
De triompher tout seul aux yeux de son rival.
Je ne vous dis plus rien. Parlez en souveraine :
Mon cœur met à vos pieds et sa gloire et sa haine.

AXIANE

Ne craignez rien; ce cœur, qui veut bien m'obéir,
N'est pas entre des mains qui le puissent trahir.
Non, je ne prétends pas, jalouse de sa gloire,
Arrêter un héros qui court à la victoire.
Contre un fier ennemi précipitez vos pas;
Mais de vos alliés ne vous séparez pas.
Ménagez-les, Seigneur; et d'une âme tranquille
Laissez agir mes soins sur l'esprit de Taxile;
Montrez en sa faveur des sentiments plus doux;
Je le vais engager à combattre pour vous.

PORUS

Eh bien! Madame, allez, j'y consens avec joie.
Voyons Éphestion, puisqu'il faut qu'on le voie.
Mais sans perdre l'espoir de le suivre de près,
J'attends Éphestion, et le combat après.

ACTE DEUXIÈME

SCÈNE I. — CLÉOFILE, ÉPHESTION

ÉPHESTION

Oui, tandis que vos rois délibèrent ensemble,
Et que tout se prépare au conseil qui s'assemble,
Madame, permettez que je vous parle aussi
Des secrètes raisons qui m'amènent ici.
Fidèle confident du beau feu de mon maître,
Souffrez que je l'explique aux yeux qui l'ont fait naître,
Et que pour ce héros j'ose vous demander
Le repos qu'à vos rois il veut bien accorder.
Après tant de soupirs, que faut-il qu'il espère?
Attendez-vous encore après l'aveu d'un frère?
Voulez-vous que son cœur, incertain et confus,
Ne se donne jamais sans craindre vos refus?

Faut-il mettre à vos pieds le reste de la terre?
Faut-il donner la paix? faut-il faire la guerre?
Prononcez : Alexandre est tout prêt d'y courir,
Ou pour vous mériter, ou pour vous conquérir.

CLÉOFILE

Puis-je croire qu'un prince au comble de la gloire
De mes faibles attraits garde encor la mémoire,
Que traînant après lui la victoire et l'effroi,
Il se puisse abaisser à soupirer pour moi?
Des captifs comme lui brisent bientôt leur chaîne :
A de plus hauts desseins la gloire les entraîne,
Et l'amour dans leurs cœurs, interrompu, troublé,
Sous le faix des lauriers est bientôt accablé.
Tandis que ce héros me tint sa prisonnière,
J'ai pu toucher son cœur d'une atteinte légère;
Mais je pense, Seigneur, qu'en rompant mes liens,
Alexandre à son tour brisa bientôt les siens.

ÉPHESTION

Ah! si vous l'aviez vu, brûlant d'impatience,
Compter les tristes jours d'une si longue absence,
Vous sauriez que l'amour précipitant ses pas,
Il ne cherchait que vous en courant aux combats.
C'est pour vous qu'on l'a vu, vainqueur de tant de princes,
D'un cours impétueux traverser vos provinces,
Et briser en passant, sous l'effort de ses coups,
Tout ce qui l'empêchait de s'approcher de vous.
On voit en même temps vos drapeaux et les nôtres,
De ses retranchements il découvre les vôtres.
Mais après tant d'exploits ce timide vainqueur
Craint qu'il ne soit encor bien loin de votre cœur.
Que lui sert de courir de contrée en contrée,
S'il faut que de ce cœur vous lui fermiez l'entrée,
Si pour ne point répondre à de sincères vœux,
Vous cherchez chaque jour à douter de ses feux,
Si votre esprit, armé de mille défiances...

CLÉOFILE

Hélas! de tels soupçons sont de faibles défenses,
Et nos cœurs se formant mille soins superflus,
Doutent toujours du bien qu'ils souhaitent le plus.
Oui, puisque ce héros veut que j'ouvre mon âme,

J'écoute avec plaisir le récit de sa flamme,
Je craignais que le temps n'en eût borné le cours;
Je souhaite qu'il m'aime, et qu'il m'aime toujours.
Je dis plus : quand son bras força notre frontière,
Et dans les murs d'Omphis m'arrêta prisonnière,
Mon cœur, qui le voyait maître de l'univers,
Se consolait déjà de languir dans ses fers,
Et loin de murmurer contre un destin si rude,
Il s'en fit, je l'avoue, une douce habitude,
Et de sa liberté perdant le souvenir,
Même en la demandant, craignait de l'obtenir.
Jugez si son retour me doit combler de joie.
Mais tout couvert de sang veut-il que je le voie?
Est-ce comme ennemi qu'il se vient présenter?
Et ne me cherche-t-il que pour me tourmenter?

ÉPHESTION

Non, Madame : vaincu du pouvoir de vos charmes,
Il suspend aujourd'hui la terreur de ses armes,
Il présente la paix à des rois aveuglés,
Et retire la main qui les eût accablés.
Il craint que la victoire, à ses vœux trop facile,
Ne conduise ses coups dans le sein de Taxile.
Son courage, sensible à vos justes douleurs,
Ne veut point de lauriers arrosés de vos pleurs.
Favorisez les soins où son amour l'engage;
Exemptez sa valeur d'un si triste avantage;
Et disposez des rois qu'épargne son courroux
A recevoir un bien qu'ils ne doivent qu'à vous.

CLÉOFILE

N'en doutez point, Seigneur, mon âme inquiétée
D'une crainte si juste est sans cesse agitée :
Je tremble pour mon frère, et crains que son trépas
D'un ennemi si cher n'ensanglante le bras.
Mais en vain je m'oppose à l'ardeur qui l'enflamme,
Axiane et Porus tyrannisent son âme;
Les charmes d'une reine et l'exemple d'un roi,
Dès que je veux parler, s'élèvent contre moi.
Que n'ai-je point à craindre en ce désordre extrême?
Je crains pour lui, je crains pour Alexandre même,
Je sais qu'en l'attaquant cent rois se sont perdus,
Je sais tous ses exploits, mais je connais Porus.

Nos peuples qu'on a vus, triomphants à sa suite,
Repousser les efforts du Persan et du Scythe,
Et tout fiers des lauriers dont il les a chargés,
Vaincront à son exemple, ou périront vengés;
Et je crains...

ÉPHESTION

Ah! quittez une crainte si vaine.
Laissez courir Porus où son malheur l'entraîne;
Que l'Inde en sa faveur arme tous ses états,
Et que le seul Taxile en détourne ses pas!
Mais les voici.

CLÉOFILE

Seigneur, achevez votre ouvrage :
Par vos sages conseils dissipez cet orage,
Ou s'il faut qu'il éclate, au moins souvenez-vous
De le faire tomber sur d'autres que sur nous.

SCÈNE II. — PORUS, TAXILE, ÉPHESTION

ÉPHESTION

Avant que le combat qui menace vos têtes
Mette tous vos États au rang de nos conquêtes,
Alexandre veut bien différer ses exploits,
Et vous offrir la paix pour la dernière fois.
Vos peuples, prévenus de l'espoir qui vous flatte,
Prétendaient arrêter le vainqueur de l'Euphrate;
Mais l'Hydaspe, malgré tant d'escadrons épars,
Voit enfin sur ses bords flotter nos étendards.
Vous les verriez plantés jusque sur vos tranchées,
Et de sang et de morts vos campagnes jonchées,
Si ce héros, couvert de tant d'autres lauriers,
N'eût lui-même arrêté l'ardeur de nos guerriers.
Il ne vient point ici, souillé du sang des princes,
D'un triomphe barbare effrayer vos provinces,
Et cherchant à briller d'une triste splendeur,
Sur le tombeau des rois élever sa grandeur.
Mais vous-mêmes, trompés d'un vain espoir de gloire,
N'allez point dans ses bras irriter la Victoire;
Et lorsque son courroux demeure suspendu,
Princes, contentez-vous de l'avoir attendu,
Ne différez point tant à lui rendre l'hommage

Que vos cœurs, malgré vous, rendent à son courage;
Et recevant l'appui que vous offre son bras,
D'un si grand défenseur honorez vos États.
Voilà ce qu'un grand roi veut bien vous faire entendre,
Prêt à quitter le fer, et prêt à le reprendre.
Vous savez son dessein : choisissez aujourd'hui,
Si vous voulez tout perdre ou tenir tout de lui.

TAXILE

Seigneur, ne croyez point qu'une fierté barbare
Nous fasse méconnaître une vertu si rare,
Et que dans leur orgueil nos peuples affermis
Prétendent, malgré vous, être vos ennemis.
Nous rendons ce qu'on doit aux illustres exemples :
Vous adorez des dieux qui nous doivent leurs temples;
Des héros qui chez vous passaient pour des mortels,
En venant parmi nous ont trouvé des autels [11].
Mais en vain l'on prétend, chez des peuples si braves,
Au lieu d'adorateurs se faire des esclaves :
Croyez-moi, quelque éclat qui les puisse toucher,
Ils refusent l'encens qu'on leur veut arracher.
Assez d'autres États, devenus vos conquêtes,
De leurs rois, sous le joug, ont vu ployer les têtes.
Après tous ces États qu'Alexandre a soumis,
N'est-il pas temps, Seigneur, qu'il cherche des amis?
Tout ce peuple captif, qui tremble au nom d'un maître,
Soutient mal un pouvoir qui ne fait que de naître.
Ils ont, pour s'affranchir, les yeux toujours ouverts;
Votre empire n'est plein que d'ennemis couverts.
Ils pleurent en secret leurs rois sans diadèmes;
Vos fers trop étendus se relâchent d'eux-mêmes,
Et déjà dans leur cœur les Scythes mutinés
Vont sortir de la chaîne où vous nous destinez.
Essayez, en prenant notre amitié pour gage,
Ce que peut une foi qu'aucun serment n'engage;
Laissez un peuple au moins qui puisse quelquefois
Applaudir sans contrainte au bruit de vos exploits.
Je reçois à ce prix l'amitié d'Alexandre;
Et je l'attends déjà comme un roi doit attendre
Un héros dont la gloire accompagne les pas,
Qui peut tout sur mon cœur, et rien sur mes États.

PORUS

Je croyais, quand l'Hydaspe assemblant ses provinces
Au secours de ses bords fit voler tous ses princes,
Qu'il n'avait avec moi, dans des desseins si grands,
Engagé que des rois ennemis des tyrans.
Mais puisqu'un roi, flattant la main qui nous menace,
Parmi ses alliés brigue une indigne place,
C'est à moi de répondre aux vœux de mon pays,
Et de parler pour ceux que Taxile a trahis.
Que vient chercher ici le roi qui vous envoie?
Quel est ce grand secours que son bras nous octroie?
De quel front ose-t-il prendre sous son appui
Des peuples qui n'ont point d'autre ennemi que lui?
Avant que sa fureur ravageât tout le monde,
L'Inde se reposait dans une paix profonde;
Et si quelques voisins en troublaient les douceurs,
Il [12] portait dans son sein d'assez bons défenseurs.
Pourquoi nous attaquer? Par quelle barbarie
A-t-on de votre maître excité la furie?
Vit-on jamais chez lui nos peuples en courroux
Désoler un pays inconnu parmi nous?
Faut-il que tant d'États, de déserts, de rivières,
Soient entre nous et lui d'impuissantes barrières?
Et ne saurait-on vivre au bout de l'univers
Sans connaître son nom et le poids de ses fers?
Quelle étrange valeur, qui ne cherchant qu'à nuire,
Embrase tout sitôt qu'elle commence à luire;
Qui n'a que son orgueil pour règle et pour raison;
Qui veut que l'univers ne soit qu'une prison,
Et que, maître absolu de tous tant que nous sommes,
Ses esclaves en nombre égalent tous les hommes!
Plus d'États, plus de rois : ses sacrilèges mains
Dessous un même joug rangent tous les humains.
Dans son avide orgueil je sais qu'il nous dévore;
De tant de souverains nous seuls régnons encore.
Mais, que dis-je, nous seuls? Il ne reste que moi
Où l'on découvre encor les vestiges d'un roi.
Mais c'est pour mon courage une illustre matière.
Je vois d'un œil content trembler la terre entière,
Afin que par moi seul les mortels secourus,
S'ils sont libres, le soient de la main de Porus,
Et qu'on dise partout, dans une paix profonde :

« Alexandre vainqueur eût dompté tout le monde;
« Mais un roi l'attendait au bout de l'univers,
« Par qui le monde entier a vu briser ses fers. »

ÉPHESTION

Votre projet du moins nous marque un grand courage;
Mais, Seigneur, c'est bien tard s'opposer à l'orage.
Si le monde penchant [13] n'a plus que cet appui,
Je le plains, et vous plains vous-même autant que lui.
Je ne vous retiens point, marchez contre mon maître.
Je voudrais seulement qu'on vous l'eût fait connaître,
Et que la Renommée eût voulu, par pitié,
De ses exploits au moins vous conter la moitié;
Vous verriez...

PORUS

Que verrais-je? et que pourrais-je apprendre
Qui m'abaisse si fort au-dessous d'Alexandre?
Serait-ce sans effort les Persans subjugués,
Et vos bras tant de fois de meurtres fatigués?
Quelle gloire en effet d'accabler la faiblesse
D'un roi déjà vaincu par sa propre mollesse,
D'un peuple sans vigueur et presque inanimé,
Qui gémissait sous l'or dont il était armé,
Et qui tombant en foule au lieu de se défendre,
N'opposait que des morts au grand cœur d'Alexandre?
Les autres, éblouis de ses moindres exploits,
Sont venus à genoux lui demander des lois;
Et leur crainte écoutant je ne sais quels oracles,
Ils n'ont pas cru qu'un dieu pût trouver des obstacles.
Mais nous, qui d'un autre œil jugeons des conquérants,
Nous savons que les dieux ne sont pas des tyrans;
Et de quelque façon qu'un esclave le nomme,
Le fils de Jupiter passe ici pour un homme [14].
Nous n'allons point de fleurs parfumer son chemin;
Il nous trouve partout les armes à la main;
Il voit à chaque pas arrêter ses conquêtes;
Un seul rocher ici lui coûte plus de têtes,
Plus de soins, plus d'assauts et presque plus de temps,
Que n'en coûte à son bras l'empire des Persans [15].
Ennemis du repos qui perdit ces infâmes,
L'or qui naît sous nos pas ne corrompt point nos âmes [16].

La gloire est le seul bien qui nous puisse tenter,
Et le seul que mon cœur cherche à lui disputer;
C'est elle...

ÉPHESTION, *en se levant.*

Et c'est aussi ce que cherche Alexandre.
A de moindres objets son cœur ne peut descendre.
C'est ce qui l'arrachant du sein de ses États
Au trône de Cyrus lui fit porter ses pas,
Et du plus ferme empire ébranlant les colonnes,
Attaquer, conquérir et donner les couronnes.
Et puisque votre orgueil ose lui disputer
La gloire du pardon qu'il vous fait présenter,
Vos yeux, dès aujourd'hui témoins de sa victoire,
Verront de quelle ardeur il combat pour la gloire.
Bientôt le fer en main vous le verrez marcher.

PORUS

Allez donc : je l'attends, ou je le vais chercher.

SCÈNE III. — PORUS, TAXILE

TAXILE

Quoi? vous voulez au gré de votre impatience...

PORUS

Non, je ne prétends point troubler votre alliance :
Éphestion, aigri seulement contre moi,
De vos soumissions rendra compte à son roi.
Les troupes d'Axiane, à me suivre engagées,
Attendent le combat sous mes drapeaux rangées;
De son trône et du mien je soutiendrai l'éclat,
Et vous serez, Seigneur, le juge du combat,
A moins que votre cœur, animé d'un beau zèle,
De vos nouveaux amis n'embrasse la querelle.

SCÈNE IV. — AXIANE, PORUS, TAXILE

AXIANE, *à Taxile.*

Ah! que dit-on de vous, Seigneur? Nos ennemis
Se vantent que Taxile est à moitié soumis;
Qu'il ne marchera point contre un roi qu'il respecte.

TAXILE

La foi d'un ennemi doit être un peu suspecte,
Madame; avec le temps ils me connaîtront mieux.

AXIANE

Démentez donc, Seigneur, ce bruit injurieux :
De ceux qui l'ont semé confondez l'insolence;
Allez, comme Porus, les forcer au silence,
Et leur faire sentir, par un juste courroux,
Qu'ils n'ont point d'ennemi plus funeste que vous.

TAXILE

Madame je m'en vais disposer mon armée.
Écoutez moins ce bruit qui vous tient alarmée.
Porus fait son devoir, et je ferai le mien.

SCÈNE V. — AXIANE, PORUS

AXIANE

Cette sombre froideur ne m'en dit pourtant rien,
Lâche; et ce n'est point là, pour me le faire croire,
La démarche d'un roi qui court à la victoire.
Il n'en faut plus douter, et nous sommes trahis :
Il immole à sa sœur sa gloire et son pays;
Et sa haine, Seigneur, qui cherche à vous abattre,
Attend pour éclater que vous alliez combattre.

PORUS

Madame, en le perdant je perds un faible appui;
Je le connaissais trop pour m'assurer sur lui.
Mes yeux sans se troubler ont vu son inconstance;
Je craignais beaucoup plus sa molle résistance.
Un traître en nous quittant pour complaire à sa sœur
Nous affaiblit bien moins qu'un lâche défenseur.

AXIANE

Et cependant, Seigneur, qu'allez-vous entreprendre?
Vous marchez sans compter les forces d'Alexandre,
Et courant presque seul au-devant de leurs coups,
Contre tant d'ennemis vous n'opposez que vous.

PORUS

Hé quoi? voudriez-vous qu'à l'exemple d'un traître
Ma frayeur conspirât à vous donner un maître?
Que Porus, dans un camp se laissant arrêter,
Refusât le combat qu'il vient de présenter?
Non, non, je n'en crois rien. Je connais mieux, Madame,
Le beau feu que la gloire allume dans votre âme.

C'est vous, je m'en souviens, dont les puissants appas
Excitaient tous nos rois, les traînaient aux combats,
Et de qui la fierté, refusant de se rendre,
Ne voulait pour amant qu'un vainqueur d'Alexandre.
Il faut vaincre, et j'y cours, bien moins pour éviter
Le titre de captif que pour le mériter [17].
Oui, Madame, je vais, dans l'ardeur qui m'entraîne,
Victorieux ou mort mériter votre chaîne;
Et puisque mes soupirs s'expliquaient vainement
A ce cœur que la gloire occupe seulement,
Je m'en vais, par l'éclat qu'une victoire donne,
Attacher de si près la gloire à ma personne,
Que je pourrai peut-être amener votre cœur
De l'amour de la gloire à l'amour du vainqueur.

AXIANE

Eh bien ! Seigneur, allez. Taxile aura peut-être
Des sujets dans son camp plus brave que leur maître;
Je vais les exciter par un dernier effort.
Après, dans votre camp j'attendrai votre sort,
Ne vous informez point de l'état de mon âme :
Triomphez et vivez.

PORUS

Qu'attendez-vous, Madame?
Pourquoi, dès ce moment, ne puis-je pas savoir
Si mes tristes soupirs ont pu vous émouvoir?
Voulez-vous, car le sort, adorable Axiane,
A ne vous plus revoir peut-être me condamne,
Voulez-vous qu'en mourant un prince infortuné
Ignore à quelle gloire il était destiné?
Parlez.

AXIANE

Que vous dirai-je?

PORUS

Ah ! divine Princesse,
Si vous sentiez pour moi quelque heureuse faiblesse,
Ce cœur, qui me promet tant d'estime en ce jour,
Me pourrait bien encor promettre un peu d'amour.
Contre tant de soupirs peut-il bien se défendre?
Peut-il...

AXIANE

Allez, Seigneur, marchez contre Alexandre.
La victoire est à vous, si ce fameux vainqueur
Ne se défend pas mieux contre vous que mon cœur.

ACTE TROISIÈME

SCÈNE I. — AXIANE, CLÉOFILE

AXIANE

Quoi, Madame? en ces lieux on me tient enfermée?
Je ne puis au combat voir marcher mon armée,
Et commençant par moi sa noire trahison,
Taxile de son camp me fait une prison?
C'est donc là cette ardeur qu'il me faisait paraître!
Cet humble adorateur se déclare mon maître!
Et déjà son amour, lassé de ma rigueur,
Captive ma personne au défaut de mon cœur!

CLÉOFILE

Expliquez mieux les soins et les justes alarmes
D'un roi qui pour vainqueur ne connaît que vos charmes,
Et regardez, Madame, avec plus de bonté
L'ardeur qui l'intéresse à votre sûreté.
Tandis qu'autour de nous deux puissantes armées,
D'une égale chaleur au combat animées,
De leur fureur partout font voler les éclats,
De quel autre côté conduiriez-vous vos pas?
Où pourriez-vous ailleurs éviter la tempête?
Un plein calme en ces lieux assure votre tête :
Tout est tranquille...

AXIANE

Et c'est cette tranquillité
Dont je ne puis souffrir l'indigne sûreté.
Quoi? lorsque mes sujets, mourant dans une plaine,
Sur les pas de Porus combattent pour leur reine,
Qu'au prix de tout leur sang ils signalent leur foi,
Que le cri des mourants vient presque jusqu'à moi,
On me parle de paix, et le camp de Taxile
Garde dans ce désordre une assiette tranquille?

On flatte ma douleur d'un calme injurieux!
Sur des objets de joie on arrête mes yeux!

CLÉOFILE

Madame, voulez-vous que l'amour de mon frère
Abandonne au péril une tête si chère?
Il sait trop les hasards...

AXIANE

Et pour m'en détourner
Ce généreux amant me fait emprisonner!
Et tandis que pour moi son rival se hasarde,
Sa paisible valeur me sert ici de garde!

CLÉOFILE

Que Porus est heureux! le moindre éloignement
A votre impatience est un cruel tourment,
Et si l'on vous croyait, le soin qui vous travaille
Vous le ferait chercher jusqu'au champ de bataille.

AXIANE

Je ferai plus, Madame : un mouvement si beau
Me le ferait chercher jusque dans le tombeau,
Perdre tous mes États, et voir d'un œil tranquille
Alexandre en payer le cœur de Cléofile.

CLÉOFILE

Si vous cherchez Porus, pourquoi m'abandonner?
Alexandre en ces lieux pourra le ramener.
Permettez que veillant au soin de votre tête,
A cet heureux amant l'on garde sa conquête.

AXIANE

Vous triomphez, Madame; et déjà votre cœur
Vole vers Alexandre et le nomme vainqueur;
Mais sur la seule foi d'un amour qui vous flatte,
Peut-être avant le temps ce grand orgueil éclate :
Vous poussez un peu loin vos vœux précipités,
Et vous croyez trop tôt ce que vous souhaitez.
Oui, oui...

CLÉOFILE

Mon frère vient, et nous allons apprendre
Qui de nous deux, Madame, aura pu se méprendre.

AXIANE

Ah ! je n'en doute plus, et ce front satisfait
Dit assez à mes yeux que Porus est défait.

SCÈNE II. — TAXILE, AXIANE, CLÉOFILE

TAXILE

Madame, si Porus avec moins de colère
Eût suivi les conseils d'une amitié sincère,
Il m'aurait en effet épargné la douleur
De vous venir moi-même annoncer son malheur.

AXIANE

Quoi ? Porus...

TAXILE

C'en est fait ; et sa valeur trompée
Des maux que j'ai prévus se voit enveloppée.
Ce n'est pas (car mon cœur, respectant sa vertu,
N'accable point encore un rival abattu),
Ce n'est point que son bras, disputant la victoire,
N'en ait aux ennemis ensanglanté la gloire ;
Qu'elle-même, attachée à ses faits éclatants,
Entre Alexandre et lui n'ait douté quelque temps ;
Mais enfin contre moi sa vaillance irritée
Avec trop de chaleur s'était précipitée.
J'ai vu ses bataillons rompus et renversés,
Vos soldats en désordre et les siens dispersés,
Et lui-même, à la fin, entraîné dans leur fuite,
Malgré lui du vainqueur éviter la poursuite,
Et de son vain courroux trop tard désabusé,
Souhaiter le secours qu'il avait refusé.

AXIANE

Qu'il avait refusé ! Quoi donc ? pour ta patrie,
Ton indigne courage attend que l'on te prie ?
Il faut donc, malgré toi, te traîner aux combats,
Et te forcer toi-même à sauver tes États !
L'exemple de Porus, puisqu'il faut qu'on t'y porte [18],
Dis-moi, n'était-ce pas une voix assez forte ?
Ce héros en péril, ta maîtresse en danger,
Tout l'État périssant n'a pu t'encourager !
Va, tu sers bien le maître à qui ta sœur te donne.

Achève, et fais de moi ce que sa haine ordonne.
Garde à tous les vaincus un traitement égal,
Enchaîne ta maîtresse en livrant ton rival.
Aussi bien c'en est fait : sa disgrâce et ton crime
Ont placé dans mon cœur ce héros magnanime.
Je l'adore, et je veux avant la fin du jour
Déclarer à la fois ma haine et mon amour,
Lui vouer à tes yeux une amitié fidèle,
Et te jurer aux siens une haine immortelle.
Adieu. Tu me connais : aime-moi si tu veux.

TAXILE

Ah! n'espérez de moi que de sincères vœux,
Madame; n'attendez ni menaces ni chaînes,
Alexandre sait mieux ce qu'on doit à des reines.
Souffrez que sa douceur vous oblige à garder
Un trône que Porus devait moins hasarder;
Et moi-même en aveugle on me verrait combattre
La sacrilège main qui le voudrait abattre.

AXIANE

Quoi? par l'un de vous deux mon sceptre raffermi
Deviendrait dans mes mains le don d'un ennemi?
Et sur mon propre trône on me verrait placée,
Par le même tyran qui m'en aurait chassée?

TAXILE

Des reines et des rois vaincus par sa valeur
Ont laissé par ses soins adoucir leur malheur.
Voyez de Darius et la femme et la mère :
L'une le traite en fils, l'autre le traite en frère.

AXIANE

Non, non, je ne sais point vendre mon amitié,
Caresser un tyran, et régner par pitié.
Penses-tu que j'imite une faible Persane?
Qu'à la cour d'Alexandre on retienne Axiane?
Et qu'avec mon vainqueur courant tout l'univers,
J'aille vanter partout la douceur de ses fers?
S'il donne les États, qu'il te donne les nôtres.
Qu'il te pare, s'il veut, des dépouilles des autres.
Règne. Porus ni moi n'en serons point jaloux,
Et tu seras encor plus esclave que nous.

J'espère qu'Alexandre, amoureux de sa gloire
Et fâché que ton crime ait souillé sa victoire,
S'en lavera bientôt par ton propre trépas.
Des traîtres comme toi font souvent des ingrats;
Et de quelques faveurs que sa main t'éblouisse,
Du perfide Bessus regarde le supplice.
Adieu.

SCÈNE III. — CLÉOFILE, TAXILE

CLÉOFILE

Cédez, mon frère, à ce bouillant transport [19] :
Alexandre et le temps vous rendront le plus fort,
Et cet âpre courroux, quoi qu'elle en puisse dire,
Ne s'obstinera point au refus d'un empire.
Maître de ses destins, vous l'êtes de son cœur.
Mais dites-moi : vos yeux ont-ils vu le vainqueur?
Quel traitement, mon frère, en devons-nous attendre?
Qu'a-t-il dit?

TAXILE

Oui, ma sœur, j'ai vu votre Alexandre.
D'abord ce jeune éclat qu'on remarque en ses traits
M'a semblé démentir le nombre de ses faits.
Mon cœur plein de son nom, n'osait, je le confesse,
Accorder tant de gloire avec tant de jeunesse;
Mais de ce même front l'héroïque fierté,
Le feu de ses regards, sa haute majesté,
Font connaître Alexandre; et certes son visage
Porte de sa grandeur l'infaillible présage,
Et sa présence auguste appuyant ses projets,
Ses yeux comme son bras font partout des sujets.
Il sortait du combat. Ébloui de sa gloire,
Je croyais dans ses yeux voir briller la Victoire.
Toutefois à ma vue oubliant sa fierté,
Il a fait à son tour éclater sa bonté.
Ses transports ne m'ont point déguisé sa tendresse :
« Retournez, m'a-t-il dit, auprès de la princesse,
« Disposez ses beaux yeux à revoir un vainqueur
« Qui va mettre à ses pieds sa victoire et son cœur. »
Il marche sur mes pas. Je n'ai rien à vous dire,
Ma sœur : de votre sort je vous laisse l'empire;
Je vous confie encor la conduite du mien.

CLÉOFILE

Vous aurez tout pouvoir, ou je ne pourrai rien.
Tout va vous obéir, si le vainqueur m'écoute.

TAXILE

Je vais donc... Mais on vient. C'est lui-même sans doute.

SCÈNE IV. — ALEXANDRE, TAXILE, CLÉOFILE ÉPHESTION; SUITE D'ALEXANDRE

ALEXANDRE

Allez, Éphestion. Que l'on cherche Porus,
Qu'on épargne sa vie et le sang des vaincus.

SCÈNE V. — ALEXANDRE, TAXILE, CLÉOFILE

ALEXANDRE, *à Taxile.*

Seigneur, est-il donc vrai qu'une reine aveuglée
Vous préfère d'un roi la valeur déréglée?
Mais ne le craignez point : son empire est à vous;
D'une ingrate à ce prix fléchissez le courroux.
Maître de deux États, arbitre des siens mêmes,
Allez avec vos vœux offrir trois diadèmes.

TAXILE

Ah! c'en est trop, Seigneur! Prodiguez un peu moins...

ALEXANDRE

Vous pourrez à loisir reconnaître mes soins.
Ne tardez point, allez où l'amour vous appelle,
Et couronnez vos feux d'une palme si belle.

SCÈNE VI. — ALEXANDRE, CLÉOFILE

ALEXANDRE

Madame, à son amour je promets mon appui :
Ne puis-je rien pour moi quand je puis tout pour lui?
Si prodigue envers lui des fruits de la victoire,
N'en aurai-je pour moi qu'une stérile gloire?
Les sceptres devant vous ou rendus ou donnés,
De mes propres lauriers mes amis couronnés,
Les biens que j'ai conquis répandus sur leurs têtes,
Font voir que je soupire après d'autres conquêtes.
Je vous avais promis que l'effort de mon bras

M'approcherait bientôt de vos divins appas;
Mais dans ce même temps souvenez-vous, Madame,
Que vous me promettiez quelque place en votre âme.
Je suis venu : l'Amour a combattu pour moi;
La Victoire elle-même a dégagé ma foi;
Tout cède autour de vous : c'est à vous de vous rendre;
Votre cœur l'a promis, voudra-t-il s'en défendre?
Et lui seul pourrait-il échapper aujourd'hui
A l'ardeur d'un vainqueur qui ne cherche que lui?

CLÉOFILE

Non, je ne prétends pas que ce cœur inflexible
Garde seul contre vous le titre d'invincible;
Je rends ce que je dois à l'éclat des vertus
Qui tiennent sous vos pieds cent peuples abattus,
Les Indiens domptés sont vos moindres ouvrages;
Vous inspirez la crainte aux plus fermes courages,
Et quand vous le voudrez, vos bontés à leur tour
Dans les cœurs les plus durs inspireront l'amour.
Mais, Seigneur, cet éclat, ces victoires, ces charmes,
Me troublent bien souvent par de justes alarmes :
Je crains que satisfait d'avoir conquis un cœur,
Vous ne l'abandonniez à sa triste langueur;
Qu'insensible à l'ardeur que vous aurez causée,
Votre âme ne dédaigne une conquête aisée.
On attend peu d'amour d'un héros tel que vous :
La gloire fit toujours vos transports les plus doux,
Et peut-être au moment que ce grand cœur soupire,
La gloire de me vaincre est tout ce qu'il désire.

ALEXANDRE

Que vous connaissez mal les violents désirs
D'un amour qui vers vous porte tous mes soupirs!
J'avouerai qu'autrefois, au milieu d'une armée,
Mon cœur ne soupirait que pour la Renommée;
Les peuples et les rois, devenus mes sujets,
Étaient seuls à mes vœux d'assez dignes objets.
Les beautés de la Perse à mes yeux présentées,
Aussi bien que ses rois, ont paru surmontées.
Mon cœur, d'un fier mépris armé contre leurs traits,
N'a pas du moindre hommage honoré leurs attraits;
Amoureux de la gloire et partout invincible
Il mettait son bonheur à paraître insensible.

Mais, hélas! que vos yeux, ces aimables tyrans,
Ont produit sur mon cœur des effets différents!
Ce grand nom de vainqueur n'est plus ce qu'il souhaite;
Il vient avec plaisir avouer sa défaite :
Heureux si votre cœur se laissant émouvoir
Vos beaux yeux à leur tour avouaient leur pouvoir!
Voulez-vous donc toujours douter de leur victoire?
Toujours de mes exploits me reprocher la gloire,
Comme si les beaux nœuds où vous me tenez pris
Ne devaient arrêter que de faibles esprits?
Par des faits tout nouveaux je m'en vais vous apprendre
Tout ce que peut l'amour sur le cœur d'Alexandre.
Maintenant que mon bras, engagé sous vos lois,
Doit soutenir mon nom et le vôtre à la fois,
J'irai rendre fameux par l'éclat de la guerre
Des peuples inconnus au reste de la terre,
Et vous faire dresser des autels en des lieux
Où leurs sauvages mains en refusent aux dieux.

CLÉOFILE

Oui, vous y traînerez la victoire captive;
Mais je doute, Seigneur, que l'amour vous y suive.
Tant d'États, tant de mers, qui vont nous désunir
M'effaceront bientôt de votre souvenir.
Quand l'Océan troublé vous verra sur son onde
Achever quelque jour la conquête du monde,
Quand vous verrez les rois tomber à vos genoux,
Et la terre en tremblant se taire devant vous [20],
Songerez-vous, Seigneur, qu'une jeune princesse,
Au fond de ses États, vous regrette sans cesse,
Et rappelle en son cœur les moments bienheureux
Où ce grand conquérant l'assurait de ses feux?

ALEXANDRE

Hé quoi? vous croyez donc qu'à moi-même barbare
J'abandonne en ces lieux une beauté si rare?
Mais vous-même plutôt voulez-vous renoncer
Au trône de l'Asie où je veux vous placer?

CLÉOFILE

Seigneur, vous le savez, je dépends de mon frère.

ALEXANDRE

Ah ! s'il disposait seul du bonheur que j'espère,
Tout l'empire de l'Inde asservi sous ses lois
Bientôt en ma faveur irait briguer son choix.

CLÉOFILE

Mon amitié pour lui n'est point intéressée.
Apaisez seulement une reine offensée,
Et ne permettez pas qu'un rival aujourd'hui,
Pour vous avoir bravé, soit plus heureux que lui.

ALEXANDRE

Porus était sans doute un rival magnanime :
Jamais tant de valeur n'attira mon estime;
Dans l'ardeur du combat je l'ai vu, je l'ai joint,
Et je puis dire encor qu'il ne m'évitait point :
Nous nous cherchions l'un l'autre. Une fierté si belle
Allait entre nous deux finir notre querelle,
Lorsqu'un gros de soldats, se jetant entre nous,
Nous a fait dans la foule ensevelir nos coups.

SCÈNE VII. — ALEXANDRE, CLÉOFILE, ÉPHESTION

ALEXANDRE

Eh bien ! ramène-t-on ce prince téméraire?

ÉPHESTION

On le cherche partout; mais quoi qu'on puisse faire,
Seigneur, jusques ici sa fuite ou son trépas
Dérobe ce captif aux soins de vos soldats.
Mais un reste des siens entourés dans leur fuite,
Et du soldat vainqueur arrêtant la poursuite,
A nous vendre leur mort semblent se préparer.

ALEXANDRE

Désarmez les vaincus sans les désespérer.
Madame, allons fléchir une fière princesse,
Afin qu'à mon amour Taxile s'intéresse;
Et puisque mon repos doit dépendre du sien,
Achevons son bonheur pour établir le mien.

ACTE QUATRIÈME

SCÈNE I. — AXIANE, *seule*.

N'entendrons-nous jamais que des cris de victoire,
Qui de mes ennemis me reprochent la gloire?
Et ne pourrai-je au moins, en de si grands malheurs,
M'entretenir moi seule avecque mes douleurs?
D'un odieux amant sans cesse poursuivie,
On prétend malgré moi m'attacher à la vie :
On m'observe, on me suit. Mais, Porus, ne crois pas
Qu'on me puisse empêcher de courir sur tes pas.
Sans doute à nos malheurs ton cœur n'a pu survivre.
En vain tant de soldats s'arment pour te poursuivre :
On te découvrirait au bruit de tes efforts,
Et s'il te faut chercher, ce n'est qu'entre les morts.
Hélas! en me quittant, ton ardeur redoublée
Semblait prévoir les maux dont je suis accablée,
Lorsque tes yeux, aux miens découvrant ta langueur,
Me demandaient quel rang tu tenais dans mon cœur,
Que sans t'inquiéter du succès de tes armes,
Le soin de ton amour te causait tant d'alarmes.
Et pourquoi te cachais-je avec tant de détours
Un secret si fatal au repos de tes jours?
Combien de fois, tes yeux forçant ma résistance,
Mon cœur s'est-il vu près de rompre le silence!
Combien de fois, sensible à tes ardents désirs,
M'est-il, en ta présence, échappé des soupirs!
Mais je voulais encor douter de ta victoire :
J'expliquais mes soupirs en faveur de la gloire,
Je croyais n'aimer qu'elle. Ah! pardonne, grand roi,
Je sens bien aujourd'hui que je n'aimais que toi.
J'avouerai que la gloire eut sur moi quelque empire;
Je te l'ai dit cent fois. Mais je devais te dire
Que toi seul en effet m'engageas sous ses lois.
J'appris à la connaître en voyant tes exploits,
Et de quelque beau feu qu'elle m'eût enflammée,
En un autre que toi je l'aurais moins aimée.
Mais que sert de pousser des soupirs superflus
Qui se perdent en l'air et que tu n'entends plus?
Il est temps que mon âme, au tombeau descendue,
Te jure une amitié si longtemps attendue;
Il est temps que mon cœur, pour gage de sa foi,

Montre qu'il n'a pu vivre un moment après toi.
Aussi bien, penses-tu que je voulusse vivre
Sous les lois d'un vainqueur à qui ta mort nous livre?
Je sais qu'il se dispose à me venir parler,
Qu'en me rendant mon sceptre il veut me consoler.
Il croit peut-être, il croit que ma haine étouffée
A sa fausse douceur servira de trophée.
Qu'il vienne. Il me verra, toujours digne de toi,
Mourir en reine, ainsi que tu mourus en roi.

SCÈNE II. — ALEXANDRE, AXIANE

AXIANE

Eh bien, Seigneur, eh bien! trouvez-vous quelques charmes
A voir couler des pleurs que font verser vos armes?
Ou si [21] vous m'enviez, en l'état où je suis,
La triste liberté de pleurer mes ennuis.

ALEXANDRE

Votre douleur est libre autant que légitime.
Vous regrettez, Madame, un prince magnanime.
Je fus son ennemi, mais je ne l'étais pas
Jusqu'à blâmer les pleurs qu'on donne à son trépas.
Avant que sur ses bords l'Inde me vît paraître,
L'éclat de sa vertu me l'avait fait connaître;
Entre les plus grands rois il se fit remarquer.
Je savais...

AXIANE

Pourquoi donc le venir attaquer?
Par quelle loi faut-il qu'aux deux bouts de la terre
Vous cherchiez la vertu pour lui faire la guerre?
Le mérite à vos yeux ne peut-il éclater
Sans pousser votre orgueil à le persécuter?

ALEXANDRE

Oui, j'ai cherché Porus; mais quoi qu'on puisse dire,
Je ne le cherchais pas afin de le détruire.
J'avouerai que brûlant de signaler mon bras,
Je me laissai conduire au bruit de ses combats,
Et qu'au seul nom d'un roi jusqu'alors invincible,
A de nouveaux exploits mon cœur devint sensible.
Tandis que je croyais, par mes combats divers,
Attacher sur moi seul les yeux de l'univers,

J'ai vu de ce guerrier la valeur répandue
Tenir la Renommée entre nous suspendue;
Et voyant de son bras voler partout l'effroi,
L'Inde sembla m'ouvrir un champ digne de moi.
Lassé de voir des rois vaincus sans résistance,
J'appris avec plaisir le bruit de sa vaillance.
Un ennemi si noble a su m'encourager;
Je suis venu chercher la gloire et le danger.
Son courage, Madame, a passé mon attente,
La Victoire, à me suivre autrefois si constante,
M'a presque abandonné pour suivre vos guerriers.
Porus m'a disputé jusqu'aux moindres lauriers,
Et j'ose dire encor qu'en perdant la victoire
Mon ennemi lui-même a vu croître sa gloire,
Qu'une chute si belle élève sa vertu,
Et qu'il ne voudrait pas n'avoir point combattu.

AXIANE

Hélas ! il fallait bien qu'une si noble envie
Lui fît abandonner tout le soin de sa vie,
Puisque de toutes parts trahi, persécuté,
Contre tant d'ennemis il s'est précipité.
Mais vous, s'il était vrai que son ardeur guerrière
Eût ouvert à la vôtre une illustre carrière,
Que n'avez-vous, Seigneur, dignement combattu?
Fallait-il par la ruse attaquer sa vertu,
Et loin de remporter une gloire parfaite,
D'un autre que de vous attendre sa défaite?
Triomphez; mais sachez que Taxile en son cœur
Vous dispute déjà ce beau nom de vainqueur,
Que le traître se flatte, avec quelque justice,
Que vous n'avez vaincu que par son artifice;
Et c'est à ma douleur un spectacle assez doux
De le voir partager cette gloire avec vous.

ALEXANDRE

En vain votre douleur s'arme contre ma gloire :
Jamais on ne m'a vu dérober la victoire,
Et par ces lâches soins, qu'on ne peut m'imputer,
Tromper mes ennemis au lieu de les dompter.
Quoique partout, ce semble, accablé sous le nombre,
Je n'ai pu me résoudre à me cacher dans l'ombre :
Ils n'ont de leur défaite accusé que mon bras,

Et le jour a partout éclairé mes combats.
Il est vrai que je plains le sort de vos provinces;
J'ai voulu prévenir la perte de vos princes;
Mais s'ils avaient suivi mes conseils et mes vœux,
Je les aurais sauvés ou combattus tous deux.
Oui, croyez...

AXIANE

Je crois tout. Je vous crois invincible.
Mais, Seigneur, suffit-il que tout vous soit possible?
Ne tient-il [22] qu'à jeter tant de rois dans les fers,
Qu'à faire impunément gémir tout l'univers?
Et que vous avaient fait tant de villes captives,
Tant de morts dont l'Hydaspe a vu couvrir ses rives?
Qu'ai-je fait, pour venir accabler en ces lieux
Un héros sur qui seul j'ai pu tourner les yeux?
A-t-il de votre Grèce inondé les frontières?
Avons-nous soulevé des nations entières,
Et contre votre gloire excité leur courroux?
Hélas! nous l'admirions sans en être jaloux.
Contents de nos États, et charmés l'un de l'autre,
Nous attendions un sort plus heureux que le vôtre.
Porus bornait ses vœux à conquérir un cœur
Qui peut-être aujourd'hui l'eût nommé son vainqueur.
Ah! n'eussiez-vous versé qu'un sang si magnanime,
Quand on ne vous pourrait reprocher que ce crime,
Ne vous sentez-vous pas, Seigneur, bien malheureux
D'être venu si loin rompre de si beaux nœuds?
Non, de quelque douceur que se flatte votre âme,
Vous n'êtes qu'un tyran.

ALEXANDRE

Je le vois bien, Madame,
Vous voulez que saisi d'un indigne courroux,
En reproches honteux j'éclate contre vous.
Peut-être espérez-vous que ma douceur lassée
Donnera quelque atteinte à sa gloire passée.
Mais quand votre vertu ne m'aurait point charmé,
Vous attaquez, Madame, un vainqueur désarmé.
Mon âme, malgré vous à vous plaindre engagée,
Respecte le malheur où vous êtes plongée.
C'est ce trouble fatal qui vous ferme les yeux,
Qui ne regarde en moi qu'un tyran odieux.

Sans lui vous avoueriez que le sang et les larmes
N'ont pas toujours souillé la gloire de mes armes;
Vous verriez...

AXIANE

Ah! Seigneur, puis-je ne les point voir,
Ces vertus dont l'éclat aigrit mon désespoir?
N'ai-je pas vu partout la victoire modeste
Perdre avec vous l'orgueil qui la rend si funeste?
Ne vois-je pas le Scythe et le Perse abattus
Se plaire sous le joug et vanter vos vertus,
Et disputer enfin, par une aveugle envie,
A vos propres sujets le soin de votre vie?
Mais que sert à ce cœur que vous persécutez
De voir partout ailleurs adorer vos bontés?
Pensez-vous que ma haine en soit moins violente
Pour voir baiser partout la main qui me tourmente?
Tant de rois par vos soins vengés ou secourus,
Tant de peuples contents, me rendent-ils Porus?
Non, Seigneur; je vous hais d'autant plus qu'on vous aime,
D'autant plus qu'il me faut vous admirer moi-même,
Que l'univers entier m'en impose la loi,
Et que personne enfin ne vous hait avec moi.

ALEXANDRE

J'excuse les transports d'une amitié si tendre,
Mais, Madame, après tout, ils doivent me surprendre.
Si la commune voix ne m'a point abusé,
Porus d'aucun regard ne fut favorisé;
Entre Taxile et lui votre cœur en balance,
Tant qu'ont duré ses jours a gardé le silence;
Et lorsqu'il ne peut plus vous entendre aujourd'hui,
Vous commencez, Madame, à prononcer pour lui.
Pensez-vous que sensible à cette ardeur nouvelle,
Sa cendre exige encor que vous brûliez pour elle?
Ne vous accablez point d'inutiles douleurs,
Des soins plus importants vous appellent ailleurs.
Vos larmes ont assez honoré sa mémoire.
Régnez, et de ce rang soutenez mieux la gloire;
Et redonnant le calme à vos sens désolés,
Rassurez vos États par sa chute ébranlés.
Parmi tant de grands rois choisissez-leur un maître.
Plus ardent que jamais, Taxile...

AXIANE

Quoi? le traître!

ALEXANDRE

Hé! de grâce, prenez des sentiments plus doux;
Aucune trahison ne le souille envers vous :
Maître de ses États, il a pu se résoudre
A se mettre avec eux à couvert de la foudre.
Ni serment ni devoir ne l'avaient engagé
A courir dans l'abîme où Porus s'est plongé.
Enfin souvenez-vous qu'Alexandre lui-même
S'intéresse au bonheur d'un prince qui vous aime.
Songez que réunis par un si juste choix,
L'Inde et l'Hydaspe entiers couleront sous vos lois,
Que pour vos intérêts tout me sera facile
Quand je les verrai joints avec ceux de Taxile.
Il vient. Je ne veux point contraindre ses soupirs;
Je le laisse lui-même expliquer ses désirs :
Ma présence à vos yeux n'est déjà que trop rude.
L'entretien des amants cherche la solitude;
Je ne vous trouble point.

SCÈNE III. — AXIANE, TAXILE

AXIANE

Approche, puissant roi,
Grand monarque de l'Inde. On parle ici de toi :
On veut en ta faveur combattre ma colère;
On dit que tes désirs n'aspirent qu'à me plaire,
Que mes rigueurs ne font qu'affermir ton amour;
On fait plus, et l'on veut que je t'aime à mon tour.
Mais sais-tu l'entreprise où s'engage ta flamme?
Sais-tu par quels secrets on peut toucher mon âme?
Es-tu prêt...

TAXILE

Ah! Madame, éprouvez seulement
Ce que peut sur mon cœur un espoir si charmant.
Que faut-il faire?

AXIANE

Il faut, s'il est vrai que l'on m'aime,
Aimer la gloire autant que je l'aime moi-même,

Ne m'expliquer ses vœux que par mille beaux faits,
Et haïr Alexandre autant que je le hais;
Il faut marcher sans crainte au milieu des alarmes;
Il faut combattre, vaincre, ou périr sous les armes.
Jette, jette les yeux sur Porus et sur toi,
Et juge qui des deux était digne de moi.
Oui, Taxile, mon cœur, douteux en apparence,
D'un esclave et d'un roi faisait la différence.
Je l'aimai, je l'adore; et puisqu'un sort jaloux
Lui défend de jouir d'un spectacle si doux,
C'est toi que je choisis pour témoin de sa gloire :
Mes pleurs feront toujours revivre sa mémoire,
Toujours tu me verras, au fort de mon ennui,
Mettre tout mon plaisir à te parler de lui.

TAXILE

Ainsi je brûle en vain pour une âme glacée?
L'image de Porus n'en peut être effacée.
Quand j'irais, pour vous plaire, affronter le trépas,
Je me perdrais, Madame, et ne vous plairais pas.
Je ne puis donc...

AXIANE

Tu peux recouvrer mon estime.
Dans le sang ennemi tu peux laver ton crime.
L'occasion te rit : Porus dans le tombeau
Rassemble ses soldats autour de son drapeau;
Son ombre seule encor semble arrêter leur fuite.
Les tiens même, les tiens, honteux de ta conduite,
Font lire sur leurs fronts justement courroucés
Le repentir du crime où tu les as forcés.
Va seconder l'ardeur du feu qui les dévore;
Venge nos libertés qui respirent encore;
De mon trône et du tien deviens le défenseur;
Cours, et donne à Porus un digne successeur...
Tu ne me réponds rien? Je vois sur ton visage
Qu'un si noble dessein étonne ton courage.
Je te propose en vain l'exemple d'un héros;
Tu veux servir. Va, sers, et me laisse en repos.

TAXILE

Madame, c'en est trop. Vous oubliez peut-être
Que si vous m'y forcez je puis parler en maître

Que je puis me lasser de souffrir vos dédains,
Que vous et vos États, tout est entre mes mains,
Qu'après tant de respects, qui vous rendent plus fière,
Je pourrai...

AXIANE

Je t'entends. Je suis ta prisonnière;
Tu veux peut-être encor captiver mes désirs,
Que mon cœur en tremblant réponde à tes soupirs?
Eh bien! dépouille enfin cette douceur contrainte;
Appelle à ton secours la terreur et la crainte;
Parle en tyran tout prêt à me persécuter :
Ma haine ne peut croître, et tu peux tout tenter.
Surtout ne me fais point d'inutiles menaces.
Ta sœur vient t'inspirer ce qu'il faut que tu fasses.
Adieu. Si ses conseils et mes vœux en sont crus,
Tu m'aideras bientôt à rejoindre Porus.

TAXILE

Ah! plutôt...

SCÈNE IV. — TAXILE, CLÉOFILE

CLÉOFILE

Ah! quittez cette ingrate princesse,
Dont la haine a juré de nous troubler sans cesse,
Qui met tout son plaisir à vous désespérer.
Oubliez...

TAXILE

Non, ma sœur, je la veux adorer.
Je l'aime; et quand les vœux que je pousse pour elle
N'en obtiendraient jamais qu'une haine immortelle,
Malgré tous ses mépris, malgré tous vos discours,
Malgré moi-même, il faut que je l'aime toujours.
Sa colère après tout n'a rien qui me surprenne :
C'est à vous, c'est à moi qu'il faut que je m'en prenne.
Sans vous, sans vos conseils, ma sœur, qui m'ont trahi,
Si je n'étais aimé, je serais moins haï.
Je la verrais, sans vous, par mes soins défendue,
Entre Porus et moi demeurer suspendue;
Et ne serait-ce pas un bonheur trop charmant
Que de l'avoir réduite à douter un moment?

Non, je ne puis plus vivre accablé de sa haine;
Il faut que je me jette aux pieds de l'inhumaine.
J'y cours : je vais m'offrir à servir son courroux,
Même contre Alexandre, et même contre vous.
Je sais de quelle ardeur vous brûlez l'un pour l'autre,
Mais c'est trop oublier mon repos pour le vôtre,
Et sans m'inquiéter du succès de vos feux,
Il faut que tout périsse, ou que je sois heureux.

CLÉOFILE

Allez donc, retournez sur le champ de bataille;
Ne laissez point languir l'ardeur qui vous travaille.
A quoi s'arrête ici ce courage inconstant?
Courez : on est aux mains, et Porus vous attend.

TAXILE

Quoi? Porus n'est point mort? Porus vient de paraître?

CLÉOFILE

C'est lui. De si grands coups le font trop reconnaître.
Il l'avait bien prévu : le bruit de son trépas
D'un vainqueur trop crédule a retenu le bras.
Il vient surprendre ici leur valeur endormie,
Troubler une victoire encor mal affermie;
Il vient, n'en doutez point, en amant furieux,
Enlever sa maîtresse, ou périr à ses yeux.
Que dis-je? Votre camp, séduit par cette ingrate,
Prêt à suivre Porus, en murmures éclate.
Allez, vous-même, allez, en généreux amant,
Au secours d'un rival aimé si tendrement.
Adieu.

SCÈNE V. — TAXILE, *seul.*

Quoi? la fortune, obstinée à me nuire,
Ressuscite un rival armé pour me détruire?
Cet amant reverra les yeux qui l'ont pleuré,
Qui, tout mort qu'il était, me l'avaient préféré?
Ah! c'en est trop. Voyons ce que le sort m'apprête,
A qui doit demeurer cette noble conquête.
Allons. N'attendons pas dans un lâche courroux
Qu'un si grand différend se termine sans nous.

ACTE CINQUIÈME

SCÈNE I. — ALEXANDRE, CLÉOFILE

ALEXANDRE

Quoi? vous craigniez Porus même après sa défaite?
Ma victoire à vos yeux semblait-elle imparfaite?
Non, non, c'est un captif qui n'a pu m'échapper,
Que mes ordres partout ont fait envelopper.
Loin de le craindre encor, ne songez qu'à le plaindre.

CLÉOFILE

Et c'est en cet état que Porus est à craindre.
Quelque brave qu'il fût, le bruit de sa valeur
M'inquiétait bien moins que ne fait son malheur.
Tant qu'on l'a vu suivi d'une puissante armée,
Ses forces, ses exploits, ne m'ont point alarmée;
Mais, Seigneur, c'est un roi malheureux et soumis,
Et dès lors je le compte au rang de vos amis.

ALEXANDRE

C'est un rang où Porus n'a plus droit de prétendre :
Il a trop recherché la haine d'Alexandre.
Il sait bien qu'à regret je m'y suis résolu,
Mais enfin je le hais autant qu'il l'a voulu.
Je dois même un exemple au reste de la terre;
Je dois venger sur lui tous les maux de la guerre,
Le punir des malheurs qu'il a pu prévenir,
Et de m'avoir forcé moi-même à le punir.
Vaincu deux fois, haï de ma belle princesse...

CLÉOFILE

Je ne hais point Porus, Seigneur, je le confesse,
Et s'il m'était permis d'écouter aujourd'hui
La voix de ses malheurs qui me parle pour lui,
Je vous dirais qu'il fut le plus grand de nos princes,
Que son bras fut longtemps l'appui de nos provinces,
Qu'il a voulu peut-être en marchant contre vous
Qu'on le crût digne au moins de tomber sous vos coups,
Et qu'un même combat signalant l'un et l'autre,
Son nom volât partout à la suite du vôtre.
Mais si je le défends, des soins si généreux
Retombent sur mon frère et détruisent ses vœux.
Tant que Porus vivra, que faut-il qu'il devienne?

Sa perte est infaillible, et peut-être la mienne.
Oui, oui, si son amour ne peut rien obtenir,
Il m'en rendra coupable, et m'en voudra punir.
Et maintenant encor que votre cœur s'apprête
A voler de nouveau de conquête en conquête,
Quand je verrai le Gange entre mon frère et vous,
Qui retiendra, Seigneur, son injuste courroux?
Mon âme loin de vous languira solitaire.
Hélas ! s'il condamnait mes soupirs à se taire,
Que deviendrait alors ce cœur infortuné?
Où sera le vainqueur à qui je l'ai donné?

ALEXANDRE

Ah ! c'en est trop, Madame; et si ce cœur se donne,
Je saurai le garder, quoi que Taxile ordonne,
Bien mieux que tant d'États qu'on m'a vu conquérir,
Et que je n'ai gardés que pour vous les offrir.
Encore une victoire, et je reviens, Madame,
Borner toute ma gloire à régner sur votre âme,
Vous obéir moi-même et mettre entre vos mains
Le destin d'Alexandre et celui des humains.
Le Mallien m'attend, prêt à me rendre hommage.
Si près de l'Océan, que faut-il davantage
Que d'aller me montrer à ce fier élément,
Comme vainqueur du monde et comme votre amant?
Alors...

CLÉOFILE

Mais quoi, Seigneur, toujours guerre sur guerre?
Cherchez-vous des sujets au-delà de la terre?
Voulez-vous pour témoins de vos faits éclatants
Des pays inconnus même à leurs habitants [23]?
Qu'espérez-vous combattre en des climats si rudes?
Ils vous opposeront de vastes solitudes,
Des déserts que le ciel refuse d'éclairer,
Où la nature semble elle-même expirer;
Et peut-être le sort, dont la secrète envie
N'a pu cacher le cours d'une si belle vie,
Vous attend dans ces lieux et veut que dans l'oubli
Votre tombeau du moins demeure enseveli.
Pensez-vous y traîner les restes d'une armée
Vingt fois renouvelée et vingt fois consumée?
Vos soldats, dont la vue excite la pitié,

D'eux-mêmes en cent lieux ont laissé la moitié,
Et leurs gémissements vous font assez connaître... [24]

ALEXANDRE

Ils marcheront, Madame, et je n'ai qu'à paraître :
Ces cœurs qui dans un camp, d'un vain loisir déçus,
Comptent en murmurant les coups qu'ils ont reçus,
Revivront pour me suivre et blâmant leurs murmures
Brigueront à mes yeux de nouvelles blessures.
Cependant de Taxile appuyons les soupirs :
Son rival ne peut plus traverser ses désirs.
Je vous l'ai dit, Madame, et j'ose encor vous dire...

CLÉOFILE

Seigneur, voici la reine.

SCÈNE II. — ALEXANDRE, AXIANE, CLÉOFILE

ALEXANDRE

Eh bien, Porus respire.
Le ciel semble, Madame, écouter vos souhaits;
Il vous le rend...

AXIANE

Hélas! il me l'ôte à jamais!
Aucun reste d'espoir ne peut flatter ma peine;
Sa mort était douteuse, elle devient certaine :
Il y court, et peut-être il ne s'y vient offrir
Que pour me voir encore, et pour me secourir.
Mais que ferait-il seul contre toute une armée?
En vain ses grands efforts l'ont d'abord alarmée,
En vain quelques guerriers, qu'anime son grand cœur,
Ont ramené l'effroi dans le camp du vainqueur :
Il faut bien qu'il succombe, et qu'enfin son courage
Tombe sur tant de morts qui ferment son passage.
Encor si je pouvais, en sortant de ces lieux,
Lui montrer Axiane et mourir à ses yeux!
Mais Taxile m'enferme; et cependant le traître
Du sang de ce héros est allé se repaître :
Dans les bras de la mort il le va regarder,
Si toutefois encore il ose l'aborder.

ALEXANDRE

Non, Madame, mes soins ont assuré sa vie.

Son retour va bientôt contenter votre envie.
Vous le verrez.

AXIANE

Vos soins s'étendraient jusqu'à lui?
Le bras qui l'accablait deviendrait son appui?
J'attendrais son salut de la main d'Alexandre?
Mais quel miracle enfin n'en dois-je point attendre?
Je m'en souviens, Seigneur, vous me l'avez promis,
Qu'Alexandre vainqueur n'avait plus d'ennemis.
Ou plutôt ce guerrier ne fut jamais le vôtre :
La gloire également vous arma l'un et l'autre;
Contre un si grand courage, il voulut s'éprouver,
Et vous ne l'attaquiez qu'afin de le sauver.

ALEXANDRE

Ses mépris redoublés qui bravent ma colère
Mériteraient sans doute un vainqueur plus sévère;
Son orgueil en tombant semble s'être affermi;
Mais je veux bien cesser d'être son ennemi.
J'en dépouille, Madame, et la haine et le titre.
De mes ressentiments je fais Taxile arbitre :
Seul il peut, à son choix, le perdre ou l'épargner,
Et c'est lui seul enfin que vous devez gagner.

AXIANE

Moi, j'irais à ses pieds mendier un asile?
Et vous me renvoyez aux bontés de Taxile?
Vous voulez que Porus cherche un appui si bas?
Ah, Seigneur, votre haine a juré son trépas!
Non, vous ne le cherchiez qu'afin de le détruire.
Qu'une âme généreuse est facile à séduire!
Déjà mon cœur crédule, oubliant son courroux,
Admirait des vertus qui ne sont point en vous.
Armez-vous donc, Seigneur, d'une valeur cruelle,
Ensanglantez la fin d'une course si belle;
Après tant d'ennemis qu'on vous vit relever,
Perdez le seul enfin que vous deviez sauver.

ALEXANDRE

Eh bien! aimez Porus sans détourner sa perte;
Refusez la faveur qui vous était offerte;
Soupçonnez ma pitié d'un sentiment jaloux;

Mais enfin, s'il périt, n'en accusez que vous.
Le voici. Je veux bien le consulter lui-même :
Que Porus de son sort soit l'arbitre suprême.

SCÈNE III. — PORUS, ALEXANDRE, AXIANE, CLÉOFILE, ÉPHESTION, GARDES D'ALEXANDRE

ALEXANDRE

Eh bien! de votre orgueil, Porus, voilà le fruit.
Où sont ces beaux succès qui vous avaient séduit?
Cette fierté si haute est enfin abaissée.
Je dois une victime à ma gloire offensée :
Rien ne vous peut sauver. Je veux bien toutefois
Vous offrir un pardon refusé tant de fois.
Cette reine, elle seule à mes bontés rebelle,
Aux dépens de vos jours veut vous être fidèle,
Et que sans balancer vous mouriez seulement
Pour porter au tombeau le nom de son amant.
N'achetez point si cher une gloire inutile :
Vivez; mais consentez au bonheur de Taxile.

PORUS

Taxile!

ALEXANDRE

Oui.

PORUS

Tu fais bien, et j'approuve tes soins :
Ce qu'il a fait pour toi ne mérite pas moins;
C'est lui qui m'a des mains arraché la victoire,
Il t'a donné sa sœur, il t'a vendu sa gloire,
Il t'a livré Porus. Que feras-tu jamais
Qui te puisse acquitter d'un seul de ses bienfaits?
Mais j'ai su prévenir le soin qui te travaille :
Va le voir expirer sur le champ de bataille.

ALEXANDRE

Quoi? Taxile?

CLÉOFILE

Qu'entends-je?

ÉPHESTION

Oui, Seigneur, il est mort.
Il s'est livré lui-même aux rigueurs de son sort.
Porus était vaincu; mais au lieu de se rendre,
Il semblait attaquer, et non pas se défendre.
Ses soldats, à ses pieds étendus et mourants,
Le mettaient à l'abri de leurs corps expirants.
Là, comme dans un fort son audace enfermée
Se soutenait encor contre toute une armée,
Et d'un bras qui portait la terreur et la mort,
Aux plus hardis guerriers en défendait l'abord.
Je l'épargnais toujours. Sa vigueur affaiblie
Bientôt en mon pouvoir aurait laissé sa vie,
Quand sur ce champ fatal Taxile descendu :
« Arrêtez, c'est à moi que ce captif est dû.
« C'en est fait, a-t-il dit, et ta perte est certaine,
« Porus : il faut périr ou me céder la reine ».
Porus, à cette voix ranimant son courroux,
A relevé ce bras lassé de tant de coups,
Et cherchant son rival d'un œil fier et tranquille :
« N'entends-je pas, dit-il, l'infidèle Taxile,
« Ce traître à sa patrie, à sa maîtresse, à moi?
« Viens, lâche, poursuit-il, Axiane est à toi :
« Je veux bien te céder cette illustre conquête,
« Mais il faut que ton bras l'emporte avec ma tête.
« Approche ». A ce discours, ces rivaux irrités
L'un sur l'autre à la fois se sont précipités.
Nous nous sommes en foule opposés à leur rage;
Mais Porus parmi nous court et s'ouvre un passage,
Joint Taxile, le frappe, et lui perçant le cœur,
Content de sa victoire, il se rend au vainqueur.

CLÉOFILE

Seigneur, c'est donc à moi de répandre des larmes :
C'est sur moi qu'est tombé tout le faix de vos armes.
Mon frère a vainement recherché votre appui,
Et votre gloire, hélas! n'est funeste qu'à lui.
Que lui sert au tombeau l'amitié d'Alexandre?
Sans le venger, Seigneur, l'y verrez-vous descendre?
Souffrirez-vous qu'après l'avoir percé de coups,
On en triomphe aux yeux de sa sœur et de vous?

AXIANE

Oui, Seigneur, écoutez les pleurs de Cléofile.
Je la plains. Elle a droit de regretter Taxile :
Tous ses efforts en vain l'ont voulu conserver;
Elle en a fait un lâche, et ne l'a pu sauver.
Ce n'est point que Porus ait attaqué son frère;
Il s'est offert lui-même à sa juste colère.
Au milieu du combat que venait-il chercher?
Au courroux du vainqueur venait-il l'arracher?
Il venait accabler dans son malheur extrême
Un roi que respectait la Victoire elle-même.
Mais pourquoi vous ôter un prétexte si beau?
Que voulez-vous de plus? Taxile est au tombeau :
Immolez-lui, Seigneur, cette grande victime,
Vengez-vous. Mais songez que j'ai part à son crime.
Oui, oui, Porus, mon cœur n'aime point à demi;
Alexandre le sait, Taxile en a gémi,
Vous seul vous l'ignoriez; mais ma joie est extrême
De pouvoir en mourant vous le dire à vous-même.

PORUS

Alexandre, il est temps que tu sois satisfait.
Tout vaincu que j'étais, tu vois ce que j'ai fait.
Crains Porus; crains encor cette main désarmée
Qui venge sa défaite au milieu d'une armée.
Mon nom peut soulever de nouveaux ennemis,
Et réveiller cent rois dans leurs fers endormis.
Étouffe dans mon sang ces semences de guerre,
Va vaincre en sûreté le reste de la terre.
Aussi bien n'attends pas qu'un cœur comme le mien
Reconnaisse un vainqueur, et te demande rien.
Parle, et sans espérer que je blesse ma gloire,
Voyons comme tu sais user de la victoire.

ALEXANDRE

Votre fierté, Porus, ne se peut abaisser :
Jusqu'au dernier soupir vous m'osez menacer.
En effet, ma victoire en doit être alarmée,
Votre nom peut encor plus que toute une armée;
Je m'en dois garantir. Parlez donc, dites-moi :
Comment prétendez-vous que je vous traite?

PORUS

En roi[25].

ALEXANDRE

Eh bien ! c'est donc en roi qu'il faut que je vous traite.
Je ne laisserai point ma victoire imparfaite;
Vous l'avez souhaité, vous ne vous plaindrez pas.
Régnez toujours, Porus : je vous rends vos États;
Avec mon amitié recevez Axiane;
A des liens si doux tous deux je vous condamne.
Vivez, régnez tous deux, et seuls de tant de rois
Jusques aux bords du Gange allez donner vos lois.
(A Cléofile.)
Ce traitement, Madame, a droit de vous surprendre,
Mais enfin c'est ainsi que se venge Alexandre.
Je vous aime, et mon cœur, touché de vos soupirs,
Voudrait par mille morts venger vos déplaisirs.
Mais vous-même pourriez prendre pour une offense
La mort d'un ennemi qui n'est plus en défense :
Il en triompherait, et bravant ma rigueur,
Porus dans le tombeau descendrait en vainqueur.
Souffrez que jusqu'au bout achevant ma carrière,
J'apporte à vos beaux yeux ma vertu tout entière.
Laissez régner Porus couronné par mes mains,
Et commandez vous-même au reste des humains.
Prenez les sentiments que ce rang vous inspire :
Faites dans sa naissance admirer votre empire,
Et regardant l'éclat qui se répand sur vous,
De la sœur de Taxile oubliez le courroux.

AXIANE

Oui, Madame, régnez; et souffrez que moi-même
J'admire le grand cœur d'un héros qui vous aime.
Aimez, et possédez l'avantage charmant
De voir toute la terre adorer votre amant.

PORUS

Seigneur, jusqu'à ce jour l'univers en alarmes
Me forçait d'admirer le bonheur de vos armes;
Mais rien ne me forçait, en ce commun effroi,
De reconnaître en vous plus de vertu qu'en moi.
Je me rends; je vous cède une pleine victoire.

Vos vertus, je l'avoue, égalent votre gloire.
Allez, Seigneur : rangez l'univers sous vos lois;
Il me verra moi-même appuyer vos exploits.
Je vous suis, et je crois devoir tout entreprendre
Pour lui donner un maître aussi grand qu'Alexandre.

CLÉOFILE

Seigneur, que vous peut dire un cœur triste, abattu?
Je ne murmure point contre votre vertu.
Vous rendez à Porus la vie et la couronne,
Je veux croire qu'ainsi votre gloire l'ordonne,
Mais ne me pressez point : en l'état où je suis,
Je ne puis que me taire et pleurer mes ennuis.

ALEXANDRE

Oui, Madame, pleurons un ami si fidèle,
Faisons en soupirant éclater notre zèle,
Et qu'un tombeau superbe instruise l'avenir
Et de votre douleur et de mon souvenir.

ANDROMAQUE [1]

TRAGÉDIE

ANDROMAQUE

Perrault ne voyait de comparable au succès d'*Andromaque,* dès les premières représentations, que celui du *Cid* trente ans plus tôt. Cette tragédie constitue, en effet, le véritable point de départ de la carrière de Racine. La violence des polémiques qu'elle a suscitées en témoigne autant que la concordance des témoignages favorables.

Conçue à la cour d'Henriette d'Angleterre, la pièce a été représentée pour la première fois chez la Reine, le 17 novembre 1667. Le gazetier Robinet, dans sa *Lettre en vers à Madame* du 26, atteste le triomphe d'*Andromaque* à la ville les jours suivants. La Du Parc représentait Andromaque, la Des Œillets Hermione, Floridor Pyrrhus et Montfleury Oreste. Mondory avait perdu la voix en déclamant les fureurs d'Hérode, dans *Marianne* de Tristan; Montfleury perdit la vie en jouant celle d'Oreste : il mourut en effet dès décembre pour être trop bien entré dans son personnage. L'œuvre parut en janvier 1668 (privilège : 28 décembre 1667), précédée d'une dédicace *A Madame* et d'une *Préface* où Racine se défend des reproches qui lui ont été adressés, soit par de grands seigneurs tels que d'Olonne et Créquy, soit par des « doctes » plus difficilement identifiables. Pyrrhus est-il trop tendre? Il ne saurait en tout cas être accusé de trop de cruauté : il « n'avait pas lu nos romans; il était violent de son naturel, et tous les héros ne sont pas faits pour être des Céladons ». Racine, on le voit, tourne en éloge la critique dont il veut bien se faire l'écho dans la *Préface*. Dès mai 1668, une comédie en trois actes de Subligny, représentée chez Molière sous le titre de *La Folle Querelle,* témoignait, à travers la violence même de ses critiques, du succès remporté par Racine. Certaines des corrections apportées par le poète à son texte dans l'édition de 1676 paraissent avoir été inspirées par la comédie jouée au Palais-Royal.

Racine a proposé comme sa source essentielle un passage du troisième livre de l'*Énéide,* où sont évoqués « les quatre principaux acteurs » de sa tragédie, les plaintes d'Andromaque sur le cénotaphe qu'elle a fait ériger pour Hector, la jalousie d'Oreste et le meurtre de Pyrrhus/Néoptolème par le fils d'Agamemnon. Il a reconnu que la violence jalouse d'Hermione lui était inspirée par Euripide en son *Andromaque* et rappelé que Pyrrhus, dans la *Troade* de Sénèque, était présenté comme un personnage « féroce ». Il a songé sans doute à plusieurs autres textes : aux adieux d'Hector et d'Andromaque au VIe livre de l'*Iliade* et à telle page de Darès, un de ces auteurs tardifs dont on croyait les écrits contemporains de la guerre de Troie et de ses suites.

A partir du corpus constitué par ces différents auteurs, que les mythologues du XVIe siècle italien s'étaient efforcés de concilier, un homme cultivé, à l'époque de Racine, se représentait les événements à peu près ainsi : Au retour de la guerre de Troie, Pyrrhus (ou Néoptolème) emmène Andromaque, veuve d'Hector, en captivité auprès de lui en Épire. Astyanax, fils d'Andromaque et d'Hector, est déjà mort. De l'union d'Andromaque et de Pyrrhus naît un fils, Molossos. Mais Andromaque est abandonnée par le fils d'Achille au profit d'Hermione, fille d'Hélène et de Ménélas, et Pyrrhus la donne à Hélénos, frère d'Hector, qui plus tard règnera avec elle en Épire. Hermione cependant persécute Andromaque et Molossos et il s'en faut de peu que celui-ci ne soit assassiné. Jaloux de Pyrrhus, Oreste le tue, enlève Hermione et l'épouse.

Racine a gardé de la tradition le thème du vainqueur amoureux de sa captive, que Darès mettait en relief et que Rotrou, dans *Hercule mourant,* et Corneille, dans *Pertharite,* avaient traité d'autre façon. Il a conservé aussi la jalousie d'Hermione et le meurtre de Pyrrhus par Oreste. Le reste pouvait bien faire une tragédie à la manière d'Euripide, mais non une tragédie conforme à l'idéal que Racine s'était déjà fixé : sujet simple, dénouement sombre, respect des bienséances. Il prétend avoir rendu ses personnages « tels que les anciens poètes nous les ont donnés », la tradition étant pour lui, non le respect aveugle de la lettre des textes antiques, mais l'image que leur transmission, au cours des siècles, a laissée des héros et de leurs actions à ses contemporains. C'est ainsi qu'il interprète le « famam sequere » d'Horace, et il précise sa pensée dans la *Préface* de 1676, à propos d'Andromaque : « La plupart de ceux qui ont entendu parler d'Andromaque ne la connaissent guère que pour la veuve d'Hector et pour la mère d'Astyanax. » Dans la tradition mythologique, il s'opère à la fois accumulation et multiplication, certes, mais aussi décantation, simplification, adaptation de la Fable à l'esprit de chacune des époques qui la reçoivent. Racine l'avait fort bien compris.

Quel est le sujet de la tragédie? Voltaire y voyait deux intrigues : celle d'Andromaque, celle d'Hermione. Depuis le siècle dernier, on est surtout sensible à la chaîne amoureuse, dont on a remarqué la présence dans une Idylle de Moschos et dans un grand nombre de pastorales du XVIIe siècle. Seulement, tandis que le dénouement de la pastorale est heureux et fait se conclure deux ou trois mariages, celui d'*Andromaque* fait périr deux personnages, en met un troisième « hors jeu » par la folie et ne laisse au quatrième que la paix due à son deuil et à ses humiliations. Il s'agit en réalité d'autre chose, et la chaîne amoureuse est une commodité de métier permettant de rassembler en une intrigue unique des caractères et des situations fort différents les uns des autres. Ce n'est d'ailleurs pas une chaîne complète. L'un des personnages, celui qui donne son nom à l'œuvre, qui d'ailleurs survit à la catastrophe comme survivront Junie, Iphigénie et Aricie, ne joue pas le même jeu passionnel que les autres. Andromaque, héroïne souffrante mais sauvée, impose à l'œuvre, à côté de sa dimension tragique (l'impossibilité de vivre), une dimension pathétique (le mal de vivre). Elle est la *pitié* opposée à la *terreur*. Sa souffrance est conciliable avec l'espérance. Aussi bien Astyanax-Francus est-il destiné à fonder la grandeur française, comme Énée l'était à fonder la grandeur romaine, comme Joas le sera à maintenir la lignée messianique.

Si *Andromaque* comporte une leçon, celle-ci paraît bien proche de la morale néo-stoïcienne comme de celle des maîtres de vie intérieure de la fin du XVIIe siècle : la condition humaine est inconfortable. Mais elle n'est mortelle que pour qui s'abandonne au désordre des passions.

J. M.

A MADAME[2]

MADAME,

Ce n'est pas sans sujet que je mets votre illustre nom à la tête de cet ouvrage. Et de quel autre nom pourrais-je éblouir les yeux de mes lecteurs, que de celui dont mes spectateurs ont été si heureusement éblouis? On savait que VOTRE ALTESSE ROYALE avait daigné prendre soin de la conduite de ma tragédie; on savait que vous m'aviez prêté quelques-unes de vos lumières pour y ajouter de nouveaux ornements; on savait enfin que vous l'aviez honorée de quelques larmes dès la première lecture que je vous en fis. Pardonnez-moi, MADAME, si j'ose me vanter de cet heureux commencement de sa destinée. Il me console bien glorieusement de la dureté de ceux qui ne voudraient pas s'en laisser toucher. Je leur permets de condamner l'*Andromaque* tant qu'ils voudront, pourvu qu'il me soit permis d'appeler de toutes les subtilités de leur esprit au cœur de VOTRE ALTESSE ROYALE.

Mais, MADAME, ce n'est pas seulement du cœur que vous jugez de la bonté d'un ouvrage, c'est avec une intelligence qu'aucune fausse lueur ne saurait tromper. Pouvons-nous mettre sur la scène une histoire que vous ne possédiez aussi bien que nous? Pouvons-nous faire jouer une intrigue dont vous ne pénétriez tous les ressorts? Et pouvons-nous concevoir des sentiments si nobles et si délicats qui ne soient infiniment au-dessous de la noblesse et de la délicatesse de vos pensées?

On sait, MADAME, et VOTRE ALTESSE ROYALE a beau s'en cacher, que, dans ce haut degré de gloire où la Nature et la Fortune ont pris plaisir de vous élever, vous ne dédaignez pas cette gloire obscure que les gens de lettres s'étaient réservée. Et il semble que vous ayez voulu avoir autant d'avantage sur notre sexe, par les connaissances et par la solidité de votre esprit, que vous excellez dans le vôtre par toutes les grâces qui vous environnent. La cour vous regarde comme l'arbitre de tout ce qui se fait d'agréable. Et nous qui travaillons pour plaire au public, nous n'avons plus que faire de demander aux savants si nous travaillons selon les règles. La règle souveraine est de plaire à VOTRE ALTESSE ROYALE.

Voilà sans doute la moindre de vos excellentes qualités. Mais, MADAME, c'est la seule dont j'ai pu parler avec quelque connaissance; les autres sont trop élevées au-dessus de moi. Je n'en puis parler sans les rabaisser par la faiblesse de mes pensées, et sans sortir de la profonde vénération avec laquelle je suis,

MADAME,

DE VOTRE ALTESSE ROYALE,

Le très humble, très obéissant,
et très fidèle serviteur,

RACINE.

PREMIÈRE PRÉFACE [3]

Virgile au troisième livre de l'*Énéide* (c'est Énée qui parle) :

Littoraque Epiri legimus, portuque subimus
Chaonio, et celsam Buthroti ascendimus urbem...
Solemnes tum forte dapes et tristia dona...
Libabat cineri Andromache, Manesque vocabat
Hectoreum ad tumulum, viridi quem cespite inanem,
Et geminas, causam lacrymis, sacraverat aras...
Dejecit vultum, et demissa voce locuta est :
« O felix una ante alias Priameïa virgo,
« Hostilem ad tumulum, Trojæ sub mœnibus altis,
« Jussa mori, quæ sortitus non pertulit ullos,
« Nec victoris heri tetigit captiva cubile!
« Nos, patria incensa, diversa per æquora vectæ,
« Stirpis Achilleæ fastus, juvenemque superbum,
« Servitio enixæ, tulimus, qui deinde secutus
« Ledæam Hermionem, Lacedæmoniosque hymenæos...
« Ast illum, ereptæ magno inflammatus amore
« Conjugis, et scelerum Furiis agitatus, Orestes
« Excipit incautum, patriasque obtruncat ad aras ».

Voilà, en peu de vers, tout le sujet de cette tragédie. Voilà le lieu de la scène, l'action qui s'y passe, les quatre principaux acteurs, et même leurs caractères, excepté celui d'Hermione dont la jalousie et les emportements sont assez marqués dans l'*Andromaque* d'Euripide.

Mais véritablement mes personnages sont si fameux dans l'antiquité, que, pour peu qu'on la connaisse, on verra fort bien que je les ai rendus tels que les anciens poètes nous les ont donnés. Aussi n'ai-je pas pensé qu'il me fût permis de rien changer à leurs mœurs. Toute la liberté que j'ai prise, ç'a été d'adoucir un peu la férocité de Pyrrhus, que Sénèque, dans sa *Troade,* et Virgile, dans le second livre de l'*Énéide,* ont poussée beaucoup plus loin que je n'ai cru le devoir faire.

Encore s'est-il trouvé des gens qui se sont plaints qu'il s'emportât contre Andromaque, et qu'il voulût épouser une captive à quelque prix que ce fût. J'avoue qu'il n'est pas assez résigné à la volonté de sa maîtresse, et que Céladon a mieux connu que lui le parfait amour. Mais que faire? Pyrrhus n'avait pas lu nos romans. Il était violent de son naturel, et tous les héros ne sont pas faits pour être des Céladons.

Quoi qu'il en soit, le public m'a été trop favorable pour m'embarrasser du chagrin particulier de deux ou trois personnes qui voudraient qu'on réformât tous les héros de l'antiquité pour en faire des héros parfaits. Je trouve leur intention fort bonne de vouloir qu'on ne mette sur la scène que des hommes impeccables mais je les prie de se souvenir que ce n'est point à moi de changer les règles du théâtre. Horace nous recommande de peindre Achille farouche, inexorable, violent, tel qu'il était, et tel qu'on dépeint son fils. Aristote, bien éloigné de nous demander des héros parfaits, veut au contraire que les personnages tragiques, c'est-à-dire ceux dont le malheur fait la catastrophe de la tragédie, ne soient ni tout à fait bons, ni tout à fait méchants. Il ne veut pas qu'ils soient extrêmement bons, parce que la punition d'un homme de bien exciterait plus l'indignation que la pitié du spectateur; ni qu'ils soient méchants avec excès, parce qu'on n'a point pitié d'un scélérat. Il faut donc qu'ils aient une bonté médiocre, c'est-à-dire une vertu capable de faiblesse, et qu'ils tombent dans le malheur par quelque faute qui les fasse plaindre sans les faire détester.

SECONDE PRÉFACE [4]

Virgile au troisième livre de l'*Énéide;* c'est Énée qui parle :

Littoraque Epiri legimus, portuque subimus
Chaonio, et celsam Buthroti ascendimus urbem...
Solemnes tum forte dapes et tristia dona...
Libabat cineri Andromache, Manesque vocabat
Hectoreum ad tumulum, viridi quem cespite inanem,
Et geminas, causam lacrymis, sacraverat aras...
Dejecit vultum, et demissa voce locuta est :
« O felix una ante alias Priameïa virgo,
« Hostilem ad tumulum, Trojæ sub mœnibus altis,
« Jussa mori, quæ sortitus non pertulit ullos,
« Nec victoris heri tetigit captiva cubile!
« Nos, patria incensa, diversa per æquora vectæ,
« Stirpis Achilleæ fastus, juvenemque superbum,
« Servitio enixæ, tulimus, qui deinde secutus
« Ledæam Hermionem, Lacedæmoniosque hymenæos...
« Ast illum, ereptæ magno inflammatus amore
« Conjugis, et scelerum Furiis agitatus, Orestes
« Excipit incautum, patriasque obtruncat ad aras ».

Voilà, en peu de vers, tout le sujet de cette tragédie, voilà le lieu de la scène, l'action qui s'y passe, les quatre principaux acteurs, et même leurs caractères, excepté celui d'Hermione dont la jalousie et les emportements sont assez marqués dans l'*Andromaque* d'Euripide.

C'est presque la seule chose que j'emprunte ici de cet auteur. Car, quoique ma tragédie porte le même nom que la sienne, le sujet en est cependant très différent. Andromaque, dans Euripide, craint pour la vie de Molossus, qui est un fils qu'elle a eu de Pyrrhus et qu'Hermione veut faire mourir avec sa mère. Mais ici il ne s'agit point de Molossus : Andromaque ne connaît point d'autre mari qu'Hector, ni d'autre fils qu'Astyanax. J'ai cru en cela me conformer à l'idée que nous avons maintenant de cette princesse. La plupart de ceux qui ont entendu parler d'Andromaque ne la connaissaient guère que pour la veuve d'Hector et pour la mère d'Astyanax. On ne croit point qu'elle doive aimer ni un autre mari, ni un autre fils; et je doute que les larmes d'Andromaque eussent fait sur l'esprit de mes spectateurs l'impression qu'elles y ont faite, si elles avaient coulé pour un autre fils que celui qu'elle avait d'Hector.

Il est vrai que j'ai été obligé de faire vivre Astyanax un peu plus qu'il n'a vécu; mais j'écris dans un pays où cette liberté ne pouvait pas être mal reçue. Car, sans parler de Ronsard, qui a choisi ce même Astyanax pour le héros de sa *Franciade,* qui ne sait que l'on fait descendre nos anciens rois de ce fils d'Hector, et que nos vieilles chroniques sauvent la vie à ce jeune prince, après la désolation de son pays, pour en faire le fondateur de notre monarchie?

Combien Euripide a-t-il été plus hardi dans sa tragédie d'*Hélène!* il y choque ouvertement la créance commune de toute la Grèce : il suppose qu'Hélène n'a jamais mis le pied dans Troie, et qu'après l'embrasement de cette ville, Ménélas trouve sa femme en Égypte, d'où elle n'était point partie; tout cela fondé sur une opinion qui n'était reçue que parmi les Égyptiens, comme on le peut voir dans Hérodote.

Je ne crois pas que j'eusse besoin de cet exemple d'Euripide pour justifier le peu de liberté que j'ai prise. Car il y a bien de la différence entre détruire le principal fondement d'une fable et en altérer quelques incidents, qui changent presque de face dans toutes les mains qui les traitent. Ainsi Achille, selon la plupart des poètes, ne peut être blessé qu'au talon, quoique Homère le fasse blesser au bras, et ne le croie invulnérable en aucune partie de son corps. Ainsi Sophocle fait mourir Jocaste aussitôt après la reconnaissance d'Œdipe; tout au contraire d'Euripide qui la fait vivre jusqu'au combat et à la mort de ses deux fils. Et c'est à propos de quelques contrariétés de cette nature qu'un ancien commentateur de Sophocle * remarque fort bien « qu'il ne faut point s'amuser à chicaner les poètes pour quelques changements « qu'ils ont pu faire dans la fable; mais qu'il faut s'attacher à « considérer l'excellent usage qu'ils ont fait de ces changements, « et la manière ingénieuse dont ils ont su accommoder la fable à « leur sujet ».

---

* Sophocli. *Electra.*

ACTEURS

ANDROMAQUE, veuve d'Hector, captive de Pyrrhus.
PYRRHUS, fils d'Achille, roi d'Épire.
ORESTE, fils d'Agamemnon.
HERMIONE, fille d'Hélène, accordée avec Pyrrhus.
PYLADE, ami d'Oreste.
CLÉONE, confidente d'Hermione.
CÉPHISE, confidente d'Andromaque.
PHŒNIX, gouverneur d'Achille, et ensuite de Pyrrhus.
SUITE D'ORESTE.

La scène est à Buthrot, ville d'Épire, dans une salle du palais de Pyrrhus.

ANDROMAQUE

ACTE PREMIER

SCÈNE I. — ORESTE, PYLADE

ORESTE

Oui, puisque je retrouve un ami si fidèle,
Ma fortune va prendre une face nouvelle;
Et déjà son courroux semble s'être adouci
Depuis qu'elle a pris soin de nous rejoindre ici.
Qui l'eût dit, qu'un rivage à mes vœux si funeste
Présenterait d'abord Pylade aux yeux d'Oreste?
Qu'après plus de six mois que je t'avais perdu,
A la cour de Pyrrhus tu me serais rendu?

PYLADE

J'en rends grâces au ciel qui, m'arrêtant sans cesse,
Semblait m'avoir fermé le chemin de la Grèce,
Depuis le jour fatal que la fureur des eaux
Presque aux yeux de l'Épire écarta nos vaisseaux [5].
Combien, dans cet exil, ai-je souffert d'alarmes!
Combien à vos malheurs ai-je donné de larmes,
Craignant toujours pour vous quelque nouveau danger
Que ma triste amitié ne pouvait partager!
Surtout je redoutais cette mélancolie [6]
Où j'ai vu si longtemps votre âme ensevelie.
Je craignais que le ciel, par un cruel secours,
Ne vous offrît la mort que vous cherchiez toujours.
Mais je vous vois, Seigneur; et si j'ose le dire,
Un destin plus heureux vous conduit en Épire :
Le pompeux appareil qui suit ici vos pas
N'est point d'un malheureux qui cherche le trépas.

ORESTE

Hélas! qui peut savoir le destin qui m'amène?
L'amour me fait ici chercher une inhumaine.
Mais qui sait ce qu'il doit ordonner de mon sort,
Et si je viens chercher ou la vie ou la mort?

PYLADE

Quoi? votre âme à l'amour en esclave asservie
Se repose sur lui du soin de votre vie?
Par quel charme, oubliant tant de tourments soufferts,
Pouvez-vous consentir à rentrer dans ses fers?
Pensez-vous qu'Hermione, à Sparte inexorable,
Vous prépare en Épire un sort plus favorable?
Honteux d'avoir poussé tant de vœux superflus,
Vous l'abhorriez; enfin vous ne m'en parliez plus.
Vous me trompiez, Seigneur.

ORESTE

Je me trompais moi-même!
Ami, n'accable point un malheureux qui t'aime.
T'ai-je jamais caché mon cœur et mes désirs?
Tu vis naître ma flamme et mes premiers soupirs.
Enfin, quand Ménélas disposa de sa fille
En faveur de Pyrrhus, vengeur de sa famille,
Tu vis mon désespoir; et tu m'as vu depuis
Traîner de mers en mers ma chaîne et mes ennuis.
Je te vis à regret, en cet état funeste,
Prêt à suivre partout le déplorable Oreste,
Toujours de ma fureur interrompre le cours,
Et de moi-même enfin me sauver tous les jours.
Mais quand je me souvins que parmi tant d'alarmes
Hermione à Pyrrhus prodiguait tous ses charmes,
Tu sais de quel courroux mon cœur alors épris
Voulut en l'oubliant punir tous ses mépris.
Je fis croire et je crus ma victoire certaine;
Je pris tous mes transports pour des transports de haine.
Détestant ses rigueurs, rabaissant ses attraits,
Je défiais ses yeux de me troubler jamais.
Voilà comme je crus étouffer ma tendresse.
En ce calme trompeur j'arrivai dans la Grèce,
Et je trouvai d'abord ses princes rassemblés,
Qu'un péril assez grand semblait avoir troublés.
J'y courus. Je pensai que la guerre et la gloire
De soins plus importants rempliraient ma mémoire;
Que mes sens reprenant leur première vigueur,
L'amour achèverait de sortir de mon cœur.
Mais admire avec moi le sort dont la poursuite
Me fit courir alors au piège que j'évite.

J'entends de tous côtés qu'on menace Pyrrhus;
Toute la Grèce éclate en murmures confus;
On se plaint qu'oubliant son sang et sa promesse
Il élève en sa cour l'ennemi de la Grèce,
Astyanax, d'Hector jeune et malheureux fils,
Reste de tant de rois sous Troie ensevelis.
J'apprends que pour ravir son enfance au supplice
Andromaque trompa l'ingénieux Ulysse,
Tandis qu'un autre enfant, arraché de ses bras,
Sous le nom de son fils fut conduit au trépas [7].
On dit que peu sensible aux charmes d'Hermione
Mon rival porte ailleurs son cœur et sa couronne.
Ménélas, sans le croire, en paraît affligé,
Et se plaint d'un hymen si longtemps négligé.
Parmi les déplaisirs où son âme se noie,
Il s'élève en la mienne une secrète joie :
Je triomphe; et pourtant je me flatte d'abord
Que la seule vengeance excite ce transport.
Mais l'ingrate en mon cœur reprit bientôt sa place :
De mes feux mal éteints je reconnus la trace;
Je sentis que ma haine allait finir son cours,
Ou plutôt je sentis que je l'aimais toujours.
Ainsi de tous les Grecs je brigue le suffrage.
On m'envoie à Pyrrhus; j'entreprends ce voyage,
Je viens voir si l'on peut arracher de ses bras
Cet enfant dont la vie alarme tant d'États.
Heureux si je pouvais, dans l'ardeur qui me presse,
Au lieu d'Astyanax, lui ravir ma princesse!
Car enfin n'attends pas que mes feux redoublés
Des périls les plus grands puissent être troublés.
Puisque après tant d'efforts ma résistance est vaine,
Je me livre en aveugle au destin qui m'entraîne.
J'aime : je viens chercher Hermione en ces lieux,
La fléchir, l'enlever, ou mourir à ses yeux.
Toi qui connais Pyrrhus, que penses-tu qu'il fasse?
Dans sa cour, dans son cœur, dis-moi ce qui se passe.
Mon Hermione encor le tient-elle asservi?
Me rendra-t-il, Pylade, un bien qu'il m'a ravi?

PYLADE

Je vous abuserais si j'osais vous promettre
Qu'entre vos mains, Seigneur, il voulût la remettre.

Non que de sa conquête il paraisse flatté;
Pour la veuve d'Hector ses feux ont éclaté;
Il l'aime. Mais enfin cette veuve inhumaine
N'a payé jusqu'ici son amour que de haine;
Et chaque jour encore on lui voit tout tenter
Pour fléchir sa captive, ou pour l'épouvanter.
De son fils qu'il lui cache il menace la tête,
Et fait couler des pleurs qu'aussitôt il arrête.
Hermione elle-même a vu plus de cent fois
Cet amant irrité revenir sous ses lois,
Et de ses vœux troublés lui rapportant l'hommage,
Soupirer à ses pieds moins d'amour que de rage.
Ainsi n'attendez pas que l'on puisse aujourd'hui
Vous répondre d'un cœur si peu maître de lui :
Il peut, Seigneur, il peut, dans ce désordre extrême,
Épouser ce qu'il hait, et punir ce qu'il aime.

ORESTE

Mais dis-moi de quel œil Hermione peut voir
Son hymen différé, ses charmes sans pouvoir.

PYLADE

Hermione, Seigneur, au moins en apparence,
Semble de son amant dédaigner l'inconstance,
Et croit que trop heureux de fléchir sa rigueur
Il la viendra presser de reprendre son cœur.
Mais je l'ai vue enfin me confier ses larmes;
Elle pleure en secret le mépris de ses charmes.
Toujours prête à partir, et demeurant toujours,
Quelquefois elle appelle Oreste à son secours.

ORESTE

Ah! si je le croyais, j'irais bientôt, Pylade,
Me jeter...

PYLADE

Achevez, Seigneur, votre ambassade.
Vous attendez le roi : parlez, et lui montrez
Contre le fils d'Hector tous les Grecs conjurés.
Loin de leur accorder ce fils de sa maîtresse,
Leur haine ne fera qu'irriter sa tendresse.
Plus on les veut brouiller, plus on va les unir.
Pressez, demandez tout, pour ne rien obtenir.
Il vient.

ORESTE

Eh bien! va donc disposer la cruelle
A revoir un amant qui ne vient que pour elle.

SCÈNE II. — PYRRHUS, ORESTE, PHŒNIX

ORESTE

Avant que tous les Grecs vous parlent par ma voix,
Souffrez que j'ose ici me flatter de leur choix,
Et qu'à vos yeux, Seigneur, je montre quelque joie
De voir le fils d'Achille et le vainqueur de Troie.
Oui, comme ses exploits nous admirons vos coups :
Hector tomba sous lui, Troie expira sous vous;
Et vous avez montré, par une heureuse audace,
Que le fils seul d'Achille a pu remplir sa place.
Mais, ce qu'il n'eût point fait, la Grèce avec douleur
Vous voit du sang troyen relever le malheur,
Et vous laissant toucher d'une pitié funeste,
D'une guerre si longue entretenir le reste.
Ne vous souvient-il plus, Seigneur, quel fut Hector?
Nos peuples affaiblis s'en souviennent encor.
Son nom seul fait frémir nos veuves et nos filles,
Et dans toute la Grèce il n'est point de familles
Qui ne demandent compte à ce malheureux fils
D'un père ou d'un époux qu'Hector leur a ravis.
Et qui sait ce qu'un jour ce fils peut entreprendre?
Peut-être dans nos ports nous le verrons descendre,
Tel qu'on a vu son père embraser nos vaisseaux,
Et, la flamme à la main, les suivre sur les eaux[8].
Oserai-je, Seigneur, dire ce que je pense?
Vous-même de vos soins craignez la récompense,
Et que dans votre sein ce serpent élevé
Ne vous punisse un jour de l'avoir conservé.
Enfin de tous les Grecs satisfaites l'envie,
Assurez leur vengeance, assurez votre vie;
Perdez un ennemi d'autant plus dangereux
Qu'il s'essaiera sur vous à combattre contre eux.

PYRRHUS

La Grèce en ma faveur est trop inquiétée.
De soins plus importants je l'ai crue agitée,

Seigneur, et sur le nom de son ambassadeur,
J'avais dans ses projets conçu plus de grandeur.
Qui croirait en effet qu'une telle entreprise
Du fils d'Agamemnon méritât l'entremise;
Qu'un peuple tout entier, tant de fois triomphant,
N'eût daigné conspirer que la mort d'un enfant?
Mais à qui prétend-on que je le sacrifie?
La Grèce a-t-elle encor quelque droit sur sa vie?
Et seul de tous les Grecs ne m'est-il pas permis
D'ordonner d'un captif que le sort m'a soumis?
Oui, Seigneur, lorsqu'au pied des murs fumants de Troie
Les vainqueurs tout sanglants partagèrent leur proie,
Le sort, dont les arrêts furent alors suivis,
Fit tomber en mes mains Andromaque et son fils.
Hécube près d'Ulysse acheva sa misère;
Cassandre dans Argos a suivi votre père;
Sur eux, sur leurs captifs, ai-je étendu mes droits?
Ai-je enfin disposé du fruit de leurs exploits?
On craint qu'avec Hector Troie un jour ne renaisse;
Son fils peut me ravir le jour que je lui laisse :
Seigneur, tant de prudence entraîne trop de soin;
Je ne sais point prévoir les malheurs de si loin.
Je songe quelle était autrefois cette ville
Si superbe en remparts, en héros si fertile,
Maîtresse de l'Asie; et je regarde enfin
Quel fut le sort de Troie, et quel est son destin.
Je ne vois que des tours que la cendre a couvertes,
Un fleuve teint de sang, des campagnes désertes,
Un enfant dans les fers; et je ne puis songer
Que Troie en cet état aspire à se venger.
Ah! si du fils d'Hector la perte était jurée,
Pourquoi d'un an entier l'avons-nous différée?
Dans le sein de Priam n'a-t-on pu l'immoler?
Sous tant de morts, sous Troie, il fallait l'accabler.
Tout était juste alors : la vieillesse et l'enfance
En vain sur leur faiblesse appuyaient leur défense;
La victoire et la nuit, plus cruelles que nous,
Nous excitaient au meurtre, et confondaient nos coups.
Mon courroux aux vaincus ne fut que trop sévère.
Mais que ma cruauté survive à ma colère?
Que malgré la pitié dont je me sens saisir,
Dans le sang d'un enfant je me baigne à loisir?

Non, Seigneur : que les Grecs cherchent quelque autre
[proie;
Qu'ils poursuivent ailleurs ce qui reste de Troie :
De mes inimitiés le cours est achevé;
L'Épire sauvera ce que Troie a sauvé.

ORESTE

Seigneur, vous savez trop avec quel artifice
Un faux Astyanax fut offert au supplice
Où le seul fils d'Hector devait être conduit.
Ce n'est pas les Troyens, c'est Hector qu'on poursuit.
Oui, les Grecs sur le fils persécutent le père;
Il a par trop de sang acheté leur colère,
Ce n'est que dans le sien qu'elle peut expirer,
Et jusque dans l'Épire il les peut attirer.
Prévenez-les.

PYRRHUS

Non, non. J'y consens avec joie!
Qu'ils cherchent dans l'Épire une seconde Troie;
Qu'ils confondent leur haine, et ne distinguent plus
Le sang qui les fit vaincre et celui des vaincus.
Aussi bien ce n'est pas la première injustice
Dont la Grèce d'Achille a payé le service.
Hector en profita, Seigneur; et quelque jour
Son fils en pourrait bien profiter à son tour.

ORESTE

Ainsi la Grèce en vous trouve un enfant rebelle?

PYRRHUS

Et je n'ai donc vaincu que pour dépendre d'elle?

ORESTE

Hermione, Seigneur, arrêtera vos coups :
Ses yeux s'opposeront entre son père et vous.

PYRRHUS

Hermione, Seigneur, peut m'être toujours chère,
Je puis l'aimer, sans être esclave de son père;
Et je saurai peut-être accorder quelque jour
Les soins de ma grandeur et ceux de mon amour.
Vous pouvez cependant voir la fille d'Hélène :
Du sang qui vous unit je sais l'étroite chaîne [9].
Après cela, Seigneur, je ne vous retiens plus,
Et vous pourrez aux Grecs annoncer mon refus.

SCÈNE III. — PYRRHUS, PHŒNIX

PHŒNIX

Ainsi vous l'envoyez aux pieds de sa maîtresse?

PYRRHUS

On dit qu'il a longtemps brûlé pour la princesse.

PHŒNIX

Mais si ce feu, Seigneur, vient à se rallumer?
S'il lui rendait son cœur, s'il s'en faisait aimer?

PYRRHUS

Ah! qu'ils s'aiment, Phœnix! J'y consens. Qu'elle parte.
Que charmés l'un de l'autre ils retournent à Sparte!
Tous nos ports sont ouverts et pour elle et pour lui.
Qu'elle m'épargnerait de contrainte et d'ennui!

PHŒNIX

Seigneur...

PYRRHUS

Une autre fois je t'ouvrirai mon âme :
Andromaque paraît.

SCÈNE IV. — PYRRHUS, ANDROMAQUE, PHŒNIX, CÉPHISE

PYRRHUS

Me cherchiez-vous, Madame?
Un espoir si charmant me serait-il permis?

ANDROMAQUE

Je passais jusqu'aux lieux où l'on garde mon fils.
Puisqu'une fois le jour vous souffrez que je voie
Le seul bien qui me reste et d'Hector et de Troie,
J'allais, Seigneur, pleurer un moment avec lui :
Je ne l'ai point encore embrassé d'aujourd'hui.

PYRRHUS

Ah, Madame! les Grecs, si j'en crois leurs alarmes,
Vous donneront bientôt d'autres sujets de larmes.

ANDROMAQUE

Et quelle est cette peur dont leur cœur est frappé,
Seigneur? Quelque Troyen vous est-il échappé?

PYRRHUS

Leur haine pour Hector n'est pas encore éteinte.
Ils redoutent son fils.

ANDROMAQUE

Digne objet de leur crainte!
Un enfant malheureux qui ne sait pas encor
Que Pyrrhus est son maître, et qu'il est fils d'Hector.

PYRRHUS

Tel qu'il est, tous les Grecs demandent qu'il périsse.
Le fils d'Agamemnon vient hâter son supplice.

ANDROMAQUE

Et vous prononcerez un arrêt si cruel?
Est-ce mon intérêt qui le rend criminel?
Hélas! on ne craint point qu'il venge un jour son père;
On craint qu'il n'essuyât les larmes de sa mère.
Il m'aurait tenu lieu d'un père et d'un époux;
Mais il me faut tout perdre, et toujours par vos coups.

PYRRHUS

Madame, mes refus ont prévenu vos larmes.
Tous les Grecs m'ont déjà menacé de leurs armes,
Mais dussent-ils encore, en repassant les eaux,
Demander votre fils avec mille vaisseaux,
Coutât-il tout le sang qu'Hélène a fait répandre,
Dussé-je après dix ans voir mon palais en cendre,
Je ne balance point, je vole à son secours.
Je défendrai sa vie aux dépens de mes jours.
Mais parmi ces périls où je cours pour vous plaire,
Me refuserez-vous un regard moins sévère?
Haï de tous les Grecs, pressé de tous côtés,
Me faudra-t-il combattre encor vos cruautés?
Je vous offre mon bras. Puis-je espérer encore
Que vous accepterez un cœur qui vous adore?
En combattant pour vous, me sera-t-il permis
De ne vous point compter parmi mes ennemis?

ANDROMAQUE

Seigneur, que faites-vous, et que dira la Grèce?
Faut-il qu'un si grand cœur montre tant de faiblesse?
Voulez-vous qu'un dessein si beau, si généreux,
Passe pour le transport d'un esprit amoureux?

Captive, toujours triste, importune à moi-même,
Pouvez-vous souhaiter qu'Andromaque vous aime?
Quels charmes ont pour vous des yeux infortunés
Qu'à des pleurs éternels vous avez condamnés?
Non, non; d'un ennemi respecter la misère,
Sauver des malheureux, rendre un fils à sa mère,
De cent peuples pour lui combattre la rigueur,
Sans me faire payer son salut de mon cœur,
Malgré moi, s'il le faut, lui donner un asile [10] :
Seigneur, voilà des soins dignes du fils d'Achille.

PYRRHUS

Hé quoi! votre courroux n'a-t-il pas eu son cours?
Peut-on haïr sans cesse? et punit-on toujours?
J'ai fait des malheureux, sans doute; et la Phrygie
Cent fois de votre sang a vu ma main rougie;
Mais que vos yeux sur moi se sont bien exercés!
Qu'ils m'ont vendu bien cher les pleurs qu'ils ont versés!
De combien de remords m'ont-ils rendu la proie!
Je souffre tous les maux que j'ai faits devant Troie.
Vaincu, chargé de fers, de regrets consumé,
Brûlé de plus de feux que je n'en allumai,
Tant de soins, tant de pleurs, tant d'ardeurs inquiètes...
Hélas! fus-je jamais si cruel que vous l'êtes?
Mais enfin, tour à tour, c'est assez nous punir :
Nos ennemis communs devraient nous réunir.
Madame, dites-moi seulement que j'espère,
Je vous rends votre fils, et je lui sers de père;
Je l'instruirai moi-même à venger les Troyens;
J'irai punir les Grecs de vos maux et des miens.
Animé d'un regard, je puis tout entreprendre :
Votre Ilion encor peut sortir de sa cendre;
Je puis, en moins de temps que les Grecs ne l'ont pris,
Dans ses murs relevés couronner votre fils.

ANDROMAQUE

Seigneur, tant de grandeurs ne nous touchent plus guère.
Je les lui promettais tant qu'a vécu son père.
Non, vous n'espérez plus de nous revoir encor,
Sacrés murs que n'a pu conserver mon Hector!
A de moindres faveurs des malheureux prétendent,
Seigneur : c'est un exil que mes pleurs vous demandent.
Souffrez que, loin des Grecs, et même loin de vous,

J'aille cacher mon fils, et pleurer mon époux.
Votre amour contre nous allume trop de haine.
Retournez, retournez à la fille d'Hélène.

PYRRHUS

Et le puis-je, Madame? Ah! que vous me gênez!
Comment lui rendre un cœur que vous me retenez?
Je sais que de mes vœux on lui promit l'empire;
Je sais que pour régner elle vint dans l'Épire;
Le sort vous y voulut l'une et l'autre amener :
Vous, pour porter des fers, elle, pour en donner.
Cependant ai-je pris quelque soin de lui plaire?
Et ne dirait-on pas, en voyant au contraire
Vos charmes tout-puissants, et les siens dédaignés,
Qu'elle est ici captive et que vous y régnez?
Ah! qu'un seul des soupirs que mon cœur vous envoie,
S'il s'échappait vers elle y porterait de joie.

ANDROMAQUE

Et pourquoi vos soupirs seraient-ils repoussés?
Aurait-elle oublié vos services passés?
Troie, Hector, contre vous, révoltent-ils son âme?
Aux cendres d'un époux doit-elle enfin sa flamme?
Et quel époux encore! Ah! souvenir cruel!
Sa mort seule a rendu votre père immortel;
Il doit au sang d'Hector tout l'éclat de ses armes,
Et vous n'êtes tous deux connus que par mes larmes.

PYRRHUS

Eh bien, Madame, eh bien! il faut vous obéir :
Il faut vous oublier, ou plutôt vous haïr.
Oui, mes vœux ont trop loin poussé leur violence
Pour ne plus s'arrêter que dans l'indifférence;
Songez-y bien : il faut désormais que mon cœur,
S'il n'aime avec transport, haïsse avec fureur.
Je n'épargnerai rien dans ma juste colère :
Le fils me répondra des mépris de la mère;
La Grèce le demande, et je ne prétends pas
Mettre toujours ma gloire à sauver des ingrats.

ANDROMAQUE

Hélas! il mourra donc. Il n'a pour sa défense
Que les pleurs de sa mère et que son innocence.
Et peut-être après tout, en l'état où je suis,

Sa mort avancera la fin de mes ennuis.
Je prolongeais pour lui ma vie et ma misère;
Mais enfin sur ses pas j'irai revoir son père.
Ainsi, tous trois, Seigneur, par vos soins réunis,
Nous vous...

PYRRHUS

Allez, Madame, allez voir votre fils.
Peut-être, en le voyant, votre amour plus timide
Ne prendra pas toujours sa colère pour guide.
Pour savoir nos destins j'irai vous retrouver.
Madame, en l'embrassant, songez à le sauver.

ACTE DEUXIÈME

SCÈNE I. — HERMIONE, CLÉONE

HERMIONE

Je fais ce que tu veux; je consens qu'il me voie.
Je lui veux bien encore accorder cette joie.
Pylade va bientôt conduire ici ses pas;
Mais si je m'en croyais, je ne le verrais pas.

CLÉONE

Et qu'est-ce que sa vue a pour vous de funeste?
Madame, n'est-ce pas toujours le même Oreste
Dont vous avez cent fois souhaité le retour,
Et dont vous regrettiez la constance et l'amour?

HERMIONE

C'est cet amour payé de trop d'ingratitude
Qui me rend en ces lieux sa présence si rude.
Quelle honte pour moi, quel triomphe pour lui,
De voir mon infortune égaler son ennui!
Est-ce là, dira-t-il, cette fière Hermione?
Elle me dédaignait; un autre l'abandonne.
L'ingrate, qui mettait son cœur à si haut prix,
Apprend donc à son tour à souffrir des mépris?
Ah dieux!

CLÉONE

Ah! dissipez ces indignes alarmes :
Il a trop bien senti le pouvoir de vos charmes.
Vous croyez qu'un amant vienne vous insulter?

Il vous rapporte un cœur qu'il n'a pu vous ôter.
Mais vous ne dites point ce que vous mande un père [11]?

HERMIONE

Dans ses retardements si Pyrrhus persévère,
A la mort du Troyen s'il ne veut consentir,
Mon père avec les Grecs m'ordonne de partir.

CLÉONE

Eh bien, Madame, eh bien! écoutez donc Oreste.
Pyrrhus a commencé, faites au moins le reste.
Pour bien faire il faudrait que vous le prévinssiez.
Ne m'avez-vous pas dit que vous le haïssiez?

HERMIONE

Si je le hais, Cléone! Il y va de ma gloire,
Après tant de bontés dont il perd la mémoire;
Lui qui me fut si cher, et qui m'a pu trahir,
Ah! je l'ai trop aimé pour ne le point haïr!

CLÉONE

Fuyez-le donc, Madame; et puisqu'on vous adore...

HERMIONE

Ah! laisse à ma fureur le temps de croître encore.
Contre mon ennemi laisse-moi m'assurer.
Cléone, avec horreur je m'en veux séparer.
Il n'y travaillera que trop bien, l'infidèle!

CLÉONE

Quoi? vous en attendez quelque injure nouvelle?
Aimer une captive, et l'aimer à vos yeux,
Tout cela n'a donc pu vous le rendre odieux?
Après ce qu'il a fait, que saurait-il donc faire?
Il vous aurait déplu, s'il pouvait vous déplaire.

HERMIONE

Pourquoi veux-tu, cruelle, irriter mes ennuis?
Je crains de me connaître en l'état où je suis.
De tout ce que tu vois tâche de ne rien croire;
Crois que je n'aime plus, vante-moi ma victoire;
Crois que dans son dépit mon cœur est endurci,
Hélas! et, s'il se peut, fais-le moi croire aussi.
Tu veux que je le fuie? Eh bien! rien ne m'arrête :
Allons; n'envions plus son indigne conquête :

Que sur lui sa captive étende son pouvoir.
Fuyons... Mais si l'ingrat rentrait dans son devoir!
Si la foi dans son cœur retrouvait quelque place;
S'il venait à mes pieds me demander sa grâce;
Si sous mes lois, Amour, tu pouvais l'engager!
S'il voulait... Mais l'ingrat ne veut que m'outrager.
Demeurons toutefois pour troubler leur fortune,
Prenons quelque plaisir à leur être importune;
Ou, le forçant de rompre un nœud si solennel,
Aux yeux de tous les Grecs rendons-le criminel.
J'ai déjà sur le fils attiré leur colère;
Je veux qu'on vienne encor lui demander la mère.
Rendons-lui les tourments qu'elle m'a fait souffrir :
Qu'elle le perde, ou bien qu'il la fasse périr.

CLÉONE

Vous pensez que des yeux toujours ouverts aux larmes
Se plaisent à troubler le pouvoir de vos charmes,
Et qu'un cœur accablé de tant de déplaisirs
De son persécuteur ait brigué les soupirs?
Voyez si sa douleur en paraît soulagée.
Pourquoi donc les chagrins où son âme est plongée?
Contre un amant qui plaît pourquoi tant de fierté?

HERMIONE

Hélas! pour mon malheur, je l'ai trop écouté.
Je n'ai point du silence affecté le mystère :
Je croyais sans péril pouvoir être sincère,
Et sans armer mes yeux d'un moment de rigueur,
Je n'ai pour lui parler consulté que mon cœur.
Et qui ne se serait comme moi déclarée
Sur la foi d'une amour si saintement jurée?
Me voyait-il de l'œil qu'il me voit aujourd'hui?
Tu t'en souviens encor, tout conspirait pour lui :
Ma famille vengée, et les Grecs dans la joie,
Nos vaisseaux tout chargés des dépouilles de Troie,
Les exploits de son père effacés par les siens,
Ses feux que je croyais plus ardents que les miens,
Mon cœur, toi-même enfin de sa gloire éblouie,
Avant qu'il me trahît, vous m'avez tous trahie.
Mais c'en est trop, Cléone, et quel que soit Pyrrhus,
Hermione est sensible, Oreste a des vertus;
Il sait aimer du moins, et même sans qu'on l'aime,

Et peut-être il saura se faire aimer lui-même.
Allons : Qu'il vienne enfin.

CLÉONE

Madame, le voici.

HERMIONE

Ah ! je ne croyais pas qu'il fût si près d'ici.

SCÈNE II. — HERMIONE, ORESTE, CLÉONE

HERMIONE

Le croirai-je, Seigneur, qu'un reste de tendresse
Vous fasse ici chercher une triste princesse?
Ou ne dois-je imputer qu'à votre seul devoir
L'heureux empressement qui vous porte à me voir?

ORESTE

Tel est de mon amour l'aveuglement funeste,
Vous le savez, Madame, et le destin d'Oreste
Est de venir sans cesse adorer vos attraits,
Et de jurer toujours qu'il n'y viendra jamais.
Je sais que vos regards vont rouvrir mes blessures,
Que tous mes pas vers vous sont autant de parjures :
Je le sais, j'en rougis; mais j'atteste les dieux,
Témoins de la fureur de mes derniers adieux,
Que j'ai couru partout où ma perte certaine
Dégageait mes serments et finissait ma peine.
J'ai mendié la mort chez des peuples cruels
Qui n'apaisaient leurs dieux que du sang des mortels :
Ils m'ont fermé leur temple; et ces peuples barbares
De mon sang prodigué sont devenus avares [12].
Enfin je viens à vous, et je me vois réduit
A chercher dans vos yeux une mort qui me fuit.
Mon désespoir n'attend que leur indifférence :
Ils n'ont qu'à m'interdire un reste d'espérance,
Ils n'ont, pour avancer cette mort où je cours,
Qu'à me dire une fois ce qu'ils m'ont dit toujours.
Voilà, depuis un an, le seul soin qui m'anime.
Madame, c'est à vous de prendre une victime
Que les Scythes auraient dérobée à vos coups
Si j'en avais trouvé d'aussi cruels que vous.

HERMIONE

Quittez, Seigneur, quittez ce funeste langage.
A des soins plus pressants la Grèce vous engage.
Que parlez-vous du Scythe et de mes cruautés?
Songez à tous ces rois que vous représentez.
Faut-il que d'un transport leur vengeance dépende?
Est-ce le sang d'Oreste enfin qu'on vous demande?
Dégagez-vous des soins dont vous êtes chargé.

ORESTE

Les refus de Pyrrhus m'ont assez dégagé,
Madame : il me renvoie; et quelque autre puissance
Lui fait du fils d'Hector embrasser la défense.

HERMIONE

L'infidèle!

ORESTE

Ainsi donc, tout prêt à le quitter,
Sur mon propre destin je viens vous consulter.
Déjà même je crois entendre la réponse
Qu'en secret contre moi votre haine prononce.

HERMIONE

Hé quoi? toujours injuste en vos tristes discours,
De mon inimitié vous plaindrez-vous toujours?
Quelle est cette rigueur tant de fois alléguée?
J'ai passé dans l'Épire où j'étais reléguée :
Mon père l'ordonnait; mais qui sait si depuis
Je n'ai point en secret partagé vos ennuis?
Pensez-vous avoir seul éprouvé des alarmes;
Que l'Épire jamais n'ait vu couler mes larmes?
Enfin, qui vous a dit que malgré mon devoir
Je n'ai pas quelquefois souhaité de vous voir?

ORESTE

Souhaité de me voir! Ah! divine Princesse...
Mais, de grâce, est-ce à moi que ce discours s'adresse?
Ouvrez vos yeux : songez qu'Oreste est devant vous,
Oreste, si longtemps l'objet de leur courroux.

HERMIONE

Oui, c'est vous dont l'amour, naissant avec leurs charmes,
Leur apprit le premier le pouvoir de leurs armes;

Vous que mille vertus me forçaient d'estimer;
Vous que j'ai plaint, enfin que je voudrais aimer.

ORESTE

Je vous entends. Tel est mon partage funeste :
Le cœur est pour Pyrrhus, et les vœux pour Oreste.

HERMIONE

Ah! ne souhaitez pas le destin de Pyrrhus :
Je vous haïrais trop.

ORESTE

Vous m'en aimeriez plus.
Ah! que vous me verriez d'un regard bien contraire!
Vous me voulez aimer, et je ne puis vous plaire;
Et l'amour seul alors se faisant obéir,
Vous m'aimeriez, Madame, en me voulant haïr.
O dieux! tant de respects, une amitié si tendre...
Que de raisons pour moi, si vous pouviez m'entendre!
Vous seule pour Pyrrhus disputez aujourd'hui,
Peut-être malgré vous, sans doute malgré lui :
Car enfin il vous hait; son âme ailleurs éprise
N'a plus...

HERMIONE

Qui vous l'a dit, Seigneur, qu'il me méprise?
Ses regards, ses discours vous l'ont-ils donc appris?
Jugez-vous que ma vue inspire des mépris,
Qu'elle allume en un cœur des feux si peu durables?
Peut-être d'autres yeux me sont plus favorables.

ORESTE

Poursuivez : il est beau de m'insulter ainsi.
Cruelle, c'est donc moi qui vous méprise ici?
Vos yeux n'ont pas assez éprouvé ma constance?
Je suis donc un témoin de leur peu de puissance?
Je les ai méprisés? Ah! qu'ils voudraient bien voir
Mon rival comme moi mépriser leur pouvoir!

HERMIONE

Que m'importe, Seigneur, sa haine ou sa tendresse?
Allez contre un rebelle armer toute la Grèce;
Rapportez-lui le prix de sa rébellion;
Qu'on fasse de l'Épire un second Ilion.
Allez. Après cela direz-vous que je l'aime?

ORESTE

Madame, faites plus, et venez-y vous-même.
Voulez-vous demeurer pour otage en ces lieux,
Venez dans tous les cœurs faire parler vos yeux.
Faisons de notre haine une commune attaque.

HERMIONE

Mais, Seigneur, cependant, s'il épouse Andromaque?

ORESTE

Hé, Madame!

HERMIONE

Songez quelle honte pour nous,
Si d'une Phrygienne il devenait l'époux!

ORESTE

Et vous le haïssez! Avouez-le, Madame,
L'amour n'est pas un feu qu'on renferme en une âme;
Tout nous trahit, la voix, le silence, les yeux,
Et les feux mal couverts n'en éclatent que mieux.

HERMIONE

Seigneur, je le vois bien, votre âme prévenue
Répand sur mes discours le venin qui la tue,
Toujours dans mes raisons cherche quelque détour,
Et croit qu'en moi la haine est un effort d'amour.
Il faut donc m'expliquer; vous agirez ensuite.
Vous savez qu'en ces lieux mon devoir m'a conduite;
Mon devoir m'y retient; et je n'en puis partir
Que mon père ou Pyrrhus ne m'en fassent sortir.
De la part de mon père allez lui faire entendre
Que l'ennemi des Grecs ne peut être son gendre.
Du Troyen ou de moi faites-le décider :
Qu'il songe qui des deux il veut rendre ou garder;
Enfin qu'il me renvoie, ou bien qu'il vous le livre.
Adieu. S'il y consent, je suis prête à vous suivre.

SCÈNE III. — ORESTE, *seul.*

Oui, oui, vous me suivrez, n'en doutez nullement;
Je vous réponds déjà de son consentement.
Je ne crains pas enfin que Pyrrhus la retienne :
Il n'a devant les yeux que sa chère Troyenne;

Tout autre objet le blesse; et peut-être aujourd'hui
Il n'attend qu'un prétexte à l'éloigner de lui.
Nous n'avons qu'à parler : c'en est fait. Quelle joie
D'enlever à l'Épire une si belle proie!
Sauve tout ce qui reste et de Troie et d'Hector,
Garde son fils, sa veuve, et mille autres encor,
Épire : c'est assez qu'Hermione rendue
Perde à jamais tes bords et ton prince de vue.
Mais un heureux destin le conduit en ces lieux.
Parlons. A tant d'attraits, Amour, ferme ses yeux!

SCÈNE IV. — PYRRHUS, ORESTE, PHŒNIX

PYRRHUS

Je vous cherchais, Seigneur. Un peu de violence
M'a fait de vos raisons combattre la puissance,
Je l'avoue; et depuis que je vous ai quitté,
J'en ai senti la force et connu l'équité.
J'ai songé, comme vous, qu'à la Grèce, à mon père,
A moi-même, en un mot, je devenais contraire;
Que je relevais Troie, et rendais imparfait
Tout ce qu'a fait Achille, et tout ce que j'ai fait.
Je ne condamne plus un courroux légitime,
Et l'on vous va, Seigneur, livrer votre victime.

ORESTE

Seigneur, par ce conseil prudent et rigoureux,
C'est acheter la paix du sang d'un malheureux.

PYRRHUS

Oui; mais je veux, Seigneur, l'assurer davantage :
D'une éternelle paix Hermione est le gage;
Je l'épouse. Il semblait qu'un spectacle si doux
N'attendît en ces lieux qu'un témoin tel que vous :
Vous y représentez tous les Grecs et son père,
Puisqu'en vous Ménélas voit revivre son frère.
Voyez-la donc. Allez. Dites-lui que demain
J'attends avec la paix son cœur de votre main.

ORESTE

Ah dieux!

SCÈNE V. — PYRRHUS, PHŒNIX

PYRRHUS

Eh bien, Phœnix, l'amour est-il le maître?
Tes yeux refusent-ils encor de me connaître?

PHŒNIX

Ah! je vous reconnais; et ce juste courroux,
Ainsi qu'à tous les Grecs, Seigneur, vous rend à vous.
Ce n'est plus le jouet d'une flamme servile :
C'est Pyrrhus, c'est le fils et le rival d'Achille,
Que la gloire à la fin ramène sous ses lois,
Qui triomphe de Troie une seconde fois.

PYRRHUS

Dis plutôt qu'aujourd'hui commence ma victoire,
D'aujourd'hui seulement je jouis de ma gloire;
Et mon cœur, aussi fier que tu l'as vu soumis,
Croit avoir en l'amour vaincu mille ennemis.
Considère, Phœnix, les troubles que j'évite,
Quelle foule de maux l'amour traîne à sa suite,
Que d'amis, de devoirs, j'allais sacrifier,
Quels périls... Un regard m'eût tout fait oublier.
Tous les Grecs conjurés fondaient sur un rebelle;
Je trouvais du plaisir à me perdre pour elle.

PHŒNIX

Oui, je bénis, Seigneur, l'heureuse cruauté
Qui vous rend...

PYRRHUS

Tu l'as vu, comme elle m'a traité.
Je pensais, en voyant sa tendresse alarmée,
Que son fils me la dût renvoyer désarmée.
J'allais voir le succès de ses embrassements :
Je n'ai trouvé que pleurs mêlés d'emportements.
Sa misère l'aigrit; et toujours plus farouche,
Cent fois le nom d'Hector est sorti de sa bouche.
Vainement à son fils j'assurais mon secours :
« C'est Hector, disait-elle, en l'embrassant toujours;
« Voilà ses yeux, sa bouche, et déjà son audace;
« C'est lui-même; c'est toi, cher époux, que j'embrasse [13]. »
Et quelle est sa pensée? attend-elle en ce jour
Que je lui laisse un fils pour nourrir son amour?

PHŒNIX

Sans doute, c'est le prix que vous gardait l'ingrate.
Mais laissez-la, Seigneur.

PYRRHUS

Je vois ce qui la flatte :
Sa beauté la rassure, et malgré mon courroux,
L'orgueilleuse m'attend encore à ses genoux.
Je la verrais aux miens, Phœnix, d'un œil tranquille.
Elle est veuve d'Hector, et je suis fils d'Achille :
Trop de haine sépare Andromaque et Pyrrhus.

PHŒNIX

Commencez donc, Seigneur, à ne m'en parler plus.
Allez voir Hermione; et content de lui plaire,
Oubliez à ses pieds jusqu'à votre colère.
Vous-même à cet hymen venez la disposer.
Est-ce sur un rival qu'il s'en faut reposer?
Il ne l'aime que trop.

PYRRHUS

Crois-tu, si je l'épouse,
Qu'Andromaque en son cœur n'en sera pas jalouse?

PHŒNIX

Quoi? toujours Andromaque occupe votre esprit!
Que vous importe, ô dieux! sa joie ou son dépit?
Quel charme, malgré vous, vers elle vous attire?

PYRRHUS

Non, je n'ai pas bien dit tout ce qu'il lui faut dire :
Ma colère à ses yeux n'a paru qu'à demi;
Elle ignore à quel point je suis son ennemi.
Retournons-y. Je veux la braver à sa vue,
Et donner à ma haine une libre étendue.
Viens voir tous ses attraits, Phœnix, humiliés.
Allons.

PHŒNIX

Allez, Seigneur, vous jeter à ses pieds;
Allez, en lui jurant que votre âme l'adore,
A de nouveaux mépris l'encourager encore.

PYRRHUS

Je le vois bien, tu crois que prêt à l'excuser
Mon cœur court après elle et cherche à s'apaiser.

PHŒNIX

Vous aimez : c'est assez.

PYRRHUS

Moi, l'aimer? une ingrate
Qui me hait d'autant plus que mon amour la flatte?
Sans parents, sans amis, sans espoir que sur moi;
Je puis perdre son fils, peut-être je le doi;
Étrangère... que dis-je? esclave dans l'Épire,
Je lui donne son fils, mon âme, mon empire,
Et je ne puis gagner dans son perfide cœur
D'autre rang que celui de son persécuteur!
Non, non, je l'ai juré, ma vengeance est certaine :
Il faut bien une fois justifier sa haine,
J'abandonne son fils. Que de pleurs vont couler!
De quel nom sa douleur me va-t-elle appeler!
Quel spectacle pour elle aujourd'hui se dispose!
Elle en mourra, Phœnix, et j'en serai la cause.
C'est lui mettre moi-même un poignard dans le sein.

PHŒNIX

Et pourquoi donc en faire éclater le dessein?
Que ne consultiez-vous tantôt votre faiblesse [14]?

PYRRHUS

Je t'entends. Mais excuse un reste de tendresse.
Crains-tu pour ma colère un si faible combat?
D'un amour qui s'éteint c'est le dernier éclat.
Allons. A tes conseils, Phœnix, je m'abandonne.
Faut-il livrer son fils? faut-il voir Hermione?

PHŒNIX

Oui, voyez-la, Seigneur et par des vœux soumis,
Protestez-lui...

PYRRHUS

Faisons tout ce que j'ai promis.

ACTE TROISIÈME

SCÈNE I. — ORESTE, PYLADE

PYLADE

Modérez donc, Seigneur, cette fureur extrême.
Je ne vous connais plus; vous n'êtes plus vous-même.
Souffrez...

ORESTE

Non, tes conseils ne sont plus de saison,
Pylade; je suis las d'écouter la raison.
C'est traîner trop longtemps ma vie et mon supplice :
Il faut que je l'enlève, ou bien que je périsse.
Le dessein en est pris, je le veux achever.
Oui, je le veux.

PYLADE

Eh bien! il la faut enlever,
J'y consens. Mais songez cependant où vous êtes.
Que croira-t-on de vous, à voir ce que vous faites?
Dissimulez : calmez ce transport inquiet;
Commandez à vos yeux de garder le secret.
Ces gardes, cette cour, l'air qui vous environne,
Tout dépend de Pyrrhus, et surtout Hermione [15].
A ses regards surtout cachez votre courroux.
O dieux! en cet état pourquoi la cherchiez-vous?

ORESTE

Que sais-je? De moi-même étais-je alors le maître?
La fureur m'emportait, et je venais peut-être
Menacer à la fois l'ingrate et son amant.

PYLADE

Et quel était le fruit de cet emportement?

ORESTE

Et quelle âme, dis-moi, ne serait éperdue
Du coup dont ma raison vient d'être confondue?
Il épouse, dit-il, Hermione demain;
Il veut, pour m'honorer, la tenir de ma main.
Ah! plutôt cette main dans le sang du barbare...

PYLADE

Vous l'accusez, Seigneur, de ce destin bizarre;
Cependant, tourmenté de ses propres desseins,
Il est peut-être à plaindre autant que je vous plains [16].

ORESTE

Non, non, je le connais, mon désespoir le flatte;
Sans moi, sans mon amour, il dédaignait l'ingrate;
Ses charmes jusque-là n'avaient pu le toucher :
Le cruel ne la prend que pour me l'arracher.

Ah dieux! c'en était fait : Hermione gagnée
Pour jamais de sa vue allait être éloignée,
Son cœur, entre l'amour et le dépit confus,
Pour se donner à moi n'attendait qu'un refus,
Ses yeux s'ouvraient, Pylade, elle écoutait Oreste,
Lui parlait, le plaignait... Un mot eût fait le reste.

PYLADE

Vous le croyez!

ORESTE

Hé quoi? ce courroux enflammé
Contre un ingrat...

PYLADE

Jamais il ne fut plus aimé.
Pensez-vous, quand Pyrrhus vous l'aurait accordée,
Qu'un prétexte tout prêt ne l'eût pas retardée?
M'en croirez-vous? Lassé de ses trompeurs attraits,
Au lieu de l'enlever, fuyez-la pour jamais.
Quoi? votre amour se veut charger d'une furie
Qui vous détestera, qui toute votre vie,
Regrettant un hymen tout prêt à s'achever,
Voudra...

ORESTE

C'est pour cela que je veux l'enlever.
Tout lui rirait, Pylade; et moi, pour mon partage,
Je n'emporterais donc qu'une inutile rage?
J'irais loin d'elle encor tâcher de l'oublier?
Non, non, à mes tourments, je veux l'associer.
C'est trop gémir tout seul. Je suis las qu'on me plaigne.
Je prétends qu'à mon tour l'inhumaine me craigne,
Et que ses yeux cruels, à pleurer condamnés,
Me rendent tous les noms que je leur ai donnés.

PYLADE

Voilà donc le succès qu'aura votre ambassade :
Oreste ravisseur!

ORESTE

Et qu'importe, Pylade?
Quand nos États vengés jouiront de mes soins,
L'ingrate de mes pleurs jouira-t-elle moins?
Et que me servira que la Grèce m'admire,

Tandis que je serai la fable de l'Épire?
Que veux-tu? Mais, s'il faut ne te rien déguiser,
Mon innocence enfin commence à me peser.
Je ne sais de tout temps quelle injuste puissance
Laisse le crime en paix, et poursuit l'innocence.
De quelque part sur moi que je tourne les yeux,
Je ne vois que malheurs qui condamnent les dieux.
Méritons leur courroux, justifions leur haine,
Et que le fruit du crime en précède la peine [17].
Mais toi, par quelle erreur veux-tu toujours sur toi
Détourner un courroux qui ne cherche que moi?
Assez et trop longtemps mon amitié t'accable :
Évite un malheureux, abandonne un coupable.
Cher Pylade, crois-moi, ta pitié te séduit.
Laisse-moi des périls dont j'attends tout le fruit [18].
Porte aux Grecs cet enfant que Pyrrhus m'abandonne.
Va-t'en.

PYLADE

Allons, Seigneur, enlevons Hermione.
Au travers des périls un grand cœur se fait jour.
Que ne peut l'amitié conduite par l'amour?
Allons de tous vos Grecs encourager le zèle.
Nos vaisseaux sont tout prêts, et le vent nous appelle.
Je sais de ce palais tous les détours obscurs;
Vous voyez que la mer en vient battre les murs,
Et cette nuit, sans peine, une secrète voie
Jusqu'en votre vaisseau conduira votre proie.

ORESTE

J'abuse, cher ami, de ton trop d'amitié
Mais pardonne à des maux dont toi seul as pitié;
Excuse un malheureux qui perd tout ce qu'il aime,
Que tout le monde hait, et qui se hait lui-même.
Que ne puis-je à mon tour dans un sort plus heureux...

PYLADE

Dissimulez, Seigneur; c'est tout ce que je veux.
Gardez qu'avant le coup votre dessein n'éclate :
Oubliez jusque-là qu'Hermione est ingrate;
Oubliez votre amour. Elle vient, je la voi.

ORESTE

Va-t'en. Réponds-moi d'elle, et je réponds de moi.

SCÈNE II. — HERMIONE, ORESTE, CLÉONE

ORESTE

Eh bien! mes soins vous ont rendu votre conquête.
J'ai vu Pyrrhus, Madame, et votre hymen s'apprête.

HERMIONE

On le dit; et de plus on vient de m'assurer
Que vous ne me cherchiez que pour m'y préparer.

ORESTE

Et votre âme à ses vœux ne sera pas rebelle?

HERMIONE

Qui l'eût cru que Pyrrhus ne fût pas infidèle?
Que sa flamme attendrait si tard pour éclater?
Qu'il reviendrait à moi, quand je l'allais quitter?
Je veux croire avec vous qu'il redoute la Grèce,
Qu'il suit son intérêt plutôt que sa tendresse,
Que mes yeux sur votre âme étaient plus absolus.

ORESTE

Non, Madame : il vous aime, et je n'en doute plus.
Vos yeux ne font-ils pas tout ce qu'ils veulent faire?
Et vous ne vouliez pas sans doute lui déplaire.

HERMIONE

Mais que puis-je, Seigneur? On a promis ma foi.
Lui ravirai-je un bien qu'il ne tient pas de moi?
L'amour ne règle pas le sort d'une princesse :
La gloire d'obéir est tout ce qu'on nous laisse.
Cependant je partais, et vous avez pu voir
Combien je relâchais pour vous de mon devoir.

ORESTE

Ah! que vous saviez bien, cruelle... Mais, Madame,
Chacun peut à son choix disposer de son âme.
La vôtre était à vous. J'espérais; mais enfin
Vous l'avez pu donner sans me faire un larcin.
Je vous accuse aussi bien moins que la fortune.
Et pourquoi vous lasser d'une plainte importune?
Tel est votre devoir, je l'avoue; et le mien
Est de vous épargner un si triste entretien.

SCÈNE III. — HERMIONE, CLÉONE

HERMIONE

Attendais-tu, Cléone, un courroux si modeste?

CLÉONE

La douleur qui se tait n'en est que plus funeste.
Je le plains d'autant plus qu'auteur de son ennui,
Le coup qui l'a perdu n'est parti que de lui.
Comptez depuis quel temps votre hymen se prépare;
Il a parlé, Madame, et Pyrrhus se déclare.

HERMIONE

Tu crois que Pyrrhus craint? Et que craint-il encor?
Des peuples qui dix ans ont fui devant Hector,
Qui cent fois, effrayés de l'absence d'Achille,
Dans leurs vaisseaux brûlants ont cherché leur asile,
Et qu'on verrait encor, sans l'appui de son fils,
Redemander Hélène aux Troyens impunis?
Non, Cléone, il n'est point ennemi de lui-même;
Il veut tout ce qu'il fait, et s'il m'épouse, il m'aime.
Mais qu'Oreste à son gré m'impute ses douleurs :
N'avons-nous d'entretien que celui de ses pleurs?
Pyrrhus revient à nous ! Eh bien ! chère Cléone,
Conçois-tu les transports de l'heureuse Hermione?
Sais-tu quel est Pyrrhus? T'es-tu fait raconter
Le nombre des exploits... mais qui les peut compter?
Intrépide, et partout suivi de la victoire,
Charmant, fidèle enfin : rien ne manque à sa gloire.
Songe...

CLÉONE

Dissimulez. Votre rivale en pleurs
Vient à vos pieds, sans doute, apporter ses douleurs.

HERMIONE

Dieux ! ne puis-je à ma joie abandonner mon âme?
Sortons : que lui dirais-je?

SCÈNE IV. — ANDROMAQUE, HERMIONE, CLÉONE, CÉPHISE

ANDROMAQUE

Où fuyez-vous, Madame?
N'est-ce pas à vos yeux un spectacle assez doux
Que la veuve d'Hector pleurante à vos genoux?
Je ne viens point ici, par de jalouses larmes,
Vous envier un cœur qui se rend à vos charmes.

Par une main cruelle, hélas ! j'ai vu percer
Le seul où mes regards prétendaient s'adresser.
Ma flamme par Hector fut jadis allumée;
Avec lui dans la tombe elle s'est enfermée.
Mais il me reste un fils. Vous saurez quelque jour,
Madame, pour un fils jusqu'où va notre amour;
Mais vous ne saurez pas, du moins je le souhaite,
En quel trouble mortel son intérêt nous jette,
Lorsque de tant de biens qui pouvaient nous flatter,
C'est le seul qui nous reste, et qu'on veut nous l'ôter.
Hélas ! lorsque, lassés de dix ans de misère,
Les Troyens en courroux menaçaient votre mère,
J'ai su de mon Hector lui procurer l'appui [19].
Vous pouvez sur Pyrrhus ce que j'ai pu sur lui.
Que craint-on d'un enfant qui survit à sa perte?
Laissez-moi le cacher en quelque île déserte;
Sur les soins de sa mère on peut s'en assurer,
Et mon fils avec moi n'apprendra qu'à pleurer [20].

HERMIONE

Je conçois vos douleurs. Mais un devoir austère,
Quand mon père a parlé, m'ordonne de me taire.
C'est lui qui de Pyrrhus fait agir le courroux.
S'il faut fléchir Pyrrhus, qui le peut mieux que vous?
Vos yeux assez longtemps ont régné sur son âme;
Faites-le prononcer : j'y souscrirai, Madame.

SCÈNE V. — ANDROMAQUE, CÉPHISE

ANDROMAQUE

Quel mépris la cruelle attache à ses refus !

CÉPHISE

Je croirais ses conseils, et je verrais Pyrrhus.
Un regard confondrait Hermione et la Grèce...
Mais lui-même il vous cherche.

SCÈNE VI. — PYRRHUS, ANDROMAQUE, PHŒNIX, CÉPHISE

PYRRHUS, *à Phœnix.*

Où donc est la princesse?
Ne m'avais-tu pas dit qu'elle était en ces lieux?

PHŒNIX

Je le croyais.

ANDROMAQUE, *à Céphise.*

Tu vois le pouvoir de mes yeux !

PYRRHUS

Que dit-elle, Phœnix ?

ANDROMAQUE

Hélas ! tout m'abandonne.

PHŒNIX

Allons, Seigneur, marchons sur les pas d'Hermione.

CÉPHISE

Qu'attendez-vous ? Rompez ce silence obstiné.

ANDROMAQUE

Il a promis mon fils.

CÉPHISE

Il ne l'a pas donné.

ANDROMAQUE

Non, non, j'ai beau pleurer, sa mort est résolue.

PYRRHUS

Daigne-t-elle sur nous tourner au moins la vue ?
Quel orgueil !

ANDROMAQUE

Je ne fais que l'irriter encor.
Sortons.

PYRRHUS

Allons aux Grecs livrer le fils d'Hector.

ANDROMAQUE

Ah ! Seigneur, arrêtez ! Que prétendez-vous faire ?
Si vous livrez le fils, livrez-leur donc la mère !
Vos serments m'ont tantôt juré tant d'amitié !
Dieux ! ne pourrai-je au moins toucher votre pitié ?
Sans espoir de pardon m'avez-vous condamnée ?

PYRRHUS

Phœnix vous le dira, ma parole est donnée.

ANDROMAQUE

Vous qui braviez pour moi tant de périls divers !

PYRRHUS

J'étais aveugle alors; mes yeux se sont ouverts.
Sa grâce à vos désirs pouvait être accordée;
Mais vous ne l'avez pas seulement demandée :
C'en est fait.

ANDROMAQUE

Ah! Seigneur! vous entendiez assez
Des soupirs qui craignaient de se voir repoussés.
Pardonnez à l'éclat d'une illustre fortune
Ce reste de fierté qui craint d'être importune.
Vous ne l'ignorez pas : Andromaque, sans vous,
N'aurait jamais d'un maître embrassé les genoux.

PYRRHUS

Non, vous me haïssez; et dans le fond de l'âme
Vous craignez de devoir quelque chose à ma flamme.
Ce fils même, ce fils, l'objet de tant de soins,
Si je l'avais sauvé, vous l'en aimeriez moins.
La haine, le mépris, contre moi tout s'assemble;
Vous me haïssez plus que tous les Grecs ensemble.
Jouissez à loisir d'un si noble courroux.
Allons, Phœnix.

ANDROMAQUE

Allons rejoindre mon époux.

CÉPHISE

Madame...

ANDROMAQUE

Et que veux-tu que je lui dise encore?
Auteur de tous mes maux, crois-tu qu'il les ignore?
Seigneur, voyez l'état où vous me réduisez.
J'ai vu mon père mort et nos murs embrasés;
J'ai vu trancher les jours de ma famille entière,
Et mon époux sanglant traîné sur la poussière,
Son fils seul avec moi, réservé pour les fers.
Mais que ne peut un fils? Je respire, je sers.
J'ai fait plus : je me suis quelquefois consolée
Qu'ici, plutôt qu'ailleurs, le sort m'eût exilée;
Qu'heureux dans son malheur, le fils de tant de rois,
Puisqu'il devait servir, fût tombé sous vos lois.
J'ai cru que sa prison deviendrait son asile.

Jadis Priam soumis fut respecté d'Achille :
J'attendais de son fils encor plus de bonté.
Pardonne, cher Hector, à ma crédulité !
Je n'ai pu soupçonner ton ennemi d'un crime;
Malgré lui-même enfin je l'ai cru magnanime.
Ah ! s'il l'était assez pour nous laisser du moins
Au tombeau qu'à ta cendre ont élevé mes soins [21],
Et que finissant là sa haine et nos misère,
Il ne séparât point des dépouilles si chères !

PYRRHUS

Va m'attendre, Phœnix.

SCÈNE VII. — PYRRHUS, ANDROMAQUE, CÉPHISE

PYRRHUS *continue.*

Madame, demeurez.
On peut vous rendre encor ce fils que vous pleurez.
Oui, je sens à regret qu'en excitant vos larmes
Je ne fais contre moi que vous donner des armes.
Je croyais apporter plus de haine en ces lieux.
Mais, Madame, du moins tournez vers moi les yeux :
Voyez si mes regards sont d'un juge sévère,
S'ils sont d'un ennemi qui cherche à vous déplaire.
Pourquoi me forcez-vous vous-même à vous trahir?
Au nom de votre fils, cessons de nous haïr.
A le sauver enfin c'est moi qui vous convie.
Faut-il que mes soupirs vous demandent sa vie?
Faut-il qu'en sa faveur j'embrasse vos genoux?
Pour la dernière fois, sauvez-le, sauvez-vous.
Je sais de quels serments je romps pour vous les chaînes,
Combien je vais sur moi faire éclater de haines.
Je renvoie Hermione, et je mets sur son front,
Au lieu de ma couronne, un éternel affront.
Je vous conduis au temple où son hymen s'apprête,
Je vous ceins du bandeau préparé pour sa tête.
Mais ce n'est plus, Madame, une offre à dédaigner :
Je vous le dis, il faut ou périr ou régner.
Mon cœur, désespéré d'un an d'ingratitude,
Ne peut plus de son sort souffrir l'incertitude.
C'est craindre, menacer et gémir trop longtemps.
Je meurs si je vous perds, mais je meurs si j'attends.

Songez-y : je vous laisse, et je viendrai vous prendre
Pour vous mener au temple où ce fils doit m'attendre.
Et là vous me verrez, soumis ou furieux,
Vous couronner, Madame, ou le perdre à vos yeux.

SCÈNE VIII. — ANDROMAQUE, CÉPHISE

CÉPHISE

Je vous l'avais prédit, qu'en dépit de la Grèce,
De votre sort encor vous seriez la maîtresse.

ANDROMAQUE

Hélas ! de quel effet tes discours sont suivis !
Il ne me restait plus qu'à condamner mon fils.

CÉPHISE

Madame, à votre époux c'est être assez fidèle :
Trop de vertu pourrait vous rendre criminelle;
Lui-même il porterait votre âme à la douceur.

ANDROMAQUE

Quoi ? je lui donnerais Pyrrhus pour successeur !

CÉPHISE

Ainsi le veut son fils, que les Grecs vous ravissent.
Pensez-vous qu'après tout ses mânes en rougissent ?
Qu'il méprisât, Madame, un roi victorieux
Qui vous fait remonter au rang de vos aïeux,
Qui foule aux pieds pour vous vos vainqueurs en colère,
Qui ne se souvient plus qu'Achille était son père,
Qui dément ses exploits et les rend superflus ?

ANDROMAQUE

Dois-je les oublier, s'il ne s'en souvient plus ?
Dois-je oublier Hector privé de funérailles,
Et traîné sans honneur autour de nos murailles ?
Dois-je oublier son père à mes pieds renversé,
Ensanglantant l'autel qu'il tenait embrassé [22] ?
Songe, songe, Céphise, à cette nuit cruelle
Qui fut pour tout un peuple une nuit éternelle;
Figure-toi Pyrrhus, les yeux étincelants,
Entrant à la lueur de nos palais brûlants,
Sur tous mes frères morts se faisant un passage,
Et de sang tout couvert échauffant le carnage;

Songe aux cris des vainqueurs, songe aux cris des mourants,
Dans la flamme étouffés, sous le fer expirants;
Peins-toi dans ces horreurs Andromaque éperdue :
Voilà comme Pyrrhus vint s'offrir à ma vue;
Voilà par quels exploits il sut se couronner;
Enfin voilà l'époux que tu me veux donner.
Non, je ne serai point complice de ses crimes;
Qu'il nous prenne, s'il veut, pour dernières victimes.
Tous mes ressentiments lui seraient asservis.

CÉPHISE

Eh bien, allons donc voir expirer votre fils :
On n'attend plus que vous... Vous frémissez, Madame?

ANDROMAQUE

Ah! de quel souvenir viens-tu frapper mon âme!
Quoi? Céphise, j'irai voir expirer encor
Ce fils, ma seule joie, et l'image d'Hector?
Ce fils, que de sa flamme il me laissa pour gage?
Hélas! je m'en souviens, le jour que son courage
Lui fit chercher Achille, ou plutôt le trépas,
Il demanda son fils, et le prit dans ses bras :
« Chère épouse, dit-il en essuyant mes larmes,
« J'ignore quel succès le sort garde à mes armes;
« Je te laisse mon fils pour gage de ma foi :
« S'il me perd, je prétends qu'il me retrouve en toi.
« Si d'un heureux hymen la mémoire t'est chère,
« Montre au fils à quel point tu chérissais le père ». [23]
Et je puis voir répandre un sang si précieux?
Et je laisse avec lui périr tous ses aïeux?
Roi barbare, faut-il que mon crime l'entraîne?
Si je te hais, est-il coupable de ma haine?
T'a-t-il de tous les siens reproché le trépas?
S'est-il plaint à tes yeux des maux qu'il ne sent pas?
Mais cependant, mon fils, tu meurs si je n'arrête
Le fer que le cruel tient levé sur ta tête.
Je l'en puis détourner, et je t'y vais offrir?...
Non, tu ne mourras point, je ne le puis souffrir.
Allons trouver Pyrrhus. Mais non, chère Céphise,
Va le trouver pour moi.

CÉPHISE

Que faut-il que je dise?

ANDROMAQUE

Dis-lui que de mon fils l'amour est assez fort...
Crois-tu que dans son cœur il ait juré sa mort?
L'amour peut-il si loin pousser sa barbarie?

CÉPHISE

Madame, il va bientôt revenir en furie.

ANDROMAQUE

Eh bien! va l'assurer...

CÉPHISE

De quoi? de votre foi?

ANDROMAQUE

Hélas! pour la promettre est-elle encore à moi?
O cendres d'un époux! ô Troyens! ô mon père!
O mon fils, que tes jours coûtent cher à ta mère!
Allons.

CÉPHISE

Où donc, Madame? et que résolvez-vous?

ANDROMAQUE

Allons sur son tombeau consulter mon époux [24].

ACTE QUATRIÈME

SCÈNE I. — ANDROMAQUE, CÉPHISE

CÉPHISE

Ah! je n'en doute point : c'est votre époux, Madame,
C'est Hector qui produit ce miracle en votre âme.
Il veut que Troie encor se puisse relever
Avec cet heureux fils qu'il vous fait conserver.
Pyrrhus vous l'a promis. Vous venez de l'entendre,
Madame : il n'attendait qu'un mot pour vous le rendre.
Croyez-en ses transports : père, sceptre, alliés,
Content de votre cœur, il met tout à vos pieds.
Sur lui, sur tout son peuple il vous rend souveraine.
Est-ce là ce vainqueur digne de tant de haine?
Déjà contre les Grecs plein d'un noble courroux,
Le soin de votre fils le touche autant que vous :
Il prévient leur fureur, il lui laisse sa garde;
Pour ne pas l'exposer, lui-même il se hasarde.
Mais tout s'apprête au temple, et vous avez promis...

ANDROMAQUE

Oui, je m'y trouverai. Mais allons voir mon fils.

CÉPHISE

Madame, qui vous presse? Il suffit que sa vue
Désormais à vos yeux ne soit plus défendue.
Vous lui pourrez bientôt prodiguer vos bontés,
Et vos embrassements ne seront plus comptés.
Quel plaisir d'élever un enfant qu'on voit croître,
Non plus comme un esclave élevé pour son maître,
Mais pour voir avec lui renaître tant de rois!

ANDROMAQUE

Céphise, allons le voir pour la dernière fois.

CÉPHISE

Que dites-vous? O dieux!

ANDROMAQUE

O ma chère Céphise,
Ce n'est point avec toi que mon cœur se déguise.
Ta foi, dans mon malheur, s'est montrée à mes yeux;
Mais j'ai cru qu'à mon tour tu me connaissais mieux.
Quoi donc? as-tu pensé qu'Andromaque infidèle
Pût trahir un époux qui croit revivre en elle,
Et que de tant de morts réveillant la douleur,
Le soin de mon repos me fît troubler le leur?
Est-ce là cette ardeur tant promise à sa cendre?
Mais son fils périssait; il l'a fallu défendre.
Pyrrhus en m'épousant s'en déclare l'appui;
Il suffit : je veux bien m'en reposer sur lui.
Je sais quel est Pyrrhus : violent, mais sincère,
Céphise, il fera plus qu'il n'a promis de faire.
Sur le courroux des Grecs je m'en repose encor :
Leur haine va donner un père au fils d'Hector,
Je vais donc, puisqu'il faut que je me sacrifie,
Assurer à Pyrrhus le reste de ma vie;
Je vais, en recevant sa foi sur les autels,
L'engager à mon fils par des nœuds immortels.
Mais aussitôt ma main, à moi seule funeste,
D'une infidèle vie abrégera le reste,
Et sauvant ma vertu, rendra ce que je doi
A Pyrrhus, à mon fils, à mon époux, à moi.

Voilà de mon amour l'innocent stratagème,
Voilà ce qu'un époux m'a commandé lui-même;
J'irai seule rejoindre Hector et mes aïeux.
Céphise, c'est à toi de me fermer les yeux.

CÉPHISE

Ah ! ne prétendez pas que je puisse survivre...

ANDROMAQUE

Non, non, je te défends, Céphise de me suivre.
Je confie à tes soins mon unique trésor.
Si tu vivais pour moi, vis pour le fils d'Hector.
De l'espoir des Troyens seule dépositaire,
Songe à combien de rois tu deviens nécessaire.
Veille auprès de Pyrrhus; fais-lui garder sa foi :
S'il le faut, je consens qu'on lui parle de moi;
Fais-lui valoir l'hymen où je me suis rangée,
Dis-lui qu'avant ma mort je lui fus engagée,
Que ses ressentiments doivent être effacés,
Qu'en lui laissant mon fils, c'est l'estimer assez.
Fais connaître à mon fils les héros de sa race,
Autant que tu pourras, conduis-le sur leur trace :
Dis-lui par quels exploits leurs noms ont éclaté,
Plutôt ce qu'ils ont fait que ce qu'ils ont été;
Parle-lui tous les jours des vertus de son père;
Et quelquefois aussi parle-lui de sa mère.
Mais qu'il ne songe plus, Céphise, à nous venger :
Nous lui laissons un maître, il le doit ménager.
Qu'il ait de ses aïeux un souvenir modeste :
Il est du sang d'Hector, mais il en est le reste;
Et pour ce reste enfin j'ai moi-même, en un jour,
Sacrifié mon sang, ma haine, et mon amour.

CÉPHISE

Hélas !

ANDROMAQUE

Ne me suis point, si ton cœur en alarmes
Prévoit qu'il ne pourra commander à tes larmes.
On vient. Cache tes pleurs, Céphise, et souviens-toi
Que le sort d'Andromaque est commis à ta foi.
C'est Hermione. Allons, fuyons sa violence.

SCÈNE II. — HERMIONE, CLÉONE

CLÉONE

Non, je ne puis assez admirer ce silence.
Vous vous taisez, Madame, et ce cruel mépris
N'a pas du moindre trouble agité vos esprits!
Vous soutenez en paix une si rude attaque,
Vous qu'on voyait frémir au seul nom d'Andromaque!
Vous qui sans désespoir ne pouviez endurer
Que Pyrrhus d'un regard la voulût honorer!
Il l'épouse, il lui donne, avec son diadème,
La foi que vous venez de recevoir vous-même,
Et votre bouche encor, muette à tant d'ennui,
N'a pas daigné s'ouvrir pour se plaindre de lui?
Ah! que je crains, Madame, un calme si funeste,
Et qu'il vaudrait bien mieux...

HERMIONE

Fais-tu venir Oreste?

CLÉONE

Il vient, Madame, il vient, et vous pouvez juger
Que bientôt à vos pieds il allait se ranger;
Prêt à servir toujours sans espoir de salaire,
Vos yeux ne sont que trop assurés de lui plaire.
Mais il entre.

SCÈNE III. — ORESTE, HERMIONE, CLÉONE

ORESTE

Ah! Madame! est-il vrai qu'une fois
Oreste en vous cherchant obéisse à vos lois?
Ne m'a-t-on point flatté d'une fausse espérance?
Avez-vous en effet souhaité ma présence?
Croirai-je que vos yeux, à la fin désarmés,
Veulent...

HERMIONE

Je veux savoir, Seigneur, si vous m'aimez.

ORESTE

Si je vous aime? ô dieux! Mes serments, mes parjures,
Ma fuite, mon retour, mes respects, mes injures,
Mon désespoir, mes yeux de pleurs toujours noyés,
Quels témoins croirez-vous, si vous ne les croyez?

HERMIONE

Vengez-moi, je crois tout.

ORESTE

Eh bien! allons, Madame :
Mettons encore un coup toute la Grèce en flamme;
Prenons, en signalant mon bras et votre nom,
Vous, la place d'Hélène, et moi, d'Agamemnon.
De Troie en ce pays réveillons les misères,
Et qu'on parle de nous ainsi que de nos pères.
Partons, je suis tout prêt.

HERMIONE

Non, Seigneur, demeurons :
Je ne veux pas si loin porter de tels affronts.
Quoi! de mes ennemis couronnant l'insolence,
J'irais attendre ailleurs une lente vengeance?
Et je m'en remettrais au destin des combats,
Qui peut-être à la fin ne me vengerait pas?
Je veux qu'à mon départ toute l'Épire pleure.
Mais si vous me vengez, vengez-moi dans une heure.
Tous vos retardements sont pour moi des refus.
Courez au temple. Il faut immoler...

ORESTE

Qui?

HERMIONE

Pyrrhus.

ORESTE

Pyrrhus, Madame!

HERMIONE

Eh quoi! votre haine chancelle?
Ah! courez, et craignez que je ne vous rappelle.
N'alléguez point des droits que je veux oublier;
Et ce n'est pas à vous à le justifier.

ORESTE

Moi, je l'excuserais? Ah! vos bontés, Madame,
Ont gravé trop avant ses crimes dans mon âme.
Vengeons-nous, j'y consens, mais par d'autres chemins :
Soyons ses ennemis, et non ses assassins;
Faisons de sa ruine une juste conquête.

Quoi! pour réponse aux Grecs porterai-je sa tête?
Et n'ai-je pris sur moi le soin de tout l'État,
Que pour m'en acquitter par un assassinat?
Souffrez, au nom des dieux, que la Grèce s'explique,
Et qu'il meure chargé de la haine publique.
Souvenez-vous qu'il règne, et qu'un front couronné...

HERMIONE

Ne vous suffit-il pas que je l'ai condamné?
Ne vous suffit-il pas que ma gloire offensée
Demande une victime à moi seule adressée;
Qu'Hermione est le prix d'un tyran opprimé;
Que je le hais; enfin, Seigneur, que je l'aimai?
Je ne m'en cache point : l'ingrat m'avait su plaire,
Soit qu'ainsi l'ordonnât mon amour ou mon père,
N'importe; mais enfin réglez-vous là-dessus.
Malgré mes vœux, Seigneur, honteusement déçus,
Malgré la juste horreur que son crime me donne,
Tant qu'il vivra, craignez que je ne lui pardonne.
Doutez jusqu'à sa mort d'un courroux incertain :
S'il ne meurt aujourd'hui, je puis l'aimer demain.

ORESTE

Eh bien! Il faut le perdre, et prévenir sa grâce;
Il faut... Mais cependant que faut-il que je fasse?
Comment puis-je si tôt servir votre courroux?
Quel chemin jusqu'à lui peut conduire mes coups?
A peine suis-je encore arrivé dans l'Épire,
Vous voulez par mes mains renverser un empire;
Vous voulez qu'un roi meure, et pour son châtiment
Vous ne donnez qu'un jour, qu'une heure, qu'un moment!
Aux yeux de tout son peuple, il faut que je l'opprime!
Laissez-moi vers l'autel conduire ma victime,
Je ne m'en défends plus; et je ne veux qu'aller
Reconnaître la place où je dois l'immoler.
Cette nuit je vous sers, cette nuit je l'attaque.

HERMIONE

Mais cependant, ce jour, il épouse Andromaque!
Dans le temple déjà le trône est élevé,
Ma honte est confirmée, et son crime achevé.
Enfin qu'attendez-vous? Il vous offre sa tête :
Sans gardes, sans défense, il marche à cette fête;

Autour du fils d'Hector il les fait tous ranger;
Il s'abandonne au bras qui me voudra venger.
Voulez-vous malgré lui prendre soin de sa vie?
Armez, avec vos Grecs, tous ceux qui m'ont suivie;
Soulevez vos amis, tous les miens sont à vous :
Il me trahit, vous trompe, et nous méprise tous.
Mais quoi? déjà leur haine est égale à la mienne :
Elle épargne à regret l'époux d'une Troyenne.
Parlez : mon ennemi ne vous peut échapper,
Ou plutôt il ne faut que les laisser frapper.
Conduisez ou suivez une fureur si belle;
Revenez tout couvert du sang de l'infidèle;
Allez : en cet état soyez sûr de mon cœur.

ORESTE

Mais, Madame, songez...

HERMIONE

Ah! c'en est trop, Seigneur.
Tant de raisonnements offensent ma colère.
J'ai voulu vous donner les moyens de me plaire,
Rendre Oreste content; mais enfin je vois bien
Qu'il veut toujours se plaindre, et ne mériter rien.
Partez : allez ailleurs vanter votre constance,
Et me laissez ici le soin de ma vengeance.
De mes lâches bontés mon courage est confus,
Et c'est trop en un jour essuyer de refus.
Je m'en vais seule au temple où leur hymen s'apprête,
Où vous n'osez aller mériter ma conquête.
Là, de mon ennemi je saurai m'approcher,
Je percerai le cœur que je n'ai pu toucher,
Et mes sanglantes mains, sur moi-même tournées,
Aussitôt, malgré lui, joindront nos destinées;
Et tout ingrat qu'il est, il me sera plus doux
De mourir avec lui que de vivre avec vous.

ORESTE

Non, je vous priverai de ce plaisir funeste,
Madame : il ne mourra que de la main d'Oreste.
Vos ennemis par moi vont vous être immolés,
Et vous reconnaîtrez mes soins, si vous voulez.

HERMIONE

Allez. De votre sort laissez-moi la conduite,
Et que tous vos vaisseaux soient prêts pour notre fuite.

SCÈNE IV. — HERMIONE, CLÉONE

CLÉONE

Vous vous perdez, Madame, et vous devez songer...

HERMIONE

Que je me perde ou non, je songe à me venger.
Je ne sais même encor, quoi qu'il m'ait pu promettre,
Sur d'autres que sur moi si je dois m'en remettre :
Pyrrhus n'est pas coupable à ses yeux comme aux miens,
Et je tiendrais mes coups bien plus sûrs que les siens.
Quel plaisir de venger moi-même mon injure,
De retirer mon bras teint du sang du parjure,
Et pour rendre sa peine et mes plaisirs plus grands,
De cacher ma rivale à ses regards mourants !
Ah ! si du moins Oreste, en punissant son crime,
Lui laissait le regret de mourir ma victime !
Va le trouver : dis-lui qu'il apprenne à l'ingrat
Qu'on l'immole à ma haine, et non pas à l'État.
Chère Cléone, cours : ma vengeance est perdue
S'il ignore en mourant que c'est moi qui le tue.

CLÉONE

Je vous obéirai ! Mais qu'est-ce que je voi?
O dieux ! qui l'aurait cru, Madame? C'est le roi !

HERMIONE

Ah ! cours après Oreste; et dis-lui, ma Cléone,
Qu'il n'entreprenne rien sans revoir Hermione !

SCÈNE V. — PYRRHUS, HERMIONE, PHŒNIX

PYRRHUS

Vous ne m'attendiez pas, Madame, et je vois bien
Que mon abord ici trouble votre entretien.
Je ne viens point, armé d'un indigne artifice,
D'un voile d'équité couvrir mon injustice :
Il suffit que mon cœur me condamne tout bas,
Et je soutiendrais mal ce que je ne crois pas.

J'épouse une Troyenne. Oui, Madame, et j'avoue
Que je vous ai promis la foi que je lui voue.
Un autre vous dirait que dans les champs troyens
Nos deux pères sans nous formèrent ces liens[25],
Et que sans consulter ni mon choix ni le vôtre,
Nous fûmes sans amour engagés l'un à l'autre;
Mais c'est assez pour moi que je me sois soumis.
Par mes ambassadeurs mon cœur vous fut promis;
Loin de les révoquer, je voulus y souscrire :
Je vous vis avec eux arriver en Épire,
Et quoique d'un autre œil l'éclat victorieux
Eût déjà prévenu le pouvoir de vos yeux,
Je ne m'arrêtai point à cette ardeur nouvelle;
Je voulus m'obstiner à vous être fidèle :
Je vous reçus en reine, et jusques à ce jour
J'ai cru que mes serments me tiendraient lieu d'amour.
Mais cet amour l'emporte, et par un coup funeste,
Andromaque m'arrache un cœur qu'elle déteste.
L'un par l'autre entraînés, nous courons à l'autel
Nous jurer malgré nous un amour immortel.
Après cela, Madame, éclatez contre un traître,
Qui l'est avec douleur, et qui pourtant veut l'être.
Pour moi, loin de contraindre un si juste courroux,
Il me soulagera peut-être autant que vous.
Donnez-moi tous les noms destinés aux parjures :
Je crains votre silence, et non pas vos injures;
Et mon cœur, soulevant mille secrets témoins,
M'en dira d'autant plus que vous m'en direz moins.

HERMIONE

Seigneur, dans cet aveu dépouillé d'artifice,
J'aime à voir que du moins vous vous rendiez justice,
Et que voulant bien rompre un nœud si solennel,
Vous vous abandonniez au crime en criminel.
Est-il juste, après tout, qu'un conquérant s'abaisse
Sous la servile loi de garder sa promesse?
Non, non, la perfidie a de quoi vous tenter;
Et vous ne me cherchez que pour vous en vanter.
Quoi? sans que ni serment ni devoir vous retienne,
Rechercher une Grecque, amant d'une Troyenne?
Me quitter, me reprendre, et retourner encor
De la fille d'Hélène à la veuve d'Hector,

Couronner tour à tour l'esclave et la princesse,
Immoler Troie aux Grecs, au fils d'Hector la Grèce?
Tout cela part d'un cœur toujours maître de soi,
D'un héros qui n'est point esclave de sa foi.
Pour plaire à votre épouse, il vous faudrait peut-être
Prodiguer les doux noms de parjure et de traître.
Vous veniez de mon front observer la pâleur,
Pour aller dans ses bras rire de ma douleur.
Pleurante après son char vous voulez qu'on me voie;
Mais, Seigneur, en un jour ce serait trop de joie;
Et sans chercher ailleurs des titres empruntés,
Ne vous suffit-il pas de ceux que vous portez?
Du vieux père d'Hector la valeur abattue
Aux pieds de sa famille expirante à sa vue,
Tandis que dans son sein votre bras enfoncé
Cherche un reste de sang que l'âge avait glacé;
Dans des ruisseaux de sang Troie ardente plongée;
De votre propre main Polyxène égorgée[26]
Aux yeux de tous les Grecs indignés contre vous :
Que peut-on refuser à ces généreux coups!

PYRRHUS

Madame, je sais trop à quels excès de rage
La vengeance d'Hélène emporta mon courage.
Je puis me plaindre à vous du sang que j'ai versé;
Mais enfin je consens d'oublier le passé.
Je rends grâces au ciel que votre indifférence
De mes heureux soupirs m'apprenne l'innocence.
Mon cœur, je le vois bien, trop prompt à se gêner,
Devait mieux vous connaître et mieux s'examiner.
Mes remords vous faisaient une injure mortelle.
Il faut se croire aimé pour se croire infidèle.
Vous ne prétendiez point m'arrêter dans vos fers :
Je crains de vous trahir, peut-être je vous sers.
Nos cœurs n'étaient point faits dépendants l'un de l'autre;
Je suivais mon devoir, et vous cédiez au vôtre;
Rien ne vous engageait à m'aimer en effet.

HERMIONE

Je ne t'ai point aimé, cruel? Qu'ai-je donc fait?
J'ai dédaigné pour toi les vœux de tous nos princes;
Je t'ai cherché moi-même au fond de tes provinces;
J'y suis encor, malgré tes infidélités,

Et malgré tous mes Grecs honteux de mes bontés.
Je leur ai commandé de cacher mon injure;
J'attendais en secret le retour d'un parjure;
J'ai cru que tôt ou tard, à ton devoir rendu,
Tu me rapporterais un cœur qui m'était dû.
Je t'aimais inconstant, qu'aurais-je fait fidèle?
Et même en ce moment où ta bouche cruelle
Vient si tranquillement m'annoncer le trépas,
Ingrat, je doute encor si je ne t'aime pas.
Mais, Seigneur, s'il le faut, si le ciel en colère
Réserve à d'autres yeux la gloire de vous plaire,
Achevez votre hymen, j'y consens; mais du moins
Ne forcez pas mes yeux d'en être les témoins.
Pour la dernière fois je vous parle peut-être.
Différez-le d'un jour, demain, vous serez maître...
Vous ne répondez point? Perfide, je le voi :
Tu comptes les moments que tu perds avec moi!
Ton cœur, impatient de revoir ta Troyenne,
Ne souffre qu'à regret qu'un autre t'entretienne.
Tu lui parles du cœur, tu la cherches des yeux.
Je ne te retiens plus, sauve-toi de ces lieux,
Va lui jurer la foi que tu m'avais jurée,
Va profaner des dieux la majesté sacrée.
Ces dieux, ces justes dieux n'auront pas oublié
Que les mêmes serments avec moi t'ont lié.
Porte au pied des autels ce cœur qui m'abandonne,
Va, cours; mais crains encor d'y trouver Hermione.

SCÈNE VI. — PYRRHUS, PHŒNIX

PHŒNIX

Seigneur, vous entendez. Gardez de négliger
Une amante en fureur qui cherche à se venger.
Elle n'est en ces lieux que trop bien appuyée :
La querelle des Grecs à la sienne est liée;
Oreste l'aime encore, et peut-être à ce prix...

PYRRHUS

Andromaque m'attend. Phœnix, garde son fils.

ACTE CINQUIÈME

SCÈNE I. — HERMIONE

Où suis-je? Qu'ai-je fait? Que dois-je faire encore?
Quel transport me saisit? Quel chagrin me dévore?
Errante et sans dessein je cours dans ce palais.
Ah! ne puis-je savoir si j'aime ou si je hais?
Le cruel! de quel œil il m'a congédiée!
Sans pitié, sans douleur au moins étudiée!
L'ai-je vu se troubler et me plaindre un moment?
En ai-je pu tirer un seul gémissement?
Muet à mes soupirs, tranquille à mes alarmes,
Semblait-il seulement qu'il eût part à mes larmes?
Et je le plains encore! Et pour comble d'ennui,
Mon cœur, mon lâche cœur s'intéresse pour lui!
Je tremble au seul penser du coup qui le menace!
Et prête à me venger, je lui fais déjà grâce!
Non, ne révoquons point l'arrêt de mon courroux :
Qu'il périsse! aussi bien il ne vit plus pour nous.
Le perfide triomphe et se rit de ma rage :
Il pense voir en pleurs dissiper cet orage;
Il croit que toujours faible et d'un cœur incertain,
Je parerai d'un bras les coups de l'autre main.
Il juge encor de moi par mes bontés passées.
Mais plutôt le perfide a bien d'autres pensées :
Triomphant dans le temple, il ne s'informe pas
Si l'on souhaite ailleurs sa vie ou son trépas.
Il me laisse, l'ingrat, cet embarras funeste.
Non, non, encore un coup, laissons agir Oreste.
Qu'il meure, puisque enfin il a dû le prévoir,
Et puisqu'il m'a forcée enfin à le vouloir...
A le vouloir? Hé quoi? c'est donc moi qui l'ordonne?
Sa mort sera l'effet de l'amour d'Hermione?
Ce prince, dont mon cœur se faisait autrefois
Avec tant de plaisir redire les exploits,
A qui même en secret je m'étais destinée
Avant qu'on eût conclu ce fatal hyménée,
Je n'ai donc traversé tant de mers, tant d'États,
Que pour venir si loin préparer son trépas?
L'assassiner? le perdre? Ah! devant qu'il expire...

SCÈNE II. — HERMIONE, CLÉONE

HERMIONE

Ah! qu'ai-je fait, Cléone? et que viens-tu me dire?
Que fait Pyrrhus?

CLÉONE

Il est au comble de ses vœux,
Le plus fier des mortels, et le plus amoureux.
Je l'ai vu vers le temple, où son hymen s'apprête,
Mener en conquérant sa nouvelle conquête,
Et d'un œil où brillaient sa joie et son espoir,
S'enivrer en marchant du plaisir de la voir.
Andromaque, au travers de mille cris de joie,
Porte jusqu'aux autels le souvenir de Troie.
Incapable toujours d'aimer et de haïr,
Sans joie et sans murmure elle semble obéir.

HERMIONE

Et l'ingrat? jusqu'au bout il a poussé l'outrage?
Mais as-tu bien, Cléone, observé son visage?
Goûte-t-il des plaisirs tranquilles et parfaits?
N'a-t-il point détourné ses yeux vers le palais?
Dis-moi, ne t'es-tu point présentée à sa vue?
L'ingrat a-t-il rougi lorsqu'il t'a reconnue?
Son trouble avouait-il son infidélité?
A-t-il jusqu'à la fin soutenu sa fierté?

CLÉONE

Madame, il ne voit rien. Son salut et sa gloire
Semblent être avec vous sortis de sa mémoire.
Sans songer qui le suit, ennemis ou sujets,
Il poursuit seulement ses amoureux projets.
Autour du fils d'Hector il a rangé sa garde,
Et croit que c'est lui seul que le péril regarde.
Phœnix même en répond, qui l'a conduit exprès
Dans un fort éloigné du temple et du palais.
Voilà dans ses transports le seul soin qui lui reste.

HERMIONE

Le perfide! Il mourra. Mais que t'a dit Oreste?

CLÉONE

Oreste avec ses Grecs dans le temple est entré.

HERMIONE

Hé bien! à me venger n'est-il pas préparé?

CLÉONE

Je ne sais.

HERMIONE

Tu ne sais? Quoi donc? Oreste encore,
Oreste me trahit?

CLÉONE

Oreste vous adore.
Mais de mille remords son esprit combattu
Croit tantôt son amour et tantôt sa vertu.
Il respecte en Pyrrhus l'honneur du diadème;
Il respecte en Pyrrhus Achille et Pyrrhus même;
Il craint la Grèce, il craint l'univers en courroux,
Mais il se craint, dit-il, soi-même plus que tous.
Il voudrait en vainqueur vous apporter sa tête;
Le seul nom d'assassin l'épouvante et l'arrête.
Enfin il est entré, sans savoir dans son cœur
S'il en devait sortir coupable ou spectateur.

HERMIONE

Non, non, il les verra triompher sans obstacle;
Il se gardera bien de troubler ce spectacle.
Je sais de quels remords son courage est atteint :
Le lâche craint la mort, et c'est tout ce qu'il craint.
Quoi? sans qu'elle employât une seule prière,
Ma mère en sa faveur arma la Grèce entière?
Ses yeux pour leur querelle, en dix ans de combats,
Virent périr vingt rois qu'ils ne connaissaient pas?
Et moi, je ne prétends que la mort d'un parjure,
Et je charge un amant du soin de mon injure,
Il peut me conquérir à ce prix, sans danger,
Je me livre moi-même et ne puis me venger!
Allons : c'est à moi seule à me rendre justice.
Que de cris de douleur le temple retentisse;
De leur hymen fatal troublons l'événement,
Et qu'ils ne soient unis, s'il se peut, qu'un moment.
Je ne choisirai point dans ce désordre extrême :
Tout me sera Pyrrhus, fût-ce Oreste lui-même.
Je mourrai; mais au moins ma mort me vengera,
Je ne mourrai pas seule, et quelqu'un me suivra.

SCÈNE III. — ORESTE, HERMIONE, CLÉONE

ORESTE

Madame, c'en est fait, et vous êtes servie[27] :
Pyrrhus rend à l'autel son infidèle vie.

HERMIONE

Il est mort?

ORESTE

Il expire; et nos Grecs irrités
Ont lavé dans son sang ses infidélités.
Je vous l'avais promis; et quoique mon courage
Se fît de ce complot une funeste image,
J'ai couru vers le temple, où nos Grecs dispersés
Se sont jusqu'à l'autel dans la foule glissés.
Pyrrhus m'a reconnu, mais sans changer de face :
Il semblait que ma vue excitât son audace,
Que tous les Grecs, bravés en leur ambassadeur,
Dussent de son hymen relever la splendeur.
Enfin, avec transport prenant son diadème,
Sur le front d'Andromaque il l'a posé lui-même :
« Je vous donne, a-t-il dit, ma couronne et ma foi!
« Andromaque, régnez sur l'Épire et sur moi,
« Je voue à votre fils une amitié de père;
« J'en atteste les dieux, je le jure à sa mère :
« Pour tous mes ennemis je déclare les siens,
« Et je le reconnais pour le roi des Troyens. »
A ces mots, qui du peuple attiraient le suffrage,
Nos Grecs n'ont répondu que par un cri de rage;
L'infidèle s'est vu partout envelopper,
Et je n'ai pu trouver de place pour frapper.
Chacun se disputait la gloire de l'abattre,
Je l'ai vu dans leurs mains quelque temps se débattre,
Tout sanglant à leurs coups vouloir se dérober,
Mais enfin à l'autel il est allé tomber.
Du peuple épouvanté j'ai traversé la presse
Pour venir de ces lieux enlever ma princesse,
Et regagner le port, où bientôt nos amis
Viendront couverts du sang que je vous ai promis.

HERMIONE

Qu'ont-ils fait!

ORESTE

Pardonnez à leur impatience :
Ils ont, je le vois bien, trahi votre vengeance.
Vous vouliez que ma main portât les premiers coups,
Qu'il sentît en mourant qu'il expirait pour vous;
Mais c'est moi dont l'ardeur leur a servi d'exemple :
Je les ai pour vous seule entraînés dans le temple,
Madame, et vous pouvez justement vous flatter
D'une mort que leurs bras n'ont fait qu'exécuter.
Vous seule avez poussé les coups...

HERMIONE

Tais-toi, perfide,
Et n'impute qu'à toi ton lâche parricide.
Va faire chez tes Grecs admirer ta fureur,
Va; je la désavoue, et tu me fais horreur.
Barbare, qu'as-tu fait? Avec quelle furie
As-tu tranché le cours d'une si belle vie?
Avez-vous pu, cruels, l'immoler aujourd'hui,
Sans que tout votre sang se soulevât pour lui?
Mais parle : de son sort qui t'a rendu l'arbitre?
Pourquoi l'assassiner? Qu'a-t-il fait? A quel titre?
Qui te l'a dit?

ORESTE

O dieux! Quoi? ne m'avez-vous pas
Vous-même, ici, tantôt, ordonné son trépas?

HERMIONE

Ah! fallait-il en croire une amante insensée?
Ne devais-tu pas lire au fond de ma pensée?
Et ne voyais-tu pas, dans mes emportements,
Que mon cœur démentait ma bouche à tous moments?
Quand je l'aurais voulu, fallait-il y souscrire?
N'as-tu pas dû cent fois te le faire redire?
Toi-même avant le coup me venir consulter,
Y revenir encore, ou plutôt m'éviter?
Que ne me laissais-tu le soin de ma vengeance?
Qui t'amène en des lieux où l'on fuit ta présence?
Voilà de ton amour le détestable fruit :
Tu m'apportais, cruel, le malheur qui te suit.
C'est toi dont l'ambassade, à tous les deux fatale,
L'a fait pour son malheur pencher vers ma rivale.

Nous le verrions encor nous partager ses soins;
Il m'aimerait peut-être, il le feindrait du moins.
Adieu. Tu peux partir. Je demeure en Épire :
Je renonce à la Grèce, à Sparte, à son empire,
A toute ma famille; et c'est assez pour moi,
Traître, qu'elle ait produit un monstre comme toi.

SCÈNE IV. — ORESTE, *seul.*

Que vois-je? Est-ce Hermione? Et que viens-je d'entendre?
Pour qui coule le sang que je viens de répandre?
Je suis, si je l'en crois, un traître, un assassin.
Est-ce Pyrrhus qui meurt? et suis-je Oreste enfin?
Quoi? j'étouffe en mon cœur la raison qui m'éclaire,
J'assassine à regret un roi que je révère,
Je viole en un jour les droits des souverains,
Ceux des ambassadeurs, et tous ceux des humains,
Ceux même des autels où ma fureur l'assiège :
Je deviens parricide, assassin, sacrilège.
Pour qui? pour une ingrate à qui je le promets,
Qui même, s'il ne meurt, ne me verra jamais,
Dont j'épouse la rage! Et quand je l'ai servie,
Elle me redemande et son sang et sa vie!
Elle l'aime! et je suis un monstre furieux!
Je la vois pour jamais s'éloigner de mes yeux!
Et l'ingrate en fuyant me laisse pour salaire
Tous les noms odieux que j'ai pris pour lui plaire!

SCÈNE V. — ORESTE, PYLADE, SOLDATS D'ORESTE

PYLADE

Il faut partir, Seigneur. Sortons de ce palais,
Ou bien résolvons-nous de n'en sortir jamais.
Nos Grecs pour un moment en défendent la porte;
Tout le peuple assemblé nous poursuit à main-forte;
Aux ordres d'Andromaque ici tout est soumis,
Ils la traitent en reine, et nous comme ennemis.
Andromaque elle-même, à Pyrrhus si rebelle,
Lui rend tous les devoirs d'une veuve fidèle,
Commande qu'on le venge, et peut-être sur nous
Veut venger Troie encore et son premier époux.
Allons, n'attendons pas que l'on nous environne :

Nos Grecs nous rejoindront; et tandis qu'Hermione
Tient encore le peuple autour d'elle arrêté,
Voilà notre chemin, sortons en sûreté.

ORESTE

Non, non, c'est Hermione, amis, que je veux suivre.
A son dernier arrêt je ne puis plus survivre.
Partez : j'ai fait le crime, et je vais l'expier.

PYLADE

Hermione, Seigneur? Il la faut oublier.
Quoi! toujours l'instrument et l'objet de sa rage,
Cherchez-vous chez les morts quelque nouvel outrage?
Et parce qu'elle meurt faut-il que vous mouriez?

ORESTE

Elle meurt? Dieux! qu'entends-je?

PYLADE

Eh quoi? vous l'ignoriez?
En rentrant dans ces lieux nous l'avons rencontrée
Qui courait vers le temple, inquiète, égarée.
Elle a trouvé Pyrrhus porté sur des soldats
Que son sang excitait à venger son trépas.
Sans doute à cet objet sa rage s'est émue.
Mais du haut de la porte enfin nous l'avons vue
Un poignard à la main sur Pyrrhus se courber,
Lever les yeux au ciel, se frapper et tomber.

ORESTE

Grâce aux dieux! Mon malheur passe mon espérance!
Oui, je te loue, ô ciel, de ta persévérance!
Appliqué sans relâche au soin de me punir,
Au comble des douleurs tu m'as fait parvenir.
Ta haine a pris plaisir à former ma misère;
J'étais né pour servir d'exemple à ta colère,
Pour être du malheur un modèle accompli.
Hé bien! je meurs content, et mon sort est rempli.
Où sont ces deux amants? Pour couronner ma joie,
Dans leur sang, dans le mien, il faut que je me noie;
L'un et l'autre en mourant je les veux regarder :
Réunissons trois cœurs qui n'ont pu s'accorder...
Mais quelle épaisse nuit tout à coup m'environne?
De quel côté sortir? D'où vient que je frissonne?

Quelle horreur me saisit ! Grâce au ciel j'entrevoi...
Dieux ! quels ruisseaux de sang coulent autour de moi !

PYLADE

Ah ! Seigneur !

ORESTE

Quoi ? Pyrrhus, je te rencontre encore ?
Trouverai-je partout un rival que j'abhorre ?
Percé de tant de coups, comment t'es-tu sauvé ?
Tiens, tiens, voilà le coup que je t'ai réservé.
Mais que vois-je ? A mes yeux Hermione l'embrasse !
Elle vient l'arracher au coup qui le menace ?
Dieux ! quels affreux regards elle jette sur moi !
Quels démons, quels serpents traîne-t-elle après soi ?
Eh bien ! filles d'enfer, vos mains sont-elles prêtes ?
Pour qui sont ces serpents qui sifflent sur vos têtes ?
A qui destinez-vous l'appareil qui vous suit ?
Venez-vous m'enlever dans l'éternelle nuit ?
Venez, à vos fureurs Oreste s'abandonne.
Mais non, retirez-vous, laissez faire Hermione :
L'ingrate mieux que vous saura me déchirer ;
Et je lui porte enfin mon cœur à dévorer [28].

PYLADE

Il perd le sentiment. Amis, le temps nous presse.
Ménageons les moments que ce transport nous laisse.
Sauvons-le. Nos efforts deviendraient impuissants
S'il reprenait ici sa rage avec ses sens.

LES PLAIDEURS[1]

COMÉDIE

LES PLAIDEURS

Louis XIV voulait réformer la justice pour « rendre l'expédition des affaires plus prompte, plus facile et plus sûre par le retranchement de plusieurs délais et actes inutiles, et par l'établissement d'un style uniforme dans toutes (les) cours et sièges » (ordonnance de Saint-Germain, avril 1667). La masse de ceux — 45 000 personnes environ — qui vivaient de la justice ne pouvait accepter sans regimber une telle réforme. Aussi, lorsque Racine écrit *Les Plaideurs* en 1668, la critique de la justice et de ses tares est « dans l'air ». Certes Racine n'écrit pas sur commande; mais cette situation n'a pu manquer d'avoir quelque influence sur la genèse de la pièce, de même que sur l'accueil qui lui a été fait.

La création fut un échec. On en ignore même la date exacte; Racine obtint le 5 décembre 1668 un privilège pour l'impression de sa comédie; étant donné le délai moyen entre la première représentation et l'obtention du privilège, on peut penser que la pièce fut montée à l'Hôtel de Bourgogne fin octobre ou début novembre. On ignore aussi la distribution. L'échec est sans doute dû au fait que les adversaires habituels de Racine, la cabale des auteurs envieux, reçurent en cette occasion le renfort de gens de justice, et même de ceux qui, engagés comme il était fréquent à l'époque dans de nombreux procès, se crurent visés par cette satire de la manie procédurière. Mais quelques semaines plus tard, à Versailles, la pièce fit rire Louis XIV. La Cour suivit, bien entendu; *Les Plaideurs* retrouvèrent un public, et firent dès lors une belle carrière.

Ils furent publiés dès janvier 1669, avec un *Avis au lecteur* qui en a, depuis, toujours orienté la lecture et l'interprétation. Or Racine y minimise, à tous égards, la portée de sa pièce. Cela sans doute parce qu'elle avait été d'abord mal accueillie et qu'à cette date le succès en était encore incertain, mais aussi parce qu'il ne pouvait, lui poète d'odes et de tragédies, paraître attacher de l'importance à trois actes de comédie.

Il indique qu'il avait envisagé de n'en faire qu'un canevas destiné aux comédiens italiens, et l'aspect farcesque de la pièce le donne à penser. Mais il n'en reste pas moins qu'en son état définitif, c'est une comédie très « écrite », dont l'effet repose pour une bonne part sur un texte composé avec une extrême virtuosité. De même il faut se méfier de la clause de style très conventionnelle selon laquelle il n'aurait rédigé que sur les instances d' « amis », qui auraient eux-mêmes mis la main à la plume. En effet, les sources littéraires sont nombreuses. En premier lieu, Racine s'inspire d'Aristophane : de multiples détails des *Plaideurs* viennent des *Guêpes,* en particulier l'exposition, le personnage du juge maniaque, et le procès du chien. Mais cette imitation est limitée. Aristophane avait écrit une satire politique visant surtout les juges; Racine procède tout autrement : il broche ensemble trois histoires, celle du juge maniaque, celle d'un amour contrarié, que le genre même lui impose, et celle des démêlés de Pimbesche et Chicanneau, et ce faisant il fustige non seulement les juges mais aussi les huissiers, sergents, avocats... bref, tous ceux qui vivent de « plaiderie ». Or il rejoint en cela — et son *Avis* n'en dit mot — une tradition littéraire française qui remonte au moins à la *Farce de Maître Pathelin*. En particulier, le personnage de l'huissier battu et le nom de Chicanneau lui ont manifestement été suggérés par les « chicannous » du *Pantagruel,* ainsi que le nom de Perrin Dandin. Au XVIIe siècle, cette veine satirique était souvent reprise, ne serait-ce que dans le *Roman Bourgeois* de Furetière (1666). On pourrait d'ailleurs reconstituer un « fonds commun » de l'époque sur ce sujet : on retrouve chez Molière, Boileau et Furetière, comme chez Racine, des traits puisés dans la même série d'anecdotes que l'on rapportait du Lieutenant-Civil Tardieu, injuste et cupide. Aussi ne faut-il sans doute pas trop chercher dans la pièce des détails tirés de son actualité immédiate : que Pimbesche soit la copie de la comtesse de Crissé, plaideuse célèbre, c'est probable, mais quand Racine parodie des plaidoiries, il puise dans ce « fonds commun », plus qu'il ne vise tel ou tel avocat en particulier (sur tout cela, voir les *notes*).

Racine n'avoue pas ces sources qui conviennent mal à la dignité de poète tragique, qu'il veut conserver en dépit de cette excursion dans la comédie; de même, s'il avoue Aristophane, c'est en s'excusant aussitôt de n'avoir pas imité Ménandre ou Térence, plus « réguliers ». De même encore, il précise qu'il n'attend pas « un grand honneur d'avoir assez longtemps diverti le monde » avec sa comédie. Et depuis l'habitude est restée de considérer *Les Plaideurs* comme une part quasiment négligeable de son œuvre.

Pourtant elle confirme un des principes fondamentaux de la création racinienne : l'auteur doit se plier sans réserve aux lois du genre qu'il pratique; Racine, si soucieux de vraisemblance dans ses tragédies, a eu soin ici de « pousser les choses au-delà du vraisemblable », et manie le vers disloqué du dialogue comique avec la même aisance que les harmoniques de la tirade tragique. Et cette verve, ce rythme endiablé, cette alliance habile de situations farcesques avec un texte d'une extrême virtuosité, font de cette comédie l'une des satires les plus allégrement féroces qui aient jamais été écrite sur un sujet aussi grave que l'exercice de la justice. On conçoit qu'elle ait en son temps irrité les plaideurs; aujourd'hui elle conserve, au moins, l'attrait de sa vivacité et de sa virulence.

A. V.

AU LECTEUR[2]

Quand je lus *les Guêpes* d'Aristophane, je ne songeais guère que j'en dusse faire *les Plaideurs*. J'avoue qu'elles me divertirent beaucoup, et que j'y trouvai quantité de plaisanteries qui me tentèrent d'en faire part au public ; mais c'était en les mettant dans la bouche des Italiens, à qui je les avais destinées, comme une chose qui leur appartenait de plein droit. Le juge qui saute par les fenêtres, le chien criminel et les larmes de sa famille me semblaient autant d'incidents dignes de la gravité de Scaramouche. Le départ de cet acteur interrompit mon dessein, et fit naître l'envie à quelques-uns de mes amis de voir sur notre théâtre un échantillon d'Aristophane. Je ne me rendis pas à la première proposition qu'ils m'en firent. Je leur dis que quelque esprit que je trouvasse dans cet auteur, mon inclination ne me porterait pas à le prendre pour modèle si j'avais à faire une comédie, et que j'aimerais beaucoup mieux imiter la régularité de Ménandre et de Térence, que la liberté de Plaute et d'Aristophane. On me répondit que ce n'était pas une comédie qu'on me demandait, et qu'on voulait seulement voir si les bons mots d'Aristophane auraient quelque grâce dans notre langue. Ainsi, moitié en m'encourageant, moitié en mettant eux-mêmes la main à l'œuvre, mes amis me firent commencer une pièce qui ne tarda guère à être achevée.

Cependant la plupart du monde ne se soucie point de l'intention ni de la diligence des auteurs. On examina d'abord mon amusement comme on aurait fait une tragédie. Ceux mêmes qui s'y étaient le plus divertis eurent peur de n'avoir pas ri dans les règles et trouvèrent mauvais que je n'eusse pas songé plus sérieusement à les faire rire. Quelques autres s'imaginèrent qu'il était bienséant à eux de s'y ennuyer et que les matières de palais ne pouvaient pas être un sujet de divertissement pour les gens de cour. La pièce fut bientôt jouée à Versailles. On ne fit point de scrupule de s'y réjouir ; et ceux qui avaient cru se déshonorer de rire à Paris furent peut-être obligés de rire à Versailles pour se faire honneur.

Ils auraient tort, à la vérité, s'ils me reprochaient d'avoir fatigué leurs oreilles de trop de chicane. C'est une langue qui m'est plus étrangère qu'à personne, et je n'en ai employé que quelques mots barbares que je puis avoir appris dans le cours d'un procès que ni mes juges ni moi n'avons jamais bien entendu.

Si j'appréhende quelque chose, c'est que des personnes un peu sérieuses ne traitent de badineries le procès du chien et les extravagances du juge. Mais enfin je traduis Aristophane, et l'on doit se souvenir qu'il avait affaire à des spectateurs assez difficiles. Les Athéniens savaient apparemment ce que c'était que le sel attique; et ils étaient bien sûrs, quand ils avaient ri d'une chose, qu'ils n'avaient pas ri d'une sottise.

Pour moi, je trouve qu'Aristophane a eu raison de pousser les choses au-delà du vraisemblable. Les juges de l'Aréopage n'auraient pas peut-être trouvé bon qu'il eût marqué au naturel leur avidité de gagner, les bons tours de leurs secrétaires et les forfanteries de leurs avocats. Il était à propos d'outrer un peu les personnages pour les empêcher de se reconnaître. Le public ne laissait pas de discerner le vrai au travers du ridicule; et je m'assure qu'il vaut mieux avoir occupé l'impertinente éloquence de deux orateurs autour d'un chien accusé, que si l'on avait mis sur la sellette un véritable criminel et qu'on eût intéressé les spectateurs à la vie d'un homme.

Quoi qu'il en soit, je puis dire que notre siècle n'a pas été de plus mauvaise humeur que le sien, et que si le but de ma comédie était de faire rire, jamais comédie n'a mieux attrapé son but. Ce n'est pas que j'attende un grand honneur d'avoir assez longtemps réjoui le monde; mais je me sais quelque gré de l'avoir fait sans qu'il m'en ait coûté une seule de ces sales équivoques et de ces malhonnêtes plaisanteries qui coûtent maintenant si peu à la plupart de nos écrivains, et qui font retomber le théâtre dans la turpitude d'où quelques auteurs plus modestes l'avaient tiré.

ACTEURS [3]

DANDIN, juge.
LÉANDRE, fils de Dandin.
CHICANNEAU, bourgeois.
ISABELLE, fille de Chicanneau.
LA COMTESSE.
PETIT-JEAN, portier.
L'INTIMÉ, secrétaire.
LE SOUFFLEUR.

La scène est dans une ville de Basse-Normandie.

LES PLAIDEURS

ACTE PREMIER

SCÈNE I. — PETIT-JEAN, *traînant un gros sac de procès.*

Ma foi! sur l'avenir bien fou qui se fiera :
Tel qui rit vendredi, dimanche pleurera.
Un juge, l'an passé, me prit à son service;
Il m'avait fait venir d'Amiens pour être suisse.
Tous ces Normands voulaient se divertir de nous.
On apprend à hurler, dit l'autre, avec les loups :
Tout Picard que j'étais, j'étais un bon apôtre,
Et je faisais claquer mon fouet [4] tout comme un autre.
Tous les plus gros monsieurs me parlaient chapeau bas :
« Monsieur de Petit-Jean », ah! gros comme le bras!
Mais sans argent l'honneur n'est qu'une maladie.
Ma foi, j'étais un franc portier de comédie [5] :
On avait beau heurter et m'ôter son chapeau,
On n'entrait pas chez nous sans graisser le marteau.
Point d'argent, point de Suisse, et ma porte était close.
Il est vrai qu'à Monsieur j'en rendais quelque chose;
Nous comptions quelquefois. On me donnait le soin
De fournir la maison de chandelle et de foin;
Mais je n'y perdais rien. Enfin, vaille que vaille,
J'aurais sur le marché fort bien fourni la paille.
C'est dommage : il avait le cœur trop au métier;
Tous les jours le premier aux plaids, et le dernier,
Et bien souvent tout seul; si l'on l'eût voulu croire,
Il y serait couché sans manger et sans boire.
Je lui disais parfois : « Monsieur Perrin Dandin,
« Tout franc, vous vous levez tous les jours trop matin :
« Qui veut voyager loin ménage sa monture;
« Buvez, mangez, dormez, et faisons feu qui dure ».
Il n'en a tenu compte. Il a si bien veillé
Et si bien fait, qu'on dit que son timbre est brouillé.
Il nous veut tous juger les uns après les autres.
Il marmotte toujours certaines patenôtres

Où je ne comprends rien. Il veut, bon gré mal gré,
Ne se coucher qu'en robe et qu'en bonnet carré.
Il fit couper la tête à son coq, de colère,
Pour l'avoir éveillé plus tard qu'à l'ordinaire :
Il disait qu'un plaideur dont l'affaire allait mal
Avait graissé la patte à ce pauvre animal.
Depuis ce bel arrêt, le pauvre homme a beau faire,
Son fils ne souffre plus qu'on lui parle d'affaire.
Il nous le fait garder jour et nuit, et de près :
Autrement, serviteur, et mon homme est aux plaids.
Pour s'échapper de nous, Dieu sait s'il est allègre.
Pour moi, je ne dors plus : aussi je deviens maigre,
C'est pitié. Je m'étends, et ne fais que bâiller.
Mais veille qui voudra, voici mon oreiller [6].
Ma foi, pour cette nuit il faut que je m'en donne !
Pour dormir dans la rue on n'offense personne :
Dormons.

SCÈNE II. — L'INTIMÉ, PETIT-JEAN

L'INTIMÉ

Hé ! Petit-Jean ! Petit-Jean !

PETIT-JEAN

L'Intimé !
Il a déjà bien peur de me voir enrhumé.

L'INTIMÉ

Que diable ! si matin que fais-tu dans la rue?

PETIT-JEAN

Est-ce qu'il faut toujours faire le pied de grue,
Garder toujours un homme, et l'entendre crier?
Quelle gueule ! Pour moi, je crois qu'il est sorcier.

L'INTIMÉ

Bon !

PETIT-JEAN

Je lui disais donc, en me grattant la tête,
Que je voulais dormir. « Présente ta requête
« Comme tu veux dormir », m'a-t-il dit gravement.
Je dors en te contant la chose seulement.
Bonsoir.

L'INTIMÉ

Comment bonsoir? Que le diable m'emporte
Si... Mais j'entends du bruit au-dessus de la porte.

SCÈNE III. — DANDIN, L'INTIMÉ, PETIT-JEAN

DANDIN, *à la fenêtre.*

Petit-Jean! L'Intimé!

L'INTIMÉ, *à Petit-Jean.*

Paix!

DANDIN

Je suis seul ici.
Voilà mes guichetiers en défaut, Dieu merci.
Si je leur donne temps, ils pourront comparaître.
Çà, pour nous élargir, sautons par la fenêtre.
Hors de cour [7]!

L'INTIMÉ

Comme il saute!

PETIT-JEAN

Ho! Monsieur! je vous tien.

DANDIN

Au voleur! au voleur!

PETIT-JEAN

Ho! nous vous tenons bien.

L'INTIMÉ

Vous avez beau crier.

DANDIN

Main-forte! l'on me tue!

SCÈNE IV. — LÉANDRE, DANDIN, L'INTIMÉ, PETIT-JEAN

LÉANDRE

Vite un flambeau! j'entends mon père dans la rue.
Mon père, si matin qui vous fait déloger?
Où courez-vous la nuit?

DANDIN

Je veux aller juger.

LÉANDRE

Et qui juger? Tout dort.

PETIT-JEAN

Ma foi, je ne dors guères.

LÉANDRE

Que de sacs! il en a jusques aux jarretières.

DANDIN

Je ne veux de trois mois rentrer dans la maison.
De sacs et de procès j'ai fait provision.

LÉANDRE

Et qui vous nourrira?

DANDIN

Le buvetier, je pense.

LÉANDRE

Mais où dormirez-vous, mon père?

DANDIN

A l'audience.

LÉANDRE

Non, mon père; il vaut mieux que vous ne sortiez pas :
Dormez chez vous, chez vous faites tous vos repas,
Souffrez que la raison enfin vous persuade,
Et pour votre santé...

DANDIN

Je veux être malade.

LÉANDRE

Vous ne l'êtes que trop. Donnez-vous du repos;
Vous n'avez tantôt plus que la peau sur les os.

DANDIN

Du repos? Ah! sur toi tu veux régler ton père!
Crois-tu qu'un juge n'ait qu'à faire bonne chère,
Qu'à battre le pavé comme un tas de galants,
Courir le bal la nuit, et le jour les brelans?
L'argent ne nous vient pas si vite que l'on pense.

Chacun de tes rubans me coûte une sentence.
Ma robe vous fait honte : un fils de juge ! Ah ! fi !
Tu fais le gentilhomme. Hé ! Dandin, mon ami,
Regarde dans ma chambre et dans ma garde-robe
Les portraits des Dandins : tous ont porté la robe,
Et c'est le bon parti. Compare prix pour prix
Les étrennes d'un juge à celles d'un marquis :
Attends que nous soyons à la fin de décembre.
Qu'est-ce qu'un gentilhomme? Un pilier d'antichambre.
Combien en as-tu vu, je dis des plus huppés,
A souffler dans leurs doigts dans ma cour occupés,
Le manteau sur le nez ou la main dans la poche,
Enfin, pour se chauffer, venir tourner ma broche !
Voilà comme on les traite. Hé ! mon pauvre garçon,
De ta défunte mère est-ce là la leçon?
La pauvre Babonnette ! Hélas ! lorsque j'y pense,
Elle ne manquait pas une seule audience !
Jamais, au grand jamais, elle ne me quitta,
Et Dieu sait bien souvent ce qu'elle en rapporta :
Elle eût du buvetier emporté les serviettes,
Plutôt que de rentrer au logis les mains nettes [8].
Et voilà comme on fait les bonnes maisons. Va,
Tu ne seras qu'un sot.

LÉANDRE

Vous vous morfondez là,
Mon père. Petit-Jean, remenez votre maître,
Couchez-le dans son lit; fermez porte, fenêtre;
Qu'on barricade tout, afin qu'il ait plus chaud.

PETIT-JEAN

Faites donc mettre au moins des garde-fous là-haut.

DANDIN

Quoi? l'on me mènera coucher sans autre forme?
Obtenez un arrêt comme il faut que je dorme.

LÉANDRE

Hé ! par provision, mon père, couchez-vous.

DANDIN

J'irai; mais je m'en vais vous faire enrager tous :
Je ne dormirai point.

LÉANDRE

Eh bien, à la bonne heure!
Qu'on ne le quitte pas. Toi, l'Intimé, demeure.

SCÈNE V. — LÉANDRE, L'INTIMÉ

LÉANDRE

Je veux t'entretenir un moment sans témoin.

L'INTIMÉ

Quoi? vous faut-il garder?

LÉANDRE

J'en aurais bon besoin.
J'ai ma folie, hélas! aussi bien que mon père.

L'INTIMÉ

Oh! vous voulez juger?

LÉANDRE

Laissons là le mystère.
Tu connais ce logis?

L'INTIMÉ

Je vous entends enfin.
Diantre! l'amour vous tient au cœur de bon matin.
Vous me voulez parler sans doute d'Isabelle.
Je vous l'ai dit cent fois : elle est sage, elle est belle;
Mais vous devez songer que monsieur Chicanneau
De son bien en procès consume le plus beau.
Qui ne plaide-t-il point? Je crois qu'à l'audience
Il fera, s'il ne meurt, venir toute la France.
Tout auprès de son juge il s'est venu loger :
L'un veut plaider toujours, l'autre toujours juger,
Et c'est un grand hasard s'il conclut votre affaire
Sans plaider le curé, le gendre et le notaire.

LÉANDRE

Je le sais comme toi; mais malgré tout cela,
Je meurs pour Isabelle.

L'INTIMÉ

Eh bien! épousez-la,
Vous n'avez qu'à parler, c'est une affaire prête.

LÉANDRE

Hé ! cela ne va pas si vite que ta tête.
Son père est un sauvage à qui je ferais peur.
A moins que d'être huissier, sergent ou procureur,
On ne voit point sa fille; et la pauvre Isabelle,
Invisible et dolente, est en prison chez elle.
Elle voit dissiper sa jeunesse en regrets,
Mon amour en fumée, et son bien en procès.
Il la ruinera si l'on le laisse faire.
Ne connaîtrais-tu pas quelque honnête faussaire
Qui servît ses amis, en le payant, s'entend,
Quelque sergent zélé?

L'INTIMÉ

Bon ! l'on en trouve tant !

LÉANDRE

Mais encore?

L'INTIMÉ

Ah ! Monsieur ! si feu mon pauvre père
Était encor vivant, c'était bien votre affaire.
Il gagnait en un jour plus qu'un autre en six mois :
Ses rides sur son front gravaient tous ses exploits [9].
Il vous eût arrêté le carrosse d'un prince;
Il vous l'eût pris lui-même; et si dans la province
Il se donnait en tout vingt coups de nerf de bœuf,
Mon père pour sa part en emboursait dix-neuf [10].
Mais de quoi s'agit-il? Suis-je pas fils de maître?
Je vous servirai.

LÉANDRE

Toi?

L'INTIMÉ

Mieux qu'un sergent peut-être.

LÉANDRE

Tu porterais au père un faux exploit !

L'INTIMÉ

Hon ! hon !

LÉANDRE

Tu rendrais à la fille un billet?

L'INTIMÉ

Pourquoi non?
Je suis des deux métiers.

LÉANDRE

Viens, je l'entends qui crie.
Allons à ce dessein rêver ailleurs.

SCÈNE VI. — CHICANNEAU, PETIT-JEAN

CHICANNEAU, *allant et revenant.*

La Brie,
Qu'on garde la maison, je reviendrai bientôt.
Qu'on ne laisse monter aucune âme là-haut.
Fais porter cette lettre à la poste du Maine.
Prends-moi dans mon clapier trois lapins de garenne,
Et chez mon procureur porte-les ce matin.
Si son clerc vient céans, fais-lui goûter mon vin.
Ah! donne-lui ce sac, qui pend à ma fenêtre.
Est-ce tout? Il viendra me demander peut-être
Un grand homme sec, là, qui me sert de témoin,
Et qui jure pour moi lorsque j'en ai besoin :
Qu'il m'attende. Je crains que mon juge ne sorte;
Quatre heures vont sonner. Mais frappons à sa porte.

PETIT-JEAN, *entr'ouvrant la porte.*

Qui va là?

CHICANNEAU

Peut-on voir Monsieur?

PETIT-JEAN, *refermant la porte.*

Non.

CHICANNEAU

Pourrait-on
Dire un mot à Monsieur son secrétaire?

PETIT-JEAN

Non.

CHICANNEAU

Et Monsieur son portier?

PETIT-JEAN

C'est moi-même.

CHICANNEAU

De grâce,
Buvez à ma santé, Monsieur.

PETIT-JEAN

Grand bien vous fasse!
Mais revenez demain.

CHICANNEAU

Hé! rendez donc l'argent.
Le monde est devenu, sans mentir, bien méchant.
J'ai vu que les procès ne donnaient point de peine :
Six écus en gagnaient une demi-douzaine.
Mais aujourd'hui, je crois que tout mon bien entier
Ne me suffirait pas pour gagner un portier.
Mais j'aperçois venir madame la comtesse
De Pimbesche. Elle vient pour affaire qui presse.

SCÈNE VII. — LA COMTESSE, CHICANNEAU

CHICANNEAU

Madame, on n'entre plus.

LA COMTESSE

Eh bien! l'ai-je pas dit?
Sans mentir, mes valets me font perdre l'esprit.
Pour les faire lever c'est en vain que je gronde;
Il faut que tous les jours j'éveille tout mon monde.

CHICANNEAU

Il faut absolument qu'il se fasse celer.

LA COMTESSE

Pour moi, depuis deux jours, je ne lui puis parler.

CHICANNEAU

Ma partie est puissante, et j'ai lieu de tout craindre.

LA COMTESSE

Après ce qu'on m'a fait, il ne faut plus se plaindre.

CHICANNEAU

Si pourtant j'ai bon droit.

LA COMTESSE

Ah! Monsieur! quel arrêt!

CHICANNEAU

Je m'en rapporte à vous. Écoutez, s'il vous plaît.

LA COMTESSE

Il faut que vous sachiez, Monsieur, la perfidie...

CHICANNEAU

Ce n'est rien dans le fond.

LA COMTESSE

Monsieur, que je vous die...

CHICANNEAU

Voici le fait. Depuis quinze ou vingt ans en çà,
Au travers d'un mien pré certain ânon passa,
S'y vautra, non sans faire un notable dommage [11],
Dont je formai ma plainte au juge du village.
Je fais saisir l'ânon. Un expert est nommé,
A deux bottes de foin le dégât estimé,
Enfin, au bout d'un an, sentence par laquelle
Nous sommes renvoyés hors de cour. J'en appelle.
Pendant qu'à l'audience on poursuit un arrêt,
Remarquez bien ceci, Madame, s'il vous plaît,
Notre ami Drolichon, qui n'est pas une bête,
Obtient pour quelque argent un arrêt sur requête,
Et je gagne ma cause. A cela, que fait-on?
Mon chicaneur s'oppose à l'exécution.
Autre incident : tandis qu'au procès on travaille,
Ma partie en mon pré laisse aller sa volaille.
Ordonné qu'il sera fait rapport à la cour
Du foin que peut manger une poule en un jour;
Le tout joint au procès. Enfin, et toute chose
Demeurant en état, on appointe la cause,
Le cinquième ou sixième avril cinquante-six.
J'écris sur nouveaux frais. Je produis, je fournis
De dits, de contredits, enquêtes, compulsoires,
Rapports d'experts, transports, trois interlocutoires,
Griefs et faits nouveaux, baux et procès-verbaux.
J'obtiens lettres royaux, et je m'inscris en faux.
Quatorze appointements, trente exploits, six instances,
Six-vingt productions, vingt arrêts de défenses,
Arrêt enfin. Je perds ma cause avec dépens,
Estimés environ cinq à six mille francs.

Est-ce là faire droit? Est-ce là comme on juge?
Après quinze ou vingt ans! Il me reste un refuge :
La requête civile est ouverte pour moi,
Je ne suis pas rendu. Mais vous, comme je vois,
Vous plaidez?

LA COMTESSE

Plût à Dieu!

CHICANNEAU

J'y brûlerai mes livres.

LA COMTESSE

Je...

CHICANNEAU

Deux bottes de foin cinq à six mille livres!

LA COMTESSE

Monsieur, tous mes procès allaient être finis;
Il ne m'en restait plus que quatre ou cinq petits :
L'un contre mon mari, l'autre contre mon père,
Et contre mes enfants. Ah! Monsieur, la misère!
Je ne sais quel biais ils ont imaginé,
Ni tout ce qu'ils ont fait; mais on leur a donné
Un arrêt par lequel, moi vêtue et nourrie,
On me défend, Monsieur, de plaider de ma vie [12].

CHICANNEAU

De plaider?

LA COMTESSE

De plaider!

CHICANNEAU

Certes, le trait est noir.
J'en suis surpris.

LA COMTESSE

Monsieur, j'en suis au désespoir.

CHICANNEAU

Comment! lier les mains aux gens de votre sorte!
Mais cette pension, Madame, est-elle forte?

LA COMTESSE

Je n'en vivrais, Monsieur, que trop honnêtement.
Mais vivre sans plaider, est-ce contentement?

CHICANNEAU

Des chicaneurs viendront nous manger jusqu'à l'âme,
Et nous ne dirons mot? Mais, s'il vous plaît, Madame,
Depuis quand plaidez-vous?

LA COMTESSE

Il ne m'en souvient pas;
Depuis trente ans, au plus.

CHICANNEAU

Ce n'est pas trop.

LA COMTESSE

Hélas!

CHICANNEAU

Et quel âge avez-vous? Vous avez bon visage.

LA COMTESSE

Hé! quelque soixante ans.

CHICANNEAU

Comment! c'est le bel âge
Pour plaider.

LA COMTESSE

Laissez faire, ils ne sont pas au bout.
J'y vendrai ma chemise; et je veux rien ou tout.

CHICANNEAU

Madame, écoutez-moi. Voici ce qu'il faut faire.

LA COMTESSE

Oui, Monsieur, je vous crois comme mon propre père.

CHICANNEAU

J'irais trouver mon juge...

LA COMTESSE

Oh! oui, Monsieur, j'irai.

CHICANNEAU

Me jeter à ses pieds...

LA COMTESSE

Oui, je m'y jetterai;
Je l'ai bien résolu.

CHICANNEAU

Mais daignez donc m'entendre.

LA COMTESSE

Oui, vous prenez la chose ainsi qu'il la faut prendre.

CHICANNEAU

Avez-vous dit, Madame?

LA COMTESSE

Oui.

CHICANNEAU

J'irais sans façon

Trouver mon juge.

LA COMTESSE

Hélas! que ce Monsieur est bon!

CHICANNEAU

Si vous parlez toujours, il faut que je me taise.

LA COMTESSE

Ah! que vous m'obligez! je ne me sens pas d'aise.

CHICANNEAU

J'irais trouver mon juge, et lui dirais...

LA COMTESSE

Oui.

CHICANNEAU

Voi [13]!

Et lui dirais : Monsieur...

LA COMTESSE

Oui, Monsieur.

CHICANNEAU

Liez-moi [14]...

LA COMTESSE

Monsieur, je ne veux point être liée.

CHICANNEAU

A l'autre!

LA COMTESSE

Je ne la serai point.

CHICANNEAU

Quelle humeur est la vôtre?

LA COMTESSE

Non.

CHICANNEAU

Vous ne savez pas, Madame, où je viendrai.

LA COMTESSE

Je plaiderai, Monsieur, ou bien je ne pourrai.

CHICANNEAU

Mais...

LA COMTESSE

Mais je ne veux point, Monsieur, que l'on me lie...

CHICANNEAU

Enfin, quand une femme en tête a sa folie...

LA COMTESSE

Fou vous-même.

CHICANNEAU

Madame!

LA COMTESSE

Et pourquoi me lier?

CHICANNEAU

Madame...

LA COMTESSE

Voyez-vous? il se rend familier.

CHICANNEAU

Mais, Madame...

LA COMTESSE

Un crasseux, qui n'a que sa chicane,
Veut donner des avis!

CHICANNEAU

Madame!

LA COMTESSE

Avec son âne!

CHICANNEAU

Vous me poussez.

LA COMTESSE

Bonhomme, allez garder vos foins.

CHICANNEAU

Vous m'excédez.

LA COMTESSE

Le sot!

CHICANNEAU

Que n'ai-je des témoins [15]!

SCÈNE VIII. — PETIT-JEAN, LA COMTESSE, CHICANNEAU

PETIT-JEAN

Voyez le beau sabbat qu'ils font à notre porte.
Messieurs, allez plus loin tempêter de la sorte.

CHICANNEAU

Monsieur, soyez témoin...

LA COMTESSE

Que monsieur est un sot.

CHICANNEAU

Monsieur, vous l'entendez, retenez bien ce mot.

PETIT-JEAN

Ah! vous ne deviez pas lâcher cette parole.

LA COMTESSE

Vraiment, c'est bien à lui de me traiter de folle!

PETIT-JEAN

Folle! Vous avez tort. Pourquoi l'injurier?

CHICANNEAU

On la conseille.

PETIT-JEAN

Oh!

LA COMTESSE

Oui, de me faire lier.

PETIT-JEAN

Oh ! Monsieur !

CHICANNEAU

Jusqu'au bout que ne m'écoute-t-elle?

PETIT-JEAN

Oh ! Madame !

LA COMTESSE

Qui? moi? souffrir qu'on me querelle?

CHICANNEAU

Une crieuse !

PETIT-JEAN

Hé ! paix !

LA COMTESSE

Un chicaneur !

PETIT-JEAN

Holà !

CHICANNEAU

Qui n'ose plus plaider !

LA COMTESSE

Que t'importe cela?
Qu'est-ce qui t'en revient, faussaire abominable,
Brouillon, voleur?

CHICANNEAU

Et bon, et bon, de par le diable !
Un sergent ! un sergent !

LA COMTESSE

Un huissier ! un huissier !

PETIT-JEAN

Ma foi, juge et plaideurs, il faudrait tout lier.

ACTE DEUXIÈME

SCÈNE I. — LÉANDRE, L'INTIMÉ

L'INTIMÉ

Monsieur, encore un coup, je ne puis pas tout faire :

Puisque je fais l'huissier, faites le commissaire.
En robe sur mes pas il ne faut que venir;
Vous aurez tout moyen de vous entretenir.
Changez en cheveux noirs votre perruque blonde.
Ces plaideurs songent-ils que vous soyez au monde?
Hé! lorsqu'à votre père ils vont faire leur cour,
A peine seulement savez-vous s'il est jour.
Mais n'admirez-vous pas cette bonne comtesse
Qu'avec tant de bonheur la fortune m'adresse;
Qui dès qu'elle me voit, donnant dans le panneau,
Me charge d'un exploit pour monsieur Chicanneau,
Et le fait assigner pour certaine parole,
Disant qu'il la voudrait faire passer pour folle,
Je dis folle à lier, et pour d'autres excès
Et blasphèmes, toujours l'ornement des procès?
Mais vous ne dites rien de tout mon équipage?
Ai-je bien d'un sergent le port et le visage?

LÉANDRE

Ah! fort bien.

L'INTIMÉ

Je ne sais, mais je me sens enfin
L'âme et le dos six fois plus durs que ce matin.
Quoi qu'il en soit, voici l'exploit et votre lettre :
Isabelle l'aura, j'ose vous le promettre.
Mais pour faire signer le contrat que voici,
Il faut que sur mes pas vous vous rendiez ici.
Vous feindrez d'informer sur toute cette affaire,
Et vous ferez l'amour en présence du père.

LÉANDRE

Mais ne va pas donner l'exploit pour le billet.

L'INTIMÉ

Le père aura l'exploit, la fille le poulet.
Rentrez.

SCÈNE II. — ISABELLE, L'INTIMÉ

ISABELLE

Qui frappe?

L'INTIMÉ

Ami. C'est la voix d'Isabelle.

ISABELLE

Demandez-vous quelqu'un, Monsieur?

L'INTIMÉ

Mademoiselle,
C'est un petit exploit que j'ose vous prier
De m'accorder l'honneur de vous signifier.

ISABELLE

Monsieur, excusez-moi, je n'y puis rien comprendre.
Mon père va venir, qui pourra vous entendre.

L'INTIMÉ

Il n'est donc pas ici, Mademoiselle?

ISABELLE

Non.

L'INTIMÉ

L'exploit, Mademoiselle, est mis sous votre nom.

ISABELLE

Monsieur, vous me prenez pour une autre, sans doute :
Sans avoir de procès, je sais ce qu'il en coûte;
Et si l'on n'aimait pas à plaider plus que moi,
Vos pareils pourraient bien chercher un autre emploi.
Adieu.

L'INTIMÉ

Mais, permettez...

ISABELLE

Je ne veux rien permettre.

L'INTIMÉ

Ce n'est pas un exploit.

ISABELLE

Chanson!

L'INTIMÉ

C'est une lettre.

ISABELLE

Encor moins.

L'INTIMÉ

Mais lisez.

ISABELLE

Vous ne m'y tenez pas.

L'INTIMÉ

C'est de Monsieur...

ISABELLE

Adieu.

L'INTIMÉ

Léandre.

ISABELLE

Parlez bas.

C'est de Monsieur...?

L'INTIMÉ

Que diable! on a bien de la peine
A se faire écouter; je suis tout hors d'haleine.

ISABELLE

Ah! L'Intimé, pardonne à mes sens étonnés;
Donne.

L'INTIMÉ

Vous me deviez fermer la porte au nez.

ISABELLE

Et qui t'aurait connu déguisé de la sorte?
Mais donne.

L'INTIMÉ

Aux gens de bien ouvre-t-on votre porte?

ISABELLE

Hé! donne donc.

L'INTIMÉ

La peste...

ISABELLE

Oh! ne donnez donc pas.
Avec votre billet retournez sur vos pas.

L'INTIMÉ

Tenez. Une autre fois ne soyez pas si prompte.

SCÈNE III. — CHICANNEAU, ISABELLE, L'INTIMÉ

CHICANNEAU

Oui, je suis donc un sot, un voleur, à son compte?
Un sergent s'est chargé de la remercier,
Et je vais lui servir un plat de mon métier.
Je serais bien fâché que ce fût à refaire,
Ni qu'elle m'envoyât assigner la première.
Mais un homme ici parle à ma fille? Comment?
Elle lit un billet? Ah! c'est de quelque amant.
Approchons.

ISABELLE

Tout de bon, ton maître est-il sincère?
Le croirai-je?

L'INTIMÉ

Il ne dort non plus que votre père.
(Apercevant Chicanneau.)
Il se tourmente; il vous... fera voir aujourd'hui
Que l'on ne gagne rien à plaider contre lui.

ISABELLE

C'est mon père! Vraiment, vous leur pouvez apprendre
Que si l'on nous poursuit, nous saurons nous défendre.
Tenez, voilà le cas qu'on fait de votre exploit.

CHICANNEAU

Comment! c'est un exploit que ma fille lisait?
Ah! tu seras un jour l'honneur de ta famille :
Tu défendras ton bien. Viens, mon sang, viens, ma fille.
Va, je t'achèterai *le Praticien françois* [16].
Mais, diantre! il ne faut pas déchirer les exploits.

ISABELLE

Au moins, dites-leur bien que je ne les crains guère;
Ils me feront plaisir : je les mets à pis faire.

CHICANNEAU

Hé! ne te fâche point.

ISABELLE

Adieu, Monsieur.

SCÈNE IV. — CHICANNEAU, L'INTIMÉ

L'INTIMÉ

Or çà,
Verbalisons.

CHICANNEAU

Monsieur, de grâce, excusez-la :
Elle n'est pas instruite; et puis, si bon vous semble,
En voici les morceaux que je vais mettre ensemble.

L'INTIMÉ

Non.

CHICANNEAU

Je le lirai bien.

L'INTIMÉ

Je ne suis pas méchant :
J'en ai sur moi copie.

CHICANNEAU

Ah! le trait est touchant.
Mais je ne sais pourquoi, plus je vous envisage,
Et moins je me remets, Monsieur, votre visage.
Je connais force huissiers.

L'INTIMÉ

Informez-vous de moi :
Je m'acquitte assez bien de mon petit emploi.

CHICANNEAU

Soit. Pour qui venez-vous?

L'INTIMÉ

Pour une brave dame,
Monsieur, qui vous honore, et de toute son âme
Vaudrait que vous vinssiez, à ma sommation,
Lui faire un petit mot de réparation.

CHICANNEAU

De réparation? Je n'ai blessé personne.

L'INTIMÉ

Je le crois : vous avez, Monsieur, l'âme trop bonne.

CHICANNEAU

Que demandez-vous donc?

L'INTIMÉ

Elle voudrait, Monsieur,

Que devant des témoins vous lui fissiez l'honneur
De l'avouer pour sage, et point extravagante.

CHICANNEAU

Parbleu, c'est ma comtesse !

L'INTIMÉ

Elle est votre servante.

CHICANNEAU

Je suis son serviteur.

L'INTIMÉ

Vous êtes obligeant,
Monsieur.

CHICANNEAU

Oui, vous pouvez l'assurer qu'un sergent
Lui doit porter pour moi tout ce qu'elle demande.
Hé quoi donc? les battus, ma foi, paieront l'amende !
Voyons ce qu'elle chante. Hon... *Sixième janvier,*
Pour avoir faussement dit qu'il fallait lier,
Étant à ce porté par esprit de chicane,
Haute et puissante dame Yolande Cudasne,
Comtesse de Pimbesche, Orbesche, et cœtera,
Il soit dit que sur l'heure il se transportera
Au logis de la dame; et là, d'une voix claire,
Devant quatre témoins assistés d'un notaire,
(Zeste !) *ledit Hiérome avouera hautement*
Qu'il la tient pour sensée et de bon jugement.
Le Bon. C'est donc le nom de Votre Seigneurie?

L'INTIMÉ

Pour vous servir. Il faut payer d'effronterie.

CHICANNEAU

Le Bon? Jamais exploit ne fut signé Le Bon.
Monsieur Le Bon...

L'INTIMÉ

Monsieur.

CHICANNEAU

Vous êtes un fripon.

L'INTIMÉ

Monsieur, pardonnez-moi, je suis fort honnête homme.

CHICANNEAU

Mais fripon le plus franc qui soit de Caen à Rome.

L'INTIMÉ

Monsieur, je ne suis pas pour vous désavouer :
Vous aurez la bonté de me le bien payer.

CHICANNEAU

Moi, payer? En soufflets.

L'INTIMÉ

Vous êtes trop honnête :
Vous me le paierez bien.

CHICANNEAU

Oh! tu me romps la tête.
Tiens, voilà ton paiement.

L'INTIMÉ

Un soufflet, Écrivons :
Lequel Hiérome, après plusieurs rébellions,
Aurait atteint, frappé, moi sergent, à la joue,
Et fait tomber, d'un coup, mon chapeau dans la boue.

CHICANNEAU

Ajoute cela.

L'INTIMÉ

Bon! c'est de l'argent comptant;
J'en avais bien besoin. *Et, de ce non content,*
Aurait avec le pied réitéré. Courage!
Outre plus, le susdit serait venu, de rage,
Pour lacérer ledit présent procès-verbal.
Allons, mon cher Monsieur, cela ne va pas mal.
Ne vous relâchez point.

CHICANNEAU

Coquin!

L'INTIMÉ

Ne vous déplaise!
Quelques coups de bâton, et je suis à mon aise.

CHICANNEAU

Oui-da : je verrai bien s'il est sergent.

L'INTIMÉ, *en posture d'écrire.*

Tôt donc,
Frappez : j'ai quatre enfants à nourrir.

CHICANNEAU

Ah! pardon!
Monsieur, pour un sergent je ne pouvais vous prendre,
Mais le plus habile homme enfin peut se méprendre.
Je saurai réparer ce soupçon outrageant.
Oui, vous êtes sergent, Monsieur, et très sergent.
Touchez là : vos pareils sont gens que je révère;
Et j'ai toujours été nourri par feu mon père
Dans la crainte de Dieu, Monsieur, et des sergents.

L'INTIMÉ

Non, à si bon marché l'on ne bat point les gens.

CHICANNEAU

Monsieur, point de procès!

L'INTIMÉ

Serviteur. Contumace,
Bâton levé, soufflet, coup de pied. Ah!

CHICANNEAU

De grâce,
Rendez-les-moi plutôt.

L'INTIMÉ

Suffit qu'ils soient reçus;
Je ne les voudrais pas donner pour mille écus.

SCÈNE V. — LÉANDRE, CHICANNEAU, L'INTIMÉ

L'INTIMÉ

Voici fort à propos Monsieur le commissaire.
Monsieur, votre présence est ici nécessaire.
Tel que vous me voyez, Monsieur ici présent
M'a d'un fort grand soufflet fait un petit présent.

LÉANDRE

A vous, Monsieur?

L'INTIMÉ

A moi, parlant à ma personne.
Item, un coup de pied; plus, les noms qu'il me donne.

LÉANDRE

Avez-vous des témoins?

L'INTIMÉ

Monsieur, tâtez plutôt :
Le soufflet sur ma joue est encore tout chaud.

LÉANDRE

Pris en flagrant délit, affaire criminelle.

CHICANNEAU

Foin de moi !

L'INTIMÉ

Plus, sa fille, au moins soi-disant telle,
A mis un mien papier en morceaux, protestant
Qu'on lui ferait plaisir, et que d'un œil content
Elle nous défiait.

LÉANDRE

Faites venir la fille.
L'esprit de contumace est dans cette famille.

CHICANNEAU

Il faut absolument qu'on m'ait ensorcelé :
Si j'en connais pas un, je veux être étranglé.

LÉANDRE

Comment? battre un huissier ! Mais voici la rebelle.

SCÈNE VI. — LÉANDRE, ISABELLE, CHICANNEAU, L'INTIMÉ

L'INTIMÉ, *à Isabelle.*

Vous le reconnaissez?

LÉANDRE

Eh bien, mademoiselle,
C'est donc vous qui tantôt braviez notre officier,
Et qui si hautement osiez nous défier?
Votre nom?

ISABELLE

Isabelle.

LÉANDRE, *à l'Intimé.*

Écrivez. Et votre âge.

ISABELLE

Dix-huit ans.

CHICANNEAU

Elle en a quelque peu davantage,
Mais n'importe.

LÉANDRE

Êtes-vous en pouvoir de mari?

ISABELLE

Non, Monsieur.

LÉANDRE

Vous riez? Écrivez qu'elle a ri.

CHICANNEAU

Monsieur, ne parlons point de maris à des filles;
Voyez-vous, ce sont là des secrets de familles.

LÉANDRE

Mettez qu'il interrompt.

CHICANNEAU

Hé! je n'y pensais pas.
Prends bien garde, ma fille, à ce que tu diras.

LÉANDRE

Là, ne vous troublez point. Répondez à votre aise.
On ne veut pas rien faire ici qui vous déplaise.
N'avez-vous pas reçu de l'huissier que voilà
Certain papier tantôt?

ISABELLE

Oui, Monsieur.

CHICANNEAU

Bon cela.

LÉANDRE

Avez-vous déchiré ce papier sans le lire?

ISABELLE

Monsieur, je l'ai lu.

CHICANNEAU

Bon.

LÉANDRE

Continuez d'écrire.
Et pourquoi l'avez-vous déchiré?

ISABELLE

J'avais peur
Que mon père ne prît l'affaire trop à cœur,
Et qu'il ne s'échauffât le sang à sa lecture.

CHICANNEAU

Et tu fuis les procès? C'est méchanceté pure.

LÉANDRE

Vous ne l'avez donc pas déchiré par dépit,
Ou par mépris de ceux qui vous l'avaient écrit?

ISABELLE

Monsieur, je n'ai pour eux ni mépris ni colère.

LÉANDRE

Écrivez.

CHICANNEAU

Je vous dis qu'elle tient de son père :
Elle répond fort bien.

LÉANDRE

Vous montrez cependant
Pour tous les gens de robe un mépris évident.

ISABELLE

Une robe toujours m'avait choqué la vue;
Mais cette aversion à présent diminue.

CHICANNEAU

La pauvre enfant! Va, va, je te marierai bien
Dès que je le pourrai, s'il ne m'en coûte rien.

LÉANDRE

A la justice donc vous voulez satisfaire?

ISABELLE

Monsieur, je ferai tout pour ne vous pas déplaire.

L'INTIMÉ

Monsieur, faites signer.

LÉANDRE

Dans les occasions
Soutiendrez-vous au moins vos dépositions?

ISABELLE

Monsieur, assurez-vous qu'Isabelle est constante.

LÉANDRE

Signez. Cela va bien : la justice est contente.
Çà, ne signez-vous pas, Monsieur?

CHICANNEAU

Oui-da, gaiement,
A tout ce qu'elle a dit je signe aveuglément.

LÉANDRE, *à Isabelle.*

Tout va bien. A mes vœux le succès est conforme :
Il signe un bon contrat écrit en bonne forme,
Et sera condamné tantôt sur son écrit.

CHICANNEAU

Que lui dit-il? Il est charmé de son esprit.

LÉANDRE

Adieu. Soyez toujours aussi sage que belle :
Tout ira bien. Huissier, remenez-la chez elle.
Et vous, Monsieur, marchez.

CHICANNEAU

Où, Monsieur?

LÉANDRE

Suivez-moi.

CHICANNEAU

Où donc?

LÉANDRE

Vous le saurez. Marchez, de par le roi.

CHICANNEAU

Comment?

SCÈNE VII. — LÉANDRE, CHICANNEAU, PETIT-JEAN

PETIT-JEAN

Holà! quelqu'un n'a-t-il point vu mon maître?
Quel chemin a-t-il pris? la porte ou la fenêtre?

LÉANDRE

A l'autre!

PETIT-JEAN

Je ne sais qu'est devenu son fils;
Et pour le père, il est où le diable l'a mis.
Il me redemandait sans cesse ses épices :

Et j'ai tout bonnement couru dans les offices
Chercher la boîte au poivre, et lui, pendant cela,
Est disparu.

SCÈNE VIII. — DANDIN, LÉANDRE, CHICANNEAU, L'INTIMÉ, PETIT-JEAN

DANDIN

Paix! paix! que l'on se taise là [17].

LÉANDRE

Hé! grand Dieu!

PETIT-JEAN

Le voilà, ma foi, dans les gouttières.

DANDIN

Quelles gens êtes-vous? Quelles sont vos affaires?
Qui sont ces gens en robe? Êtes-vous avocats?
Çà, parlez.

PETIT-JEAN

Vous verrez qu'il va juger les chats.

DANDIN

Avez-vous eu le soin de voir mon secrétaire?
Allez lui demander si je sais votre affaire.

LÉANDRE

Il faut bien que je l'aille arracher de ces lieux.
Sur votre prisonnier, huissier, ayez les yeux.

PETIT-JEAN

Oh! oh! Monsieur!

LÉANDRE

Tais-toi, sur les yeux de ta tête,
Et suis-moi.

SCÈNE IX. — DANDIN, CHICANNEAU, LA COMTESSE, L'INTIMÉ

DANDIN

Dépêchez, donnez votre requête.

CHICANNEAU

Monsieur, sans votre aveu, l'on me fait prisonnier.

LA COMTESSE

Hé! mon Dieu! j'aperçois Monsieur dans son grenier.
Que fait-il là?

L'INTIMÉ

Madame, il y donne audience.
Le champ vous est ouvert.

CHICANNEAU

On me fait violence,
Monsieur, on m'injurie; et je venais ici
Me plaindre à vous.

LA COMTESSE

Monsieur, je viens me plaindre aussi.

CHICANNEAU ET LA COMTESSE

Vous voyez devant vous mon adverse partie.

L'INTIMÉ

Parbleu ! je veux me mettre aussi de la partie.

LA COMTESSE, CHICANNEAU ET L'INTIMÉ

Monsieur, je viens ici pour un petit exploit.

CHICANNEAU

Hé, Messieurs ! tour à tour exposons notre droit.

LA COMTESSE

Son droit? Tout ce qu'il dit sont d'autant d'impostures.

DANDIN

Qu'est-ce qu'on vous a fait?

LA COMTESSE, CHICANNEAU ET L'INTIMÉ

On m'a dit des injures.

L'INTIMÉ, *continuant.*

Outre un soufflet, Monsieur, que j'ai reçu plus qu'eux.

CHICANNEAU

Monsieur, je suis cousin de l'un de vos neveux.

LA COMTESSE

Monsieur, père Cordon vous dira mon affaire.

L'INTIMÉ

Monsieur, je suis bâtard de votre apothicaire [18].

DANDIN

Vos qualités?

LA COMTESSE

Je suis comtesse.

L'INTIMÉ

Huissier.

CHICANNEAU

Bourgeois.

Messieurs...

DANDIN

Parlez toujours : je vous entends tous trois.

CHICANNEAU

Monsieur...

L'INTIMÉ

Bon ! le voilà qui fausse compagnie.

LA COMTESSE

Hélas !

CHICANNEAU

Hé quoi ? déjà l'audience est finie ?
Je n'ai pas eu le temps de lui dire deux mots.

SCÈNE X. — CHICANNEAU, LÉANDRE, *sans robe;* LA COMTESSE, L'INTIMÉ

LÉANDRE

Messieurs, voulez-vous bien nous laisser en repos ?

CHICANNEAU

Monsieur, peut-on entrer ?

LÉANDRE

Non, Monsieur, ou je meure !

CHICANNEAU

Hé ! pourquoi ? J'aurai fait en une petite heure,
En deux heures au plus.

LÉANDRE

On n'entre point, Monsieur.

LA COMTESSE

C'est bien fait de fermer la porte à ce crieur.
Mais moi...

LÉANDRE

L'on n'entre point, Madame, je vous jure.

LA COMTESSE

Ho ! Monsieur, j'entrerai.

LÉANDRE

Peut-être.

LA COMTESSE

J'en suis sûre.

LÉANDRE

Par la fenêtre donc?

LA COMTESSE

Par la porte.

LÉANDRE

Il faut voir.

CHICANNEAU

Quand je devrais ici demeurer jusqu'au soir.

SCÈNE XI. — PETIT-JEAN, LÉANDRE, CHICANNEAU, LA COMTESSE, L'INTIMÉ

PETIT-JEAN, *à Léandre.*

On ne l'entendra pas, quelque chose qu'il fasse,
Parbleu! je l'ai fourré dans notre salle basse,
Tout auprès de la cave.

LÉANDRE

En un mot comme en cent,
On ne voit point mon père.

CHICANNEAU

Eh bien donc! Si pourtant
Sur toute cette affaire il faut que je le voie.

(Dandin paraît par le soupirail.)

Mais que vois-je? Ah! c'est lui que le ciel nous renvoie.

LÉANDRE

Quoi? par le soupirail?

PETIT-JEAN

Il a le diable au corps.

CHICANNEAU

Monsieur...

DANDIN

L'impertinent! Sans lui j'étais dehors.

CHICANNEAU

Monsieur...

DANDIN

Retirez-vous, vous êtes une bête.

CHICANNEAU

Monsieur, voulez-vous bien...

DANDIN
Vous me rompez la tête.

CHICANNEAU
Monsieur, j'ai commandé...

DANDIN
Taisez-vous, vous dit-on.

CHICANNEAU
Que l'on portât chez vous...

DANDIN
Qu'on le mène en prison.

CHICANNEAU
Certain quartaut de vin.

DANDIN
Hé! je n'en ai que faire.

CHICANNEAU
C'est de très bon muscat.

DANDIN
Redites votre affaire [19].

LÉANDRE, *à l'Intimé.*
Il faut les entourer ici de tous côtés.

LA COMTESSE
Monsieur, il va vous dire autant de faussetés.

CHICANNEAU
Monsieur, je vous dis vrai.

DANDIN
Mon Dieu, laissez-la dire!

LA COMTESSE
Monsieur, écoutez-moi.

DANDIN
Souffrez que je respire.

CHICANNEAU
Monsieur...

DANDIN
Vous m'étranglez.

LA COMTESSE
Tournez les yeux vers moi.

DANDIN

Elle m'étrangle... Ay! ay!

CHICANNEAU

Vous m'entraînez, ma foi!
Prenez garde, je tombe.

PETIT-JEAN

Ils sont, sur ma parole,
L'un et l'autre encavés.

LÉANDRE

Vite, que l'on y vole;
Courez à leur secours. Mais au moins je prétends
Que Monsieur Chicanneau, puisqu'il est là dedans,
N'en sorte d'aujourd'hui. L'Intimé, prends-y garde [20].

L'INTIMÉ

Gardez le soupirail.

LÉANDRE

Va vite, je le garde.

SCÈNE XII. — LA COMTESSE, LÉANDRE

LA COMTESSE

Misérable! il s'en va lui prévenir l'esprit.
(Par le soupirail.)
Monsieur, ne croyez rien de tout ce qu'il vous dit :
Il n'a point de témoins; c'est un menteur.

LÉANDRE

Madame,
Que leur contez-vous là? Peut-être ils rendent l'âme.

LA COMTESSE

Il lui fera, Monsieur, croire ce qu'il voudra
Souffrez que j'entre.

LÉANDRE

Oh non! personne n'entrera.

LA COMTESSE

Je le vois bien, Monsieur, le vin muscat opère
Aussi bien sur le fils que sur l'esprit du père.
Patience! je vais protester comme il faut
Contre Monsieur le juge et contre le quartaut.

LÉANDRE

Allez donc, et cessez de nous rompre la tête!
Que de fous! Je ne fus jamais à telle fête.

SCÈNE XIII. — DANDIN, L'INTIMÉ, LÉANDRE

L'INTIMÉ

Monsieur, où courez-vous? C'est vous mettre en danger,
Et vous boitez tout bas.

DANDIN

Je veux aller juger.

LÉANDRE

Comment, mon père? Allons, permettez qu'on vous panse :
Vite, un chirurgien.

DANDIN

Qu'il vienne à l'audience.

LÉANDRE

Hé! mon père! arrêtez...

DANDIN

Ho! je vois ce que c'est :
Tu prétends faire ici de moi ce qui te plaît;
Tu ne gardes pour moi respect ni complaisance :
Je ne puis prononcer une seule sentence.
Achève, prends ce sac, prends vite.

LÉANDRE

Hé! doucement,
Mon père. Il faut trouver quelque accommodement.
Si pour vous, sans juger, la vie est un supplice,
Si vous êtes pressé de rendre la justice,
Il ne faut point sortir pour cela de chez vous :
Exercez le talent et jugez parmi nous.

DANDIN

Ne raillons point ici de la magistrature,
Vois-tu? je ne veux point être un juge en peinture.

LÉANDRE

Vous serez, au contraire, un juge sans appel,

Et juge du civil comme du criminel.
Vous pourrez tous les jours tenir deux audiences.
Tout vous sera chez vous matière de sentences :
Un valet manque-t-il de rendre un verre net,
Condamnez-le à l'amende, ou s'il le casse, au fouet.

DANDIN

C'est quelque chose. Encor passe quand on raisonne.
Et mes vacations, qui les paiera? Personne?

LÉANDRE

Leurs gages vous tiendront lieu de nantissement.

DANDIN

Il parle, ce me semble, assez pertinemment.

LÉANDRE

Contre un de vos voisins...

SCÈNE XIV. — DANDIN, LÉANDRE, L'INTIMÉ, PETIT-JEAN

PETIT-JEAN

Arrête! arrête! attrape!

LÉANDRE

Ah! c'est mon prisonnier, sans doute, qui s'échappe!

L'INTIMÉ

Non, non, ne craignez rien.

PETIT-JEAN

Tout est perdu... Citron...
Votre chien... vient là-bas de manger un chapon.
Rien n'est sûr devant lui : ce qu'il trouve, il l'emporte.

LÉANDRE

Bon, voilà pour mon père une cause. Main-forte!
Qu'on se mette après lui. Courez tous.

DANDIN

Point de bruit,
Tout doux! Un amené sans scandale suffit.

LÉANDRE

Çà, mon père, il faut faire un exemple authentique :
Jugez sévèrement ce voleur domestique.

DANDIN

Mais je veux faire au moins la chose avec éclat.
Il faut de part et d'autre avoir un avocat.
Nous n'en avons pas un.

LÉANDRE

Eh bien! il en faut faire.
Voilà votre portier et votre secrétaire :
Vous en ferez, je crois, d'excellents avocats;
Ils sont fort ignorants.

L'INTIMÉ

Non pas, Monsieur, non pas.
J'endormirai Monsieur tout aussi bien qu'un autre.

PETIT-JEAN

Pour moi, je ne sais rien; n'attendez rien du nôtre.

LÉANDRE

C'est ta première cause, et l'on te la fera.

PETIT-JEAN

Mais je ne sais pas lire.

LÉANDRE

Hé! l'on te soufflera.

DANDIN

Allons nous préparer. Çà, Messieurs, point d'intrigue!
Fermons l'œil aux présents, et l'oreille à la brigue.
Vous, maître Petit-Jean, serez le demandeur;
Vous, maître l'Intimé, soyez le défendeur.

ACTE TROISIÈME

SCÈNE I. — CHICANNEAU, LÉANDRE, LE SOUFFLEUR

CHICANNEAU

Oui, Monsieur, c'est ainsi qu'ils ont conduit l'affaire.
L'huissier m'est inconnu, comme le commissaire.
Je ne mens pas d'un mot.

LÉANDRE

Oui, je crois tout cela;
Mais, si vous m'en croyez, vous les laisserez là.
En vain vous prétendez les pousser l'un et l'autre,

Vous troublerez bien moins leur repos que le vôtre.
Les trois quarts de vos biens sont déjà dépensés
A faire enfler des sacs l'un sur l'autre entassés,
Et dans une poursuite à vous-même contraire...

CHICANNEAU

Vraiment, vous me donnez un conseil salutaire,
Et devant qu'il soit peu je veux en profiter;
Mais je vous prie au moins de bien solliciter.
Puisque Monsieur Dandin va donner audience,
Je vais faire venir ma fille en diligence.
On peut l'interroger, elle est de bonne foi,
Et même elle saura mieux répondre que moi.

LÉANDRE

Allez et revenez : l'on vous fera justice.

LE SOUFFLEUR

Quel homme!

SCÈNE II. — LÉANDRE, LE SOUFFLEUR

LÉANDRE

Je me sers d'un étrange artifice;
Mais mon père est un homme à se désespérer,
Et d'une cause en l'air il le faut bien leurrer.
D'ailleurs j'ai mon dessein, et je veux qu'il condamne
Ce fou qui réduit tout au pied de la chicane.
Mais voici tous nos gens qui marchent sur nos pas.

SCÈNE III. — DANDIN, LÉANDRE, L'INTIMÉ ET PETIT-JEAN *en robe,* LE SOUFFLEUR

DANDIN

Çà, qu'êtes-vous ici?

LÉANDRE

Ce sont les avocats.

DANDIN

Vous?

LE SOUFFLEUR

Je viens secourir leur mémoire troublée.

DANDIN

Je vous entends. Et vous?

LÉANDRE

Moi? je suis l'assemblée.

DANDIN

Commencez donc!

LE SOUFFLEUR

Messieurs...

PETIT-JEAN

Ho! prenez-le plus bas :
Si vous soufflez si haut, l'on ne m'entendra pas.
Messieurs...

DANDIN

Couvrez-vous.

PETIT-JEAN

Oh! Mes...

DANDIN

Couvrez-vous, vous dis-je,

PETIT-JEAN

Oh! Monsieur, je sais bien à quoi l'honneur m'oblige.

DANDIN

Ne te couvre donc pas.

PETIT-JEAN, *se couvrant.*

Messieurs... Vous, doucement :
Ce que je sais le mieux, c'est mon commencement,
Messieurs, quand je regarde avec exactitude
L'inconstance du monde et sa vicissitude;
Lorsque je vois, parmi tant d'hommes différents,
Pas une étoile fixe, et tant d'astres errants;
Quand je vois les Césars, quand je vois leur fortune
Quand je vois le soleil, et quand je vois la lune;
(Babyloniens.)
Quand je vois les États des Babiboniens
(Persans.) *(Macédoniens.)*
Transférés des Serpans aux Nacédoniens;
(Romains.) *(despotique.)*
Quand je vois les Lorrains de l'état dépotique,
(démocratique.)
Passer au démocrite, et puis au monarchique;
Quand je vois le Japon...

L'INTIMÉ

Quand aura-t-il tout vu?

PETIT-JEAN

Oh! pourquoi celui-là m'a-t-il interrompu?
Je ne dirai plus rien.

DANDIN

Avocat incommode,
Que ne lui laissiez-vous finir sa période?
Je suais sang et eau, pour voir si du Japon
Il viendrait à bon port au fait de son chapon,
Et vous l'interrompez par un discours frivole.
Parlez donc, avocat.

PETIT-JEAN

J'ai perdu la parole.

LÉANDRE

Achève, Petit-Jean : c'est fort bien débuté.
Mais que font là tes bras pendants à ton côté?
Te voilà sur tes pieds droit comme une statue.
Dégourdis-toi. Courage! allons, qu'on s'évertue.

PETIT-JEAN, *remuant les bras.*

Quand... je vois... Quand... je vois...

LÉANDRE

Dis donc ce que tu vois.

PETIT-JEAN

Oh dame! on ne court pas deux lièvres à la fois.

LE SOUFFLEUR

On lit...

PETIT-JEAN

On lit...

LE SOUFFLEUR

Dans la...

PETIT-JEAN

Dans la...

LE SOUFFLEUR

Métamorphose...

PETIT-JEAN

Comment?

LE SOUFFLEUR

Que la métem...

PETIT-JEAN

Que la métem...

LE SOUFFLEUR

Psycose...

PETIT-JEAN

Psycose...

LE SOUFFLEUR

Hé! le cheval!

PETIT-JEAN

Et le cheval...

LE SOUFFLEUR

Encor!

PETIT-JEAN

Encor...

LE SOUFFLEUR

Le chien!

PETIT-JEAN

Le chien...

LE SOUFFLEUR

Le butor!

PETIT-JEAN

Le butor...

LE SOUFFLEUR

Peste de l'avocat!

PETIT-JEAN

Ah! peste de toi-même!
Voyez cet autre avec sa face de carême!
Va-t'en au diable!

DANDIN

Et vous, venez au fait. Un mot
Du fait.

PETIT-JEAN

Hé! faut-il tant tourner autour du pot?
Ils me font dire aussi des mots longs d'une toise,
De grands mots qui tiendraient d'ici jusqu'à Pontoise.

Pour moi, je ne sais point tant faire de façon
Pour dire qu'un mâtin vient de prendre un chapon.
Tant y a qu'il n'est rien que votre chien ne prenne,
Qu'il a mangé là-bas un bon chapon du Maine,
Que la première fois que je l'y trouverai,
Son procès est tout fait, et je l'assommerai.

LÉANDRE

Belle conclusion, et digne de l'exorde!

PETIT-JEAN

On l'entend bien toujours. Qui voudra mordre y morde.

DANDIN

Appelez les témoins.

LÉANDRE

C'est bien dit, s'il le peut :
Les témoins sont fort chers, et n'en a pas qui veut.

PETIT-JEAN

Nous en avons pourtant, et qui sont sans reproche.

DANDIN

Faites-les donc venir.

PETIT-JEAN

Je les ai dans ma poche.
Tenez : voilà la tête et les pieds du chapon.
Voyez-les, et jugez.

L'INTIMÉ

Je les récuse.

DANDIN

Bon!
Pourquoi les récuser?

L'INTIMÉ

Monsieur, ils sont du Maine [21].

DANDIN

Il est vrai que du Mans il en vient par douzaine.

L'INTIMÉ

Messieurs...

DANDIN

Serez-vous long, avocat? dites-moi.

L'INTIMÉ

Je ne réponds de rien.

DANDIN

Il est de bonne foi.

L'INTIMÉ, *d'un ton finissant en fausset.*

Messieurs, tout ce qui peut étonner un coupable,
Tout ce que les mortels ont de plus redoutable,
Semble s'être assemblé contre nous par hasard :
Je veux dire la brigue et l'éloquence. Car
D'un côté, le crédit du défunt m'épouvante;
Et de l'autre côté l'éloquence éclatante
De maître Petit-Jean m'éblouit [22].

DANDIN

Avocat,
De votre ton vous-même adoucissez l'éclat.

L'INTIMÉ, *du beau ton*

Oui-da, j'en ai plusieurs... Mais quelque défiance
Que vous doive donner la susdite éloquence,
Et le susdit crédit, ce néanmoins, Messieurs,
L'ancre de vos bontés nous rassure d'ailleurs.
Devant le grand Dandin l'innocence est hardie :
Oui, devant ce Caton de Basse-Normandie,
Ce soleil d'équité qui n'est jamais terni,
Victrix causa diis placuit, sed victa Catoni [23].

DANDIN

Vraiment, il plaide bien.

L'INTIMÉ

Sans craindre aucune chose,
Je prends donc la parole, et je viens à ma cause.
Aristote, *primo, peri Politicon,*
Dit fort bien...

DANDIN

Avocat, il s'agit d'un chapon,
Et non point d'Aristote et de sa *Politique.*

L'INTIMÉ

Oui; mais l'autorité du Péripatétique
Prouverait que le bien et le mal...

DANDIN

Je prétends
Qu'Aristote n'a point d'autorité céans.
Au fait...

L'INTIMÉ

Pausanias, en ses *Corinthiaques*...

DANDIN

Au fait.

L'INTIMÉ

Rebuffe...

DANDIN

Au fait, vous dis-je.

L'INTIMÉ

Le grand Jacques...

DANDIN

Au fait, au fait, au fait!

L'INTIMÉ

Armeno Pul, *in Prompt*...

DANDIN

Ho! je te vais juger.

L'INTIMÉ

Oh! vous êtes si prompt!
Voici le fait.

(Vite.)

Un chien vient dans une cuisine;
Il y trouve un chapon, lequel a bonne mine.
Or celui pour lequel je parle est affamé,
Celui contre lequel je parle *autem* plumé;
Et celui pour lequel je suis prend en cachette
Celui contre lequel je parle. L'on décrète :
On le prend. Avocat pour et contre appelé;
Jour pris. Je dois parler, je parle, j'ai parlé.

DANDIN

Ta, ta, ta, ta. Voilà bien instruire une affaire!
Il dit fort posément ce dont on n'a que faire,
Et court le grand galop quand il est à son fait.

L'INTIMÉ

Mais le premier, Monsieur, c'est le beau.

DANDIN

C'est le laid !
A-t-on jamais plaidé d'une telle méthode?
Mais qu'en dit l'assemblée?

LÉANDRE

Il est fort à la mode.

L'INTIMÉ, *d'un ton véhément.*

Qu'arrive-t-il, Messieurs? On vient. Comment vient-on?
On poursuit ma partie. On force une maison.
Quelle maison? maison de notre propre juge !
On brise le cellier qui nous sert de refuge !
De vol, de brigandage on nous déclare auteurs !
On nous traîne, on nous livre à nos accusateurs,
A maître Petit-Jean, Messieurs. Je vous atteste :
Qui ne sait que la loi *Si quis canis,* Digeste [24],
De vi, paragrapho, Messieurs, *Caponibus,*
Est manifestement contraire à cet abus?
Et quand il serait vrai que Citron, ma partie,
Aurait mangé, Messieurs, le tout, ou bien partie
Du dit chapon : qu'on mette en compensation
Ce que nous avons fait avant cette action.
Quand ma partie a-t-elle été réprimandée?
Par qui votre maison a-t-elle été gardée?
Quand avons-nous manqué d'aboyer au larron?
Témoin trois procureurs, dont icelui Citron
A déchiré la robe. On en verra les pièces.
Pour nous justifier, voulez-vous d'autres pièces?

PETIT-JEAN

Maître Adam [25]...

L'INTIMÉ

Laissez-nous.

PETIT-JEAN

L'Intimé...

L'INTIMÉ

Laissez-nous.

PETIT-JEAN

S'enroue.

L'INTIMÉ

Hé, laissez-nous ! Euh ! euh !

DANDIN

Reposez-vous,
Et concluez.

L'INTIMÉ, *d'un ton pesant.*

Puis donc qu'on nous permet de prendre
Haleine, et que l'on nous défend de nous étendre,
Je vais sans rien omettre, et sans prévariquer,
Compendieusement énoncer, expliquer,
Exposer à vos yeux l'idée universelle
De ma cause et des faits renfermés en icelle.

DANDIN

Il aurait plus tôt fait de dire tout vingt fois,
Que de l'abréger une. Homme, ou qui que tu sois,
Diable, conclus; ou bien que le Ciel te confonde!

L'INTIMÉ

Je finis.

DANDIN

Ah!

L'INTIMÉ

Avant la naissance du monde...

DANDIN, *bâillant.*

Avocat, ah! passons au déluge.

L'INTIMÉ

Avant donc
La naissance du monde et sa création,
Le monde, l'univers, tout, la nature entière
Était ensevelie au fond de la matière.
Les éléments, le feu, l'air, et la terre, et l'eau,
Enfoncés, entassés, ne faisaient qu'un monceau,
Une confusion, une masse sans forme,
Un désordre, un chaos, une cohue énorme [26] :
Unus erat toto naturæ vultus in orbe,
Quem Græci dixere chaos, rudis indigestaque moles...

LÉANDRE

Quelle chute! Mon père!

PETIT-JEAN

Ay! Monsieur! Comme il dort!

LÉANDRE

Mon père, éveillez-vous.

PETIT-JEAN

Monsieur, êtes-vous mort?

LÉANDRE

Mon père!

DANDIN

Eh bien! eh bien? Quoi? qu'est-ce? Ah! ah!
[quel homme!
Certes, je n'ai jamais dormi d'un si bon somme.

LÉANDRE

Mon père, il faut juger.

DANDIN

Aux galères [27].

LÉANDRE

Un chien
Aux galères!

DANDIN

Ma foi! je n'y conçois plus rien :
De monde, de chaos, j'ai la tête troublée
Hé! concluez.

L'INTIMÉ, *lui présentant de petits chiens* [28].

Venez, famille désolée,
Venez, pauvres enfants qu'on veut rendre orphelins,
Venez faire parler vos esprits enfantins.
Oui, Messieurs, vous voyez ici notre misère :
Nous sommes orphelins; rendez-nous notre père;
Notre père, par qui nous fûmes engendrés,
Notre père, qui nous...

DANDIN

Tirez, tirez, tirez!

L'INTIMÉ

Notre père, Messieurs...

DANDIN

Tirez donc. Quels vacarmes!
Ils ont pissé partout.

L'INTIMÉ

Monsieur, voyez nos larmes.

DANDIN

Ouf! Je me sens déjà pris de compassion.
Ce que c'est qu'à propos toucher la passion!
Je suis bien empêché. La vérité me presse;
Le crime est avéré : lui-même il le confesse.
Mais s'il est condamné, l'embarras est égal :
Voilà bien des enfants réduits à l'hôpital.
Mais je suis occupé, je ne veux voir personne.

SCÈNE DERNIÈRE. — CHICANNEAU, DANDIN, LÉANDRE, ISABELLE, PETIT-JEAN, L'INTIMÉ

CHICANNEAU

Monsieur...

DANDIN

Oui, pour vous seuls l'audience se donne.
Adieu... Mais, s'il vous plaît, quel est cet enfant-là?

CHICANNEAU

C'est ma fille, monsieur.

DANDIN

Hé! tôt, rappelez-la.

ISABELLE

Vous êtes occupé.

DANDIN

Moi? Je n'ai point d'affaire.
Que ne me disiez-vous que vous étiez son père!

CHICANNEAU

Monsieur...

DANDIN

Elle sait mieux votre affaire que vous.
Dites. Qu'elle est jolie, et qu'elle a les yeux doux!
Ce n'est pas tout, ma fille, il faut de la sagesse.
Je suis tout réjoui de voir cette jeunesse.
Savez-vous que j'étais un compère autrefois?
On a parlé de nous.

ISABELLE

Ah! Monsieur, je vous crois.

DANDIN

Dis-nous : à qui veux-tu faire perdre la cause?

ISABELLE

A personne.

DANDIN

Pour toi je ferai toute chose.
Parle donc.

ISABELLE

Je vous ai trop d'obligation.

DANDIN

N'avez-vous jamais vu donner la question?

ISABELLE

Non; et ne le verrai, que je crois, de ma vie.

DANDIN

Venez, je vous en veux faire passer l'envie.

ISABELLE

Hé! Monsieur! peut-on voir souffrir des malheureux?

DANDIN

Bon! Cela fait toujours passer une heure ou deux [29].

CHICANNEAU

Monsieur, je viens ici pour vous dire...

LÉANDRE

Mon père,
Je vous vais en deux mots dire toute l'affaire.
C'est pour un mariage. Et vous saurez d'abord
Qu'il ne tient plus qu'à vous, et que tout est d'accord :
La fille le veut bien; son amant le respire;
Ce que la fille veut, le père le désire.
C'est à vous de juger.

DANDIN, *se rasseyant.*

Mariez au plus tôt :
Dès demain, si l'on veut; aujourd'hui, s'il le faut.

LÉANDRE

Mademoiselle, allons, voilà votre beau-père :
Saluez-le.

CHICANNEAU

Comment?

DANDIN

Quel est donc ce mystère?

LÉANDRE

Ce que vous avez dit se fait de point en point.

DANDIN

Puisque je l'ai jugé, je n'en reviendrai point.

CHICANNEAU

Mais on ne donne pas une fille sans elle.

LÉANDRE

Sans doute, et j'en croirai la charmante Isabelle.

CHICANNEAU

Es-tu muette? Allons, c'est à toi de parler.
Parle.

ISABELLE

Je n'ose pas, mon père, en appeler.

CHICANNEAU

Mais j'en appelle, moi.

LÉANDRE

Voyez cette écriture.
Vous n'appellerez pas de votre signature?

CHICANNEAU

Plaît-il ?

DANDIN

C'est un contrat en fort bonne façon.

CHICANNEAU

Je vois qu'on m'a surpris, mais j'en aurai raison :
De plus de vingt procès ceci sera la source.
On a la fille, soit, on n'aura pas la bourse.

LÉANDRE

Hé! Monsieur! qui vous dit qu'on vous demande rien?
Laissez-nous votre fille, et gardez votre bien.

CHICANNEAU

Ah!

LÉANDRE

Mon père, êtes-vous content de l'audience?

DANDIN

Oui-da. Que les procès viennent en abondance,
Et je passe avec vous le reste de mes jours,
Mais que les avocats soient désormais plus courts.
Et notre criminel?

LÉANDRE

Ne parlons que de joie :
Grâce ! grâce ! mon père.

DANDIN

Eh bien, qu'on le renvoie;
C'est en votre faveur, ma bru, ce que j'en fais.
Allons nous délasser à voir d'autres procès.

BRITANNICUS

TRAGÉDIE [1]

BRITANNICUS

Après l'échec relatif des *Plaideurs,* Racine, tenant à reconquérir son public, revient à la tragédie avec une pièce soigneusement élaborée. Or, *Britannicus* connut des débuts très difficiles. Boursault a donné, dans sa nouvelle *Artémise et Poliante* (1670), un récit détaillé de la première représentation, le vendredi 13 décembre 1669 à l'Hôtel de Bourgogne. Ce jour-là avait lieu en place de Grève l'exécution capitale d'un noble et une partie des habitués du théâtre avait préféré la tragédie réelle à la fictive. Dans la salle, les poètes jaloux, d'ordinaire groupés au même banc, s'étaient dispersés, multipliant ainsi l'effet de leurs marques de froideur. Dans une loge, seul, Corneille, renfrogné. L'accueil fut plus que réservé, et le grand public ne démentit pas tout de suite ce premier jugement puisque la pièce fut retirée après sept ou huit représentations — on ignore le nombre exact — et ne se rétablira plus tard que grâce aux applaudissements que lui prodigueront le roi et la Cour.

Les critiques formulées à son égard lors de sa création peuvent se résumer, pour l'essentiel, ainsi : chacun s'accordait à reconnaître qu'il s'y trouvait force « vers d'un style magnifique » (Robinet, *Lettre en vers du* 21 décembre 1669), mais c'était pour déplorer ensuite le choix d'un sujet horrible « qui ne peut souffrir une représentation agréable » (Saint-Évremond, lettre à M. de Lyonne, avril 1670), trouver l'action languissante et les « caractères » maladroits, et enfin dénoncer les libertés prises avec l'Histoire. Racine publia sa pièce dès janvier 1670, avec une préface très polémique, où il se justifiait sur tous ces points.

Il faut replacer cette préface dans la controverse qui l'a suscitée, et l'ensemble éclaire la signification de *Britannicus,* aussi bien en ce qui concerne les principes esthétiques que la structure. Tout d'abord, la question des sources est posée de façon particulière. A cet égard, on peut négliger les œuvres du XVIIe siècle inspirées par le règne de Néron, auxquelles Racine n'a manifestement rien emprunté ; ou plutôt, leur seul intérêt ici est d'attester que ce chapitre de l'histoire romaine était familier à l' « honnête homme » de ce temps. Quand on considère les sources latines, une double opposition se dessine. Racine dans sa préface se réfère, avec citations à l'appui, aux meilleurs auteurs, Tacite et Sénèque. Or on peut remarquer que Boursault — dont le texte, quoique publié après *Britannicus,* reprend des critiques formulées dès la création — déclare que l'acte IV « contient une partie de l'histoire romaine » mais « n'apprend rien qu'on ne puisse voir dans Florus et dans Coëffeteau », (Coëffeteau avait publié en 1615 une traduction de l'*Abrégé de l'histoire romaine* de Florus et en 1621 sa propre *Histoire romaine*) : c'est en quelque sorte accuser Racine de n'avoir fait que démarquer des « usuels ». En montrant son érudition, Racine tourne en ridicule de telles remarques, et, en même temps, il se justifie des critiques proprement dramaturgiques : on a critiqué ses « caractères », mais ils sont tels que l'histoire les donne, de même que le sujet, que l'on a trouvé horrible. Il démontre ainsi que sa pièce obéit à l'un des principes essentiels de la production littéraire à cette époque : l'*imitation* — créatrice — des Anciens. Or jusque-là Corneille était réputé avoir seul le « bon goût de cette Antiquité » et être capable « d'entrer dans le génie de ces nations mortes » (Saint-Évremond, *Dissertation sur le Grand Alexandre,* 1668). En écrivant *Britannicus,* tragédie romaine et politique, Racine se plaçait sur le terrain favori de son aîné : il lançait un défi, déclarait la rivalité. Celle-ci n'aurait qu'un intérêt anecdotique si elle ne manifestait l'avènement d'une esthétique nouvelle : à partir d'un même principe, là où Corneille cherchait à éveiller chez le spectateur l'admiration et le respect, Racine provoque l'étonnement et la terreur.

L'imitation admettait une certaine liberté d'adaptation. En modifiant comme il l'a fait les données historiques, Racine n'outrepasse pas les conventions du temps, et la controverse sur ce point montre seulement l'animosité de ses confrères. Aussi, ce qui importe ce n'est pas le détail de ces adaptations, mais leur but. Elles contribuent à créer l'intensité dramatique, non par une accumulation d'événements remarquables — ce que Racine reproche à Corneille — mais au contraire par la fusion de ceux-ci dans « une action simple (...) s'avançant par degrés vers sa fin » (première préface), dans laquelle chaque élément tire son sens de son rapport à l'ensemble, au sujet principal.

A cet égard, *Britannicus* atteste la maturité du nouveau système dramatique élaboré par Racine. Quel en est en effet le sujet? Comme le rappelle la préface de 1676, c'est la naissance du « monstre » en Néron, représentée sur la scène autant par « la disgrâce d'Agrippine que la mort de Britannicus ». Le protagoniste n'est donc pas Britannicus, ni même Agrippine, mais Néron qui tient le sort de chacun suspendu à ses décisions. L'enjeu n'est pas le pouvoir, qu'il détient déjà, mais le statut qui sera le sien. Ou bien il restera en tutelle, mineur, faux empereur qui règne mais ne gouverne pas parce qu'il est dans la dépendance de sa mère à qui il doit son trône, et surtout être sans autonomie, qui existe à peine (voir les v. 500 à 506); ou bien il s'émancipera. Or ce n'est pas là une véritable alternative. Néron ne peut opter pour la première solution, parce que Rome ne le supporterait pas (voir les v. 1215 à 1230), mais surtout parce qu'il se condamnerait lui-même à ne jamais exister vraiment. La seconde solution le fait accéder à l'autonomie, mais alors le fratricide envers Britannicus (et à terme le parricide envers Agrippine) est inéluctable :

« Tant qu'il respirera, je ne vis qu'à demi. » (IV, 3, v. 1297.)

Britannicus n'est donc pas à lire comme seulement la représentation d'une crise politique, mais comme la tragédie d'une « naissance » — une accession à l'être — qui ne peut s'accomplir sans instaurer, dans le même mouvement, la monstruosité; la pièce politique est le moyen, et l'expression, de cette crise. Cette tragédie sombre, complexe, difficile — mais dont la complexité, justement, a assuré la pérennité, dont l'ambiguïté sollicite encore la lecture moderne — est devenue très vite, selon le mot de Racine dans la préface de 1676, la pièce des « connaisseurs ».

A. V.

A MONSEIGNEUR
LE DUC DE CHEVREUSE[2]

MONSEIGNEUR,

Vous serez peut-être étonné de voir votre nom à la tête de cet ouvrage; et si je vous avais demandé la permission de vous l'offrir, je doute si je l'aurais obtenue. Mais ce serait être en quelque sorte ingrat que de cacher plus longtemps au monde les bontés dont vous m'avez toujours honoré. Quelle apparence qu'un homme qui ne travaille que pour la gloire se puisse taire d'une protection aussi glorieuse que la vôtre?

Non, MONSEIGNEUR, il m'est trop avantageux que l'on sache que mes amis mêmes ne vous sont pas indifférents, que vous prenez part à tous mes ouvrages, et que vous m'avez procuré l'honneur de lire celui-ci devant un homme dont toutes les heures sont précieuses. Vous fûtes témoin avec quelle pénétration d'esprit il jugea l'économie de la pièce, et combien l'idée qu'il s'est formée d'une excellente tragédie est au-delà de tout ce que j'ai pu concevoir.

Ne craignez pas, MONSEIGNEUR, que je m'engage plus avant, et que n'osant le louer en face, je m'adresse à vous pour le louer avec plus de liberté. Je sais qu'il serait dangereux de le fatiguer de ses louanges, et j'ose dire que cette même modestie, qui vous est commune avec lui, n'est pas un des moindres liens qui vous attachent l'un à l'autre.

La modération n'est qu'une vertu ordinaire quand elle ne se rencontre qu'avec des qualités ordinaires. Mais qu'avec toutes les qualités et du cœur et de l'esprit, qu'avec un jugement qui, ce semble, ne devrait être le fruit que de l'expérience de plusieurs années, qu'avec mille belles connaissances que vous ne sauriez cacher à vos amis particuliers, vous ayez encore cette sage retenue que tout le monde admire en vous, c'est sans doute une vertu rare en un siècle où l'on fait vanité des moindres choses. Mais je me laisse emporter insensiblement à la tentation de parler de vous; il faut qu'elle soit bien violente, puisque je n'ai pu y résister dans une lettre où je n'avais autre dessein que de vous témoigner avec combien de respect je suis,

MONSEIGNEUR,

Votre très humble et très obéissant serviteur,

RACINE.

PREMIÈRE PRÉFACE [3]

De tous les ouvrages que j'ai donnés au public, il n'y en a point qui m'ait attiré plus d'applaudissements ni plus de censeurs que celui-ci. Quelque soin que j'ai pris pour travailler cette tragédie, il semble qu'autant que je me suis efforcé de la rendre bonne, autant de certaines gens se sont efforcés de la décrier. Il n'y a point de cabale qu'ils n'aient faite, point de critique dont ils ne se soient avisés. Il y en a qui ont pris même le parti de Néron contre moi. Ils ont dit que je le faisais trop cruel. Pour moi, je croyais que le nom seul de Néron faisait entendre quelque chose de plus que cruel. Mais peut-être qu'ils raffinent sur son histoire, et veulent dire qu'il était honnête homme dans ses premières années. Il ne faut qu'avoir lu Tacite pour savoir que, s'il a été quelque temps un bon empereur, il a toujours été un très méchant homme. Il ne s'agit point dans ma tragédie des affaires du dehors. Néron est ici dans son particulier et dans sa famille, et ils me dispenseront de leur rapporter tous les passages qui pourraient aisément leur prouver que je n'ai point de réparation à lui faire.

D'autres ont dit, au contraire, que je l'avais fait trop bon. J'avoue que je ne m'étais pas formé l'idée d'un bon homme en la personne de Néron. Je l'ai toujours regardé comme un monstre. Mais c'est ici un monstre naissant. Il n'a pas encore mis le feu à Rome, il n'a pas encore tué sa mère, sa femme, ses gouverneurs : à cela près, il me semble qu'il lui échappe assez de cruautés pour empêcher que personne ne le méconnaisse.

Quelques-uns ont pris l'intérêt de Narcisse, et se sont plaints que j'en eusse fait un très méchant homme et le confident de Néron. Il suffit d'un passage pour leur répondre. « Néron, dit Tacite, porta impatiemment la mort de Narcisse, parce que cet « affranchi avait une conformité merveilleuse avec les vices du « prince encore cachés : *Cujus abditis adhuc vitiis mire congruebat* ».

Les autres se sont scandalisés que j'eusse choisi un homme aussi jeune que Britannicus pour le héros d'une tragédie. Je leur ai déclaré, dans la préface d'*Andromaque,* le sentiment d'Aristote sur le héros de la tragédie, et que bien loin d'être parfait, il faut toujours qu'il ait quelque imperfection. Mais je leur dirai encore ici qu'un jeune prince de dix-sept ans qui a beaucoup de cœur, beaucoup d'amour, beaucoup de franchise et beaucoup de crédulité, qualités ordinaires d'un jeune homme, m'a semblé très capable d'exciter la compassion. Je n'en veux pas davantage.

« Mais, disent-ils, ce prince n'entrait que dans sa quinzième « année lorsqu'il mourut. On le fait vivre, lui et Narcisse, deux « ans plus qu'ils n'ont vécu. » Je n'aurais point parlé de cette objection, si elle n'avait été faite avec chaleur par un homme qui s'est donné la liberté de faire régner vingt ans un empereur qui n'en a régné que huit [4], quoique ce changement soit bien plus considérable dans la chronologie, où l'on suppute les temps par les années des empereurs.

Junie ne manque pas non plus de censeurs. Ils disent que d'une vieille coquette, nommée Junia Silana, j'en ai fait une jeune fille très sage. Qu'auraient-ils à me répondre, si je leur disais que cette Junie est un personnage inventé, comme l'Émilie de *Cinna,* comme la Sabine d'*Horace*? Mais j'ai à leur dire que, s'ils avaient bien lu l'histoire, ils auraient trouvé une Junia Calvina, de la famille d'Auguste, sœur de Silanus, à qui Claudius avait promis Octavie. Cette Junie était jeune, belle, et, comme dit Sénèque : *festivissima omnium puellarum.* Elle aimait tendrement son frère, « et leurs ennemis, dit Tacite, les accusèrent tous deux d'inceste, quoiqu'ils ne fussent coupables que d'un peu d'indiscrétion. » Si je la présente plus retenue qu'elle n'était, je n'ai pas ouï dire qu'il nous fût défendu de rectifier les mœurs d'un personnage, surtout lorsqu'il n'est pas connu.

L'on trouve étrange qu'elle paraisse sur le théâtre après la mort de Britannicus. Certainement la délicatesse est grande de ne pas vouloir qu'elle dise en quatre vers assez touchants qu'elle passe chez Octavie. « Mais, disent-ils, cela ne valait pas la peine de « la faire revenir, un autre l'aurait pu raconter pour elle. » Ils ne savent pas qu'une des règles du théâtre est de ne mettre en récit que les choses qui ne se peuvent passer en action, et que tous les Anciens font venir souvent sur la scène des acteurs qui n'ont autre chose à dire, sinon qu'ils viennent d'un endroit, et qu'ils s'en retournent à un autre [5].

« Tout cela est inutile, disent mes censeurs. La pièce est finie « au récit de la mort de Britannicus, et l'on ne devrait point « écouter le reste. » On l'écoute pourtant, et même avec autant d'attention qu'aucune fin de tragédie. Pour moi, j'ai toujours compris que la tragédie étant l'imitation d'une action complète, où plusieurs personnes concourent, cette action n'est point finie que l'on ne sache en quelle situation elle laisse ces mêmes personnes. C'est ainsi que Sophocle en use presque partout. C'est ainsi que dans l'*Antigone* il emploie autant de vers à représenter la fureur d'Hémon et la punition de Créon après la mort de cette princesse, que j'en ai employé aux imprécations d'Agrippine, à la retraite de Junie, à la punition de Narcisse, et au désespoir de Néron, après la mort de Britannicus.

Que faudrait-il faire pour contenter des juges si difficiles? La chose serait aisée, pour peu qu'on voulût trahir le bon sens. Il ne faudrait que s'écarter du naturel pour se jeter dans l'extraordinaire. Au lieu d'une action simple, chargée de peu de matière, telle que doit être une action qui se passe en un seul jour, et qui, s'avançant par degrés vers sa fin, n'est soutenue que par les intérêts, les sentiments et les passions des personnages, il faudrait remplir cette même action de quantité d'incidents qui ne se pourraient passer qu'en un mois, d'un grand nombre de jeux de théâtre d'autant plus surprenants qu'ils seraient moins vraisemblables, d'une infinité de déclamations où l'on ferait dire aux acteurs tout le contraire de ce qu'ils devraient dire. Il faudrait, par exemple, représenter quelque héros ivre, qui se voudrait faire haïr de sa maîtresse de gaieté de cœur, un Lacédémonien grand parleur, un conquérant qui ne débiterait que des maximes d'amour, une femme qui donnerait des leçons de fierté à des conquérants [6]. Voilà sans doute de quoi faire récrier tous ces messieurs. Mais que dirait cependant le petit nombre de gens sages auxquels je m'efforce de plaire? De quel front oserais-je me montrer, pour ainsi dire, aux yeux de ces grands hommes de l'antiquité que j'ai choisis pour modèles? Car, pour me servir de la pensée d'un Ancien, voilà les véritables spectateurs que nous devons nous proposer; et nous devons sans cesse nous demander : « que diraient Homère et Virgile, s'ils lisaient ces vers? que dirait Sophocle, s'il voyait représenter cette scène? » Quoi qu'il en soit, je n'ai point prétendu empêcher qu'on ne parlât contre mes ouvrages; je l'aurais prétendu inutilement : *Quid de te alii loquantur ipsi videant,* dit Cicéron; *sed loquentur tamen.*

Je prie seulement le lecteur de me pardonner cette petite préface, que j'ai faite pour lui rendre raison de ma tragédie. Il n'y a rien de plus naturel que de se défendre quand on se croit injustement attaqué. Je vois que Térence même semble n'avoir fait des prologues que pour se justifier contre les critiques d'un vieux poète malintentionné, *malevoli veteris poetæ,* et qui venait briguer des voix contre lui jusqu'aux heures où l'on représentait ses comédies.

« . . . . Occepta est agi :
« Exclamat, etc. ».

On me pouvait faire une difficulté qu'on ne m'a point faite.

Mais ce qui est échappé aux spectateurs pourra être remarqué par les lecteurs. C'est que je fais entrer Junie dans les vestales, où, selon Aulu-Gelle, on ne recevait personne au-dessous de six ans, ni au-dessus de dix. Mais le peuple prend ici Junie sous sa protection, et j'ai cru qu'en considération de sa naissance, de sa vertu et de son malheur, il pouvait la dispenser de l'âge prescrit par les lois, comme il a dispensé de l'âge pour le consulat tant de grands hommes qui avaient mérité ce privilège.

Enfin, je suis très persuadé qu'on me peut faire bien d'autres critiques, sur lesquelles je n'aurais d'autre parti à prendre que celui d'en profiter à l'avenir. Mais je plains fort le malheur d'un homme qui travaille pour le public. Ceux qui voient le mieux nos défauts sont ceux qui les dissimulent le plus volontiers : ils nous pardonnent les endroits qui leur ont déplu, en faveur de ceux qui leur ont donné du plaisir. Il n'y a rien, au contraire, de plus injuste qu'un ignorant, il croit toujours que l'admiration est le partage des gens qui ne savent rien, il condamne toute une pièce pour une scène qu'il n'approuve pas, il s'attaque même aux endroits les plus éclatants, pour faire croire qu'il a de l'esprit, et pour peu que nous résistions à ses sentiments, il nous traite de présomptueux qui ne veulent croire personne, et ne songe pas qu'il tire quelquefois plus de vanité d'une critique fort mauvaise, que nous n'en tirons d'une assez bonne pièce de théâtre.

« Homine imperito nunquam quidquam injustius.

SECONDE PRÉFACE [7]

Voici celle de mes tragédies que je puis dire que j'ai le plus travaillée. Cependant j'avoue que le succès ne répondit pas d'abord à mes espérances. A peine elle parut sur le théâtre, qu'il s'éleva quantité de critiques qui semblaient la devoir détruire. Je crus moi-même que sa destinée serait à l'avenir moins heureuse que celle de mes autres tragédies. Mais enfin il est arrivé de cette pièce ce qui arrivera toujours des ouvrages qui auront quelque bonté : les critiques se sont évanouies, la pièce est demeurée. C'est maintenant celle des miennes que la cour et le public revoient le plus volontiers. Et si j'ai fait quelque chose de solide, et qui mérite quelque louange, la plupart des connaisseurs demeurent d'accord que c'est ce même *Britannicus*.

A la vérité, j'avais travaillé sur des modèles qui m'avaient extrêmement soutenu dans la peinture que je voulais faire de la cour d'Agrippine et de Néron. J'avais copié mes personnages d'après le plus grand peintre de l'antiquité, je veux dire d'après Tacite, et j'étais alors si rempli de la lecture de cet excellent historien, qu'il n'y a presque pas un trait éclatant dans ma tragédie, dont il ne m'ait donné l'idée. J'avais voulu mettre dans ce recueil un extrait des plus beaux endroits que j'ai tâché d'imiter; mais j'ai trouvé que cet extrait tiendrait presque autant de place que la tragédie. Ainsi le lecteur trouvera bon que je le renvoie à cet auteur, qui aussi bien est entre les mains de tout le monde; et je me contenterai de rapporter ici quelques-uns de ses passages sur chacun des personnages que j'introduis sur la scène.

Pour commencer par Néron, il faut se souvenir qu'il est ici dans les premières années de son règne, qui ont été heureuses, comme l'on sait. Ainsi, il ne m'a pas été permis de le représenter aussi méchant qu'il l'a été depuis. Je ne le représente pas non plus comme un homme vertueux, car il ne l'a jamais été. Il n'a pas encore tué sa mère, sa femme, ses gouverneurs; mais il a en lui les semences de tous ces crimes. Il commence à vouloir secouer le joug; il les hait les uns et les autres, et il leur cache sa haine sous de fausses caresses : *factus natura velare odium fallacibus blanditiis*. En un mot, c'est ici un monstre naissant, mais qui n'ose encore se déclarer, et qui cherche des couleurs à ses méchantes actions : *Hactenus Nero flagitiis et sceleribus velamenta quæsivit*. Il ne pouvait souffrir Octavie, princesse d'une bonté et d'une vertu exemplaires : *fato quodam, an quia prævalent illicita; metuebaturque ne in stupra feminarum illustrium prorumperet*.

Je lui donne Narcisse pour confident. J'ai suivi en cela Tacite, qui dit que « Néron porta impatiemment la mort de Narcisse, parce que cet affranchi avait une conformité merveilleuse avec les vices du prince encore cachés : *Cujus abditis adhuc vitiis mire congruebat* ». Ce passage prouve deux choses : il prouve et que Néron était déjà vicieux, mais qu'il dissimulait ses vices, et que Narcisse l'entretenait dans ses mauvaises inclinations.

J'ai choisi Burrhus pour opposer un honnête homme à cette peste de cour; et je l'ai choisi plutôt que Sénèque. En voici la raison : ils étaient tous deux gouverneurs de la jeunesse de Néron, l'un pour les armes, et l'autre pour les lettres. Et ils étaient fameux, Burrhus pour son expérience dans les armes et pour la sévérité de ses mœurs, *militaribus curis et severitate morum;* Sénèque pour son éloquence et le tour agréable de son esprit, *Seneca præceptis eloquentiæ et comitate honesta*. Burrhus, après sa mort, fut extrêmement regretté à cause de sa vertu : *Civitati grande desiderium ejus mansit per memoriam virtutis*.

Toute leur peine était de résister à l'orgueil et à la férocité d'Agrippine, *quæ cunctis malæ dominationis cupidinibus flagrans, habebat in partibus Pallantem*. Je ne dis que ce mot d'Agrippine, car il y aurait trop de choses à en dire. C'est elle que je me suis surtout efforcé de bien exprimer, et ma tragédie n'est pas moins la disgrâce d'Agrippine que la mort de Britannicus. Cette mort fut un coup de foudre pour elle; et « il parut, dit Tacite, par sa frayeur et par sa consternation, qu'elle était aussi innocente de cette mort qu'Octavie. Agrippine perdait en lui sa dernière espérance, et ce crime lui en faisait craindre un plus grand : *Sibi supremum auxilium ereptum, et parricidii exemplum intelligebat.* »

L'âge de Britannicus était si connu, qu'il ne m'a pas été permis de le représenter autrement que comme un jeune prince qui avait beaucoup de cœur, beaucoup d'amour et beaucoup de franchise, qualités ordinaires d'un jeune homme. Il avait quinze ans, et on dit qu'il avait beaucoup d'esprit, soit qu'on dise vrai, ou que ses malheurs aient fait croire cela de lui, sans qu'il ait pu en donner des marques : *Neque segnem ei fuisse indolem ferunt; sive verum, seu periculis commendatus retinuit famam sine experimento.*

Il ne faut pas s'étonner s'il n'a auprès de lui qu'un aussi méchant homme que Narcisse, « car il y avait longtemps qu'on avait donné ordre qu'il n'y eût auprès de Britannicus que des gens qui n'eussent ni foi ni honneur : *Nam ut proximus quisque Britannico, neque fas neque fidem pensi haberet, olim provisum erat.* »

Il me reste à parler de Junie. Il ne la faut pas confondre avec une vieille coquette qui s'appelait *Junia Silana.* C'est ici une autre Junie, que Tacite appelle *Junia Calvina,* de la famille d'Auguste, sœur de Silanus, à qui Claudius avait promis Octavie. Cette Junie était jeune, belle, et, comme dit Sénèque, *festivissima omnium puellarum.* « Son frère et elle s'aimaient tendrement, et leurs ennemis, dit Tacite, les accusèrent tous deux d'inceste, quoiqu'ils ne fussent coupables que d'un peu d'indiscrétion. » Elle vécut jusqu'au règne de Vespasien.

Je la fais entrer dans les vestales, quoique, selon Aulu-Gelle, on n'y reçût jamais personne au-dessous de six ans ni au-dessus de dix. Mais le peuple prend ici Junie sous sa protection. Et j'ai cru qu'en considération de sa naissance, de sa vertu et de son malheur, il pouvait la dispenser de l'âge prescrit par les lois, comme il a dispensé de l'âge pour le consulat tant de grands hommes qui avaient mérité ce privilège.

ACTEURS

NÉRON, empereur, fils d'Agrippine.
BRITANNICUS, fils de l'empereur Claudius.
AGRIPPINE, veuve de Domitius Enobarbus, père de Néron, et, en secondes noces, veuve de l'empereur Claudius.
JUNIE, amante de Britannicus.
BURRHUS, gouverneur de Néron.
NARCISSE, gouverneur de Britannicus.
ALBINE, confidente d'Agrippine.
GARDES.

La scène est à Rome, dans une chambre du palais de Néron.

BRITANNICUS

ACTE PREMIER

SCÈNE I. — AGRIPPINE, ALBINE

ALBINE

Quoi? tandis que Néron s'abandonne au sommeil,
Faut-il que vous veniez attendre son réveil?
Qu'errant dans le palais sans suite et sans escorte,
La mère de César veille seule à sa porte?
Madame, retournez dans votre appartement.

AGRIPPINE

Albine, il ne faut pas s'éloigner un moment.
Je veux l'attendre ici. Les chagrins qu'il me cause
M'occuperont assez tout le temps qu'il repose.
Tout ce que j'ai prédit n'est que trop assuré :
Contre Britannicus Néron s'est déclaré.
L'impatient Néron cesse de se contraindre;
Las de se faire aimer, il veut se faire craindre.
Britannicus le gêne, Albine, et chaque jour
Je sens que je deviens importune à mon tour.

ALBINE

Quoi? vous à qui Néron doit le jour qu'il respire,
Qui l'avez appelé de si loin à l'empire?
Vous qui, déshéritant le fils de Claudius,
Avez nommé César l'heureux Domitius?
Tout lui parle, Madame, en faveur d'Agrippine :
Il vous doit son amour.

AGRIPPINE

Il me le doit, Albine;
Tout, s'il est généreux, lui prescrit cette loi;
Mais tout, s'il est ingrat, lui parle contre moi.

ALBINE

S'il est ingrat, Madame? Ah! toute sa conduite
Marque dans son devoir une âme trop instruite.
Depuis trois ans entiers, qu'a-t-il dit, qu'a-t-il fait
Qui ne promette à Rome un empereur parfait?
Rome, depuis deux ans, par ses soins gouvernée,

Au temps de ses consuls croit être retournée :
Il la gouverne en père. Enfin, Néron naissant
A toutes les vertus d'Auguste vieillissant.

AGRIPPINE

Non, non, mon intérêt ne me rend point injuste :
Il commence, il est vrai, par où finit Auguste;
Mais crains que l'avenir détruisant le passé,
Il ne finisse ainsi qu'Auguste a commencé [8].
Il se déguise en vain : je lis sur son visage
Des fiers Domitius l'humeur triste et sauvage;
Il mêle avec l'orgueil qu'il a pris dans leur sang
La fierté des Nérons qu'il puisa dans mon flanc.
Toujours la tyrannie a d'heureuses prémices :
De Rome, pour un temps, Caïus fut les délices;
Mais sa feinte bonté se tournant en fureur,
Les délices de Rome en devinrent l'horreur.
Que m'importe, après tout, que Néron, plus fidèle,
D'une longue vertu laisse un jour le modèle?
Ai-je mis dans sa main le timon de l'État
Pour le conduire au gré du peuple et du sénat?
Ah! que de la patrie il soit, s'il veut, le père;
Mais qu'il songe un peu plus qu'Agrippine est sa mère.
De quel nom cependant pouvons-nous appeler
L'attentat que le jour vient de nous révéler?
Il sait, car leur amour ne peut être ignorée,
Que de Britannicus Junie est adorée,
Et ce même Néron, que la vertu conduit,
Fait enlever Junie au milieu de la nuit!
Que veut-il? Est-ce haine, est-ce amour qui l'inspire?
Cherche-t-il seulement le plaisir de leur nuire?
Ou plutôt n'est-ce point que sa malignité
Punit sur eux l'appui que je leur ai prêté?

ALBINE

Vous, leur appui, Madame?

AGRIPPINE

Arrête, chère Albine,
Je sais que j'ai moi seule avancé leur ruine;
Que du trône, où le sang l'a dû faire monter,
Britannicus par moi s'est vu précipiter.
Par moi seule éloigné de l'hymen d'Octavie,

Le frère de Junie abandonna la vie,
Silanus, sur qui Claude avait jeté les yeux,
Et qui comptait Auguste au rang de ses aïeux.
Néron jouit de tout; et moi, pour récompense,
Il faut qu'entre eux et lui je tienne la balance,
Afin que quelque jour, par une même loi,
Britannicus la tienne entre mon fils et moi.

ALBINE

Quel dessein!

AGRIPPINE

Je m'assure un port dans la tempête.
Néron m'échappera, si ce frein ne l'arrête.

ALBINE

Mais prendre contre un fils tant de soins superflus?

AGRIPPINE

Je le craindrais bientôt, s'il ne me craignait plus.

ALBINE

Une injuste frayeur vous alarme peut-être.
Mais si Néron pour vous n'est plus ce qu'il doit être,
Du moins son changement ne vient pas jusqu'à nous,
Et ce sont des secrets entre César et vous.
Quelques titres nouveaux que Rome lui défère,
Néron n'en reçoit point qu'il ne donne à sa mère.
Sa prodigue amitié ne se réserve rien;
Votre nom est dans Rome aussi saint que le sien.
A peine parle-t-on de la triste Octavie.
Auguste votre aïeul honora moins Livie.
Néron devant sa mère a permis le premier
Qu'on portât les faisceaux couronnés de laurier.
Quels effets voulez-vous de sa reconnaissance?

AGRIPPINE

Un peu moins de respect, et plus de confiance.
Tous ces présents, Albine, irritent mon dépit.
Je vois mes honneurs croître et tomber mon crédit.
Non, non, le temps n'est plus que Néron, jeune encore,
Me renvoyait les vœux d'une cour qui l'adore,
Lorsqu'il se reposait sur moi de tout l'État,
Que mon ordre au palais assemblait le sénat,
Et que derrière un voile, invisible et présente,

J'étais de ce grand corps l'âme toute-puissante.
Des volontés de Rome alors mal assuré,
Néron de sa grandeur n'était point enivré.
Ce jour, ce triste jour frappe encor ma mémoire,
Où Néron fut lui-même ébloui de sa gloire,
Quand les ambassadeurs de tant de rois divers
Vinrent le reconnaître au nom de l'univers.
Sur son trône avec lui j'allais prendre ma place :
J'ignore quel conseil prépara ma disgrâce;
Quoi qu'il en soit, Néron, d'aussi loin qu'il me vit,
Laissa sur son visage éclater son dépit.
Mon cœur même en conçut un malheureux augure.
L'ingrat, d'un faux respect colorant son injure,
Se leva par avance, et courant m'embrasser,
Il m'écarta du trône où je m'allais placer [9].
Depuis ce coup fatal, le pouvoir d'Agrippine
Vers sa chute à grands pas chaque jour s'achemine.
L'ombre seule m'en reste, et l'on n'implore plus
Que le nom de Sénèque et l'appui de Burrhus.

ALBINE

Ah! si de ce soupçon votre âme est prévenue,
Pourquoi nourrissez-vous le venin qui vous tue?
Daignez avec César vous éclaircir du moins.

AGRIPPINE

César ne me voit plus, Albine, sans témoins.
En public, à mon heure, on me donne audience;
Sa réponse est dictée, et même son silence.
Je vois deux surveillants, ses maîtres et les miens,
Présider l'un ou l'autre à tous nos entretiens.
Mais je le poursuivrai d'autant plus qu'il m'évite :
De son désordre, Albine, il faut que je profite.
J'entends du bruit; on ouvre. Allons subitement
Lui demander raison de cet enlèvement.
Surprenons, s'il se peut, les secrets de son âme.
Mais quoi? déjà Burrhus sort de chez lui?

SCÈNE II. — AGRIPPINE, BURRHUS, ALBINE

BURRHUS

Madame,
Au nom de l'empereur j'allais vous informer
D'un ordre qui d'abord a pu vous alarmer,

Mais qui n'est que l'effet d'une sage conduite,
Dont César a voulu que vous soyez instruite.

AGRIPPINE

Puisqu'il le veut, entrons : il m'en instruira mieux.

BURRHUS

César pour quelque temps s'est soustrait à nos yeux.
Déjà par une porte au public moins connue
L'un et l'autre consul [10] vous avaient prévenue,
Madame. Mais souffrez que je retourne exprès...

AGRIPPINE

Non, je ne trouble point ses augustes secrets.
Cependant voulez-vous qu'avec moins de contrainte
L'un et l'autre une fois nous nous parlions sans feinte?

BURRHUS

Burrhus pour le mensonge eut toujours trop d'horreur.

AGRIPPINE

Prétendez-vous longtemps me cacher l'empereur?
Ne le verrai-je plus qu'à titre d'importune?
Ai-je donc élevé si haut votre fortune
Pour mettre une barrière entre mon fils et moi?
Ne l'osez-vous laisser un moment sur sa foi [11]?
Entre Sénèque et vous disputez-vous la gloire
A qui m'effacera plus tôt de sa mémoire?
Vous l'ai-je confié pour en faire un ingrat,
Pour être, sous son nom, les maîtres de l'État?
Certes, plus je médite, et moins je me figure
Que vous m'osiez compter pour votre créature [12],
Vous, dont j'ai pu laisser vieillir l'ambition
Dans les honneurs obscurs de quelque légion,
Et moi qui sur le trône ai suivi mes ancêtres,
Moi, fille, femme, sœur et mère de vos maîtres [13]!
Que prétendez-vous donc? Pensez-vous que ma voix
Ait fait un empereur pour m'en imposer trois?
Néron n'est plus enfant : n'est-il pas temps qu'il règne?
Jusqu'à quand voulez-vous que l'empereur vous craigne?
Ne saurait-il rien voir qu'il n'emprunte vos yeux?
Pour se conduire, enfin, n'a-t-il pas ses aïeux?
Qu'il choisisse, s'il veut, d'Auguste ou de Tibère,
Qu'il imite, s'il peut, Germanicus mon père.

Parmi tant de héros je n'ose me placer,
Mais il est des vertus que je lui puis tracer.
Je puis l'instruire au moins combien sa confidence
Entre un sujet et lui doit laisser de distance.

BURRHUS

Je ne m'étais chargé dans cette occasion
Que d'excuser César d'une seule action.
Mais puisque sans vouloir que je le justifie,
Vous me rendez garant du reste de sa vie,
Je répondrai, Madame, avec la liberté
D'un soldat qui sait mal farder la vérité.
Vous m'avez de César confié la jeunesse,
Je l'avoue, et je dois m'en souvenir sans cesse.
Mais vous avais-je fait serment de le trahir,
D'en faire un empereur qui ne sût qu'obéir?
Non. Ce n'est plus à vous qu'il faut que j'en réponde,
Ce n'est plus votre fils, c'est le maître du monde.
J'en dois compte, Madame, à l'empire romain,
Qui croit voir son salut ou sa perte en ma main.
Ah! si dans l'ignorance il le fallait instruire,
N'avait-on que Sénèque et moi pour le séduire?
Pourquoi de sa conduite éloigner les flatteurs?
Fallait-il dans l'exil chercher des corrupteurs?
La cour de Claudius, en esclaves fertile,
Pour deux que l'on cherchait en eût présenté mille,
Qui tous auraient brigué l'honneur de l'avilir :
Dans une longue enfance ils l'auraient fait vieillir.
De quoi vous plaignez-vous, Madame? On vous révère :
Ainsi que par César, on jure par sa mère.
L'empereur, il est vrai, ne vient plus chaque jour
Mettre à vos pieds l'empire, et grossir votre cour.
Mais le doit-il, Madame? et sa reconnaissance
Ne peut-elle éclater que dans sa dépendance?
Toujours humble, toujours le timide Néron
N'ose-t-il être Auguste et César que de nom?
Vous le dirai-je enfin? Rome le justifie.
Rome, à trois affranchis si longtemps asservie [14],
A peine respirant du joug qu'elle a porté,
Du règne de Néron compte sa liberté.
Que dis-je? la vertu semble même renaître.
Tout l'empire n'est plus la dépouille d'un maître :

Le peuple au champ de Mars nomme ses magistrats,
César nomme les chefs sur la foi des soldats;
Thraséas au sénat, Corbulon dans l'armée,
Sont encore innocents, malgré leur renommée;
Les déserts, autrefois peuplés de sénateurs,
Ne sont plus habités que par leurs délateurs.
Qu'importe que César continue à nous croire,
Pourvu que nos conseils ne tendent qu'à sa gloire;
Pourvu que dans le cours d'un règne florissant
Rome soit toujours libre, et César tout-puissant?
Mais, Madame, Néron suffit pour se conduire.
J'obéis, sans prétendre à l'honneur de l'instruire.
Sur ses aïeux, sans doute, il n'a qu'à se régler;
Pour bien faire, Néron n'a qu'à se ressembler,
Heureux si ses vertus, l'une à l'autre enchaînées,
Ramènent tous les ans ses premières années!

AGRIPPINE

Ainsi, sur l'avenir n'osant vous assurer,
Vous croyez que sans vous Néron va s'égarer.
Mais vous qui jusqu'ici content de votre ouvrage,
Venez de ses vertus nous rendre témoignage,
Expliquez-nous pourquoi, devenu ravisseur,
Néron de Silanus fait enlever la sœur?
Ne tient-il qu'à marquer de cette ignominie
Le sang de mes aïeux qui brille dans Junie?
De quoi l'accuse-t-il? Et par quel attentat
Devient-elle en un jour criminelle d'État,
Elle qui sans orgueil jusqu'alors élevée,
N'aurait point vu Néron, s'il ne l'eût enlevée,
Et qui même aurait mis au rang de ses bienfaits
L'heureuse liberté de ne le voir jamais?

BURRHUS

Je sais que d'aucun crime elle n'est soupçonnée;
Mais jusqu'ici César ne l'a point condamnée,
Madame. Aucun objet ne blesse ici ses yeux :
Elle est dans un palais tout plein de ses aïeux.
Vous savez que les droits qu'elle porte avec elle
Peuvent de son époux faire un prince rebelle [15],
Que le sang de César ne se doit allier
Qu'à ceux à qui César le veut bien confier,
Et vous-même avouerez qu'il ne serait pas juste

Qu'on disposât sans lui de la nièce d'Auguste.

AGRIPPINE

Je vous entends : Néron m'apprend par votre voix
Qu'en vain Britannicus s'assure sur mon choix.
En vain, pour détourner ses yeux de sa misère,
J'ai flatté son amour d'un hymen qu'il espère.
A ma confusion, Néron veut faire voir
Qu'Agrippine promet par delà son pouvoir.
Rome de ma faveur est trop préoccupée :
Il veut par cet affront qu'elle soit détrompée,
Et que tout l'univers apprenne avec terreur
A ne confondre plus mon fils et l'empereur.
Il le peut. Toutefois j'ose encore lui dire
Qu'il doit avant ce coup affermir son empire,
Et qu'en me réduisant à la nécessité
D'éprouver contre lui ma faible autorité,
Il expose la sienne, et que dans la balance
Mon nom peut-être aura plus de poids qu'il ne pense.

BURRHUS

Quoi Madame? toujours soupçonner son respect?
Ne peut-il faire un pas qui ne vous soit suspect?
L'empereur vous croit-il du parti de Junie?
Avec Britannicus vous croit-il réunie?
Quoi? de vos ennemis devenez-vous l'appui
Pour trouver un prétexte à vous plaindre de lui?
Sur le moindre discours qu'on pourra vous redire,
Serez-vous toujours prête à partager l'empire?
Vous craindrez-vous sans cesse, et vos embrassements
Ne se passeront-ils qu'en éclaircissements?
Ah! quittez d'un censeur la triste diligence;
D'une mère facile affectez l'indulgence,
Souffrez quelques froideurs sans les faire éclater,
Et n'avertissez point la cour de vous quitter.

AGRIPPINE

Et qui s'honorerait de l'appui d'Agrippine,
Lorsque Néron lui-même annonce ma ruine?
Lorsque de sa présence il semble me bannir?
Quand Burrhus à sa porte ose me retenir?

BURRHUS

Madame, je vois bien qu'il est temps de me taire,
Et que ma liberté commence à vous déplaire.

La douleur est injuste, et toutes les raisons
Qui ne la flattent point aigrissent ses soupçons.
Voici Britannicus. Je lui cède ma place.
Je vous laisse écouter et plaindre sa disgrâce,
Et peut-être, Madame, en accuser les soins
De ceux que l'empereur a consultés le moins.

SCÈNE III. — BRITANNICUS, AGRIPPINE, NARCISSE, ALBINE

AGRIPPINE

Ah, Prince! où courez-vous? Quelle ardeur inquiète
Parmi vos ennemis en aveugle vous jette?
Que venez-vous chercher?

BRITANNICUS

Ce que je cherche? Ah, dieux!
Tout ce que j'ai perdu, Madame, est en ces lieux.
De mille affreux soldats Junie environnée
S'est vue en ce palais indignement traînée.
Hélas! de quelle horreur ses timides esprits
A ce nouveau spectacle auront été surpris!
Enfin on me l'enlève. Une loi trop sévère
Va séparer deux cœurs qu'assemblait leur misère.
Sans doute on ne veut pas que mêlant nos douleurs
Nous nous aidions l'un l'autre à porter nos malheurs.

AGRIPPINE

Il suffit. Comme vous je ressens vos injures [16];
Mes plaintes ont déjà précédé vos murmures.
Mais je ne prétends pas qu'un impuissant courroux
Dégage ma parole et m'acquitte envers vous.
Je ne m'explique point. Si vous voulez m'entendre,
Suivez-moi chez Pallas, où je vais vous attendre.

SCÈNE IV. — BRITANNICUS, NARCISSE

BRITANNICUS

La croirai-je, Narcisse? et dois-je sur sa foi
La prendre pour arbitre entre son fils et moi?
Qu'en dis-tu? N'est-ce pas cette même Agrippine
Que mon père épousa jadis pour sa ruine,
Et qui, si je t'en crois, a de ses derniers jours,
Trop lents pour ses desseins, précipité le cours?

NARCISSE

N'importe. Elle se sent comme vous outragée;
A vous donner Junie elle s'est engagée :
Unissez vos chagrins, liez vos intérêts.
Ce palais retentit en vain de vos regrets :
Tandis qu'on vous verra d'une voix suppliante
Semer ici la plainte et non pas l'épouvante,
Que vos ressentiments se perdront en discours,
Il n'en faut pas douter, vous vous plaindrez toujours.

BRITANNICUS

Ah! Narcisse, tu sais si de la servitude
Je prétends faire encore une longue habitude [17];
Tu sais si pour jamais, de ma chute étonné,
Je renonce à l'empire où j'étais destiné.
Mais je suis seul encor : les amis de mon père
Sont autant d'inconnus que glace ma misère,
Et ma jeunesse même écarte loin de moi
Tous ceux qui dans le cœur me réservent leur foi.
Pour moi, depuis un an qu'un peu d'expérience
M'a donné de mon sort la triste connaissance,
Que vois-je autour de moi, que des amis vendus
Qui sont de tous mes pas les témoins assidus,
Qui choisis par Néron pour ce commerce infâme,
Trafiquent avec lui des secrets de mon âme?
Quoi qu'il en soit, Narcisse, on me vend tous les jours :
Il prévoit mes desseins, il entend mes discours;
Comme toi, dans mon cœur, il sait ce qui se passe.
Que t'en semble, Narcisse?

NARCISSE

Ah! quelle âme assez basse...
C'est à vous de choisir des confidents discrets,
Seigneur, et de ne pas prodiguer vos secrets.

BRITANNICUS

Narcisse, tu dis vrai. Mais cette défiance
Est toujours d'un grand cœur la dernière science;
On le trompe longtemps. Mais enfin je te croi,
Ou plutôt je fais vœu de ne croire que toi.
Mon père, il m'en souvient, m'assura de ton zèle.
Seul de ses affranchis tu m'es toujours fidèle;
Tes yeux, sur ma conduite incessamment ouverts,

M'ont sauvé jusqu'ici de mille écueils couverts.
Va donc voir si le bruit de ce nouvel orage
Aura de nos amis excité le courage.
Examine leurs yeux, observe leurs discours,
Vois si j'en puis attendre un fidèle secours.
Surtout dans ce palais remarque avec adresse
Avec quel soin Néron fait garder la princesse :
Sache si du péril ses beaux yeux sont remplis,
Et si son entretien m'est encore permis.
Cependant de Néron je vais trouver la mère
Chez Pallas, comme toi l'affranchi de mon père.
Je vais la voir, l'aigrir, la suivre et s'il se peut
M'engager sous son nom plus loin qu'elle ne veut.

ACTE DEUXIÈME

SCÈNE I. — NÉRON, BURRHUS, NARCISSE, GARDES.

NÉRON

N'en doutez point, Burrhus : malgré ses injustices,
C'est ma mère, et je veux ignorer ses caprices.
Mais je ne prétends plus ignorer ni souffrir
Le ministre insolent qui les ose nourrir.
Pallas de ses conseils empoisonne ma mère;
Il séduit, chaque jour, Britannicus mon frère,
Ils l'écoutent tout seul, et qui suivrait leurs pas,
Les trouverait peut-être assemblés chez Pallas.
C'en est trop. De tous deux il faut que je l'écarte.
Pour la dernière fois, qu'il s'éloigne, qu'il parte;
Je le veux, je l'ordonne; et que la fin du jour
Ne le retrouve pas dans Rome ou dans ma cour.
Allez : cet ordre importe au salut de l'empire.
Vous, Narcisse, approchez. Et vous, qu'on se retire [18].

SCÈNE II. — NÉRON, NARCISSE

NARCISSE

Grâces aux dieux, Seigneur, Junie entre vos mains
Vous assure aujourd'hui le reste des Romains.
Vos ennemis, déchus de leur vaine espérance,
Sont allés chez Pallas pleurer leur impuissance.
Mais que vois-je? Vous-même, inquiet, étonné,
Plus que Britannicus paraissez consterné.

Que présage à mes yeux cette tristesse obscure
Et ces sombres regards errant à l'aventure?
Tout vous rit : la fortune obéit à vos vœux.

NÉRON

Narcisse, c'en est fait, Néron est amoureux.

NARCISSE

Vous?

NÉRON

Depuis un moment, mais pour toute ma vie,
J'aime, que dis-je, aimer? j'idolâtre Junie!

NARCISSE

Vous l'aimez?

NÉRON

Excité d'un désir curieux,
Cette nuit je l'ai vue arriver en ces lieux,
Triste, levant au ciel ses yeux mouillés de larmes,
Qui brillaient au travers des flambeaux et des armes,
Belle, sans ornements, dans le simple appareil
D'une beauté qu'on vient d'arracher au sommeil.
Que veux-tu? Je ne sais si cette négligence,
Les ombres, les flambeaux, les cris et le silence,
Et le farouche aspect de ses fiers ravisseurs,
Relevaient de ses yeux les timides douceurs,
Quoi qu'il en soit, ravi d'une si belle vue,
J'ai voulu lui parler, et ma voix s'est perdue :
Immobile, saisi d'un long étonnement,
Je l'ai laissé passer dans son appartement.
J'ai passé dans le mien. C'est là que, solitaire,
De son image en vain j'ai voulu me distraire.
Trop présente à mes yeux je croyais lui parler,
J'aimais jusqu'à ses pleurs que je faisais couler.
Quelquefois, mais trop tard, je lui demandais grâce;
J'employais les soupirs, et même la menace.
Voilà comme, occupé de mon nouvel amour,
Mes yeux, sans se fermer, ont attendu le jour.
Mais je m'en fais peut-être une trop belle image,
Elle m'est apparue avec trop d'avantage :
Narcisse, qu'en dis-tu?

NARCISSE

Quoi, Seigneur? croira-t-on
Qu'elle ait pu si longtemps se cacher à Néron?

NÉRON

Tu le sais bien, Narcisse. Et soit que sa colère
M'imputât le malheur qui lui ravit son frère,
Soit que son cœur, jaloux d'une austère fierté,
Enviât à nos yeux sa naissante beauté,
Fidèle à sa douleur, et dans l'ombre enfermée,
Elle se dérobait même à sa renommée.
Et c'est cette vertu, si nouvelle à la cour,
Dont la persévérance irrite mon amour.
Quoi, Narcisse? tandis qu'il n'est point de Romaine
Que mon amour n'honore et ne rende plus vaine,
Qui dès qu'à ses regards elle ose se fier,
Sur le cœur de César ne les vienne essayer,
Seule dans son palais la modeste Junie
Regarde leurs honneurs comme une ignominie,
Fuit, et ne daigne pas peut-être s'informer
Si César est aimable ou bien s'il sait aimer?
Dis-moi : Britannicus l'aime-t-il?

NARCISSE

Quoi! s'il l'aime,
Seigneur?

NÉRON

Si jeune encor, se connaît-il lui-même?
D'un regard enchanteur connaît-il le poison?

NARCISSE

Seigneur, l'amour toujours n'attend pas la raison.
N'en doutez point, il l'aime. Instruits par tant de charmes,
Ses yeux sont déjà faits à l'usage des larmes.
A ses moindres désirs il sait s'accommoder,
Et peut-être déjà sait-il persuader.

NÉRON

Que dis-tu? Sur son cœur il aurait quelque empire?

NARCISSE

Je ne sais. Mais, Seigneur, ce que je puis vous dire,
Je l'ai vu quelquefois s'arracher de ces lieux,
Le cœur plein d'un courroux qu'il cachait à vos yeux,

D'une cour qui le fuit pleurant l'ingratitude,
Las de votre grandeur et de sa servitude,
Entre l'impatience et la crainte flottant,
Il allait voir Junie, et revenait content.

NÉRON

D'autant plus malheureux qu'il aura su lui plaire,
Narcisse, il doit plutôt souhaiter sa colère.
Néron impunément ne sera pas jaloux.

NARCISSE

Vous? Et de quoi, Seigneur, vous inquiétez-vous?
Junie a pu le plaindre et partager ses peines :
Elle n'a vu couler de larmes que les siennes.
Mais aujourd'hui, Seigneur, que ses yeux dessillés
Regardant de plus près l'éclat dont vous brillez,
Verront autour de vous les rois sans diadème,
Inconnus dans la foule, et son amant lui-même,
Attachés sur vos yeux s'honorer d'un regard
Que vous aurez sur eux fait tomber au hasard;
Quand elle vous verra, de ce degré de gloire,
Venir en soupirant avouer sa victoire :
Maître, n'en doutez point, d'un cœur déjà charmé,
Commandez qu'on vous aime, et vous serez aimé.

NÉRON

A combien de chagrins il faut que je m'apprête!
Que d'importunités!

NARCISSE

Quoi donc? qui vous arrête,
Seigneur?

NÉRON

Tout : Octavie, Agrippine, Burrhus,
Sénèque, Rome entière, et trois ans de vertus.
Non que pour Octavie un reste de tendresse
M'attache à son hymen et plaigne sa jeunesse :
Mes yeux, depuis longtemps fatigués de ses soins,
Rarement de ses pleurs daignent être témoins;
Trop heureux, si bientôt la faveur d'un divorce
Me soulageait d'un joug qu'on m'imposa par force!
Le ciel même en secret semble la condamner :
Ses vœux, depuis quatre ans, ont beau l'importuner,
Les dieux ne montrent point que sa vertu les touche :

D'aucun gage, Narcisse, ils n'honorent sa couche;
L'empire vainement demande un héritier.

NARCISSE

Que tardez-vous, Seigneur, à la répudier?
L'empire, votre cœur, tout condamne Octavie.
Auguste, votre aïeul, soupirait pour Livie :
Par un double divorce ils s'unirent tous deux,
Et vous devez l'empire à ce divorce heureux.
Tibère, que l'hymen plaça dans sa famille,
Osa bien à ses yeux répudier sa fille [19].
Vous seul, jusques ici contraire à vos désirs,
N'osez par un divorce assurer vos plaisirs.

NÉRON

Et ne connais-tu pas l'implacable Agrippine?
Mon amour inquiet déjà se l'imagine
Qui m'amène Octavie, et d'un œil enflammé
Atteste les saints droits d'un nœud qu'elle a formé;
Et portant à mon cœur des atteintes plus rudes,
Me fait un long récit de mes ingratitudes.
De quel front soutenir ce fâcheux entretien?

NARCISSE

N'êtes-vous pas, Seigneur, votre maître et le sien?
Vous verrons-nous toujours trembler sous sa tutelle?
Vivez, régnez pour vous : c'est trop régner pour elle.
Craignez-vous? Mais, Seigneur, vous ne la craignez pas :
Vous venez de bannir le superbe Pallas,
Pallas, dont vous savez qu'elle soutient l'audace.

NÉRON

Éloigné de ses yeux, j'ordonne, je menace,
J'écoute vos conseils, j'ose les approuver;
Je m'excite contre elle, et tâche à la braver :
Mais (je t'expose ici mon âme toute nue)
Sitôt que mon malheur me ramène à sa vue,
Soit que je n'ose encor démentir le pouvoir
De ces yeux où j'ai lu si longtemps mon devoir;
Soit qu'à tant de bienfaits ma mémoire fidèle
Lui soumettre en secret tout ce que je tiens d'elle,
Mais enfin mes efforts ne me servent de rien :
Mon génie [20] étonné tremble devant le sien.
Et c'est pour m'affranchir de cette dépendance,

Que je la fuis partout, que même je l'offense,
Et que de temps en temps j'irrite ses ennuis,
Afin qu'elle m'évite autant que je la fuis.
Mais je t'arrête trop. Retire-toi, Narcisse;
Britannicus pourrait t'accuser d'artifice.

NARCISSE

Non, non; Britannicus s'abandonne à ma foi;
Par son ordre, Seigneur, il croit que je vous voi,
Que je m'informe ici de tout ce qui le touche,
Et veut de vos secrets être instruit par ma bouche.
Impatient surtout de revoir ses amours,
Il attend de mes soins ce fidèle secours.

NÉRON

J'y consens; porte-lui cette douce nouvelle :
Il la verra.

NARCISSE

Seigneur, bannissez-le loin d'elle.

NÉRON

J'ai mes raisons, Narcisse; et tu peux concevoir
Que je lui vendrai cher le plaisir de la voir.
Cependant vante-lui ton heureux stratagème,
Dis-lui qu'en sa faveur on me trompe moi-même,
Qu'il la voit sans mon ordre. On ouvre : la voici.
Va retrouver ton maître, et l'amener ici.

SCÈNE III. — NÉRON, JUNIE

NÉRON

Vous vous troublez, Madame, et changez de visage.
Lisez-vous dans mes yeux quelque triste présage?

JUNIE

Seigneur, je ne vous puis déguiser mon erreur :
J'allais voir Octavie, et non pas l'empereur.

NÉRON

Je le sais bien, Madame, et n'ai pu sans envie
Apprendre vos bontés pour l'heureuse Octavie.

JUNIE

Vous, Seigneur?

NÉRON

Pensez-vous, Madame, qu'en ces lieux,
Seule pour vous connaître Octavie ait des yeux?

JUNIE

Et quel autre, Seigneur, voulez-vous que j'implore?
A qui demanderai-je un crime que j'ignore?
Vous qui le punissez, vous ne l'ignorez pas :
De grâce, apprenez-moi, Seigneur, mes attentats.

NÉRON

Quoi, Madame? est-ce donc une légère offense
De m'avoir si longtemps caché votre présence?
Ces trésors dont le ciel voulut vous embellir,
Les avez-vous reçus pour les ensevelir?
L'heureux Britannicus verra-t-il sans alarmes
Croître, loin de nos yeux, son amour et vos charmes?
Pourquoi, de cette gloire exclu jusqu'à ce jour,
M'avez-vous, sans pitié, relégué dans ma cour?
On dit plus : vous souffrez sans en être offensée
Qu'il vous ose, Madame, expliquer sa pensée.
Car je ne croirai point que sans me consulter
La sévère Junie ait voulu le flatter,
Ni qu'elle ait consenti d'aimer et d'être aimée,
Sans que j'en sois instruit que par la renommée.

JUNIE

Je ne vous nierai point, Seigneur, que ses soupirs
M'ont daigné quelquefois expliquer ses désirs.
Il n'a point détourné ses regards d'une fille,
Seul reste du débris d'une illustre famille.
Peut-être il se souvient qu'en un temps plus heureux
Son père me nomma pour l'objet de ses vœux.
Il m'aime; il obéit à l'empereur son père,
Et j'ose dire encore, à vous, à votre mère :
Vos désirs sont toujours si conformes aux siens...

NÉRON

Ma mère a ses desseins, Madame, et j'ai les miens.
Ne parlons plus ici de Claude et d'Agrippine :
Ce n'est point par leur choix que je me détermine.
C'est à moi seul, Madame, à répondre de vous,
Et je veux de ma main vous choisir un époux.

JUNIE

Ah! Seigneur songez-vous que toute autre alliance
Fera honte aux Césars, auteurs de ma naissance?

NÉRON

Non, Madame, l'époux dont je vous entretiens
Peut sans honte assembler vos aïeux et les siens,
Vous pouvez, sans rougir, consentir à sa flamme.

JUNIE

Et quel est donc, Seigneur, cet époux?

NÉRON

Moi, madame.

JUNIE

Vous?

NÉRON

Je vous nommerais, Madame, un autre nom,
Si j'en savais quelque autre au-dessus de Néron.
Oui, pour vous faire un choix où vous puissiez souscrire,
J'ai parcouru des yeux la cour, Rome et l'empire.
Plus j'ai cherché, Madame, et plus je cherche encor
En quelles mains je dois confier ce trésor,
Plus je vois que César, digne seul de vous plaire,
En doit être lui seul l'heureux dépositaire,
Et ne peut dignement vous confier qu'aux mains
A qui Rome a commis l'empire des humains.
Vous-même, consultez vos premières années :
Claudius à son fils les avait destinées,
Mais c'était en un temps où de l'empire entier
Il croyait quelque jour le nommer l'héritier.
Les dieux ont prononcé. Loin de leur contredire,
C'est à vous de passer du côté de l'empire.
En vain de ce présent ils m'auraient honoré,
Si votre cœur devait en être séparé,
Si tant de soins ne sont adoucis par vos charmes,
Si tandis que je donne aux veilles, aux alarmes,
Des jours toujours à plaindre et toujours enviés,
Je ne vais quelquefois respirer à vos pieds.
Qu'Octavie à vos yeux ne fasse point d'ombrage :
Rome, aussi bien que moi, vous donne son suffrage,
Répudie Octavie, et me fait dénouer
Un hymen que le ciel ne veut point avouer.
Songez-y donc, Madame, et pesez en vous-même
Ce choix digne des soins d'un prince qui vous aime,
Digne de vos beaux yeux trop longtemps captivés,
Digne de l'univers à qui vous vous devez.

JUNIE

Seigneur, avec raison je demeure étonnée.
Je me vois, dans le cours d'une même journée,
Comme une criminelle amenée en ces lieux;
Et lorsque avec frayeur je parais à vos yeux,
Que sur mon innocence à peine je me fie,
Vous m'offrez tout d'un coup la place d'Octavie.
J'ose dire pourtant que je n'ai mérité
Ni cet excès d'honneur, ni cette indignité.
Et pouvez-vous, Seigneur, souhaiter qu'une fille
Qui vit presque en naissant éteindre sa famille,
Qui dans l'obscurité nourrissant sa douleur,
S'est fait une vertu conforme à son malheur,
Passe subitement de cette nuit profonde
Dans un rang qui l'expose aux yeux de tout le monde,
Dont je n'ai pu de loin soutenir la clarté,
Et dont une autre enfin remplit la majesté?

NÉRON

Je vous ai déjà dit que je la répudie.
Ayez moins de frayeur, ou moins de modestie.
N'accusez point ici mon choix d'aveuglement;
Je vous réponds de vous; consentez seulement.
Du sang dont vous sortez rappelez la mémoire,
Et ne préférez point à la solide gloire
Des honneurs dont César prétend vous revêtir,
La gloire d'un refus sujet au repentir.

JUNIE

Le ciel connaît, Seigneur, le fond de ma pensée.
Je ne me flatte point d'une gloire insensée :
Je sais de vos présents mesurer la grandeur;
Mais plus ce rang sur moi répandrait de splendeur,
Plus il me ferait honte, et mettrait en lumière
Le crime d'en avoir dépouillé l'héritière.

NÉRON

C'est de ses intérêts prendre beaucoup de soin,
Madame; et l'amitié ne peut aller plus loin.
Mais ne nous flattons point, et laissons le mystère :
La sœur vous touche ici beaucoup moins que le frère,
Et pour Britannicus...

JUNIE

Il a su me toucher,
Seigneur, et je n'ai point prétendu m'en cacher.
Cette sincérité sans doute est peu discrète;
Mais toujours de mon cœur ma bouche est l'interprète.
Absente de la cour, je n'ai pas dû penser,
Seigneur, qu'en l'art de feindre il fallût m'exercer.
J'aime Britannicus. Je lui fus destinée
Quand l'empire devait suivre son hyménée :
Mais ces mêmes malheurs qui l'en ont écarté,
Ses honneurs abolis, son palais déserté,
La fuite d'une cour que sa chute a bannie,
Sont autant de liens qui retiennent Junie.
Tout ce que vous voyez conspire à vos désirs;
Vos jours toujours sereins coulent dans les plaisirs :
L'empire en est pour vous l'inépuisable source;
Ou, si quelque chagrin en interrompt la course,
Tout l'univers soigneux de les entretenir
S'empresse à l'effacer de votre souvenir.
Britannicus est seul. Quelque ennui qui le presse,
Il ne voit, dans son sort, que moi qui s'intéresse,
Et n'a pour tout plaisir, Seigneur, que quelques pleurs
Qui lui font quelquefois oublier ses malheurs.

NÉRON

Et ce sont ces plaisirs et ces pleurs que j'envie,
Que tout autre que lui me paierait de sa vie.
Mais je garde à ce prince un traitement plus doux :
Madame, il va bientôt paraître devant vous.

JUNIE

Ah, Seigneur! vos vertus m'ont toujours rassurée.

NÉRON

Je pouvais de ces lieux lui défendre l'entrée;
Mais, Madame, je veux prévenir le danger
Où son ressentiment le pourrait engager.
Je ne veux point le perdre : il vaut mieux que lui-même
Entende son arrêt de la bouche qu'il aime.
Si ses jours vous sont chers, éloignez-le de vous,
Sans qu'il ait aucun lieu de me croire jaloux.
De son bannissement prenez sur vous l'offense,
Et soit par vos discours, soit par votre silence,

Du moins par vos froideurs, faites-lui concevoir
Qu'il doit porter ailleurs ses vœux et son espoir.

JUNIE

Moi! que je lui prononce un arrêt si sévère?
Ma bouche mille fois lui jura le contraire.
Quand même jusque-là je pourrais me trahir,
Mes yeux lui défendront, Seigneur, de m'obéir.

NÉRON

Caché près de ces lieux, je vous verrai, Madame.
Renfermez votre amour dans le fond de votre âme
Vous n'aurez point pour moi de langages secrets :
J'entendrai des regards que vous croirez muets,
Et sa perte sera l'infaillible salaire
D'un geste ou d'un soupir échappé pour lui plaire.

JUNIE

Hélas! si j'ose encor former quelques souhaits,
Seigneur, permettez-moi de ne le voir jamais!

SCÈNE IV. — NÉRON, JUNIE, NARCISSE

NARCISSE

Britannicus, Seigneur, demande la princesse :
Il approche.

NÉRON

Qu'il vienne.

JUNIE

Ah Seigneur!

NÉRON

Je vous laisse.
Sa fortune dépend de vous plus que de moi :
Madame, en le voyant, songez que je vous voi.

SCÈNE V. — JUNIE, NARCISSE

JUNIE

Ah! cher Narcisse, cours au-devant de ton maître :
Dis-lui... Je suis perdue, et je le vois paraître!

SCÈNE VI. — JUNIE, BRITANNICUS, NARCISSE

BRITANNICUS

Madame, quel bonheur me rapproche de vous?
Quoi? je puis donc jouir d'un entretien si doux?

Mais parmi ce plaisir, quel chagrin me dévore!
Hélas! puis-je espérer de vous revoir encore?
Faut-il que je dérobe, avec mille détours,
Un bonheur que vos yeux m'accordaient tous les jours?
Quelle nuit! quel réveil! Vos pleurs, votre présence
N'ont point de ces cruels désarmé l'insolence?
Que faisait votre amant? Quel démon envieux
M'a refusé l'honneur de mourir à vos yeux?
Hélas! dans la frayeur dont vous étiez atteinte,
M'avez-vous en secret adressé quelque plainte?
Ma princesse, avez-vous daigné me souhaiter?
Songiez-vous aux douleurs que vous m'alliez coûter?
Vous ne me dites rien? Quel accueil! Quelle glace!
Est-ce ainsi que vos yeux consolent ma disgrâce?
Parlez : nous sommes seuls. Notre ennemi trompé
Tandis que je vous parle est ailleurs occupé.
Ménageons les moments de cette heureuse absence.

JUNIE

Vous êtes en des lieux tout pleins de sa puissance.
Ces murs mêmes, Seigneur, peuvent avoir des yeux,
Et jamais l'empereur n'est absent de ces lieux.

BRITANNICUS

Et depuis quand, Madame, êtes-vous si craintive?
Quoi? déjà votre amour souffre qu'on le captive?
Qu'est devenu ce cœur qui me jurait toujours
De faire à Néron même envier nos amours?
Mais bannissez, Madame, une inutile crainte.
La foi dans tous les cœurs n'est pas encore éteinte;
Chacun semble des yeux approuver mon courroux,
La mère de Néron se déclare pour nous,
Rome, de sa conduite elle-même offensée...

JUNIE

Ah! Seigneur, vous parlez contre votre pensée.
Vous-même, vous m'avez avoué mille fois
Que Rome le louait d'une commune voix;
Toujours à sa vertu vous rendiez quelque hommage.
Sans doute la douleur vous dicte ce langage.

BRITANNICUS

Ce discours me surprend, il le faut avouer.
Je ne vous cherchais pas pour l'entendre louer.

Quoi? pour vous confier la douleur qui m'accable,
A peine je dérobe un moment favorable,
Et ce moment si cher, Madame, est consumé
A louer l'ennemi dont je suis opprimé?
Qui vous rend à vous-même, en un jour, si contraire?
Quoi! même vos regards ont appris à se taire?
Que vois-je? Vous craignez de rencontrer mes yeux?
Néron vous plairait-il? Vous serais-je odieux?
Ah! si je le croyais... Au nom des dieux, Madame,
Éclaircissez le trouble où vous jetez mon âme.
Parlez. Ne suis-je plus dans votre souvenir?

JUNIE

Retirez-vous, Seigneur; l'empereur va venir.

BRITANNICUS

Après ce coup, Narcisse, à qui dois-je m'attendre?

SCÈNE VII. — NÉRON, JUNIE, NARCISSE

NÉRON

Madame...

JUNIE

Non, Seigneur, je ne puis rien entendre.
Vous êtes obéi. Laissez couler du moins
Des larmes dont ses yeux ne seront pas témoins.

SCÈNE VIII. — NÉRON, NARCISSE

NÉRON

Eh bien! de leur amour tu vois la violence,
Narcisse : elle a paru jusque dans son silence!
Elle aime mon rival, je ne puis l'ignorer;
Mais je mettrai ma joie à le désespérer.
Je me fais de sa peine une image charmante,
Et je l'ai vu douter du cœur de son amante.
Je la suis. Mon rival t'attend pour éclater :
Par de nouveaux soupçons, va, cours le tourmenter.
Et tandis qu'à mes yeux on le pleure, on l'adore,
Fais-lui payer bien cher un bonheur qu'il ignore.

NARCISSE, *seul.*

La fortune t'appelle une seconde fois,
Narcisse : voudrais-tu résister à sa voix?

Suivons jusques au bout ses ordres favorables;
Et pour nous rendre heureux, perdons les misérables [21].

ACTE TROISIÈME

SCÈNE I [22]. — NÉRON, BURRHUS

BURRHUS

Pallas obéira, Seigneur.

NÉRON

Et de quel œil
Ma mère a-t-elle vu confondre son orgueil?

BURRHUS

Ne doutez point, Seigneur, que ce coup ne la frappe,
Qu'en reproches bientôt sa douleur ne s'échappe.
Ses transports dès longtemps commencent d'éclater.
A d'inutiles cris puissent-ils s'arrêter!

NÉRON

Quoi? de quelque dessein la croyez-vous capable?

BURRHUS

Agrippine, Seigneur, est toujours redoutable.
Rome et tous vos soldats révèrent ses aïeux;
Germanicus son père est présent à leurs yeux.
Elle sait son pouvoir; vous savez son courage;
Et ce qui me la fait redouter davantage,
C'est que vous appuyez vous-même son courroux
Et que vous lui donnez des armes contre vous.

NÉRON

Moi, Burrhus?

BURRHUS

Cet amour, Seigneur, qui vous possède...

NÉRON

Je vous entends, Burrhus. Le mal est sans remède.
Mon cœur s'en est plus dit que vous ne m'en direz;
Il faut que j'aime enfin.

BURRHUS

Vous vous le figurez,
Seigneur; et satisfait de quelque résistance,
Vous redoutez un mal faible dans sa naissance.

Mais si, dans son devoir, votre cœur affermi
Voulait ne point s'entendre avec son ennemi,
Si de vos premiers ans vous consultiez la gloire,
Si vous daigniez, Seigneur, rappeler la mémoire
Des vertus d'Octavie indignes de ce prix,
Et de son chaste amour vainqueur de vos mépris,
Surtout si, de Junie évitant la présence,
Vous condamniez vos yeux à quelques jours d'absence :
Croyez-moi, quelque amour qui semble vous charmer,
On n'aime point, Seigneur, si l'on ne veut aimer.

NÉRON

Je vous croirai, Burrhus, lorsque dans les alarmes
Il faudra soutenir la gloire de nos armes,
Ou lorsque, plus tranquille, assis dans le sénat,
Il faudra décider du destin de l'état :
Je m'en reposerai sur votre expérience.
Mais, croyez-moi, l'amour est une autre science,
Burrhus, et je ferais quelque difficulté
D'abaisser jusque-là votre sévérité.
Adieu. Je souffre trop, éloigné de Junie.

SCÈNE II. — BURRHUS, *seul.*

Enfin, Burrhus, Néron découvre son génie :
Cette férocité que tu croyais fléchir,
De tes faibles liens est prête à s'affranchir.
En quels excès peut-être elle va se répandre !
O dieux ! en ce malheur quel conseil dois-je prendre ?
Sénèque, dont les soins me devraient soulager,
Occupé loin de Rome, ignore ce danger.
Mais quoi ? si d'Agrippine excitant la tendresse
Je pouvais... La voici : mon bonheur me l'adresse.

SCÈNE III. — AGRIPPINE, BURRHUS, ALBINE

AGRIPPINE

Eh bien ! je me trompais, Burrhus, dans mes soupçons ?
Et vous vous signalez par d'illustres leçons !
On exile Pallas, dont le crime peut-être
Est d'avoir à l'empire élevé votre maître.
Vous le savez trop bien : jamais, sans ses avis,
Claude qu'il gouvernait n'eût adopté mon fils.
Que dis-je ? À son épouse on donne une rivale ;

On affranchit Néron de la foi conjugale !
Digne emploi d'un ministre ennemi des flatteurs,
Choisi pour mettre un frein à ses jeunes ardeurs,
De les flatter lui-même, et nourrir dans son âme
Le mépris de sa mère et l'oubli de sa femme !

BURRHUS

Madame, jusqu'ici c'est trop tôt m'accuser.
L'empereur n'a rien fait qu'on ne puisse excuser.
N'imputez qu'à Pallas un exil nécessaire :
Son orgueil dès longtemps exigeait ce salaire,
Et l'empereur ne fait qu'accomplir à regret
Ce que toute la cour demandait en secret.
Le reste est un malheur qui n'est point sans ressource :
Des larmes d'Octavie on peut tarir la source.
Mais calmez vos transports. Par un chemin plus doux,
Vous lui pourrez plus tôt ramener son époux :
Les menaces, les cris le rendront plus farouche.

AGRIPPINE

Ah ! l'on s'efforce en vain de me fermer la bouche.
Je vois que mon silence irrite vos dédains,
Et c'est trop respecter l'ouvrage de mes mains.
Pallas n'emporte pas tout l'appui d'Agrippine :
Le ciel m'en laisse assez pour venger ma ruine.
Le fils de Claudius commence à ressentir
Des crimes dont je n'ai que le seul repentir [23].
J'irai, n'en doutez point, le montrer à l'armée,
Plaindre aux yeux des soldats son enfance opprimée,
Leur faire, à mon exemple, expier leur erreur.
On verra d'un côté le fils d'un empereur
Redemandant la foi jurée à sa famille,
Et de Germanicus on entendra la fille;
De l'autre, l'on verra le fils d'Ænobarbus,
Appuyé de Sénèque et du tribun Burrhus [24],
Qui tous deux, de l'exil rappelés par moi-même,
Partagent à mes yeux l'autorité suprême.
De nos crimes communs je veux qu'on soit instruit;
On saura les chemins par où je l'ai conduit.
Pour rendre sa puissance et la vôtre odieuses,
J'avouerai les rumeurs les plus injurieuses :
Je confesserai tout, exils, assassinats,
Poison même...

BURRHUS

Madame, ils ne vous croiront pas.
Ils sauront récuser l'injuste stratagème
D'un témoin irrité qui s'accuse lui-même.
Pour moi, qui le premier secondai vos desseins,
Qui fis même jurer l'armée entre ses mains,
Je ne me repens point de ce zèle sincère.
Madame, c'est un fils qui succède à son père.
En adoptant Néron, Claudius par son choix
De son fils et du vôtre a confondu les droits.
Rome l'a pu choisir. Ainsi, sans être injuste,
Elle choisit Tibère adopté par Auguste;
Et le jeune Agrippa, de son sang descendu,
Se vit exclu du rang vainement prétendu.
Sur tant de fondements sa puissance établie
Par vous-même aujourd'hui ne peut être affaiblie :
Et s'il m'écoute encor, Madame, sa bonté
Vous en fera bientôt perdre la volonté.
J'ai commencé, je vais poursuivre mon ouvrage.

SCÈNE IV. — AGRIPPINE, ALBINE

ALBINE

Dans quel emportement la douleur vous engage,
Madame! L'empereur puisse-t-il l'ignorer!

AGRIPPINE

Ah! lui-même à mes yeux puisse-t-il se montrer!

ALBINE

Madame, au nom des dieux, cachez votre colère.
Quoi? pour les intérêts de la sœur ou du frère,
Faut-il sacrifier le repos de vos jours?
Contraindrez-vous César jusque dans ses amours?

AGRIPPINE

Quoi? tu ne vois donc pas jusqu'où l'on me ravale,
Albine? C'est à moi qu'on donne une rivale.
Bientôt, si je ne romps ce funeste lien,
Ma place est occupée et je ne suis plus rien.
Jusqu'ici d'un vain titre Octavie honorée,
Inutile à la cour, en était ignorée.
Les grâces, les honneurs, par moi seule versés,

M'attiraient des mortels les vœux intéressés.
Une autre de César a surpris la tendresse :
Elle aura le pouvoir d'épouse et de maîtresse,
Le fruit de tant de soins, la pompe des Césars,
Tout deviendra le prix d'un seul de ses regards.
Que dis-je? l'on m'évite, et déjà délaissée...
Ah! je ne puis, Albine, en souffrir la pensée.
Quand je devrais du ciel hâter l'arrêt fatal [25],
Néron, l'ingrat Néron... Mais voici son rival.

SCÈNE V. — BRITANNICUS, AGRIPPINE, NARCISSE, ALBINE

BRITANNICUS

Nos ennemis communs ne sont pas invincibles,
Madame, nos malheurs trouvent des cœurs sensibles.
Vos amis et les miens, jusqu'alors si secrets,
Tandis que nous perdions le temps en vains regrets,
Animés du courroux qu'allume l'injustice,
Viennent de confier leur douleur à Narcisse.
Néron n'est pas encor tranquille possesseur
De l'ingrate qu'il aime au mépris de ma sœur.
Si vous êtes toujours sensible à son injure,
On peut dans son devoir ramener le parjure.
La moitié du sénat s'intéresse pour nous :
Sylla, Pison, Plautus...

AGRIPPINE

Prince, que dites-vous?
Sylla, Pison, Plautus! les chefs de la noblesse!

BRITANNICUS

Madame, je vois bien que ce discours vous blesse;
Et que votre courroux, tremblant, irrésolu,
Craint déjà d'obtenir tout ce qu'il a voulu.
Non, vous avez trop bien établi ma disgrâce :
D'aucun ami pour moi ne redoutez l'audace.
Il ne m'en reste plus, et vos soins trop prudents
Les ont tous écartés ou séduits dès longtemps.

AGRIPPINE

Seigneur, à vos soupçons donnez moins de créance :
Notre salut dépend de notre intelligence.
J'ai promis, il suffit. Malgré vos ennemis,

Je ne révoque rien de ce que j'ai promis.
Le coupable Néron fuit en vain ma colère :
Tôt ou tard il faudra qu'il entende sa mère.
J'essaierai tour à tour la force et la douceur,
Ou moi-même, avec moi conduisant votre sœur,
J'irai semer partout ma crainte et ses alarmes,
Et ranger tous les cœurs du parti de ses larmes.
Adieu. J'assiégerai Néron de toutes parts.
Vous, si vous m'en croyez, évitez ses regards.

SCÈNE VI. — BRITANNICUS, NARCISSE

BRITANNICUS

Ne m'as-tu point flatté d'une fausse espérance?
Puis-je sur ton récit fonder quelque assurance,
Narcisse?

NARCISSE

Oui. Mais, Seigneur, ce n'est pas en ces lieux
Qu'il faut développer ce mystère à vos yeux.
Sortons. Qu'attendez-vous?

BRITANNICUS

Ce que j'attends, Narcisse?
Hélas!

NARCISSE

Expliquez-vous.

BRITANNICUS

Si par ton artifice,
Je pouvais revoir...

NARCISSE

Qui?

BRITANNICUS

J'en rougis. Mais enfin
D'un cœur moins agité j'attendrais mon destin.

NARCISSE

Après tous mes discours, vous la croyez fidèle?

BRITANNICUS

Non, je la crois, Narcisse, ingrate, criminelle,
Digne de mon courroux; mais je sens, malgré moi,
Que je ne le crois pas autant que je le doi.
Dans ses égarements mon cœur opiniâtre

Lui prête des raisons, l'excuse, l'idolâtre.
Je voudrais vaincre enfin mon incrédulité,
Je la voudrais haïr avec tranquillité.
Et qui croira qu'un cœur si grand en apparence,
D'une infidèle cour ennemi dès l'enfance,
Renonce à tant de gloire, et dès le premier jour
Trame une perfidie inouïe à la cour?

NARCISSE

Et qui sait si l'ingrate, en sa longue retraite,
N'a point de l'empereur médité la défaite?
Trop sûre que ses yeux ne pouvaient se cacher,
Peut-être elle fuyait pour se faire chercher,
Pour exciter Néron par la gloire pénible
De vaincre une fierté jusqu'alors invincible.

BRITANNICUS

Je ne la puis donc voir?

NARCISSE

Seigneur, en ce moment
Elle reçoit les vœux de son nouvel amant.

BRITANNICUS

Eh bien! Narcisse, allons. Mais que vois-je? C'est elle.

NARCISSE

Ah! dieux! A l'empereur portons cette nouvelle.

SCÈNE VII. — BRITANNICUS, JUNIE

JUNIE

Retirez-vous, Seigneur, et fuyez un courroux
Que ma persévérance allume contre vous.
Néron est irrité. Je me suis échappée
Tandis qu'à l'arrêter sa mère est occupée.
Adieu; réservez-vous, sans blesser mon amour,
Au plaisir de me voir justifier un jour;
Votre image sans cesse est présente à mon âme :
Rien ne l'en peut bannir.

BRITANNICUS

Je vous entends, Madame;
Vous voulez que ma fuite assure vos désirs,
Que je laisse un champ libre à vos nouveaux soupirs.
Sans doute, en me voyant, une pudeur secrète

Ne vous laisse goûter qu'une joie inquiète.
Eh bien! il faut partir.

JUNIE

Seigneur, sans m'imputer...

BRITANNICUS

Ah! vous deviez du moins plus longtemps disputer.
Je ne murmure point qu'une amitié commune
Se range du parti que flatte la fortune;
Que l'éclat d'un empire ait pu vous éblouir;
Qu'aux dépens de ma sœur vous en vouliez jouir;
Mais que de ces grandeurs comme une autre occupée
Vous m'en ayez paru si longtemps détrompée,
Non, je l'avoue encor, mon cœur désespéré
Contre ce seul malheur n'était point préparé.
J'ai vu sur ma ruine élever l'injustice;
De mes persécuteurs j'ai vu le ciel complice;
Tant d'horreurs n'avaient point épuisé son courroux,
Madame; il me restait d'être oublié de vous.

JUNIE

Dans un temps plus heureux ma juste impatience
Vous ferait repentir de votre défiance.
Mais Néron vous menace : en ce pressant danger,
Seigneur, j'ai d'autres soins que de vous affliger.
Allez, rassurez-vous et cessez de vous plaindre :
Néron nous écoutait, et m'ordonnait de feindre.

BRITANNICUS

Quoi? le cruel...

JUNIE

Témoin de tout notre entretien,
D'un visage sévère examinait le mien,
Prêt à faire sur vous éclater la vengeance
D'un geste confident de notre intelligence.

BRITANNICUS

Néron nous écoutait, Madame! mais, hélas!
Vos yeux auraient pu feindre et ne m'abuser pas;
Ils pouvaient me nommer l'auteur de cet outrage.
L'amour est-il muet, ou n'a-t-il qu'un langage?
De quel trouble un regard pouvait me préserver!
Il fallait...

JUNIE

Il fallait me taire et vous sauver.
Combien de fois, hélas! puisqu'il faut vous le dire,
Mon cœur de son désordre allait-il vous instruire?
De combien de soupirs interrompant le cours
Ai-je évité vos yeux que je cherchais toujours?
Quel tourment de se taire en voyant ce qu'on aime,
De l'entendre gémir, de l'affliger soi-même,
Lorsque par un regard on peut le consoler!
Mais quels pleurs ce regard aurait-il fait couler!
Ah! dans ce souvenir, inquiète, troublée,
Je ne me sentais pas assez dissimulée.
De mon front effrayé je craignais la pâleur,
Je trouvais mes regards trop pleins de ma douleur.
Sans cesse il me semblait que Néron en colère
Me venait reprocher trop de soin de vous plaire,
Je craignais mon amour vainement renfermé,
Enfin, j'aurais voulu n'avoir jamais aimé.
Hélas! pour son bonheur, Seigneur, et pour le nôtre,
Il n'est que trop instruit de mon cœur et du vôtre!
Allez, encore un coup, cachez-vous à ses yeux :
Mon cœur plus à loisir vous éclaircira mieux.
De mille autres secrets j'aurais compte à vous rendre.

BRITANNICUS

Ah! n'en voilà que trop. C'est trop me faire entendre,
Madame, mon bonheur, mon crime, vos bontés.
Et savez-vous pour moi tout ce que vous quittez?
Quand pourrai-je à vos pieds expier ce reproche?

JUNIE

Que faites-vous? Hélas! votre rival s'approche.

SCÈNE VIII. — NÉRON, BRITANNICUS, JUNIE

NÉRON

Prince, continuez des transports si charmants.
Je conçois vos bontés par ses remerciements,
Madame. A vos genoux je viens de le surprendre,
Mais il aurait aussi quelque grâce à me rendre :
Ce lieu le favorise, et je vous y retiens
Pour lui faciliter de si doux entretiens.

BRITANNICUS

Je puis mettre à ses pieds ma douleur ou ma joie
Partout où sa bonté consent que je la voie;
Et l'aspect de ces lieux où vous la retenez
N'a rien dont mes regards doivent être étonnés.

NÉRON

Et que vous montrent-ils qui ne vous avertisse
Qu'il faut qu'on me respecte et que l'on m'obéisse?

BRITANNICUS

Ils ne nous ont pas vus l'un et l'autre élever,
Moi pour vous obéir et vous pour me braver,
Et ne s'attendaient pas, lorsqu'ils nous virent naître,
Qu'un jour Domitius me dût parler en maître.

NÉRON

Ainsi par le destin nos vœux sont traversés :
J'obéissais alors, et vous obéissez.
Si vous n'avez appris à vous laisser conduire,
Vous êtes jeune encore, et l'on peut vous instruire.

BRITANNICUS

Et qui m'en instruira?

NÉRON

Tout l'empire à la fois,
Rome.

BRITANNICUS

Rome met-elle au nombre de vos droits
Tout ce qu'a de cruel l'injustice et la force,
Les emprisonnements, le rapt et le divorce?

NÉRON

Rome ne porte point ses regards curieux
Jusque dans des secrets que je cache à ses yeux.
Imitez son respect.

BRITANNICUS

On sait ce qu'elle en pense.

NÉRON

Elle se tait du moins : imitez son silence.

BRITANNICUS

Ainsi Néron commence à ne plus se forcer.

NÉRON

Néron de vos discours commence à se lasser.

BRITANNICUS

Chacun devait bénir le bonheur de son règne.

NÉRON

Heureux ou malheureux, il suffit qu'on me craigne.

BRITANNICUS

Je connais mal Junie ou de tels sentiments
Ne mériteront pas ses applaudissements.

NÉRON

Du moins, si je ne sais le secret de lui plaire,
Je sais l'art de punir un rival téméraire.

BRITANNICUS

Pour moi, quelque péril qui me puisse accabler,
Sa seule inimitié peut me faire trembler.

NÉRON

Souhaitez-la, c'est tout ce que je vous puis dire.

BRITANNICUS

Le bonheur de lui plaire est le seul où j'aspire.

NÉRON

Elle vous l'a promis, vous lui plairez toujours.

BRITANNICUS

Je ne sais pas du moins épier ses discours.
Je la laisse expliquer sur tout ce qui me touche,
Et ne me cache point pour lui fermer la bouche.

NÉRON

Je vous entends. Eh bien, gardes!

JUNIE

Que faites-vous?
C'est votre frère. Hélas! C'est un amant jaloux;
Seigneur, mille malheurs persécutent sa vie.
Ah! son bonheur peut-il exciter votre envie?
Souffrez que de vos cœurs rapprochant les liens,
Je me cache à vos yeux et me dérobe aux siens;
Ma fuite arrêtera vos discordes fatales,

Seigneur, j'irai remplir le nombre des vestales.
Ne lui disputez plus mes vœux infortunés,
Souffrez que les dieux seuls en soient importunés.

NÉRON

L'entreprise, Madame, est étrange et soudaine.
Dans son appartement, gardes, qu'on la ramène.
Gardez Britannicus dans celui de sa sœur.

BRITANNICUS

C'est ainsi que Néron sait disputer un cœur.

JUNIE

Prince, sans l'irriter, cédons à cet orage.

NÉRON

Gardes, obéissez sans tarder davantage.

SCÈNE IX. — NÉRON, BURRHUS

BURRHUS

Que vois-je? O ciel!

NÉRON, *sans voir Burrhus.*

Ainsi leurs feux sont redoublés.
Je reconnais la main qui les a rassemblés.
Agrippine ne s'est présentée à ma vue,
Ne s'est dans ses discours si longtemps étendue,
Que pour faire jouer ce ressort odieux.
Qu'on sache si ma mère est encore en ces lieux.
Burrhus, dans ce palais je veux qu'on la retienne,
Et qu'au lieu de sa garde on lui donne la mienne.

BURRHUS

Quoi, Seigneur? sans l'ouïr? Une mère?

NÉRON

Arrêtez.
J'ignore quel projet, Burrhus, vous méditez,
Mais depuis quelques jours tout ce que je désire
Trouve en vous un censeur prêt à me contredire.
Répondez-m'en, vous dis-je; ou sur votre refus
D'autres me répondront et d'elle et de Burrhus.

ACTE QUATRIÈME

SCÈNE I. — AGRIPPINE, BURRHUS

BURRHUS

Oui, Madame, à loisir vous pourrez vous défendre :
César lui-même ici consent de vous entendre.
Si son ordre au palais vous a fait retenir,
C'est peut-être à dessein de vous entretenir.
Quoi qu'il en soit, si j'ose expliquer ma pensée,
Ne vous souvenez plus qu'il vous ait offensée :
Préparez-vous plutôt à lui tendre les bras;
Défendez-vous, Madame, et ne l'accusez pas.
Vous voyez, c'est lui seul que la cour envisage.
Quoiqu'il soit votre fils, et même votre ouvrage,
Il est votre empereur. Vous êtes, comme nous,
Sujette à ce pouvoir qu'il a reçu de vous.
Selon qu'il vous menace, ou bien qu'il vous caresse,
La cour autour de vous ou s'écarte ou s'empresse.
C'est son appui qu'on cherche en cherchant votre appui.
Mais voici l'empereur.

AGRIPPINE

Qu'on me laisse avec lui.

SCÈNE II. — NÉRON, AGRIPPINE

AGRIPPINE, *s'asseyant.*

Approchez-vous, Néron, et prenez votre place.
On veut sur vos soupçons que je vous satisfasse.
J'ignore de quel crime on a pu me noircir :
De tous ceux que j'ai faits je vais vous éclaircir [26].
Vous régnez : vous savez combien votre naissance
Entre l'empire et vous avait mis de distance.
Les droits de mes aïeux, que Rome a consacrés,
Étaient même sans moi d'inutiles degrés.
Quand de Britannicus la mère condamnée
Laissa de Claudius disputer l'hyménée,
Parmi tant de beautés qui briguèrent son choix,
Qui de ses affranchis mendièrent les voix,
Je souhaitai son lit, dans la seule pensée
De vous laisser au trône où je serais placée.

Je fléchis mon orgueil, j'allai prier Pallas.
Son maître, chaque jour caressé dans mes bras,
Prit insensiblement dans les yeux de sa nièce
L'amour où je voulais amener sa tendresse.
Mais ce lien du sang qui nous joignait tous deux
Écartait Claudius d'un lit incestueux;
Il n'osait épouser la fille de son frère.
Le sénat fut séduit : une loi moins sévère
Mit Claude dans mon lit, et Rome à mes genoux.
C'était beaucoup pour moi, ce n'était rien pour vous.
Je vous fis sur mes pas entrer dans sa famille :
Je vous nommai son gendre, et vous donnai sa fille;
Silanus, qui l'aimait, s'en vit abandonné
Et marqua de son sang ce jour infortuné.
Ce n'était rien encore. Eussiez-vous pu prétendre
Qu'un jour Claude à son fils pût préférer son gendre?
De ce même Pallas j'implorai le secours :
Claude vous adopta, vaincu par ses discours,
Vous appela Néron, et du pouvoir suprême
Voulut, avant le temps, vous faire part lui-même.
C'est alors que chacun, rappelant le passé,
Découvrit mon dessein déjà trop avancé,
Que de Britannicus la disgrâce future
Des amis de son père excita le murmure.
Mes promesses aux uns éblouirent les yeux;
L'exil me délivra des plus séditieux;
Claude même, lassé de ma plainte éternelle,
Éloigna de son fils tous ceux de qui le zèle,
Engagé dès longtemps à suivre son destin,
Pouvait du trône encor lui rouvrir le chemin.
Je fis plus : je choisis moi-même dans ma suite
Ceux à qui je voulais qu'on livrât sa conduite;
J'eus soin de vous nommer, par un contraire choix,
Des gouverneurs que Rome honorait de sa voix;
Je fus sourde à la brigue, et crus la renommée :
J'appelai de l'exil, je tirai de l'armée,
Et ce même Sénèque, et ce même Burrhus,
Qui depuis... Rome alors estimait leurs vertus.
De Claude en même temps épuisant les richesses,
Ma main, sous votre nom, répandait ses largesses.
Les spectacles, les dons, invincibles appas,
Vous attiraient les cœurs du peuple et des soldats,

Qui d'ailleurs, réveillant leur tendresse première,
Favorisaient en vous Germanicus mon père.
Cependant Claudius penchait vers son déclin.
Ses yeux, longtemps fermés, s'ouvrirent à la fin :
Il connut son erreur. Occupé de sa crainte,
Il laissa pour son fils échapper quelque plainte,
Et voulut, mais trop tard, assembler ses amis.
Ses gardes, son palais, son lit m'étaient soumis.
Je lui laissai sans fruit consumer sa tendresse;
De ses derniers soupirs je me rendis maîtresse :
Mes soins, en apparence, épargnant ses douleurs,
De son fils, en mourant, lui cachèrent les pleurs.
Il mourut. Mille bruits en courent à ma honte.
J'arrêtai de sa mort la nouvelle trop prompte,
Et tandis que Burrhus allait secrètement
De l'armée en vos mains exiger le serment,
Que vous marchiez au camp, conduit sous mes auspices,
Dans Rome les autels fumaient de sacrifices :
Par mes ordres trompeurs tout le peuple excité
Du prince déjà mort demandait la santé.
Enfin des légions l'entière obéissance
Ayant de votre empire affermi la puissance,
On vit Claude [27], et le peuple, étonné de son sort,
Apprit en même temps votre règne et sa mort.
C'est le sincère aveu que je voulais vous faire.
Voilà tous mes forfaits. En voici le salaire.
Du fruit de tant de soins à peine jouissant
En avez-vous six mois paru reconnaissant,
Que lassé d'un respect qui vous gênait peut-être,
Vous avez affecté de ne me plus connaître.
J'ai vu Burrhus, Sénèque, aigrissant vos soupçons,
De l'infidélité vous tracer des leçons,
Ravis d'être vaincus dans leur propre science.
J'ai vu favorisés de votre confiance
Othon, Sénécion, jeunes voluptueux,
Et de tous vos plaisirs flatteurs respectueux;
Et lorsque vos mépris excitant mes murmures,
Je vous ai demandé raison de tant d'injures,
Seul recours d'un ingrat qui se voit confondu,
Par de nouveaux affronts vous m'avez répondu.
Aujourd'hui je promets Junie à votre frère,
Ils se flattent tous deux du choix de votre mère :

Que faites-vous? Junie, enlevée à la cour,
Devient en une nuit l'objet de votre amour;
Je vois de votre cœur Octavie effacée,
Prête à sortir du lit où je l'avais placée;
Je vois Pallas banni, votre frère arrêté;
Vous attentez enfin jusqu'à ma liberté :
Burrhus ose sur moi porter ses mains hardies.
Et lorsque, convaincu de tant de perfidies,
Vous deviez ne me voir que pour les expier,
C'est vous qui m'ordonnez de me justifier.

NÉRON

Je me souviens toujours que je vous dois l'empire,
Et sans vous fatiguer du soin de le redire,
Votre bonté, Madame, avec tranquillité
Pouvait se reposer sur ma fidélité.
Aussi bien ces soupçons, ces plaintes assidues,
Ont fait croire à tous ceux qui les ont entendues
Que jadis (j'ose ici vous le dire entre nous)
Vous n'aviez, sous mon nom, travaillé que pour vous.
« Tant d'honneurs, disaient-ils, et tant de déférences,
« Sont-ce de ses bienfaits de faibles récompenses?
« Quel crime a donc commis ce fils tant condamné?
« Est-ce pour obéir qu'elle l'a couronné?
« N'est-il de son pouvoir que le dépositaire? »
Non que, si jusque-là j'avais pu vous complaire,
Je n'eusse pris plaisir, Madame, à vous céder
Ce pouvoir que vos cris semblaient redemander;
Mais Rome veut un maître, et non une maîtresse.
Vous entendiez les bruits qu'excitait ma faiblesse.
Le sénat chaque jour et le peuple, irrités
De s'ouïr par ma voix dicter vos volontés,
Publiaient qu'en mourant Claude avec sa puissance
M'avait encor laissé sa simple obéissance.
Vous avez vu cent fois nos soldats en courroux
Porter en murmurant leurs aigles devant vous,
Honteux de rabaisser par cet indigne usage
Les héros dont encore elles portent l'image.
Toute autre se serait rendue à leurs discours,
Mais si vous ne régnez, vous vous plaignez toujours.
Avec Britannicus contre moi réunie,
Vous le fortifiez du parti de Junie,

Et la main de Pallas trame tous ces complots.
Et lorsque malgré moi j'assure mon repos,
On vous voit de colère et de haine animée.
Vous voulez présenter mon rival à l'armée :
Déjà jusques au camp le bruit en a couru.

AGRIPPINE

Moi, le faire empereur? Ingrat! l'avez-vous cru?
Quel serait mon dessein? qu'aurais-je pu prétendre?
Quels honneurs dans sa cour, quel rang pourrais-je attendre?
Ah! si sous votre empire on ne m'épargne pas,
Si mes accusateurs observent tous mes pas,
Si de leur empereur ils poursuivent la mère,
Que ferais-je au milieu d'une cour étrangère?
Ils me reprocheraient, non des cris impuissants,
Des desseins étouffés aussitôt que naissants,
Mais des crimes pour vous commis à votre vue,
Et dont je ne serais que trop tôt convaincue.
Vous ne me trompez point, je vois tous vos détours :
Vous êtes un ingrat, vous le fûtes toujours.
Dès vos plus jeunes ans, mes soins et mes tendresses
N'ont arraché de vous que de feintes caresses.
Rien ne vous a pu vaincre, et votre dureté
Aurait dû dans son cours arrêter ma bonté.
Que je suis malheureuse! Et par quelle infortune
Faut-il que tous mes soins me rendent importune?
Je n'ai qu'un fils. O ciel, qui m'entends aujourd'hui,
T'ai-je fait quelques vœux qui ne fussent pour lui?
Remords, crainte, périls, rien ne m'a retenue;
J'ai vaincu ses mépris; j'ai détourné ma vue
Des malheurs qui dès lors me furent annoncés;
J'ai fait ce que j'ai pu : vous régnez, c'est assez.
Avec ma liberté que vous m'avez ravie,
Si vous le souhaitez prenez encor ma vie,
Pourvu que par ma mort tout le peuple irrité
Ne vous ravisse pas ce qui m'a tant coûté.

NÉRON

Eh bien donc! prononcez. Que voulez-vous qu'on fasse?

AGRIPPINE

De mes accusateurs qu'on punisse l'audace;
Que de Britannicus on calme le courroux;

Que Junie à son choix puisse prendre un époux;
Qu'ils soient libres tous deux, et que Pallas demeure;
Que vous me permettiez de vous voir à toute heure;
Que ce même Burrhus, qui nous vient écouter,
A votre porte enfin n'ose plus m'arrêter.

NÉRON

Oui, Madame, je veux que ma reconnaissance
Désormais dans les cœurs grave votre puissance,
Et je bénis déjà cette heureuse froideur,
Qui de notre amitié va rallumer l'ardeur.
Quoi que Pallas ait fait, il suffit, je l'oublie,
Avec Britannicus je me réconcilie,
Et quant à cet amour qui nous a séparés,
Je vous fais notre arbitre, et vous nous jugerez.
Allez donc, et portez cette joie à mon frère.
Gardes, qu'on obéisse aux ordres de ma mère.

SCÈNE III. — NÉRON, BURRHUS

BURRHUS

Que cette paix, Seigneur, et ces embrassements
Vont offrir à mes yeux des spectacles charmants!
Vous savez si jamais ma voix lui fut contraire,
Si de son amitié j'ai voulu vous distraire,
Et si j'ai mérité cet injuste courroux.

NÉRON

Je ne vous flatte point, je me plaignais de vous,
Burrhus : je vous ai crus tous deux d'intelligence,
Mais son inimitié vous rend ma confiance.
Elle se hâte trop, Burrhus, de triompher :
J'embrasse mon rival, mais c'est pour l'étouffer.

BURRHUS

Quoi, Seigneur?

NÉRON

C'en est trop : il faut que sa ruine
Me délivre à jamais des fureurs d'Agrippine.
Tant qu'il respirera je ne vis qu'à demi.
Elle m'a fatigué de ce nom ennemi;
Et je ne prétends pas que sa coupable audace
Une seconde fois lui promette ma place.

BURRHUS

Elle va donc bientôt pleurer Britannicus?

NÉRON

Avant la fin du jour je ne le craindrai plus.

BURRHUS

Et qui de ce dessein vous inspire l'envie?

NÉRON

Ma gloire, mon amour, ma sûreté, ma vie.

BURRHUS

Non, quoi que vous disiez, cet horrible dessein
Ne fut jamais, Seigneur, conçu dans votre sein.

NÉRON

Burrhus!

BURRHUS

De votre bouche, ô ciel! puis-je l'apprendre?
Vous-même sans frémir avez-vous pu l'entendre?
Songez-vous dans quel sang vous allez vous baigner?
Néron dans tous les cœurs est-il las de régner?
Que dira-t-on de vous? Quelle est votre pensée?

NÉRON

Quoi? toujours enchaîné de ma gloire passée,
J'aurai devant les yeux je ne sais quel amour
Que le hasard nous donne et nous ôte en un jour?
Soumis à tous leurs vœux, à mes désirs contraire,
Suis-je leur empereur seulement pour leur plaire?

BURRHUS

Et ne suffit-il pas, Seigneur, à vos souhaits
Que le bonheur public soit un de vos bienfaits?
C'est à vous à choisir, vous êtes encor maître.
Vertueux jusqu'ici, vous pouvez toujours l'être :
Le chemin est tracé, rien ne vous retient plus;
Vous n'avez qu'à marcher de vertus en vertus.
Mais si de vos flatteurs vous suivez la maxime,
Il vous faudra, Seigneur, courir de crime en crime,
Soutenir vos rigueurs par d'autres cruautés,
Et laver dans le sang vos bras ensanglantés.
Britannicus mourant excitera le zèle

De ses amis, tout prêts à prendre sa querelle.
Ces vengeurs trouveront de nouveaux défenseurs,
Qui, même après leur mort, auront des successeurs.
Vous allumez un feu qui ne pourra s'éteindre.
Craint de tout l'univers, il vous faudra tout craindre,
Toujours punir, toujours trembler dans vos projets,
Et pour vos ennemis compter tous vos sujets.
Ah! de vos premiers ans l'heureuse expérience
Vous fait-elle, Seigneur, haïr votre innocence?
Songez-vous au bonheur qui les a signalés?
Dans quel repos, ô ciel! les avez-vous coulés!
Quel plaisir de penser et de dire en vous-même :
« Partout, en ce moment, on me bénit, on m'aime;
« On ne voit point le peuple à mon nom s'alarmer;
« Le ciel dans tous leurs pleurs ne m'entend point nommer;
« Leur sombre inimitié ne fuit point mon visage;
« Je vois voler partout les cœurs à mon passage! »
Tels étaient vos plaisirs. Quel changement, ô dieux!
Le sang le plus abject vous était précieux.
Un jour, il m'en souvient, le sénat équitable
Vous pressait de souscrire à la mort d'un coupable;
Vous résistiez, Seigneur, à leur sévérité [28] :
Votre cœur s'accusait de trop de cruauté,
Et plaignant les malheurs attachés à l'empire :
« Je voudrais, disiez-vous, ne savoir pas écrire ».
Non, ou vous me croirez, ou bien de ce malheur
Ma mort m'épargnera la vue et la douleur :
On ne me verra point survivre à votre gloire;
Si vous allez commettre une action si noire,
(Il se jette à genoux.)
Me voilà prêt, Seigneur : avant que de partir,
Faites percer ce cœur qui n'y peut consentir;
Appelez les cruels qui vous l'ont inspirée,
Qu'ils viennent essayer leur main mal assurée...
Mais je vois que mes pleurs touchent mon empereur,
Je vois que sa vertu frémit de leur fureur.
Ne perdez point de temps, nommez-moi les perfides
Qui vous osent donner ces conseils parricides;
Appelez votre frère, oubliez dans ses bras...

NÉRON

Ah! que demandez-vous?

BURRHUS

Non, il ne vous hait pas,
Seigneur; on le trahit : je sais son innocence;
Je vous réponds pour lui de son obéissance.
J'y cours. Je vais presser un entretien si doux.

NÉRON

Dans mon appartement qu'il m'attende avec vous.

SCÈNE IV. — NÉRON, NARCISSE

NARCISSE

Seigneur, j'ai tout prévu pour une mort si juste.
Le poison est tout prêt. La fameuse Locuste
A redoublé pour moi ses soins officieux :
Elle a fait expirer un esclave à mes yeux;
Et le fer est moins prompt pour trancher une vie
Que le nouveau poison que sa main me confie.

NÉRON

Narcisse, c'est assez; je reconnais ce soin,
Et ne souhaite pas que vous alliez plus loin.

NARCISSE

Quoi? pour Britannicus votre haine affaiblie
Me défend...

NÉRON

Oui, Narcisse : on nous réconcilie.

NARCISSE

Je me garderai bien de vous en détourner,
Seigneur. Mais il s'est vu tantôt emprisonner :
Cette offense en son cœur sera longtemps nouvelle.
Il n'est point de secrets que le temps ne révèle :
Il saura que ma main lui devait présenter
Un poison que votre ordre avait fait apprêter.
Les dieux de ce dessein puissent-ils le distraire!
Mais peut-être il fera ce que vous n'osez faire.

NÉRON

On répond de son cœur, et je vaincrai le mien.

NARCISSE

Et l'hymen de Junie en est-il le lien?
Seigneur, lui faites-vous encor ce sacrifice?

NÉRON

C'est prendre trop de soin. Quoi qu'il en soit, Narcisse,
Je ne le compte plus parmi mes ennemis.

NARCISSE

Agrippine, Seigneur, se l'était bien promis :
Elle a repris sur vous son souverain empire.

NÉRON

Quoi donc? Qu'a-t-elle dit? Et que voulez-vous dire?

NARCISSE

Elle s'en est vantée assez publiquement.

NÉRON

De quoi?

NARCISSE

Qu'elle n'avait qu'à vous voir un moment,
Qu'à tout ce grand éclat, à ce courroux funeste,
On verrait succéder un silence modeste;
Que vous-même à la paix souscririez le premier,
Heureux que sa bonté daignât tout oublier.

NÉRON

Mais, Narcisse, dis-moi, que veux-tu que je fasse?
Je n'ai que trop de pente à punir son audace,
Et si je m'en croyais, ce triomphe indiscret
Serait bientôt suivi d'un éternel regret.
Mais de tout l'univers quel sera le langage?
Sur les pas des tyrans veux-tu que je m'engage,
Et que Rome, effaçant tant de titres d'honneur,
Me laisse pour tous noms celui d'empoisonneur?
Ils mettront ma vengeance au rang des parricides.

NARCISSE

Et prenez-vous, Seigneur, leurs caprices pour guides?
Avez-vous prétendu qu'ils se tairaient toujours?
Est-ce à vous de prêter l'oreille à leurs discours?
De vos propres désirs perdrez-vous la mémoire?
Et serez-vous le seul que vous n'oserez croire?
Mais, Seigneur, les Romains ne vous sont pas connus.
Non, non, dans leurs discours ils sont plus retenus.
Tant de précaution affaiblit votre règne :
Ils croiront, en effet, mériter qu'on les craigne.
Au joug, depuis longtemps, ils se sont façonnés :

Ils adorent la main qui les tient enchaînés.
Vous les verrez toujours ardents à vous complaire.
Leur prompte servitude a fatigué Tibère [29].
Moi-même, revêtu d'un pouvoir emprunté,
Que je reçus de Claude avec la liberté,
J'ai cent fois, dans le cours de ma gloire passée,
Tenté leur patience, et ne l'ai point lassée.
D'un empoisonnement vous craignez la noirceur?
Faites périr le frère, abandonnez la sœur;
Rome, sur ses autels, prodiguant les victimes,
Fussent-ils innocents, leur trouvera des crimes;
Vous verrez mettre au rang des jours infortunés
Ceux où jadis la sœur et le frère sont nés.

NÉRON

Narcisse, encore un coup, je ne puis l'entreprendre.
J'ai promis à Burrhus, il a fallu me rendre.
Je ne veux point encore, en lui manquant de foi,
Donner à sa vertu des armes contre moi.
J'oppose à ses raisons un courage inutile :
Je ne l'écoute point avec un cœur tranquille.

NARCISSE

Burrhus ne pense pas, Seigneur, tout ce qu'il dit :
Son adroite vertu ménage son crédit.
Ou plutôt ils n'ont tous qu'une même pensée :
Ils verraient par ce coup leur puissance abaissée;
Vous seriez libre alors, Seigneur; et devant vous,
Ces maîtres orgueilleux fléchiraient comme nous.
Quoi donc? ignorez-vous tout ce qu'ils osent dire?
« Néron, s'ils en sont crus, n'est point né pour l'empire;
« Il ne dit, il ne fait que ce qu'on lui prescrit :
« Burrhus conduit son cœur, Sénèque son esprit.
« Pour toute ambition, pour vertu singulière,
« Il excelle à conduire un char dans la carrière,
« A disputer des prix indignes de ses mains,
« A se donner lui-même en spectacle aux Romains,
« A venir prodiguer sa voix sur un théâtre,
« A réciter des chants qu'il veut qu'on idolâtre,
« Tandis que des soldats, de moments en moments,
« Vont arracher pour lui les applaudissements. »
Ah! ne voulez-vous pas les forcer à se taire?

NÉRON

Viens, Narcisse : allons voir ce que nous devons faire.

ACTE CINQUIÈME

SCÈNE I. — BRITANNICUS, JUNIE

BRITANNICUS

Oui, Madame, Néron (qui l'aurait pu penser ?)
Dans son appartement m'attend pour m'embrasser.
Il y fait de sa cour inviter la jeunesse :
Il veut que d'un festin la pompe et l'allégresse
Confirment à leurs yeux la foi de nos serments,
Et réchauffent l'ardeur de nos embrassements.
Il éteint cet amour, source de tant de haine,
Il vous fait de mon sort arbitre souveraine.
Pour moi, quoique banni du rang de mes aïeux,
Quoique de leur dépouille il se pare à mes yeux,
Depuis qu'à mon amour cessant d'être contraire
Il semble me céder la gloire de vous plaire,
Mon cœur, je l'avouerai, lui pardonne en secret,
Et lui laisse le reste avec moins de regret.
Quoi! je ne serai plus séparé de vos charmes?
Quoi! même en ce moment, je puis voir sans alarmes
Ces yeux que n'ont émus ni soupirs ni terreur,
Qui m'ont sacrifié l'empire et l'empereur!
Ah! Madame... Mais quoi? Quelle nouvelle crainte
Tient parmi mes transports votre joie en contrainte?
D'où vient qu'en m'écoutant, vos yeux, vos tristes yeux,
Avec de longs regards se tournent vers les cieux?
Qu'est-ce que vous craignez?

JUNIE

Je l'ignore moi-même;
Mais je crains.

BRITANNICUS

Vous m'aimez?

JUNIE

Hélas! si je vous aime?

BRITANNICUS

Néron ne trouble plus notre félicité.

JUNIE

Mais me répondez-vous de sa sincérité?

BRITANNICUS

Quoi? vous le soupçonnez d'une haine couverte?

JUNIE

Néron m'aimait tantôt, il jurait votre perte;
Il me fuit, il vous cherche : un si grand changement
Peut-il être, Seigneur, l'ouvrage d'un moment?

BRITANNICUS

Cet ouvrage, Madame, est un coup d'Agrippine :
Elle a cru que ma perte entraînait sa ruine.
Grâce aux préventions de son esprit jaloux,
Nos plus grands ennemis ont combattu pour nous.
Je m'en fie aux transports qu'elle m'a fait paraître;
Je m'en fie à Burrhus; j'en crois même son maître :
Je crois qu'à mon exemple impuissant à trahir,
Il hait à cœur ouvert, ou cesse de haïr.

JUNIE

Seigneur, ne jugez pas de son cœur par le vôtre :
Sur des pas différents vous marchez l'un et l'autre.
Je ne connais Néron et la cour que d'un jour,
Mais, si j'ose le dire, hélas! dans cette cour
Combien tout ce qu'on dit est loin de ce qu'on pense!
Que la bouche et le cœur sont peu d'intelligence!
Avec combien de joie on y trahit sa foi!
Quel séjour étranger et pour vous et pour moi!

BRITANNICUS

Mais que son amitié soit véritable ou feinte,
Si vous craignez Néron, lui-même est-il sans crainte?
Non, non, il n'ira point, par un lâche attentat,
Soulever contre lui le peuple et le sénat.
Que dis-je? Il reconnaît sa dernière injustice.
Ses remords ont paru, même aux yeux de Narcisse.
Ah! s'il vous avait dit, ma Princesse, à quel point...

JUNIE

Mais Narcisse, seigneur, ne vous trahit-il point?

BRITANNICUS

Et pourquoi voulez-vous que mon cœur s'en défie?

JUNIE

Et que sais-je? Il y va, Seigneur, de votre vie.
Tout m'est suspect : je crains que tout ne soit séduit.
Je crains Néron, je crains le malheur qui me suit.
D'un noir pressentiment malgré moi prévenue,
Je vous laisse à regret éloigner de ma vue.
Hélas! si cette paix dont vous vous repaissez
Couvrait contre vos jours quelques pièges dressés!
Si Néron, irrité de notre intelligence,
Avait choisi la nuit pour cacher sa vengeance!
S'il préparait ses coups tandis que je vous vois!
Et si je vous parlais pour la dernière fois!
Ah! Prince!

BRITANNICUS

Vous pleurez! Ah! ma chère Princesse!
Et pour moi jusque-là votre cœur s'intéresse?
Quoi, Madame? en un jour où plein de sa grandeur
Néron croit éblouir vos yeux de sa splendeur,
Dans des lieux où chacun me fuit et le révère,
Aux pompes de sa cour préférer ma misère?
Quoi? dans ce même jour et dans ces mêmes lieux,
Refuser un empire et pleurer à mes yeux?
Mais, Madame, arrêtez ces précieuses larmes :
Mon retour va bientôt dissiper vos alarmes.
Je me rendrais suspect par un plus long séjour.
Adieu. Je vais, le cœur tout plein de mon amour,
Au milieu des transports d'une aveugle jeunesse,
Ne voir, n'entretenir que ma belle princesse.
Adieu.

JUNIE

Prince...

BRITANNICUS

On m'attend, Madame, il faut partir.

JUNIE

Mais du moins attendez qu'on vous vienne avertir.

SCÈNE II. — AGRIPPINE, BRITANNICUS, JUNIE

AGRIPPINE

Prince, que tardez-vous? Partez en diligence :

Néron impatient se plaint de votre absence.
La joie, et le plaisir, de tous les conviés
Attend pour éclater que vous vous embrassiez.
Ne faites point languir une si juste envie;
Allez. Et nous, Madame, allons chez Octavie.

BRITANNICUS

Allez, belle Junie, et d'un esprit content,
Hâtez-vous d'embrasser ma sœur qui vous attend.
Dès que je le pourrai, je reviens sur vos traces,
Madame, et de vos soins j'irai vous rendre grâces.

SCÈNE III. — AGRIPPINE, JUNIE

AGRIPPINE

Madame, ou je me trompe, ou durant vos adieux,
Quelques pleurs répandus ont obscurci vos yeux.
Puis-je savoir quel trouble a formé ce nuage?
Doutez-vous d'une paix dont je fais mon ouvrage?

JUNIE

Après tous les ennuis que ce jour m'a coûtés,
Ai-je pu rassurer mes esprits agités?
Hélas! à peine encor je conçois ce miracle,
Quand même à vos bontés, je craindrais quelque obstacle,
Le changement, Madame, est commun à la cour,
Et toujours quelque crainte accompagne l'amour.

AGRIPPINE

Il suffit. J'ai parlé, tout a changé de face.
Mes soins à vos soupçons ne laissent point de place.
Je réponds d'une paix jurée entre mes mains,
Néron m'en a donné des gages trops certains.
Ah! si vous aviez vu par combien de caresses
Il m'a renouvelé la foi de ses promesses!
Par quels embrassements il vient de m'arrêter!
Ses bras, dans nos adieux, ne pouvaient me quitter.
Sa facile bonté, sur son front répandue,
Jusqu'aux moindres secrets est d'abord descendue :
Il s'épanchait en fils qui vient en liberté
Dans le sein de sa mère oublier sa fierté,
Mais bientôt, reprenant un visage sévère,
Tel que d'un empereur qui consulte sa mère,

Sa confidence auguste a mis entre mes mains
Des secrets d'où dépend le destin des humains.
Non, il le faut ici confesser à sa gloire,
Son cœur n'enferme point une malice noire,
Et nos seuls ennemis, altérant sa bonté,
Abusaient contre nous de sa facilité.
Mais enfin, à son tour, leur puissance décline;
Rome encore une fois va connaître Agrippine;
Déjà de ma faveur on adore le bruit.
Cependant en ces lieux n'attendons pas la nuit :
Passons chez Octavie, et donnons-lui le reste
D'un jour autant heureux que je l'ai cru funeste.
Mais qu'est-ce que j'entends? Quel tumulte confus?
Que peut-on faire?

JUNIE

O ciel! sauvez Britannicus!

SCÈNE IV. — AGRIPPINE, JUNIE, BURRHUS

AGRIPPINE

Burrhus, où courez-vous? Arrêtez. Que veut dire...

BURRHUS

Madame, c'en est fait, Britannicus expire.

JUNIE

Ah! mon Prince!

AGRIPPINE

Il expire?

BURRHUS

Ou plutôt il est mort,
Madame.

JUNIE

Pardonnez, Madame, à ce transport.
Je vais le secourir, si je puis, ou le suivre.

SCÈNE V. — AGRIPPINE, BURRHUS

AGRIPPINE

Quel attentat, Burrhus!

BURRHUS

Je n'y pourrai survivre,
Madame : il faut quitter la cour et l'empereur.

AGRIPPINE

Quoi? du sang de son frère il n'a point eu d'horreur?

BURRHUS

Ce dessein s'est conduit avec plus de mystère.
A peine l'empereur a vu venir son frère [30],
Il se lève, il l'embrasse, on se tait, et soudain
César prend le premier une coupe à la main :
« Pour achever ce jour sous de meilleurs auspices,
« Ma main de cette coupe épanche les prémices,
« Dit-il; dieux, que j'appelle à cette effusion,
« Venez favoriser notre réunion. »
Par les mêmes serments Britannicus se lie.
La coupe dans ses mains par Narcisse est remplie,
Mais ses lèvres à peine en ont touché les bords...
Le fer ne produit point de si puissants efforts,
Madame : la lumière à ses yeux est ravie,
Il tombe sur son lit sans chaleur et sans vie.
Jugez combien ce coup frappe tous les esprits :
La moitié s'épouvante et sort avec des cris,
Mais ceux qui de la cour ont un plus long usage
Sur les yeux de César composent leur visage.
Cependant sur son lit il demeure penché;
D'aucun étonnement il ne paraît touché :
« Ce mal [31], dont vous craignez, dit-il, la violence
« A souvent, sans péril, attaqué son enfance. »
Narcisse veut en vain affecter quelque ennui,
Et sa perfide joie éclate malgré lui.
Pour moi, dût l'empereur punir ma hardiesse,
D'une odieuse cour j'ai traversé la presse,
Et j'allais, accablé de cet assassinat,
Pleurer Britannicus, César et tout l'État.

AGRIPPINE

Le voici. Vous verrez si c'est moi qui l'inspire.

SCÈNE VI. — NÉRON, AGRIPPINE, BURRHUS, NARCISSE

NÉRON, *voyant Agrippine.*

Dieux!

AGRIPPINE

Arrêtez, Néron : j'ai deux mots à vous dire.

Britannicus est mort, je reconnais les coups,
Je connais l'assassin.

NÉRON

Et qui, Madame?

AGRIPPINE

Vous.

NÉRON

Moi! Voilà les soupçons dont vous êtes capable.
Il n'est point de malheur dont je ne sois coupable,
Et si l'on veut, Madame, écouter vos discours,
Ma main de Claude même aura tranché les jours.
Son fils vous était cher; sa mort peut vous confondre,
Mais des coups du destin je ne puis pas répondre.

AGRIPPINE

Non, non, Britannicus est mort empoisonné :
Narcisse a fait le coup, vous l'avez ordonné.

NÉRON

Madame!... Mais qui peut vous tenir ce langage?

NARCISSE

Hé! Seigneur, ce soupçon vous fait-il tant d'outrage?
Britannicus, Madame, eut des desseins secrets
Qui vous auraient coûté de plus justes regrets.
Il aspirait plus loin qu'à l'hymen de Junie;
De vos propres bontés il vous aurait punie.
Il vous trompait vous-même, et son cœur offensé
Prétendait tôt ou tard rappeler le passé.
Soit donc que malgré vous le sort vous ait servie,
Soit qu'instruit des complots qui menaçaient sa vie,
Sur ma fidélité César s'en soit remis,
Laissez les pleurs, Madame, à vos seuls ennemis;
Qu'ils mettent ce malheur au rang des plus sinistres.
Mais vous...

AGRIPPINE

Poursuis, Néron; avec de tels ministres,
Par des faits glorieux tu te vas signaler.
Poursuis. Tu n'as pas fait ce pas pour reculer.
Ta main a commencé par le sang de ton frère [32];
Je prévois que tes coups viendront jusqu'à ta mère.
Dans le fond de ton cœur, je sais que tu me hais;

Tu voudras t'affranchir du joug de mes bienfaits.
Mais je veux que ma mort te soit même inutile;
Ne crois pas qu'en mourant je te laisse tranquille.
Rome, ce ciel, ce jour que tu reçus de moi.
Partout, à tout moment, m'offriront devant toi.
Tes remords te suivront comme autant de furies,
Tu croiras les calmer par d'autres barbaries :
Ta fureur, s'irritant soi-même dans son cours,
D'un sang toujours nouveau marquera tous tes jours.
Mais j'espère qu'enfin le ciel, las de tes crimes,
Ajoutera ta perte à tant d'autres victimes,
Qu'après t'être couvert de leur sang et du mien,
Tu te verras forcé de répandre le tien,
Et ton nom paraîtra dans la race future,
Aux plus cruels tyrans une cruelle injure.
Voilà ce que mon cœur se présage de toi.
Adieu. Tu peux sortir.

NÉRON

Narcisse, suivez-moi.

SCÈNE VII. — AGRIPPINE, BURRHUS

AGRIPPINE

Ah ciel! de mes soupçons quelle était l'injustice!
Je condamnais Burrhus pour écouter Narcisse.
Burrhus, avez-vous vu quels regards furieux
Néron en me quittant m'a laissés pour adieux?
C'en est fait, le cruel n'a plus rien qui l'arrête :
Le coup qu'on m'a prédit va tomber sur ma tête.
Il vous accablera vous-même à votre tour.

BURRHUS

Ah! Madame, pour moi j'ai vécu trop d'un jour.
Plût au ciel que sa main, heureusement cruelle,
Eût fait sur moi l'essai de sa fureur nouvelle!
Qu'il ne m'eût pas donné, par ce triste attentat,
Un gage trop certain des malheurs de l'État!
Son crime seul n'est pas ce qui me désespère;
Sa jalousie a pu l'armer contre son frère;
Mais s'il vous faut, Madame, expliquer ma douleur :
Néron l'a vu mourir sans changer de couleur.

Ses yeux indifférents ont déjà la constance
D'un tyran dans le crime endurci dès l'enfance.
Qu'il achève, Madame, et qu'il fasse périr
Un ministre importun qui ne le peut souffrir.
Hélas! loin de vouloir éviter sa colère,
La plus soudaine mort me sera la plus chère.

SCÈNE DERNIÈRE. — AGRIPPINE, BURRHUS, ALBINE

ALBINE

Ah! Madame! ah! Seigneur! courez vers l'empereur,
Venez sauver César de sa propre fureur :
Il se voit pour jamais séparé de Junie.

AGRIPPINE

Quoi? Junie elle-même a terminé sa vie?

ALBINE

Pour accabler César d'un éternel ennui,
Madame, sans mourir elle est morte pour lui.
Vous savez de ces lieux comme elle s'est ravie :
Elle a feint de passer chez la triste Octavie;
Mais bientôt elle a pris des chemins écartés,
Où mes yeux ont suivi ses pas précipités.
Des portes du palais elle sort éperdue.
D'abord elle a d'Auguste aperçu la statue,
Et mouillant de ses pleurs le marbre de ses pieds,
Que de ses bras pressants elle tenait liés :
« Prince, par ces genoux, dit-elle, que j'embrasse,
« Protège en ce moment le reste de ta race.
« Rome, dans ton palais, vient de voir immoler
« Le seul de tes neveux qui te pût ressembler.
« On veut après sa mort que je lui sois parjure;
« Mais pour lui conserver une foi toujours pure,
« Prince, je me dévoue à ces dieux immortels
« Dont ta vertu t'a fait partager les autels. »
Le peuple cependant, que ce spectacle étonne,
Vole de toutes parts, se presse, l'environne,
S'attendrit à ses pleurs, et plaignant son ennui,
D'une commune voix la prend sous son appui.
Ils la mènent au temple, où depuis tant d'années
Au culte des autels nos vierges destinées

Gardent fidèlement le dépôt précieux
Du feu toujours ardent qui brûle pour nos dieux.
César les voit partir sans oser les distraire.
Narcisse, plus hardi, s'empresse pour lui plaire :
Il vole vers Junie, et sans s'épouvanter,
D'une profane main commence à l'arrêter.
De mille coups mortels, son audace est punie;
Son infidèle sang rejaillit sur Junie [33].
César, de tant d'objets en même temps frappé,
Le laisse entre les mains qui l'ont enveloppé.
Il rentre. Chacun fuit son silence farouche.
Le seul nom de Junie échappe de sa bouche.
Il marche sans dessein, ses yeux mal assurés
N'osent lever au ciel leurs regards égarés,
Et l'on craint, si la nuit jointe à la solitude
Vient de son désespoir aigrir l'inquiétude,
Si vous l'abandonnez plus longtemps sans secours,
Que sa douleur bientôt n'attente sur ses jours.
Le temps presse : courez. Il ne faut qu'un caprice;
Il se perdrait, Madame.

AGRIPPINE

Il se ferait justice.
Mais, Burrhus, allons voir jusqu'où vont ses transports.
Voyons quel changement produiront ses remords,
S'il voudra désormais suivre d'autres maximes.

BURRHUS

Plût aux dieux que ce fût le dernier de ses crimes !

BÉRÉNICE

TRAGÉDIE[1]

BÉRÉNICE

Bérénice a été représentée sur la scène de l'Hôtel de Bourgogne le 21 novembre 1670. Une semaine plus tard, Corneille faisait jouer chez Molière *Tite et Bérénice*. Il s'agit à n'en pas douter d'un « doublage », comparable à celui que Racine avait connu à l'époque d'*Alexandre* et à ceux qu'il devait connaître pour *Iphigénie* et pour *Phèdre*. La coexistence des deux œuvres, jouées à quelques jours d'intervalle, ne saurait être tenue pour fortuite. Il semble seulement que le poète qui avait doublé l'autre connaissait bien ses projets, mais non le texte de son poème. On a évoqué un concours organisé entre eux par Henriette d'Angleterre : mais l'hypothèse n'est apparue que fort tardivement, et la belle-sœur de Louis XIV était morte depuis cinq mois au moment de la création des deux œuvres. Il n'est pas impossible, en revanche, que la tragédie de Racine évoque (onze ans plus tard, il est vrai), le douloureux renoncement de Louis XIV à son amour pour la nièce de Mazarin, Marie Mancini. Cependant cette possible allusion n'est évoquée avec une convaincante précision que dans un texte de la princesse Palatine daté de 1709, et l'historien ne peut l'admettre qu'avec réserve.

L'œuvre, au témoignage de Robinet, a bénéficié du talent des deux acteurs, Floridor et la Champmeslé, qui interprétaient les malheureux amants. Elle eut en tout cas une carrière remarquable, voire exceptionnelle, et tint l'affiche à peu près sans interruption jusqu'en janvier 1671. La *Critique de Bérénice* de l'abbé de Villars (décembre 1670) est obligée de reconnaître le succès de Racine, voire les beautés du poème qui écrasent celles du *Tite* de Corneille. Une *Réponse* à cette *Critique* (février 1971) fait état de l'admiration du roi pour *Bérénice*. Dans la *Préface* de la première édition (24 février 1671), Racine se dispense de répondre à ses adversaires. Dans sa dédicace à Colbert, il croit pouvoir rappeler que le Roi et les premiers personnages du royaume ont pris plaisir à la représentation de son dernier ouvrage. La partie était gagnée.

Racine n'a certainement pas découvert son sujet directement chez Suétone, non plus que Corneille chez l'abréviateur Xiphilin. Il avait déjà inspiré plusieurs écrivains de son siècle. Si les *Bérénice* de Pierre du Ryer (1645) et de Thomas Corneille (1661) sont des œuvres romanesques sans aucun rapport avec l'histoire de Titus, quatre ouvrages au moins peuvent avoir servi de support à Racine. La Harangue VIII des *Femmes illustres* de Scudéry (1642) présente la reine de Judée comme une héroïne de l'amour parfait : « Je suis assurée, dit-elle, de posséder toujours votre cœur : c'est par cette pensée que je puis espérer de vivre dans mon exil. » En 1646, le poète Le Vert publie *Aricidie ou le mariage de Tite;* il y fait de Bérénice l'éloge suivant :

Elle quitta la ville avec autant d'honneur
Que si Tite jamais n'eût possédé son cœur.

Segrais a donné en 1648-1649 un roman inachevé de Bérénice; Bérénice n'y répond pas encore à l'ardent amour de Titus, ce « cruel vainqueur » qui languit maintenant dans un « esclavage tyrannique », et Bérénice s'y fait enlever par des brigands. Dans l'étonnant *Tite* de Magnon (1660), enfin, on assiste au mariage de l'empereur et de la reine Bérénice. Corneille ni Racine n'ont encombré leur œuvre du fatras romanesque proposé par une tradition follement foisonnante. Racine surtout a réduit à l'essentiel les éléments qu'elle lui apportait : l' « invitus invitam », le thème souvent repris depuis *Nicomède* de l'interdiction faite aux Romains d'épouser des reines et l'invention idéalisante des caractères dont les *Femmes illustres* donnaient l'exemple.

Ainsi réduit à un minimum d'éléments anecdotiques, le sujet de *Bérénice* est certes paradoxal. Deux êtres s'aiment, et se quittent. Les obstacles à l'épanouissement de leur amour sont extérieurs, d'ordre politique, sans être absolument contraignants. C'est un certain « devoir » qui oblige l'homme à renoncer à la femme et, sans doute, par contrecoup, la femme à reconnaître la justice de ce renoncement. Mais le thème des amours impossibles répond à une tradition bien établie : c'est l'histoire de l'homme prisonnier d'amour et qui s'évade pour accomplir une mission, comme Ulysse quittant Circé chez Homère, Énée délaissant Didon chez Virgile (Racine fait expressément référence à l'épisode dans sa préface), Roger s'évadant du palais d'Alcine chez L'Arioste et Renaud du palais d'Armide chez Le Tasse : thème maintes fois repris dans les ballets de cour afin de manifester, chez le Prince, la victoire de la raison sur la passion. Le roman et la pastorale avaient d'autre part développé le thème des amants volontairement séparés. Et l'histoire de Céladon et d'Astrée, pour ne citer qu'eux, avait affiné la sensibilité amoureuse du siècle au point d'inspirer Corneille au moins deux fois, dans *La Place Royale* et dans *Polyeucte,* sans qu'on doive oublier la situation des premiers actes du *Cid,* où une hautaine conception de la fidélité amoureuse pousse les amants à se déchirer mutuellement. Enfin, pour un poète à la fois chrétien et humaniste, le sujet de *Bérénice* comporte de délicates ambiguïtés : Titus est à la fois l'empereur qui a détruit la Cité sainte et les « délices du genre humain ». Bérénice représente les prestiges de l'Orient (dont rêvait Le Tasse), mais c'est aussi l'héritière des grandes héroïnes bibliques, Esther ou Judith, et c'est enfin celle qui, dans les *Actes des Apôtres,* à Césarée, au côté de son frère

Agrippa, manifeste envers Paul, leur prisonnier, plus d'humanité que les troupes d'occupation romaines. Il y a là, implicitement, l'occasion d'un véritable dialogue entre deux civilisations également proches de la sensibilité des hommes du XVIIe siècle.

La dramatisation de cette histoire, aussi riche affectivement que pauvre en événements, donnait lieu chez Corneille à l'invention d'un chassé-croisé amoureux à quatre personnages. Racine s'est contenté de placer auprès du couple central un témoin intéressé et souffrant, comparable à l'Infante du *Cid* ou au Sévère de *Polyeucte*. L'arrivée d'Antiochus dans le « cabinet superbe » où va s'enfermer la tragédie a pour effet de provoquer les attitudes et les décisions des héros. Elle permet aussi à Racine de donner à son poème toutes ses dimensions, dans le temps comme dans l'espace. C'est par Antiochus ou pour lui que revivra l'orient amoureux et guerrier des lointains souvenirs. Son aveu à Bérénice, dès le premier acte, oblige Bérénice à prendre conscience, et de la profondeur de son amour, et de la fragilité de ses espoirs. Son aveu à Titus, à la dernière scène, précipitera les décisions douloureusement héroïques des amants.

J. M.

A MONSEIGNEUR COLBERT[2]

SECRÉTAIRE D'ÉTAT, CONTRÔLEUR GÉNÉRAL DES FINANCES,
SURINTENDANT DES BÂTIMENTS,
GRAND TRÉSORIER DES ORDRES DU ROI,
MARQUIS DE SEIGNELAY, ETC.

MONSEIGNEUR,

Quelque juste défiance que j'aie de moi-même et de mes ouvrages, j'ose espérer que vous ne condamnerez pas la liberté que je prends de vous dédier cette tragédie. Vous ne l'avez pas jugée tout à fait indigne de votre approbation. Mais ce qui fait son plus grand mérite auprès de vous, c'est, MONSEIGNEUR, que vous avez été témoin du bonheur qu'elle a eu de ne pas déplaire à Sa Majesté.

L'on sait que les moindres choses vous deviennent considérables, pour peu qu'elles puissent servir ou à sa gloire ou à son plaisir. Et c'est ce qui fait qu'au milieu de tant d'importantes occupations, où le zèle de votre prince et le bien public vous tiennent continuellement attaché, vous ne dédaignez pas quelquefois de descendre jusqu'à nous, pour nous demander compte de notre loisir.

J'aurais ici une belle occasion de m'étendre sur vos louanges, si vous me permettiez de vous louer. Et que ne dirais-je point de tant de rares qualités qui vous ont attiré l'admiration de toute la France, de cette pénétration à laquelle rien n'échappe, de cet esprit vaste qui embrasse, qui exécute tout à la fois tant de grandes choses, de cette âme que rien n'étonne, que rien ne fatigue?

Mais, MONSEIGNEUR, il faut être plus retenu à vous parler de vous-même et je craindrais de m'exposer, par un éloge importun, à vous faire repentir de l'attention favorable dont vous m'avez honoré; il vaut mieux que je songe à la mériter par quelques nouveaux ouvrages : aussi bien c'est le plus agréable remerciement qu'on vous puisse faire. Je suis avec un profond respect,

MONSEIGNEUR,
Votre très humble et très obéissant serviteur,

RACINE.

PRÉFACE [3]

Titus, reginam Berenicen, cum etiam nuptias pollicitus ferebatur, statim ab Urbe dimisit invitus invitam.

C'est-à-dire que « Titus, qui aimait passionnément Bérénice, « et qui même, à ce qu'on croyait, lui avait promis de l'épouser, « la renvoya de Rome, malgré lui et malgré elle, dès les premiers « jours de son empire ». Cette action est très fameuse dans l'histoire, et je l'ai trouvée très propre pour le théâtre, par la violence des passions qu'elle y pouvait exciter. En effet, nous n'avons rien de plus touchant dans tous les poètes, que la séparation d'Énée et de Didon, dans Virgile. Et qui doute que ce qui a pu fournir assez de matière pour tout un chant d'un poème héroïque, où l'action dure plusieurs jours, ne puisse suffire pour le sujet d'une tragédie, dont la durée ne doit être que de quelques heures? Il est vrai que je n'ai point poussé Bérénice jusqu'à se tuer comme Didon, parce que Bérénice n'ayant pas ici avec Titus les derniers engagements que Didon avait avec Énée, elle n'est pas obligée comme elle de renoncer à la vie. A cela près, le dernier adieu qu'elle dit à Titus, et l'effort qu'elle se fait pour s'en séparer, n'est pas le moins tragique de la pièce, et j'ose dire qu'il renouvelle assez bien dans le cœur des spectateurs l'émotion que le reste y avait pu exciter. Ce n'est point une nécessité qu'il y ait du sang et des morts dans une tragédie; il suffit que l'action en soit grande, que les acteurs en soient héroïques, que les passions y soient excitées, et que tout s'y ressente de cette tristesse majestueuse qui fait tout le plaisir de la tragédie.

Je crus que je pourrais rencontrer toutes ces parties dans mon sujet. Mais ce qui m'en plut davantage, c'est que je le trouvai extrêmement simple. Il y avait longtemps que je voulais essayer si je pourrais faire une tragédie avec cette simplicité d'action qui a été si fort du goût des anciens. Car c'est un des premiers préceptes qu'ils nous ont laissés : « Que ce que vous ferez, dit Horace, soit toujours simple et ne soit qu'un ». Ils ont admiré l'*Ajax* de Sophocle, qui n'est autre chose qu'Ajax qui se tue de regret, à cause de la fureur où il était tombé après le refus qu'on lui avait fait des armes d'Achille. Ils ont admiré le *Philoctète,* dont tout le sujet est Ulysse qui vient pour surprendre les flèches d'Hercule. L'*Œdipe* même, quoique tout plein de reconnaissances, est moins chargé de matière que la plus simple tragédie de nos jours. Nous voyons enfin que les partisans de Térence, qui l'élèvent avec raison au-dessus de tous les poètes comiques, pour l'élégance de sa diction et pour la vraisemblance de ses mœurs, ne laissent pas de confesser que Plaute a un grand avantage sur lui par la simplicité qui est dans la plupart des sujets de Plaute. Et c'est sans doute cette simplicité merveilleuse qui a attiré à ce dernier toutes les louanges que les anciens lui ont données. Combien Ménandre était-il encore plus simple, puisque Térence est obligé de prendre deux comédies de ce poète pour en faire une des siennes !

Et il ne faut point croire que cette règle ne soit fondée que sur la fantaisie de ceux qui l'ont faite. Il n'y a que le vraisemblable qui touche dans la tragédie. Et quelle vraisemblance y a-t-il qu'il arrive en un jour une multitude de choses qui pourraient à peine arriver en plusieurs semaines ? Il y en a qui pensent que cette simplicité est une marque de peu d'invention. Ils ne songent pas qu'au contraire toute l'invention consiste à faire quelque chose de rien, et que tout ce grand nombre d'incidents a toujours été le refuge des poètes qui ne sentaient dans leur génie ni assez d'abondance ni assez de force pour attacher durant cinq actes leurs spectateurs par une action simple, soutenue de la violence des passions, de la beauté des sentiments et de l'élégance de l'expression. Je suis bien éloigné de croire que toutes ces choses se rencontrent dans mon ouvrage; mais aussi je ne puis croire que le public me sache mauvais gré de lui avoir donné une tragédie qui a été honorée de tant de larmes, et dont la trentième représentation a été aussi suivie que la première.

Ce n'est pas que quelques personnes ne m'aient reproché cette même simplicité que j'avais recherchée avec tant de soin. Ils ont cru qu'une tragédie qui était si peu chargée d'intrigues ne pouvait être selon les règles du théâtre. Je m'informai s'ils se plaignaient qu'elle les eût ennuyés. On me dit qu'ils avouaient tous qu'elle n'ennuyait point, qu'elle les touchait même en plusieurs endroits et qu'ils la verraient encore avec plaisir. Que veulent-ils davantage? Je les conjure d'avoir assez bonne opinion d'eux-mêmes pour ne pas croire qu'une pièce qui les touche, et qui leur donne du plaisir, puisse être absolument contre les règles. La principale règle est de plaire et de toucher. Toutes les autres ne sont faites que pour parvenir à cette première. Mais toutes ces règles sont d'un long détail, dont je ne leur conseille pas de s'embarrasser. Ils ont des occupations plus importantes. Qu'ils se reposent sur nous de la fatigue d'éclaircir les difficultés de la poétique d'Aristote, qu'ils se réservent le plaisir de pleurer et d'être attendris, et qu'ils me permettent de leur dire ce qu'un musicien disait à Philippe, roi de Macédoine, qui prétendait qu'une chanson n'était pas selon les règles : « A « Dieu ne plaise, seigneur, que vous soyez jamais si malheureux « que de savoir ces choses-là mieux que moi ! »

Voilà tout ce que j'ai à dire à ces personnes à qui je ferai toujours gloire de plaire. Car pour le libelle que l'on fait contre moi, je crois que les lecteurs me dispenseront volontiers d'y répondre. Et que répondrais-je à un homme qui ne pense rien et qui ne sait pas même construire ce qu'il pense? Il parle de protase comme s'il entendait ce mot, et veut que cette première des quatre parties de la tragédie soit toujours la plus proche de la dernière, qui est la catastrophe. Il se plaint que la trop grande connaissance des règles l'empêche de se divertir à la comédie. Certainement, si l'on en juge par sa dissertation, il n'y eut jamais de plainte plus mal fondée. Il paraît bien qu'il n'a jamais lu Sophocle, qu'il loue très injustement d'*une grande multiplicité d'incidents;* et qu'il n'a même jamais rien lu de la poétique, que dans quelques préfaces de tragédies. Mais je lui pardonne de ne pas savoir les règles du théâtre, puisque, heureusement pour le public, il ne s'applique pas à ce genre d'écrire. Ce que je ne lui pardonne pas, c'est de savoir si peu les règles de la bonne plaisanterie, lui qui ne veut pas dire un mot sans plaisanter. Croit-il réjouir beaucoup les honnêtes gens par ces *hélas de poche,* ces *mesdemoiselles mes règles,* et quantité d'autres basses affectations qu'il trouvera condamnées dans tous les bons auteurs, s'il se mêle jamais de les lire?

Toutes ces critiques sont le partage de quatre ou cinq petits auteurs infortunés, qui n'ont jamais pu par eux-mêmes exciter la curiosité du public. Ils attendent toujours l'occasion de quelque ouvrage qui réussisse pour l'attaquer, non point par jalousie, car sur quel fondement seraient-ils jaloux? mais dans l'espérance qu'on se donnera la peine de leur répondre, et qu'on les tirera de l'obscurité où leurs propres ouvrages les auraient laissés toute leur vie.

ACTEURS

TITUS, empereur de Rome.
BÉRÉNICE, reine de Palestine.
ANTIOCHUS, roi de Comagène.
PAULIN, confident de Titus.
ARSACE, confident d'Antiochus.
PHÉNICE, confidente de Bérénice.
RUTILE, Romain.
SUITE DE TITUS.

La scène est à Rome, dans un cabinet qui est entre l'appartement de Titus et celui de Bérénice.

BÉRÉNICE

ACTE PREMIER

SCÈNE I. — ANTIOCHUS, ARSACE

ANTIOCHUS

Arrêtons un moment. La pompe de ces lieux,
Je le vois bien, Arsace, est nouvelle à tes yeux.
Souvent ce cabinet superbe et solitaire
Des secrets de Titus est le dépositaire.
C'est ici quelquefois qu'il se cache à sa cour,
Lorsqu'il vient à la reine expliquer son amour.
De son appartement cette porte est prochaine,
Et cette autre conduit dans celui de la reine.
Va chez elle : dis-lui qu'importun à regret
J'ose lui demander un entretien secret.

ARSACE

Vous, Seigneur, importun? vous, cet ami fidèle
Qu'un soin si généreux intéresse pour elle?
Vous, cet Antiochus son amant autrefois?
Vous, que l'Orient compte entre ses plus grands rois?
Quoi? déjà de Titus épouse en espérance,
Ce rang entre elle et vous met-il tant de distance [4]?

ANTIOCHUS

Va, dis-je; et sans vouloir te charger d'autres soins,
Vois si je puis bientôt lui parler sans témoins.

SCÈNE II. — ANTIOCHUS, *seul.*

Eh bien, Antiochus, es-tu toujours le même?
Pourrai-je, sans trembler, lui dire : « Je vous aime? »
Mais quoi? déjà je tremble, et mon cœur agité
Craint autant ce moment que je l'ai souhaité.
Bérénice autrefois m'ôta toute espérance;
Elle m'imposa même un éternel silence.
Je me suis tu cinq ans, et jusques à ce jour,
D'un voile d'amitié j'ai couvert mon amour.
Dois-je croire qu'au rang où Titus la destine

Elle m'écoute mieux que dans la Palestine?
Il l'épouse. Ai-je donc attendu ce moment
Pour me venir encor déclarer son amant?
Quel fruit me reviendra d'un aveu téméraire?
Ah! puisqu'il faut partir, partons sans lui déplaire.
Retirons-nous, sortons, et sans nous découvrir,
Allons loin de ses yeux l'oublier, ou mourir.
Hé quoi? souffrir toujours un tourment qu'elle ignore?
Toujours verser des pleurs qu'il faut que je dévore?
Quoi? même en la perdant redouter son courroux?
Belle reine, et pourquoi vous offenseriez-vous?
Viens-je vous demander que vous quittiez l'empire?
Que vous m'aimiez? Hélas! je ne viens que vous dire
Qu'après m'être longtemps flatté que mon rival
Trouverait à ses vœux quelque obstacle fatal,
Aujourd'hui qu'il peut tout, que votre hymen s'avance,
Exemple infortuné d'une longue constance,
Après cinq ans d'amour et d'espoir superflus,
Je pars, fidèle encor, quand je n'espère plus.
Au lieu de s'offenser, elle pourra me plaindre.
Quoi qu'il en soit, parlons : c'est assez nous contraindre.
Et que peut craindre, hélas! un amant sans espoir
Qui peut bien se résoudre à ne la jamais voir?

SCÈNE III. — ANTIOCHUS, ARSACE

ANTIOCHUS

Arsace, entrerons-nous?

ARSACE

Seigneur, j'ai vu la reine;
Mais, pour me faire voir, je n'ai percé qu'à peine
Les flots toujours nouveaux d'un peuple adorateur
Qu'attire sur ses pas sa prochaine grandeur.
Titus, après huit jours d'une retraite austère,
Cesse enfin de pleurer Vespasien son père.
Cet amant se redonne aux soins de son amour,
Et si j'en crois, Seigneur, l'entretien de la cour,
Peut-être avant la nuit l'heureuse Bérénice
Change le nom de reine au nom d'impératrice.

ANTIOCHUS

Hélas!

ARSACE

Quoi? ce discours pourrait-il vous troubler?

ANTIOCHUS

Ainsi donc sans témoins je ne lui puis parler?

ARSACE

Vous la verrez, Seigneur : Bérénice est instruite
Que vous voulez ici la voir seule et sans suite.
La reine d'un regard a daigné m'avertir
Qu'à votre empressement elle allait consentir,
Et sans doute elle attend le moment favorable
Pour disparaître aux yeux d'une cour qui l'accable.

ANTIOCHUS

Il suffit. Cependant n'as-tu rien négligé
Des ordres importants dont je t'avais chargé?

ARSACE

Seigneur, vous connaissez ma prompte obéissance.
Des vaisseaux dans Ostie armés en diligence,
Prêts à quitter le port de moments en moments,
N'attendent pour partir que vos commandements.
Mais qui renvoyez-vous dans votre Comagène?

ANTIOCHUS

Arsace, il faut partir quand j'aurai vu la reine.

ARSACE

Qui doit partir?

ANTIOCHUS

Moi.

ARSACE

Vous?

ANTIOCHUS

En sortant du palais,
Je sors de Rome, Arsace, et j'en sors pour jamais.

ARSACE

Je suis surpris sans doute, et c'est avec justice.
Quoi? depuis si longtemps la reine Bérénice
Vous arrache, Seigneur, du sein de vos États,
Depuis trois ans dans Rome elle arrête vos pas;
Et lorsque cette reine, assurant sa conquête,
Vous attend pour témoin de cette illustre fête,
Quand l'amoureux Titus, devenant son époux,
Lui prépare un éclat qui rejaillit sur vous...

ANTIOCHUS

Arsace, laisse-la jouir de sa fortune,
Et quitte un entretien dont le cours m'importune.

ARSACE

Je vous entends, Seigneur : ces mêmes dignités
Ont rendu Bérénice ingrate à vos bontés.
L'inimitié succède à l'amitié trahie.

ANTIOCHUS

Non, Arsace, jamais je ne l'ai moins haïe.

ARSACE

Quoi donc? de sa grandeur déjà trop prévenu,
Le nouvel empereur vous a-t-il méconnu?
Quelque pressentiment de son indifférence
Vous fait-il loin de Rome éviter sa présence?

ANTIOCHUS

Titus n'a point pour moi paru se démentir :
J'aurais tort de me plaindre.

ARSACE

Et pourquoi donc partir?
Quel caprice vous rend ennemi de vous-même?
Le ciel met sur le trône un prince qui vous aime,
Un prince qui jadis témoin de vos combats,
Vous vit chercher la gloire et la mort sur ses pas,
Et de qui la valeur, par vos soins secondée,
Mit enfin sous le joug la rebelle Judée.
Il se souvient du jour illustre et douloureux
Qui décida du sort d'un long siège douteux.
Sur leur triple rempart les ennemis tranquilles
Contemplaient sans péril nos assauts inutiles;
Le bélier impuissant les menaçait en vain.
Vous seul, Seigneur, vous seul, une échelle à la main,
Vous portâtes la mort jusque sur leurs murailles.
Ce jour presque éclaira vos propres funérailles :
Titus vous embrassa mourant entre mes bras,
Et tout le camp vainqueur pleura votre trépas [5].
Voici le temps, Seigneur, où vous devez attendre
Le fruit de tant de sang qu'ils vous ont vu répandre.
Si pressé du désir de revoir vos États,
Vous vous lassez de vivre où vous ne régnez pas,
Faut-il que sans honneur l'Euphrate vous revoie?

Attendez pour partir que César vous renvoie
Triomphant et chargé des titres souverains
Qu'ajoute encore aux rois l'amitié des Romains.
Rien ne peut-il, Seigneur, changer votre entreprise?
Vous ne répondez point?

ANTIOCHUS

Que veux-tu que je dise?
J'attends de Bérénice un moment d'entretien.

ARSACE

Eh bien, Seigneur?

ANTIOCHUS

Son sort décidera du mien.

ARSACE

Comment?

ANTIOCHUS

Sur son hymen j'attends qu'elle s'explique.
Si sa bouche s'accorde avec la voix publique,
S'il est vrai qu'on l'élève au trône des Césars,
Si Titus a parlé, s'il l'épouse, je pars.

ARSACE

Mais qui rend à vos yeux cet hymen si funeste?

ANTIOCHUS

Quand nous serons partis, je te dirai le reste.

ARSACE

Dans quel trouble, Seigneur, jetez-vous mon esprit?

ANTIOCHUS

La reine vient. Adieu. Fais tout ce que j'ai dit.

SCÈNE IV. — BÉRÉNICE, ANTIOCHUS, PHÉNICE

BÉRÉNICE

Enfin je me dérobe à la joie importune
De tant d'amis nouveaux que me fait la fortune;
Je fuis de leurs respects l'inutile longueur,
Pour chercher un ami qui me parle du cœur.
Il ne faut point mentir : ma juste impatience
Vous accusait déjà de quelque négligence.
Quoi? cet Antiochus, disais-je, dont les soins
Ont eu tout l'Orient et Rome pour témoins,
Lui que j'ai vu toujours constant dans mes traverses

Suivre d'un pas égal mes fortunes diverses,
Aujourd'hui que le ciel semble me présager
Un honneur qu'avec vous je prétends partager [6],
Ce même Antiochus, se cachant à ma vue,
Me laisse à la merci d'une foule inconnue?

ANTIOCHUS

Il est donc vrai, Madame? et selon ce discours,
L'hymen va succéder à vos longues amours?

BÉRÉNICE

Seigneur, je vous veux bien confier mes alarmes.
Ces jours ont vu mes yeux baignés de quelques larmes :
Ce long deuil que Titus imposait à sa cour
Avait même en secret suspendu son amour;
Il n'avait plus pour moi cette ardeur assidue
Lorsqu'il passait les jours attachés sur ma vue;
Muet, chargé de soins, et les larmes aux yeux,
Il ne me laissait plus que de tristes adieux.
Jugez de ma douleur, moi dont l'ardeur extrême,
Je vous l'ai dit cent fois, n'aime en lui que lui-même,
Moi qui, loin des grandeurs dont il est revêtu,
Aurais choisi son cœur et cherché sa vertu.

ANTIOCHUS

Il a repris pour vous sa tendresse première?

BÉRÉNICE

Vous fûtes spectateur de cette nuit dernière,
Lorsque, pour seconder ses soins religieux,
Le sénat a placé son père entre les dieux.
De ce juste devoir sa piété contente
A fait place, Seigneur, au soin de son amante;
Et même en ce moment, sans qu'il m'en ait parlé,
Il est dans le sénat par son ordre assemblé.
Là, de la Palestine il étend la frontière,
Il y joint l'Arabie et la Syrie entière,
Et si de ses amis j'en dois croire la voix,
Si j'en crois ses serments redoublés mille fois,
Il va sur tant d'États couronner Bérénice,
Pour joindre à plus de noms le nom d'impératrice.
Il m'en viendra lui-même assurer en ce lieu.

ANTIOCHUS

Et je viens donc vous dire un éternel adieu.

BÉRÉNICE

Que dites-vous? Ah! ciel! quel adieu! quel langage!
Prince, vous vous troublez et changez de visage?

ANTIOCHUS

Madame, il faut partir.

BÉRÉNICE

Quoi? ne puis-je savoir
Quel sujet...

ANTIOCHUS

Il fallait partir sans la revoir.

BÉRÉNICE

Que craignez-vous? parlez : c'est trop longtemps se taire.
Seigneur, de ce départ quel est donc le mystère?

ANTIOCHUS

Au moins souvenez-vous que je cède à vos lois,
Et que vous m'écoutez pour la dernière fois.
Si, dans ce haut degré de gloire et de puissance,
Il vous souvient des lieux où vous prîtes naissance,
Madame, il vous souvient que mon cœur en ces lieux
Reçut le premier trait qui partit de vos yeux.
J'aimai. J'obtins l'aveu d'Agrippa votre frère;
Il vous parla de moi. Peut-être sans colère
Alliez-vous de mon cœur recevoir le tribut;
Titus, pour mon malheur, vint, vous vit, et vous plut.
Il parut devant vous dans tout l'éclat d'un homme
Qui porte entre ses mains la vengeance de Rome.
La Judée en pâlit. Le triste Antiochus
Se compta le premier au nombre des vaincus.
Bientôt de mon malheur interprète sévère
Votre bouche à la mienne ordonna de se taire.
Je disputai longtemps, je fis parler mes yeux;
Mes pleurs et mes soupirs vous suivaient en tous lieux.
Enfin votre rigueur emporta la balance :
Vous sûtes m'imposer l'exil ou le silence,
Il fallut le promettre, et même le jurer.
Mais puisqu'en ce moment j'ose me déclarer,
Lorsque vous m'arrachiez cette injuste promesse,
Mon cœur faisait serment de vous aimer sans cesse.

BÉRÉNICE

Ah! que me dites-vous?

ANTIOCHUS

Je me suis tu cinq ans,
Madame, et vais encor me taire plus longtemps.
De mon heureux rival j'accompagnai les armes;
J'espérai de verser mon sang après mes larmes,
Ou qu'au moins, jusqu'à vous porté par mille exploits,
Mon nom pourrait parler, au défaut de ma voix.
Le ciel sembla promettre une fin à ma peine :
Vous pleurâtes ma mort, hélas ! trop peu certaine.
Inutiles périls ! Quelle était mon erreur !
La valeur de Titus surpassait ma fureur.
Il faut qu'à sa vertu mon estime réponde.
Quoique attendu, Madame, à l'empire du monde,
Chéri de l'univers, enfin aimé de vous,
Il semblait à lui seul appeler tous les coups,
Tandis que, sans espoir, haï, lassé de vivre,
Son malheureux rival ne semblait que le suivre.
Je vois que votre cœur m'applaudit en secret,
Je vois que l'on m'écoute avec moins de regret,
Et que trop attentive à ce récit funeste,
En faveur de Titus vous pardonnez le reste.
Enfin, après un siège aussi cruel que lent,
Il dompta les mutins, reste pâle et sanglant
Des flammes, de la faim, des fureurs intestines,
Et laissa leurs remparts cachés sous leurs ruines,
Rome vous vit, Madame, arriver avec lui.
Dans l'Orient désert quel devint mon ennui !
Je demeurai longtemps errant dans Césarée,
Lieux charmants où mon cœur vous avait adorée.
Je vous redemandais à vos tristes États;
Je cherchais en pleurant les traces de vos pas.
Mais enfin succombant à ma mélancolie
Mon désespoir tourna mes pas vers l'Italie.
Le sort m'y réservait le dernier de ses coups.
Titus en m'embrassant m'amena devant vous;
Un voile d'amitié vous trompa l'un et l'autre,
Et mon amour devint le confident du vôtre.
Mais toujours quelque espoir flattait mes déplaisirs :
Rome, Vespasien, traversaient vos soupirs;
Après tant de combats Titus cédait peut-être.
Vespasien est mort, et Titus est le maître.

Que ne fuyais-je alors! J'ai voulu quelques jours
De son nouvel empire examiner le cours.
Mon sort est accompli : votre gloire s'apprête.
Assez d'autres sans moi, témoins de cette fête,
A vos heureux transports viendront joindre les leurs;
Pour moi, qui ne pourrais y mêler que des pleurs,
D'un inutile amour trop constante victime,
Heureux dans mes malheurs d'en avoir pu sans crime
Conter toute l'histoire aux yeux qui les ont faits,
Je pars plus amoureux que je ne fus jamais.

BÉRÉNICE

Seigneur, je n'ai pas cru que, dans une journée
Qui doit avec César unir ma destinée,
Il fût quelque mortel qui pût impunément
Se venir à mes yeux déclarer mon amant.
Mais de mon amitié mon silence est un gage :
J'oublie en sa faveur un discours qui m'outrage.
Je n'en ai point troublé le cours injurieux;
Je fais plus : à regret je reçois vos adieux.
Le ciel sait qu'au milieu des honneurs qu'il m'envoie,
Je n'attendais que vous pour témoin de ma joie.
Avec tout l'univers j'honorais vos vertus;
Titus vous chérissait, vous admiriez Titus.
Cent fois je me suis fait une douceur extrême
D'entretenir Titus dans un autre lui-même.

ANTIOCHUS

Et c'est ce que je fuis. J'évite, mais trop tard,
Ces cruels entretiens où je n'ai point de part.
Je fuis Titus : je fuis ce nom qui m'inquiète,
Ce nom qu'à tous moments votre bouche répète.
Que vous dirai-je enfin? Je fuis des yeux distraits,
Qui me voyant toujours ne me voyaient jamais.
Adieu. Je vais, le cœur trop plein de votre image,
Attendre, en vous aimant, la mort pour mon partage.
Surtout ne craignez point qu'une aveugle douleur
Remplisse l'univers du bruit de mon malheur,
Madame : le seul bruit d'une mort que j'implore
Vous fera souvenir que je vivais encore.
Adieu.

SCÈNE V. — BÉRÉNICE, PHÉNICE

PHÉNICE

Que je le plains ! Tant de fidélité,
Madame, méritait plus de prospérité.
Ne le plaignez-vous pas?

BÉRÉNICE

Cette prompte retraite
Me laisse, je l'avoue, une douleur secrète.

PHÉNICE

Je l'aurais retenu.

BÉRÉNICE

Qui? moi? le retenir?
J'en dois perdre plutôt jusques au souvenir.
Tu veux donc que je flatte une ardeur insensée?

PHÉNICE

Titus n'a point encore expliqué sa pensée.
Rome vous voit, Madame, avec des yeux jaloux;
La rigueur de ses lois m'épouvante pour vous.
L'hymen chez les Romains n'admet qu'une Romaine;
Rome hait tous les rois, et Bérénice est reine [7].

BÉRÉNICE

Le temps n'est plus, Phénice, où je pouvais trembler.
Titus m'aime, il peut tout, il n'a plus qu'à parler :
Il verra le sénat m'apporter ses hommages,
Et le peuple de fleurs couronner ses images.
De cette nuit, Phénice, as-tu vu la splendeur?
Tes yeux ne sont-ils pas tout pleins de sa grandeur?
Ces flambeaux, ce bûcher, cette nuit enflammée,
Ces aigles, ces faisceaux, ce peuple, cette armée,
Cette foule de rois, ces consuls, ce sénat,
Qui tous de mon amant empruntaient leur éclat;
Cette pourpre, cet or, que rehaussait sa gloire,
Et ces lauriers encor témoins de sa victoire;
Tous ces yeux qu'on voyait venir de toutes parts
Confondre sur lui seul leurs avides regards;
Ce port majestueux, cette douce présence...
Ciel ! avec quel respect et quelle complaisance
Tous les cœurs en secret l'assuraient de leur foi !
Parle : peut-on le voir sans penser comme moi
Qu'en quelque obscurité que le sort l'eût fait naître,

Le monde en le voyant eût reconnu son maître?
Mais, Phénice, où m'emporte un souvenir charmant?
Cependant Rome entière, en ce même moment,
Fait des vœux pour Titus, et par des sacrifices,
De son règne naissant célèbre les prémices.
Que tardons-nous? Allons, pour son empire heureux,
Au ciel qui le protège, offrir aussi nos vœux.
Aussitôt, sans l'attendre, et sans être attendue,
Je reviens le chercher, et dans cette entrevue
Dire tout ce qu'aux cœurs l'un de l'autre contents
Inspirent des transports retenus si longtemps.

ACTE DEUXIÈME

SCÈNE I. — TITUS, PAULIN, Suite

TITUS

A-t-on vu de ma part le roi de Comagène?
Sait-il que je l'attends?

PAULIN

J'ai couru chez la reine :
Dans son appartement ce prince avait paru;
Il en était sorti lorsque j'y suis couru.
De vos ordres, Seigneur, j'ai dit qu'on l'avertisse.

TITUS

Il suffit. Et que fait la reine Bérénice?

PAULIN

La reine, en ce moment, sensible à vos bontés,
Charge le ciel de vœux pour vos prospérités.
Elle sortait, Seigneur.

TITUS

Trop aimable princesse!
Hélas!

PAULIN

En sa faveur d'où naît cette tristesse?
L'Orient presque entier va fléchir sous sa loi;
Vous la plaignez?

TITUS

Paulin, qu'on vous laisse avec moi.

SCÈNE II. — TITUS, PAULIN

TITUS

Eh bien ! de mes desseins Rome encore incertaine
Attend que deviendra le destin de la reine,
Paulin; et les secrets de son cœur et du mien
Sont de tout l'univers devenus l'entretien.
Voici le temps enfin qu'il faut que je m'explique.
De la reine et de moi que dit la voix publique?
Parlez : qu'entendez-vous?

PAULIN

J'entends de tous côtés
Publier vos vertus, Seigneur, et ses beautés.

TITUS

Que dit-on des soupirs que je pousse pour elle?
Quel succès attend-on d'un amour si fidèle?

PAULIN

Vous pouvez tout : aimez, cessez d'être amoureux;
La cour sera toujours du parti de vos vœux.

TITUS

Et je l'ai vue aussi cette cour peu sincère,
A ses maîtres toujours trop soigneuse de plaire,
Des crimes de Néron approuver les horreurs;
Je l'ai vue à genoux consacrer ses fureurs.
Je ne prends point pour juge une cour idolâtre,
Paulin : je me propose un plus noble théâtre;
Et sans prêter l'oreille à la voix des flatteurs,
Je veux par votre bouche entendre tous les cœurs.
Vous me l'avez promis. Le respect et la crainte
Ferment autour de moi le passage à la plainte;
Pour mieux voir, cher Paulin, et pour entendre mieux,
Je vous ai demandé des oreilles, des yeux;
J'ai mis même à ce prix mon amitié secrète :
J'ai voulu que des cœurs vous fussiez l'interprète,
Qu'aux travers des flatteurs votre sincérité
Fît toujours jusqu'à moi passer la vérité.
Parlez donc. Que faut-il que Bérénice espère?
Rome lui sera-t-elle indulgente ou sévère?
Dois-je croire qu'assise au trône des Césars
Une si belle reine offensât ses regards?

PAULIN

N'en doutez point, Seigneur : soit raison, soit caprice,
Rome ne l'attend point pour son impératrice.
On sait qu'elle est charmante, et de si belles mains
Semblent vous demander l'empire des humains.
Elle a même, dit-on, le cœur d'une Romaine;
Elle a mille vertus, mais, Seigneur, elle est reine.
Rome, par une loi qui ne se peut changer,
N'admet avec son sang aucun sang étranger,
Et ne reconnaît point les fruits illégitimes
Qui naissent d'un hymen contraire à ses maximes.
D'ailleurs, vous le savez, en bannissant ses rois,
Rome à ce nom si noble et si saint autrefois
Attache pour jamais une haine puissante;
Et quoiqu'à ses Césars fidèle, obéissante,
Cette haine, Seigneur, reste de sa fierté,
Survit dans tous les cœurs après la liberté.
Jules, qui le premier la soumit à ses armes,
Qui fit taire les lois dans le bruit des alarmes,
Brûla pour Cléopâtre; et sans se déclarer,
Seule dans l'Orient la laissa soupirer.
Antoine, qui l'aima jusqu'à l'idolâtrie,
Oublia dans son sein sa gloire et sa patrie,
Sans oser toutefois se nommer son époux.
Rome l'alla chercher jusques à ses genoux,
Et ne désarma point sa fureur vengeresse,
Qu'elle n'eût accablé l'amant et la maîtresse.
Depuis ce temps, Seigneur, Caligula, Néron,
Monstres dont à regret je cite ici le nom,
Et qui ne conservant que la figure d'homme,
Foulèrent à leurs pieds toutes les lois de Rome,
Ont craint cette loi seule, et n'ont point à nos yeux
Allumé le flambeau d'un hymen odieux.
Vous m'avez commandé sur tout d'être sincère.
De l'affranchi Pallas nous avons vu le frère,
Des fers de Claudius Félix encor flétri,
De deux reines, Seigneur, devenir le mari [8];
Et s'il faut jusqu'au bout que je vous obéisse,
Ces deux reines étaient du sang de Bérénice.
Et vous croiriez pouvoir, sans blesser nos regards,
Faire entrer une reine au lit de nos Césars,

Tandis que l'Orient dans le lit de ses reines
Voit passer un esclave au sortir de nos chaînes?
C'est ce que les Romains pensent de votre amour,
Et je ne réponds pas, avant la fin du jour,
Que le sénat, chargé des vœux de tout l'empire,
Ne vous redise ici ce que je viens de dire;
Et que Rome avec lui tombant à vos genoux,
Ne vous demande un choix digne d'elle et de vous.
Vous pouvez préparer, Seigneur, votre réponse.

TITUS

Hélas ! à quel amour on veut que je renonce !

PAULIN

Cet amour est ardent, il le faut confesser.

TITUS

Plus ardent mille fois que tu ne peux penser,
Paulin. Je me suis fait un plaisir nécessaire
De la voir chaque jour, de l'aimer, de lui plaire.
J'ai fait plus; je n'ai rien de secret à tes yeux :
J'ai pour elle cent fois rendu grâces aux dieux
D'avoir choisi mon père au fond de l'Idumée [9],
D'avoir rangé sous lui l'Orient et l'armée,
Et soulevant encor le reste des humains,
Remis Rome sanglante en ses paisibles mains.
J'ai même souhaité la place de mon père,
Moi, Paulin, qui cent fois si le sort moins sévère
Eût voulu de sa vie étendre les liens,
Aurais donné mes jours pour prolonger les siens.
Tout cela (qu'un amant sait mal ce qu'il désire !)
Dans l'espoir d'élever Bérénice à l'empire,
De reconnaître un jour son amour et sa foi,
Et de voir à ses pieds tout le monde avec moi.
Malgré tout mon amour, Paulin, et tous ses charmes,
Après mille serments appuyés de mes larmes,
Maintenant que je puis couronner tant d'attraits,
Maintenant que je l'aime encor plus que jamais,
Lorsqu'un heureux hymen, joignant vos destinées,
Peut payer en un jour les vœux de cinq années,
Je vais, Paulin... O ciel ! puis-je le déclarer?

PAULIN

Quoi, Seigneur?

TITUS

Pour jamais je vais m'en séparer.
Mon cœur en ce moment ne vient pas de se rendre.
Si je t'ai fait parler, si j'ai voulu t'entendre,
Je voulais que ton zèle achevât en secret [10]
De confondre un amour qui se tait à regret.
Bérénice a longtemps balancé la victoire;
Et si je penche enfin du côté de ma gloire,
Crois qu'il m'en a coûté, pour vaincre tant d'amour,
Des combats dont mon cœur saignera plus d'un jour.
J'aimais, je soupirais, dans une paix profonde :
Un autre était chargé de l'empire du monde.
Maître de mon destin, libre dans mes soupirs,
Je ne rendais qu'à moi compte de mes désirs.
Mais à peine le ciel eut rappelé mon père,
Dès que ma triste main eut fermé sa paupière,
De mon aimable erreur je fus désabusé :
Je sentis le fardeau qui m'était imposé;
Je connus que bientôt, loin d'être à ce que j'aime,
Il fallait, cher Paulin, renoncer à moi-même,
Et que le choix des dieux, contraire à mes amours,
Livrait à l'univers le reste de mes jours.
Rome observe aujourd'hui ma conduite nouvelle.
Quelle honte pour moi, quel présage pour elle,
Si dès le premier pas, renversant tous ses droits,
Je fondais mon bonheur sur le débris des lois!
Résolu d'accomplir ce cruel sacrifice,
J'y voulus préparer la triste Bérénice.
Mais par où commencer? Vingt fois depuis huit jours
J'ai voulu devant elle en ouvrir le discours;
Et dès le premier mot ma langue embarrassée
Dans ma bouche vingt fois a demeuré glacée.
J'espérais que du moins mon trouble et ma douleur
Lui feraient pressentir notre commun malheur;
Mais sans me soupçonner, sensible à mes alarmes,
Elle m'offre sa main pour essuyer mes larmes,
Et ne prévoit rien moins dans cette obscurité,
Que la fin d'un amour qu'elle a trop mérité.
Enfin j'ai ce matin rappelé ma constance :
Il faut la voir, Paulin, et rompre le silence.
J'attends Antiochus pour lui recommander

Ce dépôt précieux que je ne puis garder :
Jusque dans l'Orient je veux qu'il la remène.
Demain Rome avec lui verra partir la reine.
Elle en sera bientôt instruite par ma voix,
Et je vais lui parler pour la dernière fois.

PAULIN

Je n'attendais pas moins de cet amour de gloire
Qui partout après vous attacha la victoire.
La Judée asservie, et ses remparts fumants,
De cette noble ardeur éternels monuments,
Me répondaient assez que votre grand courage
Ne voudrait pas, Seigneur, détruire son ouvrage,
Et qu'un héros vainqueur de tant de nations
Saurait bien, tôt ou tard, vaincre ses passions.

TITUS

Ah ! que sous de beaux noms cette gloire est cruelle !
Combien mes tristes yeux la trouveraient plus belle,
S'il ne fallait encore qu'affronter le trépas !
Que dis-je? Cette ardeur que j'ai pour ses appas [11],
Bérénice en mon sein l'a jadis allumée.
Tu ne l'ignores pas : toujours la renommée
Avec le même éclat n'a pas semé mon nom.
Ma jeunesse, nourrie à la cour de Néron,
S'égarait, cher Paulin, par l'exemple abusée
Et suivait du plaisir la pente trop aisée [12].
Bérénice me plut. Que ne fait point un cœur
Pour plaire à ce qu'il aime, et gagner son vainqueur !
Je prodiguai mon sang : tout fit place à mes armes;
Je revins triomphant. Mais le sang et les larmes
Ne me suffisaient pas pour mériter ses vœux :
J'entrepris le bonheur de mille malheureux;
On vit de toutes parts mes bontés se répandre,
Heureux, et plus heureux que tu ne peux comprendre,
Quand je pouvais paraître à ses yeux satisfaits
Chargé de mille cœurs conquis par mes bienfaits [13] !
Je lui dois tout, Paulin. Récompense cruelle !
Tout ce que je lui dois va retomber sur elle.
Pour prix de tant de gloire et de tant de vertus,
Je lui dirai : « Partez, et ne me voyez plus. »

PAULIN

Hé quoi ! Seigneur, hé quoi ! cette magnificence

Qui va jusqu'à l'Euphrate étendre sa puissance,
Tant d'honneurs dont l'excès a surpris le sénat
Vous laissent-ils encor craindre le nom d'ingrat?
Sur cent peuples nouveaux Bérénice commande.

TITUS

Faibles amusements d'une douleur si grande!
Je connais Bérénice, et ne sais que trop bien
Que son cœur n'a jamais demandé que le mien.
Je l'aimai, je lui plus. Depuis cette journée [14],
(Dois-je dire funeste, hélas! ou fortunée?)
Sans avoir en aimant d'objet que son amour,
Étrangère dans Rome, inconnue à la cour,
Elle passe ses jours, Paulin, sans rien prétendre
Que quelque heure à me voir, et le reste à m'attendre.
Encor, si quelquefois un peu moins assidu
Je passe le moment où je suis attendu,
Je la revois bientôt de pleurs toute trempée.
Ma main à les sécher est longtemps occupée.
Enfin tout ce qu'Amour a de nœuds plus puissants,
Doux reproches, transports sans cesse renaissants,
Soin de plaire sans art, crainte toujours nouvelle,
Beauté, gloire, vertu, je trouve tout en elle.
Depuis cinq ans entiers chaque jour je la vois,
Et crois toujours la voir pour la première fois.
N'y songeons plus. Allons, cher Paulin : plus j'y pense,
Plus je sens chanceler ma cruelle constance.
Quelle nouvelle, ô ciel! je lui vais annoncer!
Encore un coup, allons, il n'y faut plus penser.
Je connais mon devoir, c'est à moi de le suivre :
Je n'examine point si j'y pourrai survivre.

SCÈNE III. — TITUS, PAULIN, RUTILE

RUTILE

Bérénice, Seigneur, demande à vous parler.

TITUS

Ah! Paulin!

PAULIN

Quoi? déjà vous semblez reculer!
De vos nobles projets, Seigneur, qu'il vous souvienne;
Voici le temps.

TITUS

Eh bien! voyons-la. Qu'elle vienne.

SCÈNE IV. — BÉRÉNICE, TITUS, PAULIN, PHÉNICE

BÉRÉNICE

Ne vous offensez pas si mon zèle indiscret
De votre solitude interrompt le secret.
Tandis qu'autour de moi votre cour assemblée
Retentit des bienfaits dont vous m'avez comblée,
Est-il juste, Seigneur, que seule en ce moment
Je demeure sans voix et sans ressentiment?
Mais, Seigneur (car je sais que cet ami sincère
Du secret de nos cœurs connaît tout le mystère),
Votre deuil est fini, rien n'arrête vos pas,
Vous êtes seul enfin, et ne me cherchez pas!
J'entends que vous m'offrez un nouveau diadème,
Et ne puis cependant vous entendre vous-même.
Hélas! plus de repos, Seigneur, et moins d'éclat.
Votre amour ne peut-il paraître qu'au sénat?
Ah! Titus! (car enfin l'amour fuit la contrainte
De tous ces noms que suit le respect et la crainte)
De quel soin votre amour va-t-il s'importuner?
N'a-t-il que des États qu'il me puisse donner?
Depuis quand croyez-vous que ma grandeur me touche?
Un soupir, un regard, un mot de votre bouche,
Voilà l'ambition d'un cœur comme le mien.
Voyez-moi plus souvent, et ne me donnez rien.
Tous vos moments sont-ils dévoués à l'empire?
Ce cœur, après huit jours, n'a-t-il rien à me dire?
Qu'un mot va rassurer mes timides esprits!
Mais parliez-vous de moi quand je vous ai surpris?
Dans vos secrets discours étais-je intéressée,
Seigneur? Étais-je au moins présente à la pensée?

TITUS

N'en doutez point, Madame, et j'atteste les dieux
Que toujours Bérénice est présente à mes yeux.
L'absence ni le temps, je vous le jure encore,
Ne vous peuvent ravir ce cœur qui vous adore.

BÉRÉNICE

Hé quoi? vous me jurez une éternelle ardeur,
Et vous me la jurez avec cette froideur?

Pourquoi même du ciel attester la puissance?
Faut-il par des serments vaincre ma défiance?
Mon cœur ne prétend point, Seigneur, vous démentir,
Et je vous en croirai sur un simple soupir.

TITUS

Madame...

BÉRÉNICE

Eh bien, Seigneur? Mais quoi? sans me répondre,
Vous détournez les yeux et semblez vous confondre!
Ne m'offrirez-vous plus qu'un visage interdit?
Toujours la mort d'un père occupe votre esprit?
Rien ne peut-il charmer l'ennui qui vous dévore?

TITUS

Plût au ciel que mon père, hélas! vécût encore!
Que je vivais heureux!

BÉRÉNICE

Seigneur, tous ces regrets
De votre piété sont de justes effets.
Mais vos pleurs ont assez honoré sa mémoire,
Vous devez d'autres soins à Rome, à votre gloire.
De mon propre intérêt, je n'ose vous parler.
Bérénice autrefois pouvait vous consoler;
Avec plus de plaisir vous m'avez écoutée.
De combien de malheurs pour vous persécutée,
Vous ai-je pour un mot sacrifié mes pleurs!
Vous regrettez un père; hélas! faibles douleurs!
Et moi (ce souvenir me fait frémir encore),
On voulait m'arracher de tout ce que j'adore;
Moi, dont vous connaissez le trouble et le tourment
Quand vous ne me quittez que pour quelque moment;
Moi, qui mourrais le jour qu'on voudrait m'interdire
De vous...

TITUS

Madame, hélas! que me venez-vous dire?
Quel temps choisissez-vous? Ah! de grâce arrêtez.
C'est trop pour un ingrat prodiguer vos bontés.

BÉRÉNICE

Pour un ingrat, Seigneur! Et le pouvez-vous être?
Ainsi donc mes bontés vous fatiguent peut-être?

TITUS

Non, Madame. Jamais, puisqu'il faut vous parler,
Mon cœur de plus de feux ne se sentit brûler.
Mais...

BÉRÉNICE

Achevez.

TITUS

Hélas!

BÉRÉNICE

Parlez.

TITUS

Rome... l'empire...

BÉRÉNICE

Eh bien?

TITUS

Sortons, Paulin; je ne lui puis rien dire.

SCÈNE V. — BÉRÉNICE, PHÉNICE

BÉRÉNICE

Quoi! me quitter sitôt, et ne me dire rien?
Chère Phénice, hélas! quel funeste entretien!
Qu'ai-je fait? Que veut-il? et que dit ce silence?

PHÉNICE

Comme vous, je me perds d'autant plus que j'y pense.
Mais ne s'offre-t-il rien à votre souvenir
Qui contre vous, Madame, ait pu le prévenir?
Voyez, examinez.

BÉRÉNICE

Hélas! tu peux m'en croire :
Plus je veux du passé rappeler la mémoire,
Du jour que je le vis jusqu'à ce triste jour,
Plus je vois qu'on me peut reprocher trop d'amour.
Mais tu nous entendais. Il ne faut rien me taire :
Parle. N'ai-je rien dit qui lui puisse déplaire?
Que sais-je? J'ai peut-être avec trop de chaleur
Rabaissé ses présents, ou blâmé sa douleur...
N'est-ce point que de Rome il redoute la haine?
Il craint peut-être, il craint d'épouser une reine.
Hélas! s'il était vrai... Mais non, il a cent fois

Rassuré mon amour contre leurs dures lois;
Cent fois... Ah! qu'il m'explique un silence si rude :
Je ne respire pas dans cette incertitude.
Moi, je vivrais, Phénice, et je pourrais penser
Qu'il me néglige, ou bien que j'ai pu l'offenser?
Retournons sur ses pas. Mais quand je m'examine,
Je crois de ce désordre entrevoir l'origine,
Phénice : il aura su tout ce qui s'est passé;
L'amour d'Antiochus l'a peut-être offensé.
Il attend, m'a-t-on dit, le roi de Comagène.
Ne cherchons point ailleurs le sujet de ma peine.
Sans doute ce chagrin qui vient de m'alarmer
N'est qu'un léger soupçon facile à désarmer.
Je ne te vante point cette faible victoire,
Titus. Ah! plût au ciel que, sans blesser ta gloire,
Un rival plus puissant voulût tenter ma foi,
Et pût mettre à mes pieds plus d'empires que toi,
Que de sceptres sans nombre il pût payer ma flamme,
Que ton amour n'eût rien à donner que ton âme :
C'est alors, cher Titus, qu'aimé, victorieux,
Tu verrais de quel prix ton cœur est à mes yeux.
Allons, Phénice, un mot pourra le satisfaire.
Rassurons-nous, mon cœur, je puis encor lui plaire :
Je me comptais trop tôt au rang des malheureux;
Si Titus est jaloux, Titus est amoureux.

ACTE TROISIÈME

SCÈNE I. — TITUS, ANTIOCHUS, ARSACE

TITUS

Quoi, Prince, vous partiez? Quelle raison subite
Presse votre départ, ou plutôt votre fuite?
Vouliez-vous me cacher jusques à vos adieux?
Est-ce comme ennemi que vous quittez ces lieux?
Que diront avec moi la cour, Rome, l'empire?
Mais, comme votre ami, que ne puis-je point dire?
De quoi m'accusez-vous? Vous avais-je sans choix
Confondu jusqu'ici dans la foule des rois?
Mon cœur vous fut ouvert tant qu'a vécu mon père :
C'était le seul présent que je pouvais vous faire;
Et lorsque avec mon cœur ma main peut s'épancher,

Vous fuyez mes bienfaits tout prêts à vous chercher?
Pensez-vous qu'oubliant ma fortune passée
Sur ma seule grandeur j'arrête ma pensée,
Et que tous mes amis s'y présentent de loin
Comme autant d'inconnus dont je n'ai plus besoin?
Vous-même, à mes regards qui vouliez vous soustraire,
Prince, plus que jamais vous m'êtes nécessaire.

ANTIOCHUS

Moi, Seigneur?

TITUS

Vous.

ANTIOCHUS

Hélas! d'un prince malheureux
Que pouvez-vous, Seigneur, attendre que des vœux?

TITUS

Je n'ai pas oublié, Prince, que ma victoire
Devait à vos exploits la moitié de sa gloire,
Que Rome vit passer au nombre des vaincus
Plus d'un captif chargé des fers d'Antiochus,
Que dans le Capitole elle voit attachées
Les dépouilles des Juifs par vos mains arrachées.
Je n'attends pas de vous de ces sanglants exploits,
Et je veux seulement emprunter votre voix.
Je sais que Bérénice, à vos soins redevable,
Croit posséder en vous un ami véritable.
Elle ne voit dans Rome et n'écoute que vous;
Vous ne faites qu'un cœur et qu'une âme avec nous.
Au nom d'une amitié si constante et si belle,
Employez le pouvoir que vous avez sur elle :
Voyez-la de ma part.

ANTIOCHUS

Moi, paraître à ses yeux?
La reine, pour jamais, a reçu mes adieux.

TITUS

Prince, il faut que pour moi vous lui parliez encore.

ANTIOCHUS

Ah! parlez-lui, Seigneur. La reine vous adore.
Pourquoi vous dérober vous-même en ce moment
Le plaisir de lui faire un aveu si charmant?

Elle l'attend, Seigneur, avec impatience.
Je réponds, en partant, de son obéissance;
Et même elle m'a dit que, prêt à l'épouser,
Vous ne la verrez plus que pour l'y disposer.

TITUS

Ah! qu'un aveu si doux aurait lieu de me plaire!
Que je serais heureux, si j'avais à le faire!
Mes transports aujourd'hui s'attendaient d'éclater;
Cependant aujourd'hui, Prince, il faut la quitter.

ANTIOCHUS

La quitter! Vous, Seigneur?

TITUS

Telle est ma destinée.
Pour elle et pour Titus il n'est plus d'hyménée;
D'un espoir si charmant je me flattais en vain :
Prince, il faut avec vous qu'elle parte demain.

ANTIOCHUS

Qu'entends-je? O ciel!

TITUS

Plaignez ma grandeur importune :
Maître de l'univers, je règle sa fortune,
Je puis faire les rois, je puis les déposer;
Cependant de mon cœur je ne puis disposer.
Rome, contre les rois de tout temps soulevée,
Dédaigne une beauté dans la pourpre élevée;
L'éclat du diadème et cent rois pour aïeux
Déshonorent ma flamme et blessent tous les yeux.
Mon cœur, libre d'ailleurs, sans craindre les murmures,
Peut brûler à son choix dans des flammes obscures;
Et Rome avec plaisir recevrait de ma main
La moins digne beauté qu'elle cache en son sein.
Jules céda lui-même au torrent qui m'entraîne.
Si le peuple demain ne voit partir la reine,
Demain elle entendra ce peuple furieux
Me venir demander son départ à ses yeux.
Sauvons de cet affront mon nom et sa mémoire
Et puisqu'il faut céder, cédons à notre gloire.
Ma bouche et mes regards, muets depuis huit jours,
L'auront pu préparer à ce triste discours;
Et même en ce moment, inquiète, empressée,

Elle veut qu'à ses yeux j'explique ma pensée.
D'un amant interdit soulagez le tourment :
Épargnez à mon cœur cet éclaircissement.
Allez, expliquez-lui mon trouble et mon silence.
Surtout, qu'elle me laisse éviter sa présence.
Soyez le seul témoin de ses pleurs et des miens;
Portez-lui mes adieux, et recevez les siens;
Fuyons tous deux, fuyons un spectacle funeste,
Qui de notre constance accablerait le reste.
Si l'espoir de régner et de vivre en mon cœur
Peut de son infortune adoucir la rigueur,
Ah! Prince! jurez-lui que toujours trop fidèle,
Gémissant dans ma cour, et plus exilé qu'elle,
Portant jusqu'au tombeau le nom de son amant,
Mon règne ne sera qu'un long bannissement,
Si le ciel, non content de me l'avoir ravie,
Veut encor m'affliger par une longue vie [15].
Vous, que l'amitié seule attache sur ses pas,
Prince, dans son malheur ne l'abandonnez pas.
Que l'Orient vous voie arriver à sa suite;
Que ce soit un triomphe, et non pas une fuite;
Qu'une amitié si belle ait d'éternels liens;
Que mon nom soit toujours dans tous vos entretiens.
Pour rendre vos États plus voisins l'un de l'autre,
L'Euphrate bornera son empire et le vôtre.
Je sais que le sénat, tout plein de votre nom,
D'une commune voix confirmera ce don.
Je joins la Cilicie à votre Comagène.
Adieu. Ne quittez point ma princesse, ma reine,
Tout ce qui de mon cœur fut l'unique désir,
Tout ce que j'aimerai jusqu'au dernier soupir.

SCÈNE II. — ANTIOCHUS, ARSACE

ARSACE

Ainsi le ciel s'apprête à vous rendre justice.
Vous partirez, Seigneur, mais avec Bérénice.
Loin de vous la ravir, on va vous la livrer.

ANTIOCHUS

Arsace, laisse-moi le temps de respirer.
Ce changement est grand, ma surprise est extrême.
Titus entre mes mains remet tout ce qu'il aime!

Dois-je croire, grands dieux ! ce que je viens d'ouïr?
Et quand je le croirais dois-je m'en réjouir?

ARSACE

Mais moi-même, Seigneur, que faut-il que je croie?
Quel obstacle nouveau s'oppose à votre joie?
Me trompiez-vous tantôt au sortir de ces lieux,
Lorsque encor tout ému de vos derniers adieux,
Tremblant d'avoir osé s'expliquer devant elle,
Votre cœur me contait son audace nouvelle?
Vous fuyiez un hymen qui vous faisait trembler.
Cet hymen est rompu : quel soin peut vous troubler?
Suivez les doux transports où l'amour vous invite.

ANTIOCHUS

Arsace, je me vois chargé de sa conduite;
Je jouirai longtemps de ses chers entretiens,
Ses yeux mêmes pourront s'accoutumer aux miens,
Et peut-être son cœur fera la différence
Des froideurs de Titus à ma persévérance.
Titus m'accable ici du poids de sa grandeur :
Tout disparaît dans Rome auprès de sa splendeur;
Mais, quoique l'Orient soit plein de sa mémoire,
Bérénice y verra des traces de ma gloire.

ARSACE

N'en doutez point, Seigneur, tout succède à vos vœux,

ANTIOCHUS

Ah ! que nous nous plaisons à nous tromper tous deux !

ARSACE

Et pourquoi nous tromper?

ANTIOCHUS

Quoi ! je lui pourrais plaire?
Bérénice à mes vœux ne serait plus contraire?
Bérénice d'un mot flatterait mes douleurs?
Penses-tu seulement que parmi ses malheurs,
Quand l'univers entier négligerait ses charmes,
L'ingrate me permît de lui donner des larmes,
Ou qu'elle s'abaissât jusques à recevoir
Des soins qu'à mon amour elle croirait devoir?

ARSACE

Et qui peut mieux que vous consoler sa disgrâce?

Sa fortune, Seigneur, va prendre une autre face :
Titus la quitte.

ANTIOCHUS

Hélas ! de ce grand changement
Il ne me reviendra que le nouveau tourment
D'apprendre par ses pleurs à quel point elle l'aime.
Je la verrai gémir, je la plaindrai moi-même;
Pour fruit de tant d'amour, j'aurai le triste emploi
De recueillir des pleurs qui ne sont pas pour moi.

ARSACE

Quoi? ne vous plairez-vous qu'à vous gêner sans cesse?
Jamais dans un grand cœur vit-on plus de faiblesse?
Ouvrez les yeux, Seigneur, et songeons entre nous
Par combien de raisons Bérénice est à vous.
Puisque aujourd'hui Titus ne prétend plus lui plaire,
Songez que votre hymen lui devient nécessaire.

ANTIOCHUS

Nécessaire?

ARSACE

A ses pleurs accordez quelques jours,
De ses premiers sanglots laissez passer le cours;
Tout parlera pour vous, le dépit, la vengeance,
L'absence de Titus, le temps, votre présence,
Trois sceptres que son bras ne peut seul soutenir,
Vos deux États voisins qui cherchent à s'unir :
L'intérêt, la raison, l'amitié, tout vous lie.

ANTIOCHUS

Oui, je respire, Arsace, et tu me rends la vie :
J'accepte avec plaisir un présage si doux.
Que tardons-nous? Faisons ce qu'on attend de nous.
Entrons chez Bérénice; et puisqu'on nous l'ordonne,
Allons lui déclarer que Titus l'abandonne...
Mais plutôt demeurons. Que faisais-je? Est-ce à moi,
Arsace, à me charger de ce cruel emploi?
Soit vertu, soit amour, mon cœur s'en effarouche.
L'aimable Bérénice entendrait de ma bouche
Qu'on l'abandonne? Ah, Reine ! et qui l'aurait pensé
Que ce mot dût jamais vous être prononcé !

ARSACE

La haine sur Titus tombera tout entière,
Seigneur : si vous parlez, ce n'est qu'à sa prière.

ANTIOCHUS

Non, ne la voyons point. Respectons sa douleur;
Assez d'autres viendront lui conter son malheur.
Et ne la crois-tu pas assez infortunée
D'apprendre à quel mépris Titus l'a condamnée,
Sans lui donner encor le déplaisir fatal
D'apprendre ce mépris par son propre rival?
Encore un coup, fuyons; et par cette nouvelle,
N'allons point nous charger d'une haine immortelle.

ARSACE

Ah! la voici, Seigneur; prenez votre parti.

ANTIOCHUS

O ciel!

SCÈNE III. — BÉRÉNICE, ANTIOCHUS, ARSACE PHÉNICE

BÉRÉNICE

Hé quoi, Seigneur? vous n'êtes point parti?

ANTIOCHUS

Madame, je vois bien que vous êtes déçue,
Et que c'était César que cherchait votre vue.
Mais n'accusez que lui, si malgré mes adieux
De ma présence encor j'importune vos yeux.
Peut-être en ce moment je serais dans Ostie,
S'il ne m'eût de sa cour défendu la sortie.

BÉRÉNICE

Il vous cherche vous seul. Il nous évite tous.

ANTIOCHUS

Il ne m'a retenu que pour parler de vous.

BÉRÉNICE

De moi, Prince?

ANTIOCHUS

Oui, Madame.

BÉRÉNICE

Et qu'a-t-il pu vous dire?

ANTIOCHUS

Mille autres mieux que moi pourront vous en instruire.

BÉRÉNICE

Quoi, Seigneur?...

ANTIOCHUS

Suspendez votre ressentiment.
D'autres, loin de se taire en ce même moment,
Triompheraient peut-être, et pleins de confiance,
Céderaient avec joie à votre impatience.
Mais moi, toujours tremblant, moi, vous le savez bien,
A qui votre repos est plus cher que le mien,
Pour ne le point troubler, j'aime mieux vous déplaire,
Et crains votre douleur plus que votre colère.
Avant la fin du jour vous me justifierez.
Adieu, Madame.

BÉRÉNICE

O ciel ! quel discours ! Demeurez,
Prince, c'est trop cacher mon trouble à votre vue :
Vous voyez devant vous une reine éperdue,
Qui, la mort dans le sein, vous demande deux mots.
Vous craignez, dites-vous, de troubler mon repos,
Et vos refus cruels, loin d'épargner ma peine,
Excitent ma douleur, ma colère, ma haine.
Seigneur, si mon repos vous est si précieux,
Si moi-même jamais je fus chère à vos yeux,
Éclaircissez le trouble où vous voyez mon âme :
Que vous a dit Titus?

ANTIOCHUS

Au nom des dieux, Madame...

BÉRÉNICE

Quoi ! vous craignez si peu de me désobéir?

ANTIOCHUS

Je n'ai qu'à vous parler pour me faire haïr.

BÉRÉNICE

Je veux que vous parliez.

ANTIOCHUS

Dieux ! quelle violence !
Madame, encore un coup, vous louerez mon silence.

BÉRÉNICE

Prince, dês ce moment contentez mes souhaits,
Ou soyez de ma haine assuré pour jamais.

ANTIOCHUS

Madame, après cela, je ne puis plus me taire.
Eh bien, vous le voulez, il faut vous satisfaire.

Mais ne vous flattez point : je vais vous annoncer
Peut-être des malheurs où vous n'osez penser.
Je connais votre cœur : vous devez vous attendre
Que je le vais frapper par l'endroit le plus tendre.
Titus m'a commandé...

BÉRÉNICE

Quoi?

ANTIOCHUS

De vous déclarer
Qu'à jamais l'un de l'autre il faut vous séparer.

BÉRÉNICE

Nous séparer? Qui? Moi? Titus de Bérénice?

ANTIOCHUS

Il faut que devant vous je lui rende justice :
Tout ce que dans un cœur sensible et généreux
L'amour au désespoir peut rassembler d'affreux,
Je l'ai vu dans le sien. Il pleure; il vous adore;
Mais enfin que lui sert de vous aimer encore?
Une reine est suspecte à l'empire romain.
Il faut vous séparer, et vous partez demain.

BÉRÉNICE

Nous séparer! Hélas, Phénice!

PHÉNICE

Eh bien, Madame?
Il faut ici montrer la grandeur de votre âme.
Ce coup sans doute est rude; il doit vous étonner.

BÉRÉNICE

Après tant de serments, Titus m'abandonner!
Titus qui me jurait... Non, je ne le puis croire :
Il ne me quitte point, il y va de sa gloire.
Contre son innocence on veut me prévenir.
Ce piège n'est tendu que pour nous désunir.
Titus m'aime, Titus ne veut point que je meure.
Allons le voir : je veux lui parler tout à l'heure,
Allons.

ANTIOCHUS

Quoi? vous pourriez ici me regarder...

BÉRÉNICE

Vous le souhaitez trop pour me persuader.
Non, je ne vous crois point. Mais quoi qu'il en puisse être,
Pour jamais à mes yeux gardez-vous de paraître.
(A Phénice.)
Ne m'abandonne pas dans l'état où je suis.
Hélas ! pour me tromper je fais ce que je puis.

SCÈNE IV. — ANTIOCHUS, ARSACE

ANTIOCHUS

Ne me trompé-je point? L'ai-je bien entendue?
Que je me garde, moi, de paraître à sa vue?
Je m'en garderai bien. Et ne partais-je pas,
Si Titus malgré moi n'eût arrêté mes pas?
Sans doute il faut partir. Continuons, Arsace.
Elle croit m'affliger, sa haine me fait grâce.
Tu me voyais tantôt inquiet, égaré :
Je partais amoureux, jaloux, désespéré,
Et maintenant, Arsace, après cette défense,
Je partirai peut-être avec indifférence.

ARSACE

Moins que jamais, Seigneur, il faut vous éloigner.

ANTIOCHUS

Moi, je demeurerai pour me voir dédaigner?
Des froideurs de Titus je serai responsable?
Je me verrai puni parce qu'il est coupable?
Avec quelle injustice et quelle indignité
Elle doute à mes yeux de ma sincérité !
Titus l'aime, dit-elle, et moi je l'ai trahie.
L'ingrate ! m'accuser de cette perfidie !
Et dans quel temps encor? dans le moment fatal
Que j'étale à ses yeux les pleurs de mon rival,
Que pour la consoler je le faisais paraître
Amoureux et constant, plus qu'il ne l'est peut-être.

ARSACE

Et de quel soin, Seigneur, vous allez-vous troubler?
Laissez à ce torrent le temps de s'écouler;
Dans huit jours, dans un mois, n'importe, il faut qu'il passe.
Demeurez seulement.

ANTIOCHUS

Non, je la quitte, Arsace.
Je sens qu'à sa douleur je pourrais compatir :
Ma gloire, mon repos, tout m'excite à partir.
Allons, et de si loin évitons la cruelle,
Que de longtemps, Arsace, on ne nous parle d'elle.
Toutefois il nous reste encore assez de jour :
Je vais dans mon palais attendre ton retour.
Va voir si sa douleur ne l'a point trop saisie,
Cours; et partons du moins assurés de sa vie.

ACTE QUATRIÈME

SCÈNE I. — BÉRÉNICE, *seule.*

Phénice ne vient point? Moments trop rigoureux,
Que vous paraissez lents à mes rapides vœux!
Je m'agite, je cours, languissante, abattue;
La force m'abandonne, et le repos me tue.
Phénice ne vient point? Ah! que cette longueur
D'un présage funeste épouvante mon cœur!
Phénice n'aura point de réponse à me rendre;
Titus, l'ingrat Titus n'a point voulu l'entendre;
Il fuit, il se dérobe, à ma juste fureur.

SCÈNE II. — BÉRÉNICE, PHÉNICE

BÉRÉNICE

Chère Phénice, eh bien? as-tu vu l'empereur?
Qu'a-t-il dit? Viendra-t-il?

PHÉNICE

Oui, je l'ai vu, Madame,
Et j'ai peint à ses yeux le trouble de votre âme.
J'ai vu couler des pleurs qu'il voulait retenir.

BÉRÉNICE

Vient-il?

PHÉNICE

N'en doutez point, Madame, il va venir.
Mais voulez-vous paraître en ce désordre extrême?
Remettez-vous, Madame, et rentrez en vous-même.
Laissez-moi relever ces voiles détachés,

Et ces cheveux épars dont vos yeux sont cachés.
Souffrez que de vos pleurs je répare l'outrage.

BÉRÉNICE

Laisse, laisse, Phénice, il verra son ouvrage.
Et que m'importe, hélas! de ces vains ornements?
Si ma foi, si mes pleurs, si mes gémissements,
Mais que dis-je mes pleurs? si ma perte certaine,
Si ma mort toute prête enfin ne le ramène,
Dis-moi, que produiront tes secours superflus,
Et tout ce faible éclat qui ne le touche plus?

PHÉNICE

Pourquoi lui faites-vous cet injuste reproche?
J'entends du bruit, madame, et l'empereur s'approche.
Venez, fuyez la foule, et rentrons promptement;
Vous l'entretiendrez seul dans votre appartement.

SCÈNE III. — TITUS, PAULIN, Suite

TITUS

De la reine, Paulin, flattez l'inquiétude :
Je vais la voir. Je veux un peu de solitude.
Que l'on me laisse.

PAULIN

O ciel! que je crains ce combat!
Grands dieux, sauvez sa gloire et l'honneur de l'État.
Voyons la reine [16].

SCÈNE IV. — TITUS, *seul.*

Eh bien, Titus, que viens-tu faire?
Bérénice t'attend. Où viens-tu, téméraire?
Tes adieux sont-ils prêts? T'es-tu bien consulté?
Ton cœur te promet-il assez de cruauté?
Car enfin au combat qui pour toi se prépare
C'est peu d'être constant, il faut être barbare.
Soutiendrai-je ces yeux dont la douce langueur
Sait si bien découvrir les chemins de mon cœur?
Quand je verrai ces yeux armés de tous leurs charmes,
Attachés sur les miens, m'accabler de leurs larmes,
Me souviendrai-je alors de mon triste devoir?
Pourrai-je dire enfin : « Je ne veux plus vous voir? »

Je viens percer un cœur que j'adore, qui m'aime;
Et pourquoi le percer? Qui l'ordonne? Moi-même.
Car enfin Rome a-t-elle expliqué ses souhaits?
L'entendons-nous crier autour de ce palais?
Vois-je l'État penchant au bord du précipice?
Ne le puis-je sauver que par ce sacrifice?
Tout se tait, et moi seul, trop prompt à me troubler,
J'avance des malheurs que je puis reculer.
Et qui sait si sensible aux vertus de la reine
Rome ne voudra point l'avouer pour Romaine?
Rome peut par son choix justifier le mien.
Non, non, encore un coup, ne précipitons rien.
Que Rome avec ses lois mette dans la balance
Tant de pleurs, tant d'amour, tant de persévérance :
Rome sera pour nous... Titus, ouvre les yeux!
Quel air respires-tu? N'es-tu pas dans ces lieux
Où la haine des rois, avec le lait sucée,
Par crainte ou par amour ne peut être effacée?
Rome jugea ta reine en condamnant ses rois.
N'as-tu pas en naissant entendu cette voix?
Et n'as-tu pas encore ouï la renommée
T'annoncer ton devoir jusque dans ton armée?
Et lorsque Bérénice arriva sur tes pas,
Ce que Rome en jugeait ne l'entendis-tu pas?
Faut-il donc tant de fois te le faire redire?
Ah lâche! fais l'amour, et renonce à l'empire;
Au bout de l'univers va, cours te confiner,
Et fais place à des cœurs plus dignes de régner.
Sont-ce là ces projets de grandeur et de gloire
Qui devaient dans les cœurs consacrer ma mémoire?
Depuis huit jours je règne, et jusques à ce jour
Qu'ai-je fait pour l'honneur? J'ai tout fait pour l'amour.
D'un temps si précieux quel compte puis-je rendre?
Où sont ces heureux jours que je faisais attendre?
Quels pleurs ai-je séchés? Dans quels yeux satisfaits
Ai-je déjà goûté le fruit de mes bienfaits?
L'univers a-t-il vu changer ses destinées [17]?
Sais-je combien le ciel m'a compté de journées?
Et de ce peu de jours si longtemps attendus,
Ah malheureux! combien j'en ai déjà perdus!
Ne tardons plus : faisons ce que l'honneur exige;
Rompons le seul lien...

SCÈNE V. — TITUS, BÉRÉNICE

BÉRÉNICE, *en sortant.*

Non, laissez-moi, vous dis-je [18];
En vain tous vos conseils me retiennent ici,
Il faut que je le voie. Ah! Seigneur, vous voici!
Eh bien? il est donc vrai que Titus m'abandonne?
Il faut nous séparer; et c'est lui qui l'ordonne!

TITUS

N'accablez point, Madame, un prince malheureux.
Il ne faut point ici nous attendrir tous deux.
Un trouble assez cruel m'agite et me dévore,
Sans que des pleurs si chers me déchirent encore.
Rappelez bien plutôt ce cœur qui tant de fois
M'a fait de mon devoir reconnaître la voix.
Il en est temps. Forcez votre amour à se taire,
Et d'un œil que la gloire et la raison éclaire
Contemplez mon devoir dans toute sa rigueur.
Vous-même, contre vous, fortifiez mon cœur,
Aidez-moi, s'il se peut, à vaincre ma faiblesse,
A retenir des pleurs qui m'échappent sans cesse;
Ou, si nous ne pouvons commander à nos pleurs,
Que la gloire du moins soutienne nos douleurs,
Et que tout l'univers reconnaisse sans peine
Les pleurs d'un empereur et les pleurs d'une reine.
Car enfin, ma Princesse, il faut nous séparer.

BÉRÉNICE

Ah! cruel! est-il temps de me le déclarer?
Qu'avez-vous fait? Hélas! je me suis crue aimée.
Au plaisir de vous voir mon âme accoutumée
Ne vit plus que pour vous. Ignoriez-vous vos lois
Quand je vous l'avouai pour la première fois?
A quel excès d'amour m'avez-vous amenée?
Que ne me disiez-vous : « Princesse infortunée,
« Où vas-tu t'engager, et quel est ton espoir?
« Ne donne point un cœur qu'on ne peut recevoir ».
Ne l'avez-vous reçu, cruel, que pour le rendre,
Quand de vos seules mains ce cœur voudrait dépendre?
Tout l'empire a vingt fois conspiré contre nous.
Il était temps encor : que ne me quittiez-vous?
Mille raisons alors consolaient ma misère :

Je pouvais de ma mort accuser votre père,
Le peuple, le sénat, tout l'empire romain,
Tout l'univers, plutôt qu'une si chère main.
Leur haine, dès longtemps contre moi déclarée,
M'avait à mon malheur dès longtemps préparée.
Je n'aurais pas, Seigneur, reçu ce coup cruel
Dans le temps que j'espère un bonheur immortel,
Quand votre heureux amour peut tout ce qu'il désire,
Lorsque Rome se tait, quand votre père expire,
Lorsque tout l'univers fléchit à vos genoux,
Enfin quand je n'ai plus à redouter que vous.

TITUS

Et c'est moi seul aussi qui pouvais me détruire.
Je pouvais vivre alors et me laisser séduire;
Mon cœur se gardait bien d'aller dans l'avenir
Chercher ce qui pouvait un jour nous désunir.
Je voulais qu'à mes vœux rien ne fût invincible,
Je n'examinais rien, j'espérais l'impossible.
Que sais-je? j'espérais de mourir à vos yeux,
Avant que d'en venir à ces cruels adieux.
Les obstacles semblaient renouveler ma flamme,
Tout l'empire parlait, mais la gloire, Madame,
Ne s'était point encor fait entendre à mon cœur
Du ton dont elle parle au cœur d'un empereur.
Je sais tous les tourments où ce dessein me livre,
Je sens bien que sans vous je ne saurais plus vivre,
Que mon cœur de moi-même est prêt à s'éloigner,
Mais il ne s'agit plus de vivre, il faut régner.

BÉRÉNICE

Eh bien! régnez, cruel, contentez votre gloire :
Je ne dispute plus. J'attendais, pour vous croire,
Que cette même bouche, après mille serments
D'un amour qui devait unir tous nos moments,
Cette bouche, à mes yeux s'avouant infidèle,
M'ordonnât elle-même une absence éternelle.
Moi-même j'ai voulu vous entendre en ce lieu.
Je n'écoute plus rien, et pour jamais : adieu...
Pour jamais! Ah, Seigneur! songez-vous en vous-même
Combien ce mot cruel est affreux quand on aime?
Dans un mois, dans un an, comment souffrirons-nous,
Seigneur, que tant de mers me séparent de vous?

Que le jour recommence et que le jour finisse,
Sans que jamais Titus puisse voir Bérénice,
Sans que de tout le jour je puisse voir Titus?
Mais quelle est mon erreur, et que de soins perdus!
L'ingrat, de mon départ consolé par avance,
Daignera-t-il compter les jours de mon absence?
Ces jours si longs pour moi lui sembleront trop courts.

TITUS

Je n'aurai pas, Madame, à compter tant de jours.
J'espère que bientôt la triste Renommée
Vous fera confesser que vous étiez aimée.
Vous verrez que Titus n'a pu, sans expirer [19]...

BÉRÉNICE

Ah Seigneur! s'il est vrai, pourquoi nous séparer?
Je ne vous parle point d'un heureux hyménée;
Rome à ne plus vous voir m'a-t-elle condamnée?
Pourquoi m'enviez-vous l'air que vous respirez?

TITUS

Hélas! vous pouvez tout, Madame : demeurez,
Je n'y résiste point. Mais je sens ma faiblesse :
Il faudra vous combattre et vous craindre sans cesse,
Et sans cesse veiller à retenir mes pas,
Que vers vous à toute heure entraînent vos appas.
Que dis-je? En ce moment mon cœur, hors de lui-même,
S'oublie, et se souvient seulement qu'il vous aime.

BÉRÉNICE

Eh bien, Seigneur, eh bien! qu'en peut-il arriver?
Voyez-vous les Romains prêts à se soulever?

TITUS

Et qui sait de quel œil ils prendront cette injure?
S'ils parlent, si les cris succèdent au murmure,
Faudra-t-il par le sang justifier mon choix?
S'ils se taisent, Madame, et me vendent leurs lois,
A quoi m'exposez-vous? Par quelle complaisance
Faudra-t-il quelque jour payer leur patience?
Que n'oseront-ils point alors me demander?
Maintiendrai-je des lois que je ne puis garder?

BÉRÉNICE

Vous ne comptez pour rien les pleurs de Bérénice!

TITUS

Je les compte pour rien? Ah ciel! quelle injustice!

BÉRÉNICE

Quoi? pour d'injustes lois que vous pouvez changer,
En d'éternels chagrins vous-même vous plonger?
Rome a ses droits, Seigneur : n'avez-vous pas les vôtres?
Ses intérêts sont-ils plus sacrés que les nôtres?
Dites, parlez.

TITUS

Hélas! que vous me déchirez!

BÉRÉNICE

Vous êtes empereur, Seigneur, et vous pleurez!

TITUS

Oui, Madame, il est vrai, je pleure, je soupire,
Je frémis. Mais enfin, quand j'acceptai l'empire,
Rome me fit jurer de maintenir ses droits :
Je dois les maintenir. Déjà plus d'une fois,
Rome a de mes pareils exercé la constance.
Ah! si vous remontiez jusques à sa naissance,
Vous les verriez toujours à ses ordres soumis :
L'un, jaloux de sa foi, va chez les ennemis
Chercher, avec la mort, la peine toute prête;
D'un fils victorieux l'autre proscrit la tête;
L'autre, avec des yeux secs et presque indifférents,
Voit mourir ses deux fils, par son ordre expirants [20].
Malheureux! mais toujours la patrie et la gloire
Ont parmi les Romains remporté la victoire.
Je sais qu'en vous quittant le malheureux Titus
Passe l'austérité de toutes leurs vertus,
Qu'elle n'approche point de cet effort insigne,
Mais, Madame, après tout, me croyez-vous indigne
De laisser un exemple à la postérité,
Qui sans de grands efforts ne puisse être imité?

BÉRÉNICE

Non, je crois tout facile à votre barbarie.
Je vous crois digne, ingrat, de m'arracher la vie.
De tous vos sentiments mon cœur est éclairci;
Je ne vous parle plus de me laisser ici.
Qui? moi, j'aurais voulu, honteuse et méprisée
D'un peuple qui me hait soutenir la risée?

J'ai voulu vous pousser jusques à ce refus.
C'en est fait, et bientôt vous ne me craindrez plus.
N'attendez pas ici que j'éclate en injures,
Que j'atteste le ciel, ennemi des parjures;
Non; si le ciel encore est touché de mes pleurs,
Je le prie en mourant d'oublier mes douleurs.
Si je forme des vœux contre votre injustice,
Si devant que mourir la triste Bérénice
Vous veut de son trépas laisser quelque vengeur,
Je ne le cherche, ingrat, qu'au fond de votre cœur.
Je sais que tant d'amour n'en peut être effacée,
Que ma douleur présente, et ma bonté passée,
Mon sang, qu'en ce palais je veux même verser,
Sont autant d'ennemis que je vais vous laisser;
Et, sans me repentir de ma persévérance,
Je me remets sur eux de toute ma vengeance.
Adieu.

SCÈNE VI. — TITUS, PAULIN

PAULIN

Dans quel dessein vient-elle de sortir,
Seigneur? Est-elle enfin disposée à partir?

TITUS

Paulin, je suis perdu, je n'y pourrai survivre :
La reine veut mourir. Allons, il faut la suivre.
Courons à son secours.

PAULIN

Hé quoi? n'avez-vous pas
Ordonné dès tantôt qu'on observe ses pas?
Ses femmes, à toute heure autour d'elle empressées,
Sauront la détourner de ces tristes pensées.
Non, non, ne craignez rien. Voilà les plus grands coups,
Seigneur; continuez, la victoire est à vous.
Je sais que sans pitié vous n'avez pu l'entendre;
Moi-même, en la voyant, je n'ai pu m'en défendre.
Mais regardez plus loin : songez, en ce malheur,
Quelle gloire va suivre un moment de douleur,
Quels applaudissements l'univers vous prépare,
Quel rang dans l'avenir...

TITUS

Non, je suis un barbare.

Moi-même, je me hais. Néron, tant détesté,
N'a point à cet excès poussé sa cruauté.
Je ne souffrirai point que Bérénice expire.
Allons, Rome en dira ce qu'elle en voudra dire.

PAULIN

Quoi, Seigneur?

TITUS

Je ne sais, Paulin, ce que je dis.
L'excès de la douleur accable mes esprits.

PAULIN

Ne troublez point le cours de votre renommée :
Déjà de vos adieux la nouvelle est semée;
Rome, qui gémissait, triomphe avec raison,
Tous les temples ouverts fument en votre nom,
Et le peuple, élevant vos vertus jusqu'aux nues,
Va partout de lauriers couronner vos statues.

TITUS

Ah, Rome! Ah, Bérénice! Ah, prince malheureux!
Pourquoi suis-je empereur? Pourquoi suis-je amoureux?

SCÈNE VII. — TITUS, ANTIOCHUS, PAULIN, ARSACE

ANTIOCHUS

Qu'avez-vous fait, Seigneur? l'aimable Bérénice
Va peut-être expirer dans les bras de Phénice.
Elle n'entend ni pleurs, ni conseil, ni raison;
Elle implore à grands cris le fer et le poison.
Vous seul vous lui pouvez arracher cette envie.
On vous nomme, et ce nom la rappelle à la vie.
Ses yeux, toujours tournés vers votre appartement,
Semblent vous demander de moment en moment.
Je n'y puis résister, ce spectacle me tue.
Que tardez-vous? allez vous montrer à sa vue.
Sauvez tant de vertus, de grâces, de beauté,
Ou renoncez, Seigneur, à toute humanité.
Dites un mot.

TITUS

Hélas! quel mot puis-je lui dire?
Moi-même en ce moment sais-je si je respire?

SCÈNE VIII. — TITUS, ANTIOCHUS, PAULIN, ARSACE, RUTILE

RUTILE

Seigneur, tous les tribuns, les consuls, le sénat,
Viennent vous demander au nom de tout l'État.
Un grand peuple les suit, qui, plein d'impatience,
Dans votre appartement attend votre présence.

TITUS

Je vous entends, grands dieux : vous voulez rassurer
Ce cœur que vous voyez tout prêt à s'égarer.

PAULIN

Venez, Seigneur, passons dans la chambre prochaine,
Allons voir le sénat.

ANTIOCHUS

Ah! courez chez la reine.

PAULIN

Quoi? vous pourriez, Seigneur, par cette indignité,
De l'empire à vos pieds fouler la majesté?
Rome...

TITUS

Il suffit, Paulin, nous allons les entendre.
Prince, de ce devoir je ne puis me défendre.
Voyez la reine. Allez. J'espère, à mon retour,
Qu'elle ne pourra plus douter de mon amour.

ACTE CINQUIÈME

SCÈNE I. — ARSACE, *seul.*

Où pourrai-je trouver ce prince trop fidèle?
Ciel, conduisez mes pas, et secondez mon zèle;
Faites qu'en ce moment je lui puisse annoncer
Un bonheur où peut-être il n'ose plus penser!

SCÈNE II. — ANTIOCHUS, ARSACE

ARSACE

Ah! quel heureux destin en ces lieux vous renvoie,
Seigneur?

ANTIOCHUS

Si mon retour t'apporte quelque joie,
Arsace, rends-en grâce à mon seul désespoir.

ARSACE
La reine part, Seigneur.

ANTIOCHUS
Elle part?

ARSACE
Dès ce soir.
Ses ordres sont donnés. Elle s'est offensée
Que Titus à ses pleurs l'ait si longtemps laissée.
Un généreux dépit succède à sa fureur :
Bérénice renonce à Rome, à l'empereur,
Et même veut partir avant que Rome instruite
Puisse voir son désordre et jouir de sa fuite.
Elle écrit à César.

ANTIOCHUS
O ciel! qui l'aurait cru?
Et Titus?

ARSACE
A ses yeux Titus n'a point paru.
Le peuple avec transport l'arrête et l'environne,
Applaudissant aux noms que le sénat lui donne;
Et ces noms, ces respects, ces applaudissements,
Deviennent pour Titus autant d'engagements,
Qui le liant, Seigneur, d'une honorable chaîne,
Malgré tous ses soupirs et les pleurs de la reine,
Fixent dans son devoir ses vœux irrésolus.
C'en est fait; et peut-être il ne la verra plus.

ANTIOCHUS
Que de sujets d'espoir, Arsace, je l'avoue!
Mais d'un soin si cruel la fortune me joue,
J'ai vu tous mes projets tant de fois démentis,
Que j'écoute en tremblant tout ce que tu me dis;
Et mon cœur, prévenu d'une crainte importune,
Croit même, en espérant, irriter la fortune.
Mais que vois-je? Titus porte vers nous ses pas.
Que veut-il?

SCÈNE III. — TITUS, ANTIOCHUS, ARSACE

TITUS, *en entrant.*
Demeurez : qu'on ne me suive pas [21].
Enfin, Prince, je viens dégager ma promesse [22].

Bérénice m'occupe et m'afflige sans cesse.
Je viens, le cœur percé de vos pleurs et des siens,
Calmer des déplaisirs moins cruels que les miens.
Venez, Prince, venez : je veux bien que vous-même
Pour la dernière fois vous voyiez si je l'aime.

SCÈNE IV. — ANTIOCHUS, ARSACE

ANTIOCHUS

Eh bien ! voilà l'espoir que tu m'avais rendu,
Et tu vois le triomphe où j'étais attendu !
Bérénice partait justement irritée !
Pour ne la plus revoir, Titus l'avait quittée !
Qu'ai-je donc fait, grands dieux ? Quel cours infortuné
A ma funeste vie aviez-vous destiné ?
Tous mes moments ne sont qu'un éternel passage
De la crainte à l'espoir, de l'espoir à la rage.
Et je respire encor ? Bérénice ! Titus !
Dieux cruels ! de mes pleurs vous ne vous rirez plus.

SCÈNE V. — TITUS, BÉRÉNICE, PHÉNICE

BÉRÉNICE

Non, je n'écoute rien. Me voilà résolue [23] :
Je veux partir. Pourquoi vous montrer à ma vue ?
Pourquoi venir encore aigrir mon désespoir ?
N'êtes-vous pas content ? Je ne veux plus vous voir.

TITUS

Mais, de grâce, écoutez.

BÉRÉNICE

Il n'est plus temps.

TITUS

Madame,
Un mot.

BÉRÉNICE

Non.

TITUS

Dans quel trouble elle jette mon âme !
Ma Princesse, d'où vient ce changement soudain ?

BÉRÉNICE

C'en est fait. Vous voulez que je parte demain ;

Et moi, j'ai résolu de partir tout à l'heure,
Et je pars.

TITUS

Demeurez.

BÉRÉNICE

Ingrat ! que je demeure ?
Et pourquoi ? Pour entendre un peuple injurieux
Qui fait de mon malheur retentir tous ces lieux ?
Ne l'entendez-vous pas, cette cruelle joie,
Tandis que dans les pleurs moi seule je me noie ?
Quel crime, quelle offense, a pu les animer ?
Hélas ! et qu'ai-je fait que de vous trop aimer ?

TITUS

Écoutez-vous, Madame, une foule insensée ?

BÉRÉNICE

Je ne vois rien ici dont je ne sois blessée.
Tout cet appartement préparé par vos soins,
Ces lieux, de mon amour si longtemps les témoins,
Qui semblaient pour jamais me répondre du vôtre,
Ces festons, où nos noms enlacés l'un dans l'autre,
A mes tristes regards viennent partout s'offrir,
Sont autant d'imposteurs que je ne puis souffrir.
Allons, Phénice.

TITUS

O ciel ! Que vous êtes injuste !

BÉRÉNICE

Retournez, retournez vers ce sénat auguste
Qui vient vous applaudir de votre cruauté.
Eh bien, avec plaisir l'avez-vous écouté ?
Êtes-vous pleinement content de votre gloire ?
Avez-vous bien promis d'oublier ma mémoire ?
Mais ce n'est pas assez expier vos amours :
Avez-vous bien promis de me haïr toujours ?

TITUS

Non, je n'ai rien promis. Moi, que je vous haïsse !
Que je puisse jamais oublier Bérénice !
Ah dieux ! dans quel moment son injuste rigueur
De ce cruel soupçon vient affliger mon cœur !
Connaissez-moi, Madame, et depuis cinq années,
Comptez tous les moments et toutes les journées

Où, par plus de transports et par plus de soupirs,
Je vous ai de mon cœur exprimé les désirs :
Ce jour surpasse tout. Jamais, je le confesse,
Vous ne fûtes aimée avec tant de tendresse,
Et jamais...

BÉRÉNICE

Vous m'aimez, vous me le soutenez,
Et cependant je pars, et vous me l'ordonnez!
Quoi? dans mon désespoir trouvez-vous tant de charmes?
Craignez-vous que mes yeux versent trop peu de larmes?
Que me sert de ce cœur l'inutile retour?
Ah, cruel! par pitié, montrez-moi moins d'amour;
Ne me rappelez point une trop chère idée,
Et laissez-moi du moins partir persuadée
Que déjà de votre âme exilée en secret,
J'abandonne un ingrat qui me perd sans regret.
(Il lit une lettre.)
Vous m'avez arraché ce que je viens d'écrire.
Voilà de votre amour tout ce que je désire :
Lisez, ingrat, lisez, et me laissez sortir.

TITUS

Vous ne sortirez point, je n'y puis consentir.
Quoi? ce départ n'est donc qu'un cruel stratagème?
Vous cherchez à mourir? et de tout ce que j'aime
Il ne restera plus qu'un triste souvenir?
Qu'on cherche Antiochus, qu'on le fasse venir.
(Bérénice se laisse tomber sur un siège.)

SCÈNE VI. — TITUS, BÉRÉNICE

TITUS

Madame, il faut vous faire un aveu véritable :
Lorsque j'envisageai le moment redoutable
Où, pressé par les lois d'un austère devoir,
Il fallait pour jamais renoncer à vous voir;
Quand de ce triste adieu je prévis les approches,
Mes craintes, mes combats, vos larmes, vos reproches,
Je préparai mon âme à toutes les douleurs
Que peut faire sentir le plus grand des malheurs.
Mais, quoi que je craignisse, il faut que je le die,
Je n'en avais prévu que la moindre partie;

Je croyais ma vertu moins prête à succomber,
Et j'ai honte du trouble où je la vois tomber.
J'ai vu devant mes yeux Rome entière assemblée.
Le sénat m'a parlé, mais mon âme accablée
Écoutait sans entendre, et ne leur a laissé
Pour prix de leurs transports qu'un silence glacé.
Rome de votre sort est encore incertaine;
Moi-même à tous moments je me souviens à peine
Si je suis empereur, ou si je suis Romain.
Je suis venu vers vous sans savoir mon dessein :
Mon amour m'entraînait, et je venais peut-être
Pour me chercher moi-même et pour me reconnaître.
Qu'ai-je trouvé? Je vois la mort peinte en vos yeux;
Je vois pour la chercher que vous quittez ces lieux.
C'en est trop. Ma douleur, à cette triste vue,
A son dernier excès est enfin parvenue.
Je ressens tous les maux que je puis ressentir,
Mais je vois le chemin par où j'en puis sortir.
Ne vous attendez point que las de tant d'alarmes,
Par un heureux hymen je tarisse vos larmes :
En quelque extrémité que vous m'ayez réduit,
Ma gloire inexorable à toute heure me suit;
Sans cesse elle présente à mon âme étonnée
L'empire incompatible avec votre hyménée,
Me dit qu'après l'éclat et les pas que j'ai faits,
Je dois vous épouser encor moins que jamais.
Oui, Madame; et je dois moins encore vous dire
Que je suis prêt pour vous d'abandonner l'empire,
De vous suivre, et d'aller, trop content de mes fers,
Soupirer avec vous au bout de l'univers.
Vous-même rougiriez de ma lâche conduite :
Vous verriez à regret marcher à votre suite
Un indigne empereur, sans empire, sans cour,
Vil spectacle aux humains des faiblesses d'amour.
Pour sortir des tourments dont mon âme est la proie,
Il est, vous le savez, une plus noble voie;
Je me suis vu, Madame, enseigner ce chemin,
Et par plus d'un héros et par plus d'un Romain :
Lorsque trop de malheurs ont lassé leur constance,
Ils ont tous expliqué cette persévérance
Dont le sort s'attachait à les persécuter,
Comme un ordre secret de n'y plus résister.

Si vos pleurs plus longtemps viennent frapper ma vue,
Si toujours à mourir je vous vois résolue,
S'il faut qu'à tout moment je tremble pour vos jours,
Si vous ne me jurez d'en respecter le cours,
Madame, à d'autres pleurs vous devez vous attendre.
En l'état où je suis je puis tout entreprendre,
Et je ne réponds pas que ma main à vos yeux
N'ensanglante à la fin nos funestes adieux.

BÉRÉNICE

Hélas!

TITUS

Non, il n'est rien dont je ne sois capable.
Vous voilà de mes jours maintenant responsable.
Songez-y bien, Madame, et si je vous suis cher...

SCÈNE DERNIÈRE. — TITUS, BÉRÉNICE, ANTIOCHUS

TITUS

Venez, Prince, venez, je vous ai fait chercher.
Soyez ici témoin de toute ma faiblesse;
Voyez si c'est aimer avec peu de tendresse;
Jugez-nous.

ANTIOCHUS

Je crois tout : je vous connais tous deux.
Mais connaissez vous-même un prince malheureux
Vous m'avez honoré, Seigneur, de votre estime;
Et moi, je puis ici vous le jurer sans crime,
A vos plus chers amis j'ai disputé ce rang;
Je l'ai disputé même aux dépens de mon sang.
Vous m'avez, malgré moi, confié l'un et l'autre,
La reine, son amour, et vous, Seigneur, le vôtre.
La reine, qui m'entend, peut me désavouer :
Elle m'a vu toujours ardent à vous louer,
Répondre par mes soins à votre confidence.
Vous croyez m'en devoir quelque reconnaissance;
Mais le pourriez-vous croire en ce moment fatal,
Qu'un ami si fidèle était votre rival?

TITUS

Mon rival!

ANTIOCHUS

Il est temps que je vous éclaircisse.
Oui, Seigneur, j'ai toujours adoré Bérénice.
Pour ne la plus aimer j'ai cent fois combattu;
Je n'ai pu l'oublier; au moins je me suis tu.
De votre changement la flatteuse apparence
M'avait rendu tantôt quelque faible espérance :
Les larmes de la reine ont éteint cet espoir.
Ses yeux, baignés de pleurs, demandaient à vous voir;
Je suis venu, Seigneur, vous appeler moi-même;
Vous êtes revenu. Vous aimez, on vous aime;
Vous vous êtes rendu : je n'en ai point douté.
Pour la dernière fois je me suis consulté;
J'ai fait de mon courage une épreuve dernière;
Je viens de rappeler ma raison tout entière :
Jamais je ne me suis senti plus amoureux.
Il faut d'autres efforts pour rompre tant de nœuds :
Ce n'est qu'en expirant que je puis les détruire;
J'y cours. Voilà de quoi j'ai voulu vous instruire.
Oui, Madame, vers vous j'ai rappelé ses pas,
Mes soins ont réussi, je ne m'en repens pas.
Puisse le ciel verser sur toutes vos années
Mille prospérités l'une à l'autre enchaînées!
Ou s'il vous garde encore un reste de courroux,
Je conjure les dieux d'épuiser tous les coups
Qui pourraient menacer une si belle vie,
Sur ces jours malheureux que je vous sacrifie.

BÉRÉNICE, *se levant.*

Arrêtez, arrêtez! Princes trop généreux,
En quelle extrémité me jetez-vous tous deux!
Soit que je vous regarde, ou que je l'envisage,
Partout du désespoir je rencontre l'image,
Je ne vois que des pleurs, et je n'entends parler
Que de trouble, d'horreurs, de sang prêt à couler.
(A Titus.)
Mon cœur vous est connu, Seigneur, et je puis dire
Qu'on ne l'a jamais vu soupirer pour l'empire :
La grandeur des Romains, la pourpre des Césars,
N'a point, vous le savez, attiré mes regards.
J'aimais, Seigneur, j'aimais, je voulais être aimée.
Ce jour, je l'avouerai, je me suis alarmée :

J'ai cru que votre amour allait finir son cours.
Je connais mon erreur, et vous m'aimez toujours.
Votre cœur s'est troublé, j'ai vu couler vos larmes.
Bérénice, Seigneur, ne vaut point tant d'alarmes,
Ni que par votre amour l'univers malheureux,
Dans le temps que Titus attire tous ses vœux,
Et que de vos vertus il goûte les prémices,
Se voie en un moment enlever ses délices.
Je crois, depuis cinq ans jusqu'à ce dernier jour,
Vous avoir assuré d'un véritable amour.
Ce n'est pas tout : je veux, en ce moment funeste,
Par un dernier effort couronner tout le reste :
Je vivrai, je suivrai vos ordres absolus.
Adieu, Seigneur, régnez : je ne vous verrai plus.
(A Antiochus.)
Prince, après cet adieu, vous jugez bien vous-même
Que je ne consens pas de quitter ce que j'aime
Pour aller loin de Rome écouter d'autres vœux.
Vivez, et faites-vous un effort généreux.
Sur Titus et sur moi réglez votre conduite :
Je l'aime, je le fuis; Titus m'aime, il me quitte.
Portez loin de mes yeux vos soupirs et vos fers.
Adieu. Servons tous trois d'exemple à l'univers
De l'amour la plus tendre et la plus malheureuse
Dont il puisse garder l'histoire douloureuse.
Tout est prêt. On m'attend. Ne suivez point mes pas.
(A Titus.)
Pour la dernière fois, adieu, Seigneur.

ANTIOCHUS

Hélas!

BAJAZET

TRAGÉDIE [1]

BAJAZET

Après deux tragédies « romaines » où il pouvait rivaliser avec Corneille sur son propre terrain, Racine fait représenter, avec *Bajazet,* une tragédie à sujet moderne. C'est le retour à une source d'inspiration quasi éteinte depuis une vingtaine d'années.

L'œuvre a été créée le 5 janvier 1672 à l'Hôtel de Bourgogne. La Champmeslé jouait Atalide, son mari Bajazet, Mlle d'Ennebault Roxane et Lafleur Acomat. L'impression suivit dès le 20 février. Dans la *Préface,* Racine affirmait qu'il avait conscience de ne pas trahir la vérité des mœurs turques et qu'il s'appuyait sur l'*Histoire de l'Empire Ottoman* de Rycaut (Londres, 1669), récemment traduite en français chez Mabre-Cramoisy (1670) et sur « les avis de M. de La Haye », successeur de M. de Césy à l'ambassade de Constantinople, ce dernier étant cité dans la *Préface* de 1676 comme l'auteur d'une relation sur les circonstances de la mort de Bajazet. En dépit des attaques du *Mercure galant,* de Barbier d'Aucour et de Mme de Sévigné, la tragédie fut un succès.

Ce succès ne tient pas seulement à la correspondance du sujet avec l'actualité immédiate : ambassade turque de 1670, *Bourgeois gentilhomme* de Molière, traduction de l'œuvre de Rycaut. L'histoire des Turcs, pour un Français du XVIIe siècle, est celle d'un peuple brillant, voire fascinant, héritier des splendeurs de la civilisation byzantine; d'une armée valeureuse, qui apparaît encore au déclin du siècle comme pratiquement invincible; d'une civilisation étonnante enfin, où la femme enfermée s'abandonne, pour donner un sens à sa vie, à de sanglantes intrigues amoureuses. La vie quasi légendaire de Soliman le Magnifique, sultan de 1520 à 1566, qui signa avec François Ier les « Capitulations » de 1536, occupe d'autant plus les imaginations que son lointain successeur Mohammed IV a, dès le milieu du XVIIe siècle, redressé la situation d'un peuple apparemment voué à la décadence après le désastre de Lépante en 1571.

Les intrigues à la turque avaient déjà, en 1672, une assez longue histoire dans la production littéraire française. L'œuvre de Racine fait allusion à trois épisodes de l'histoire turque traités par ses devanciers : En 1402, le sultan Bajazet Ier avait été fait prisonnier par Tamerlan, prince du Turkestan, et était mort en captivité; c'était le sujet d'une tragédie de Jean Magnon, *Le Grand Tamerlan et Bajazet* (1648; voir *Bajazet,* v. 455-460). En 1553, Soliman II le Magnifique avait fait exécuter le prince Mustafa à l'instigation de la sultane Roxelane; sujet traité, après

Bonarelli, par Mairet dans *Le Grand et dernier Soliman* (1637; voir *Bajazet,* v. 463 et suiv.). En 1622, le sultan Osman était mort étranglé par l'ordre de son oncle Mustafa à la suite d'une révolte de janissaires; sujet traité par Tristan L'Hermite, dans une tragédie représentée en 1647 et éditée en 1656, *Osman* (voir Bajazet, v. 487 et suiv.).

Scudéry avait publié en 1641 son roman *Ibrahim ou l'Illustre Bassa* (dont il devait tirer deux ans plus tard le sujet d'une œuvre dramatique) : c'était l'histoire d'un généreux renoncement amoureux de Soliman en faveur du héros, Ibrahim, son grand vizir. En 1656, dans *Floridon ou l'Amour imprudent,* une des nouvelles constituant les *Divertissements de la Princesse Aurélie,* Segrais avait conté l'histoire de Bajazet d'après un récit de M. de Césy : Amurat n'y est encore que le fils de Roxane, et Bajazet aime cette femme sensiblement plus âgée que lui jusqu'à ce qu'il s'éprenne d'une jeune esclave de dix-sept ans, Floridon. Roxane admet une sorte de partage entre elle-même et cette esclave, mais cède enfin aux ordres d'Amurat et fait étrangler Bajazet. Floridon, après la mort de son amant, accouchera d'un fils, à l'éducation duquel la sultane mère s'intéressera de près.

Ce genre de rivalité amoureuse était bien représenté dans la tradition mythologique : c'est le thème de Phèdre amoureuse d'Hippolyte, d' Atys aimé de Cybèle et amant d'une mortelle, de Thésée aimé de Médée et amant d'Eglé : ces deux derniers sujets devaient être traités par Quinault entre 1673 et 1675. Il l'était également dans la tradition historique ancienne revue par les auteurs tragiques français du XVIIe siècle : qu'on songe au *Bélisaire* de Rotrou (1643), à *La Mort de Chrispe* de Tristan (1644), à *Othon* de Corneille (1664).

Racine a gardé le schéma commun à toutes ces traditions : l'histoire d'un couple persécuté par un personnage puissant dont la passion est indiscrète et menaçante : c'était déjà l'histoire contée dans *Britannicus;* ce sera encore le sujet de *Phèdre.* Ce type de récit peut s'accommoder de l'optimisme tragi-comique : dans la troisième partie de *L'Astrée,* Cryséide et Arimant s'épousaient malgré la passion du cruel Gondebaut pour l'héroïne; Mairet avait d'ailleurs tiré de cette histoire une tragi-comédie (1630). Mais un dénouement de ce genre suppose la conversion du tyran à la générosité, qu'on peut bien trouver chez Corneille, mais que Racine ne pratique guère.

C'est pourtant à Corneille, et à l'expérience acquise avec *Britannicus,* que Racine est redevable de la dramatisation de son sujet : pour que l'action théâtrale puisse naître et se développer, il a imposé à ses trois protagonistes une double sujétion politique, dont ils doivent tenir compte en chacune de leurs démarches. Roxane, contrairement à Pyrrhus ou à Néron, ne bénéficie que d'une délégation de pouvoir. Elle ne domine que dans la mesure où Amurat est absent ou apparemment vaincu. Le sultan est pour elle une menace si elle s'abandonne à sa passion amoureuse, et une arme si, refusée par Bajazet, elle se détache de lui. C'est là le premier aspect de la politique dans *Bajazet;* ce n'est pas le seul, et ce n'est pas lui qui suffit à donner l'impulsion nécessaire à l'action tragique. Mais à cette intrigue sûrement historique Racine a joint une seconde intrigue, peut-être imaginaire, mais que l'histoire de la Turquie rend vraisemblable, et dont les premiers éléments peuvent lui avoir été fournis par Segrais : il s'agit du projet d'Acomat, vieil eunuque et conseiller intéressé chez le romancier, grand vizir et machiniste du drame chez Racine. Acomat s'est donné un programme précis et nuancé. Sachant que le sultan Amurat le hait et craignant pour sa tête, il met à profit l'absence du sultan pour s'assurer le pouvoir et la sécurité : compromettre la sultane avec Bajazet, faire reconnaître Bajazet comme sultan et épouser Atalide, mariage princier qui lui assurera une autorité incontestable. Ce beau plan n'échoue que parce que les caprices de l'amour, du dépit et de la jalousie ne sont pas de la compétence d'un politique, aussi habile qu'il soit.

Comme il le fera dans *Phèdre,* Racine a de plus introduit dans sa tragédie un effet d'urgence objective : c'est l'annonce, d'abord incertaine, puis assurée, et enfin immédiate, du retour d'Amurat. Dans un monde clos temporellement comme il l'est spatialement, les trois héros passionnés n'auront que le temps de s'entre-détruire. *Bajazet* fait ainsi apparaître l'impossibilité de toute conciliation entre le fatum externe (l'événement) et le fatum interne (la passion). On croit pouvoir taire le second ou surmonter le premier; ou encore exploiter le premier au profit du second. En réalité, l'un et l'autre ne s'associent que pour provoquer la mort.

J. M.

PREMIÈRE PRÉFACE [1]

Quoique le sujet de cette tragédie ne soit encore dans aucune histoire imprimée, il est pourtant très véritable. C'est une aventure arrivée dans le sérail, il n'y a pas plus de trente ans, M. le comte de Cézy était alors ambassadeur à Constantinople. Il fut instruit de toutes les particularités de la mort de Bajazet; et il y a quantité de personnes à la cour qui se souviennent de les lui avoir entendu conter lorsqu'il fut de retour en France. M. le chevalier de Nantouillet est du nombre de ces personnes, et c'est à lui que je suis redevable de cette histoire, et même du dessein que j'ai pris d'en faire une tragédie. J'ai été obligé pour cela de changer quelques circonstances, mais comme ce changement n'est pas fort considérable, je ne pense pas aussi qu'il soit nécessaire de le marquer au lecteur. La principale chose à quoi je me suis attaché, ç'a été de ne rien changer ni aux mœurs ni aux coutumes de la nation, et j'ai pris soin de ne rien avancer qui ne fût conforme à l'histoire des Turcs et à la nouvelle Relation de l'empire ottoman, que l'on a traduite de l'anglais. Surtout je dois beaucoup aux avis de M. de La Haye, qui a eu la bonté de m'éclaircir sur toutes les difficultés que je lui ai proposées.

SECONDE PRÉFACE

Sultan Amurat, ou sultan Morat, empereur des Turcs, celui qui prit Babylone en 1638, a eu quatre frères. Le premier, c'est à savoir Osman, fut empereur avant lui, et régna environ trois ans, au bout desquels les janissaires lui ôtèrent l'empire et la vie. Le second se nommait Orcan. Amurat, dès les premiers jours de son règne, le fit étrangler. Le troisième était Bajazet, prince de grande espérance, et c'est lui qui est le héros de ma tragédie. Amurat, ou par politique, ou par amitié, l'avait épargné jusqu'au siège de Babylone. Après la prise de cette ville, le sultan victorieux envoya un ordre à Constantinople pour le faire mourir. Ce qui fut conduit et exécuté à peu près de la manière que je le représente. Amurat avait encore un frère, qui fut depuis le sultan Ibrahim, et que ce même Amurat négligea comme un prince stupide, qui ne lui donnait point d'ombrage. Sultan Mahomet, qui règne aujourd'hui, est fils de cet Ibrahim, et par conséquent neveu de Bajazet.

Les particularités de la mort de Bajazet ne sont encore dans aucune histoire imprimée. M. le comte de Cézy était ambassadeur à Constantinople lorsque cette aventure tragique arriva dans le sérail. Il fut instruit des amours de Bajazet et des jalousies de la sultane. Il vit même plusieurs fois Bajazet, à qui on permettait de se promener quelquefois à la pointe du sérail, sur le canal de la mer Noire. M. le comte de Cézy disait que c'était un prince de bonne mine. Il a écrit depuis les circonstances de sa mort; il y a encore plusieurs personnes de qualité qui se souviennent de lui en avoir entendu faire le récit lorsqu'il fut de retour en France.

Quelques lecteurs pourront s'étonner qu'on ait osé mettre sur la scène une histoire si récente, mais je n'ai rien vu dans les règles du poème dramatique qui dût me détourner de mon entreprise. A la vérité, je ne conseillerais pas à un auteur de prendre pour sujet d'une tragédie une action aussi moderne que celle-ci, si elle s'était passée dans le pays où il veut faire représenter sa tragédie, ni de mettre des héros sur le théâtre qui auraient été connus de la plupart des spectateurs. Les personnages tragiques doivent être regardés d'un autre œil que nous ne regardons d'ordinaire les personnages que nous avons vus de si près. On peut dire que le respect que l'on a pour les héros augmente à mesure qu'ils s'éloignent de nous : *major e longinquo reverentia*. L'éloignement des pays répare en quelque sorte la trop grande proximité des temps, car le peuple ne met guère de différence entre ce qui est, si j'ose ainsi parler, à mille ans de lui, et ce qui en est à mille lieues. C'est ce qui fait, par exemple, que les personnages turcs, quelque modernes qu'ils soient, ont de la dignité sur notre théâtre. On les regarde de bonne heure comme anciens. Ce sont des mœurs et des coutumes toutes différentes. Nous avons si peu de commerce avec les princes et les autres personnes qui vivent dans le sérail, que nous les considérons, pour ainsi dire, comme des gens qui vivent dans un autre siècle que le nôtre.

C'était à peu près de cette manière que les Persans étaient anciennement considérés des Athéniens. Aussi le poète Eschyle ne fit point de difficulté d'introduire dans une tragédie la mère de Xerxès, qui était peut-être encore vivante, et de faire représenter sur le théâtre d'Athènes la désolation de la cour de Perse, après la déroute de ce prince. Cependant ce même Eschyle s'était trouvé en personne à la bataille de Salamine, où Xerxès avait été vaincu, et il s'était trouvé encore à la défaite des lieutenants de Darius, père de Xerxès, dans la plaine de Marathon. Car Eschyle était homme de guerre, et il était frère de ce fameux Cynégire, dont il est tant parlé dans l'Antiquité, et qui mourut si glorieusement en attaquant un des vaisseaux du roi de Perse*.

* Les éditions de 1676 et de 1687 ajoutaient :

« Je me suis attaché à bien exprimer dans ma tragédie ce que nous « savons des mœurs et des maximes des Turcs. Quelques gens ont dit « que mes héroïnes étaient trop savantes en amour, et trop délicates « pour des femmes nées parmi des peuples qui passent ici pour barbares.

« Mais sans parler de tout ce qu'on lit dans les relations des voyageurs, « il me semble qu'il suffit de dire que la scène est dans le sérail. En effet, « y a-t-il une cour au monde où la jalousie et l'amour doivent être si « bien connus que dans un lieu où tant de rivales sont enfermées « ensemble, et où toutes ces femmes n'ont point d'autre étude, dans une « éternelle oisiveté, que d'apprendre à plaire et à se faire aimer? Les « hommes vraisemblablement n'y aiment pas avec la même délicatesse. « Aussi ai-je pris soin de mettre une grande différence entre la passion « de Bajazet et les tendresses de ses amantes. Il garde au milieu de son « amour la férocité de la nation. Et si l'on trouve étrange qu'il consente « plutôt de mourir que d'abandonner ce qu'il aime et d'épouser ce qu'il « n'aime pas, il ne faut que lire l'histoire des Turcs; on verra partout le « mépris qu'ils font de la vie. On verra en plusieurs endroits à quel « excès ils portent les passions, et ce que la simple amitié est capable de « leur faire faire : témoin un des fils de Soliman, qui se tua lui-même sur « le corps de son frère aîné qu'il aimait tendrement et que l'on avait fait « mourir pour lui assurer l'empire. »

ACTEURS

BAJAZET, frère du sultan Amurat.
ROXANE, sultane, favorite du sultan Amurat.
ATALIDE, fille du sang ottoman.
ACOMAT, grand vizir.
OSMIN, confident du grand vizir.
ZATIME, esclave de la sultane.
ZAIRE, esclave d'Atalide.

La scène est à Constantinople, autrement dite Byzance, dans le sérail du Grand-Seigneur.

BAJAZET

ACTE PREMIER

SCÈNE I. — ACOMAT, OSMIN

ACOMAT

Viens, suis-moi. La sultane en ce lieu[3] se doit rendre,
Je pourrai cependant te parler et t'entendre.

OSMIN

Et depuis quand, Seigneur, entre-t-on dans ces lieux
Dont l'accès était même interdit à nos yeux?
Jadis une mort prompte eût suivi cette audace.

ACOMAT

Quand tu seras instruit de tout ce qui se passe,
Mon entrée en ces lieux ne te surprendra plus.
Mais laissons, cher Osmin, les discours superflus.
Que ton retour tardait à mon impatience!
Et que d'un œil content je te vois dans Byzance!
Instruis-moi des secrets que peut t'avoir appris
Un voyage si long pour moi seul entrepris.
De ce qu'ont vu tes yeux parle en témoin sincère :
Songe que du récit, Osmin, que tu vas faire
Dépendent les destins de l'empire ottoman.
Qu'as-tu vu dans l'armée, et que fait le sultan?

OSMIN

Babylone, Seigneur, à son prince fidèle[4],
Voyait sans s'étonner notre armée autour d'elle;
Les Persans rassemblés marchaient à son secours,
Et du camp d'Amurat s'approchaient tous les jours.
Lui-même, fatigué d'un long siège inutile,
Semblait vouloir laisser Babylone tranquille,
Et sans renouveler ses assauts impuissants,
Résolu de combattre, attendait les Persans.
Mais, comme vous savez, malgré ma diligence,
Un long chemin sépare et le camp et Byzance;
Mille obstacles divers m'ont même traversé,
Et je puis ignorer tout ce qui s'est passé.

ACOMAT

Que faisaient cependant nos braves janissaires?
Rendent-ils au sultan des hommages sincères?
Dans le secret des cœurs, Osmin, n'as-tu rien lu?
Amurat jouit-il d'un pouvoir absolu?

OSMIN

Amurat est content, si nous le voulons croire,
Et semblait se promettre une heureuse victoire.
Mais en vain par ce calme il croit nous éblouir :
Il affecte un repos dont il ne peut jouir.
C'est en vain que forçant ses soupçons ordinaires,
Il se rend accessible à tous les janissaires :
Il se souvient toujours que son inimitié
Voulut de ce grand corps retrancher la moitié,
Lorsque pour affermir sa puissance nouvelle,
Il voulait, disait-il, sortir de leur tutelle.
Moi-même j'ai souvent entendu leurs discours :
Comme il les craint sans cesse, ils le craignent toujours.
Ses caresses n'ont point effacé cette injure;
Votre absence est pour eux un sujet de murmure :
Ils regrettent le temps, à leur grand cœur si doux,
Lorsque assurés de vaincre ils combattaient sous vous.

ACOMAT

Quoi? tu crois, cher Osmin, que ma gloire passée
Flatte encor leur valeur et vit dans leur pensée?
Crois-tu qu'ils me suivraient encore avec plaisir,
Et qu'ils reconnaîtraient la voix de leur vizir [5]?

OSMIN

Le succès du combat réglera leur conduite :
Il faut voir du sultan la victoire ou la fuite.
Quoique à regret, Seigneur, ils marchent sous ses lois,
Ils ont à soutenir le bruit de leurs exploits :
Ils ne trahiront point l'honneur de tant d'années.
Mais enfin, le succès dépend des destinées.
Si l'heureux Amurat, secondant leur grand cœur,
Aux champs de Babylone est déclaré vainqueur,
Vous les verrez soumis rapporter dans Byzance
L'exemple d'une aveugle et basse obéissance;
Mais si dans le combat le destin plus puissant
Marque de quelque affront son empire naissant,

S'il fuit, ne doutez point que fiers de sa disgrâce
A la haine bientôt ils ne joignent l'audace,
Et n'expliquent, Seigneur, la perte du combat
Comme un arrêt du ciel qui réprouve Amurat.
Cependant, s'il en faut croire la renommée,
Il a depuis trois mois fait partir de l'armée
Un esclave chargé de quelque ordre secret.
Tout le camp interdit tremblait pour Bajazet :
On craignait qu'Amurat par un ordre sévère
N'envoyât demander la tête de son frère.

ACOMAT

Tel était son dessein. Cet esclave est venu;
Il a montré son ordre, et n'a rien obtenu.

OSMIN

Quoi Seigneur? le sultan reverra son visage,
Sans que de vos respects il lui porte ce gage?

ACOMAT

Cet esclave n'est plus : un ordre, cher Osmin,
L'a fait précipiter dans le fond de l'Euxin.

OSMIN

Mais le sultan, surpris d'une trop longue absence,
En cherchera bientôt la cause et la vengeance.
Que lui répondrez-vous?

ACOMAT

Peut-être avant ce temps
Je saurai l'occuper de soins plus importants.
Je sais bien qu'Amurat a juré ma ruine;
Je sais à son retour l'accueil qu'il me destine.
Tu vois, pour m'arracher du cœur de ses soldats,
Qu'il va chercher sans moi les sièges, les combats.
Il commande l'armée, et moi, dans une ville,
Il me laisse exercer un pouvoir inutile.
Quel emploi, quel séjour, Osmin, pour un vizir!
Mais j'ai plus dignement employé ce loisir :
J'ai su lui préparer des craintes et des veilles,
Et le bruit en ira bientôt à ses oreilles.

OSMIN

Quoi donc? qu'avez-vous fait?

ACOMAT

J'espère qu'aujourd'hui
Bajazet se déclare, et Roxane avec lui.

OSMIN

Quoi ! Roxane, Seigneur, qu'Amurat a choisie
Entre tant de beautés dont l'Europe et l'Asie
Dépeuplent leurs États et remplissent sa cour?
Car on dit qu'elle seule a fixé son amour;
Et même il a voulu que l'heureuse Roxane,
Avant qu'elle eût un fils, prît le nom de sultane [6].

ACOMAT

Il a fait plus pour elle, Osmin : il a voulu
Qu'elle eût dans son absence un pouvoir absolu.
Tu sais de nos sultans les rigueurs ordinaires :
Le frère rarement laisse jouir ses frères
De l'honneur dangereux d'être sortis d'un sang
Qui les a de trop près approchés de son rang.
L'imbécile Ibrahim, sans craindre sa naissance,
Traîne, exempt de péril, une éternelle enfance;
Indigne également de vivre et de mourir,
On l'abandonne aux mains qui daignent le nourrir.
L'autre, trop redoutable, et trop digne d'envie,
Voit sans cesse Amurat armé contre sa vie.
Car enfin Bajazet dédaigna de tout temps
La molle oisiveté des enfants des sultans.
Il vint chercher la guerre au sortir de l'enfance,
Et même en fit sous moi la noble expérience.
Toi-même tu l'as vu courir dans les combats
Emportant après lui tous les cœurs des soldats,
Et goûter, tout sanglant, le plaisir et la gloire
Que donne aux jeunes cœurs la première victoire.
Mais malgré ses soupçons, le cruel Amurat,
Avant qu'un fils naissant eût rassuré l'État,
N'osait sacrifier ce frère à sa vengeance,
Ni du sang ottoman proscrire l'espérance.
Ainsi donc pour un temps Amurat désarmé
Laissa dans le sérail Bajazet enfermé.
Il partit, et voulut que fidèle à sa haine,
Et des jours de son frère arbitre souveraine,
Roxane, au moindre bruit, et sans autres raisons,
Le fît sacrifier à ses moindres soupçons.

Pour moi, demeuré seul, une juste colère
Tourna bientôt mes vœux du côté de son frère.
J'entretins la sultane, et cachant mon dessein,
Lui montrai d'Amurat le retour incertain,
Les murmures du camp, la fortune des armes;
Je plaignis Bajazet, je lui vantai ses charmes,
Qui par un soin jaloux dans l'ombre retenus,
Si voisins de ses yeux, leur étaient inconnus.
Que te dirai-je enfin? la sultane éperdue
N'eut plus d'autre désir que celui de sa vue.

OSMIN

Mais pouvaient-ils tromper tant de jaloux regards
Qui semblent mettre entre eux d'invincibles remparts?

ACOMAT

Peut-être il te souvient qu'un récit peu fidèle
De la mort d'Amurat fit courir la nouvelle.
La sultane, à ce bruit feignant de s'effrayer,
Par des cris douloureux eut soin de l'appuyer.
Sur la foi de ses pleurs ses esclaves tremblèrent;
De l'heureux Bajazet les gardes se troublèrent,
Et les dons achevant d'ébranler leur devoir,
Leurs captifs dans ce trouble osèrent s'entrevoir.
Roxane vit le prince; elle ne put lui taire
L'ordre dont elle seule était dépositaire.
Bajazet est aimable; il vit que son salut
Dépendait de lui plaire, et bientôt il lui plut.
Tout conspirait pour lui. Ses soins, sa complaisance,
Ce secret découvert, et cette intelligence,
Soupirs d'autant plus doux qu'il les fallait celer,
L'embarras irritant de ne s'oser parler,
Même témérité, périls, craintes communes,
Lièrent pour jamais leurs cœurs et leurs fortunes.
Ceux mêmes dont les yeux les devaient éclairer
Sortis de leur devoir, n'osèrent y rentrer.

OSMIN

Quoi? Roxane d'abord leur découvrant son âme,
Osa-t-elle à leurs yeux faire éclater sa flamme?

ACOMAT

Ils l'ignorent encore, et jusques à ce jour,
Atalide a prêté son nom à cet amour.

Du père d'Amurat Atalide est la nièce,
Et même avec ses fils partageant sa tendresse,
Elle a vu son enfance élevée avec eux.
Du prince en apparence elle reçoit les vœux,
Mais elle les reçoit pour les rendre à Roxane,
Et veut bien sous son nom qu'il aime la sultane.
Cependant, cher Osmin, pour s'appuyer de moi,
L'un et l'autre ont promis Atalide à ma foi.

OSMIN

Quoi? vous l'aimez, Seigneur?

ACOMAT

Voudrais-tu qu'à mon âge
Je fisse de l'amour le vil apprentissage?
Qu'un cœur qu'ont endurci la fatigue et les ans
Suivît d'un vain plaisir les conseils imprudents?
C'est par d'autres attraits qu'elle plaît à ma vue :
J'aime en elle le sang dont elle est descendue.
Par elle Bajazet, en m'approchant de lui,
Me va, contre lui-même, assurer un appui.
Un vizir aux sultans fait toujours quelque ombrage :
A peine ils l'ont choisi, qu'ils craignent leur ouvrage;
Sa dépouille est un bien qu'ils veulent recueillir,
Et jamais leurs chagrins ne nous laissent vieillir [7].
Bajazet aujourd'hui m'honore et me caresse,
Ses périls tous les jours réveillent sa tendresse;
Ce même Bajazet, sur le trône affermi,
Méconnaîtra peut-être un inutile ami.
Et moi, si mon devoir, si ma foi ne l'arrête,
S'il ose quelque jour me demander ma tête...
Je ne m'explique point, Osmin, mais je prétends
Que du moins il faudra la demander longtemps.
Je sais rendre aux sultans de fidèles services,
Mais je laisse au vulgaire adorer leurs caprices,
Et ne me pique point du scrupule insensé
De bénir mon trépas quand ils l'ont prononcé.
Voilà donc de ces lieux ce qui m'ouvre l'entrée,
Et comme enfin Roxane à mes yeux s'est montrée.
Invisible d'abord elle entendait ma voix,
Et craignait du sérail les rigoureuses lois;
Mais enfin bannissant cette importune crainte,
Qui dans nos entretiens jetait trop de contrainte,

Elle-même a choisi cet endroit écarté,
Où nos cœurs à nos yeux parlent en liberté.
Par un chemin obscur une esclave me guide,
Et... Mais on vient. C'est elle, et sa chère Atalide.
Demeure, et s'il le faut, sois prêt à confirmer
Le récit important dont je vais l'informer.

SCÈNE II. — ROXANE, ATALIDE, ACOMAT, OSMIN, ZATIME, ZAIRE

ACOMAT

La vérité s'accorde avec la renommée,
Madame. Osmin a vu le sultan et l'armée.
Le superbe Amurat est toujours inquiet;
Et toujours tous les cœurs penchent vers Bajazet :
D'une commune voix ils l'appellent au trône.
Cependant les Persans marchaient vers Babylone,
Et bientôt les deux camps au pied de son rempart
Devaient de la bataille éprouver le hasard.
Ce combat doit, dit-on, fixer nos destinées;
Et même, si d'Osmin je compte les journées,
Le ciel en a déjà réglé l'événement,
Et le sultan triomphe ou fuit en ce moment.
Déclarons-nous, Madame, et rompons le silence :
Fermons-lui dès ce jour les portes de Byzance,
Et sans nous informer s'il triomphe ou s'il fuit,
Croyez-moi, hâtons-nous d'en prévenir le bruit.
S'il fuit, que craignez-vous? s'il triomphe, au contraire,
Le conseil le plus prompt est le plus salutaire.
Vous voudrez, mais trop tard, soustraire à son pouvoir
Un peuple dans ses murs prêt à le recevoir.
Pour moi, j'ai su déjà par mes brigues secrètes
Gagner de notre loi les sacrés interprètes [8] :
Je sais combien crédule en sa dévotion
Le peuple suit le frein de la religion.
Souffrez que Bajazet voie enfin la lumière :
Des murs de ce palais ouvrez-lui la barrière;
Déployez en son nom cet étendard fatal,
Des extrêmes périls l'ordinaire signal.
Les peuples, prévenus de ce nom favorable,
Savent que sa vertu le rend seule coupable.
D'ailleurs un bruit confus, par mes soins confirmé,
Fait croire heureusement à ce peuple alarmé

Qu'Amurat le dédaigne, et veut loin de Byzance
Transporter désormais son trône et sa présence.
Déclarons le péril dont son frère est pressé,
Montrons l'ordre cruel qui vous fut adressé;
Surtout qu'il se déclare et se montre lui-même,
Et fasse voir ce front digne du diadème.

ROXANE

Il suffit. Je tiendrai tout ce que j'ai promis.
Allez, brave Acomat, assembler vos amis.
De tous leurs sentiments venez me rendre compte;
Je vous rendrai moi-même une réponse prompte.
Je verrai Bajazet. Je ne puis dire rien,
Sans savoir si son cœur s'accorde avec le mien.
Allez, et revenez.

SCÈNE III. — ROXANE, ATALIDE, ZATIME, ZAIRE

ROXANE

Enfin, belle Atalide,
Il faut de nos destins que Bajazet décide.
Pour la dernière fois je le vais consulter.
Je vais savoir s'il m'aime.

ATALIDE

Est-il temps d'en douter,
Madame? Hâtez-vous d'achever votre ouvrage.
Vous avez du vizir entendu le langage;
Bajazet vous est cher. Savez-vous si demain
Sa liberté, ses jours, seront en votre main?
Peut-être en ce moment Amurat en furie
S'approche pour trancher une si belle vie.
Et pourquoi de son cœur doutez-vous aujourd'hui?

ROXANE

Mais m'en répondez-vous, vous qui parlez pour lui?

ATALIDE

Quoi, Madame? les soins qu'il a pris pour vous plaire,
Ce que vous avez fait, ce que vous pouvez faire,
Ses périls, ses respects, et surtout vos appas,
Tout cela de son cœur ne vous répond-il pas?
Croyez que vos bontés vivent dans sa mémoire.

ROXANE

Hélas! pour mon repos que ne le puis-je croire?
Pourquoi faut-il au moins que, pour me consoler,
L'ingrat ne parle pas comme on le fait parler?
Vingt fois, sur vos discours pleine de confiance,
Du trouble de son cœur jouissant par avance,
Moi-même j'ai voulu m'assurer de sa foi,
Et l'ai fait en secret amener devant moi.
Peut-être trop d'amour me rend trop difficile;
Mais, sans vous fatiguer d'un récit inutile,
Je ne retrouvais point ce trouble, cette ardeur
Que m'avait tant promis un discours trop flatteur.
Enfin, si je lui donne et la vie et l'empire,
Ces gages incertains ne me peuvent suffire.

ATALIDE

Quoi donc? à son amour qu'allez-vous proposer?

ROXANE

S'il m'aime, dès ce jour il me doit épouser.

ATALIDE

Vous épouser! O ciel! que prétendez-vous faire?

ROXANE

Je sais que des sultans l'usage m'est contraire;
Je sais qu'ils se sont fait une superbe loi
De ne point à l'hymen assujettir leur foi.
Parmi tant de beautés qui briguent leur tendresse,
Ils daignent quelquefois choisir une maîtresse;
Mais toujours inquiète avec tous ses appas,
Esclave, elle reçoit son maître dans ses bras,
Et sans sortir du joug où leur loi la condamne,
Il faut qu'un fils naissant la déclare sultane.
Amurat plus ardent, et seul jusqu'à ce jour,
A voulu que l'on dût ce titre à son amour.
J'en reçus la puissance aussi bien que le titre,
Et des jours de son frère il me laissa l'arbitre.
Mais ce même Amurat ne me promit jamais
Que l'hymen dût un jour couronner ses bienfaits,
Et moi, qui n'aspirais qu'à cette seule gloire,
De ses autres bienfaits j'ai perdu la mémoire.
Toutefois, que sert-il de me justifier?
Bajazet, il est vrai, m'a tout fait oublier.

Malgré tous ses malheurs, plus heureux que son frère,
Il m'a plu, sans peut-être aspirer à me plaire.
Femmes, gardes, vizir, pour lui j'ai tout séduit;
En un mot, vous voyez jusqu'où je l'ai conduit.
Grâces à mon amour, je me suis bien servie
Du pouvoir qu'Amurat me donna sur sa vie.
Bajazet touche presque au trône des sultans :
Il ne faut plus qu'un pas; mais c'est où je l'attends.
Malgré tout mon amour, si, dans cette journée,
Il ne m'attache à lui par un juste hyménée,
S'il ose m'alléguer une odieuse loi,
Quand je fais tout pour lui, s'il ne fait tout pour moi,
Dès le même moment, sans songer si je l'aime,
Sans consulter enfin si je me perds moi-même,
J'abandonne l'ingrat, et le laisse rentrer
Dans l'état malheureux d'où je l'ai su tirer.
Voilà sur quoi je veux que Bajazet prononce.
Sa perte ou son salut dépend de sa réponse.
Je ne vous presse point de vouloir aujourd'hui
Me prêter votre voix pour m'expliquer à lui :
Je veux que devant moi sa bouche et son visage
Me découvrent son cœur sans me laisser d'ombrage,
Que lui-même, en secret amené dans ces lieux,
Sans être préparé se présente à mes yeux.
Adieu. Vous saurez tout après cette entrevue.

SCÈNE IV. — ATALIDE, ZAIRE

ATALIDE

Zaïre, c'en est fait, Atalide est perdue!

ZAIRE

Vous?

ATALIDE

Je prévois déjà tout ce qu'il faut prévoir.
Mon unique espérance est dans mon désespoir.

ZAIRE

Mais, Madame, pourquoi?

ATALIDE

Si tu venais d'entendre
Quel funeste dessein Roxane vient de prendre,
Quelles conditions elle veut imposer!

Bajazet doit périr, dit-elle, ou l'épouser.
S'il se rend, que deviens-je en ce malheur extrême?
Et s'il ne se rend pas, que devient-il lui-même?

ZAIRE

Je conçois ce malheur. Mais, à ne point mentir,
Votre amour dès longtemps a dû le pressentir.

ATALIDE

Ah, Zaïre! l'amour a-t-il tant de prudence?
Tout semblait avec nous être d'intelligence :
Roxane, se livrant tout entière à ma foi,
Du cœur de Bajazet se reposait sur moi,
M'abandonnait le soin de tout ce qui le touche,
Le voyait par mes yeux, lui parlait par ma bouche;
Et je croyais toucher au bienheureux moment
Où j'allais par ses mains couronner mon amant.
Le ciel s'est déclaré contre mon artifice.
Et que fallait-il donc, Zaïre, que je fisse?
A l'erreur de Roxane ai-je dû m'opposer,
Et perdre mon amant pour la désabuser?
Avant que dans son cœur cette amour fût formée,
J'aimais, et je pouvais m'assurer d'être aimée.
Dès nos plus jeunes ans, tu t'en souviens assez,
L'amour serra les nœuds par le sang commencés.
Élevée avec lui dans le sein de sa mère,
J'appris à distinguer Bajazet de son frère;
Elle-même avec joie unit nos volontés,
Et quoique après sa mort l'un de l'autre écartés,
Conservant, sans nous voir, le désir de nous plaire,
Nous avons su toujours nous aimer et nous taire.
Roxane qui depuis, loin de s'en défier,
A ses desseins secrets voulut m'associer,
Ne put voir sans amour ce héros trop aimable :
Elle courut lui tendre une main favorable.
Bajazet étonné rendit grâce à ses soins,
Lui rendit des respects. Pouvait-il faire moins?
Mais qu'aisément l'amour croit tout ce qu'il souhaite!
De ses moindres respects Roxane satisfaite
Nous engagea tous deux, par sa facilité,
A la laisser jouir de sa crédulité.
Zaïre, il faut pourtant avouer ma faiblesse :
D'un mouvement jaloux je ne fus pas maîtresse.

Ma rivale, accablant mon amant de bienfaits,
Opposait un empire à mes faibles attraits;
Mille soins la rendaient présente à sa mémoire;
Elle l'entretenait de sa prochaine gloire;
Et moi, je ne puis rien. Mon cœur, pour tous discours,
N'avait que des soupirs qu'il répétait toujours.
Le ciel seul sait combien j'en ai versé de larmes.
Mais enfin Bajazet dissipa mes alarmes;
Je condamnai mes pleurs, et jusques aujourd'hui
Je l'ai pressé de feindre, et j'ai parlé pour lui.
Hélas! tout est fini : Roxane méprisée
Bientôt de son erreur sera désabusée.
Car enfin Bajazet ne sait point se cacher.
Je connais sa vertu prompte à s'effaroucher.
Il faut qu'à tous moments, tremblante et secourable,
Je donne à ses discours un sens plus favorable.
Bajazet va se perdre. Ah! si, comme autrefois,
Ma rivale eût voulu lui parler par ma voix!
Au moins, si j'avais pu préparer son visage!
Mais, Zaïre, je puis l'attendre à son passage :
D'un mot ou d'un regard je puis le secourir.
Qu'il l'épouse, en un mot, plutôt que de périr.
Si Roxane le veut, sans doute il faut qu'il meure.
Il se perdra, te dis-je. Atalide, demeure;
Laisse, sans t'alarmer, ton amant sur sa foi.
Penses-tu mériter qu'on se perde pour toi?
Peut-être Bajazet, secondant ton envie,
Plus que tu ne voudras aura soin de sa vie.

ZAIRE

Ah! dans quels soins, Madame, allez-vous vous plonger?
Toujours avant le temps faut-il vous affliger?
Vous n'en pouvez douter, Bajazet vous adore.
Suspendez ou cachez l'ennui qui vous dévore;
N'allez point par vos pleurs déclarer vos amours.
La main qui l'a sauvé le sauvera toujours,
Pourvu qu'entretenue en son erreur fatale,
Roxane jusqu'au bout ignore sa rivale.
Venez en d'autres lieux enfermer vos regrets,
Et de leur entrevue attendre le succès.

ATALIDE

Eh bien! Zaïre, allons. Et toi, si ta justice

De deux jeunes amants veut punir l'artifice,
O ciel, si notre amour est condamné de toi,
Je suis la plus coupable : épuise tout sur moi!

ACTE DEUXIÈME

SCÈNE I. — BAJAZET, ROXANE

ROXANE

Prince, l'heure fatale est enfin arrivée
Qu'à votre liberté le ciel a réservée.
Rien ne me retient plus, et je puis dès ce jour,
Accomplir le dessein qu'a formé mon amour.
Non que vous assurant d'un triomphe facile,
Je mette entre vos mains un empire tranquille;
Je fais ce que je puis, je vous l'avais promis :
J'arme votre valeur contre vos ennemis,
J'écarte de vos jours un péril manifeste;
Votre vertu, Seigneur, achèvera le reste.
Osmin a vu l'armée : elle penche pour vous;
Les chefs de notre loi conspirent avec nous;
Le vizir Acomat vous répond de Byzance,
Et moi, vous le savez, je tiens sous ma puissance
Cette foule de chefs, d'esclaves, de muets,
Peuple que dans ses murs renferme ce palais,
Et dont à ma faveur les âmes asservies
M'ont vendu dès longtemps leur silence et leurs vies.
Commencez maintenant. C'est à vous de courir
Dans le champ glorieux que j'ai su vous ouvrir.
Vous n'entreprenez point une injuste carrière;
Vous repoussez, Seigneur, une main meurtrière :
L'exemple en est commun, et parmi les sultans,
Ce chemin à l'empire a conduit de tout temps.
Mais pour mieux commencer, hâtons-nous l'un et l'autre
D'assurer à la fois mon bonheur et le vôtre.
Montrez à l'univers, en m'attachant à vous,
Que quand je vous servais je servais mon époux,
Et par le nœud sacré d'un heureux hyménée,
Justifiez la foi que je vous ai donnée.

BAJAZET

Ah! que proposez-vous, Madame?

ROXANE

Hé quoi, Seigneur?
Quel obstacle secret trouble notre bonheur?

BAJAZET

Madame, ignorez-vous que l'orgueil de l'empire...
Que ne m'épargnez-vous la douleur de le dire?

ROXANE

Oui, je sais que depuis qu'un de vos empereurs [9],
Bajazet, d'un barbare éprouvant les fureurs,
Vit au char du vainqueur son épouse enchaînée,
Et par toute l'Asie à sa suite traînée,
De l'honneur ottoman ses successeurs jaloux
Ont daigné rarement prendre le nom d'époux.
Mais l'amour ne suit point ces lois imaginaires;
Et sans vous rapporter des exemples vulgaires,
Soliman (vous savez qu'entre tous vos aïeux,
Dont l'univers a craint le bras victorieux,
Nul n'éleva si haut la grandeur ottomane),
Ce Soliman jeta les yeux sur Roxelane.
Malgré tout son orgueil, ce monarque si fier,
A son trône, à son lit daigna l'associer,
Sans qu'elle eût d'autres droits au rang d'impératrice
Qu'un peu d'attraits peut-être, et beaucoup d'artifice.

BAJAZET

Il est vrai. Mais aussi voyez ce que je puis,
Ce qu'était Soliman, et le peu que je suis.
Soliman jouissait d'une pleine puissance :
L'Égypte ramenée à son obéissance,
Rhodes, des Ottomans ce redoutable écueil,
De tous ses défenseurs devenu le cercueil,
Du Danube asservi les rives désolées,
De l'empire persan les bornes reculées,
Dans leurs climats brûlants les Africains domptés,
Faisaient taire les lois devant ses volontés.
Que suis-je? J'attends tout du peuple et de l'armée.
Mes malheurs font encor toute ma renommée.
Infortuné, proscrit, incertain de régner,
Dois-je irriter les cœurs au lieu de les gagner?
Témoins de nos plaisirs, plaindront-ils nos misères?
Croiront-ils mes périls et vos larmes sincères?

Songez, sans me flatter du sort de Soliman,
Au meurtre tout récent du malheureux Osman :
Dans leur rébellion, les chefs des janissaires,
Cherchant à colorer leurs desseins sanguinaires,
Se crurent à sa perte assez autorisés
Par le fatal hymen que vous me proposez.
Que vous dirai-je enfin? Maître de leur suffrage,
Peut-être avec le temps j'oserai davantage.
Ne précipitons rien, et daignez commencer
A me mettre en état de vous récompenser.

ROXANE

Je vous entends, Seigneur. Je vois mon imprudence;
Je vois que rien n'échappe à votre prévoyance;
Vous avez pressenti jusqu'au moindre danger
Où mon amour trop prompt vous allait engager.
Pour vous, pour votre honneur, vous en craignez les suites,
Et je le crois, Seigneur, puisque vous me le dites.
Mais avez-vous prévu, si vous ne m'épousez,
Les périls plus certains où vous vous exposez?
Songez-vous que sans moi tout vous devient contraire,
Que c'est à moi surtout qu'il importe de plaire?
Songez-vous que je tiens les portes du palais,
Que je puis vous l'ouvrir ou fermer pour jamais,
Que j'ai sur votre vie un empire suprême,
Que vous ne respirez qu'autant que je vous aime?
Et sans ce même amour qu'offensent vos refus,
Songez-vous, en un mot, que vous ne seriez plus?

BAJAZET

Oui, je tiens tout de vous; et j'avais lieu de croire
Que c'était pour vous-même une assez grande gloire,
En voyant devant moi tout l'empire à genoux,
De m'entendre avouer que je tiens tout de vous.
Je ne m'en défends point, ma bouche le confesse,
Et mon respect saura le confirmer sans cesse :
Je vous dois tout mon sang; ma vie est votre bien.
Mais enfin voulez-vous...

ROXANE

Non, je ne veux plus rien.
Ne m'importune plus de tes raisons forcées.
Je vois combien tes vœux sont loin de mes pensées.

Je ne te presse plus, ingrat, d'y consentir;
Rentre dans le néant dont je t'ai fait sortir.
Car enfin qui m'arrête? et quelle autre assurance
Demanderais-je encor de son indifférence?
L'ingrat est-il touché de mes empressements?
L'amour même entre-t-il dans ses raisonnements?
Ah! je vois tes desseins. Tu crois, quoi que je fasse,
Que mes propres périls t'assurent de ta grâce,
Qu'engagée avec toi par de si forts liens,
Je ne puis séparer tes intérêts des miens.
Mais je m'assure encore aux bontés de ton frère :
Il m'aime, tu le sais; et malgré sa colère,
Dans ton perfide sang je puis tout expier,
Et ta mort suffira pour me justifier.
N'en doute point, j'y cours, et dès ce moment même...
Bajazet, écoutez : je sens que je vous aime;
Vous vous perdez. Gardez de me laisser sortir;
Le chemin est encore ouvert au repentir.
Ne désespérez point une amante en furie;
S'il m'échappait un mot, c'est fait de votre vie.

BAJAZET

Vous pouvez me l'ôter, elle est entre vos mains;
Peut-être que ma mort, utile à vos desseins,
De l'heureux Amurat obtenant votre grâce,
Vous rendra dans son cœur votre première place.

ROXANE

Dans son cœur? Ah! crois-tu, quand il le voudrait bien,
Que, si je perds l'espoir de régner dans le tien,
D'une si douce erreur si longtemps possédée,
Je puisse désormais souffrir une autre idée,
Ni que je vive enfin, si je ne vis pour toi?
Je te donne, cruel, des armes contre moi,
Sans doute, et je devrais retenir ma faiblesse :
Tu vas en triompher. Oui, je te le confesse,
J'affectais à tes yeux une fausse fierté;
De toi dépend ma joie et ma félicité;
De ma sanglante mort ta mort sera suivie.
Quel fruit de tant de soins que j'ai pris pour ta vie!
Tu soupires enfin, et sembles te troubler :
Achève, parle.

BAJAZET

O ciel! que ne puis-je parler?

ROXANE

Quoi donc? Que dites-vous? et que viens-je d'entendre?
Vous avez des secrets que je ne puis apprendre!
Quoi! de vos sentiments je ne puis m'éclaircir?

BAJAZET

Madame, encore un coup, c'est à vous de choisir :
Daignez m'ouvrir au trône un chemin légitime,
Ou bien, me voilà prêt, prenez votre victime.

ROXANE

Ah! c'en est trop enfin, tu seras satisfait.
Holà! gardes, qu'on vienne.

SCÈNE II. — BAJAZET, ROXANE, ACOMAT

ROXANE

Acomat, c'en est fait.
Vous pouvez retourner, je n'ai rien à vous dire.
Du sultan Amurat je reconnais l'empire.
Sortez. Que le sérail soit désormais fermé,
Et que tout rentre ici dans l'ordre accoutumé.

SCÈNE III. — BAJAZET, ACOMAT

ACOMAT

Seigneur, qu'ai-je entendu? Quelle surprise extrême!
Qu'allez-vous devenir? Que deviens-je moi-même?
D'où naît ce changement? Qui dois-je en accuser?
O ciel!

BAJAZET

Il ne faut point ici vous abuser.
Roxane est offensée et court à la vengeance.
Un obstacle éternel rompt notre intelligence.
Vizir, songez à vous, je vous en averti,
Et sans compter sur moi prenez votre parti.

ACOMAT

Quoi?

BAJAZET

Vous et vos amis, cherchez quelque retraite.
Je sais dans quels périls mon amitié vous jette,

Et j'espérais un jour vous mieux récompenser;
Mais c'en est fait, vous dis-je, il n'y faut plus penser.

ACOMAT

Et quel est donc, Seigneur, cet obstacle invincible?
Tantôt dans le sérail j'ai laissé tout paisible.
Quelle fureur saisit votre esprit et le sien?

BAJAZET

Elle veut, Acomat, que je l'épouse!

ACOMAT

Eh bien?
L'usage des sultans à ses vœux est contraire;
Mais cet usage, enfin, est-ce une loi sévère
Qu'aux dépens de vos jours vous deviez observer?
La plus sainte des lois, ah! c'est de vous sauver,
Et d'arracher, Seigneur, d'une mort manifeste,
Le sang des Ottomans dont vous faites le reste.

BAJAZET

Ce reste malheureux serait trop acheté,
S'il faut le conserver par une lâcheté.

ACOMAT

Et pourquoi vous en faire une image si noire?
L'hymen de Soliman ternit-il sa mémoire?
Cependant Soliman n'était point menacé
Des périls évidents dont vous êtes pressé.

BAJAZET

Et ce sont ces périls et ce soin de ma vie
Qui d'un servile hymen feraient l'ignominie.
Soliman n'avait point ce prétexte odieux :
Son esclave trouva grâce devant ses yeux,
Et sans subir le joug d'un hymen nécessaire,
Il lui fit de son cœur un présent volontaire.

ACOMAT

Mais vous aimez Roxane.

BAJAZET

Acomat, c'est assez.
Je me plains de mon sort moins que vous ne pensez.
La mort n'est point pour moi le comble des disgrâces;
J'osai, tout jeune encor, la chercher sur vos traces,

Et l'indigne prison où je suis renfermé
A la voir de plus près m'a même accoutumé;
Amurat à mes yeux l'a vingt fois présentée.
Elle finit le cours d'une vie agitée.
Hélas ! si je la quitte avec quelque regret...
Pardonnez, Acomat; je plains avec sujet
Des cœurs dont les bontés trop mal récompensées
M'avaient pris pour objet de toutes leurs pensées.

ACOMAT

Ah ! si nous périssons, n'en accusez que vous,
Seigneur. Dites un mot, et vous nous sauvez tous.
Tout ce qui reste ici de braves janissaires,
De la religion les saints dépositaires,
Du peuple byzantin ceux qui plus respectés
Par leur exemple seul règlent ses volontés,
Sont prêts de vous conduire à la porte sacrée
D'où les nouveaux sultans font leur première entrée [10].

BAJAZET

Eh bien ! brave Acomat, si je leur suis si cher
Que des mains de Roxane ils viennent m'arracher.
Du sérail, s'il le faut, venez forcer la porte;
Entrez accompagné de leur vaillante escorte.
J'aime mieux en sortir sanglant, couvert de coups,
Que chargé malgré moi du nom de son époux.
Peut-être je saurai, dans ce désordre extrême,
Par un beau désespoir me secourir moi-même,
Attendre, en combattant, l'effet de votre foi,
Et vous donner le temps de venir jusqu'à moi.

ACOMAT

Hé ! pourrai-je empêcher, malgré ma diligence,
Que Roxane d'un coup n'assure sa vengeance?
Alors qu'aura servi ce zèle impétueux,
Qu'à charger vos amis d'un crime infructueux?
Promettez. Affranchi d'un péril qui vous presse,
Vous verrez de quel poids sera votre promesse.

BAJAZET

Moi?

ACOMAT

Ne rougissez point : le sang des Ottomans
Ne doit point en esclave obéir aux serments.

Consultez ces héros que le droit de la guerre
Mena victorieux jusqu'au bout de la terre :
Libres dans leur victoire, et maîtres de leur foi,
L'intérêt de l'État fut leur unique loi;
Et d'un trône si saint la moitié n'est fondée
Que sur la foi promise et rarement gardée.
Je m'emporte, Seigneur...

BAJAZET

Oui, je sais, Acomat,
Jusqu'où les a portés l'intérêt de l'État;
Mais ces mêmes héros, prodigues de leur vie,
Ne la rachetaient point par une perfidie.

ACOMAT

O courage inflexible! O trop constante foi,
Que même en périssant j'admire malgré moi!
Faut-il qu'en un moment un scrupule timide
Perde... Mais quel bonheur nous envoie Atalide?

SCÈNE IV. — BAJAZET, ATALIDE, ACOMAT

ACOMAT

Ah! Madame, venez avec moi vous unir :
Il se perd.

ATALIDE

C'est de quoi je viens l'entretenir.
Mais laissez-nous. Roxane, à sa perte animée,
Veut que de ce palais la porte soit fermée.
Toutefois, Acomat, ne vous éloignez pas :
Peut-être on vous fera revenir sur vos pas.

SCÈNE V. — BAJAZET, ATALIDE

BAJAZET

Eh bien! c'est maintenant qu'il faut que je vous laisse.
Le ciel punit ma feinte et confond votre adresse;
Rien ne m'a pu parer contre ses derniers coups :
Il fallait ou mourir, ou n'être plus à vous.
De quoi nous a servi cette indigne contrainte?
Je meurs plus tard : voilà tout le fruit de ma feinte.
Je vous l'avais prédit, mais vous l'avez voulu.
J'ai reculé vos pleurs autant que je l'ai pu.
Belle Atalide, au nom de cette complaisance,
Daignez de la sultane éviter la présence :

Vos pleurs vous trahiraient; cachez-les à ses yeux,
Et ne prolongez point de dangereux adieux.

ATALIDE

Non, Seigneur. Vos bontés pour une infortunée
Ont assez disputé contre la destinée.
Il vous en coûte trop pour vouloir m'épargner :
Il faut vous rendre, il faut me quitter, et régner.

BAJAZET

Vous quitter?

ATALIDE

Je le veux. Je me suis consultée.
De mille soins jaloux jusqu'alors agitée,
Il est vrai, je n'ai pu concevoir sans effroi
Que Bajazet pût vivre et n'être plus à moi;
Et lorsque quelquefois de ma rivale heureuse
Je me représentais l'image douloureuse,
Votre mort (pardonnez aux fureurs des amants)
Ne me paraissait pas le plus grand des tourments.
Mais à mes tristes yeux votre mort préparée
Dans toute son horreur ne s'était pas montrée;
Je ne vous voyais pas ainsi que je vous vois,
Prêt à me dire adieu pour la dernière fois.
Seigneur, je sais trop bien avec quelle constance
Vous allez de la mort affronter la présence;
Je sais que votre cœur se fait quelques plaisirs
De me prouver sa foi dans ses derniers soupirs;
Mais, hélas! épargnez une âme plus timide,
Mesurez vos malheurs aux forces d'Atalide,
Et ne m'exposez point aux plus vives douleurs
Qui jamais d'une amante épuisèrent les pleurs.

BAJAZET

Et que deviendrez-vous, si dès cette journée,
Je célèbre à vos yeux ce funeste hyménée?

ATALIDE

Ne vous informez point ce que je deviendrai.
Peut-être à mon destin, Seigneur, j'obéirai.
Que sais-je? A ma douleur je chercherai des charmes.
Je songerai peut-être, au milieu de mes larmes,
Qu'à vous perdre pour moi vous étiez résolu,
Que vous vivez, qu'enfin c'est moi qui l'ai voulu.

BAJAZET

Non, vous ne verrez point cette fête cruelle.
Plus vous me commandez de vous être infidèle,
Madame, plus je vois combien vous méritez
De ne point obtenir ce que vous souhaitez.
Quoi? cet amour si tendre, et né dans notre enfance,
Dont les feux avec nous ont crû dans le silence,
Vos larmes que ma main pouvait seule arrêter,
Mes serments redoublés de ne vous point quitter,
Tout cela finirait par une perfidie?
J'épouserais, et qui? (s'il faut que je le die)
Une esclave attachée à ses seuls intérêts,
Qui présente à mes yeux les supplices tout prêts,
Qui m'offre ou son hymen, ou la mort infaillible;
Tandis qu'à mes périls Atalide sensible,
Et trop digne du sang qui lui donna le jour,
Veut me sacrifier jusques à son amour.
Ah! qu'au jaloux sultan ma tête soit portée,
Puisqu'il faut à ce prix qu'elle soit rachetée!

ATALIDE

Seigneur, vous pourriez vivre, et ne me point trahir.

BAJAZET

Parlez : si je le puis, je suis prêt d'obéir.

ATALIDE

La sultane vous aime; et malgré sa colère,
Si vous preniez, Seigneur, plus de soin de lui plaire,
Si vos soupirs daignaient lui faire pressentir
Qu'un jour...

BAJAZET

Je vous entends : je n'y puis consentir.
Ne vous figurez point que, dans cette journée,
D'un lâche désespoir ma vertu consternée
Craigne les soins d'un trône où je pourrais monter,
Et par un prompt trépas cherche à les éviter.
J'écoute trop peut-être une imprudente audace;
Mais sans cesse occupé des grands noms de ma race,
J'espérais que fuyant un indigne repos
Je prendrais quelque place entre tant de héros.
Mais quelque ambition, quelque amour qui me brûle,
Je ne puis plus tromper une amante crédule.

En vain, pour me sauver, je vous l'aurais promis :
Et ma bouche et mes yeux du mensonge ennemis,
Peut-être, dans le temps que je voudrais lui plaire,
Feraient par leur désordre un effet tout contraire;
Et de mes froids soupirs ses regards offensés
Verraient trop que mon cœur ne les a point poussés.
O ciel! combien de fois je l'aurais éclaircie,
Si je n'eusse à sa haine exposé que ma vie;
Si je n'avais pas craint que ses soupçons jaloux
N'eussent trop aisément remonté jusqu'à vous!
Et j'irais l'abuser d'une fausse promesse?
Je me parjurerais? Et par cette bassesse...
Ah! loin de m'ordonner cet indigne détour,
Si votre cœur était moins plein de son amour,
Je vous verrais sans doute en rougir la première.
Mais pour vous épargner une injuste prière,
Adieu; je vais trouver Roxane de ce pas,
Et je vous quitte.

ATALIDE

Et moi, je ne vous quitte pas.
Venez, cruel, venez, je vais vous y conduire,
Et de tous nos secrets c'est moi qui veux l'instruire.
Puisque, malgré mes pleurs, mon amant furieux
Se fait tant de plaisirs d'expirer à mes yeux,
Roxane, malgré vous, nous joindra l'un et l'autre :
Elle aura plus de soif de mon sang que du vôtre,
Et je pourrai donner à vos yeux effrayés
Le spectacle sanglant que vous me prépariez [11].

BAJAZET

O ciel! que faites-vous?

ATALIDE

Cruel, pouvez-vous croire
Que je sois moins que vous jalouse de ma gloire?
Pensez-vous que cent fois, en vous faisant parler,
Ma rougeur ne fût pas prête à me déceler?
Mais on me présentait votre perte prochaine;
Pourquoi faut-il, ingrat, quand la mienne est certaine,
Que vous n'osiez pour moi ce que j'osais pour vous?
Peut-être il suffira d'un mot un peu plus doux;
Roxane dans son cœur peut-être vous pardonne.
Vous-même, vous voyez le temps qu'elle vous donne.

A-t-elle, en vous quittant, fait sortir le vizir?
Des gardes à mes yeux viennent-ils vous saisir?
Enfin, dans sa fureur implorant mon adresse,
Ses pleurs ne m'ont-ils pas découvert sa tendresse?
Peut-être elle n'attend qu'un espoir incertain
Qui lui fasse tomber les armes de la main.
Allez, Seigneur : sauvez votre vie et la mienne.

BAJAZET

Eh bien! Mais quels discours faut-il que je lui tienne?

ATALIDE

Ah! daignez sur ce choix ne me point consulter.
L'occasion, le ciel pourra vous les dicter.
Allez. Entre elle et vous je ne dois point paraître;
Votre trouble ou le mien nous feraient reconnaître.
Allez; encore un coup, je n'ose m'y trouver.
Dites... tout ce qu'il faut, Seigneur, pour vous sauver.

ACTE TROISIÈME

SCÈNE I. — ATALIDE, ZAIRE

ATALIDE

Zaïre, il est donc vrai, sa grâce est prononcée?

ZAIRE

Je vous l'ai dit, Madame : une esclave empressée,
Qui courait de Roxane accomplir le désir,
Aux portes du sérail a reçu le vizir.
Ils ne m'ont point parlé; mais mieux qu'aucun langage,
Le transport du vizir marquait sur son visage
Qu'un heureux changement le rappelle au palais,
Et qu'il y vient signer une éternelle paix.
Roxane a pris sans doute une plus douce voie.

ATALIDE

Ainsi de toutes parts les plaisirs et la joie
M'abandonnent, Zaïre, et marchent sur leurs pas.
J'ai fait ce que j'ai dû; je ne m'en repens pas.

ZAIRE

Quoi, Madame? Quelle est cette nouvelle alarme?

ATALIDE

Et ne t'a-t-on point dit, Zaïre, par quel charme,

Ou, pour mieux dire enfin, par quel engagement
Bajazet a pu faire un si prompt changement?
Roxane en sa fureur paraissait inflexible.
A-t-elle de son cœur quelque gage infaillible?
Parle. L'épouse-t-il?

ZAIRE

Je n'en ai rien appris.
Mais enfin s'il n'a pu se sauver qu'à ce prix,
S'il fait ce que vous-même avez su lui prescrire,
S'il l'épouse, en un mot...

ATALIDE

S'il l'épouse, Zaïre!

ZAIRE

Quoi! vous repentez-vous des généreux discours
Que vous dictait le soin de conserver ses jours?

ATALIDE

Non, non; il ne fera que ce qu'il a dû faire.
Sentiments trop jaloux, c'est à vous de vous taire;
Si Bajazet l'épouse, il suit mes volontés;
Respectez ma vertu qui vous a surmontés;
A ces nobles conseils ne mêlez point le vôtre,
Et loin de me le peindre entre les bras d'une autre,
Laissez-moi sans regret me le représenter
Au trône où mon amour l'a forcé de monter.
Oui, je me reconnais, je suis toujours la même.
Je voulais qu'il m'aimât, chère Zaïre : il m'aime;
Et du moins cet espoir me console aujourd'hui
Que je vais mourir digne et contente de lui.

ZAIRE

Mourir! Quoi? vous auriez un dessein si funeste?

ATALIDE

J'ai cédé mon amant : tu t'étonnes du reste?
Peux-tu compter, Zaïre, au nombre des malheurs
Une mort qui prévient et finit tant de pleurs?
Qu'il vive, c'est assez. Je l'ai voulu, sans doute,
Et je le veux toujours, quelque prix qu'il m'en coûte.
Je n'examine point ma joie ou mon ennui :
J'aime assez mon amant pour renoncer à lui.
Mais, hélas! il peut bien penser avec justice
Que si j'ai pu lui faire un si grand sacrifice,

Ce cœur, qui de ses jours prend ce funeste soin,
L'aime trop pour vouloir en être le témoin.
Allons, je veux savoir...

ZAIRE

Modérez-vous, de grâce.
On vient vous informer de tout ce qui se passe.
C'est le vizir.

SCÈNE II. — ATALIDE, ACOMAT, ZAIRE

ACOMAT

Enfin, nos amants sont d'accord,
Madame; un calme heureux nous remet dans le port.
La sultane a laissé désarmer sa colère;
Elle m'a déclaré sa volonté dernière,
Et tandis qu'elle montre au peuple épouvanté
Du prophète divin l'étendard redouté,
Qu'à marcher sur mes pas Bajazet se dispose,
Je vais de ce signal faire entendre la cause,
Remplir tous les esprits d'une juste terreur,
Et proclamer enfin le nouvel empereur.
Cependant permettez que je vous renouvelle
Le souvenir du prix qu'on promit à mon zèle.
N'attendez point de moi ces doux emportements,
Tels que j'en vois paraître au cœur de ces amants;
Mais si, par d'autres soins, plus dignes de mon âge,
Par de profonds respects, par un long esclavage,
Tel que nous le devons au sang de nos sultans,
Je puis...

ATALIDE

Vous m'en pourrez instruire avec le temps.
Avec le temps aussi vous pourrez me connaître.
Mais quels sont ces transports qu'ils vous ont fait paraître?

ACOMAT

Madame, doutez-vous des soupirs enflammés
De deux jeunes amants l'un de l'autre charmés?

ATALIDE

Non; mais à dire vrai ce miracle m'étonne.
Et dit-on à quel prix Roxane lui pardonne?
L'épouse-t-il enfin?

ACOMAT

Madame, je le croi.
Voici tout ce qui vient d'arriver devant moi.
Surpris, je l'avouerai, de leur fureur commune,
Querellant les amants, l'amour et la fortune,
J'étais de ce palais sorti désespéré.
Déjà, sur un vaisseau dans le port préparé,
Chargeant de mon débris les reliques plus chères,
Je méditais ma fuite aux terres étrangères.
Dans ce triste dessein au palais rappelé,
Plein de joie et d'espoir, j'ai couru, j'ai volé,
La porte du sérail à ma voix s'est ouverte,
Et d'abord une esclave à mes yeux s'est offerte,
Qui m'a conduit sans bruit dans un appartement
Où Roxane attentive écoutait son amant.
Tout gardait devant eux un auguste silence.
Moi-même, résistant à mon impatience,
Et respectant de loin leur secret entretien,
J'ai longtemps, immobile, observé leur maintien.
Enfin, avec des yeux qui découvraient son âme,
L'une a tendu la main pour gage de sa flamme;
L'autre, avec des regards éloquents, pleins d'amour,
L'a de ses feux, Madame, assurée à son tour.

ATALIDE

Hélas!

ACOMAT

Ils m'ont alors aperçu l'un et l'autre.
« Voilà, m'a-t-elle dit, votre prince et le nôtre.
« Je vais, brave Acomat, le remettre en vos mains.
« Allez lui préparer les honneurs souverains;
« Qu'un peuple obéissant l'attende dans le temple :
« Le sérail va bientôt vous en donner l'exemple. »
Aux pieds de Bajazet alors je suis tombé,
Et soudain à leurs yeux je me suis dérobé;
Trop heureux d'avoir pu, par un récit fidèle,
De leur paix en passant vous conter la nouvelle,
Et m'acquitter vers vous de mes respects profonds,
Je vais le couronner, Madame, et j'en réponds.

SCÈNE III. — ATALIDE, ZAIRE

ATALIDE

Allons, retirons-nous, ne troublons point leur joie.

ZAIRE

Ah, Madame! croyez...

ATALIDE

Que veux-tu que je croie?
Quoi donc? à ce spectacle irai-je m'exposer?
Tu vois que c'en est fait : ils se vont épouser,
La sultane est contente, il l'assure qu'il l'aime.
Mais je ne m'en plains pas, je l'ai voulu moi-même.
Cependant croyais-tu, quand jaloux de sa foi
Il s'allait plein d'amour sacrifier pour moi,
Lorsque son cœur tantôt m'exprimant sa tendresse,
Refusait à Roxane une simple promesse,
Quand mes larmes en vain tâchaient de l'émouvoir,
Quand je m'applaudissais de leur peu de pouvoir,
Croyais-tu que son cœur, contre toute apparence,
Pour la persuader trouvât tant d'éloquence?
Ah, peut-être, après tout, que sans trop se forcer,
Tout ce qu'il a pu dire, il a pu le penser.
Peut-être en la voyant, plus sensible pour elle,
Il a vu dans ses yeux quelque grâce nouvelle.
Elle aura devant lui fait parler ses douleurs,
Elle l'aime; un empire autorise ses pleurs;
Tant d'amour touche enfin une âme généreuse :
Hélas! que de raisons contre une malheureuse!

ZAIRE

Mais ce succès, Madame, est encore incertain.
Attendez.

ATALIDE

Non, vois-tu, je le nierais en vain.
Je ne prends point plaisir à croître ma misère.
Je sais pour se sauver tout ce qu'il a dû faire.
Quand mes pleurs vers Roxane ont rappelé ses pas,
Je n'ai point prétendu qu'il ne m'obéît pas;
Mais après les adieux que je venais d'entendre,
Après tous les transports d'une douleur si tendre,
Je sais qu'il n'a point dû lui faire remarquer
La joie et les transports qu'on vient de m'expliquer.
Toi-même, juge-nous, et vois si je m'abuse :
Pourquoi de ce conseil moi seule suis-je excluse?
Au sort de Bajazet ai-je si peu de part?
A me chercher lui-même attendrait-il si tard,

N'était que de son cœur le trop juste reproche
Lui fait peut-être, hélas! éviter cette approche?
Mais non, je lui veux bien épargner ce souci :
Il ne me verra plus.

ZAIRE

Madame, le voici.

SCÈNE IV. — BAJAZET, ATALIDE, ZAIRE

BAJAZET

C'en est fait, j'ai parlé, vous êtes obéie.
Vous n'avez plus, Madame, à craindre pour ma vie,
Et je serais heureux, si la foi, si l'honneur
Ne me reprochait point mon injuste bonheur,
Si mon cœur, dont le trouble en secret me condamne,
Pouvait me pardonner aussi bien que Roxane.
Mais enfin je me vois les armes à la main;
Je suis libre, et je puis contre un frère inhumain,
Non plus par un silence aidé de votre adresse,
Disputer en ces lieux le cœur de sa maîtresse,
Mais par de vrais combats, par de nobles dangers,
Moi-même le cherchant aux climats étrangers,
Lui disputer les cœurs du peuple et de l'armée,
Et pour juge entre nous prendre la Renommée [12].
Que vois-je? Qu'avez-vous? Vous pleurez!

ATALIDE

Non, Seigneur,
Je ne murmure point contre votre bonheur :
Le ciel, le juste ciel vous devait ce miracle.
Vous savez si jamais j'y formai quelque obstacle;
Tant que j'ai respiré, vos yeux me sont témoins
Que votre seul péril occupait tous mes soins,
Et puisqu'il ne pouvait finir qu'avec ma vie,
C'est sans regret aussi que je la sacrifie.
Il est vrai, si le ciel eût écouté mes vœux,
Qu'il pouvait m'accorder un trépas plus heureux;
Vous n'en auriez pas moins épousé ma rivale,
Vous pouviez l'assurer de la foi conjugale,
Mais vous n'auriez pas joint à ce titre d'époux
Tous ces gages d'amour qu'elle a reçus de vous.
Roxane s'estimait assez récompensée,
Et j'aurais en mourant cette douce pensée

Que vous ayant moi-même imposé cette loi,
Je vous ai vers Roxane envoyé plein de moi;
Qu'emportant chez les morts toute votre tendresse,
Ce n'est point un amant en vous que je lui laisse.

BAJAZET

Que parlez-vous, Madame, et d'époux et d'amant?
O ciel! de ce discours, quel est le fondement?
Qui peut vous avoir fait ce récit infidèle?
Moi, j'aimerais Roxane, ou je vivrais pour elle,
Madame? Ah! croyez-vous que, loin de le penser,
Ma bouche seulement eût pu le prononcer?
Mais l'un ni l'autre enfin n'était point nécessaire :
La sultane a suivi son penchant ordinaire,
Et soit qu'elle ait d'abord expliqué mon retour
Comme un gage certain qui marquait mon amour,
Soit que le temps trop cher la pressât de se rendre,
A peine ai-je parlé que, sans presque m'entendre,
Ses pleurs précipités ont coupé mes discours.
Elle met dans ma main sa fortune, ses jours,
Et se fiant enfin à ma reconnaissance,
D'un hymen infaillible a formé l'espérance.
Moi-même, rougissant de sa crédulité
Et d'un amour si tendre et si peu mérité,
Dans ma confusion, que Roxane, Madame,
Attribuait encore à l'excès de ma flamme,
Je me trouvais barbare, injuste, criminel.
Croyez qu'il m'a fallu, dans ce moment cruel,
Pour garder jusqu'au bout un silence perfide
Rappeler tout l'amour que j'ai pour Atalide.
Cependant, quand je viens, après de tels efforts,
Chercher quelque secours contre tous mes remords,
Vous-même contre moi je vous vois irritée
Reprocher votre mort à mon âme agitée;
Je vois enfin, je vois qu'en ce même moment
Tout ce que je vous dis vous touche faiblement.
Madame, finissons et mon trouble et le vôtre.
Ne nous affligeons point vainement l'un et l'autre.
Roxane n'est pas loin; laissez agir ma foi;
J'irai, bien plus content et de vous et de moi,
Détromper son amour d'une feinte forcée
Que je n'allais tantôt déguiser ma pensée.
La voici.

ATALIDE

Juste ciel ! où va-t-il s'exposer?
Si vous m'aimez, gardez de la désabuser.

SCÈNE V. — BAJAZET, ROXANE, ATALIDE

ROXANE

Venez, Seigneur, venez : il est temps de paraître,
Et que tout le sérail reconnaisse son maître.
Tout ce peuple nombreux dont il est habité,
Assemblé par mon ordre, attend ma volonté.
Mes esclaves gagnés, que le reste va suivre,
Sont les premiers sujets que mon amour vous livre.
L'auriez-vous cru, Madame, et qu'un si prompt retour
Fît à tant de fureur succéder tant d'amour?
Tantôt, à me venger fixe et déterminée,
Je jurais qu'il voyait sa dernière journée;
À peine cependant Bajazet m'a parlé,
L'amour fit le serment, l'amour l'a violé [13].
J'ai cru dans son désordre entrevoir sa tendresse :
J'ai prononcé sa grâce, et je crois sa promesse.

BAJAZET

Oui, je vous ai promis et j'ai donné ma foi
De n'oublier jamais tout ce que je vous doi;
J'ai juré que mes soins, ma juste complaisance,
Vous répondront toujours de ma reconnaissance;
Si je puis à ce prix mériter vos bienfaits
Je vais de vos bontés attendre les effets.

SCÈNE VI. — ROXANE, ATALIDE

ROXANE

De quel étonnement, ô ciel ! suis-je frappée?
Est-ce un songe? et mes yeux ne m'ont-ils point trompée?
Quel est ce sombre accueil, et ce discours glacé
Qui semble révoquer tout ce qui s'est passé?
Sur quel espoir croit-il que je me sois rendue
Et qu'il ait regagné mon amitié perdue?
J'ai cru qu'il me jurait que jusques à la mort
Son amour me laissait maîtresse de son sort.
Se repent-il déjà de m'avoir apaisée?
Mais moi-même tantôt me serais-je abusée?

Ah!... Mais il vous parlait : quels étaient ses discours,
Madame?

ATALIDE

Moi, Madame? Il vous aime toujours.

ROXANE

Il y va de sa vie au moins que je le croie.
Mais, de grâce, parmi tant de sujets de joie,
Répondez-moi, comment pouvez-vous expliquer
Ce chagrin qu'en sortant il m'a fait remarquer?

ATALIDE

Madame, ce chagrin n'a point frappé ma vue.
Il m'a de vos bontés longtemps entretenue;
Il en était tout plein quand je l'ai rencontré,
J'ai cru le voir sortir tel qu'il était entré.
Mais, Madame, après tout, faut-il être surprise
Que, tout prêt d'achever cette grande entreprise,
Bajazet s'inquiète, et qu'il laisse échapper
Quelque marque des soins qui doivent l'occuper?

ROXANE

Je vois qu'à l'excuser votre adresse est extrême :
Vous parlez mieux pour lui qu'il ne parle lui-même.

ATALIDE

Et quel autre intérêt...

ROXANE

Madame, c'est assez.
Je conçois vos raisons mieux que vous ne pensez.
Laissez-moi : j'ai besoin d'un peu de solitude.
Ce jour me jette aussi dans quelque inquiétude.
J'ai, comme Bajazet, mon chagrin et mes soins,
Et je veux un moment y penser sans témoins.

SCÈNE VII. — ROXANE, *seule*.

De tout ce que je vois que faut-il que je pense?
Tous deux à me tromper sont-ils d'intelligence?
Pourquoi ce changement, ce discours, ce départ?
N'ai-je pas même entre eux surpris quelque regard?
Bajazet interdit! Atalide étonnée!
O ciel! à cet affront m'auriez-vous condamnée?
De mon aveugle amour seraient-ce là les fruits?
Tant de jours douloureux, tant d'inquiètes nuits,

Mes brigues, mes complots, ma trahison fatale,
N'aurais-je tout tenté que pour une rivale?
Mais peut-être qu'aussi, trop prompte à m'affliger,
J'observe de trop près un chagrin passager.
J'impute à son amour l'effet de son caprice.
N'eût-il pas jusqu'au bout conduit son artifice?
Prêt à voir le succès de son déguisement,
Quoi! ne pouvait-il pas feindre encore un moment?
Non, non, rassurons-nous. Trop d'amour m'intimide.
Et pourquoi dans son cœur redouter Atalide?
Quel serait son dessein? Qu'a-t-elle fait pour lui?
Qui de nous deux enfin le couronne aujourd'hui?
Mais, hélas! de l'amour ignorons-nous l'empire?
Si par quelque autre charme Atalide l'attire,
Qu'importe qu'il nous doive et le sceptre et le jour?
Les bienfaits dans un cœur balancent-ils l'amour?
Et sans chercher plus loin, quand l'ingrat me sut plaire,
Ai-je mieux reconnu les bontés de son frère?
Ah! si d'une autre chaîne il n'était point lié,
L'offre de mon hymen l'eût-il tant effrayé?
N'eût-il pas sans regret secondé mon envie?
L'eût-il refusé, même aux dépens de sa vie?
Que de justes raisons... Mais qui vient me parler?
Que veut-on?

SCÈNE VIII. — ROXANE, ZATIME

ZATIME

Pardonnez si j'ose vous troubler,
Mais, Madame, un esclave arrive de l'armée;
Et quoique sur la mer la porte fût fermée
Les gardes sans tarder l'ont ouverte à genoux,
Aux ordres du sultan qui s'adressent à vous.
Mais ce qui me surprend, c'est Orcan qu'il envoie.

ROXANE

Orcan!

ZATIME

Oui, de tous ceux que le sultan emploie,
Orcan, le plus fidèle à servir ses desseins,
Né sous le ciel brûlant des plus noirs Africains.
Madame, il vous demande avec impatience.
Mais j'ai cru vous devoir avertir par avance,

Et souhaitant surtout qu'il ne vous surprît pas,
Dans votre appartement j'ai retenu ses pas.

ROXANE

Quel malheur imprévu vient encor me confondre?
Quel peut être cet ordre? et que puis-je répondre?
Il n'en faut point douter, le sultan inquiet
Une seconde fois condamne Bajazet.
On ne peut sur ses jours sans moi rien entreprendre,
Tout m'obéit ici. Mais dois-je le défendre?
Quel est mon empereur? Bajazet? Amurat?
J'ai trahi l'un, mais l'autre est peut-être un ingrat.
Le temps presse. Que faire en ce doute funeste?
Allons, employons bien le moment qui nous reste.
Ils ont beau se cacher, l'amour le plus discret
Laisse par quelque marque échapper son secret.
Observons Bajazet; étonnons Atalide;
Et couronnons l'amant, ou perdons le perfide.

ACTE QUATRIÈME

SCÈNE I. — ATALIDE, ZAIRE

ATALIDE

Ah! sais-tu mes frayeurs? sais-tu que dans ces lieux
J'ai vu du fier Orcan le visage odieux?
En ce moment fatal, que je crains sa venue!
Que je crains... Mais dis-moi : Bajazet t'a-t-il vue?
Qu'a-t-il dit? se rend-il, Zaïre, à mes raisons?
Ira-t-il voir Roxane et calmer ses soupçons?

ZAIRE

Il ne peut plus la voir sans qu'elle le commande :
Roxane ainsi l'ordonne, elle veut qu'il l'attende.
Sans doute à cet esclave elle veut le cacher.
J'ai feint en le voyant de ne le point chercher.
J'ai rendu votre lettre, et j'ai pris sa réponse.
Madame, vous verrez ce qu'elle vous annonce.

ATALIDE *lit :*

Après tant d'injustes détours,
Faut-il qu'à feindre encor votre amour me convie !
Mais je veux bien prendre soin d'une vie
Dont vous jurez que dépendent vos jours.

Je verrai la sultane; et par ma complaisance,
Par de nouveaux serments de ma reconnaissance,
J'apaiserai, si je puis, son courroux.
N'exigez rien de plus : ni la mort, ni vous-même,
Ne me ferez jamais prononcer que je l'aime,
Puisque jamais je n'aimerai que vous [14].

Hélas! Que me dit-il? Croit-il que je l'ignore?
Ne sais-je pas assez qu'il m'aime, qu'il m'adore?
Est-ce ainsi qu'à mes vœux il sait s'accommoder?
C'est Roxane, et non moi, qu'il faut persuader.
De quelle crainte encor me laisse-t-il saisie!
Funeste aveuglement! Perfide jalousie!
Récit menteur, soupçons que je n'ai pu celer,
Fallait-il vous entendre, ou fallait-il parler?
C'était fait, mon bonheur surpassait mon attente,
J'étais aimée, heureuse, et Roxane contente.
Zaïre, s'il se peut, retourne sur tes pas :
Qu'il l'apaise. Ces mots ne me suffisent pas :
Que sa bouche, ses yeux, tout l'assure qu'il l'aime;
Qu'elle le croie enfin. Que ne puis-je moi-même,
Échauffant par mes pleurs ses soins trop languissants,
Mettre dans ses discours tout l'amour que je sens!
Mais à d'autres périls je crains de le commettre.

ZAIRE

Roxane vient à vous.

ATALIDE

Ah! cachons cette lettre.

SCÈNE II. — ROXANE, ATALIDE, ZATIME, ZAIRE

ROXANE, *à Zatime.*

Viens. J'ai reçu cet ordre. Il faut l'intimider.

ATALIDE, *à Zaïre.*

Va, cours, et tâche enfin de le persuader.

SCÈNE III. — ROXANE, ATALIDE, ZATIME

ROXANE

Madame, j'ai reçu des lettres de l'armée.
De tout ce qui s'y passe êtes-vous informée?

ATALIDE

On m'a dit que du camp un esclave est venu;
Le reste est un secret qui ne m'est pas connu.

ROXANE

Amurat est heureux, la fortune est changée,
Madame, et sous ses lois Babylone est rangée.

ATALIDE

Hé quoi, Madame? Osmin...

ROXANE

Était mal averti,
Et depuis son départ cet esclave est parti.
C'en est fait.

ATALIDE

Quel revers!

ROXANE

Pour comble de disgrâces,
Le sultan, qui l'envoie, est parti sur ses traces.

ATALIDE

Quoi? les Persans armés ne l'arrêtent donc pas?

ROXANE

Non, Madame; vers nous il revient à grands pas.

ATALIDE

Que je vous plains, Madame! et qu'il est nécessaire
D'achever promptement ce que vous vouliez faire!

ROXANE

Il est tard de vouloir s'opposer au vainqueur.

ATALIDE

O ciel!

ROXANE

Le temps n'a point adouci sa rigueur.
Vous voyez dans mes mains sa volonté suprême.

ATALIDE

Et que vous mande-t-il?

ROXANE

Voyez : lisez vous-même.
Vous connaissez, Madame, et la lettre et le seing.

ATALIDE

Du cruel Amurat je reconnais la main.
(Elle lit.)
Avant que Babylone éprouvât ma puissance,
Je vous ai fait porter mes ordres absolus.
Je ne veux point douter de votre obéissance,
Et crois que maintenant Bajazet ne vit plus.
Je laisse sous mes lois Babylone asservie,
Et confirme en partant mon ordre souverain.
Vous, si vous avez soin de votre propre vie,
Ne vous montrez à moi que sa tête à la main.

ROXANE

Eh bien?

ATALIDE

Cache tes pleurs, malheureuse Atalide [15].

ROXANE

Que vous semble?

ATALIDE

Il poursuit son dessein parricide.
Mais il pense proscrire un prince sans appui :
Il ne sait pas l'amour qui vous parle pour lui,
Que vous et Bajazet vous ne faites qu'une âme,
Que plutôt, s'il le faut, vous mourrez...

ROXANE

Moi, Madame?
Je voudrais le sauver, je ne le puis haïr;
Mais...

ATALIDE

Quoi donc? Qu'avez-vous résolu?

ROXANE

D'obéir.

ATALIDE

D'obéir!

ROXANE

Et que faire en ce péril extrême?
Il le faut.

ATALIDE

Quoi! ce prince aimable... qui vous aime,
Verra finir ses jours qu'il vous a destinés!

ROXANE

Il le faut, et déjà mes ordres sont donnés.

ATALIDE

Je me meurs.

ZATIME

Elle tombe, et ne vit plus qu'à peine.

ROXANE

Allez, conduisez-la dans la chambre prochaine;
Mais au moins observez ses regards, ses discours,
Tout ce qui convaincra leurs perfides amours.

SCÈNE IV. — ROXANE, *seule.*

Ma rivale à mes yeux s'est enfin déclarée.
Voilà sur quelle foi je m'étais assurée!
Depuis six mois entiers j'ai cru que nuit et jour
Ardente elle veillait au soin de mon amour,
Et c'est moi qui du sien ministre trop fidèle
Semble depuis six mois ne veiller que pour elle,
Qui me suis appliquée à chercher les moyens
De lui faciliter tant d'heureux entretiens,
Et qui même souvent, prévenant son envie,
Ai hâté les moments les plus doux de sa vie.
Ce n'est pas tout : il faut maintenant m'éclaircir
Si dans sa perfidie elle a su réussir;
Il faut... Mais que pourrais-je apprendre davantage?
Mon malheur n'est-il pas écrit sur son visage?
Vois-je pas, au travers de son saisissement,
Un cœur dans ses douleurs content de son amant?
Exempte des soupçons dont je suis tourmentée,
Ce n'est que pour ses jours qu'elle est épouvantée.
N'importe. Poursuivons. Elle peut comme moi
Sur des gages trompeurs s'assurer de sa foi.
Pour le faire expliquer, tendons-lui quelque piège.
Mais quel indigne emploi moi-même m'imposé-je?
Quoi donc? à me gêner appliquant mes esprits,
J'irai faire à mes yeux éclater ses mépris?
Lui-même il peut prévoir et tromper mon adresse.
D'ailleurs, l'ordre, l'esclave, et le vizir me presse.
Il faut prendre parti, l'on m'attend. Faisons mieux :
Sur tout ce que j'ai vu fermons plutôt les yeux,
Laissons de leur amour la recherche importune,

Poussons à bout l'ingrat, et tentons la fortune;
Voyons si, par mes soins sur le trône élevé,
Il osera trahir l'amour qui l'a sauvé,
Et si, de mes bienfaits lâchement libérale,
Sa main en osera couronner ma rivale.
Je saurai bien toujours retrouver le moment
De punir, s'il le faut, la rivale et l'amant.
Dans ma juste fureur observant le perfide,
Je saurai le surprendre avec son Atalide,
Et d'un même poignard les unissant tous deux,
Les percer l'un et l'autre, et moi-même après eux.
Voilà, n'en doutons point, le parti qu'il faut prendre.
Je veux tout ignorer.

SCÈNE V. — ROXANE, ZATIME

ROXANE

Ah! que viens-tu m'apprendre,
Zatime? Bajazet en est-il amoureux?
Vois-tu dans ses discours qu'ils s'entendent tous deux?

ZATIME

Elle n'a point parlé. Toujours évanouie,
Madame, elle ne marque aucun reste de vie
Que par de longs soupirs et des gémissements
Qu'il semble que son cœur va suivre à tous moments.
Vos femmes, dont le soin à l'envi la soulage,
Ont découvert son sein pour leur donner passage.
Moi-même, avec ardeur secondant ce dessein,
J'ai trouvé ce billet enfermé dans son sein.
Du prince votre amant j'ai reconnu la lettre,
Et j'ai cru qu'en vos mains je devais le remettre.

ROXANE

Donne... Pourquoi frémir? et quel trouble soudain
Me glace à cet objet, et fait trembler ma main?
Il peut l'avoir écrit sans m'avoir offensée,
Il peut même... Lisons, et voyons sa pensée :

. . . .

. . . . ni la mort, ni vous-même,
Ne me ferez jamais prononcer que je l'aime,
Puisque jamais je n'aimerai que vous[16].

Ah! de la trahison me voilà donc instruite!
Je reconnais l'appas dont ils m'avaient séduite.

Ainsi donc mon amour était récompensé,
Lâche, indigne du jour que je t'avais laissé!
Ah! je respire enfin et ma joie est extrême
Que le traître une fois se soit trahi lui-même.
Libre des soins cruels où j'allais m'engager,
Ma tranquille fureur n'a plus qu'à se venger.
Qu'il meure. Vengeons-nous. Courez : qu'on le saisisse,
Que la main des muets s'arme pour son supplice,
Qu'ils viennent préparer ces nœuds infortunés
Par qui de ses pareils les jours sont terminés.
Cours, Zatime, sois prompte à servir ma colère.

ZATIME

Ah, madame!

ROXANE

Quoi donc?

ZATIME

Si, sans trop vous déplaire,
Dans les justes transports, Madame, où je vous vois,
J'osais vous faire entendre une timide voix :
Bajazet, il est vrai, trop indigne de vivre,
Aux mains de ces cruels mérite qu'on le livre;
Mais, tout ingrat qu'il est, croyez-vous aujourd'hui
Qu'Amurat ne soit pas plus à craindre que lui?
Et qui sait si déjà quelque bouche infidèle
Ne l'a point averti de votre amour nouvelle?
Des cœurs comme le sien, vous le savez assez,
Ne se regagnent plus quand ils sont offensés,
Et la plus prompte mort, dans ce moment sévère,
Devient de leur amour la marque la plus chère.

ROXANE

Avec quelle insolence et quelle cruauté
Ils se jouaient tous deux de ma crédulité!
Quel penchant, quel plaisir je sentais à les croire!
Tu ne remportais pas une grande victoire,
Perfide, en abusant ce cœur préoccupé,
Qui lui-même craignait de se voir détrompé!
Moi, qui de ce haut rang qui me rendait si fière
Dans le sein du malheur t'ai cherché la première,
Pour attacher des jours tranquilles, fortunés,
Aux périls dont tes jours étaient environnés [17],

Après tant de bonté, de soin, d'ardeurs extrêmes,
Tu ne saurais jamais prononcer que tu m'aimes!
Mais dans quel souvenir me laissé-je égarer?
Tu pleures, malheureuse? Ah! tu devais pleurer
Lorsque, d'un vain désir à ta perte poussée,
Tu conçus de le voir la première pensée.
Tu pleures? et l'ingrat, tout prêt à te trahir,
Prépare les discours dont il veut t'éblouir;
Pour plaire à ta rivale, il prend soin de sa vie.
Ah, traître! tu mourras!... Quoi? tu n'es point partie?
Va. Mais nous-même allons, précipitons nos pas :
Qu'il me voie, attentive au soin de son trépas,
Lui montrer à la fois, et l'ordre de son frère,
Et de sa trahison ce gage trop sincère.
Toi, Zatime, retiens ma rivale en ces lieux.
Qu'il n'ait en expirant que ses cris pour adieux.
Qu'elle soit cependant fidèlement servie;
Prends soin d'elle : ma haine a besoin de sa vie.
Ah! si pour son amant facile à s'attendrir,
La peur de son trépas la fit presque mourir,
Quel surcroît de vengeance et de douceur nouvelle
De le montrer bientôt pâle et mort devant elle,
De voir sur cet objet ses regards arrêtés
Me payer les plaisirs que je leur ai prêtés!
Va, retiens-la. Surtout garde bien le silence.
Moi... Mais qui vient ici différer ma vengeance?

SCÈNE VI. — ROXANE, ACOMAT, OSMIN

ACOMAT

Que faites-vous, Madame? En quels retardements
D'un jour si précieux perdez-vous les moments?
Byzance, par mes soins presque entière assemblée,
Interroge ses chefs, de leur crainte troublée;
Et tous, pour s'expliquer, ainsi que mes amis,
Attendent le signal que vous m'aviez promis.
D'où vient que, sans répondre à leur impatience,
Le sérail cependant garde un triste silence?
Déclarez-vous, Madame, et sans plus différer...

ROXANE

Oui, vous serez content, je vais me déclarer.

ACOMAT

Madame, quel regard, et quelle voix sévère,
Malgré votre discours, m'assurent du contraire?
Quoi? déjà votre amour, des obstacles vaincu...

ROXANE

Bajazet est un traître, et n'a que trop vécu.

ACOMAT

Lui!

ROXANE

Pour moi, pour vous-même, également perfide,
Il nous trompait tous deux.

ACOMAT

Comment?

ROXANE

Cette Atalide,
Qui même n'était pas un assez digne prix
De tout ce que pour lui vous avez entrepris...

ACOMAT

Eh bien?

ROXANE

Lisez. Jugez après cette insolence
Si nous devons d'un traître embrasser la défense.
Obéissons plutôt à la juste rigueur
D'Amurat qui s'approche et retourne vainqueur,
Et livrant sans regret un indigne complice,
Apaisons le sultan par un prompt sacrifice.

ACOMAT, *lui rendant le billet.*

Oui, puisque jusque-là l'ingrat m'ose outrager,
Moi-même, s'il le faut, je m'offre à vous venger,
Madame. Laissez-moi nous laver l'un et l'autre
Du crime que sa vie a jeté sur la nôtre.
Montrez-moi le chemin, j'y cours.

ROXANE

Non, Acomat,
Laissez-moi le plaisir de confondre l'ingrat.
Je veux voir son désordre, et jouir de sa honte.
Je perdrais ma vengeance en la rendant si prompte.
Je vais tout préparer. Vous cependant allez
Disperser promptement vos amis assemblés.

SCÈNE VII. — ACOMAT, OSMIN

ACOMAT

Demeure. Il n'est pas temps, cher Osmin, que je sorte.

OSMIN

Quoi! jusque-là, Seigneur, votre amour vous transporte?
N'avez-vous pas poussé la vengeance assez loin?
Voulez-vous de sa mort être encor le témoin?

ACOMAT

Que veux-tu dire? Es-tu toi-même si crédule
Que de me soupçonner d'un courroux ridicule?
Moi, jaloux? Plût au ciel qu'en me manquant de foi,
L'imprudent Bajazet n'eût offensé que moi!

OSMIN

Et pourquoi donc, Seigneur, au lieu de le défendre...

ACOMAT

Et la sultane est-elle en état de m'entendre?
Ne voyais-tu pas bien, quand je l'allais trouver,
Que j'allais avec lui me perdre, ou me sauver?
Ah! de tant de conseils événement sinistre!
Prince aveugle! ou plutôt trop aveugle ministre!
Il te sied bien d'avoir en de si jeunes mains,
Chargé d'ans et d'honneurs, confié tes desseins,
Et laissé d'un vizir la fortune flottante
Suivre de ces amants la conduite imprudente.

OSMIN

Hé! laissez-les entre eux exercer leur courroux.
Bajazet veut périr; Seigneur, songez à vous.
Qui peut de vos desseins révéler le mystère,
Sinon quelques amis engagés à se taire?
Vous verrez par sa mort le sultan adouci.

ACOMAT

Roxane en sa fureur peut raisonner ainsi :
Mais moi qui vois plus loin, qui par un long usage
Des maximes du trône ai fait l'apprentissage,
Qui d'emplois en emplois vieilli sous trois sultans,
Ai vu de mes pareils les malheurs éclatants,
Je sais, sans me flatter, que de sa seule audace,
Un homme tel que moi doit attendre sa grâce,
Et qu'une mort sanglante est l'unique traité
Qui reste entre l'esclave et le maître irrité.

OSMIN

Fuyez donc.

ACOMAT

J'approuvais tantôt cette pensée.
Mon entreprise alors était moins avancée,
Mais il m'est désormais trop dur de reculer.
Par une belle chute il faut me signaler,
Et laisser un débris du moins après ma fuite [18],
Qui de mes ennemis retarde la poursuite.
Bajazet vit encor. Pourquoi nous étonner?
Acomat de plus loin a su le ramener.
Sauvons-le malgré lui de ce péril extrême,
Pour nous, pour nos amis, pour Roxane elle-même.
Tu vois combien son cœur, prêt à le protéger,
A retenu mon bras trop prompt à la venger.
Je connais peu l'amour; mais j'ose te répondre
Qu'il n'est pas condamné, puisqu'on le veut confondre,
Que nous avons du temps : malgré son désespoir,
Roxane l'aime encore, Osmin, et le va voir.

OSMIN

Enfin que vous inspire une si noble audace?
Si Roxane l'ordonne, il faut quitter la place;
Ce palais est tout plein...

ACOMAT

Oui, d'esclaves obscurs,
Nourris loin de la guerre à l'ombre de ses murs.
Mais toi dont la valeur d'Amurat oubliée,
Par de communs chagrins à mon sort s'est liée,
Voudras-tu jusqu'au bout seconder mes fureurs?

OSMIN

Seigneur, vous m'offensez : si vous mourez, je meurs.

ACOMAT

D'amis et de soldats une troupe hardie
Aux portes du palais attend notre sortie;
La sultane d'ailleurs se fie à mes discours;
Nourri dans le sérail, j'en connais les détours;
Je sais de Bajazet l'ordinaire demeure :
Ne tardons plus, marchons, et s'il faut que je meure,
Mourons; moi, cher Osmin, comme un vizir, et toi,
Comme le favori d'un homme tel que moi.

ACTE CINQUIÈME

SCÈNE I. — ATALIDE, *seule.*

Hélas! je cherche en vain : rien ne s'offre à ma vue.
Malheureuse! Comment puis-je l'avoir perdue?
Ciel, aurais-tu permis que mon funeste amour
Exposât mon amant tant de fois en un jour?
Que pour dernier malheur, cette lettre fatale
Fût encor parvenue aux yeux de ma rivale?
J'étais en ce lieu même, et ma timide main,
Quand Roxane a paru, l'a cachée en mon sein.
Sa présence a surpris mon âme désolée;
Ses menaces, sa voix, un ordre m'a troublée,
J'ai senti défaillir ma force et mes esprits.
Ses femmes m'entouraient quand je les ai repris;
A mes yeux étonnés leur troupe est disparue.
Ah! trop cruelles mains qui m'avez secourue,
Vous m'avez vendu cher vos secours inhumains,
Et par vous cette lettre a passé dans ses mains.
Quels desseins maintenant occupent sa pensée?
Sur qui sera d'abord sa vengeance exercée?
Quel sang pourra suffire à son ressentiment?
Ah! Bajazet est mort, ou meurt en ce moment.
Cependant on m'arrête, on me tient enfermée.
On ouvre; de son sort je vais être informée.

SCÈNE II. — ROXANE, ATALIDE, ZATIME

ROXANE

Retirez-vous.

ATALIDE

Madame... excusez l'embarras...

ROXANE

Retirez-vous, vous dis-je, et ne répliquez pas.
Gardes, qu'on la retienne.

SCÈNE III. — ROXANE, ZATIME

ROXANE

Oui, tout est prêt, Zatime.
Orcan et les muets attendent leur victime.
Je suis pourtant toujours maîtresse de son sort.

Je puis le retenir. Mais s'il sort, il est mort.
Vient-il?

ZATIME

Oui, sur mes pas un esclave l'amène;
Et loin de soupçonner sa disgrâce prochaine,
Il m'a paru, Madame, avec empressement
Sortir, pour vous chercher, de son appartement.

ROXANE

Ame lâche, et trop digne enfin d'être déçue,
Peux-tu souffrir encor qu'il paraisse à ta vue?
Crois-tu par tes discours le vaincre ou l'étonner?
Quand même il se rendrait, peux-tu lui pardonner?
Quoi? ne devrais-tu pas être déjà vengée?
Ne crois-tu pas encore être assez outragée?
Sans perdre tant d'efforts sur ce cœur endurci,
Que ne le laissons-nous périr?... Mais le voici.

SCÈNE IV. — BAJAZET, ROXANE

ROXANE

Je ne vous ferai point des reproches frivoles :
Les moments sont trop chers pour les perdre en paroles.
Mes soins vous sont connus : en un mot, vous vivez,
Et je ne vous dirais que ce que vous savez.
Malgré tout mon amour, si je n'ai pu vous plaire,
Je n'en murmure point; quoiqu'à ne vous rien taire,
Ce même amour peut-être, et ces mêmes bienfaits,
Auraient dû suppléer à mes faibles attraits.
Mais je m'étonne enfin que, pour reconnaissance,
Pour prix de tant d'amour, de tant de confiance,
Vous ayez si longtemps par des détours si bas
Feint un amour pour moi que vous ne sentiez pas.

BAJAZET

Qui? moi, Madame?

ROXANE

Oui, toi. Voudrais-tu point encore
Me nier un mépris que tu crois que j'ignore?
Ne prétendrais-tu point, par tes fausses couleurs,
Déguiser un amour qui te retient ailleurs,
Et me jurer enfin, d'une bouche perfide,
Tout ce que tu ne sens que pour ton Atalide?

BAJAZET

Atalide, Madame! O ciel! qui vous a dit...

ROXANE

Tiens, perfide, regarde, et démens cet écrit.

BAJAZET

Je ne vous dis plus rien. Cette lettre sincère
D'un malheureux amour contient tout le mystère;
Vous savez un secret que, tout prêt à s'ouvrir,
Mon cœur a mille fois voulu vous découvrir.
J'aime, je le confesse, et devant que votre âme,
Prévenant mon espoir, m'eût déclaré sa flamme [19],
Déjà plein d'un amour dès l'enfance formé,
A tout autre désir mon cœur était fermé.
Vous me vîntes offrir et la vie et l'empire,
Et même votre amour, si j'ose vous le dire,
Consultant vos bienfaits, les crut, et sur leur foi,
De tous mes sentiments vous répondit pour moi.
Je connus votre erreur, mais que pouvais-je faire?
Je vis en même temps qu'elle vous était chère.
Combien le trône tente un cœur ambitieux!
Un si noble présent me fit ouvrir les yeux.
Je chéris, j'acceptai, sans tarder davantage,
L'heureuse occasion de sortir d'esclavage;
D'autant plus qu'il fallait l'accepter ou périr;
D'autant plus que vous-même, ardente à me l'offrir,
Vous ne craigniez rien tant que d'être refusée;
Que même mes refus vous auraient exposée;
Qu'après avoir osé me voir et me parler,
Il était dangereux pour vous de reculer.
Cependant, je n'en veux pour témoins que vos plaintes :
Ai-je pu vous tromper par des promesses feintes?
Songez combien de fois vous m'avez reproché
Un silence témoin de mon trouble caché.
Plus l'effet de vos soins et ma gloire étaient proches,
Plus mon cœur interdit se faisait de reproches.
Le ciel, qui m'entendait, sait bien qu'en même temps
Je ne m'arrêtais pas à des vœux impuissants;
Et si l'effet enfin, suivant mon espérance,
Eût ouvert un champ libre à ma reconnaissance,
J'aurais, par tant d'honneurs, par tant de dignités,

Contenté votre orgueil et payé vos bontés,
Que vous-même peut-être...

ROXANE

Et que pourrais-tu faire?
Sans l'offre de ton cœur, par où peux-tu me plaire?
Quels seraient de tes vœux les inutiles fruits?
Ne te souvient-il plus de tout ce que je suis?
Maîtresse du sérail, arbitre de ta vie,
Et même de l'État, qu'Amurat me confie,
Sultane, et ce qu'en vain j'ai cru trouver en toi,
Souveraine d'un cœur qui n'eût aimé que moi [20] :
Dans ce comble de gloire où je suis arrivée,
A quel indigne honneur m'avais-tu réservée?
Traînerais-je en ces lieux un sort infortuné,
Vil rebut d'un ingrat que j'aurais couronné,
De mon rang descendue, à mille autres égale,
Ou la première esclave enfin de ma rivale?
Laissons ces vains discours et sans m'importuner,
Pour la dernière fois, veux-tu vivre et régner?
J'ai l'ordre d'Amurat, et je puis t'y soustraire.
Mais tu n'as qu'un moment : parle.

BAJAZET

Que faut-il faire?

ROXANE

Ma rivale est ici : Suis-moi sans différer;
Dans les mains des muets viens la voir expirer,
Et libre d'un amour à ta gloire funeste,
Viens m'engager ta foi : le temps fera le reste.
Ta grâce est à ce prix, si tu veux l'obtenir.

BAJAZET

Je ne l'accepterais que pour vous en punir,
Que pour faire éclater aux yeux de tout l'empire
L'horreur et le mépris que cette offre m'inspire.
Mais à quelle fureur me laissant emporter,
Contre ses tristes jours vais-je vous irriter?
De mes emportements elle n'est point complice,
Ni de mon amour même et de mon injustice.
Loin de me retenir par des conseils jaloux,
Elle me conjurait de me donner à vous.
En un mot, séparez ses vertus de mon crime.

Poursuivez, s'il le faut, un courroux légitime,
Aux ordres d'Amurat hâtez-vous d'obéir,
Mais laissez-moi du moins mourir sans vous haïr.
Amurat avec moi ne l'a point condamnée :
Épargnez une vie assez infortunée.
Ajoutez cette grâce à tant d'autres bontés,
Madame, et si jamais je vous fus cher...

ROXANE

Sortez.

SCÈNE V. — ROXANE, ZATIME

ROXANE

Pour la dernière fois, perfide, tu m'as vue,
Et tu vas rencontrer la peine qui t'est due.

ZATIME

Atalide à vos pieds demande à se jeter,
Et vous prie un moment de vouloir l'écouter,
Madame : elle vous veut faire l'aveu fidèle
D'un secret important qui vous touche plus qu'elle.

ROXANE

Oui, qu'elle vienne. Et toi, suis Bajazet qui sort,
Et quand il sera temps, viens m'apprendre son sort.

SCÈNE VI. — ROXANE, ATALIDE

ATALIDE

Je ne viens plus, Madame, à feindre disposée,
Tromper votre bonté si longtemps abusée.
Confuse, et digne objet de vos inimitiés,
Je viens mettre mon cœur et mon crime à vos pieds.
Oui, Madame, il est vrai que je vous ai trompée :
Du soin de mon amour seulement occupée,
Quand j'ai vu Bajazet, loin de vous obéir,
Je n'ai dans mes discours songé qu'à vous trahir.
Je l'aimai dès l'enfance, et dès ce temps, Madame,
J'avais par mille soins su prévenir son âme.
La sultane sa mère, ignorant l'avenir,
Hélas ! pour son malheur, se plut à nous unir.
Vous l'aimâtes depuis. Plus heureux l'un et l'autre,
Si connaissant mon cœur, ou me cachant le vôtre,

Votre amour de la mienne eût su se défier!
Je ne me noircis point pour le justifier.
Je jure par le ciel qui me voit confondue,
Par ces grands Ottomans dont je suis descendue [21],
Et qui tous avec moi vous parlent à genoux
Pour le plus pur du sang qu'ils ont transmis en nous :
Bajazet à vos soins tôt ou tard plus sensible,
Madame, à tant d'attraits n'était pas invincible.
Jalouse, et toujours prête à lui représenter
Tout ce que je croyais digne de l'arrêter,
Je n'ai rien négligé, plaintes, larmes, colère,
Quelquefois attestant les mânes de sa mère;
Ce jour même, des jours le plus infortuné,
Lui reprochant l'espoir qu'il vous avait donné,
Et de ma mort enfin le prenant à partie,
Mon importune ardeur ne s'est point ralentie,
Qu'arrachant malgré lui des gages de sa foi
Je ne sois parvenue à le perdre avec moi.
Mais pourquoi vos bontés seraient-elles lassées?
Ne vous arrêtez point à ses froideurs passées :
C'est moi qui l'y forçai. Les nœuds que j'ai rompus
Se rejoindront bientôt quand je ne serai plus.
Quelque peine pourtant qui soit due à mon crime,
N'ordonnez pas vous-même une mort légitime,
Et ne vous montrez point à son cœur éperdu
Couverte de mon sang par vos mains répandu.
D'un cœur trop tendre encore épargnez la faiblesse :
Vous pouvez de mon sort me laisser la maîtresse,
Madame, mon trépas n'en sera pas moins prompt.
Jouissez d'un bonheur dont ma mort vous répond;
Couronnez un héros dont vous serez chérie :
J'aurai soin de ma mort, prenez soin de sa vie.
Allez, Madame, allez. Avant votre retour,
J'aurai d'une rivale affranchi votre amour.

ROXANE

Je ne mérite pas un si grand sacrifice :
Je me connais, Madame, et je me fais justice.
Loin de vous séparer, je prétends aujourd'hui
Par des nœuds éternels vous unir avec lui :
Vous jouirez bientôt de son aimable vue.
Levez-vous. Mais que veut Zatime tout émue?

SCÈNE VII. — ROXANE, ATALIDE, ZATIME

ZATIME

Ah! venez vous montrer, Madame, ou désormais
Le rebelle Acomat est maître du palais :
Profanant des sultans la demeure sacrée,
Ses criminels amis en ont forcé l'entrée.
Vos esclaves tremblants, dont la moitié s'enfuit,
Doutent si le vizir vous sert ou vous trahit.

ROXANE

Ah, les traîtres! Allons, et courons le confondre.
Toi, garde ma captive, et songe à m'en répondre.

SCÈNE VIII. — ATALIDE, ZATIME

ATALIDE

Hélas! pour qui mon cœur doit-il faire des vœux?
J'ignore quel dessein les anime tous deux.
Si de tant de malheurs quelque pitié te touche,
Je ne demande point, Zatime, que ta bouche
Trahisse en ma faveur Roxane et son secret;
Mais, de grâce, dis-moi ce que fait Bajazet :
L'as-tu vu? Pour ses jours n'ai-je encor rien à craindre?

ZATIME

Madame, en vos malheurs je ne puis que vous plaindre.

ATALIDE

Quoi? Roxane déjà l'a-t-elle condamné?

ZATIME

Madame, le secret m'est sur tout ordonné.

ATALIDE

Malheureuse, dis-moi seulement s'il respire.

ZATIME

Il y va de ma vie, et je ne puis rien dire.

ATALIDE

Ah! c'en est trop, cruelle. Achève, et que ta main
Lui donne de ton zèle un gage plus certain :
Perce toi-même un cœur que ton silence accable,
D'une esclave barbare esclave impitoyable.
Précipite des jours qu'elle me veut ravir,
Montre-toi, s'il se peut, digne de la servir.

Tu me retiens en vain, et dès cette même heure,
Il faut que je le voie, ou du moins que je meure.

SCÈNE IX. — ATALIDE, ACOMAT, ZATIME

ACOMAT

Ah! que fait Bajazet? Où le puis-je trouver,
Madame? Aurai-je encor le temps de le sauver?
Je cours tout le sérail, et même, dès l'entrée,
De mes braves amis la moitié séparée
A marché sur les pas du courageux Osmin;
Le reste m'a suivi par un autre chemin.
Je cours, et je ne vois que des troupes craintives
D'esclaves effrayés, de femmes fugitives.

ATALIDE

Ah! je suis de son sort moins instruite que vous.
Cette esclave le sait.

ACOMAT

Crains mon juste courroux.
Malheureuse, réponds.

SCÈNE X. — ATALIDE, ACOMAT, ZATIME, ZAIRE

ZAIRE

Madame...

ATALIDE

Eh bien, Zaïre?
Qu'est-ce?

ZAIRE

Ne craignez plus : votre ennemie expire.

ATALIDE

Roxane?

ZAIRE

Et ce qui va bien plus vous étonner,
Orcan lui-même, Orcan vient de l'assassiner.

ATALIDE

Quoi! lui?

ZAIRE

Désespéré d'avoir manqué son crime,
Sans doute il a voulu prendre cette victime.

ATALIDE

Juste ciel, l'innocence a trouvé ton appui !
Bajazet vit encor; vizir, courez à lui.

ZAIRE

Par la bouche d'Osmin vous serez mieux instruite.
Il a tout vu.

SCÈNE XI. — ATALIDE, ACOMAT, OSMIN, ZAIRE

ACOMAT

Ses yeux ne l'ont-ils point séduite?
Roxane est-elle morte?

OSMIN

Oui. J'ai vu l'assassin,
Retirer son poignard tout fumant de son sein.
Orcan, qui méditait ce cruel stratagème,
La servait à dessein de la perdre elle-même,
Et le sultan l'avait chargé secrètement
De lui sacrifier l'amante après l'amant.
Lui-même, d'aussi loin qu'il nous a vus paraître :
« Adorez, a-t-il dit, l'ordre de votre maître;
« De son auguste seing reconnaissez les traits,
« Perfides, et sortez de ce sacré palais ».
À ce discours, laissant la sultane expirante,
Il a marché vers nous, et d'une main sanglante,
Il nous a déployé l'ordre dont Amurat
Autorise ce monstre à ce double attentat.
Mais, seigneur, sans vouloir l'écouter davantage,
Transportés à la fois de douleur et de rage,
Nos bras impatients ont puni son forfait,
Et vengé dans son sang la mort de Bajazet.

ATALIDE

Bajazet !

ACOMAT

Que dis-tu?

OSMIN

Bajazet est sans vie.
L'ignoriez-vous?

ATALIDE

O ciel !

OSMIN

Son amante en furie,
Près de ces lieux, Seigneur, craignant votre secours,
Avait au nœud fatal abandonné ses jours.
Moi-même des objets j'ai vu la plus funeste,
Et de sa vie en vain j'ai cherché quelque reste :
Bajazet était mort. Nous l'avons rencontré
De morts et de mourants noblement entouré,
Que vengeant sa défaite et cédant sous le nombre,
Ce héros a forcés d'accompagner son ombre.
Mais puisque c'en est fait, Seigneur, songeons à nous.

ACOMAT

Ah! destins ennemis où me réduisez-vous?
Je sais en Bajazet la perte que vous faites,
Madame. Je sais trop qu'en l'état où vous êtes
Il ne m'appartient point de vous offrir l'appui
De quelques malheureux qui n'espéraient qu'en lui;
Saisi, désespéré d'une mort qui m'accable,
Je vais, non point sauver cette tête coupable,
Mais, redevable aux soins de mes tristes amis,
Défendre jusqu'au bout leurs jours qu'ils m'ont commis.
Pour vous, si vous voulez qu'en quelque autre contrée
Nous allions confier votre tête sacrée,
Madame, consultez : maîtres de ce palais,
Mes fidèles amis attendront vos souhaits;
Et moi, pour ne point perdre un temps si salutaire,
Je cours où ma présence est encor nécessaire;
Et jusqu'au pied des murs que la mer vient laver,
Sur mes vaisseaux tout prêts je viens vous retrouver.

SCÈNE DERNIÈRE. — ATALIDE, ZAIRE

ATALIDE

Enfin, c'en est donc fait; et par mes artifices,
Mes injustes soupçons, mes funestes caprices,
Je suis donc arrivée au douloureux moment
Où je vois par mon crime expirer mon amant!
N'était-ce pas assez, cruelle destinée,
Qu'à lui survivre, hélas! je fusse condamnée?
Et fallait-il encor que pour comble d'horreurs,
Je ne puisse imputer sa mort qu'à mes fureurs?
Oui, c'est moi, cher amant, qui t'arrache la vie:

Roxane ou le sultan ne te l'ont point ravie;
Moi seule, j'ai tissu le lien malheureux
Dont tu viens d'éprouver les détestables nœuds.
Et je puis, sans mourir, en souffrir la pensée,
Moi qui n'ai pu tantôt, de ta mort menacée,
Retenir mes esprits prompts à m'abandonner?
Ah! n'ai-je eu de l'amour que pour t'assassiner?
Mais c'en est trop : il faut, par un prompt sacrifice,
Que ma fidèle main te venge et me punisse.
Vous, de qui j'ai troublé la gloire et le repos,
Héros, qui deviez tous revivre en ce héros,
Toi, mère malheureuse, et qui dès notre enfance
Me confias son cœur dans une autre espérance,
Infortuné vizir, amis désespérés,
Roxane, venez tous, contre moi conjurés,
Tourmenter à la fois une amante éperdue,
Et prenez la vengeance enfin qui vous est due.

(Elle se tue)

ZAIRE

Ah! Madame!... Elle expire. O ciel! en ce malheur
Que ne puis-je avec elle expirer de douleur!

MITHRIDATE

TRAGÉDIE [1]

MITHRIDATE

Le jeudi 12 janvier 1673, Racine était reçu à l'Académie française. C'est, sans doute, le lendemain que l'Hôtel de Bourgogne créa *Mithridate*. La Champmeslé, qui jouait Monime, rôle pour lequel Racine lui-même l'avait conseillée et guidée, obtint un beau succès personnel; la pièce dans son ensemble fut vivement applaudie. Un mois plus tard (11 février), elle était jouée devant la Cour à Saint-Germain. Racine la publia le 16 mars, en même temps qu'il prenait un privilège de dix ans pour une édition collective de son théâtre. *Mithridate,* dont le succès ne se démentit pas ensuite, correspond donc au moment où Racine atteint l'apogée de sa gloire.

Le public aimait dans cette tragédie l'alliance de la grandeur et de la tendresse :

« On y pleure, on y est dans une continuelle admiration; on la voit trente fois, on la trouve plus belle la trentième que la première » écrivait une correspondante de Mme de Sévigné, Mme de Coulanges, le 14 février. Et le gazetier Robinet :

« Et l'on y peut en vérité
Quantité de grands vers entendre
Et quantité d'un style tendre. »

(*Lettre en vers à Monsieur*, 25 février)

De même, Donneau de Visé, dans le *Mercure Galant,* s'il critiquait Racine de s'être « permis de changer la vérité des histoires anciennes », l'excusait aussitôt car :

« sa pièce a plu, elle est de bon exemple, et elle a touché les cœurs ».

Il semble que cette œuvre ait été tout particulièrement appréciée lors des représentations à la Cour et dans les hôtels aristocratiques où la splendeur du cadre s'accordait parfaitement avec son caractère pompeux.

Cette fois encore, Racine avait choisi un sujet très connu. La figure de ce roi d'Asie obstiné à lutter contre les Romains, auréolé de légende par le soin qu'il avait pris de s'immuniser contre les poisons, était de celles qui pouvaient frapper les imaginations. Racine, dans sa préface, indique comme sources quatre historiens connus dont deux, Plutarque et Florus, font partie des usuels de l'homme cultivé à cette époque. A son habitude, il a concentré les faits rapportés par ceux-ci. La chronologie, en effet, est à peu près la suivante : Mithridate épouse Monime en 88 avant Jésus-Christ; une vingtaine d'années plus tard, il lui envoie, comme à toutes ses épouses d'ailleurs, l'ordre de se suicider, à un moment où les Romains sont sur le point de les faire prisonnières ; ce n'est qu'ensuite que la mère de Xipharès livre aux Romains les trésors du roi qui, en punition, fait mourir le fils ; enfin, Mithridate, trahi par Pharnace, met fin à ses jours en 63 seulement. Conformément à son système dramatique, Racine rapproche ces événements, non pour charger l'action de sa tragédie, mais pour fondre en un seul affrontement un conflit politique et un conflit amoureux.

Il faut d'ailleurs souligner que, si l'on envisage les tragédies du XVIIe siècle qui ont pu servir de modèle à Mithridate, Racine s'inspire surtout de lui-même. En effet, le sujet avait été illustré par La Calprenède dans sa *Mort de Mithridate* (1635) et le thème de la rivalité entre les deux frères avait, dans le *Nicomède* (1651) de Corneille, à peu près le même traitement qu'ici au dénouement près. Mais l'essentiel vient de *La Thébaïde*. Dès sa première tragédie Racine mettait en jeu la lutte de deux frères et la rivalité amoureuse entre père et fils. Bien entendu dans *Mithridate* l'accent est placé autrement, la signification n'est plus la même, mais cette homologie — ce n'est pas ici le lieu de l'analyser en détail — reste remarquable. Or le conflit entre deux frères rivaux — ou leurs substituts — thème tragique fondamental selon Aristote, est sensible dans les tragédies raciniennes avant *Mithridate,* mais cette pièce est la seule où il soit directement lié à celui de la rivalité entre père et fils, et la dernière où il se manifeste. De ce point de vue, elle semble donc marquer une mutation dans la création racinienne.

Cette œuvre est d'ailleurs d'essence peu tragique à proprement parler. Pour sanglante qu'elle soit, la fin n'en est pas désespérée : Mithridate meurt, mais il meurt glorieusement, et après avoir eu la satisfaction de reconnaître la fidélité de Xipharès, à qui il lègue le soin de poursuivre son œuvre en même temps qu'il lui donne la femme aimée, et la satisfaction aussi de voir l'ennemi — Rome — et le traître — Pharnace — en déroute. Ce dénouement est à l'opposé du processus habituel : au lieu d'espoirs déçus, ce qui subsiste au cœur même de la tristesse, c'est la foi dans l'avenir.

Mithridate est donc une pièce qui provoque à la fois l'« admiration », comme *Alexandre,* et les larmes, comme *Bérénice*. Cet effet repose, bien évidemment, sur les innocents persécutés, Monime et Xipharès, qui ont résisté à leur passion et en sont pourtant tenus pour coupables, mais surtout il repose sur le personnage même de Mithridate. Racine a tenté de réaliser, avec celui-ci, un équilibre délicat entre le héros capable de faire passer dans la tragédie un souffle épique lorsqu'il projette la conquête de Rome, et d'autre part le vieillard amoureux, jaloux, tyrannique. Les variantes montrent qu'il a eu le souci, au fil des éditions, de renforcer cet équilibre fragile : pour l'édition de

1676, il supprime huit vers de la dernière scène où Mithridate mourant traçait à son héritier son programme politique, pour l'édition de 1697, il supprime quatre vers de l'acte IV, scène 5, où Mithridate envisageait de pardonner à Xipharès et de punir la seule Monime. Ces deux variantes sont les deux plus importantes pour cette pièce. On voit qu'elles participent d'un même effort pour modérer aussi bien le caractère héroïque que le caractère passionné du protagoniste afin de mieux les unir. C'est que l'héroïsme et la passion étaient les ressorts de l'admiration des contemporains : Racine à l'apogée de sa gloire s'efforce d'être en communion avec son public.

A. V.

PRÉFACE [2]

Il n'y a guère de nom plus connu que celui de Mithridate; sa vie et sa mort font une partie considérable de l'histoire romaine, et sans compter les victoires qu'il a remportées, on peut dire que ses seules défaites ont fait presque toute la gloire de trois des plus grands capitaines de la république [: c'est à savoir, de Sylla, de Lucullus et de Pompée]. Ainsi je ne pense pas qu'il soit besoin de citer ici mes auteurs; car, excepté quelque événement que j'ai un peu rapproché par le droit que donne la poésie, tout le monde reconnaîtra aisément que j'ai suivi l'histoire avec beaucoup de fidélité. [En effet, il n'y a guère d'actions éclatantes dans la vie de Mithridate qui n'aient trouvé place dans ma tragédie. J'y ai inséré tout ce qui pouvait mettre en jour les mœurs et les sentiments de ce prince, je veux dire sa haine violente contre les Romains, son grand courage, sa finesse, sa dissimulation, et enfin cette jalousie qui lui était si naturelle, et qui a tant de fois coûté la vie à ses maîtresses.]

La seule chose qui pourrait n'être pas aussi connue que le reste, c'est le dessein que je lui fais prendre de passer dans l'Italie. Comme ce dessein m'a fourni une des scènes qui ont le plus réussi dans ma tragédie, je crois que le plaisir du lecteur pourra redoubler, quand il verra que presque tous les historiens ont dit tout ce que je fais dire ici à Mithridate.

Florus, Plutarque et Dion Cassius nomment les pays par où il devait passer. Appien d'Alexandrie entre plus dans le détail, et après avoir marqué les facilités et les secours que Mithridate espérait trouver dans sa marche, il ajoute que ce projet fut le prétexte dont Pharnace se servit pour [faire] révolter toute l'armée, et que les soldats, effrayés de l'entreprise de son père, la regardèrent comme le désespoir d'un prince qui ne cherchait qu'à périr avec éclat. Ainsi elle fut en partie cause de sa mort, qui est l'action de ma tragédie.

J'ai encore lié ce dessein de plus près à mon sujet, et je m'en suis servi pour faire connaître à Mithridate les secrets sentiments de ses deux fils. On ne peut prendre trop de précaution pour ne rien mettre sur le théâtre qui ne soit très nécessaire, et les plus belles scènes sont en danger d'ennuyer, du moment qu'on les peut séparer de l'action et qu'elles l'interrompent au lieu de la conduire vers sa fin.

[Voici la réflexion que fait Dion Cassius sur ce dessein de Mithridate : « Cet homme était véritablement né pour entre-« prendre de grandes choses. Comme il avait souvent éprouvé la « bonne et la mauvaise fortune, il ne croyait rien au-dessus de ses « espérances et de son audace, et mesurait ses desseins bien plus à « la grandeur de son courage qu'au mauvais état de ses affaires, « bien résolu, si son entreprise ne réussissait point, de faire une « fin digne d'un grand roi, et de s'ensevelir lui-même sous les « ruines de son empire, plutôt que de vivre dans l'obscurité et « dans la bassesse. »

J'ai choisi Monime entre les femmes que Mithridate a aimées. Il paraît que c'est celle de toutes qui a été la plus vertueuse, et qu'il a aimée le plus tendrement. Plutarque semble avoir pris plaisir à décrire le malheur et les sentiments de cette princesse. C'est lui qui m'a donné l'idée de Monime, et c'est en partie sur la peinture qu'il en a faite que j'ai fondé un caractère que je puis dire qui n'a point déplu. Le lecteur trouvera bon que je rapporte ses paroles telles qu'Amyot les a traduites, car elles ont une grâce dans le vieux style de ce traducteur, que je ne crois point pouvoir égaler dans notre langage moderne :

« Cette-cy estoit fort renommée entre les Grecs, pour ce que « quelques sollicitations que lui sceust faire le roy en estant « amoureux, jamais ne voulut entendre à toutes ses poursuites « jusqu'à ce qu'il y eust accord de mariage passé entre eux, qu'il « luy eust envoyé le diadème ou bandeau royal, et appelée royne. « La pauvre dame, depuis que ce roy l'eust espousée, avoir vécu « en grande desplaisance, ne faisant continuellement autre chose « que de plorer la malheureuse beauté de son corps, laquelle, au « lieu d'un mari, luy avoit donné un maistre, et au lieu de compai-« gnie conjugale et que doibt avoir une dame d'honneur, luy « avoit baillé une garde et garnison d'hommes barbares, qui la « tenoient comme prisonnière loin du doulx pays de la Grèce, en « lieu où elle n'avoit qu'un songe et une ombre de biens; et au « contraire avoit réellement perdu les véritables, dont elle « jouissoit au pays de sa naissance. Et quand l'ennuque fut « arrivé devers elle et luy eust faict commandement de par le roi « qu'elle eust à mourir, adonc elle s'arracha d'alentour de la teste « son bandeau royal, et se le nouant alentour du col, s'en pendit.

« Mais le bandeau ne fut pas assez fort, et se rompit incontinent. « Et alors elle se prit à dire : « O maudit et malheureux tissu, ne « me serviras-tu point au moins à ce triste service? » En disant ces « paroles, elle le jeta contre terre, crachant dessus, et tendit la « gorge à l'eunuque. »

Xipharès était fils de Mithridate et d'une de ses femmes qui se nommait Stratonice. Elle livra aux Romains une place de grande importance, où étaient les trésors de Mithridate, pour mettre son fils Xipharès dans les bonnes grâces de Pompée. Il y a des historiens qui prétendent que Mithridate fit mourir ce jeune prince pour se venger de la perfidie de sa mère.

Je ne dis rien de Pharnace, car qui ne sait pas que ce fut lui qui souleva contre Mithridate ce qui lui restait de troupes, et qui força ce prince à se vouloir empoisonner, et à se passer son épée au travers du corps pour ne pas tomber entre les mains de ses ennemis? C'est ce même Pharnace qui fut vaincu depuis par Jules César, et qui fut tué ensuite dans une autre bataille.]

ACTEURS

MITHRIDATE, roi de Pont, et de quantité d'autres royaumes.
MONIME, accordée avec Mithridate, et déjà déclarée reine.
PHARNACE, } fils de Mithridate, mais de différentes mères.
XIPHARÈS, }
ARBATE, confident de Mithridate, et gouverneur de la place de Nymphée.
PHŒDIME, confidente de Monime.
ARCAS, domestique de Mithridate.
GARDES.

La scène est à Nymphée, port de mer sur le Bosphore Cimmérien, dans la Taurique Chersonèse.

MITHRIDATE

ACTE PREMIER

SCÈNE I. — XIPHARÈS, ARBATE

XIPHARÈS

On nous faisait, Arbate, un fidèle rapport :
Rome en effet triomphe, et Mithridate est mort.
Les Romains, vers l'Euphrate, ont attaqué mon père,
Et trompé dans la nuit sa prudence ordinaire.
Après un long combat, tout son camp dispersé
Dans la foule des morts, en fuyant, l'a laissé,
Et j'ai su qu'un soldat dans les mains de Pompée
Avec son diadème a remis son épée.
Ainsi ce roi qui seul a durant quarante ans,
Lassé tout ce que Rome eut de chefs importants,
Et qui dans l'Orient balançant la fortune,
Vengeait de tous les rois la querelle commune,
Meurt, et laisse après lui, pour venger son trépas,
Deux fils infortunés qui ne s'accordent pas.

ARBATE

Vous, Seigneur ! Quoi? l'ardeur de régner en sa place
Rend déjà Xipharès ennemi de Pharnace?

XIPHARÈS

Non, je ne prétends point, cher Arbate, à ce prix,
D'un malheureux empire acheter le débris.
Je sais en lui des ans respecter l'avantage,
Et content des États marqués pour mon partage,
Je verrai sans regret tomber entre ses mains
Tout ce que lui promet l'amitié des Romains.

ARBATE

L'amitié des Romains? Le fils de Mithridate,
Seigneur? Est-il bien vrai?

XIPHARÈS

N'en doute point, Arbate.
Pharnace, dès longtemps tout Romain dans le cœur,
Attend tout maintenant de Rome et du vainqueur.

Et moi, plus que jamais à mon père fidèle,
Je conserve aux Romains une haine immortelle.
Cependant et ma haine et ses prétentions
Sont les moindres sujets de nos divisions.

ARBATE

Et quel autre intérêt contre lui vous anime?

XIPHARÈS

Je m'en vais t'étonner : cette belle Monime,
Qui du roi notre père attira tous les vœux,
Dont Pharnace, après lui, se déclare amoureux...

ARBATE

Eh bien, Seigneur?

XIPHARÈS

Je l'aime, et ne veux plus m'en taire,
Puisqu'enfin pour rival je n'ai plus que mon frère.
Tu ne t'attendais pas, sans doute, à ce discours,
Mais ce n'est point, Arbate, un secret de deux jours.
Cet amour s'est longtemps accru dans le silence.
Que n'en puis-je à tes yeux marquer la violence,
Et mes premiers soupirs, et mes derniers ennuis?
Mais en l'état funeste où nous sommes réduits,
Ce n'est guère le temps d'occuper ma mémoire
A rappeler le cours d'une amoureuse histoire.
Qu'il te suffise donc, pour me justifier,
Que je vis, que j'aimai la reine le premier;
Que mon père ignorait jusqu'au nom de Monime
Quand je conçus pour elle un amour légitime.
Il la vit. Mais au lieu d'offrir à ses beautés
Un hymen, et des vœux dignes d'être écoutés,
Il crut que sans prétendre une plus haute gloire
Elle lui céderait une indigne victoire.
Tu sais par quels efforts il tenta sa vertu,
Et que lassé d'avoir vainement combattu,
Absent, mais toujours plein de son amour extrême,
Il lui fit par tes mains porter son diadème.
Juge de mes douleurs, quand des bruits trop certains
M'annoncèrent du roi l'amour et les desseins,
Quand je sus qu'à son lit Monime réservée
Avait pris avec toi le chemin de Nymphée.
Hélas! ce fut encor dans ce temps odieux

Qu'aux offres des Romains ma mère ouvrit les yeux :
Ou pour venger sa foi par cet hymen trompée,
Ou ménageant pour moi la faveur de Pompée,
Elle trahit mon père, et rendit aux Romains
La place et les trésors confiés en ses mains.
Quel devins-je au récit du crime de ma mère!
Je ne regardais plus mon rival dans mon père;
J'oubliai mon amour par le sien traversé :
Je n'eus devant les yeux que mon père offensé.
J'attaquai les Romains, et ma mère éperdue
Me vit, en reprenant cette place rendue,
A mille coups mortels contre eux me dévouer,
Et chercher en mourant à la désavouer.
L'Euxin, depuis ce temps, fut libre, et l'est encore,
Et des rives de Pont aux rives du Bosphore,
Tout reconnut mon père, et ses heureux vaisseaux
N'eurent plus d'ennemis que les vents et les eaux.
Je voulais faire plus : je prétendais, Arbate,
Moi-même, à son secours m'avancer vers l'Euphrate.
Je fus soudain frappé du bruit de son trépas.
Au milieu de mes pleurs, je ne le cèle pas,
Monime, qu'en tes mains mon père avait laissée,
Avec tous ses attraits revint en ma pensée.
Que dis-je? en ce malheur je tremblai pour ses jours,
Je redoutai du roi les cruelles amours.
Tu sais combien de fois ses jalouses tendresses
Ont pris soin d'assurer la mort de ses maîtresses.
Je volai vers Nymphée; et mes tristes regards
Rencontrèrent Pharnace au pied de ses remparts.
J'en conçus, je l'avoue, un présage funeste.
Tu nous reçus tous deux, et tu sais tout le reste.
Pharnace, en ses desseins toujours impétueux,
Ne dissimula point ses vœux présomptueux.
De mon père à la reine il conta la disgrâce,
L'assura de sa mort, et s'offrit en sa place.
Comme il le dit, Arbate, il veut l'exécuter.
Mais enfin, à mon tour, je prétends éclater :
Autant que mon amour respecta la puissance
D'un père à qui je fus dévoué dès l'enfance,
Autant ce même amour, maintenant révolté,
De ce nouveau rival brave l'autorité.
Ou Monime, à ma flamme elle-même contraire,

Condamnera l'aveu que je prétends lui faire;
Ou bien, quelques malheurs qu'il en puisse avenir,
Ce n'est que par ma mort qu'on la peut obtenir.
Voilà tous les secrets que je voulais t'apprendre.
C'est à toi de choisir quel parti tu dois prendre,
Qui des deux te paraît plus digne de ta foi,
L'esclave des Romains, ou le fils de ton roi.
Fier de leur amitié, Pharnace croit peut-être
Commander dans Nymphée, et me parler en maître.
Mais ici mon pouvoir ne connaît point le sien :
Le Pont est son partage, et Colchos est le mien,
Et l'on sait que toujours la Colchide et ses princes
Ont compté ce Bosphore au rang de leurs provinces.

ARBATE

Commandez-moi, Seigneur. Si j'ai quelque pouvoir
Mon choix est déjà fait, je ferai mon devoir :
Avec le même zèle, avec la même audace
Que je servais le père, et gardais cette place,
Et contre votre frère, et même contre vous,
Après la mort du roi, je vous sers contre tous.
Sans vous, ne sais-je pas que ma mort assurée
De Pharnace en ces lieux allait suivre l'entrée?
Sais-je pas que mon sang, par ses mains répandu,
Eût souillé ce rempart contre lui défendu?
Assurez-vous du cœur et du choix de la reine.
Du reste, ou mon crédit n'est plus qu'une ombre vaine,
Ou Pharnace, laissant le Bosphore en vos mains
Ira jouir ailleurs des bontés des Romains.

XIPHARÈS

Que ne devrai-je point à cette ardeur extrême?
Mais on vient. Cours, ami, c'est Monime elle-même.

SCÈNE II. — MONIME, XIPHARÈS

MONIME

Seigneur, je viens à vous, car enfin aujourd'hui
Si vous m'abandonnez, quel sera mon appui?
Sans parents, sans amis, désolée et craintive,
Reine longtemps de nom, mais en effet captive,
Et veuve maintenant sans avoir eu d'époux,
Seigneur, de mes malheurs ce sont là les plus doux.
Je tremble à vous nommer l'ennemi qui m'opprime.

J'espère toutefois qu'un cœur si magnanime
Ne sacrifiera point les pleurs des malheureux
Aux intérêts du sang qui vous unit tous deux.
Vous devez à ces mots reconnaître Pharnace :
C'est lui, Seigneur, c'est lui dont la coupable audace
Veut, la force à la main, m'attacher à son sort
Par un hymen pour moi plus cruel que la mort.
Sous quel astre ennemi faut-il que je sois née [3]?
Au joug d'un autre hymen sans amour destinée,
A peine je suis libre et goûte quelque paix,
Qu'il faut que je me livre à tout ce que je hais.
Peut-être je devrais, plus humble en ma misère,
Me souvenir du moins que je parle à son frère;
Mais, soit raison, destin, soit que ma haine en lui [4]
Confonde les Romains dont il cherche l'appui,
Jamais hymen formé sous le plus noir auspice
De l'hymen que je crains n'égala le supplice.
Et si Monime en pleurs ne vous peut émouvoir,
Si je n'ai plus pour moi que mon seul désespoir,
Au pied du même autel où je suis attendue,
Seigneur, vous me verrez, à moi-même rendue,
Percer ce triste cœur qu'on veut tyranniser,
Et dont jamais encor je n'ai pu disposer.

XIPHARÈS

Madame, assurez-vous de mon obéissance;
Vous avez dans ces lieux une entière puissance.
Pharnace ira, s'il veut, se faire craindre ailleurs.
Mais vous ne savez pas encor tous vos malheurs.

MONIME

Hé! quel nouveau malheur peut affliger Monime,
Seigneur?

XIPHARÈS

Si vous aimer c'est faire un si grand crime,
Pharnace n'en est pas seul coupable aujourd'hui,
Et je suis mille fois plus criminel que lui.

MONIME

Vous!

XIPHARÈS

Mettez ce malheur au rang des plus funestes;
Attestez, s'il le faut, les puissances célestes

Contre un sang malheureux, né pour vous tourmenter,
Père, enfants, animés à vous persécuter.
Mais avec quelque ennui que vous puissiez apprendre
Cet amour criminel qui vient de vous surprendre,
Jamais tous vos malheurs ne sauraient approcher
Des maux que j'ai soufferts en le voulant cacher.
Ne croyez point pourtant que semblable à Pharnace,
Je vous serve aujourd'hui pour me mettre en sa place;
Vous voulez être à vous, j'en ai donné ma foi,
Et vous ne dépendrez ni de lui ni de moi.
Mais quand je vous aurai pleinement satisfaite,
En quels lieux avez-vous choisi votre retraite?
Sera-ce loin, Madame, ou près de mes États?
Me sera-t-il permis d'y conduire vos pas?
Verrez-vous d'un même œil le crime et l'innocence?
En fuyant mon rival, fuirez-vous ma présence?
Pour prix d'avoir si bien secondé vos souhaits,
Faudra-t-il me résoudre à ne vous voir jamais?

MONIME

Ah! que m'apprenez-vous?

XIPHARÈS

Hé quoi! belle Monime,
Si le temps peut donner quelque droit légitime,
Faut-il vous dire ici que le premier de tous
Je vous vis, je formai le dessein d'être à vous,
Quand vos charmes naissants, inconnus à mon père,
N'avaient encor paru qu'aux yeux de votre mère?
Ah! si par mon devoir forcé de vous quitter,
Tout mon amour alors ne put pas éclater,
Ne vous souvient-il plus, sans compter tout le reste,
Combien je me plaignis de ce devoir funeste?
Ne vous souvient-il plus, en quittant vos beaux yeux,
Quelle vive douleur attendrit mes adieux?
Je m'en souviens tout seul. Avouez-le, Madame,
Je vous rappelle un songe effacé de votre âme.
Tandis que loin de vous, sans espoir de retour,
Je nourrissais encore un malheureux amour,
Contente, et résolue à l'hymen de mon père,
Tous les malheurs du fils ne vous affligeaient guère.

MONIME

Hélas!

XIPHARÈS

Avez-vous plaint un moment mes ennuis?

MONIME

Prince... n'abusez point de l'état où je suis.

XIPHARÈS

En abuser, ô ciel! quand je cours vous défendre,
Sans vous demander rien, sans oser rien prétendre?
Que vous dirai-je enfin? lorsque je vous promets
De vous mettre en état de ne me voir jamais!

MONIME

C'est me promettre plus que vous ne sauriez faire.

XIPHARÈS

Quoi! malgré mes serments, vous croyez le contraire?
Vous croyez qu'abusant de mon autorité,
Je prétends attenter à votre liberté?
On vient, Madame, on vient : expliquez-vous, de grâce.
Un mot.

MONIME

Défendez-moi des fureurs de Pharnace :
Pour me faire, Seigneur, consentir à vous voir,
Vous n'aurez pas besoin d'un injuste pouvoir.

XIPHARÈS

Ah! Madame...

MONIME

Seigneur, vous voyez votre frère.

SCÈNE III. — MONIME, PHARNACE, XIPHARÈS

PHARNACE

Jusques à quand, Madame, attendrez-vous mon père?
Des témoins de sa mort viennent à tous moments
Condamner votre doute et vos retardements.
Venez, fuyez l'aspect de ce climat sauvage,
Qui ne parle à vos yeux que d'un triste esclavage.
Un peuple obéissant vous attend à genoux,
Sous un ciel plus heureux et plus digne de vous.
Le Pont vous reconnaît dès longtemps pour sa reine :
Vous en portez encor la marque souveraine,
Et ce bandeau royal fut mis sur votre front
Comme un gage assuré de l'empire de Pont.

Maître de cet État que mon père me laisse,
Madame, c'est à moi d'accomplir sa promesse.
Mais il faut, croyez-moi, sans attendre plus tard,
Ainsi que notre hymen presser notre départ.
Nos intérêts communs et mon cœur le demandent.
Prêts à vous recevoir, mes vaisseaux vous attendent,
Et du pied de l'autel vous y pouvez monter,
Souveraine des mers qui vous doivent porter.

MONIME

Seigneur, tant de bontés ont lieu de me confondre.
Mais puisque le temps presse et qu'il faut vous répondre,
Puis-je, laissant la feinte et les déguisements,
Vous découvrir ici mes secrets sentiments?

PHARNACE

Vous pouvez tout.

MONIME

Je crois que je vous suis connue.
Éphèse est mon pays; mais je suis descendue
D'aïeux, ou rois, Seigneur, ou héros qu'autrefois
Leur vertu, chez les Grecs, mit au-dessus des rois [5].
Mithridate me vit. Éphèse, et l'Ionie,
A son heureux empire était alors unie.
Il daigna m'envoyer ce gage de sa foi [6].
Ce fut pour ma famille une suprême loi :
Il fallut obéir. Esclave couronnée,
Je partis pour l'hymen où j'étais destinée.
Le roi, qui m'attendait au sein de ses États,
Vit emporter ailleurs ses desseins et ses pas,
Et tandis que la guerre occupait son courage,
M'envoya dans ces lieux éloignés de l'orage.
J'y vins : j'y suis encor. Mais cependant, Seigneur,
Mon père paya cher ce dangereux honneur,
Et les Romains vainqueurs, pour première victime,
Prirent Philopœmen, le père de Monime.
Sous ce titre funeste il se vit immoler,
Et c'est de quoi, Seigneur, j'ai voulu vous parler.
Quelque juste fureur dont je sois animée,
Je ne puis point à Rome opposer une armée :
Inutile témoin de tous ses attentats,
Je n'ai pour me venger ni sceptre ni soldats;
Enfin, je n'ai qu'un cœur. Tout ce que je puis faire,

C'est de garder la foi que je dois à mon père,
De ne point dans son sang aller tremper mes mains
En épousant en vous l'allié des Romains.

PHARNACE

Que parlez-vous de Rome et de son alliance?
Pourquoi tout ce discours et cette défiance?
Qui vous dit qu'avec eux je prétends m'allier?

MONIME

Mais vous-même, Seigneur, pouvez-vous le nier?
Comment m'offririez-vous l'entrée et la couronne
D'un pays que partout leur armée environne,
Si le traité secret qui vous lie aux Romains
Ne vous en assurait l'empire et les chemins?

PHARNACE

De mes intentions je pourrais vous instruire,
Et je sais les raisons que j'aurais à vous dire,
Si laissant en effet les vains déguisements
Vous m'aviez expliqué vos secrets sentiments.
Mais enfin je commence, après tant de traverses,
Madame, à rassembler vos excuses diverses;
Je crois voir l'intérêt que vous voulez celer,
Et qu'un autre qu'un père ici vous fait parler.

XIPHARÈS

Quel que soit l'intérêt qui fait parler la reine,
La réponse, Seigneur, doit-elle être incertaine?
Et contre les Romains votre ressentiment
Doit-il pour éclater balancer un moment?
Quoi! nous aurons d'un père entendu la disgrâce,
Et lents à le venger, prompts à remplir sa place,
Nous mettrons notre honneur et son sang en oubli?
Il est mort : savons-nous s'il est enseveli?
Qui sait si, dans le temps que votre âme empressée
Forme d'un doux hymen l'agréable pensée,
Ce roi, que l'Orient, tout plein de ses exploits,
Peut nommer justement le dernier de ses rois,
Dans ses propres États privé de sépulture,
Ou couché sans honneur dans une foule obscure,
N'accuse point le ciel qui le laisse outrager,
Et des [7] indignes fils qui n'osent le venger?
Ah! ne languissons plus dans un coin du Bosphore :

Si dans tout l'univers quelque roi libre encore,
Parthe, Scythe ou Sarmate, aime sa liberté,
Voilà nos alliés : marchons de ce côté.
Vivons ou périssons dignes de Mithridate,
Et songeons bien plutôt, quelque amour qui nous flatte,
A défendre du joug et nous et nos États
Qu'à contraindre des cœurs qui ne se donnent pas.

PHARNACE

Il sait vos sentiments. Me trompais-je, Madame?
Voilà cet intérêt si puissant sur votre âme,
Ce père, ces Romains que vous me reprochez.

XIPHARÈS

J'ignore de son cœur les sentiments cachés;
Mais je m'y soumettrais sans vouloir rien prétendre
Si, comme vous, Seigneur, je croyais les entendre.

PHARNACE

Vous feriez bien; et moi, je fais ce que je doi :
Votre exemple n'est pas une règle pour moi.

XIPHARÈS

Toutefois en ces lieux je ne connais personne
Qui ne doive imiter l'exemple que je donne.

PHARNACE

Vous pourriez à Colchos vous expliquer ainsi.

XIPHARÈS

Je le puis à Colchos, et je le puis ici.

PHARNACE

Ici? vous y pourriez rencontrer votre perte...

SCÈNE IV. — MONIME, PHARNACE, XIPHARÈS, PHŒDIME

PHŒDIME

Princes, toute la mer est de vaisseaux couverte,
Et bientôt, démentant le faux bruit de sa mort,
Mithridate lui-même arrive dans le port.

MONIME

Mithridate!

XIPHARÈS

Mon père!

PHARNACE

Ah! que viens-je d'entendre?

PHŒDIME

Quelques vaisseaux légers sont venus nous l'apprendre;
C'est lui-même; et déjà, pressé de son devoir,
Arbate loin du bord l'est allé recevoir.

XIPHARÈS

Qu'avons-nous fait?

MONIME, *à Xipharès.*

Adieu, Prince. Quelle nouvelle!

SCÈNE V. — PHARNACE, XIPHARÈS

PHARNACE

Mithridate revient? Ah, fortune cruelle!
Ma vie et mon amour tous deux courent hasard;
Les Romains que j'attends arriveront trop tard.
Comment faire?

(A Xipharès.)

J'entends que votre cœur soupire,
Et j'ai conçu l'adieu qu'elle vient de vous dire,
Prince; mais ce discours demande un autre temps :
Nous avons aujourd'hui des soins plus importants.
Mithridate revient, peut-être inexorable;
Plus il est malheureux, plus il est redoutable.
Le péril est pressant plus que vous ne pensez :
Nous sommes criminels, et vous le connaissez;
Rarement l'amitié désarme sa colère,
Ses propres fils n'ont point de juge plus sévère,
Et nous l'avons vu même à ses cruels soupçons
Sacrifier deux fils [8] pour de moindres raisons.
Craignons pour vous, pour moi, pour la reine elle-même :
Je la plains d'autant plus que Mithridate l'aime.
Amant avec transport, mais jaloux sans retour,
Sa haine va toujours plus loin que son amour.
Ne vous assurez point sur l'amour qu'il vous porte :
Sa jalouse fureur n'en sera que plus forte;
Songez-y. Vous avez la faveur des soldats,
Et j'aurai des secours que je n'explique pas.
M'en croirez-vous? Courons assurer notre grâce :
Rendons-nous, vous et moi, maîtres de cette place,

Et faisons qu'à ses fils il ne puisse dicter
Que des conditions qu'ils voudront accepter.

XIPHARÈS

Je sais quel est mon crime, et je connais mon père,
Et j'ai par-dessus vous le crime de ma mère;
Mais quelque amour encor qui me pût éblouir,
Quand mon père paraît, je ne sais qu'obéir.

PHARNACE

Soyons-nous donc au moins fidèles l'un à l'autre.
Vous savez mon secret, j'ai pénétré le vôtre.
Le roi, toujours fertile en dangereux détours,
S'armera contre nous de nos moindres discours.
Vous savez sa coutume, et sous quelles tendresses
Sa haine sait cacher ses trompeuses adresses.
Allons. Puisqu'il le faut, je marche sur vos pas;
Mais en obéissant, ne nous trahissons pas.

ACTE DEUXIÈME

SCÈNE I. — MONIME, PHŒDIME

PHŒDIME

Quoi? vous êtes ici quand Mithridate arrive,
Quand, pour le recevoir, chacun court sur la rive?
Que faites-vous, Madame? et quel ressouvenir
Tout à coup vous arrête, et vous fait revenir?
N'offenserez-vous point un roi qui vous adore,
Qui, presque votre époux...

MONIME

Il ne l'est pas encore,
Phœdime, et jusque-là je crois que mon devoir
Est de l'attendre ici, sans l'aller recevoir.

PHŒDIME

Mais ce n'est point, Madame, un amant ordinaire.
Songez qu'à ce grand roi promise par un père,
Vous avez de ses feux un gage solennel
Qu'il peut, quand il voudra, confirmer à l'autel.
Croyez-moi, montrez-vous, venez à sa rencontre.

MONIME

Regarde en quel état tu veux que je me montre :

Vois ce visage en pleurs; et loin de le chercher,
Dis-moi plutôt, dis-moi que je m'aille cacher.

PHŒDIME

Que dites-vous? O dieux!

MONIME

Ah! retour qui me tue!
Malheureuse! comment paraîtrai-je à sa vue,
Son diadème au front, et dans le fond du cœur,
Phœdime... Tu m'entends, et tu vois ma rougeur.

PHŒDIME

Ainsi vous retombez dans les mêmes alarmes
Qui vous ont dans la Grèce arraché tant de larmes?
Et toujours Xipharès revient vous traverser?

MONIME

Mon malheur est plus grand que tu ne peux penser.
Xipharès ne s'offrait alors à ma mémoire
Que tout plein de vertus, que tout brillant de gloire,
Et je ne savais pas que, pour moi plein de feux,
Xipharès des mortels fût le plus amoureux.

PHŒDIME

Il vous aime, Madame? Et ce héros aimable...

MONIME

Est aussi malheureux que je suis misérable.
Il m'adore, Phœdime; et les mêmes douleurs
Qui m'affligeaient ici le tourmentaient ailleurs.

PHŒDIME

Sait-il en sa faveur jusqu'où va votre estime?
Sait-il que vous l'aimez?

MONIME

Il l'ignore, Phœdime.
Les dieux m'ont secourue, et mon cœur affermi
N'a rien dit, ou du moins n'a parlé qu'à demi.
Hélas! si tu savais, pour garder le silence,
Combien ce triste cœur s'est fait de violence!
Quels assauts, quels combats j'ai tantôt soutenus!
Phœdime, si je puis, je ne le verrai plus :
Malgré tous les efforts que je pourrais me faire,
Je verrais ses douleurs, je ne pourrais me taire.
Il viendra malgré moi m'arracher cet aveu.

Mais n'importe, s'il m'aime, il en jouira peu;
Je lui vendrai si cher ce bonheur qu'il ignore,
Qu'il vaudrait mieux pour lui qu'il l'ignorât encore.

PHŒDIME

On vient. Que faites-vous, Madame?

MONIME

Je ne puis.
Je ne paraîtrai point dans le trouble où je suis.

SCÈNE II. — MITHRIDATE, PHARNACE, XIPHARÈS, ARBATE, GARDES

MITHRIDATE

Princes, quelques raisons que vous me puissiez dire,
Votre devoir ici n'a point dû vous conduire,
Ni vous faire quitter, en de si grands besoins,
Vous, le Pont, vous, Colchos, confiés à vos soins.
Mais vous avez pour juge un père qui vous aime.
Vous avez cru des bruits que j'ai semés moi-même.
Je vous crois innocents, puisque vous le voulez,
Et je rends grâce au ciel qui nous a rassemblés.
Tout vaincu que je suis, et voisin du naufrage,
Je médite un dessein digne de mon courage.
Vous en serez tantôt instruits plus amplement.
Allez, et laissez-moi reposer un moment.

SCÈNE III. — MITHRIDATE, ARBATE

MITHRIDATE

Enfin, après un an, tu me revois, Arbate,
Non plus comme autrefois cet heureux Mithridate
Qui de Rome toujours balançant le destin,
Tenait entre elle et moi l'univers incertain :
Je suis vaincu. Pompée a saisi l'avantage
D'une nuit qui laissait peu de place au courage :
Mes soldats presques nus, dans l'ombre intimidés,
Les rangs de toutes parts mal pris et mal gardés,
Le désordre partout redoublant les alarmes,
Nous-mêmes contre nous tournant nos propres armes,
Les cris que les rochers renvoyaient plus affreux,
Enfin toute l'horreur d'un combat ténébreux :
Que pouvait la valeur dans ce trouble funeste?
Les uns sont morts, la fuite a sauvé tout le reste;

Et je ne dois la vie, en ce commun effroi,
Qu'au bruit de mon trépas que je laisse après moi.
Quelque temps inconnu, j'ai traversé le Phase,
Et de là, pénétrant jusqu'au pied du Caucase,
Bientôt dans des vaisseaux sur l'Euxin préparés,
J'ai rejoint de mon camp les restes séparés.
Voilà par quels malheurs poussé dans le Bosphore,
J'y trouve des malheurs qui m'attendaient encore.
Toujours du même amour tu me vois enflammé :
Ce cœur nourri de sang, et de guerre affamé,
Malgré le faix des ans et du sort qui m'opprime,
Traîne partout l'amour qui l'attache à Monime,
Et n'a point d'ennemis qui lui soient odieux
Plus que deux fils ingrats que je trouve en ces lieux.

ARBATE

Deux fils, Seigneur?

MITHRIDATE

Écoute. A travers ma colère,
Je veux bien distinguer Xipharès de son frère;
Je sais que, de tout temps à mes ordres soumis,
Il hait autant que moi nos communs ennemis,
Et j'ai vu sa valeur, à me plaire attachée,
Justifier pour lui ma tendresse cachée;
Je sais même, je sais avec quel désespoir,
A tout autre intérêt préférant son devoir,
Il courut démentir une mère infidèle,
Et tira de son crime une gloire nouvelle;
Et je ne puis encor ni n'oserais penser
Que ce fils si fidèle ait voulu m'offenser.
Mais tous deux en ces lieux que pouvaient-ils attendre?
L'un et l'autre à la reine ont-ils osé prétendre?
Avec qui semble-t-elle en secret s'accorder?
Moi-même de quel œil dois-je ici l'aborder?
Parle. Quelque désir qui m'entraîne auprès d'elle,
Il me faut de leurs cœurs rendre un compte fidèle.
Qu'est-ce qui s'est passé? Qu'as-tu vu? Que sais-tu?
Depuis quel temps, pourquoi, comment t'es-tu rendu?

ARBATE

Seigneur, depuis huit jours l'impatient Pharnace
Aborda le premier au pied de cette place,
Et de votre trépas autorisant le bruit,

Dans ces murs aussitôt voulut être introduit.
Je ne m'arrêtai point à ce bruit téméraire,
Et je n'écoutais rien, si le prince son frère,
Bien moins par ses discours, Seigneur, que par ses pleurs,
Ne m'eût en arrivant confirmé vos malheurs.

MITHRIDATE

Enfin, que firent-ils?

ARBATE

Pharnace entrait à peine
Qu'il courut de ses feux entretenir la reine,
Et s'offrir d'assurer, par un hymen prochain,
Le bandeau qu'elle avait reçu de votre main.

MITHRIDATE

Traître! sans lui donner le loisir de répandre
Les pleurs que son amour aurait dus à ma cendre!
Et son frère?

ARBATE

Son frère, au moins jusqu'à ce jour,
Seigneur, dans ses desseins n'a point marqué d'amour,
Et toujours avec vous son cœur d'intelligence
N'a semblé respirer que guerre et que vengeance.

MITHRIDATE

Mais encor, quel dessein le conduisait ici?

ARBATE

Seigneur, vous en serez tôt ou tard éclairci.

MITHRIDATE

Parle, je te l'ordonne, et je veux tout apprendre.

ARBATE

Seigneur, jusqu'à ce jour ce que j'ai pu comprendre,
Ce prince a cru pouvoir, après votre trépas,
Compter cette province au rang de ses États,
Et sans connaître ici de loi que son courage,
Il venait par la force appuyer son partage.

MITHRIDATE

Ah! c'est le moindre prix qu'il doit se proposer,
Si le ciel de mon sort me laisse disposer.
Oui, je respire, Arbate, et ma joie est extrême.
Je tremblais, je l'avoue, et pour un fils que j'aime,
Et pour moi qui craignais de perdre un tel appui,

Et d'avoir à combattre un rival tel que lui.
Que Pharnace m'offense, il offre à ma colère
Un rival dès longtemps soigneux de me déplaire,
Qui toujours des Romains admirateur secret,
Ne s'est jamais contre eux déclaré qu'à regret.
Et s'il faut que pour lui Monime prévenue
Ait pu porter ailleurs une amour qui m'est due [9],
Malheur au criminel qui vient me la ravir,
Et qui m'ose offenser et n'ose me servir!
M'aime-t-elle?

ARBATE

Seigneur, je vois venir la reine.

MITHRIDATE

Dieux, qui voyez ici mon amour et ma haine,
Épargnez mes malheurs, et daignez empêcher
Que je ne trouve encor ceux que je vais chercher!
Arbate, c'est assez : qu'on me laisse avec elle.

SCÈNE IV. — MITHRIDATE, MONIME

MITHRIDATE

Madame, enfin le ciel près de vous me rappelle,
Et, secondant du moins mes plus tendres souhaits,
Vous rend à mon amour plus belle que jamais.
Je ne m'attendais pas que de notre hyménée
Je dusse voir si tard arriver la journée,
Ni qu'en vous retrouvant, mon funeste retour
Fît voir mon infortune, et non pas mon amour.
C'est pourtant cet amour, qui de tant de retraites
Ne me laisse choisir que les lieux où vous êtes,
Et les plus grands malheurs pourront me sembler doux
Si ma présence ici n'en est point un pour vous.
C'est vous en dire assez, si vous voulez m'entendre.
Vous devez à ce jour dès longtemps vous attendre,
Et vous portez, Madame, un gage de ma foi
Qui vous dit tous les jours que vous êtes à moi.
Allons donc assurer cette foi mutuelle.
Ma gloire loin d'ici vous et moi nous appelle,
Et sans perdre un moment pour ce noble dessein,
Aujourd'hui votre époux, il faut partir demain.

MONIME

Seigneur, vous pouvez tout. Ceux par qui je respire

Vous ont cédé sur moi leur souverain empire;
Et quand vous userez de ce droit tout-puissant,
Je ne vous répondrai qu'en vous obéissant.

MITHRIDATE

Ainsi, prête à subir un joug qui vous opprime,
Vous n'allez à l'autel que comme une victime;
Et moi, tyran d'un cœur qui se refuse au mien,
Même en vous possédant je ne vous devrai rien.
Ah! madame, est-ce là de quoi me satisfaire?
Faut-il que désormais, renonçant à vous plaire,
Je ne prétende plus qu'à vous tyranniser?
Mes malheurs, en un mot, me font-ils mépriser?
Ah! pour tenter encor de nouvelles conquêtes,
Quand je ne verrais pas des routes toutes prêtes,
Quand le sort ennemi m'aurait jeté plus bas,
Vaincu, persécuté, sans secours, sans États,
Errant de mers en mers, et moins roi que pirate,
Conservant pour tous biens le nom de Mithridate,
Apprenez que suivi d'un nom si glorieux,
Partout de l'univers j'attacherais les yeux,
Et qu'il n'est point de rois, s'ils sont dignes de l'être,
Qui, sur le trône assis, n'enviassent peut-être
Au-dessus de leur gloire un naufrage élevé,
Que Rome et quarante ans ont à peine achevé.
Vous-même, d'un autre œil me verriez-vous, Madame,
Si ces Grecs vos aïeux revivaient dans votre âme?
Et puisqu'il faut enfin que je sois votre époux,
N'était-il pas plus noble, et plus digne de vous,
De joindre à ce devoir votre propre suffrage,
D'opposer votre estime au destin qui m'outrage,
Et de me rassurer, en flattant ma douleur,
Contre la défiance attachée au malheur?
Hé quoi! n'avez-vous rien, Madame, à me répondre?
Tout mon empressement ne sert qu'à vous confondre.
Vous demeurez muette, et loin de me parler,
Je vois, malgré vos soins, vos pleurs prêts à couler.

MONIME

Moi, Seigneur? Je n'ai point de larmes à répandre.
J'obéis : n'est-ce pas assez me faire entendre?
Et ne suffit-il pas...

MITHRIDATE

Non, ce n'est pas assez.
Je vous entends ici mieux que vous ne pensez;
Je vois qu'on m'a dit vrai. Ma juste jalousie
Par vos propres discours est trop bien éclaircie :
Je vois qu'un fils perfide, épris de vos beautés,
Vous a parlé d'amour, et que vous l'écoutez.
Je vous jette pour lui dans des craintes nouvelles.
Mais il jouira peu de vos pleurs infidèles,
Madame, et désormais tout est sourd à mes lois,
Ou bien vous l'avez vu pour la dernière fois.
Appelez Xipharès [10].

MONIME

Ah! que voulez-vous faire?
Xipharès...

MITHRIDATE

Xipharès n'a point trahi son père.
Vous vous pressez en vain de le désavouer,
Et ma tendre amitié ne peut que s'en louer.
Ma honte en serait moindre, ainsi que votre crime,
Si ce fils, en effet digne de votre estime,
A quelque amour encore avait pu vous forcer.
Mais qu'un traître, qui n'est hardi qu'à m'offenser,
De qui nulle vertu n'accompagne l'audace,
Que Pharnace, en un mot, ait pu prendre ma place,
Qu'il soit aimé, Madame, et que je sois haï...

SCÈNE V. — MITHRIDATE, MONIME, XIPHARÈS

MITHRIDATE

Venez, mon fils, venez, votre père est trahi.
Un fils audacieux insulte à ma ruine,
Traverse mes desseins, m'outrage, m'assassine,
Aime la reine enfin, lui plaît, et me ravit
Un cœur que son devoir à moi seul asservit.
Heureux pourtant, heureux, que dans cette disgrâce,
Je ne puisse accuser que la main de Pharnace;
Qu'une mère infidèle, un frère audacieux,
Vous présentent en vain leur exemple odieux!
Oui, mon fils, c'est vous seul sur qui je me repose,
Vous seul qu'aux grands desseins que mon cœur se propose
J'ai choisi dès longtemps pour digne compagnon,

L'héritier de mon sceptre, et surtout de mon nom.
Pharnace, en ce moment, et ma flamme offensée,
Ne peuvent pas tout seuls occuper ma pensée.
D'un voyage important les soins et les apprêts,
Mes vaisseaux qu'à partir il faut tenir tout prêts,
Mes soldats, dont je veux tenter la complaisance,
Dans ce même moment demandent ma présence.
Vous cependant ici veillez pour mon repos :
D'un rival insolent arrêtez les complots,
Ne quittez point la reine, et s'il se peut, vous-même
Rendez-la moins contraire aux vœux d'un roi qui l'aime.
Détournez-la, mon fils, d'un choix injurieux;
Juge sans intérêt, vous la convaincrez mieux.
En un mot, c'est assez éprouver ma faiblesse :
Qu'elle ne pousse point cette même tendresse,
Que sais-je? à des fureurs dont mon cœur outragé
Ne se repentirait qu'après s'être vengé.

SCÈNE VI. — MONIME, XIPHARÈS

XIPHARÈS

Que dirai-je, Madame? Et comment dois-je entendre
Cet ordre, ce discours que je ne puis comprendre?
Serait-il vrai, grands dieux! que trop aimé de vous
Pharnace eût en effet mérité ce courroux?
Pharnace aurait-il part à ce désordre extrême?

MONIME

Pharnace? O ciel! Pharnace? Ah! qu'entends-je moi-même?
Ce n'est donc pas assez que ce funeste jour
A tout ce que j'aimais m'arrache sans retour,
Et que, de mon devoir esclave infortunée,
A d'éternels ennuis je me voie enchaînée?
Il faut qu'on joigne encor l'outrage à mes douleurs;
A l'amour de Pharnace on impute mes pleurs!
Malgré toute ma haine on veut qu'il m'ait su plaire.
Je le pardonne au roi, qu'aveugle sa colère,
Et qui de mes secrets ne peut être éclairci,
Mais vous, Seigneur, mais vous, me traitez-vous ainsi?

XIPHARÈS

Ah! Madame, excusez un amant qui s'égare,
Qui lui-même, lié par un devoir barbare,
Se voit près de tout perdre, et n'ose se venger.

Mais des fureurs du roi que puis-je enfin juger?
Il se plaint qu'à ses vœux un autre amour s'oppose :
Quel heureux criminel en peut être la cause?
Qui? Parlez.

MONIME

Vous cherchez, Prince, à vous tourmenter.
Plaignez votre malheur, sans vouloir l'augmenter.

XIPHARÈS

Je sais trop quel tourment je m'apprête moi-même.
C'est peu de voir un père épouser ce que j'aime :
Voir encore un rival honoré de vos pleurs,
Sans doute c'est pour moi le comble des malheurs.
Mais dans mon désespoir je cherche à les accroître :
Madame, par pitié, faites-le-moi connoître :
Quel est-il, cet amant? Qui dois-je soupçonner?

MONIME

Avez-vous tant de peine à vous l'imaginer?
Tantôt, quand je fuyais une injuste contrainte,
A qui contre Pharnace ai-je adressé ma plainte?
Sous quel appui tantôt mon cœur s'est-il jeté?
Quel amour ai-je enfin sans colère écouté?

XIPHARÈS

O ciel! Quoi? je serais ce bienheureux coupable
Que vous avez pu voir d'un regard favorable?
Vos pleurs pour Xipharès auraient daigné couler?

MONIME

Oui, Prince. Il n'est plus temps de le dissimuler;
Ma douleur pour se taire a trop de violence.
Un rigoureux devoir me condamne au silence,
Mais il faut bien enfin, malgré ses dures lois,
Parler pour la première et la dernière fois.
Vous m'aimez dès longtemps. Une égale tendresse
Pour vous depuis longtemps m'afflige et m'intéresse.
Songez depuis quel jour ces funestes appas
Firent naître un amour qu'ils ne méritaient pas,
Rappelez [11] un espoir qui ne vous dura guère,
Le trouble où vous jeta l'amour de votre père,
Le tourment de me perdre et de le voir heureux,
Les rigueurs d'un devoir contraire à tous vos vœux :
Vous n'en sauriez, Seigneur, retracer la mémoire,

Ni conter vos malheurs, sans conter mon histoire,
Et lorsque ce matin j'en écoutais le cours,
Mon cœur vous répondait tous vos mêmes discours.
Inutile, ou plutôt funeste sympathie!
Trop parfaite union par le sort démentie!
Ah! par quel soin cruel le ciel avait-il joint
Deux cœurs que l'un pour l'autre il ne destinait point?
Car quel que soit vers vous le penchant qui m'attire,
Je vous le dis, Seigneur, pour ne plus vous le dire,
Ma gloire me rappelle et m'entraîne à l'autel,
Où je vais vous jurer un silence éternel.
J'entends, vous gémissez; mais telle est ma misère;
Je ne suis point à vous, je suis à votre père.
Dans ce dessein vous-même, il faut me soutenir,
Et de mon faible cœur m'aider à vous bannir.
J'attends du moins, j'attends de votre complaisance
Que désormais partout vous fuirez ma présence.
J'en viens de dire assez pour vous persuader
Que j'ai trop de raisons de vous le commander.
Mais après ce moment, si ce cœur magnanime
D'un véritable amour a brûlé pour Monime,
Je ne reconnais plus la foi de vos discours [12],
Qu'au soin que vous prendrez de m'éviter toujours.

XIPHARÈS

Quelle marque, grands dieux, d'un amour déplorable!
Combien en un moment heureux et misérable [13]!
De quel comble de gloire et de félicités,
Dans quel abîme affreux vous me précipitez!
Quoi! j'aurai pu toucher un cœur comme le vôtre,
Vous aurez pu m'aimer, et cependant un autre
Possédera ce cœur dont j'attirais les vœux?
Père injuste, cruel, mais d'ailleurs malheureux!
Vous voulez que je fuie, et que je vous évite,
Et cependant le roi m'attache à votre suite :
Que dira-t-il?

MONIME

N'importe, il me faut obéir.
Inventez des raisons qui puissent l'éblouir.
D'un héros tel que vous c'est là l'effort suprême :
Cherchez, Prince, cherchez, pour vous trahir vous-même,
Tout ce que, pour jouir de leurs contentements,

L'amour fait inventer aux vulgaires amants.
Enfin, je me connais, il y va de ma vie :
De mes faibles efforts ma vertu se défie;
Je sais qu'en vous voyant, un tendre souvenir
Peut m'arracher du cœur quelque indigne soupir;
Que je verrai mon âme, en secret déchirée,
Revoler vers le bien dont elle est séparée.
Mais je sais bien aussi que s'il dépend de vous
De me faire chérir un souvenir si doux,
Vous n'empêcherez pas que ma gloire offensée
N'en punisse aussitôt la coupable pensée;
Que ma main dans mon cœur ne vous aille chercher,
Pour y laver ma honte, et vous en arracher.
Que dis-je? En ce moment, le dernier qui nous reste,
Je me sens arrêter par un plaisir funeste :
Plus je vous parle, et plus, trop faible que je suis,
Je cherche à prolonger le péril que je fuis.
Il faut pourtant, il faut se faire violence,
Et sans perdre en adieux un reste de constance,
Je fuis. Souvenez-vous, Prince, de m'éviter.
Et méritez les pleurs que vous m'allez coûter.

XIPHARÈS

Ah! Madame!... Elle fuit, et ne veut plus m'entendre.
Malheureux Xipharès, quel parti dois-tu prendre?
On t'aime, on te bannit; toi-même tu vois bien
Que ton propre devoir s'accorde avec le sien.
Cours par un prompt trépas abréger ton supplice.
Toutefois attendons que son sort s'éclaircisse,
Et s'il faut qu'un rival la ravisse à ma foi,
Du moins, en expirant, ne la cédons qu'au roi.

ACTE TROISIÈME

SCÈNE I. — MITHRIDATE, PHARNACE, XIPHARÈS

MITHRIDATE

Approchez, mes enfants. Enfin l'heure est venue
Qu'il faut que mon secret éclate à votre vue.
A mes nobles projets je vois tout conspirer;
Il ne me reste plus qu'à vous les déclarer.
Je fuis, ainsi le veut la fortune ennemie.
Mais vous savez trop bien l'histoire de ma vie

Pour croire que longtemps soigneux de me cacher
J'attende en ces déserts qu'on me vienne chercher.
La guerre a ses faveurs, ainsi que ses disgrâces;
Déjà plus d'une fois, retournant sur mes traces,
Tandis que l'ennemi, par ma fuite trompé,
Tenait après son char un vain peuple occupé [14],
Et gravant en airain ses frêles avantages,
De mes États conquis enchaînait les images,
Le Bosphore m'a vu, par de nouveaux apprêts,
Ramener la terreur du fond de ses marais,
Et chassant les Romains de l'Asie étonnée,
Renverser en un jour l'ouvrage d'une année.
D'autres temps, d'autres soins. L'Orient accablé
Ne peut plus soutenir leur effort redoublé.
Il voit plus que jamais ses campagnes couvertes
De Romains que la guerre enrichit de nos pertes.
Des biens des nations ravisseurs altérés,
Le bruit de nos trésors les a tous attirés :
Ils y courent en foule, et jaloux l'un de l'autre
Désertent leur pays pour inonder le nôtre.
Moi seul je leur résiste. Ou lassés, ou soumis,
Ma funeste amitié pèse à tous mes amis;
Chacun à ce fardeau veut dérober sa tête.
Le grand nom de Pompée assure sa conquête;
C'est l'effroi de l'Asie, et loin de l'y chercher,
C'est à Rome, mes fils, que je prétends marcher.
Ce dessein vous surprend, et vous croyez peut-être
Que le seul désespoir aujourd'hui le fait naître.
J'excuse votre erreur; et pour être approuvés
De semblables projets veulent être achevés.
Ne vous figurez point que de cette contrée,
Par d'éternels remparts Rome soit séparée.
Je sais tous les chemins par où je dois passer,
Et si la mort bientôt ne me vient traverser,
Sans reculer plus loin l'effet de ma parole,
Je vous rends dans trois mois au pied du Capitole.
Doutez-vous que l'Euxin ne me porte en deux jours
Aux lieux où le Danube y vient finir son cours?
Que du Scythe avec moi l'alliance jurée
De l'Europe en ces lieux ne me livre l'entrée?
Recueilli dans leurs ports, accru de leurs soldats,
Nous verrons notre camp grossir à chaque pas.

Daces, Pannoniens, la fière Germanie,
Tous n'attendent qu'un chef contre la tyrannie.
Vous avez vu l'Espagne, et surtout les Gaulois,
Contre ces mêmes murs qu'ils ont pris autrefois,
Exciter ma vengeance, et jusque dans la Grèce,
Par des ambassadeurs accuser ma paresse.
Ils savent que, sur eux prêt à se déborder,
Ce torrent, s'il m'entraîne, ira tout inonder,
Et vous les verrez tous, prévenant son ravage,
Guider dans l'Italie et suivre mon passage.
C'est là qu'en arrivant, plus qu'en tout le chemin,
Vous trouverez partout l'horreur du nom romain,
Et la triste Italie encor toute fumante
Des feux qu'a rallumés sa liberté mourante [15].
Non, Princes, ce n'est point au bout de l'univers
Que Rome fait sentir tout le poids de ses fers;
Et de près inspirant les haines les plus fortes,
Tes plus grands ennemis, Rome, sont à tes portes.
Ah! s'ils ont pu choisir pour leur libérateur
Spartacus, un esclave, un vil gladiateur,
S'ils suivent au combat des brigands qui les vengent,
De quelle noble ardeur pensez-vous qu'ils se rangent
Sous les drapeaux d'un roi longtemps victorieux,
Qui voit jusqu'à Cyrus remonter ses aïeux?
Que dis-je? En quel état croyez-vous la surprendre?
Vide de légions qui la puissent défendre,
Tandis que tout s'occupe à me persécuter [16],
Leurs femmes, leurs enfants, pourront-ils m'arrêter?
Marchons, et dans son sein rejetons cette guerre
Que sa fureur envoie aux deux bouts de la terre.
Attaquons dans leurs murs ces conquérants si fiers;
Qu'ils tremblent, à leur tour, pour leurs propres foyers.
Annibal l'a prédit, croyons-en ce grand homme :
Jamais on ne vaincra les Romains que dans Rome.
Noyons-la dans son sang justement répandu,
Brûlons ce Capitole où j'étais attendu,
Détruisons ses honneurs, et faisons disparaître
La honte de cent rois, et la mienne peut-être;
Et la flamme à la main, effaçons tous ces noms
Que Rome y consacrait à d'éternels affronts.
Voilà l'ambition dont mon âme est saisie.
Ne croyez point pourtant qu'éloigné de l'Asie

J'en laisse les Romains tranquilles possesseurs.
Je sais où je lui dois trouver des défenseurs.
Je veux que d'ennemis partout enveloppée,
Rome rappelle en vain le secours de Pompée.
Le Parthe, des Romains comme moi la terreur,
Consent de succéder à ma juste fureur,
Prêt d'unir avec moi sa haine et sa famille,
Il me demande un fils pour époux à sa fille.
Cet honneur vous regarde, et j'ai fait choix de vous,
Pharnace. Allez, soyez ce bienheureux époux.
Demain, sans différer, je prétends que l'Aurore
Découvre mes vaisseaux déjà loin du Bosphore.
Vous que rien n'y retient, partez dès ce moment,
Et méritez mon choix par votre empressement :
Achevez cet hymen; et repassant l'Euphrate,
Faites voir à l'Asie un autre Mithridate.
Que nos tyrans communs en pâlissent d'effroi,
Et que le bruit à Rome en vienne jusqu'à moi.

PHARNACE

Seigneur, je ne vous puis déguiser ma surprise.
J'écoute avec transport cette grande entreprise;
Je l'admire, et jamais un plus hardi dessein
Ne mit à des vaincus les armes à la main.
Surtout j'admire en vous ce cœur infatigable
Qui semble s'affermir sous le faix qui l'accable.
Mais si j'ose parler avec sincérité :
En êtes-vous réduit à cette extrémité?
Pourquoi tenter si loin des courses inutiles,
Quand vos États encor vous offrent tant d'asiles
Et vouloir affronter des travaux infinis,
Dignes plutôt d'un chef de malheureux bannis,
Que d'un roi qui naguère avec quelque apparence
De l'aurore au couchant portait son espérance,
Fondait sur trente États son trône florissant,
Dont le débris est même un empire puissant?
Vous seul, Seigneur, vous seul, après quarante années
Pouvez encor lutter contre les destinées.
Implacable ennemi de Rome et du repos,
Comptez-vous vos soldats pour autant de héros?
Pensez-vous que ces cœurs, tremblants de leur défaite,
Fatigués d'une longue et pénible retraite,

Cherchent avidement sous un ciel étranger
La mort, et le travail pire que le danger?
Vaincus plus d'une fois aux yeux de la patrie,
Soutiendront-ils ailleurs un vainqueur en furie?
Sera-t-il moins terrible, et le vaincront-ils mieux
Dans le sein de sa ville, à l'aspect de ses dieux?
Le Parthe vous recherche et vous demande un gendre;
Mais ce Parthe, Seigneur, ardent à vous défendre
Lorsque tout l'univers semblait nous protéger,
D'un gendre sans appui voudra-t-il se charger?
M'en irai-je moi seul, rebut de la fortune,
Essuyer l'inconstance au Parthe si commune?
Et peut-être, pour fruit d'un téméraire amour,
Exposer votre nom au mépris de sa cour?
Du moins, s'il faut céder, si contre notre usage,
Il faut d'un suppliant emprunter le visage,
Sans m'envoyer du Parthe embrasser les genoux,
Sans vous-même implorer des rois moindres que vous,
Ne pourrions-nous pas prendre une plus sûre voie?
Jetons-nous dans les bras qu'on nous tend avec joie.
Rome en votre faveur facile à s'apaiser...

XIPHARÈS

Rome, mon frère! O ciel! qu'osez-vous proposer?
Vous voulez que le roi s'abaisse et s'humilie?
Qu'il démente en un jour tout le cours de sa vie?
Qu'il se fie aux Romains et subisse des lois
Dont il a quarante ans défendu tous les rois?
Continuez, Seigneur. Tout vaincu que vous êtes,
La guerre, les périls sont vos seules retraites.
Rome poursuit en vous un ennemi fatal,
Plus conjuré contre elle et plus craint qu'Annibal.
Tout couvert de son sang, quoi que vous puissiez faire,
N'en attendez jamais qu'une paix sanguinaire,
Telle qu'en un seul jour un ordre de vos mains
La donna dans l'Asie à cent mille Romains [17].
Toutefois épargnez votre tête sacrée.
Vous-même n'allez point de contrée en contrée
Montrer aux nations Mithridate détruit,
Et de votre grand nom diminuer le bruit.
Votre vengeance est juste; il la faut entreprendre :
Brûlez le Capitole et mettez Rome en cendre.

Mais c'est assez pour vous d'en ouvrir les chemins :
Faites porter ce feu par de plus jeunes mains,
Et tandis que l'Asie occupera Pharnace,
De cette autre entreprise honorez mon audace.
Commandez. Laissez-nous, de votre nom suivis,
Justifier partout que nous sommes vos fils.
Embrasez par vos mains le couchant et l'aurore;
Remplissez l'univers, sans sortir du Bosphore;
Que les Romains, pressés de l'un à l'autre bout,
Doutent où vous serez, et vous trouvent partout.
Dès ce même moment ordonnez que je parte.
Ici tout vous retient; et moi, tout m'en écarte.
Et si ce grand dessein surpasse ma valeur,
Du moins ce désespoir convient à mon malheur.
Trop heureux d'avancer la fin de ma misère,
J'irai... J'effacerai le crime de ma mère,
Seigneur; vous m'en voyez rougir à vos genoux;
J'ai honte de me voir si peu digne de vous;
Tout mon sang doit laver une tache si noire.
Mais je cherche un trépas utile à votre gloire,
Et Rome, unique objet d'un désespoir si beau,
Du fils de Mithridate est le digne tombeau.

MITHRIDATE, *se levant.*

Mon fils, ne parlons plus d'une mère infidèle.
Votre père est content, il connaît votre zèle,
Et ne vous verra point affronter de danger
Qu'avec vous son amour ne veuille partager :
Vous me suivrez, je veux que rien ne nous sépare.
Et vous, à m'obéir, Prince, qu'on se prépare.
Les vaisseaux sont tout prêts; j'ai moi-même ordonné
La suite et l'appareil qui vous est destiné.
Arbate, à cet hymen chargé de vous conduire,
De votre obéissance aura soin de m'instruire.
Allez; et soutenant l'honneur de vos aïeux,
Dans cet embrassement recevez mes adieux.

PHARNACE

Seigneur...

MITHRIDATE

Ma volonté, Prince, vous doit suffire.
Obéissez. C'est trop vous le faire redire.

PHARNACE

Seigneur, si pour vous plaire il ne faut que périr,
Plus ardent qu'aucun autre on m'y verra courir.
Combattant à vos yeux permettez que je meure.

MITHRIDATE

Je vous ai commandé de partir tout à l'heure.
Mais après ce moment... Prince, vous m'entendez,
Et vous êtes perdu si vous me répondez.

PHARNACE

Dussiez-vous présenter mille morts à ma vue,
Je ne saurais chercher une fille inconnue.
Ma vie est en vos mains.

MITHRIDATE

Ah! c'est où je t'attends.
Tu ne saurais partir, perfide, et je t'entends.
Je sais pourquoi tu fuis l'hymen où je t'envoie :
Il te fâche en ces lieux d'abandonner ta proie;
Monime te retient. Ton amour criminel
Prétendait l'arracher à l'hymen paternel.
Ni l'ardeur dont tu sais que je l'ai recherchée,
Ni déjà sur son front ma couronne attachée,
Ni cet asile même où je la fais garder,
Ni mon juste courroux n'ont pu t'intimider.
Traître! pour les Romains tes lâches complaisances
N'étaient pas à mes yeux d'assez noires offenses;
Il te manquait encor ces perfides amours,
Pour être le supplice et l'horreur de mes jours.
Loin de t'en repentir, je vois sur ton visage
Que ta confusion ne part que de ta rage;
Il te tarde déjà qu'échappé de mes mains,
Tu ne coures me perdre, et me vendre aux Romains.
Mais, avant que partir, je me ferai justice :
Je te l'ai dit.

SCÈNE II. — MITHRIDATE, PHARNACE, XIPHARÈS, GARDES

MITHRIDATE

Holà, gardes. Qu'on le saisisse.
Oui, lui-même, Pharnace. Allez, et de ce pas
Qu'enfermé dans la tour on ne le quitte pas.

PHARNACE

Eh bien! sans me parer d'une innocence vaine,
Il est vrai, mon amour mérite votre haine.
J'aime, l'on vous a fait un fidèle récit.
Mais Xipharès, Seigneur, ne vous a pas tout dit;
C'est le moindre secret qu'il pouvait vous apprendre,
Et ce fils si fidèle a dû vous faire entendre
Que des mêmes ardeurs dès longtemps enflammé,
Il aime aussi la reine, et même en est aimé.

SCÈNE III. — MITHRIDATE, XIPHARÈS

XIPHARÈS

Seigneur, le croirez-vous, qu'un dessein si coupable...

MITHRIDATE

Mon fils, je sais de quoi votre frère est capable.
Me préserve le ciel de soupçonner jamais
Que d'un prix si cruel vous payez mes bienfaits;
Qu'un fils qui fut toujours le bonheur de ma vie
Ait pu percer ce cœur qu'un père lui confie!
Je ne le croirai point. Allez. Loin d'y songer,
Je ne vais désormais penser qu'à nous venger.

SCÈNE IV. — MITHRIDATE

Je ne le croirai point? Vain espoir qui me flatte!
Tu ne le crois que trop, malheureux Mithridate!
Xipharès mon rival? et d'accord avec lui
La reine aurait osé me tromper aujourd'hui?
Quoi? de quelque côté que je tourne la vue,
La foi de tous les cœurs est pour moi disparue?
Tout m'abandonne ailleurs, tout me trahit ici!
Pharnace, amis, maîtresse, et toi, mon fils aussi!
Toi de qui la vertu consolant ma disgrâce...
Mais ne connais-je pas le perfide Pharnace?
Quelle faiblesse à moi d'en croire un furieux
Qu'arme contre son frère un courroux envieux,
Ou dont le désespoir, me troublant par des fables,
Grossit pour se sauver le nombre des coupables!
Non, ne l'en croyons point, et sans trop nous presser,
Voyons, examinons. Mais par où commencer?
Qui m'en éclaircira? quels témoins? quel indice?...
Le ciel en ce moment m'inspire un artifice.

Qu'on appelle la reine. Oui, sans aller plus loin,
Je veux l'ouïr. Mon choix s'arrête à ce témoin.
L'amour avidement croit tout ce qui le flatte.
Qui peut de son vainqueur mieux parler que l'ingrate?
Voyons qui son amour accusera des deux.
S'il n'est digne de moi, le piège est digne d'eux [18].
Trompons qui nous trahit; et pour connaître un traître
Il n'est point de moyens... Mais je la vois paraître :
Feignons, et de son cœur, d'un vain espoir flatté,
Par un mensonge adroit tirons la vérité.

SCÈNE V. — MONIME, MITHRIDATE

MITHRIDATE

Enfin j'ouvre les yeux, et je me fais justice.
C'est faire à vos beautés un triste sacrifice [19],
Que de vous présenter, Madame, avec ma foi,
Tout l'âge et le malheur que je traîne avec moi.
Jusqu'ici la fortune et la victoire mêmes
Cachaient mes cheveux blancs sous trente diadèmes.
Mais ce temps-là n'est plus. Je régnais, et je fuis.
Mes ans se sont accrus, mes honneurs sont détruits,
Et mon front, dépouillé d'un si noble avantage,
Du temps qui l'a flétri laisse voir tout l'outrage.
D'ailleurs mille desseins partagent mes esprits :
D'un camp prêt à partir vous entendez les cris;
Sortant de mes vaisseaux, il faut que j'y remonte.
Quel temps pour un hymen qu'une fuite si prompte,
Madame! Et de quel front vous unir à mon sort,
Quand je ne cherche plus que la guerre et la mort?
Cessez pourtant, cessez de prétendre à Pharnace.
Quand je me fais justice, il faut qu'on se la fasse.
Je ne souffrirai point que ce fils odieux,
Que je viens pour jamais de bannir de mes yeux,
Possédant une amour qui me fut déniée,
Vous fasse des Romains devenir l'alliée.
Mon trône vous est dû : loin de m'en repentir,
Je vous y place même avant que de partir,
Pourvu que vous vouliez qu'une main qui m'est chère,
Un fils, le digne objet de l'amour de son père,
Xipharès, en un mot, devenant votre époux,
Me venge de Pharnace, et m'acquitte envers vous.

MONIME
Xipharès ! Lui, Seigneur?

MITHRIDATE
Oui, lui-même, Madame.
D'où peut naître à ce nom le trouble de votre âme?
Contre un si juste choix qui peut vous révolter?
Est-ce quelque mépris qu'on ne puisse dompter?
Je le répète encor : c'est un autre moi-même,
Un fils victorieux, qui me chérit, que j'aime,
L'ennemi des Romains, l'héritier et l'appui
D'un empire et d'un nom qui va renaître en lui;
Et quoi que votre amour ait osé se promettre,
Ce n'est qu'entre ses mains que je puis vous remettre.

MONIME
Que dites-vous? O ciel! Pourriez-vous approuver...
Pourquoi, Seigneur, pourquoi voulez-vous m'éprouver?
Cessez de tourmenter une âme infortunée.
Je sais que c'est à vous que je fus destinée;
Je sais qu'en ce moment, pour ce nœud solennel,
La victime, Seigneur, nous attend à l'autel.
Venez.

MITHRIDATE
Je le vois bien : quelque effort que je fasse,
Madame, vous voulez vous garder à Pharnace.
Je reconnais toujours vos injustes mépris;
Ils ont même passé sur mon malheureux fils.

MONIME
Je le méprise?

MITHRIDATE
Eh bien, n'en parlons plus, Madame.
Continuez : brûlez d'une honteuse flamme.
Tandis qu'avec mon fils je vais, loin de vos yeux,
Chercher au bout du monde un trépas glorieux,
Vous cependant ici servez avec son frère,
Et vendez aux Romains le sang de votre père.
Venez : je ne saurais mieux punir vos dédains,
Qu'en vous mettant moi-même en ses serviles mains;
Et sans plus me charger du soin de votre gloire,
Je veux laisser de vous jusqu'à votre mémoire.
Allons, Madame, allons. Je m'en vais vous unir.

MONIME

Plutôt de mille morts dussiez-vous me punir!

MITHRIDATE

Vous résistez en vain, et j'entends votre fuite.

MONIME

En quelle extrémité, Seigneur, suis-je réduite?
Mais enfin je vous crois, et je ne puis penser
Qu'à feindre si longtemps vous puissiez vous forcer.
Les dieux me sont témoins qu'à vous plaire bornée,
Mon âme à tout son sort s'était abandonnée.
Mais si quelque faiblesse avait pu m'alarmer,
Si de tous ses efforts mon cœur a dû s'armer,
Ne croyez point, Seigneur, qu'auteur de mes alarmes,
Pharnace m'ait jamais coûté les moindres larmes.
Ce fils victorieux que vous favorisez,
Cette vivante image en qui vous vous plaisez,
Cet ennemi de Rome, et cet autre vous-même,
Enfin ce Xipharès que vous voulez que j'aime...

MITHRIDATE

Vous l'aimez?

MONIME

Si le sort ne m'eût donnée à vous,
Mon bonheur dépendait de l'avoir pour époux.
Avant que votre amour m'eût envoyé ce gage,
Nous nous aimions... Seigneur, vous changez de visage!

MITHRIDATE

Non, Madame. Il suffit. Je vais vous l'envoyer.
Allez; le temps est cher, il le faut employer.
Je vois qu'à m'obéir vous êtes disposée;
Je suis content.

MONIME, *en s'en allant.*

O ciel! me serais-je abusée?

SCÈNE VI. — MITHRIDATE

Ils s'aiment! C'est ainsi qu'on se jouait de nous!
Ah! fils ingrat, tu vas me répondre pour tous!
Tu périras! Je sais combien ta renommée
Et tes fausses vertus ont séduit mon armée;
Perfide, je te veux porter des coups certains :

Il faut pour te mieux perdre écarter les mutins,
Et faisant à mes yeux partir les plus rebelles,
Ne garder près de moi que des troupes fidèles.
Allons. Mais sans montrer un visage offensé,
Dissimulons encor, comme j'ai commencé.

ACTE QUATRIÈME

SCÈNE I. — MONIME, PHŒDIME

MONIME

Phœdime, au nom des dieux, fais ce que je désire :
Va voir ce qui se passe, et reviens me le dire.
Je ne sais; mais mon cœur ne se peut rassurer;
Mille soupçons affreux viennent me déchirer.
Que tarde Xipharès? et d'où vient qu'il diffère
A seconder des vœux qu'autorise son père?
Son père, en me quittant, me l'allait envoyer...
Mais il feignait peut-être? Il fallait tout nier.
Le roi feignait! Et moi, découvrant ma pensée...
O dieux! en ce péril m'auriez-vous délaissée?
Et se pourrait-il bien qu'à son ressentiment
Mon amour indiscret eût livré mon amant?
Quoi, Prince! quand tout plein de ton amour extrême
Pour savoir mon secret tu me pressais toi-même,
Mes refus trop cruels vingt fois te l'ont caché,
Je t'ai même puni de l'avoir arraché,
Et quand de toi peut-être un père se défie,
Que dis-je? quand peut-être il y va de ta vie,
Je parle; et trop facile à me laisser tromper
Je lui marque le cœur où sa main doit frapper!

PHŒDIME

Ah! traitez-le, Madame, avec plus de justice :
Un grand roi descend-il jusqu'à cet artifice?
A prendre ce détour qui l'aurait pu forcer?
Sans murmure à l'autel vous l'alliez devancer.
Voulait-il perdre un fils qu'il aime avec tendresse?
Jusqu'ici les effets secondent sa promesse :
Madame, il vous disait qu'un important dessein,
Malgré lui, le forçait à vous quitter demain;
Ce seul dessein l'occupe, et hâtant son voyage,

Lui-même ordonne tout, présent sur le rivage.
Ses vaisseaux en tous lieux se chargent de soldats,
Et partout Xipharès accompagne ses pas.
D'un rival en fureur est-ce là la conduite?
Et voit-on ses discours démentis par la suite?

MONIME

Pharnace cependant, par son ordre arrêté,
Trouve en lui d'un rival toute la dureté.
Phœdime, à Xipharès fera-t-il plus de grâce?

PHŒDIME

C'est l'ami des Romains qu'il punit en Pharnace;
L'amour a peu de part à ses justes soupçons.

MONIME

Autant que je le puis, je cède à tes raisons;
Elles calment un peu l'ennui qui me dévore.
Mais pourtant Xipharès ne paraît point encore.

PHŒDIME

Vaine erreur des amants, qui pleins de leurs désirs,
Voudraient que tout cédât au soin de leurs plaisirs!
Qui, prêts à s'irriter contre le moindre obstacle...

MONIME

Ma Phœdime, et qui peut concevoir ce miracle?
Après deux ans d'ennuis, dont tu sais tout le poids,
Quoi? je puis respirer pour la première fois?
Quoi? cher Prince, avec toi je me verrais unie?
Et loin que ma tendresse eût exposé ta vie,
Tu verrais ton devoir, je verrais ma vertu,
Approuver un amour si longtemps combattu?
Je pourrais tous les jours t'assurer que je t'aime?
Que ne viens-tu?

SCÈNE II. — MONIME, XIPHARÈS, PHŒDIME

MONIME

Seigneur, je parlais de vous-même.
Mon âme souhaitait de vous voir en ce lieu,
Pour vous...

XIPHARÈS

C'est maintenant qu'il faut vous dire adieu.

MONIME

Adieu! vous?

XIPHARÈS

Oui, Madame, et pour toute ma vie.

MONIME

Qu'entends-je? On me disait... Hélas! ils m'ont trahie.

XIPHARÈS

Madame, je ne sais quel ennemi couvert,
Révélant nos secrets, vous trahit et me perd.
Mais le roi, qui tantôt n'en croyait point Pharnace,
Maintenant dans nos cœurs sait tout ce qui se passe.
Il feint, il me caresse et cache son dessein;
Mais moi, qui dès l'enfance élevé dans son sein,
De tous ses mouvements ai trop d'intelligence,
J'ai lu dans ses regards sa prochaine vengeance.
Il presse, il fait partir tous ceux dont mon malheur
Pourrait à la révolte exciter la douleur.
De ses fausses bontés j'ai connu la contrainte.
Un mot même d'Arbate a confirmé ma crainte;
Il a su m'aborder, et les larmes aux yeux :
« On sait tout, m'a-t-il dit, sauvez-vous de ces lieux. »
Ce mot m'a fait frémir du péril de ma reine,
Et ce cher intérêt est le seul qui m'amène.
Je vous crains pour vous-même, et je viens à genoux
Vous prier, ma Princesse, et vous fléchir pour vous.
Vous dépendez ici d'une main violente,
Que le sang le plus cher rarement épouvante,
Et je n'ose vous dire à quelle cruauté
Mithridate jaloux s'est souvent emporté.
Peut-être c'est moi seul que sa fureur menace;
Peut-être, en me perdant, il veut vous faire grâce.
Daignez, au nom des dieux, daignez en profiter;
Par de nouveaux refus n'allez point l'irriter.
Moins vous l'aimez, et plus tâchez de lui complaire;
Feignez, efforcez-vous. Songez qu'il est mon père.
Vivez, et permettez que dans tous mes malheurs
Je puisse à votre amour ne coûter que des pleurs.

MONIME

Ah! je vous ai perdu!

XIPHARÈS

Généreuse Monime,

Ne vous imputez point le malheur qui m'opprime.
Votre seule bonté n'est point ce qui me nuit :
Je suis un malheureux que le destin poursuit;
C'est lui qui m'a ravi l'amitié de mon père,
Qui le fit mon rival, qui révolta ma mère,
Et vient de susciter, dans ce moment affreux,
Un secret ennemi pour nous trahir tous deux.

MONIME

Hé quoi? cet ennemi, vous l'ignorez encore?

XIPHARÈS

Pour surcroît de douleur, Madame, je l'ignore,
Heureux si je pouvais, avant que m'immoler,
Percer le traître cœur qui m'a pu déceler!

MONIME

Eh bien! Seigneur, il faut vous le faire connaître.
Ne cherchez point ailleurs cet ennemi, ce traître :
Frappez. Aucun respect ne vous doit retenir.
J'ai tout fait, et c'est moi que vous devez punir.

XIPHARÈS

Vous?

MONIME

Ah! si vous saviez, Prince, avec quelle adresse
Le cruel est venu surprendre ma tendresse!
Quelle amitié sincère il affectait pour vous,
Content, s'il vous voyait devenir mon époux!
Qui n'aurait cru... Mais non, mon amour plus timide
Devait moins vous livrer à sa bonté perfide.
Les dieux qui m'inspiraient, et que j'ai mal suivis,
M'ont fait taire trois fois par de secrets avis.
J'ai dû continuer; j'ai dû dans tout le reste...
Que sais-je enfin? J'ai dû vous être moins funeste;
J'ai dû craindre du roi les dons empoisonnés,
Et je m'en punirai si vous me pardonnez.

XIPHARÈS

Quoi Madame? c'est vous, c'est l'amour qui m'expose?
Mon malheur est parti d'une si belle cause?
Trop d'amour a trahi nos secrets amoureux,
Et vous vous excusez de m'avoir fait heureux?
Que voudrais-je de plus? Glorieux et fidèle,

Je meurs. Un autre sort au trône vous appelle.
Consentez-y, Madame, et sans plus résister,
Achevez un hymen qui vous y fait monter.

MONIME

Quoi? vous me demandez que j'épouse un barbare
Dont l'odieux amour pour jamais nous sépare?

XIPHARÈS

Songez que ce matin, soumise à ses souhaits,
Vous deviez l'épouser et ne me voir jamais.

MONIME

Et connaissais-je alors toute sa barbarie?
Ne voudriez-vous point qu'approuvant sa furie,
Après vous avoir vu tout percé de ses coups,
Je suivisse à l'autel un tyrannique époux,
Et que dans une main de votre sang fumante
J'allasse mettre, hélas! la main de votre amante?
Allez; de ses fureurs songez à vous garder,
Sans perdre ici le temps à me persuader :
Le ciel m'inspirera quel parti je dois prendre.
Que serait-ce, grands dieux! s'il venait vous surprendre?
Que dis-je? On vient. Allez. Courez. Vivez enfin,
Et du moins attendez quel sera mon destin.

SCÈNE III. — MONIME, PHŒDIME

PHŒDIME

Madame, à quels périls il exposait sa vie!
C'est le roi.

MONIME

Cours l'aider à cacher sa sortie.
Va, ne le quitte point, et qu'il se garde bien
D'ordonner de son sort, sans être instruit du mien.

SCÈNE IV. — MITHRIDATE, MONIME

MITHRIDATE

Allons, Madame, allons. Une raison secrète
Me fait quitter ces lieux et hâter ma retraite.
Tandis que mes soldats, prêts à suivre leur roi,
Rentrent dans mes vaisseaux pour partir avec moi,
Venez, et qu'à l'autel ma promesse accomplie
Par des nœuds éternels l'un à l'autre nous lie.

MONIME

Nous, Seigneur?

MITHRIDATE

Quoi, Madame! osez-vous balancer?

MONIME

Et ne m'avez-vous pas défendu d'y penser?

MITHRIDATE

J'eus mes raisons alors; oublions-les, Madame.
Ne songez maintenant qu'à répondre à ma flamme.
Songez que votre cœur est un bien qui m'est dû.

MONIME

Hé! pourquoi donc, Seigneur, me l'avez-vous rendu?

MITHRIDATE

Quoi! pour un fils ingrat toujours préoccupée,
Vous croiriez...

MONIME

Quoi, Seigneur! vous m'auriez donc trompée?

MITHRIDATE

Perfide! il vous sied bien de tenir ce discours,
Vous qui gardant au cœur d'infidèles amours,
Quand je vous élevais au comble de la gloire,
M'avez des trahisons préparé la plus noire.
Ne vous souvient-il plus, cœur ingrat et sans foi,
Plus que tous les Romains conjuré contre moi,
De quel rang glorieux j'ai bien voulu descendre
Pour vous porter au trône où vous n'osiez prétendre?
Ne me regardez point vaincu, persécuté :
Revoyez-moi vainqueur, et partout redouté.
Songez de quelle ardeur dans Éphèse adorée,
Aux filles de cent rois je vous ai préférée,
Et négligeant pour vous tant d'heureux alliés,
Quelle foule d'États je mettais à vos pieds.
Ah! si d'un autre amour le penchant invincible
Dès lors à mes bontés vous rendait insensible,
Pourquoi chercher si loin un odieux époux?
Avant que de partir, pourquoi vous taisiez-vous?
Attendiez-vous, pour faire un aveu si funeste,
Que le sort ennemi m'eût ravi tout le reste,
Et que de toutes parts me voyant accabler,
J'eusse en vous le seul bien qui me pût consoler?

Cependant, quand je veux oublier cet outrage,
Et cacher à mon cœur cette funeste image,
Vous osez à mes yeux rappeler le passé;
Vous m'accusez encor, quand je suis offensé!
Je vois que pour un traître un fol espoir vous flatte.
A quelle épreuve, ô ciel, réduis-tu Mithridate?
Par quel charme secret laissé-je retenir [20]
Ce courroux si sévère et si prompt à punir?
Profitez du moment que mon amour vous donne :
Pour la dernière fois, venez, je vous l'ordonne.
N'attirez point sur vous des périls superflus,
Pour un fils insolent que vous ne verrez plus.
Sans vous parer pour lui d'une foi qui m'est due,
Perdez-en la mémoire, aussi bien que la vue :
Et désormais sensible à ma seule bonté,
Méritez le pardon qui vous est présenté.

MONIME

Je n'ai point oublié quelle reconnaissance,
Seigneur, m'a dû ranger sous votre obéissance.
Quelque rang où jadis soient montés mes aïeux,
Leur gloire de si loin n'éblouit point mes yeux.
Je songe avec respect de combien je suis née
Au-dessous des grandeurs d'un si noble hyménée,
Et malgré mon penchant et mes premiers desseins
Pour un fils, après vous le plus grand des humains,
Du jour que sur mon front on mit ce diadème,
Je renonçai, Seigneur, à ce prince, à moi-même.
Tous deux d'intelligence à nous sacrifier,
Loin de moi, par mon ordre, il courait m'oublier.
Dans l'ombre du secret ce feu s'allait éteindre;
Et même de mon sort je ne pouvais me plaindre,
Puisque enfin, aux dépens de mes vœux les plus doux,
Je faisais le bonheur d'un héros tel que vous.
Vous seul, Seigneur, vous seul, vous m'avez arrachée
A cette obéissance où j'étais attachée;
Et ce fatal amour dont j'avais triomphé,
Ce feu que dans l'oubli je croyais étouffé,
Dont la cause à jamais s'éloignait de ma vue,
Vos détours l'ont surpris, et m'en ont convaincue.
Je vous l'ai confessé, je le dois soutenir.
En vain vous en pourriez perdre le souvenir,

Et cet aveu honteux, où vous m'avez forcée,
Demeurera toujours présent à ma pensée.
Toujours je vous croirais incertain de ma foi,
Et le tombeau, Seigneur, est moins triste pour moi
Que le lit d'un époux qui m'a fait cet outrage,
Qui s'est acquis sur moi ce cruel avantage,
Et qui me préparant un éternel ennui,
M'a fait rougir d'un feu qui n'était pas pour lui.

MITHRIDATE

C'est donc votre réponse? Et sans plus me complaire,
Vous refusez l'honneur que je voulais vous faire?
Pensez-y bien. J'attends pour me déterminer...

MONIME

Non, seigneur, vainement vous croyez m'étonner.
Je vous connais; je sais tout ce que je m'apprête,
Et je vois quels malheurs j'assemble sur ma tête.
Mais le dessein est pris, rien ne peut m'ébranler.
Jugez-en, puisque ainsi je vous ose parler,
Et m'emporte au-delà de cette modestie
Dont jusqu'à ce moment je n'étais point sortie.
Vous vous êtes servi de ma funeste main
Pour mettre à votre fils un poignard dans le sein.
De ses feux innocents j'ai trahi le mystère,
Et quand il n'en perdrait que l'amour de son père,
Il en mourra, Seigneur. Ma foi ni mon amour
Ne seront point le prix d'un si cruel détour.
Après cela, jugez. Perdez une rebelle;
Armez-vous du pouvoir qu'on vous donna sur elle :
J'attendrai mon arrêt, vous pouvez commander.
Tout ce qu'en vous quittant j'ose vous demander,
Croyez (à la vertu je dois cette justice)
Que je vous trahis seule, et n'ai point de complice,
Et que d'un plein succès vos vœux seraient suivis,
Si j'en croyais, Seigneur, les vœux de votre fils.

SCÈNE V. — MITHRIDATE

Elle me quitte! Et moi, dans un lâche silence,
Je semble de sa fuite approuver l'insolence?
Peu s'en faut que mon cœur, penchant de son côté,
Ne me condamne encor de trop de cruauté!
Qui suis-je? Est-ce Monime? Et suis-je Mithridate?

Non, non, plus de pardon, plus d'amour pour l'ingrate.
Ma colère revient, et je me reconnois :
Immolons, en partant, trois ingrats à la fois.
Je vais à Rome, et c'est par de tels sacrifices
Qu'il faut à ma fureur rendre les dieux propices.
Je le dois, je le puis; ils n'ont plus de support :
Les plus séditieux sont déjà loin du bord.
Sans distinguer entre eux qui je hais ou qui j'aime,
Allons, et commençons par Xipharès lui-même.
Mais quelle est ma fureur? et qu'est-ce que je dis?
Tu vas sacrifier... qui, malheureux? Ton fils!
Un fils que Rome craint, qui peut venger son père?
Pourquoi répandre un sang qui m'est si nécessaire?
Ah! dans l'état funeste où ma chute m'a mis,
Est-ce que mon malheur m'a laissé trop d'amis?
Songeons plutôt, songeons à gagner sa tendresse :
J'ai besoin d'un vengeur, et non d'une maîtresse.
Quoi! ne vaut-il pas mieux, puisqu'il faut m'en priver,
La céder à ce fils que je veux conserver?
Cédons-la. Vains efforts, qui ne font que m'instruire
Des faiblesses d'un cœur qui cherche à se séduire!
Je brûle, je l'adore; et loin de la bannir...
Ah! c'est un crime encor dont je la veux punir [21].
Quelle pitié retient mes sentiments timides?
N'en ai-je pas déjà puni de moins perfides?
O Monime, ô mon fils! Inutile courroux!
Et vous, heureux Romains, quel triomphe pour vous,
Si vous saviez ma honte, et qu'un avis fidèle
De mes lâches combats vous portât la nouvelle!
Quoi! des plus chères mains craignant les trahisons,
J'ai pris soin de m'armer contre tous les poisons;
J'ai su, par une longue et pénible industrie,
Des plus mortels venins prévenir la furie :
Ah! qu'il eût mieux valu, plus sage et plus heureux,
Et repoussant les traits d'un amour dangereux,
Ne pas laisser remplir d'ardeurs empoisonnées
Un cœur déjà glacé par le froid des années!
De ce trouble fatal par où dois-je sortir?

SCÈNE VI. — MITHRIDATE, ARBATE

ARBATE

Seigneur, tous vos soldats refusent de partir.

Pharnace les retient, Pharnace leur révèle
Que vous cherchez à Rome une guerre nouvelle.

MITHRIDATE

Pharnace?

ARBATE

Il a séduit ses gardes les premiers,
Et le seul nom de Rome étonne les plus fiers.
De mille affreux périls ils se forment l'image.
Les uns avec transport embrassent le rivage,
Les autres qui partaient s'élancent dans les flots,
Ou présentent leurs dards aux yeux des matelots.
Le désordre est partout; et loin de nous entendre,
Ils demandent la paix, et parlent de se rendre.
Pharnace est à leur tête, et flattant leurs souhaits,
De la part des Romains il leur promet la paix.

MITHRIDATE

Ah le traître! Courez : Qu'on appelle son frère;
Qu'il me suive, qu'il vienne au secours de son père.

ARBATE

J'ignore son dessein, mais un soudain transport
L'a déjà fait descendre et courir vers le port,
Et l'on dit que suivi d'un gros d'amis fidèles,
On l'a vu se mêler au milieu des rebelles.
C'est tout ce que j'en sais.

MITHRIDATE

Ah! qu'est-ce que j'entends?
Perfides, ma vengeance a tardé trop longtemps!
Mais je ne vous crains point : Malgré leur insolence,
Les mutins n'oseraient soutenir ma présence.
Je ne veux que les voir, je ne veux qu'à leurs yeux
Immoler de ma main deux fils audacieux.

SCÈNE VII. — MITHRIDATE, ARBATE, ARCAS

ARCAS

Seigneur, tout est perdu. Les rebelles, Pharnace,
Les Romains, sont en foule autour de cette place.

MITHRIDATE

Les Romains!

ARCAS

De Romains le rivage est chargé,
Et bientôt dans ces murs vous êtes assiégé.

MITHRIDATE

Ciel! Courons.
(A Arcas[22]*.)*
Écoutez... Du malheur qui me presse
Tu ne jouiras pas, infidèle princesse.

ACTE CINQUIÈME

SCÈNE I. — MONIME, PHŒDIME

PHŒDIME

Madame, où courez-vous? Quels aveugles transports
Vous font tenter sur vous de criminels efforts?
Hé quoi! vous avez pu, trop cruelle à vous-même,
Faire un affreux lien d'un sacré diadème?
Ah! ne voyez-vous pas que les dieux plus humains
Ont eux-mêmes rompu ce bandeau dans vos mains?

MONIME

Hé! par quelle fureur obstinée à me suivre
Toi-même malgré moi veux-tu me faire vivre?
Xipharès ne vit plus. Le roi désespéré
Lui-même n'attend plus qu'un trépas assuré.
Quel fruit te promets-tu de ta coupable audace?
Perfide, prétends-tu me livrer à Pharnace?

PHŒDIME

Ah! du moins attendez qu'un fidèle rapport
De son malheureux frère ait confirmé la mort.
Dans la confusion que nous venons d'entendre,
Les yeux peuvent-ils pas aisément se méprendre?
D'abord, vous le savez, un bruit injurieux
Le rangeait du parti d'un camp séditieux;
Maintenant on vous dit que ces mêmes rebelles
Ont tourné contre lui leurs armes criminelles.
Jugez de l'un par l'autre, et daignez écouter...

MONIME

Xipharès ne vit plus, il n'en faut point douter.
L'événement n'a point démenti mon attente.
Quand je n'en aurais pas la nouvelle sanglante,

Il est mort, et j'en ai pour garants trop certains
Son courage et son nom trop suspects aux Romains.
Ah ! que d'un si beau sang dès longtemps altérée
Rome tient maintenant sa victoire assurée !
Quel ennemi son bras leur allait opposer !
Mais sur qui, malheureuse, oses-tu t'excuser ?
Quoi ? tu ne veux pas voir que c'est toi qui l'opprimes,
Et dans tous ses malheurs reconnaître tes crimes ?
De combien d'assassins l'avais-je enveloppé !
Comment à tant de coups serait-il échappé ?
Il évitait en vain les Romains et son frère :
Ne le livrais-je pas aux fureurs de son père ?
C'est moi qui les rendant l'un de l'autre jaloux,
Vins allumer le feu qui les embrase tous,
Tison de la discorde, et fatale furie,
Que le démon [23] de Rome a formée et nourrie.
Et je vis ? Et j'attends que de leur sang baigné,
Pharnace des Romains revienne accompagné,
Qu'il étale à mes yeux sa parricide joie !
La mort au désespoir ouvre plus d'une voie.
Oui, cruelles [24], en vain vos injustes secours
Me ferment du tombeau les chemins les plus courts ;
Je trouverai la mort jusque dans vos bras même.
Et toi, fatal tissu, malheureux diadème,
Instrument et témoin de toutes mes douleurs,
Bandeau que mille fois j'ai trempé de mes pleurs,
Au moins, en terminant ma vie et mon supplice,
Ne pouvais-tu me rendre un funeste service ?
A mes tristes regards, va, cesse de t'offrir :
D'autres armes sans toi sauront me secourir,
Et périsse le jour et la main meurtrière
Qui jadis sur mon front t'attacha la première !

PHŒDIME

On vient, Madame, on vient ; et j'espère qu'Arcas,
Pour bannir vos frayeurs porte vers vous ses pas.

SCÈNE II. — MONIME, PHŒDIME, ARCAS

MONIME

En est-ce fait, Arcas ? et le cruel Pharnace...

ARCAS

Ne me demandez rien de tout ce qui se passe,

Madame : on m'a chargé d'un plus funeste emploi,
Et ce poison vous dit la volonté du roi.

PHŒDIME

Malheureuse princesse !

MONIME

Ah ! quel comble de joie !
Donnez. Dites, Arcas, au roi qui me l'envoie,
Que de tous les présents que m'a faits sa bonté,
Je reçois le plus cher et le plus souhaité.
A la fin je respire; et le ciel me délivre
Des secours importuns qui me forçaient de vivre.
Maîtresse de moi-même, il veut bien qu'une fois
Je puisse de mon sort disposer à mon choix.

PHŒDIME

Hélas !

MONIME

Retiens tes cris, et par d'indignes larmes
De cet heureux moment ne trouble point les charmes.
Si tu m'aimais, Phœdime, il fallait me pleurer
Quand d'un titre funeste on me vint honorer,
Et lorsque m'arrachant du doux sein de la Grèce,
Dans ce climat barbare on traîna ta maîtresse,
Retourne maintenant chez ces peuples heureux,
Et, si mon nom encor s'est conservé chez eux,
Dis-leur ce que tu vois, et de toute ma gloire,
Phœdime, conte-leur la malheureuse histoire.
Et toi, qui de ce cœur dont tu fus adoré,
Par un jaloux destin fus toujours séparé,
Héros, avec qui même en terminant ma vie,
Je n'ose en un tombeau demander d'être unie,
Reçois ce sacrifice, et puisse en ce moment
Ce poison expier le sang de mon amant !

SCÈNE III. — MONIME, ARBATE, PHŒDIME, ARCAS

ARBATE

Arrêtez ! arrêtez !

ARCAS

Que faites-vous, Arbate?

ARBATE

Arrêtez ! j'accomplis l'ordre de Mithridate.

MONIME

Ah ! laissez-moi...

ARBATE, *jetant le poison.*

Cessez, vous dis-je, et laissez-moi,
Madame, exécuter les volontés du roi.
Vivez. Et vous, Arcas, du succès de mon zèle,
Courez à Mithridate apprendre la nouvelle.

SCÈNE IV. — MONIME, ARBATE, PHŒDIME

MONIME

Ah ! trop cruel Arbate, à quoi m'exposez-vous ?
Est-ce qu'on croit encor mon supplice trop doux ?
Et le roi, m'enviant une mort si soudaine [25],
Veut-il plus d'un trépas pour contenter sa haine ?

ARBATE

Vous l'allez voir paraître ; et j'ose m'assurer
Que vous-même avec moi vous allez le pleurer.

MONIME

Quoi ! le roi...

ARBATE

Le roi touche à son heure dernière,
Madame, et ne voit plus qu'un reste de lumière.
Je l'ai laissé sanglant, porté par des soldats,
Et Xipharès en pleurs accompagne leurs pas.

MONIME

Xipharès ? Ah, grands dieux ! Je doute si je veille,
Et n'ose qu'en tremblant en croire mon oreille.
Xipharès vit encor ! Xipharès, que mes pleurs...

ARBATE

Il vit chargé de gloire, accablé de douleurs.
De sa mort en ces lieux la nouvelle semée
Ne vous a pas vous seule et sans cause alarmée.
Les Romains, qui partout l'appuyaient par des cris,
Ont par ce bruit fatal glacé tous les esprits.
Le roi, trompé lui-même, en a versé des larmes,
Et désormais certain du malheur de ses armes,
Par un rebelle fils de toutes parts pressé,

Sans espoir de secours tout prêt d'être forcé,
Et voyant pour surcroît de douleur et de haine,
Parmi ses étendards porter l'aigle romaine,
Il n'a plus aspiré qu'à s'ouvrir des chemins
Pour éviter l'affront de tomber dans leurs mains.
D'abord il a tenté les atteintes mortelles
Des poisons que lui-même a crus les plus fidèles;
Il les a trouvés tous sans force et sans vertu.
« Vain secours, a-t-il dit, que j'ai trop combattu!
« Contre tous les poisons soigneux de me défendre,
« J'ai perdu tout le fruit que j'en pouvais attendre.
« Essayons maintenant des secours plus certains,
« Et cherchons un trépas plus funeste aux Romains. »
Il parle, et défiant leurs nombreuses cohortes,
Du palais à ces mots il fait ouvrir les portes.
A l'aspect de ce front dont la noble fureur
Tant de fois dans leurs rangs répandit la terreur,
Vous les eussiez vus tous, retournant en arrière,
Laisser entre eux et nous une large carrière;
Et déjà quelques-uns couraient épouvantés
Jusque dans les vaisseaux qui les ont apportés.
Mais, le dirai-je? ô ciel! rassurés par Pharnace,
Et la honte en leurs cœurs réveillant leur audace,
Ils reprennent courage, ils attaquent le roi,
Qu'un reste de soldats défendait avec moi.
Qui pourrait exprimer par quels faits incroyables,
Quels coups accompagnés de regards effroyables,
Son bras, se signalant pour la dernière fois,
A de ce grand héros terminé les exploits?
Enfin, las et couvert de sang et de poussière,
Il s'était fait de morts une noble barrière.
Un autre bataillon s'est avancé vers nous :
Les Romains, pour le joindre, ont suspendu leurs coups.
Ils voulaient tous ensemble accabler Mithridate.
Mais lui : « C'en est assez, m'a-t-il dit, cher Arbate;
« Le sang et la fureur m'emportent trop avant,
« Ne livrons pas surtout Mithridate vivant ».
Aussitôt dans son sein il plonge son épée.
Mais la mort fuit encor sa grande âme trompée.
Ce héros dans mes bras est tombé tout sanglant,
Faible, et qui s'irritait contre un trépas si lent,
Et se plaignant à moi de ce reste de vie,

Il soulevait encor sa main appesantie,
Et marquant à mon bras la place de son cœur,
Semblait d'un coup plus sûr implorer la faveur.
Tandis que, possédé de ma douleur extrême,
Je songe bien plutôt à me percer moi-même,
De grands cris ont soudain attiré mes regards;
J'ai vu, qui l'aurait cru? j'ai vu de toutes parts
Vaincus et renversés les Romains et Pharnace,
Fuyant vers leurs vaisseaux, abandonner la place,
Et le vainqueur, vers nous s'avançant de plus près,
A mes yeux éperdus a montré Xipharès.

MONIME

Juste ciel!

ARBATE

Xipharès, toujours resté fidèle,
Et qu'au fort du combat une troupe rebelle,
Par ordre de son frère, avait enveloppé,
Mais qui d'entre leurs bras à la fin échappé,
Força les plus mutins, et regagnant le reste,
Heureux et plein de joie, en ce moment funeste,
A travers mille morts, ardent, victorieux,
S'était fait vers son père un chemin glorieux.
Jugez de quelle horreur cette joie est suivie.
Son bras aux pieds du roi l'allait jeter sans vie,
Mais on court, on s'oppose à son emportement.
Le roi m'a regardé dans ce triste moment,
Et m'a dit, d'une voix qu'il poussait avec peine :
« S'il en est temps encor, cours, et sauve la reine ».
Ces mots m'ont fait trembler pour vous, pour Xipharès.
J'ai craint, j'ai soupçonné quelques ordres secrets.
Tout lassé que j'étais, ma frayeur et mon zèle
M'ont donné pour courir une force nouvelle;
Et malgré nos malheurs, je me tiens trop heureux
D'avoir paré le coup qui vous perdait tous deux.

MONIME

Ah! que de tant d'horreurs justement étonnée,
Je plains de ce grand roi la triste destinée!
Hélas! et plût aux dieux qu'à son sort inhumain
Moi-même j'eusse pu ne point prêter la main,
Et que simple témoin du malheur qui l'accable,
Je le pusse pleurer sans en être coupable!

Il vient. Quel nouveau trouble excite en mes esprits
Le sang du père, ô ciel ! et les larmes du fils !

SCÈNE DERNIÈRE. — MITHRIDATE, MONIME, XIPHARÈS, ARBATE, PHŒDIME, ARCAS, GARDES *qui soutiennent Mithridate.*

MONIME

Ah ! que vois-je, Seigneur, et quel sort est le vôtre !

MITHRIDATE

Cessez et retenez vos larmes l'un et l'autre.
Mon sort de *(en montrant Xipharès)* [26] sa tendresse et de
[votre amitié
Veut d'autres sentiments que ceux de la pitié,
Et ma gloire, plutôt digne d'être admirée,
Ne doit point par des pleurs être déshonorée.
J'ai vengé l'univers autant que je l'ai pu :
La mort dans ce projet m'a seule interrompu.
Ennemi des Romains et de la tyrannie,
Je n'ai point de leur joug subi l'ignominie,
Et j'ose me flatter qu'entre les noms fameux
Qu'une pareille haine a signalés contre eux,
Nul ne leur a plus fait acheter la victoire,
Ni de jours malheureux plus rempli leur histoire.
Le ciel n'a pas voulu qu'achevant mon dessein,
Rome en cendre me vît expirer dans son sein;
Mais au moins quelque joie en mourant me console :
J'expire environné d'ennemis que j'immole;
Dans leur sang odieux, j'ai pu tremper les mains,
Et mes derniers regards ont vu fuir les Romains.
A mon fils Xipharès je dois cette fortune;
Il épargne à ma mort leur présence importune.
Que ne puis-je payer ce service important
De tout ce que mon trône eut de plus éclatant !
Mais vous me tenez lieu d'empire, de couronne;
Vous seule me restez : souffrez que je vous donne,
Madame, et tous ces vœux que j'exigeais de vous,
Mon cœur pour Xipharès vous les demande tous.

MONIME

Vivez, Seigneur, vivez, pour le bonheur du monde,
Et pour sa liberté, qui sur vous seul se fonde;

Vivez pour triompher d'un ennemi vaincu,
Pour venger...

MITHRIDATE

C'en est fait, Madame, et j'ai vécu.
Mon fils, songez à vous : gardez-vous de prétendre
Que de tant d'ennemis vous puissiez vous défendre.
Bientôt tous les Romains, de leur honte irrités,
Viendront ici sur vous fondre de tous côtés.
Ne perdez point le temps que vous laisse leur fuite
A rendre à mon tombeau des soins dont je vous quitte.
Tant de Romains sans vie, en cent lieux dispersés,
Suffisent à ma cendre et l'honorent assez.
Cachez-leur pour un temps vos noms et votre vie.
Allez, réservez-vous...

XIPHARÈS

Moi, Seigneur, que je fuie!
Que Pharnace impuni, les Romains triomphants,
N'éprouvent pas bientôt...

MITHRIDATE

Non, je vous le défends.
Tôt ou tard il faudra que Pharnace périsse.
Fiez-vous aux Romains du soin de son supplice [27].
Mais je sens affaiblir ma force et mes esprits;
Je sens que je me meurs. Approchez-vous, mon fils :
Dans cet embrassement dont la douceur me flatte,
Venez, et recevez l'âme de Mithridate.

MONIME

Il expire.

XIPHARÈS

Ah! madame, unissons nos douleurs,
Et par tout l'univers cherchons-lui des vengeurs.

IPHIGÉNIE

TRAGÉDIE [1]

IPHIGÉNIE

Iphigénie est une œuvre de cour. La tragédie a été représentée pour la première fois à Versailles le 18 août 1674, au cinquième jour des *Divertissements* royaux qui célébraient la conquête de la Franche-Comté. Le théâtre avait été élevé par Clinchamp, gardien de la Salle des Machines aux Tuileries, « au bout de l'allée qui va à l'orangerie ». Les éléments du somptueux décor de la pièce sont connus par une description de Félibien. Ils provenaient de la Salle des Machines, et étaient l'œuvre de l'Italien Vigarani : orangers, grenadiers, vases de porcelaines, statues dorées, candélabres et guéridons d'or et d'argent, balustres, bassins et portiques de marbre composaient un ensemble « pompeux », digne du sujet aussi bien que du souverain victorieux qui avait commandé ces nouvelles fêtes. La troupe était celle de l'Hôtel de Bourgogne, avec la Champmeslé dans le rôle d'Iphigénie. Au cours des mêmes divertissements, les spectateurs avaient pu applaudir à l'*Alceste* de Quinault et Lulli, créée au cours de la saison précédente et jouée ici dans la cour de Marbre, au *Malade Imaginaire,* repris sur un autre théâtre dressé dans le parc, et aux *Fêtes de l'Amour et de Bacchus,* qui constituaient en 1668 le divertissement final de *George Dandin,* et qu'on redonna dans l'allée du château d'eau. La création d'*Iphigénie* faisait donc de Racine le successeur de Molière et l'émule de Lulli dans les fêtes de Versailles. Paris connut la nouvelle tragédie quatre ou cinq mois plus tard. Elle succédait sur la scène de l'Hôtel à *Suréna,* la dernière œuvre de Corneille. Son éclatant succès éclipsa celui, fort médiocre, du vieux rival. L'impression, en mars 1675, ne devait pas le démentir.

Racine a été « doublé » pour cette tragédie par l'œuvre de Leclerc et Coras, annoncée dès le début de 1675 et représentée le 24 mai au théâtre Guénégaud. Il semble que Racine ait tout mis en œuvre pour interrompre la carrière de cette pièce, qui n'eut d'ailleurs que cinq représentations. L'histoire d'*Iphigénie,* enfin, est inséparable d'une querelle littéraire touchant à la comparaison entre tragédie moderne et tragédie euripidéenne; mais, qu'il s'agisse des *Entretiens sur les tragédies de ce temps* de l'abbé de Villiers ou des pages de Pierre Perrault et de Racine lui-même sur *Alceste,* les échanges de douceurs qu'on y rencontre constituent moins des attaques personnelles que les premières passes d'armes de ce qu'on appellera la Querelle des Anciens et des Modernes.

Dans *Iphigénie,* Racine entendait toucher la sensibilité des spectateurs sans faire appel au merveilleux outré qui caractérisait alors l'opéra. Il y est parvenu. Tous les témoignages du temps concordent sur ce point, et confirment les vers fameux de Boileau, dans l'*Épître VII,* sur les « pleurs » que firent verser Racine et la Champmeslé aux représentations de la tragédie. Mais le poète avait dû résoudre la quadrature du cercle pour se passer du miracle final, que Rotrou avait gardé, et que la sensibilité moderne, au moins depuis *Jephthes* de Buchanan (vers 1540) et *Abraham* de Théodore de Bèze (1550), pouvait adopter comme un thème biblique. Pausanias lui fournit heureusement l'idée de substituer à cette fille trop vertueuse pour qu'on la sacrifiât (conformément au précepte aristotélicien) une fille d'Hélène et de Thésée, assez obscure pour laisser au poète français la liberté de la présenter comme « ni tout à fait bonne, ni tout à fait méchante ».

L'histoire racontée par Racine reste imprégnée de l'atmosphère religieuse antique. Il ne pouvait passer sous silence, sous peine de détruire son sujet, ni le « miracle » du calme des eaux, ni l'oracle, ni les songes évoqués dès la première scène. Il a eu encore l'élégance de rappeler comme un on-dit, aux derniers vers de la pièce, une descente de Diane « jusque sur le bûcher ». Enfin la tradition tragique française l'autorisait à prêter à ses personnages des pressentiments (v. 581) et des prophéties involontaires (v. 1265 et suiv., v. 1650). Tout cela ressortit, cependant, à la poétique plutôt qu'à l'invention. Nombreux sont en revanche les moments où Racine paraît mettre en doute l'existence même des dieux, ou du moins l'intérêt qu'ils prennent à la vie des mortels. S'ils sont justes, ils ne sauraient réclamer la mort d'une innocente, et l'oracle doit être réinterprété; si l'oracle est véridique, on est en droit de se révolter contre la Nemesis divine, ou d'en appeler à « quelque dieu plus doux » (v. 336), ou enfin de « faire rougir » le ciel (v. 1242) par une hauteur stoïcienne digne de l'Œdipe de Corneille.

Si l'on considère d'autre part la suite des démarches d'Agamemnon, le jeu joué par Achille, les divers desseins d'Ériphile, la tragédie apparaît comme une œuvre tout humaine, où n'entrent en compte que l'ambition, l'amour et la vengeance, c'est-à-dire les trois passions tragiques fondamentales.

Pourtant ces passions sont vécues par des demi-dieux, conscients du reste d'appartenir à la frange qui sépare le monde humain du monde divin. Agamemnon et Clytemnestre descendent de Jupiter (v. 19). Achille attend de ses exploits à venir l'accession à l'immortalité, espoir que lui permet son ascendance divine (v. 259 et suiv.). Surtout, l'aventure vécue par eux, telle que la présente Racine en tout cas, prend une signification providentielle. Au dénouement, il apparaît que les dieux ont tout conduit, et que les renoncements et les apparents échecs des protagonistes étaient le prix d'une réconciliation entre le ciel et la terre. Par un détour Racine y retrouve la doctrine du sacrifice biblique et l'esprit même de l'*Abraham* de Bèze. La mort d'Ériphile efface la faute d'Hélène et assure l'appui des dieux à l'entreprise des Grecs. De même, dans la théologie chrétienne, l'obéissance, le sacrifice et le regret des fautes assurent l'amitié entre Dieu et l'homme. Racine a-t-il songé, comme l'a suggéré René Jasinski, à la « conversion » du Roi et à la retraite de Mlle de La Vallière chez les Carmélites? Sans aller jusqu'à une interprétation aussi précise, il est permis de voir dans *Iphigénie* une sorte de mystère symbolique, dont le schéma général et peut-être la signification religieuse annonceraient quinze années à l'avance ceux des drames bibliques.

J. M.

PRÉFACE

Il n'y a rien de plus célèbre dans les poètes que le sacrifice d'Iphigénie. Mais ils ne s'accordent pas tous ensemble sur les plus importantes particularités de ce sacrifice. Les uns, comme Eschyle dans *Agamemnon,* Sophocle dans *Électra,* et après eux Lucrèce, Horace et beaucoup d'autres, veulent qu'on ait en effet répandu le sang d'Iphigénie, fille d'Agamemnon, et qu'elle soit morte en Aulide. Il ne faut que lire Lucrèce, au commencement de son premier livre :

« Aulide quo pacto Triviaï virginis aram
« Iphianassa turparunt sanguine fœde
« Ductores Danaum, etc.

Et Clytemnestre dit, dans Eschyle, qu'Agamemnon son mari qui vient d'expirer, rencontrera dans les enfers Iphigénie, sa fille, qu'il a autrefois immolée.

D'autres ont feint que Diane, ayant eu pitié de cette jeune princesse, l'avait enlevée et portée dans la Tauride, au moment qu'on l'allait sacrifier, et que la déesse avait fait trouver en sa place ou une biche, ou une autre victime de cette nature. Euripide a suivi cette fable, et Ovide l'a mise au nombre des métamorphoses.

Il y a une troisième opinion, qui n'est pas moins ancienne que les deux autres, sur Iphigénie. Plusieurs auteurs, et entre autres Stésichorus, l'un des plus fameux et des plus anciens poètes lyriques, ont écrit qu'il était bien vrai qu'une princesse de ce nom avait été sacrifiée, mais que cette Iphigénie était une fille qu'Hélène avait eue de Thésée. Hélène, disent ces auteurs, ne l'avait osé avouer pour sa fille, parce qu'elle n'osait déclarer à Ménélas qu'elle eût été mariée en secret avec Thésée. Pausanias * rapporte

* Corinth., p. 125.

et le témoignage et les noms des poètes qui ont été de ce sentiment, et il ajoute que c'était la créance commune de tout le pays d'Argos.

Homère enfin, le père des poètes, a si peu prétendu qu'Iphigénie, fille d'Agamemnon, eût été sacrifiée en Aulide, ou transportée dans la Scythie que, dans le neuvième livre de l'*Iliade,* c'est-à-dire près de dix ans depuis l'arrivée des Grecs devant Troie, Agamemnon fait offrir en mariage à Achille sa fille Iphigénie, qu'il a, dit-il, laissée à Mycène, dans sa maison.

J'ai rapporté tous ces avis si différents, et surtout le passage de Pausanias, parce que c'est à cet auteur que je dois l'heureux personnage d'Ériphile, sans lequel je n'aurais jamais osé entreprendre cette tragédie. Quelle apparence que j'eusse souillé la scène par le meurtre horrible d'une personne aussi vertueuse et aussi aimable qu'il fallait représenter Iphigénie? Et quelle apparence encore de dénouer ma tragédie par le secours d'une déesse et d'une machine, et par une métamorphose, qui pouvait bien trouver quelque créance du temps d'Euripide, mais qui serait trop absurde et trop incroyable parmi nous?

Je puis dire donc que j'ai été très heureux de trouver dans les anciens cette autre Iphigénie, que j'ai pu représenter telle qu'il m'a plu, et qui, tombant dans le malheur où cette amante jalouse voulait précipiter sa rivale, mérite en quelque façon d'être punie, sans être pourtant tout à fait indigne de compassion. Ainsi le dénouement de la pièce est tiré du fond même de la pièce, et il ne faut que l'avoir vu représenter pour comprendre quel plaisir j'ai fait au spectateur, et en sauvant à la fin une princesse vertueuse pour qui il s'est si fort intéressé dans le cours de la tragédie, et en la sauvant par une autre voie que par un miracle qu'il n'aurait pu souffrir, parce qu'il ne le saurait jamais croire.

Le voyage d'Achille à Lesbos, dont ce héros se rend maître, et d'où il enlève Ériphile avant que de venir en Aulide, n'est pas non plus sans fondement. Euphorion de Chalcide, poète très connu parmi les anciens et dont Virgile et Quintilien * font une mention honorable, parlait de ce voyage de Lesbos. Il disait dans un de ses poèmes, au rapport de Parthénius, qu'Achille avait fait la conquête de cette île avant que de joindre l'armée des Grecs, et qu'il y avait même trouvé une princesse qui s'était éprise d'amour pour lui.

Voilà les principales choses en quoi je me suis un peu éloigné de l'économie et de la fable d'Euripide. Pour ce qui regarde les passions, je me suis attaché à le suivre plus exactement. J'avoue que je lui dois un bon nombre des endroits qui ont été le plus approuvés dans ma tragédie. Et je l'avoue d'autant plus volontiers, que ces approbations m'ont confirmé dans l'estime et

* *Egl.* X — Instit., lib. X.

dans la vénération que j'ai toujours eues pour les ouvrages qui nous restent de l'Antiquité. J'ai reconnu avec plaisir, par l'effet qu'a produit sur notre théâtre tout ce que j'ai imité ou d'Homère ou d'Euripide, que le bon sens et la raison étaient les mêmes dans tous les siècles. Le goût de Paris s'est trouvé conforme à celui d'Athènes. Mes spectateurs ont été émus des mêmes choses qui ont mis autrefois en larmes le plus savant peuple de la Grèce, et qui ont fait dire qu'entre les poètes, Euripide était extrêmement tragique, τραγικώτατος, c'est-à-dire qu'il avait merveilleusement excité la compassion et la terreur, qui sont les véritables effets de la tragédie.

Je m'étonne, après cela, que des modernes aient témoigné depuis tant de dégoût pour ce grand poète, dans le jugement qu'ils ont fait de son *Alceste*. Il ne s'agit point ici de l'*Alceste*. Mais en vérité j'ai trop d'obligation à Euripide pour ne pas prendre quelque soin de sa mémoire, et pour laisser échapper l'occasion de le réconcilier avec ces messieurs. Je m'assure qu'il n'est si mal dans leur esprit que parce qu'ils n'ont pas bien lu l'ouvrage sur lequel ils l'ont condamné. J'ai choisi la plus importante de leurs objections, pour leur montrer que j'ai raison de parler ainsi. Je dis la plus importante de leurs objections, car ils la répètent à chaque page, et ils ne soupçonnent pas seulement que l'on puisse répliquer.

Il y a dans l'*Alceste* d'Euripide une scène merveilleuse, où Alceste qui se meurt et qui ne peut plus se soutenir, dit à son mari les derniers adieux. Admète, tout en larmes, la prie de reprendre ses forces, et de ne se point abandonner elle-même. Alceste, qui a l'image de la mort devant les yeux, lui parle ainsi :

> Je vois déjà la rame et la barque fatale;
> J'entends le vieux nocher sur la rive infernale.
> Impatient, il crie : « On t'attend ici-bas;
> « Tout est prêt, descends, viens, ne me retarde pas ».

J'aurais souhaité de pouvoir exprimer dans ces vers les grâces qu'ils ont dans l'original; mais au moins en voilà le sens. Voici comme ces messieurs les ont entendus. Il leur est tombé entre les mains une malheureuse édition d'Euripide, où l'imprimeur a oublié de mettre dans le latin à côté de ces vers un *Al.,* qui signifie que c'est Alceste qui parle, et à côté des vers suivants un *Ad.,* qui signifie que c'est Admète qui répond. Là-dessus, il leur est venu dans l'esprit la plus étrange pensée du monde. Ils ont mis dans la bouche d'Admète les paroles qu'Alceste dit à Admète, et celles qu'elle se fait dire par Caron. Ainsi ils supposent qu'Admète, quoiqu'il soit en parfaite santé, *pense voir déjà Caron qui le vient prendre,* et au lieu que, dans ce passage d'Euripide, Caron impatient presse Alceste de le venir trouver, selon ces messieurs, c'est Admète effrayé qui est l'impatient, et qui presse

Alceste d'expirer de peur que Caron ne le prenne. *Il l'exhorte* ce sont leurs termes, *à avoir courage, à ne pas faire une lâcheté, et à mourir de bonne grâce ; il interrompt les adieux d'Alceste pour lui dire de se dépêcher de mourir.* Peu s'en faut, à les entendre, qu'il ne la fasse mourir lui-même. Ce sentiment leur a paru *fort vilain,* et ils ont raison. Il n'y a personne qui n'en fût très scandalisé. Mais comment l'ont-ils pu attribuer à Euripide? En vérité, quand toutes les autres éditions où cet *Al.* n'a point été oublié ne donneraient pas un démenti au malheureux imprimeur qui les a trompés, la suite de ces quatre vers, et tous les discours qu'Admète tient dans la même scène, étaient plus que suffisants pour les empêcher de tomber dans une erreur si déraisonnable, car Admète, bien éloigné de presser Alceste de mourir, s'écrie que « toutes les morts ensemble lui seraient moins cruelles que de la « voir dans l'état où il la voit. Il la conjure de l'entraîner avec elle; « il ne peut plus vivre si elle meurt. Il vit en elle, il ne respire que « pour elle ».

Ils ne sont pas plus heureux dans les autres objections. Ils disent, par exemple, qu'Euripide a fait deux *époux surannés* d'Admète et d'Alceste, que l'un est un *vieux mari,* et l'autre *une princesse déjà sur l'âge.* Euripide a pris soin de leur répondre en un seul vers, où il fait dire par le chœur qu'Alceste, toute jeune, et dans la première fleur de son âge, expire pour son jeune époux.

Ils reprochent encore à Alceste qu'elle a deux grands enfants à marier. Comment n'ont-ils point lu le contraire en cent endroits, et surtout dans ce beau récit où l'on dépeint Alceste « mourante au milieu de ses deux petits enfants qui la tirent, en pleurant, par la robe, et qu'elle prend sur ses bras l'un après l'autre pour les baiser »?

Tout le reste de leurs critiques est à peu près de la force de celle-ci. Mais je crois qu'en voilà assez pour la défense de mon auteur. Je conseille à ces messieurs de ne plus décider si légèrement sur les ouvrages des Anciens. Un homme tel qu'Euripide méritait au moins qu'ils l'examinassent, puisqu'ils avaient envie de le condamner. Ils devaient se souvenir de ces sages paroles de Quintilien : « Il faut être extrêmement circonspect et très « retenu à prononcer sur les ouvrages de ces grands hommes, de « peur qu'il ne nous arrive, comme à plusieurs, de condamner ce « que nous n'entendons pas. Et s'il faut tomber dans quelque « excès, encore vaut-il mieux pécher en admirant tout dans leurs « écrits, qu'en y blâmant beaucoup de choses ». *Modeste tamen et « circumspecto judicio de tantis viris pronuntiandum est, ne (quod « plerisque accidit) damnent quæ non intelligunt. Ac si necesse est in « alteram errare partem, omnia eorum legentibus placere quam multa « displicere maluerim* ».

ACTEURS

AGAMEMNON.
ACHILLE.
ULYSSE.
CLYTEMNESTRE, femme d'Agamemnon.
IPHIGÉNIE, fille d'Agamemnon.
ÉRIPHILE, fille d'Hélène et de Thésée.
ARCAS, EURYBATE, } domestiques d'Agamemnon.
ÆGINE, femme de la suite de Clytemnestre.
DORIS, confidente d'Ériphile.
TROUPE DE GARDES.

La scène est en Aulide, dans la tente d'Agamemnon.

IPHIGÉNIE

ACTE PREMIER

SCÈNE I. — AGAMEMNON, ARCAS

AGAMEMNON

Oui, c'est Agamemnon, c'est ton roi qui t'éveille :
Viens, reconnais la voix qui frappe ton oreille.

ARCAS

C'est vous-même, Seigneur! Quel important besoin
Vous a fait devancer l'aurore de si loin?
A peine un faible jour vous éclaire et me guide.
Vos yeux seuls et les miens sont ouverts dans l'Aulide.
Avez-vous dans les airs entendu quelque bruit?
Les vents nous auraient-ils exaucés cette nuit?
Mais tout dort, et l'armée, et les vents, et Neptune.

AGAMEMNON

Heureux qui, satisfait de son humble fortune,
Libre du joug superbe où je suis attaché,
Vit dans l'état obscur où les dieux l'ont caché [3]!

ARCAS

Et depuis quand, Seigneur, tenez-vous ce langage?
Comblé de tant d'honneurs, par quel secret outrage
Les dieux, à vos désirs toujours si complaisants,
Vous font-ils méconnaître et haïr leurs présents?
Roi, père, époux heureux, fils du puissant Atrée,
Vous possédez des Grecs la plus riche contrée.
Du sang de Jupiter issu de tous côtés,
L'hymen vous lie encore aux dieux dont vous sortez :
Le jeune Achille enfin, vanté par tant d'oracles,
Achille, à qui le ciel promet tant de miracles,
Recherche votre fille, et d'un hymen si beau
Veut dans Troie embrasée allumer le flambeau.
Quelle gloire, Seigneur, quels triomphes égalent
Le spectacle pompeux que ces bords vous étalent,
Tous ces mille vaisseaux qui, chargés de vingt rois,
N'attendent que les vents pour partir sous vos lois?

Ce long calme, il est vrai, retarde vos conquêtes;
Ces vents depuis trois mois enchaînés sur nos têtes
D'Ilion trop longtemps vous ferment le chemin.
Mais parmi tant d'honneurs, vous êtes homme enfin :
Tandis que vous vivrez, le sort, qui toujours change,
Ne vous a point promis un bonheur sans mélange.
Bientôt... Mais quels malheurs dans ce billet tracés
Vous arrachent, Seigneur, les pleurs que vous versez?
Votre Oreste au berceau va-t-il finir sa vie?
Pleurez-vous Clytemnestre, ou bien Iphigénie?
Qu'est-ce qu'on vous écrit? Daignez m'en avertir.

AGAMEMNON

Non, tu ne mourras point; je n'y puis consentir.

ARCAS

Seigneur...

AGAMEMNON

Tu vois mon trouble; apprends ce qui le cause,
Et juge s'il est temps, ami, que je repose.
Tu te souviens du jour qu'en Aulide assemblés
Nos vaisseaux par les vents semblaient être appelés.
Nous partions, et déjà, par mille cris de joie,
Nous menacions de loin les rivages de Troie.
Un prodige étonnant fit taire ce transport :
Le vent qui nous flattait nous laissa dans le port.
Il fallut s'arrêter, et la rame inutile
Fatigua vainement une mer immobile.
Ce miracle inouï me fit tourner les yeux
Vers la divinité qu'on adore en ces lieux.
Suivi de Ménélas, de Nestor et d'Ulysse,
J'offris sur ses autels un secret sacrifice.
Quelle fut sa réponse! et quel devins-je, Arcas,
Quand j'entendis ces mots prononcés par Calchas :
« Vous armez contre Troie une puissance vaine,
« Si, dans un sacrifice auguste et solennel,
« Une fille du sang d'Hélène,
« De Diane en ces lieux n'ensanglante l'autel.
« Pour obtenir les vents que le ciel vous dénie,
« Sacrifiez Iphigénie ».

ARCAS

Votre fille!

AGAMEMNON

Surpris, comme tu peux penser,
Je sentis dans mon corps tout mon sang se glacer.
Je demeurai sans voix, et n'en repris l'usage
Que par mille sanglots qui se firent passage.
Je condamnai les dieux, et sans plus rien ouïr,
Fis vœu sur leurs autels de leur désobéir [4].
Que n'en croyais-je alors ma tendresse alarmée?
Je voulais sur-le-champ congédier l'armée.
Ulysse, en apparence, approuvant mes discours,
De ce premier torrent laissa passer le cours.
Mais bientôt, rappelant sa cruelle industrie,
Il me représenta l'honneur et la patrie,
Tout ce peuple, ces rois à mes ordres soumis,
Et l'empire d'Asie à la Grèce promis.
De quel front, immolant tout l'État à ma fille,
Roi sans gloire, j'irais vieillir dans ma famille.
Moi-même (je l'avoue avec quelque pudeur)
Charmé de mon pouvoir, et plein de ma grandeur,
Ce nom de roi des rois et de chef de la Grèce
Chatouillait de mon cœur l'orgueilleuse faiblesse.
Pour comble de malheur, les dieux toutes les nuits,
Dès qu'un léger sommeil suspendait mes ennuis,
Vengeant de leurs autels le sanglant privilège,
Me venaient reprocher ma pitié sacrilège,
Et présentant la foudre à mon esprit confus,
Le bras déjà levé, menaçaient mes refus.
Je me rendis, Arcas; et vaincu par Ulysse,
De ma fille, en pleurant, j'ordonnai le supplice.
Mais des bras d'une mère il fallait l'arracher.
Quel funeste artifice il me fallut chercher!
D'Achille, qui l'aimait, j'empruntai le langage.
J'écrivis en Argos, pour hâter ce voyage,
Que ce guerrier, pressé de partir avec nous,
Voulait revoir ma fille, et partir son époux.

ARCAS

Et ne craignez-vous point l'impatient Achille?
Avez-vous prétendu que, muet et tranquille,
Ce héros, qu'armera l'amour et la raison,
Vous laisse pour ce meurtre [5] abuser de son nom?
Verra-t-il à ses yeux son amante immolée?

AGAMEMNON

Achille était absent; et son père Pélée,
D'un ennemi voisin redoutant les efforts,
L'avait, tu t'en souviens, rappelé de ces bords;
Et cette guerre, Arcas, selon toute apparence,
Aurait dû plus longtemps prolonger son absence.
Mais qui peut dans sa course arrêter ce torrent?
Achille va combattre et triomphe en courant;
Et ce vainqueur, suivant de près sa renommée,
Hier avec la nuit arriva dans l'armée.
Mais des nœuds plus puissants me retiennent le bras;
Ma fille qui s'approche, et court à son trépas,
Qui loin de soupçonner un arrêt si sévère,
Peut-être s'applaudit des bontés de son père,
Ma fille... Ce nom seul, dont les droits sont si saints,
Sa jeunesse, mon sang, n'est pas ce que je plains.
Je plains mille vertus, une amour mutuelle,
Sa piété pour moi, ma tendresse pour elle,
Un respect qu'en son cœur rien ne peut balancer,
Et que j'avais promis de mieux récompenser.
Non, je ne croirai point, ô ciel, que ta justice
Approuve la fureur de ce noir sacrifice.
Tes oracles sans doute ont voulu m'éprouver,
Et tu me punirais si j'osais l'achever [6].
Arcas, je t'ai choisi pour cette confidence;
Il faut montrer ici ton zèle et ta prudence.
La reine, qui dans Sparte avait connu ta foi,
T'a placé dans le rang que tu tiens près de moi.
Prends cette lettre; cours au-devant de la reine;
Et suis sans t'arrêter le chemin de Mycène.
Dès que tu la verras, défends-lui d'avancer,
Et rends-lui ce billet que je viens de tracer.
Mais ne t'écarte point; prends un fidèle guide.
Si ma fille une fois met le pied dans l'Aulide,
Elle est morte : Calchas, qui l'attend en ces lieux,
Fera taire nos pleurs, fera parler les dieux;
Et la religion, contre nous irritée,
Par les timides Grecs sera seule écoutée,
Ceux même dont ma gloire aigrit l'ambition
Réveilleront leur brigue et leur prétention,
M'arracheront peut-être un pouvoir qui les blesse...
Va, dis-je, sauve-la de ma propre faiblesse.

Mais surtout ne va point, par un zèle indiscret,
Découvrir à ses yeux mon funeste secret.
Que s'il se peut, ma fille, à jamais abusée,
Ignore à quel péril je l'avais exposée.
D'une mère en fureur épargne-moi les cris,
Et que ta voix s'accorde avec ce que j'écris.
Pour renvoyer la fille et la mère offensée,
Je leur écris qu'Achille a changé de pensée,
Et qu'il veut désormais jusques à son retour
Différer cet hymen que pressait son amour.
Ajoute, tu le peux, que des froideurs d'Achille
On accuse en secret cette jeune Ériphile
Que lui-même captive amena de Lesbos,
Et qu'auprès de ma fille on garde dans Argos.
C'est leur en dire assez : le reste, il le faut taire.
Déjà le jour plus grand nous frappe et nous éclaire,
Déjà même l'on entre et j'entends quelque bruit.
C'est Achille. Va, pars. Dieux ! Ulysse le suit !

SCÈNE II. — AGAMEMNON, ACHILLE, ULYSSE

AGAMEMNON

Quoi ! Seigneur, se peut-il que d'un cours si rapide
La victoire vous ait ramené dans l'Aulide?
D'un courage naissant sont-ce là les essais?
Quels triomphes suivront de si nobles succès !
La Thessalie entière, ou vaincue ou calmée,
Lesbos même conquise en attendant l'armée,
De toute autre valeur éternels monuments,
Ne sont d'Achille oisif que les amusements.

ACHILLE

Seigneur, honorez moins une faible conquête,
Et que puisse bientôt le ciel qui nous arrête
Ouvrir un champ plus noble à ce cœur excité
Par le prix glorieux dont vous l'avez flatté !
Mais cependant, Seigneur, que faut-il que je croie
D'un bruit qui me surprend et me comble de joie?
Daignez-vous avancer le succès de mes vœux?
Et bientôt des mortels suis-je le plus heureux?
On dit qu'Iphigénie en ces lieux amenée,
Doit bientôt à son sort unir ma destinée.

AGAMEMNON

Ma fille? Qui vous dit qu'on la doit amener?

ACHILLE

Seigneur, qu'a donc ce bruit qui vous doive étonner?

AGAMEMNON, *à Ulysse*

Saurait-il mon funeste artifice?
Juste ciel!

ULYSSE

Seigneur, Agamemnon s'étonne avec justice.
Songez-vous aux malheurs qui nous menacent tous?
O ciel! pour un hymen quel temps choisissez-vous?
Tandis qu'à nos vaisseaux la mer toujours fermée
Trouble toute la Grèce et consume l'armée,
Tandis que, pour fléchir l'inclémence des dieux,
Il faut du sang peut-être, et du plus précieux,
Achille seul, Achille à son amour s'applique?
Voudrait-il insulter à la crainte publique,
Et que le chef des Grecs, irritant les destins,
Préparât d'un hymen la pompe et les festins?
Ah! Seigneur, est-ce ainsi que votre âme attendrie
Plaint le malheur des Grecs, et chérit la patrie?

ACHILLE

Dans les champs phrygiens les effets feront foi
Qui la chérit le plus, ou d'Ulysse ou de moi;
Jusque-là je vous laisse étaler votre zèle;
Vous pouvez à loisir faire des vœux pour elle.
Remplissez les autels d'offrandes et de sang,
Des victimes vous-même interrogez le flanc;
Du silence des vents demandez-leur la cause :
Mais moi, qui de ce soin sur Calchas me repose,
Souffrez, Seigneur, souffrez que je coure hâter
Un hymen dont les dieux ne sauraient s'irriter.
Transporté d'une ardeur qui ne peut être oisive,
Je rejoindrai bientôt les Grecs sur cette rive.
J'aurais trop de regret si quelque autre guerrier
Au rivage troyen descendait le premier.

AGAMEMNON

O ciel! pourquoi faut-il que ta secrète envie
Ferme à de tels héros le chemin de l'Asie?

N'aurai-je vu briller cette noble chaleur
Que pour m'en retourner avec plus de douleur?

ULYSSE

Dieux! qu'est-ce que j'entends?

ACHILLE

Seigneur, qu'osez-vous dire?

AGAMEMNON

Qu'il faut, Princes, qu'il faut que chacun se retire;
Que d'un crédule espoir trop longtemps abusés,
Nous attendons les vents qui nous sont refusés.
Le ciel protège Troie, et par trop de présages
Son courroux nous défend d'en chercher les passages.

ACHILLE

Quels présages affreux nous marquent son courroux?

AGAMEMNON

Vous-même consultez ce qu'il prédit de vous.
Que sert de se flatter? On sait qu'à votre tête
Les dieux ont d'Ilion attaché la conquête;
Mais on sait que, pour prix d'un triomphe si beau,
Ils ont aux champs troyens marqué votre tombeau,
Que votre vie, ailleurs et longue et fortunée,
Devant Troie en sa fleur doit être moissonnée.

ACHILLE

Ainsi, pour vous venger, tant de rois assemblés
D'un opprobre éternel retourneront comblés,
Et Pâris, couronnant son insolente flamme,
Retiendra sans péril la sœur de votre femme!

AGAMEMNON

Hé quoi! votre valeur, qui nous a devancés,
N'a-t-elle pas pris soin de nous venger assez?
Les malheurs de Lesbos, par vos mains ravagée,
Épouvantent encor toute la mer Égée :
Troie en a vu la flamme, et jusque dans ses ports,
Les flots en ont poussé les débris et les morts.
Que dis-je? les Troyens pleurent une autre Hélène
Que vous avez captive envoyée à Mycène.
Car, je n'en doute point, cette jeune beauté
Garde en vain un secret que trahit sa fierté,

Et son silence même, accusant sa noblesse,
Nous dit qu'elle nous cache une illustre princesse.

ACHILLE

Non, non, tous ces détours sont trop ingénieux.
Vous lisez de trop loin dans le secret des dieux.
Moi, je m'arrêterais à de vaines menaces?
Et je fuirais l'honneur qui m'attend sur vos traces?
Les Parques à ma mère, il est vrai, l'ont prédit,
Lorsqu'un époux mortel fut reçu dans son lit :
Je puis choisir, dit-on, ou beaucoup d'ans sans gloire,
Ou peu de jours suivis d'une longue mémoire.
Mais puisqu'il faut enfin que j'arrive au tombeau,
Voudrais-je, de la terre inutile fardeau,
Trop avare d'un sang reçu d'une déesse,
Attendre chez mon père une obscure vieillesse,
Et toujours de la gloire évitant le sentier,
Ne laisser aucun nom, et mourir tout entier?
Ah! ne nous formons point ces indignes obstacles;
L'honneur parle, il suffit : ce sont là nos oracles.
Les dieux sont de nos jours les maîtres souverains;
Mais, Seigneur, notre gloire est dans nos propres mains,
Pourquoi nous tourmenter de leurs ordres suprêmes?
Ne songeons qu'à nous rendre immortels comme eux-mêmes,
Et laissant faire au sort, courons où la valeur
Nous promet un destin aussi grand que le leur [7].
C'est à Troie, et j'y cours; et quoi qu'on me prédise,
Je ne demande aux dieux qu'un vent qui m'y conduise,
Et quand moi seul enfin il faudrait l'assiéger,
Patrocle et moi, Seigneur, nous irons vous venger.
Mais non, c'est en vos mains que le destin la livre;
Je n'aspire en effet qu'à l'honneur de vous suivre.
Je ne vous presse plus d'approuver les transports
D'un amour qui m'allait éloigner de ces bords :
Ce même amour, soigneux de votre renommée,
Veut qu'ici mon exemple encourage l'armée,
Et me défend surtout de vous abandonner
Aux timides conseils qu'on ose vous donner.

SCÈNE III. — AGAMEMNON, ULYSSE

ULYSSE

Seigneur, vous entendez : quelque prix qu'il en coûte
Il veut voler à Troie et poursuivre sa route.

Nous craignions son amour; et lui-même aujourd'hui
Par une heureuse erreur nous arme contre lui.

AGAMEMNON

Hélas!

ULYSSE

De ce soupir que faut-il que j'augure?
Du sang qui se révolte est-ce quelque murmure?
Croirai-je qu'une nuit a pu vous ébranler?
Est-ce donc votre cœur qui vient de nous parler?
Songez-y : vous devez votre fille à la Grèce,
Vous nous l'avez promise; et sur cette promesse,
Calchas, par tous les Grecs consulté chaque jour,
Leur a prédit des vents l'infaillible retour.
A ses prédictions si l'effet est contraire,
Pensez-vous que Calchas continue à se taire,
Que ses plaintes, qu'en vain vous voudrez apaiser,
Laissent mentir les dieux sans vous en accuser?
Et qui sait ce qu'aux Grecs, frustrés de leur victime,
Peut permettre un courroux qu'ils croiront légitime?
Gardez-vous de réduire un peuple furieux,
Seigneur, à prononcer entre vous et les dieux.
N'est-ce pas vous enfin de qui la voix pressante
Nous a tous appelés aux campagnes du Xante,
Et qui de ville en ville attestiez les serments
Que d'Hélène autrefois firent tous les amants,
Quand presque tous les Grecs, rivaux de votre frère,
La demandaient en foule à Tyndare son père?
De quelque heureux époux que l'on dût faire choix,
Nous jurâmes dès lors de défendre ses droits;
Et si quelque insolent lui volait sa conquête,
Nos mains du ravisseur lui promirent la tête.
Mais sans vous, ce serment que l'amour a dicté,
Libres de cet amour, l'aurions-nous respecté?
Vous seul, nous arrachant à de nouvelles flammes,
Nous avez fait laisser nos enfants et nos femmes.
Et quand, de toutes parts assemblés en ces lieux,
L'honneur de vous venger brille seul à nos yeux,
Quand la Grèce, déjà vous donnant son suffrage,
Vous reconnaît l'auteur de ce fameux ouvrage,
Que ses rois, qui pouvaient vous disputer ce rang,
Sont prêts pour vous servir de verser tout leur sang,

Le seul Agamemnon, refusant la victoire,
N'ose d'un peu de sang acheter tant de gloire?
Et dès le premier pas se laissant effrayer,
Ne commande les Grecs que pour les renvoyer [8]?

AGAMEMNON

Ah, Seigneur! qu'éloigné du malheur qui m'opprime
Votre cœur aisément se montre magnanime!
Mais que si vous voyiez ceint du bandeau mortel
Votre fils Télémaque approcher de l'autel,
Nous vous verrions, troublé de cette affreuse image,
Changer bientôt en pleurs ce superbe langage,
Éprouver la douleur que j'éprouve aujourd'hui,
Et courir vous jeter entre Calchas et lui!
Seigneur, vous le savez, j'ai donné ma parole,
Et si ma fille vient, je consens qu'on l'immole.
Mais, malgré tous mes soins, si son heureux destin
La retient dans Argos, ou l'arrête en chemin,
Souffrez que sans presser ce barbare spectacle,
En faveur de mon sang j'explique cet obstacle,
Que j'ose pour ma fille accepter le secours
De quelque dieu plus doux qui veille sur ses jours.
Vos conseils sur mon cœur n'ont eu que trop d'empire,
Et je rougis...

SCÈNE IV. — AGAMEMNON, ULYSSE, EURYBATE

EURYBATE

Seigneur...

AGAMEMNON

Ah! que vient-on me dire?

EURYBATE

La reine, dont ma course a devancé les pas,
Va remettre bientôt sa fille entre vos bras.
Elle approche. Elle s'est quelque temps égarée
Dans ces bois qui du camp semblent cacher l'entrée.
A peine nous avons, dans leur obscurité,
Retrouvé le chemin que nous avions quitté [9].

AGAMEMNON

Ciel!

EURYBATE

Elle amène aussi cette jeune Ériphile,

Que Lesbos a livrée entre les mains d'Achille,
Et qui de son destin qu'elle ne connaît pas
Vient, dit-elle, en Aulide interroger Calchas.
Déjà de leur abord la nouvelle est semée,
Et déjà de soldats une foule charmée,
Surtout d'Iphigénie admirant la beauté,
Pousse au ciel mille vœux pour sa félicité.
Les uns avec respect environnaient la reine;
D'autres me demandaient le sujet qui l'amène;
Mais tous ils confessaient que si jamais les dieux
Ne mirent sur le trône un roi plus glorieux,
Également comblé de leurs faveurs secrètes,
Jamais père ne fut plus heureux que vous l'êtes.

AGAMEMNON

Eurybate, il suffit. Vous pouvez nous laisser;
Le reste me regarde, et je vais y penser.

SCÈNE V. — AGAMEMNON, ULYSSE

AGAMEMNON

Juste ciel, c'est ainsi qu'assurant ta vengeance
Tu romps tous les ressorts de ma vaine prudence!
Encor si je pouvais, libre dans mon malheur,
Par des larmes au moins soulager ma douleur!
Triste destin des rois! Esclaves que nous sommes
Et des rigueurs du sort et des discours des hommes,
Nous nous voyons sans cesse assiégés de témoins,
Et les plus malheureux osent pleurer le moins!

ULYSSE

Je suis père, Seigneur, et faible comme un autre.
Mon cœur se met sans peine en la place du vôtre,
Et frémissant du coup qui vous fait soupirer,
Loin de blâmer vos pleurs, je suis prêt de pleurer.
Mais votre amour n'a plus d'excuse légitime;
Les dieux ont à Calchas amené leur victime;
Il le sait, il l'attend, et s'il la voit tarder,
Lui-même à haute voix viendra la demander.
Nous sommes seuls encor : hâtez-vous de répandre
Des pleurs que vous arrache un intérêt si tendre;
Pleurez ce sang, pleurez; ou plutôt, sans pâlir,
Considérez l'honneur qui doit en rejaillir :
Voyez tout l'Hellespont blanchissant sous nos rames,

Et la perfide Troie abandonnée aux flammes,
Ses peuples dans vos fers, Priam à vos genoux,
Hélène par vos mains rendue à son époux.
Voyez de vos vaisseaux les poupes couronnées
Dans cette même Aulide avec vous retournées,
Et ce triomphe heureux qui s'en va devenir
L'éternel entretien des siècles à venir.

AGAMEMNON

Seigneur, de mes efforts je connais l'impuissance.
Je cède et laisse aux dieux opprimer l'innocence.
La victime bientôt marchera sur vos pas,
Allez. Mais cependant faites taire Calchas;
Et m'aidant à cacher ce funeste mystère,
Laissez-moi de l'autel écarter une mère.

ACTE DEUXIÈME

SCÈNE I. — ÉRIPHILE, DORIS

ÉRIPHILE

Ne les contraignons point, Doris, retirons-nous.
Laissons-les dans les bras d'un père et d'un époux,
Et tandis qu'à l'envi leur amour se déploie,
Mettons en liberté ma tristesse et leur joie.

DORIS

Quoi, Madame! toujours irritant vos douleurs,
Croirez-vous ne plus voir que des sujets de pleurs?
Je sais que tout déplaît aux yeux d'une captive,
Qu'il n'est point dans les fers de plaisir qui la suive.
Mais dans le temps fatal que repassant les flots,
Nous suivions malgré nous le vainqueur de Lesbos,
Lorsque dans son vaisseau, prisonnière timide,
Vous voyiez devant vous ce vainqueur homicide,
Le dirai-je? vos yeux, de larmes moins trempés,
A pleurer vos malheurs étaient moins occupés.
Maintenant tout vous rit : l'aimable Iphigénie
D'une amitié sincère avec vous est unie;
Elle vous plaint, vous voit avec des yeux de sœur,
Et vous seriez dans Troie avec moins de douceur [10].
Vous vouliez voir l'Aulide où son père l'appelle,
Et l'Aulide vous voit arriver avec elle.
Cependant, par un sort que je ne conçois pas,
Votre douleur redouble et croît à chaque pas.

ÉRIPHILE

Hé quoi ! te semble-t-il que la triste Ériphile
Doive être de leur joie un témoin si tranquille?
Crois-tu que mes chagrins doivent s'évanouir
A l'aspect d'un bonheur dont je ne puis jouir?
Je vois Iphigénie entre les bras d'un père;
Elle fait tout l'orgueil d'une superbe mère;
Et moi, toujours en butte à de nouveaux dangers,
Remise dès l'enfance en des bras étrangers,
Je reçus et je vois le jour que je respire,
Sans que père ni mère ait daigné me sourire.
J'ignore qui je suis, et pour comble d'horreur
Un oracle effrayant m'attache à mon erreur,
Et quand je veux chercher le sang qui m'a fait naître,
Me dit que sans périr je ne me puis connaître.

DORIS

Non, non, jusques au bout vous devez le chercher.
Un oracle toujours se plaît à se cacher,
Toujours avec un sens il en présente un autre.
En perdant un faux nom vous reprendrez le vôtre.
C'est là tout le danger que vous pouvez courir;
Et c'est peut-être ainsi que vous devez périr.
Songez que votre nom fut changé dès l'enfance.

ÉRIPHILE

Je n'ai de tout mon sort que cette connaissance,
Et ton père, du reste infortuné témoin,
Ne me permit jamais de pénétrer plus loin.
Hélas ! dans cette Troie où j'étais attendue,
Ma gloire, disait-il, m'allait être rendue;
J'allais, en reprenant et mon nom et mon rang,
Des plus grands rois en moi reconnaître le sang.
Déjà je découvrais cette fameuse ville;
Le ciel mène à Lesbos l'impitoyable Achille :
Tout cède, tout ressent ses funestes efforts;
Ton père, enseveli dans la foule des morts,
Me laisse dans les fers à moi-même inconnue,
Et de tant de grandeurs dont j'étais prévenue,
Vile esclave des Grecs, je n'ai pu conserver
Que la fierté d'un sang que je ne puis prouver.

DORIS

Ah! que perdant, Madame, un témoin si fidèle,
La main qui vous l'ôta vous doit sembler cruelle!
Mais Calchas est ici, Calchas si renommé,
Qui des secrets des dieux fut toujours informé.
Le ciel souvent lui parle : instruit par un tel maître,
Il sait tout ce qui fut et tout ce qui doit être.
Pourrait-il de vos jours ignorer les auteurs?
Ce camp même est pour vous tout plein de protecteurs.
Bientôt Iphigénie, en épousant Achille,
Vous va sous son appui présenter un asile;
Elle vous l'a promis et juré devant moi;
Ce gage est le premier qu'elle attend de sa foi.

ÉRIPHILE

Que dirais-tu, Doris, si passant tout le reste
Cet hymen de mes maux était le plus funeste?

DORIS

Quoi, Madame?

ÉRIPHILE

Tu vois avec étonnement
Que ma douleur ne souffre aucun soulagement.
Écoute, et tu te vas étonner que je vive.
C'est peu d'être étrangère, inconnue et captive :
Ce destructeur fatal des tristes Lesbiens,
Cet Achille, l'auteur de tes maux et des miens,
Dont la sanglante main m'enleva prisonnière,
Qui m'arracha d'un coup ma naissance et ton père,
De qui jusques au nom tout doit m'être odieux,
Est de tous les mortels le plus cher à mes yeux.

DORIS

Ah! que me dites-vous!

ÉRIPHILE

Je me flattais sans cesse
Qu'un silence éternel cacherait ma faiblesse;
Mais mon cœur trop pressé m'arrache ce discours,
Et te parle une fois pour se taire toujours.
Ne me demande point sur quel espoir fondée
De ce fatal amour je me vis possédée.
Je n'en accuse point quelques feintes douleurs
Dont je crus voir Achille honorer mes malheurs.

Le ciel s'est fait sans doute une joie inhumaine
A rassembler sur moi tous les traits de sa haine.
Rappellerai-je encor le souvenir affreux
Du jour qui dans les fers nous jeta toutes deux?
Dans les cruelles mains par qui je fus ravie
Je demeurai longtemps sans lumière et sans vie.
Enfin mes tristes yeux cherchèrent la clarté;
Et me voyant presser d'un bras ensanglanté,
Je frémissais, Doris, et d'un vainqueur sauvage
Craignais de rencontrer l'effroyable visage.
J'entrai dans son vaisseau, détestant sa fureur,
Et toujours détournant ma vue avec horreur.
Je le vis : son aspect n'avait rien de farouche;
Je sentis le reproche expirer dans ma bouche,
Je sentis contre moi mon cœur se déclarer,
J'oubliai ma colère, et ne sus que pleurer.
Je me laissai conduire à cet aimable guide.
Je l'aimais à Lesbos, et je l'aime en Aulide.
Iphigénie en vain s'offre à me protéger,
Et me tend une main prompte à me soulager :
Triste effet des fureurs dont je suis tourmentée,
Je n'accepte la main qu'elle m'a présentée
Que pour m'armer contre elle, et sans me découvrir,
Traverser son bonheur que je ne puis souffrir.

DORIS

Et que pourrait contre elle une impuissante haine?
Ne valait-il pas mieux, renfermée à Mycène,
Éviter les tourments que vous venez chercher,
Et combattre des feux contraints de se cacher?

ÉRIPHILE

Je le voulais, Doris. Mais quelque triste image
Que sa gloire à mes yeux montrât sur ce rivage,
Au sort qui me traînait il fallut consentir :
Une secrète voix m'ordonna de partir,
Me dit qu'offrant ici ma présence importune,
Peut-être j'y pourrais porter mon infortune;
Que peut-être, approchant ces amants trop heureux,
Quelqu'un de mes malheurs se répandrait sur eux.
Voilà ce qui m'amène, et non l'impatience
D'apprendre à qui je dois une triste naissance.
Ou plutôt leur hymen me servira de loi :

S'il s'achève, il suffit; tout est fini pour moi;
Je périrai, Doris, et par une mort prompte,
Dans la nuit du tombeau j'enfermerai ma honte,
Sans chercher des parents si longtemps ignorés,
Et que ma folle amour a trop déshonorés.

DORIS

Que je vous plains, Madame! et que la tyrannie...

ÉRIPHILE

Tu vois Agamemnon avec Iphigénie.

SCÈNE II. — AGAMEMNON, IPHIGÉNIE, ÉRIPHILE, DORIS

IPHIGÉNIE

Seigneur, où courez-vous? et quels empressements
Vous dérobent sitôt à nos embrassements?
A qui dois-je imputer cette fuite soudaine?
Mon respect a fait place aux transports de la reine [11];
Un moment à mon tour ne vous puis-je arrêter?
Et ma joie à vos yeux n'ose-t-elle éclater?
Ne puis-je...

AGAMEMNON

Eh bien, ma fille, embrassez votre père;
Il vous aime toujours.

IPHIGÉNIE

Que cette amour m'est chère!
Quel plaisir de vous voir et de vous contempler
Dans ce nouvel éclat dont je vous vois briller!
Quels honneurs! Quel pouvoir! Déjà la renommée
Par d'étonnants récits m'en avait informée;
Mais que voyant de près ce spectacle charmant,
Je sens croître ma joie et mon étonnement!
Dieux! avec quel amour la Grèce vous révère!
Quel bonheur de me voir la fille d'un tel père!

AGAMEMNON

Vous méritiez, ma fille, un père plus heureux.

IPHIGÉNIE

Quelle félicité peut manquer à vos vœux?
A de plus grands honneurs un roi peut-il prétendre?
J'ai cru n'avoir au ciel que des grâces à rendre.

AGAMEMNON

Grands dieux! à son malheur dois-je la préparer?

IPHIGÉNIE

Vous vous cachez, Seigneur, et semblez soupirer;
Tous vos regards sur moi ne tombent qu'avec peine.
Avons-nous sans votre ordre abandonné Mycène?

AGAMEMNON

Ma fille, je vous vois toujours des mêmes yeux;
Mais les temps sont changés, aussi bien que les lieux.
D'un soin cruel ma joie est ici combattue.

IPHIGÉNIE

Hé! mon père, oubliez votre rang à ma vue,
Je prévois la rigueur d'un long éloignement.
N'osez-vous sans rougir être père un moment?
Vous n'avez devant vous qu'une jeune princesse
A qui j'avais pour moi vanté votre tendresse.
Cent fois lui promettant mes soins, votre bonté,
J'ai fait gloire à ses yeux de ma félicité.
Que va-t-elle penser de votre indifférence?
Ai-je flatté ses vœux d'une fausse espérance?
N'éclaircirez-vous point ce front chargé d'ennuis?

AGAMEMNON

Ah! ma fille!

IPHIGÉNIE

Seigneur, poursuivez.

AGAMEMNON

Je ne puis.

IPHIGÉNIE

Périsse le Troyen auteur de nos alarmes!

AGAMEMNON

Sa perte à ses vainqueurs coûtera bien des larmes.

IPHIGÉNIE

Les dieux daignent surtout prendre soin de vos jours!

AGAMEMNON

Les dieux depuis un temps me sont cruels et sourds.

IPHIGÉNIE

Calchas, dit-on, prépare un pompeux sacrifice?

AGAMEMNON

Puissé-je auparavant fléchir leur injustice!

IPHIGÉNIE

L'offrira-t-on bientôt?

AGAMEMNON

Plus tôt que je ne veux.

IPHIGÉNIE

Me sera-t-il permis de me joindre à vos vœux?
Verra-t-on à l'autel votre heureuse famille?

AGAMEMNON

Hélas!

IPHIGÉNIE

Vous vous taisez!

AGAMEMNON

Vous y serez, ma fille.
Adieu.

SCÈNE III. — IPHIGÉNIE, ÉRIPHILE, DORIS

IPHIGÉNIE

De cet accueil que dois-je soupçonner?
D'une secrète horreur je me sens frissonner.
Je crains, malgré moi-même, un malheur que j'ignore.
Justes dieux, vous savez pour qui je vous implore [12]!

ÉRIPHILE

Quoi! parmi tous les soins qui doivent l'accabler,
Quelque froideur suffit pour vous faire trembler!
Hélas! à quels soupirs suis-je donc condamnée,
Moi qui de mes parents toujours abandonnée,
Étrangère partout, n'ai pas même en naissant,
Peut-être reçu d'eux un regard caressant!
Du moins, si vos respects sont rejetés d'un père,
Vous en pouvez gémir dans le sein d'une mère,
Et de quelque disgrâce enfin que vous pleuriez,
Quels pleurs par un amant ne sont point essuyés?

IPHIGÉNIE

Je ne m'en défends point : mes pleurs, belle Ériphile,
Ne tiendront pas longtemps contre les soins d'Achille;
Sa gloire, son amour, mon père, mon devoir,
Lui donnent sur mon âme un trop juste pouvoir.

Mais de lui-même ici que faut-il que je pense?
Cet amant, pour me voir brûlant d'impatience,
Que les Grecs de ces bords ne pouvaient arracher,
Qu'un père de si loin m'ordonne de chercher,
S'empresse-t-il assez pour jouir d'une vue
Qu'avec tant de transports je croyais attendue?
Pour moi, depuis deux jours qu'approchant de ces lieux,
Leur aspect souhaité se découvre à nos yeux,
Je l'attendais partout; et d'un regard timide
Sans cesse parcourant les chemins de l'Aulide,
Mon cœur pour le chercher volait loin devant moi,
Et je demande Achille à tout ce que je voi.
Je viens, j'arrive enfin sans qu'il m'ait prévenue.
Je n'ai percé qu'à peine une foule inconnue;
Lui seul ne paraît point. Le triste Agamemnon
Semble craindre à mes yeux de prononcer son nom.
Que fait-il? Qui pourra m'expliquer ce mystère?
Trouverai-je l'amant glacé comme le père?
Et les soins de la guerre auraient-ils en un jour
Éteint dans tous les cœurs la tendresse et l'amour?
Mais non; c'est l'offenser par d'injustes alarmes.
C'est à moi que l'on doit le secours de ses armes.
Il n'était point à Sparte entre tous ces amants
Dont le père d'Hélène a reçu les serments :
Lui seul de tous les Grecs maître de sa parole,
S'il part contre Ilion, c'est pour moi qu'il y vole;
Et satisfait d'un prix qui lui semble si doux,
Il veut même y porter le nom de mon époux [13].

SCÈNE IV. — CLYTEMNESTRE, IPHIGÉNIE, ÉRIPHILE, DORIS

CLYTEMNESTRE

Ma fille, il faut partir sans que rien nous retienne,
Et sauver en fuyant votre gloire et la mienne.
Je ne m'étonne plus qu'interdit et distrait
Votre père ait paru nous revoir à regret.
Aux affronts d'un refus craignant de vous commettre,
Il m'avait par Arcas envoyé cette lettre.
Arcas s'est vu trompé par notre égarement,
Et vient de me la rendre en ce même moment.
Sauvons, encore un coup, notre gloire offensée :
Pour votre hymen Achille a changé de pensée,

Et refusant l'honneur qu'on lui veut accorder,
Jusques à son retour il veut le retarder.

ÉRIPHILE

Qu'entends-je?

CLYTEMNESTRE

Je vous vois rougir de cet outrage.
Il faut d'un noble orgueil armer votre courage.
Moi-même, de l'ingrat approuvant le dessein,
Je vous l'ai dans Argos présenté de ma main,
Et mon choix, que flattait le bruit de sa noblesse,
Vous donnait avec joie au fils d'une déesse.
Mais puisque désormais son lâche repentir
Dément le sang des dieux, dont on le fait sortir [14],
Ma fille, c'est à nous de montrer qui nous sommes,
Et de ne voir en lui que le dernier des hommes.
Lui ferons-nous penser, par un plus long séjour,
Que vos vœux de son cœur attendent le retour?
Rompons avec plaisir un hymen qu'il diffère.
J'ai fait de mon dessein avertir votre père;
Je ne l'attends ici que pour m'en séparer,
Et pour ce prompt départ je vais tout préparer.
(A Ériphile.)
Je ne vous presse point, Madame, de nous suivre;
En de plus chères mains ma retraite vous livre.
De vos desseins secrets on est trop éclairci,
Et ce n'est pas Calchas que vous cherchez ici.

SCÈNE V. — IPHIGÉNIE, ÉRIPHILE, DORIS

IPHIGÉNIE

En quel funeste état ces mots m'ont-ils laissée!
Pour mon hymen Achille a changé de pensée!
Il me faut sans honneur retourner sur mes pas;
Et vous cherchez ici quelque autre que Calchas?

ÉRIPHILE

Madame, à ce discours je ne puis rien comprendre.

IPHIGÉNIE

Vous m'entendez assez, si vous voulez m'entendre.
Le sort injurieux me ravit un époux;
Madame, à mon malheur m'abandonnerez-vous?
Vous ne pouviez sans moi demeurer à Mycène;
Me verra-t-on sans vous partir avec la reine?

ÉRIPHILE

Je voulais voir Calchas avant que de partir.

IPHIGÉNIE

Que tardez-vous, Madame, à le faire avertir?

ÉRIPHILE

D'Argos, dans un moment, vous reprenez la route.

IPHIGÉNIE

Un moment quelquefois éclaircit plus d'un doute.
Mais, Madame, je vois que c'est trop vous presser;
Je vois ce que jamais je n'ai voulu penser :
Achille... Vous brûlez que je ne sois partie.

ÉRIPHILE

Moi? Vous me soupçonnez de cette perfidie?
Moi, j'aimerais, Madame, un vainqueur furieux,
Qui toujours tout sanglant se présente à mes yeux?
Qui, la flamme à la main et de meurtres avide,
Mit en cendres Lesbos...

IPHIGÉNIE

Oui, vous l'aimez, perfide!
Et ces mêmes fureurs que vous me dépeignez,
Ces bras que dans le sang vous avez vus baignés,
Ces morts, cette Lesbos, ces cendres, cette flamme,
Sont les traits dont l'amour l'a gravé dans votre âme,
Et loin d'en détester le cruel souvenir,
Vous vous plaisez encore à m'en entretenir.
Déjà plus d'une fois, dans vos plaintes forcées,
J'ai dû voir, et j'ai vu, le fond de vos pensées;
Mais toujours sur mes yeux ma facile bonté
A remis le bandeau que j'avais écarté.
Vous l'aimez. Que faisais-je? et quelle erreur fatale
M'a fait entre mes bras recevoir ma rivale?
Crédule, je l'aimais; mon cœur même aujourd'hui
De son parjure amant lui promettait l'appui.
Voilà donc le triomphe où j'étais amenée!
Moi-même à votre char je me suis enchaînée.
Je vous pardonne, hélas! des vœux intéressés,
Et la perte d'un cœur que vous me ravissez.
Mais que sans m'avertir du piège qu'on me dresse,
Vous me laissiez chercher jusqu'au fond de la Grèce

L'ingrat qui ne m'attend que pour m'abandonner,
Perfide, cet affront se peut-il pardonner?

ÉRIPHILE

Vous me donnez des noms qui doivent me surprendre,
Madame : on ne m'a pas instruite à les entendre;
Et les dieux, contre moi dès longtemps indignés,
A mon oreille encor les avaient épargnés.
Mais il faut des amants excuser l'injustice.
Et de quoi vouliez-vous que je vous avertisse?
Avez-vous pu penser qu'au sang d'Agamemnon
Achille préférât une fille sans nom,
Qui de tout son destin ce qu'elle a pu comprendre,
C'est qu'elle sort d'un sang qu'il brûle de répandre?

IPHIGÉNIE

Vous triomphez, cruelle, et bravez ma douleur.
Je n'avais pas encor senti tout mon malheur,
Et vous ne comparez votre exil et ma gloire,
Que pour mieux relever votre injuste victoire.
Toutefois vos transports sont trop précipités.
Ce même Agamemnon à qui vous insultez,
Il commande à la Grèce, il est mon père, il m'aime,
Il ressent mes douleurs beaucoup plus que moi-même.
Mes larmes par avance avaient su le toucher;
J'ai surpris ses soupirs qu'il me voulait cacher.
Hélas! de son accueil condamnant la tristesse,
J'osais me plaindre à lui de son peu de tendresse!

SCÈNE VI. — ACHILLE, IPHIGÉNIE, ÉRIPHILE, DORIS

ACHILLE

Il est donc vrai, Madame, et c'est vous que je vois!
Je soupçonnais d'erreur tout le camp à la fois.
Vous en Aulide? Vous? Eh! qu'y venez-vous faire?
D'où vient qu'Agamemnon m'assurait le contraire?

IPHIGÉNIE

Seigneur, rassurez-vous. Vos vœux seront contents :
Iphigénie encor n'y sera pas longtemps.

SCÈNE VII. — ACHILLE, ÉRIPHILE, DORIS

ACHILLE

Elle me fuit! Veillé-je? ou n'est-ce point un songe?
Dans quel trouble nouveau cette fuite me plonge!

Madame, je ne sais si sans vous irriter
Achille devant vous pourra se présenter;
Mais si d'un ennemi vous souffrez la prière,
Si lui-même souvent a plaint sa prisonnière,
Vous savez quel sujet conduit ici leurs pas;
Vous savez...

ÉRIPHILE

Quoi! Seigneur, ne le savez-vous pas,
Vous qui depuis un mois, brûlant sur ce rivage,
Avez conclu vous-même et hâté leur voyage?

ACHILLE

De ce même rivage absent depuis un mois,
Je le revis hier pour la première fois.

ÉRIPHILE

Quoi? Lorsque Agamemnon écrivait à Mycène,
Votre amour, votre main n'a pas conduit la sienne?
Quoi! vous qui de sa fille adoriez les attraits...

ACHILLE

Vous m'en voyez encore épris plus que jamais,
Madame, et si l'effet eût suivi ma pensée,
Moi-même dans Argos je l'aurais devancée.
Cependant on me fuit. Quel crime ai-je commis?
Mais je ne vois partout que des yeux ennemis.
Que dis-je? en ce moment Calchas, Nestor, Ulysse,
De leur vaine éloquence employant l'artifice,
Combattaient mon amour, et semblaient m'annoncer
Que si j'en crois ma gloire, il faut y renoncer.
Quelle entreprise ici pourrait être formée?
Suis-je, sans le savoir, la fable de l'armée?
Entrons : c'est un secret qu'il leur faut arracher.

SCÈNE VIII. — ÉRIPHILE, DORIS

ÉRIPHILE

Dieux, qui voyez ma honte, où me dois-je cacher?
Orgueilleuse rivale, on t'aime, et tu murmures?
Souffrirai-je à la fois ta gloire et tes injures?
Ah! plutôt... Mais, Doris, ou j'aime à me flatter,
Ou sur eux quelque orage est tout prêt d'éclater.
J'ai des yeux. Leur bonheur n'est pas encor tranquille.
On trompe Iphigénie; on se cache d'Achille;

Agamemnon gémit. Ne désespérons point;
Et si le sort contre elle à ma haine se joint,
Je saurai profiter de cette intelligence
Pour ne pas pleurer seule et mourir sans vengeance.

ACTE TROISIÈME

SCÈNE I. — AGAMEMNON, CLYTEMNESTRE

CLYTEMNESTRE

Oui, Seigneur, nous partions; et mon juste courroux
Laissait bientôt Achille et le camp loin de nous.
Ma fille dans Argos courait pleurer sa honte.
Mais lui-même, étonné d'une fuite si prompte,
Par combien de serments, dont je n'ai pu douter,
Vient-il de me convaincre, et de nous arrêter!
Il presse cet hymen qu'on prétend qu'il diffère,
Et vous cherche, brûlant d'amour et de colère :
Prêt d'imposer silence à ce bruit imposteur,
Achille en veut connaître et confondre l'auteur.
Bannissez ces soupçons qui troublaient notre joie.

AGAMEMNON

Madame, c'est assez. Je consens qu'on le croie.
Je reconnais l'erreur qui nous avait séduits,
Et ressens votre joie autant que je le puis.
Vous voulez que Calchas l'unisse à ma famille;
Vous pouvez à l'autel envoyer votre fille,
Je l'attends. Mais avant que de passer plus loin,
J'ai voulu vous parler un moment sans témoin.
Vous voyez en quels lieux vous l'avez amenée :
Tout y ressent la guerre, et non point l'hyménée,
Le tumulte d'un camp, soldats et matelots,
Un autel hérissé de dards, de javelots,
Tout ce spectacle enfin, pompe digne d'Achille,
Pour attirer vos yeux n'est point assez tranquille,
Et les Grecs y verraient l'épouse de leur roi
Dans un état indigne et de vous et de moi.
M'en croirez-vous? Laissez, de vos femmes suivie,
A cet hymen, sans vous, marcher Iphigénie.

CLYTEMNESTRE

Qui? moi? que remettant ma fille en d'autres bras,
Ce que j'ai commencé, je ne l'achève pas?

Qu'après l'avoir d'Argos amenée en Aulide,
Je refuse à l'autel de lui servir de guide!
Dois-je donc de Calchas être moins près que vous?
Et qui présentera ma fille à son époux?
Quelle autre ordonnera cette pompe sacrée?

AGAMEMNON

Vous n'êtes point ici dans le palais d'Atrée.
Vous êtes dans un camp...

CLYTEMNESTRE

Où tout vous est soumis,
Où le sort de l'Asie en vos mains est remis,
Où je vois sous vos lois marcher la Grèce entière,
Où le fils de Thétis va m'appeler sa mère.
Dans quel palais superbe et plein de ma grandeur
Puis-je jamais paraître avec plus de splendeur?

AGAMEMNON

Madame, au nom des dieux auteurs de notre race,
Daignez à mon amour accorder cette grâce.
J'ai mes raisons.

CLYTEMNESTRE

Seigneur, au nom des mêmes dieux,
D'un spectacle si doux ne privez point mes yeux.
Daignez ne point ici rougir de ma présence.

AGAMEMNON

J'avais plus espéré de votre complaisance.
Mais puisque la raison ne vous peut émouvoir,
Puisque enfin ma prière a si peu de pouvoir,
Vous avez entendu ce que je vous demande,
Madame : je le veux, et je vous le commande.
Obéissez.

SCÈNE II. — CLYTEMNESTRE, *seule.*

D'où vient que d'un soin si cruel
L'injuste Agamemnon m'écarte de l'autel?
Fier de son nouveau rang, m'ose-t-il méconnaître?
Me croit-il à sa suite indigne de paraître?
Ou de l'empire encor timide possesseur,
N'oserait-il d'Hélène ici montrer la sœur?
Et pourquoi me cacher? et par quelle injustice
Faut-il que sur mon front sa honte rejaillisse?
Mais n'importe; il le veut, et mon cœur s'y résout.

Ma fille, ton bonheur me console de tout!
Le ciel te donne Achille, et ma joie est extrême
De t'entendre nommer... Mais le voici lui-même.

SCÈNE III. — ACHILLE, CLYTEMNESTRE

ACHILLE

Tout succède, Madame, à mon empressement.
Le roi n'a point voulu d'autre éclaircissement;
Il en croit mes transports; et sans presque m'entendre,
Il vient, en m'embrassant, de m'accepter pour gendre.
Il ne m'a dit qu'un mot. Mais vous a-t-il conté
Quel bonheur dans le camp vous avez apporté?
Les dieux vont s'apaiser; du moins Calchas publie
Qu'avec eux, dans une heure, il nous réconcilie,
Que Neptune et les vents, prêts à nous exaucer,
N'attendent que le sang que sa main va verser.
Déjà dans les vaisseaux la voile se déploie,
Déjà sur sa parole, ils se tournent vers Troie.
Pour moi, quoique le ciel, au gré de mon amour,
Dût encore des vents retarder le retour,
Que je quitte à regret la rive fortunée
Où je vais allumer les flambeaux d'hyménée,
Puis-je ne point chérir l'heureuse occasion
D'aller du sang troyen sceller notre union,
Et de laisser bientôt, sous Troie ensevelie,
Le déshonneur d'un nom à qui le mien s'allie [15]?

SCÈNE IV. — ACHILLE, CLYTEMNESTRE, IPHIGÉNIE, ÉRIPHILE, ÆGINE, DORIS

ACHILLE

Princesse, mon bonheur ne dépend que de vous.
Votre père à l'autel vous destine un époux :
Venez y recevoir un cœur qui vous adore.

IPHIGÉNIE

Seigneur, il n'est pas temps que nous partions encore,
La reine permettra que j'ose demander
Un gage à votre amour, qu'il me doit accorder.
Je viens vous présenter une jeune princesse.
Le ciel a sur son front imprimé sa noblesse.
De larmes tous les jours ses yeux sont arrosés;
Vous savez ses malheurs, vous les avez causés.

Moi-même, (où m'emportait une aveugle colère!)
J'ai tantôt, sans respect, affligé sa misère.
Que ne puis-je aussi bien, par d'utiles secours,
Réparer promptement mes injustes discours!
Je lui prête ma voix, je ne puis davantage,
Vous seul pouvez, Seigneur, détruire votre ouvrage :
Elle est votre captive, et ses fers que je plains,
Quand vous l'ordonnerez, tomberont de ses mains.
Commencez donc par là cette heureuse journée.
Qu'elle puisse à nous voir n'être plus condamnée [16].
Montrez que je vais suivre au pied de nos autels
Un roi qui non content d'effrayer les mortels,
A des embrasements ne borne point sa gloire,
Laisse aux pleurs d'une épouse attendrir sa victoire,
Et par les malheureux quelquefois désarmé,
Sait imiter en tout les dieux qui l'ont formé.

ÉRIPHILE

Oui, Seigneur, des douleurs soulagez la plus vive.
La guerre dans Lesbos me fit votre captive,
Mais c'est pousser trop loin ses droits injurieux,
Qu'y joindre le tourment que je souffre en ces lieux.

ACHILLE

Vous, Madame?

ÉRIPHILE

                    Oui, Seigneur; et sans compter le reste,
Pouvez-vous m'imposer une loi plus funeste
Que de rendre mes yeux les tristes spectateurs
De la félicité de mes persécuteurs?
J'entends de toutes parts menacer ma patrie;
Je vois marcher contre elle une armée en furie;
Je vois déjà l'hymen, pour mieux me déchirer,
Mettre en vos mains le feu qui la doit dévorer.
Souffrez que loin du camp, et loin de votre vue,
Toujours infortunée et toujours inconnue,
J'aille cacher un sort si digne de pitié,
Et dont mes pleurs encor vous taisent la moitié.

ACHILLE

C'est trop, belle princesse. Il ne faut que nous suivre.
Venez, qu'aux yeux des Grecs Achille vous délivre,
Et que le doux moment de ma félicité
Soit le moment heureux de votre liberté.

SCÈNE V. — ACHILLE, CLYTEMNESTRE, IPHIGÉNIE, ÉRIPHILE, ARCAS, ÆGINE, DORIS

ARCAS

Madame, tout est prêt pour la cérémonie.
Le roi près de l'autel attend Iphigénie;
Je viens la demander. Ou plutôt contre lui,
Seigneur, je viens pour elle implorer votre appui.

ACHILLE

Arcas, que dites-vous?

CLYTEMNESTRE

Dieux! que vient-il m'apprendre?

ARCAS, *à Achille.*

Je ne vois plus que vous qui la puisse défendre.

ACHILLE

Contre qui?

ARCAS

Je le nomme et l'accuse à regret.
Autant que je l'ai pu j'ai gardé son secret.
Mais le fer, le bandeau, la flamme est toute prête :
Dût tout cet appareil retomber sur ma tête,
Il faut parler.

CLYTEMNESTRE

Je tremble. Expliquez-vous, Arcas.

ACHILLE

Qui que ce soit, parlez, et ne le craignez pas.

ARCAS

Vous êtes son amant, et vous êtes sa mère :
Gardez-vous d'envoyer la princesse à son père.

CLYTEMNESTRE

Pourquoi le craindrons-nous?

ACHILLE

Pourquoi m'en défier?

ARCAS

Il l'attend à l'autel pour la sacrifier.

ACHILLE

Lui!

CLYTEMNESTRE

Sa fille !

IPHIGÉNIE

Mon père !

ÉRIPHILE

O ciel ! quelle nouvelle !

ACHILLE

Quelle aveugle fureur pourrait l'armer contre elle?
Ce discours sans horreur se peut-il écouter?

ARCAS

Ah, Seigneur ! plût au ciel que je pusse en douter !
Par la voix de Calchas l'oracle la demande;
De toute autre victime il refuse l'offrande,
Et les dieux, jusque-là protecteurs de Pâris,
Ne nous promettent Troie et les vents qu'à ce prix.

CLYTEMNESTRE

Les dieux ordonneraient un meurtre abominable?

IPHIGÉNIE

Ciel ! pour tant de rigueur, de quoi suis-je coupable?

CLYTEMNESTRE

Je ne m'étonne plus de cet ordre cruel
Qui m'avait interdit l'approche de l'autel.

IPHIGÉNIE, *à Achille*

Et voilà donc l'hymen où j'étais destinée !

ARCAS

Le roi, pour vous tromper, feignait cet hyménée.
Tout le camp même encore est trompé comme vous.

CLYTEMNESTRE

Seigneur, c'est donc à moi d'embrasser vos genoux.

ACHILLE, *la relevant*

Ah ! Madame !

CLYTEMNESTRE

Oubliez une gloire importune :
Ce triste abaissement convient à ma fortune,
Heureuse si mes pleurs vous peuvent attendrir !
Une mère à vos pieds peut tomber sans rougir.
C'est votre épouse, hélas ! qui vous est enlevée [17].
Dans cet heureux espoir je l'avais élevée.

C'est vous que nous cherchions sur ce funeste bord,
Et votre nom, Seigneur, l'a conduite à la mort.
Ira-t-elle, des dieux implorant la justice,
Embrasser leurs autels parés pour son supplice?
Elle n'a que vous seul. Vous êtes en ces lieux
Son père, son époux, son asile, ses dieux.
Je lis dans vos regards la douleur qui vous presse.
Auprès de votre époux, ma fille, je vous laisse.
Seigneur, daignez m'attendre, et ne la point quitter.
A mon perfide époux je cours me présenter.
Il ne soutiendra point la fureur qui m'anime.
Il faudra que Calchas cherche une autre victime;
Ou, si je ne vous puis dérober à leurs coups,
Ma fille, ils pourront bien m'immoler avant vous.

SCÈNE VI. — ACHILLE, IPHIGÉNIE

ACHILLE

Madame, je me tais, et demeure immobile.
Est-ce à moi que l'on parle, et connaît-on Achille?
Une mère pour vous croit devoir me prier!
Une reine à mes pieds se vient humilier!
Et me déshonorant par d'injustes alarmes,
Pour attendrir mon cœur on a recours aux larmes!
Qui doit prendre à vos jours plus d'intérêt que moi?
Ah! sans doute on s'en peut reposer sur ma foi.
L'outrage me regarde; et quoi qu'on entreprenne,
Je réponds d'une vie où j'attache la mienne.
Mais ma juste douleur va plus loin m'engager :
C'est peu de vous défendre, et je cours vous venger,
Et punir à la fois le cruel stratagème
Qui s'ose de mon nom armer contre vous-même.

IPHIGÉNIE

Ah! demeurez, Seigneur, et daignez m'écouter.

ACHILLE

Quoi, Madame? Un barbare osera m'insulter [17]?
Il voit que de sa sœur je cours venger l'outrage;
Il sait que le premier lui donnant mon suffrage,
Je le fis nommer chef de vingt rois ses rivaux;
Et pour fruit de mes soins, pour fruit de mes travaux,
Pour tout le prix enfin d'une illustre victoire
Qui le doit enrichir, venger, combler de gloire,

Content et glorieux du nom de votre époux,
Je ne lui demandais que l'honneur d'être à vous.
Cependant aujourd'hui, sanguinaire, parjure,
C'est peu de violer l'amitié, la nature,
C'est peu que de vouloir, sous un couteau mortel,
Me montrer votre cœur fumant sur un autel :
D'un appareil d'hymen couvrant ce sacrifice,
Il veut que ce soit moi qui vous mène au supplice?
Que ma crédule main conduise le couteau,
Qu'au lieu de votre époux je sois votre bourreau?
Et quel était pour vous ce sanglant hyménée,
Si je fusse arrivé plus tard d'une journée?
Quoi donc! à leur fureur livrée en ce moment,
Vous iriez à l'autel me chercher vainement,
Et d'un fer imprévu vous tomberiez frappée,
En accusant mon nom qui vous aurait trompée?
Il faut de ce péril, de cette trahison,
Aux yeux de tous les Grecs lui demander raison.
A l'honneur d'un époux vous-même intéressée,
Madame, vous devez approuver ma pensée.
Il faut que le cruel qui m'a pu mépriser
Apprenne de quel nom il osait abuser.

IPHIGÉNIE

Hélas! si vous m'aimez, si pour grâce dernière,
Vous daignez d'une amante écouter la prière,
C'est maintenant, Seigneur, qu'il faut me le prouver.
Car enfin, ce cruel que vous allez braver,
Cet ennemi barbare, injuste, sanguinaire,
Songez, quoi qu'il ait fait, songez qu'il est mon père.

ACHILLE

Lui! Votre père? Après son horrible dessein,
Je ne le connais plus que pour votre assassin.

IPHIGÉNIE

C'est mon père, Seigneur, je vous le dis encore;
Mais un père que j'aime, un père que j'adore,
Qui me chérit lui-même, et dont jusqu'à ce jour,
Je n'ai jamais reçu que des marques d'amour.
Mon cœur, dans ce respect élevé dès l'enfance,
Ne peut que s'affliger de tout ce qui l'offense,
Et loin d'oser ici, par un prompt changement,

Approuver la fureur de votre emportement,
Loin que par mes discours je l'attise moi-même,
Croyez qu'il faut aimer autant que je vous aime,
Pour avoir pu souffrir tous les noms odieux
Dont votre amour le vient d'outrager à mes yeux.
Et pourquoi voulez-vous qu'inhumain et barbare
Il ne gémisse pas du coup qu'on me prépare?
Quel père de son sang se plaît à se priver?
Pourquoi me perdrait-il s'il pouvait me sauver?
J'ai vu, n'en doutez point, ses larmes se répandre.
Faut-il le condamner avant que de l'entendre?
Hélas! de tant d'horreurs son cœur déjà troublé
Doit-il de votre haine être encore accablé?

ACHILLE

Quoi, Madame! parmi tant de sujets de crainte,
Ce sont là les frayeurs dont vous êtes atteinte?
Un cruel (comment puis-je autrement l'appeler?)
Par la main de Calchas s'en va vous immoler;
Et lorsqu'à sa fureur j'oppose ma tendresse,
Le soin de son repos est le seul qui vous presse?
On me ferme la bouche! on l'excuse! on le plaint!
C'est pour lui que l'on tremble, et c'est moi que l'on craint!
Triste effet de mes soins! Est-ce donc là, Madame,
Tout le progrès qu'Achille avait fait dans votre âme?

IPHIGÉNIE

Ah cruel! cet amour, dont vous voulez douter,
Ai-je attendu si tard pour le faire éclater?
Vous voyez de quel œil, et comme indifférente,
J'ai reçu de ma mort la nouvelle sanglante.
Je n'en ai point pâli. Que n'avez-vous pu voir
A quel excès tantôt allait mon désespoir,
Quand, presque en arrivant, un récit peu fidèle
M'a de votre inconstance annoncé la nouvelle [18]!
Qui sait même, qui sait si le ciel irrité
A pu souffrir l'excès de ma félicité?
Hélas! il me semblait qu'une flamme si belle
M'élevait au-dessus du sort d'une mortelle.

ACHILLE

Ah! si je vous suis cher, ma Princesse, vivez.

SCÈNE VII. — ACHILLE, CLYTEMNESTRE, IPHIGÉNIE, ÆGINE

CLYTEMNESTRE

Tout est perdu, Seigneur, si vous ne nous sauvez.
Agamemnon m'évite, et craignant mon visage,
Il me fait de l'autel refuser le passage.
Des gardes, que lui-même a pris soin de placer,
Nous ont de toutes parts défendu de passer.
Il me fuit. Ma douleur étonne son audace.

ACHILLE

Eh bien! c'est donc à moi de prendre votre place.
Il me verra, Madame, et je vais lui parler.

IPHIGÉNIE

Ah, Madame!... Ah, Seigneur! où voulez-vous aller?

ACHILLE

Et que prétend de moi votre injuste prière?
Vous faudra-t-il toujours combattre la première?

CLYTEMNESTRE

Quel est votre dessein, ma fille?

IPHIGÉNIE

Au nom des dieux,
Madame, retenez un amant furieux.
De ce triste entretien détournons les approches.
Seigneur, trop d'amertume aigrirait vos reproches.
Je sais jusqu'où s'emporte un amant irrité;
Et mon père est jaloux de son autorité.
On ne connaît que trop la fierté des Atrides.
Laissez parler, Seigneur, des bouches plus timides.
Surpris, n'en doutez point, de mon retardement,
Lui-même il me viendra chercher dans un moment :
Il entendra gémir une mère oppressée;
Et que ne pourra point m'inspirer la pensée
De prévenir les pleurs que vous verseriez tous,
D'arrêter vos transports, et de vivre pour vous?

ACHILLE

Enfin vous le voulez : il faut donc vous complaire.
Donnez-lui l'une et l'autre un conseil salutaire.
Rappelez sa raison, persuadez-le bien,
Pour vous, pour mon repos, et surtout pour le sien.

Je perds trop de moments en des discours frivoles;
Il faut des actions, et non pas des paroles.
(A Clytemnestre.)
Madame, à vous servir je vais tout disposer.
Dans votre appartement allez vous reposer.
Votre fille vivra, je puis vous le prédire :
Croyez du moins, croyez que, tant que je respire,
Les dieux auront en vain ordonné son trépas.
Cet oracle est plus sûr que celui de Calchas.

ACTE QUATRIÈME

SCÈNE I. — ÉRIPHILE, DORIS

DORIS

Ah! que me dites-vous? Quelle étrange manie
Vous peut faire envier le sort d'Iphigénie?
Dans une heure elle expire. Et jamais, dites-vous,
Vos yeux de son bonheur ne furent plus jaloux.
Qui le croira, Madame? Et quel cœur si farouche...

ÉRIPHILE

Jamais rien de plus vrai n'est sorti de ma bouche,
Jamais de tant de soins mon esprit agité
Ne porta plus d'envie à sa félicité.
Favorables périls! Espérance inutile!
N'as-tu pas vu sa gloire et le trouble d'Achille?
J'en ai vu, j'en ai fui les signes trop certains.
Ce héros, si terrible au reste des humains,
Qui ne connaît de pleurs que ceux qu'il fait répandre,
Qui s'endurcit contre eux dès l'âge le plus tendre,
Et qui, si l'on nous fait un fidèle discours,
Suça même le sang des lions et des ours [19],
Pour elle de la crainte a fait l'apprentissage :
Elle l'a vu pleurer et changer de visage.
Et tu la plains, Doris? Par combien de malheurs
Ne lui voudrais-je point disputer de tels pleurs!
Quand je devrais comme elle expirer dans une heure...
Mais que dis-je, expirer? Ne crois pas qu'elle meure.
Dans un lâche sommeil crois-tu qu'enseveli
Achille aura pour elle impunément pâli?
Achille à son malheur saura bien mettre obstacle.
Tu verras que les dieux n'ont dicté cet oracle

Que pour croître à la fois sa gloire et mon tourment,
Et la rendre plus belle aux yeux de son amant.
Hé quoi ! ne vois-tu pas tout ce qu'on fait pour elle?
On supprime des dieux la sentence mortelle,
Et quoique le bûcher soit déjà préparé,
Le nom de la victime est encore ignoré :
Tout le camp n'en sait rien. Doris, à ce silence,
Ne reconnais-tu pas un père qui balance?
Et que fera-t-il donc? Quel courage endurci
Soutiendrait les assauts qu'on lui prépare ici :
Une mère en fureur, les larmes d'une fille,
Les cris, le désespoir de toute une famille,
Le sang à ces objets facile à s'ébranler,
Achille menaçant, tout prêt à l'accabler?
Non, te dis-je, les dieux l'ont en vain condamnée :
Je suis et je serai la seule infortunée.
Ah ! si je m'en croyais...

DORIS

Quoi? Que méditez-vous?

ÉRIPHILE

Je ne sais qui m'arrête et retient mon courroux,
Que par un prompt avis de tout ce qui se passe,
Je ne coure des dieux divulguer la menace,
Et publier partout les complots criminels
Qu'on fait ici contre eux et contre leurs autels.

DORIS

Ah ! quel dessein, Madame !

ÉRIPHILE

Ah, Doris ! quelle joie !
Que d'encens brûlerait dans les temples de Troie,
Si troublant tous les Grecs, et vengeant ma prison,
Je pouvais contre Achille armer Agamemnon;
Si leur haine, de Troie oubliant la querelle,
Tournait contre eux le fer qu'ils aiguisent contre elle,
Et si de tout le camp mes avis dangereux
Faisaient à ma patrie un sacrifice heureux !

DORIS

J'entends du bruit. On vient : Clytemnestre s'avance.
Remettez-vous, Madame, ou fuyez sa présence.

ÉRIPHILE

Rentrons. Et pour troubler un hymen odieux,
Consultons des fureurs qu'autorisent les dieux.

SCÈNE II. — CLYTEMNESTRE, ÆGINE

CLYTEMNESTRE

Ægine, tu le vois, il faut que je la fuie :
Loin que ma fille pleure et tremble pour sa vie,
Elle excuse son père, et veut que ma douleur
Respecte encor la main qui lui perce le cœur.
O constance ! ô respect ! Pour prix de sa tendresse,
Le barbare à l'autel se plaint de sa paresse.
Je l'attends. Il viendra m'en demander raison,
Et croit pouvoir encor cacher sa trahison.
Il vient. Sans éclater contre son injustice,
Voyons s'il soutiendra son indigne artifice.

SCÈNE III. — AGAMEMNON, CLYTEMNESTRE, ÆGINE

AGAMEMNON

Que faites-vous, Madame? et d'où vient que ces lieux
N'offrent point avec vous votre fille à mes yeux?
Mes ordres par Arcas vous l'avaient demandée.
Qu'attend-elle? Est-ce vous qui l'avez retardée?
A mes justes désirs ne vous rendez-vous pas?
Ne peut-elle à l'autel marcher que sur vos pas?
Parlez.

CLYTEMNESTRE

S'il faut partir, ma fille est toute prête [20].
Mais vous, n'avez-vous rien, Seigneur, qui vous arrête?

AGAMEMNON

Moi, Madame?

CLYTEMNESTRE

Vos soins ont-ils tout préparé?

AGAMEMNON

Calchas est prêt, Madame, et l'autel est paré.
J'ai fait ce que m'ordonne un devoir légitime.

CLYTEMNESTRE

Vous ne me parlez point, Seigneur, de la victime.

AGAMEMNON

Que me voulez-vous dire? et de quel soin jaloux...

SCÈNE IV. — AGAMEMNON, CLYTEMNESTRE, IPHIGÉNIE, ÆGINE

CLYTEMNESTRE

Venez, venez, ma fille, on n'attend plus que vous;
Venez remercier un père qui vous aime,
Et qui veut à l'autel vous conduire lui-même.

AGAMEMNON

Que vois-je? Quel discours? Ma fille, vous pleurez,
Et baissez devant moi vos yeux mal assurés.
Quel trouble! Mais tout pleure, et la fille et la mère.
Ah! malheureux Arcas, tu m'as trahi!

IPHIGÉNIE

Mon père,
Cessez de vous troubler, vous n'êtes point trahi.
Quand vous commanderez, vous serez obéi.
Ma vie est votre bien; vous voulez le reprendre :
Vos ordres sans détour pouvaient se faire entendre.
D'un œil aussi content, d'un cœur aussi soumis
Que j'acceptais l'époux que vous m'aviez promis,
Je saurai, s'il le faut, victime obéissante,
Tendre au fer de Calchas une tête innocente,
Et respectant le coup par vous-même ordonné,
Vous rendre tout le sang que vous m'avez donné.
Si pourtant ce respect, si cette obéissance
Paraît digne à vos yeux d'une autre récompense,
Si d'une mère en pleurs vous plaignez les ennuis,
J'ose vous dire ici qu'en l'état où je suis
Peut-être assez d'honneurs environnaient ma vie
Pour ne pas souhaiter qu'elle me fût ravie,
Ni qu'en me l'arrachant, un sévère destin,
Si près de ma naissance, en eût marqué la fin.
Fille d'Agamemnon, c'est moi qui la première,
Seigneur, vous appelai de ce doux nom de père;
C'est moi qui, si longtemps le plaisir de vos yeux,
Vous ai fait de ce nom remercier les dieux,
Et pour qui tant de fois prodiguant vos caresses,
Vous n'avez point du sang dédaigné les faiblesses.

Hélas ! avec plaisir je me faisais conter
Tous les noms des pays que vous allez dompter;
Et déjà, d'Ilion présageant la conquête,
D'un triomphe si beau je préparais la fête.
Je ne m'attendais pas que pour le commencer,
Mon sang fût le premier que vous dussiez verser.
Non que la peur du coup dont je suis menacée
Me fasse rappeler votre bonté passée.
Ne craignez rien. Mon cœur, de votre honneur jaloux,
Ne fera point rougir un père tel que vous;
Et si je n'avais eu que ma vie à défendre,
J'aurais su renfermer un souvenir si tendre.
Mais à mon triste sort, vous le savez, Seigneur,
Une mère, un amant, attachaient leur bonheur.
Un roi digne de vous a cru voir la journée
Qui devait éclairer notre illustre hyménée;
Déjà, sûr de mon cœur à sa flamme promis,
Il s'estimait heureux; vous me l'aviez permis.
Il sait votre dessein; jugez de ses alarmes.
Ma mère est devant vous, et vous voyez ses larmes.
Pardonnez aux efforts que je viens de tenter
Pour prévenir les pleurs que je leur vais coûter.

AGAMEMNON

Ma fille, il est trop vrai : j'ignore pour quel crime
La colère des dieux demande une victime,
Mais ils vous ont nommée; un oracle cruel
Veut qu'ici votre sang coule sur un autel.
Pour défendre vos jours de leurs lois meurtrières,
Mon amour n'avait pas attendu vos prières.
Je ne vous dirai point combien j'ai résisté :
Croyez-en cet amour par vous-même attesté.
Cette nuit même encore, on a pu vous le dire,
J'avais révoqué l'ordre où l'on me fit souscrire.
Sur l'intérêt des Grecs vous l'aviez emporté.
Je vous sacrifiais mon rang, ma sûreté.
Arcas allait du camp vous défendre l'entrée :
Les dieux n'ont pas voulu qu'il vous ait rencontré,
Ils ont trompé les soins d'un père infortuné
Qui protégeait en vain ce qu'ils ont condamné.
Ne vous assurez point sur ma faible puissance :
Quel frein pourrait d'un peuple arrêter la licence,

Quand les dieux, nous livrant à son zèle indiscret,
L'affranchissent d'un joug qu'il portait à regret?
Ma fille, il faut céder. Votre heure est arrivée.
Songez bien dans quel rang vous êtes élevée.
Je vous donne un conseil qu'à peine je reçoi.
Du coup qui vous attend vous mourrez moins que moi.
Montrez, en expirant, de qui vous êtes née;
Faites rougir ces dieux qui vous ont condamnée.
Allez; et que les Grecs, qui vont vous immoler,
Reconnaissent mon sang en le voyant couler.

CLYTEMNESTRE

Vous ne démentez point une race funeste :
Oui, vous êtes le sang d'Atrée et de Thyeste.
Bourreau de votre fille, il ne vous reste enfin
Que d'en faire à sa mère un horrible festin.
Barbare! c'est donc là cet heureux sacrifice
Que vos soins préparaient avec tant d'artifice?
Quoi! l'horreur de souscrire à cet ordre inhumain
N'a pas, en le traçant, arrêté votre main?
Pourquoi feindre à nos yeux une fausse tristesse?
Pensez-vous par des pleurs prouver votre tendresse?
Où sont-ils ces combats que vous avez rendus?
Quels flots de sang pour elle avez-vous répandus?
Quel débris parle ici de votre résistance?
Quel champ couvert de morts me condamne au silence?
Voilà par quels témoins il fallait me prouver,
Cruel, que votre amour a voulu la sauver.
Un oracle fatal ordonne qu'elle expire :
Un oracle dit-il tout ce qu'il semble dire?
Le ciel, le juste ciel, par le meurtre honoré,
Du sang de l'innocence est-il donc altéré?
Si du crime d'Hélène on punit sa famille,
Faites chercher à Sparte Hermione sa fille;
Laissez à Ménélas racheter d'un tel prix
Sa coupable moitié, dont il est trop épris.
Mais vous, quelles fureurs vous rendent sa victime?
Pourquoi vous imposer la peine de son crime?
Pourquoi, moi-même enfin me déchirant le flanc,
Payer sa folle amour du plus pur de mon sang?
Que dis-je? Cet objet de tant de jalousie,
Cette Hélène qui trouble et l'Europe et l'Asie,

Vous semble-t-elle un prix digne de vos exploits?
Combien nos fronts pour elle ont-ils rougi de fois!
Avant qu'un nœud fatal l'unît à votre frère,
Thésée avait osé l'enlever à son père.
Vous savez, et Calchas mille fois vous l'a dit,
Qu'un hymen clandestin mit ce prince en son lit,
Et qu'il en eut pour gage une jeune princesse
Que sa mère a cachée au reste de la Grèce [21].
Mais non; l'amour d'un frère et son honneur blessé
Sont les moindres des soins dont vous êtes pressé :
Cette soif de régner, que rien ne peut éteindre,
L'orgueil de voir vingt rois vous servir et vous craindre,
Tous les droits de l'empire en vos mains confiés,
Cruel, c'est à ces dieux que vous sacrifiez;
Et, loin de repousser le coup qu'on vous prépare,
Vous voulez vous en faire un mérite barbare.
Trop jaloux d'un pouvoir qu'on peut vous envier,
De votre propre sang vous courez le payer,
Et voulez par ce prix épouvanter l'audace
De quiconque vous peut disputer votre place.
Est-ce donc être père? Ah! toute ma raison
Cède à la cruauté de cette trahison.
Un prêtre, environné d'une foule cruelle,
Portera sur ma fille une main criminelle,
Déchirera son sein, et d'un œil curieux,
Dans son cœur palpitant consultera les dieux?
Et moi, qui l'amenai triomphante, adorée,
Je m'en retournerai seule et désespérée?
Je verrai les chemins encor tout parfumés
Des fleurs dont sous ses pas on les avait semés?
Non, je ne l'aurai point amenée au supplice,
Ou vous ferez aux Grecs un double sacrifice.
Ni crainte ni respect ne m'en peut détacher;
De mes bras tout sanglants il faudra l'arracher.
Aussi barbare époux qu'impitoyable père,
Venez, si vous l'osez, la ravir à sa mère.
Et vous, rentrez, ma fille, et du moins à mes lois
Obéissez encor pour la dernière fois.

SCÈNE V. — AGAMEMNON, *seul.*

A de moindres fureurs je n'ai pas dû m'attendre.
Voilà, voilà les cris que je craignais d'entendre.

Heureux si dans le trouble où flottent mes esprits
Je n'avais toutefois à craindre que ses cris!
Hélas! en m'imposant une loi si sévère,
Grands dieux, me deviez-vous laisser un cœur de père?

SCÈNE VI. — AGAMEMNON, ACHILLE

ACHILLE

Un bruit assez étrange est venu jusqu'à moi,
Seigneur; je l'ai jugé trop peu digne de foi.
On dit, et sans horreur je ne puis le redire,
Qu'aujourd'hui par votre ordre Iphigénie expire,
Que vous-même, étouffant tout sentiment humain,
Vous l'allez à Calchas livrer de votre main.
On dit que sous mon nom à l'autel appelée,
Je ne l'y conduisais que pour être immolée,
Et que d'un faux hymen nous abusant tous deux,
Vous vouliez me charger d'un emploi si honteux.
Qu'en dites-vous, Seigneur? Que faut-il que j'en pense?
Ne ferez-vous pas taire un bruit qui vous offense?

AGAMEMNON

Seigneur, je ne rends point compte de mes desseins.
Ma fille ignore encor mes ordres souverains,
Et quand il sera temps qu'elle en soit informée,
Vous apprendrez son sort, j'en instruirai l'armée.

ACHILLE

Ah! je sais trop le sort que vous lui réservez.

AGAMEMNON

Pourquoi le demander, puisque vous le savez?

ACHILLE

Pourquoi je le demande? O ciel! le puis-je croire,
Qu'on ose des fureurs avouer la plus noire!
Vous pensez qu'approuvant vos desseins odieux
Je vous laisse immoler votre fille à mes yeux?
Que ma foi, mon amour, mon honneur y consente?

AGAMEMNON

Mais vous, qui me parlez d'une voix menaçante,
Oubliez-vous ici qui vous interrogez?

ACHILLE

Oubliez-vous que j'aime, et qui vous outragez?

AGAMEMNON

Et qui vous a chargé du soin de ma famille?
Ne pourrai-je, sans vous, disposer de ma fille?
Ne suis-je plus son père? Êtes-vous son époux?
Et ne peut-elle...

ACHILLE

Non, elle n'est plus à vous.
On ne m'abuse point par des promesses vaines.
Tant qu'un reste de sang coulera dans mes veines,
Vous deviez à mon sort unir tous ses moments :
Je défendrai mes droits fondés sur vos serments.
Et n'est-ce pas pour moi que vous l'avez mandée?

AGAMEMNON

Plaignez-vous donc aux dieux qui me l'ont demandée;
Accusez et Calchas et le camp tout entier,
Ulysse, Ménélas, et vous tout le premier.

ACHILLE

Moi?

AGAMEMNON

Vous, qui de l'Asie embrassant la conquête,
Querellez tous les jours le ciel qui vous arrête;
Vous, qui vous offensant de mes justes terreurs,
Avez dans tout le camp répandu vos fureurs.
Mon cœur pour la sauver vous ouvrait une voie;
Mais vous ne demandez, vous ne cherchez que Troie.
Je vous fermais le champ où vous voulez courir;
Vous le voulez, partez; sa mort va vous l'ouvrir.

ACHILLE

Juste ciel! puis-je entendre et souffrir ce langage?
Est-ce ainsi qu'au parjure on ajoute l'outrage?
Moi, je voulais partir aux dépens de ses jours?
Et que m'a fait à moi cette Troie où je cours?
Au pied de ses remparts quel intérêt m'appelle?
Pour qui, sourd à la voix d'une mère immortelle,
Et d'un père éperdu négligeant les avis,
Vais-je y chercher la mort tant prédite à leur fils?
Jamais vaisseaux partis des rives du Scamandre
Aux champs thessaliens osèrent-ils descendre?
Et jamais dans Larisse un lâche ravisseur
Me vint-il enlever ou ma femme ou ma sœur?

Qu'ai-je à me plaindre? Où sont les pertes que j'ai faites?
Je n'y vais que pour vous, barbare que vous êtes,
Pour vous, à qui des Grecs moi seul je ne dois rien,
Vous, que j'ai fait nommer et leur chef et le mien,
Vous, que mon bras vengeait dans Lesbos enflammée,
Avant que vous eussiez assemblé votre armée.
Et quel fut le dessein qui nous assembla tous?
Ne courons-nous pas rendre Hélène à son époux?
Depuis quand pense-t-on qu'inutile à moi-même
Je me laisse ravir une épouse que j'aime?
Seul d'un honteux affront votre frère blessé
A-t-il droit de venger son amour offensé?
Votre fille me plut; je prétendis lui plaire :
Elle est de mes serments seule dépositaire.
Content de son hymen, vaisseaux, armes, soldats,
Ma foi lui promit tout, et rien à Ménélas.
Qu'il poursuive, s'il veut, son épouse enlevée,
Qu'il cherche une victoire à mon sang réservée.
Je ne connais Priam, Hélène, ni Pâris;
Je voulais votre fille, et ne pars qu'à ce prix.

AGAMEMNON

Fuyez donc. Retournez dans votre Thessalie.
Moi-même je vous rends le serment qui vous lie.
Assez d'autres viendront, à mes ordres soumis,
Se couvrir des lauriers qui vous furent promis,
Et par d'heureux exploits forçant la destinée,
Trouveront d'Ilion la fatale journée.
J'entrevois vos mépris, et juge à vos discours
Combien j'achèterais vos superbes secours.
De la Grèce déjà vous vous rendez l'arbitre :
Ses rois, à vous ouïr, m'ont paré d'un vain titre.
Fier de votre valeur, tout, si je vous en crois,
Doit marcher, doit fléchir, doit trembler sous vos lois.
Un bienfait reproché tint toujours lieu d'offense.
Je veux moins de valeur, et plus d'obéissance.
Fuyez. Je ne crains point votre impuissant courroux,
Et je romps tous les nœuds qui m'attachent à vous.

ACHILLE

Rendez grâce au seul nœud qui retient ma colère :
D'Iphigénie encor je respecte le père.
Peut-être, sans ce nom, le chef de tant de rois

M'aurait osé braver pour la dernière fois.
Je ne dis plus qu'un mot; c'est à vous de m'entendre :
J'ai votre fille ensemble et ma gloire à défendre;
Pour aller jusqu'au cœur que vous voulez percer,
Voilà par quels chemins vos coups doivent passer.

SCÈNE VII. — AGAMEMNON, *seul.*

Et voilà ce qui rend sa perte inévitable.
Ma fille toute seule était plus redoutable.
Ton insolent amour, qui croit m'épouvanter,
Vient de hâter le coup que tu veux arrêter.
Ne délibérons plus. Bravons sa violence.
Ma gloire intéressée emporte la balance.
Achille menaçant détermine mon cœur :
Ma pitié semblerait un effet de ma peur.
Holà, gardes, à moi!

SCÈNE VIII. — AGAMEMNON, EURYBATE, GARDES

EURYBATE

Seigneur.

AGAMEMNON

Que vais-je faire?
Puis-je leur prononcer cet ordre sanguinaire?
Cruel! à quel combat faut-il te préparer?
Quel est cet ennemi que tu leur vas livrer?
Une mère m'attend, une mère intrépide,
Qui défendra son sang contre un père homicide [22].
Je verrai mes soldats, moins barbares que moi,
Respecter dans ses bras la fille de leur roi.
Achille nous menace, Achille nous méprise;
Mais ma fille en est-elle à mes lois moins soumise?
Ma fille, de l'autel cherchant à s'échapper,
Gémit-elle du coup dont je la veux frapper?
Que dis-je? Que prétend mon sacrilège zèle?
Quels vœux, en l'immolant, formerai-je sur elle?
Quelques prix glorieux qui me soient proposés,
Quels lauriers me plairont, de son sang arrosés?
Je veux fléchir des dieux la puissance suprême :
Ah! quels dieux me seraient plus cruels que moi-même?
Non, je ne puis. Cédons au sang, à l'amitié,
Et ne rougissons plus d'une juste pitié :

Qu'elle vive. Mais quoi? peu jaloux de ma gloire,
Dois-je au superbe Achille accorder la victoire?
Son téméraire orgueil, que je vais redoubler,
Croira que je lui cède, et qu'il me fait trembler...
De quel frivole soin mon esprit s'embarrasse?
Ne puis-je pas d'Achille humilier l'audace?
Que ma fille à ses yeux soit un sujet d'ennui :
Il l'aime? Elle vivra pour un autre que lui.
Eurybate, appelez la princesse, la reine.
Qu'elles ne craignent point.

SCÈNE IX. — AGAMEMNON, GARDES

AGAMEMNON

Grands dieux, si votre haine
Persévère à vouloir l'arracher de mes mains,
Que peuvent devant vous tous les faibles humains?
Loin de la secourir, mon amitié l'opprime,
Je le sais; mais, grands dieux, une telle victime
Vaut bien que confirmant vos rigoureuses lois,
Vous me la demandiez une seconde fois.

SCÈNE X. — AGAMEMNON, CLYTEMNESTRE, IPHIGÉNIE, ÉRIPHILE, EURYBATE, DORIS, GARDES

AGAMEMNON

Allez, Madame, allez; prenez soin de sa vie.
Je vous rends votre fille, et je vous la confie.
Loin de ces lieux cruels précipitez ses pas;
Mes gardes vous suivront, commandés par Arcas;
Je veux bien excuser son heureuse imprudence.
Tout dépend du secret et de la diligence.
Ulysse ni Calchas n'ont point encor parlé;
Gardez que ce départ ne leur soit révélé.
Cachez bien votre fille, et que tout le camp croie
Que je la retiens seule, et que je vous renvoie.
Fuyez. Puissent les dieux, de mes larmes contents,
A mes tristes regards ne l'offrir de longtemps!
Gardes, suivez la reine.

CLYTEMNESTRE

Ah! Seigneur!

IPHIGÉNIE

Ah ! mon père !

AGAMEMNON

Prévenez de Calchas l'empressement sévère.
Fuyez, vous dis-je. Et moi, pour vous favoriser,
Par de feintes raisons je m'en vais l'abuser;
Je vais faire suspendre une pompe funeste,
Et de ce jour, au moins, lui demander le reste.

SCÈNE XI. — ÉRIPHILE, DORIS

ÉRIPHILE

Suis-moi : ce n'est pas là, Doris, notre chemin.

DORIS

Vous ne les suivez pas?

ÉRIPHILE

Ah ! je succombe enfin.
Je reconnais l'effet des tendresses d'Achille.
Je n'emporterai point une rage inutile.
Plus de raisons; il faut ou la perdre ou périr.
Viens, te dis-je. A Calchas je vais tout découvrir.

ACTE CINQUIÈME

SCÈNE I. — IPHIGÉNIE, ÆGINE

IPHIGÉNIE

Cesse de m'arrêter. Va, retourne à ma mère,
Ægine : il faut des dieux apaiser la colère.
Pour ce sang malheureux qu'on veut leur dérober,
Regarde quel orage est tout prêt à tomber :
Considère l'état où la reine est réduite;
Vois comme tout le camp s'oppose à notre fuite;
Avec quelle insolence ils ont, de toutes parts,
Fait briller à nos yeux la pointe de leurs dards.
Nos gardes repoussés, la reine évanouie...
Ah ! c'est trop l'exposer; souffre que je la fuie
Et sans attendre ici ses secours impuissants,
Laisse-moi profiter du trouble de ses sens.
Mon père même, hélas ! puisqu'il faut te le dire,
Mon père, en me sauvant, ordonne que j'expire.

ÆGINE

Lui, Madame? Quoi donc? Qu'est-ce qui s'est passé?

IPHIGÉNIE

Achille trop ardent l'a peut-être offensé,
Mais le roi, qui le hait, veut que je le haïsse;
Il ordonne à mon cœur cet affreux sacrifice.
Il m'a fait par Arcas expliquer ses souhaits :
Ægine, il me défend de lui parler jamais.

ÆGINE

Ah, Madame!

IPHIGÉNIE

Ah, sentence! ah, rigueur inouïe!
Dieux plus doux, vous n'avez demandé que ma vie!
Mourons, obéissons. Mais qu'est-ce que je voi?
Dieux! Achille!

SCÈNE II. — ACHILLE, IPHIGÉNIE

ACHILLE

Venez, Madame, suivez-moi.
Ne craignez ni les cris ni la foule impuissante
D'un peuple qui se presse autour de cette tente.
Paraissez; et bientôt, sans attendre mes coups,
Ces flots tumultueux s'ouvriront devant vous.
Patrocle, et quelques chefs qui marchent à ma suite,
De mes Thessaliens vous amènent l'élite :
Tout le reste, assemblé, près de mon étendard,
Vous offre de ses rangs l'invincible rempart.
A vos persécuteurs opposons cet asile :
Qu'ils viennent vous chercher sous les tentes d'Achille.
Quoi, Madame? Est-ce ainsi que vous me secondez?
Ce n'est que par des pleurs que vous me répondez!
Vous fiez-vous encore à de si faibles armes?
Hâtons-nous : votre père a déjà vu vos larmes.

IPHIGÉNIE

Je le sais bien, Seigneur : aussi tout mon espoir
N'est plus qu'au coup mortel que je vais recevoir.

ACHILLE

Vous, mourir? Ah! cessez de tenir ce langage.
Songez-vous quel serment vous et moi nous engage?

Songez-vous, pour trancher d'inutiles discours,
Que le bonheur d'Achille est fondé sur vos jours?

IPHIGÉNIE

Le ciel n'a point aux jours de cette infortunée
Attaché le bonheur de votre destinée.
Notre amour nous trompait, et les arrêts du sort
Veulent que ce bonheur soit un fruit de ma mort.
Songez, Seigneur, songez à ces moissons de gloire
Qu'à vos vaillantes mains présente la victoire.
Ce champ si glorieux où vous aspirez tous,
Si mon sang ne l'arrose, est stérile pour vous.
Telle est la loi des dieux à mon père dictée.
En vain, sourd à Calchas, il l'avait rejetée :
Par la bouche des Grecs contre moi conjurés
Leurs ordres éternels se sont trop déclarés.
Partez : à vos honneurs j'apporte trop d'obstacles;
Vous-même, dégagez la foi de vos oracles;
Signalez ce héros à la Grèce promis,
Tournez votre douleur contre ses ennemis.
Déjà Priam pâlit, déjà Troie en alarmes
Redoute mon bûcher, et frémit de vos larmes.
Allez; et dans ses murs vides de citoyens,
Faites pleurer ma mort aux veuves des Troyens.
Je meurs dans cet espoir satisfaite et tranquille.
Si je n'ai pas vécu la compagne d'Achille,
J'espère que du moins un heureux avenir
A vos faits immortels joindra mon souvenir,
Et qu'un jour mon trépas, source de votre gloire,
Ouvrira le récit d'une si belle histoire.
Adieu, Prince; vivez, digne race des dieux.

ACHILLE

Non, je ne reçois point vos funestes adieux.
En vain par ce discours votre cruelle adresse
Veut servir votre père, et tromper ma tendresse.
En vain vous prétendez, obstinée à mourir,
Intéresser ma gloire à vous laisser périr :
Ces moissons de lauriers, ces honneurs, ces conquêtes,
Ma main, en vous servant, les trouve toutes prêtes.
Et qui de ma faveur se voudrait honorer,
Si mon hymen prochain ne peut vous assurer?

Ma gloire, mon amour, vous ordonnent de vivre.
Venez, Madame; il faut les en croire et me suivre.

IPHIGÉNIE

Qui? moi? que contre un père osant me révolter,
Je mérite la mort que j'irais éviter?
Où serait le respect? Et ce devoir suprême...

ACHILLE

Vous suivrez un époux avoué par lui-même.
C'est un titre qu'en vain il prétend me voler :
Ne fait-il des serments que pour les violer?
Vous-même, que retient un devoir si sévère,
Quand il vous donne à moi, n'est-il point votre père?
Suivez-vous seulement ses ordres absolus
Quand il cesse de l'être, et ne vous connaît plus?
Enfin, c'est trop tarder, ma Princesse, et ma crainte...

IPHIGÉNIE

Quoi, Seigneur? vous iriez jusques à la contrainte?
D'un coupable transport écoutant la chaleur,
Vous pourriez ajouter ce comble à mon malheur?
Ma gloire vous serait moins chère que ma vie?
Ah, Seigneur! épargnez la triste Iphigénie.
Asservie à des lois que j'ai dû respecter,
C'est déjà trop pour moi que de vous écouter;
Ne portez pas plus loin votre injuste victoire,
Ou par mes propres mains immolée à ma gloire,
Je saurai m'affranchir, dans ces extrémités,
Du secours dangereux que vous me présentez.

ACHILLE

Eh bien! n'en parlons plus. Obéissez, cruelle,
Et cherchez une mort qui vous semble si belle.
Portez à votre père un cœur où j'entrevoi
Moins de respect pour lui que de haine pour moi.
Une juste fureur s'empare de mon âme :
Vous allez à l'autel, et moi, j'y cours, Madame;
Si de sang et de morts le ciel est affamé,
Jamais de plus de sang ses autels n'ont fumé :
A mon aveugle amour tout sera légitime;
Le prêtre deviendra la première victime,

Le bûcher, par mes mains détruit et renversé,
Dans le sang des bourreaux nagera dispersé,
Et si dans les horreurs de ce désordre extrême,
Votre père frappé tombe et périt lui-même,
Alors de vos respects voyant les tristes fruits,
Reconnaissez les coups que vous aurez conduits.

IPHIGÉNIE

Ah! Seigneur! Ah! cruel!... Mais il fuit, il m'échappe.
O toi, qui veux ma mort, me voilà seule, frappe!
Termine, juste ciel, ma vie et mon effroi,
Et lance ici des traits qui n'accablent que moi!

SCÈNE III. — CLYTEMNESTRE, IPHIGÉNIE, EURYBATE, ÆGINE, GARDES

CLYTEMNESTRE

Oui, je la défendrai contre toute l'armée.
Lâches, vous trahissez votre reine opprimée!

EURYBATE

Non, Madame, il suffit que vous me commandiez :
Vous nous verrez combattre et mourir à vos pieds.
Mais de nos faibles mains que pouvez-vous attendre?
Contre tant d'ennemis qui vous pourra défendre?
Ce n'est plus un vain peuple en désordre assemblé;
C'est d'un zèle fatal tout le camp aveuglé.
Plus de pitié. Calchas seul règne, seul commande :
La piété sévère exige son offrande.
Le roi de son pouvoir se voit déposséder,
Et lui-même au torrent nous contraint de céder.
Achille, à qui tout cède, Achille à cet orage
Voudrait lui-même en vain opposer son courage.
Que fera-t-il, Madame? et qui peut dissiper
Tous les flots d'ennemis prêts à l'envelopper?

CLYTEMNESTRE

Qu'ils viennent donc sur moi prouver leur zèle impie,
En m'arrachant ce peu qui me reste de vie.
La mort seule, la mort pourra rompre les nœuds
Dont mes bras nous vont joindre et lier toutes deux :
Mon corps sera plutôt séparé de mon âme,
Que je souffre jamais... Ah! ma fille [23]!

IPHIGÉNIE

Ah! Madame!
Sous quel astre cruel avez-vous mis au jour
Le malheureux objet d'une si tendre amour?
Mais que pouvez-vous faire en l'état où nous sommes?
Vous avez à combattre et les dieux et les hommes.
Contre un peuple en fureur vous exposerez-vous?
N'allez point, dans un camp rebelle à votre époux,
Seule à me retenir vainement obstinée,
Par des soldats peut-être indignement traînée,
Présenter, pour tout fruit d'un déplorable effort,
Un spectacle à mes yeux plus cruel que la mort.
Allez; laissez aux Grecs achever leur ouvrage,
Et quittez pour jamais un malheureux rivage.
Du bûcher qui m'attend, trop voisin de ces lieux,
La flamme de trop près viendrait frapper vos yeux.
Surtout, si vous m'aimez, par cet amour de mère,
Ne reprochez jamais mon trépas à mon père.

CLYTEMNESTRE

Lui! par qui votre cœur à Calchas présenté...

IPHIGÉNIE

Pour me rendre à vos pleurs que n'a-t-il point tenté?

CLYTEMNESTRE

Par quelle trahison le cruel m'a déçue!

IPHIGÉNIE

Il me cédait aux dieux dont il m'avait reçue.
Ma mort n'emporte pas tout le fruit de vos feux :
De l'amour qui vous joint vous avez d'autres nœuds;
Vos yeux me reverront dans Oreste mon frère.
Puisse-t-il être, hélas! moins funeste à sa mère!
D'un peuple impatient, vous entendez la voix.
Daignez m'ouvrir vos bras pour la dernière fois,
Madame, et rappelant votre vertu sublime [24]...
Eurybate, à l'autel conduisez la victime.

SCÈNE IV. — CLYTEMNESTRE, ÆGINE, GARDES

CLYTEMNESTRE

Ah! vous n'irez pas seule, et je ne prétends pas...

Mais on se jette en foule au-devant de mes pas.
Perfides, contentez votre soif sanguinaire!

ÆGINE

Où courez-vous, Madame, et que voulez-vous faire?

CLYTEMNESTRE

Hélas! je me consume en impuissants efforts,
Et rentre au trouble affreux dont à peine je sors.
Mourrai-je tant de fois sans sortir de la vie?

ÆGINE

Ah! savez-vous le crime, et qui vous a trahie,
Madame? Savez-vous quel serpent inhumain
Iphigénie avait retiré dans son sein?
Ériphile, en ces lieux par vous-même conduite,
A seule à tous les Grecs révélé votre fuite.

CLYTEMNESTRE

O monstre, que Mégère en ses flancs a porté,
Monstre que dans nos bras les enfers ont jeté!
Quoi! tu ne mourras point? Quoi! pour punir son crime...
Mais où va ma douleur chercher une victime?
Quoi! pour noyer les Grecs et leurs mille vaisseaux,
Mer, tu n'ouvriras pas des abîmes nouveaux?
Quoi! lorsque, les chassant du port qui les recèle,
L'Aulide aura vomi leur flotte criminelle,
Les vents, les mêmes vents, si longtemps accusés,
Ne te couvriront pas de ses vaisseaux brisés?
Et toi, Soleil, et toi, qui dans cette contrée,
Reconnais l'héritier et le vrai fils d'Atrée,
Toi, qui n'osas du père éclairer le festin,
Recule, ils t'ont appris ce funeste chemin [25].
Mais, cependant, ô ciel! ô mère infortunée!
De festons odieux ma fille couronnée
Tend la gorge aux couteaux par son père apprêtés!
Calchas va dans son sang... Barbares, arrêtez!
C'est le pur sang du dieu qui lance le tonnerre...
J'entends gronder la foudre, et sens trembler la terre :
Un dieu vengeur, un dieu fait retentir ces coups.

SCÈNE V. — CLYTEMNESTRE, ARCAS, ÆGINE, GARDES

ARCAS

N'en doutez point, Madame, un dieu combat pour vous.
Achille, en ce moment, exauce vos prières;
Il a brisé des Grecs les trop faibles barrières.
Achille est à l'autel. Calchas est éperdu.
Le fatal sacrifice est encor suspendu.
On se menace, on court, l'air gémit, le fer brille.
Achille fait ranger autour de votre fille
Tous ses amis, pour lui prêts à se dévouer.
Le triste Agamemnon, qui n'ose l'avouer [26],
Pour détourner ses yeux des meurtres qu'il présage,
Ou pour cacher ses pleurs, s'est voilé le visage.
Venez, puisqu'il se tait, venez par vos discours
De votre défenseur appuyer le secours.
Lui-même de sa main, de sang toute fumante,
Il veut entre vos bras remettre son amante;
Lui-même il m'a chargé de conduire vos pas.
Ne craignez rien.

CLYTEMNESTRE

Moi, craindre? Ah, courons, cher Arcas!
Le plus affreux péril n'a rien dont je pâlisse.
J'irai partout... Mais, dieux! ne vois-je pas Ulysse?
C'est lui; ma fille est morte, Arcas, il n'est plus temps!

SCÈNE DERNIÈRE. — ULYSSE, CLYTEMNESTRE ARCAS, ÆGINE, GARDES

ULYSSE

Non, votre fille vit, et les dieux sont contents.
Rassurez-vous. Le ciel a voulu vous la rendre.

CLYTEMNESTRE

Elle vit! Et c'est vous qui venez me l'apprendre!

ULYSSE

Oui, c'est moi qui longtemps, contre elle et contre vous,
Ai cru devoir, Madame, affermir votre époux;
Moi qui, jaloux tantôt de l'honneur de nos armes,
Par d'austères conseils ai fait couler vos larmes,
Et qui viens, puisque enfin le ciel est apaisé,
Réparer tout l'ennui que je vous ai causé.

CLYTEMNESTRE

Ma fille! Ah, Prince! O ciel! Je demeure éperdue.
Quel miracle, Seigneur, quel dieu me l'a rendue?

ULYSSE

Vous m'en voyez moi-même, en cet heureux moment,
Saisi d'horreur, de joie et de ravissement.
Jamais jour n'a paru si mortel à la Grèce.
Déjà de tout le camp la Discorde maîtresse
Avait sur tous les yeux mis son bandeau fatal,
Et donné du combat le funeste signal.
De ce spectacle affreux votre fille alarmée
Voyait pour elle Achille, et contre elle l'armée.
Mais, quoique seul pour elle, Achille furieux
Épouvantait l'armée et partageait les dieux.
Déjà de traits en l'air s'élevait un nuage;
Déjà coulait le sang, prémices du carnage.
Entre les deux partis Calchas s'est avancé,
L'œil farouche, l'air sombre et le poil hérissé,
Terrible, et plein du dieu qui l'agitait sans doute :
« Vous, Achille, a-t-il dit, et vous, Grecs, qu'on m'écoute.
« Le dieu qui maintenant vous parle par ma voix
« M'explique son oracle, et m'instruit de son choix.
« Un autre sang d'Hélène, une autre Iphigénie
« Sur ce bord immolée y doit laisser sa vie.
« Thésée avec Hélène uni secrètement
« Fit succéder l'hymen à son enlèvement.
« Une fille en sortit, que sa mère a celée;
« Du nom d'Iphigénie elle fut appelée.
« Je vis moi-même alors ce fruit de leurs amours;
« D'un sinistre avenir je menaçai ses jours.
« Sous un nom emprunté sa noire destinée
« Et ses propres fureurs ici l'ont amenée.
« Elle me voit, m'entend, elle est devant vos yeux,
« Et c'est elle, en un mot, que demandent les dieux. »
Ainsi parle Calchas. Tout le camp immobile
L'écoute avec frayeur, et regarde Ériphile.
Elle était à l'autel, et peut-être en son cœur
Du fatal sacrifice accusait la lenteur.
Elle-même tantôt, d'une course subite,
Était venue aux Grecs annoncer votre fuite.
On admire en secret sa naissance et son sort.

Mais puisque Troie enfin est le prix de sa mort,
L'armée à haute voix se déclare contre elle,
Et prononce à Calchas sa sentence mortelle.
Déjà pour la saisir Calchas lève le bras :
« Arrête, a-t-elle dit, et ne m'approche pas.
« Le sang de ces héros dont tu me fais descendre
« Sans tes profanes mains saura bien se répandre. »
Furieuse, elle vole, et sur l'autel prochain,
Prend le sacré couteau, le plonge dans son sein.
A peine son sang coule et fait rougir la terre,
Les dieux font sur l'autel entendre le tonnerre,
Les vents agitent l'air d'heureux frémissements,
Et la mer leur répond par ses mugissements.
La rive au loin gémit, blanchissante d'écume.
La flamme du bûcher d'elle-même s'allume.
Le ciel brille d'éclairs, s'entr'ouvre, et parmi nous
Jette une sainte horreur qui nous rassure tous.
Le soldat étonné dit que dans une nue
Jusque sur le bûcher Diane est descendue,
Et croit que, s'élevant au travers de ses feux,
Elle portait au ciel notre encens et nos vœux [27].
Tout s'empresse, tout part. La seule Iphigénie
Dans ce commun bonheur pleure son ennemie.
Des mains d'Agamemnon venez la recevoir.
Venez : Achille et lui, brûlant de vous revoir,
Madame, et désormais tous deux d'intelligence,
Sont prêts à confirmer leur auguste alliance.

CLYTEMNESTRE

Par quel prix, quel encens, ô ciel, puis-je jamais
Récompenser Achille, et payer tes bienfaits !

PHÈDRE

TRAGÉDIE [1]

PHÈDRE

La dernière tragédie « profane » de Racine a été créée, sous le titre de *Phèdre et Hippolyte* qu'elle gardera jusqu'à l'édition collective de 1687, le 1er janvier 1677, à l'Hôtel de Bourgogne. La Champmeslé tenait le rôle de Phèdre, et la D'Ennebault (selon Tallemant) celui d'Aricie. L'œuvre était annoncée depuis plusieurs mois, ainsi qu'en témoigne une lettre de Bayle datée d'octobre 1676. Deux jours après cette première, le poète Pradon, ami de Mme Deshoulières et protégé des Mancini (la duchesse de Bouillon et son frère Philippe, duc de Nevers), faisait représenter à Guénégaud une œuvre de même titre, dont le succès, entretenu par une puissante cabale, balança quelque temps celui de l'œuvre de Racine. D'autre part, on vit circuler dès le mois de janvier un sonnet violemment hostile à l'œuvre de Racine, et que les amis du poète attribuèrent (à tort, très probablement) au duc de Nevers. A ce sonnet en répondit un autre, que Pradon et son groupe crurent sorti de la plume et de l'imagination de Racine lui-même, aidé de Boileau. Ce second sonnet, procédant selon la technique du jeu mondain des « bouts-rimés », s'en prenait à la personne du duc de Nevers et insinuait que Philippe Mancini nourrissait pour son autre sœur, la duchesse de Mazarin, des sentiments un peu trop tendres. D'autres sonnets devaient suivre ces deux premiers, dirigés particulièrement contre le poète satirique. Menacés tous deux par les amis du duc, Racine et Boileau durent un temps se réfugier, selon Tallemant, à l'Hôtel de Condé. Le Prince voulut bien s'entremettre et ménager une réconciliation entre les deux poètes et les Mancini. L'œuvre de Racine connut ensuite une carrière exceptionnelle. Publiée en mars, avec une préface de ton mesuré, elle connut de brillantes représentations devant la Cour, à Sceaux et à Fontainebleau. Elle devait être choisie pour la première représentation solennelle de la Comédie-Française en août 1680.

Phèdre s'inscrit dans une abondante lignée. *Hippolyte porte-couronne* d'Euripide (428 av. J.-C.), la seule des deux tragédies du poète concernant la légende du fils de Thésée qui nous soit parvenue, comportait déjà l'élément de théomachie de cette légende, et faisait apparaître Aphrodite au prologue et Artémis à l'*exodos;* l'histoire y était contée avec une pudeur et une simplicité de moyens exceptionnelles chez Euripide lui-même. Phèdre ne s'y adressait directement, ni à Hippolyte pour lui avouer son amour, ni à Thésée pour confesser sa faute : l'aveu se faisait par l'intermédiaire de la nourrice et la confession n'avait pas lieu,

Phèdre ayant seulement laissé à son époux, au moment de sa mort, une accusation écrite contre son beau-fils. L'apparition finale d'Artémis était donc nécessaire pour révéler l'innocence du héros. Cependant, quand Phèdre osait déclarer son mal à la nourrice, le chœur soulignait déjà le caractère fatal de l'aveu, qui met en lumière ce qui devrait être caché. La *Phèdre* de Sénèque est d'un ton et d'une action plus audacieux. L'héroïne déclare directement ses sentiments devant un Hippolyte horrifié, confirme auprès de Thésée les accusations déjà portées par la nourrice contre le jeune homme, et se donne enfin la mort sur le cadavre de son beau-fils. Parmi les modernes, Garnier avait donné en 1573 un *Hippolyte* proche dans sa manière et sa structure du drame sénéquien, et le siècle même de Racine avait produit, entre autres, un *Hypolite (sic)* de Gilbert (1645) et un *Hippolyte* de Bidar (1675), tous deux faisant de Phèdre la fiancée et non l'épouse de Thésée, et le second imaginant le héros amoureux d'une princesse de Naxos. Pradon et Racine se sont souvenus d'une tradition attestée en particulier au livre VII de *L'Énéide,* selon laquelle Artémis-Diane aurait obtenu d'Esculape la résurrection d'Hippolyte et lui aurait donné pour épouse Aricie, héroïne éponyme d'un village du Latium. Mais le seul Racine a osé en son siècle redonner à la tragédie sa violence primitive en présentant sur la scène un aveu adultère. Son œuvre conciliait ainsi la « vérité » tragique à l'intérêt de sensibilité que pouvait éveiller en son temps les amours d'Hippolyte et Aricie.

Phèdre n'est pas une élégie. C'est un drame familial fortement intrigué. Certes, le respect de la donnée première (Phèdre amoureuse de son beau-fils) permet à Racine d'éviter l'affabulation romanesque et galante. Mais il a tiré de la fausse nouvelle de la mort de Thésée et de son retour inattendu, non seulement deux retournements de situation théâtralement efficaces, mais aussi l'occasion de donner à son œuvre une dimension politique : évocation de la rivalité de Thésée et de ses cousins les Pallantides, dont le poète feint que la belle Aricie soit la sœur, problème de la succession au trône, idée de la réconciliation entre les deux branches ennemies, symbolisée par l'amour d'Hippolyte et sanctionnée au dénouement par l'adoption d'Aricie par Thésée. Enfin l'amour même d'Hippolyte et Aricie est doublement exempt de fadeur : Aricie se fait une gloire d'avoir « fléchi » l'insensible prétendu, Hippolyte s'étonne et s'indigne de s'être laissé asservir : « Par quel trouble me vois-je emporté loin de moi ! » (v. 536). Pour lui comme pour Phèdre, l'amour est la suprême violence que les dieux (ou le destin) puissent imposer à l'homme. Cet amour mutuel, enfin découvert par Phèdre, permet surtout à Racine de « pousser » une peinture de la jalousie féminine déjà présente dans *Bajazet* et dans *Iphigénie,* et qui atteint ici la perfection qu'on sait; il lui permet aussi de justifier par la passion amoureuse elle-même le silence de Phèdre devant Thésée au moment où elle s'apprêtait à tout avouer (IV, 5).

La tragédie de *Phèdre,* est imprégnée de sacré, autant et peut-être plus qu'*Iphigénie.* Certes, les dieux n'y interviennent pas directement. Mais ils ne sont pas seulement nommés. C'est Vénus qui poursuit Phèdre, c'est Poséidon qui se charge de la vengeance de Thésée. Comme on croyait avoir vu Diane (curieusement absente ici) au dénouement d'*Iphigénie,* on croit dans *Phèdre* voir Poséidon :

On dit qu'on a vu même, en ce désordre affreux,
Un Dieu qui d'aiguillons pressait leur flanc poudreux.
(v. 1539-40)

Comme Agamemnon, Thésée est « issu de tous côtés » du sang du dieu des dieux. Racine a gardé cette fidélité à Euripide de concevoir sa tragédie comme un conflit entre les héros et les dieux. Ce drame de famille intéresse une famille toute divine. Effet de grandissement qui crée une distance entre le spectateur et le spectacle, mais qui permet aussi au poète de nourrir son discours de puissantes métaphores.

On est en droit de se demander, comme le faisait à sa façon Chateaubriand, si l'ensemble du drame n'est pas lui-même métaphorique. Plus profondément que dans la légende héritée, et soutenu sans doute par la philosophie stoïcienne qui nourrissait le modèle latin, Racine a restitué d'un même élan, dans le mouvement de sa tragédie, la primitive violence du destin et des dieux qui le servent ou le représentent et qui tour à tour maudissent et protègent. Enfin, les tourments et les remords de Phèdre ont inspiré à Racine un recours à la poésie biblique. Le « sang » que l'héroïne craint d'entendre « crier » rappelle le meurtre d'Abel par Caïn (IV, 4). Le soleil, son ancêtre, lui reproche son crime; qu'elle descende « dans la nuit infernale » : elle y entendra les reproches de Minos (IV, 6). Le Psalmiste, de même, n'échappait au regard de Dieu ni en escaladant les cieux, ni en se couchant dans le shéol, ni en recherchant la ténèbre (Ps. 138).

J. M.

PRÉFACE (2)

Voici encore une tragédie dont le sujet est pris d'Euripide. Quoique j'aie suivi une route un peu différente de celle de cet auteur pour la conduite de l'action, je n'ai pas laissé d'enrichir ma pièce de tout ce qui m'a paru le plus éclatant dans la sienne. Quand je ne lui devrais que la seule idée du caractère de Phèdre, je pourrais dire que je lui dois ce que j'ai peut-être mis de plus raisonnable sur le théâtre. Je ne suis point étonné que ce caractère ait eu un succès si heureux du temps d'Euripide, et qu'il ait encore si bien réussi dans notre siècle, puisqu'il a toutes les qualités qu'Aristote demande dans le héros de la tragédie, et qui sont propres à exciter la compassion et la terreur. En effet, Phèdre n'est ni tout à fait coupable, ni tout à fait innocente. Elle est engagée, par sa destinée et par la colère des dieux, dans une passion illégitime, dont elle a horreur toute la première. Elle fait tous ses efforts pour la surmonter. Elle aime mieux se laisser mourir que de la déclarer à personne, et lorsqu'elle est forcée de la découvrir, elle en parle avec une confusion qui fait bien voir que son crime est plutôt une punition des dieux qu'un mouvement de sa volonté.

J'ai même pris soin de la rendre un peu moins odieuse qu'elle n'est dans les tragédies des Anciens, où elle se résout d'elle-même à accuser Hippolyte. J'ai cru que la calomnie avait quelque chose de trop bas et de trop noir pour la mettre dans la bouche d'une princesse qui a d'ailleurs des sentiments si nobles et si vertueux. Cette bassesse m'a paru plus convenable à une nourrice, qui pouvait avoir des inclinations plus serviles, et qui néanmoins n'entreprend cette fausse accusation que pour sauver la vie et l'honneur de sa maîtresse. Phèdre n'y donne les mains que parce qu'elle est dans une agitation d'esprit qui la met hors d'elle-même, et elle vient un moment après dans le dessein de justifier l'innocence et de déclarer la vérité.

Hippolyte est accusé, dans Euripide et dans Sénèque, d'avoir en effet violé sa belle-mère : *vim corpus tulit*. Mais il n'est ici accusé que d'en avoir eu le dessein. J'ai voulu épargner à Thésée une confusion qui l'aurait pu rendre moins agréable aux spectateurs.

Pour ce qui est du personnage d'Hippolyte, j'avais remarqué dans les Anciens qu'on reprochait à Euripide de l'avoir représenté comme un philosophe exempt de toute imperfection; ce qui faisait que la mort de ce jeune prince causait beaucoup plus d'indignation que de pitié. J'ai cru lui devoir donner quelque faiblesse qui le rendrait un peu coupable envers son père, sans pourtant lui rien ôter de cette grandeur d'âme avec laquelle il épargne l'honneur de Phèdre, et se laisse opprimer sans l'accuser. J'appelle faiblesse la passion qu'il ressent malgré lui pour Aricie, qui est la fille et la sœur des ennemis mortels de son père.

Cette Aricie n'est point un personnage de mon invention. Virgile dit qu'Hippolyte l'épousa, et en eut un fils, après qu'Esculape l'eut ressuscité. Et j'ai lu encore dans quelques auteurs qu'Hippolyte avait épousé et emmené en Italie une jeune Athénienne de grande naissance, qui s'appelait Aricie, et qui avait donné son nom à une petite ville d'Italie.

Je rapporte ces autorités, parce que je me suis très scrupuleusement attaché à suivre la fable. J'ai même suivi l'histoire de Thésée, telle qu'elle est dans Plutarque.

C'est dans cet historien que j'ai trouvé que ce qui avait donné occasion de croire que Thésée fût descendu dans les enfers pour enlever Proserpine, était un voyage que ce prince avait fait en Épire vers la source de l'Achéron, chez un roi dont Pirithoüs voulait enlever la femme, et qui arrêta Thésée prisonnier, après avoir fait mourir Pirithoüs. Ainsi j'ai tâché de conserver la vraisemblance de l'histoire, sans rien perdre des ornements de la fable, qui fournit extrêmement à la poésie; et le bruit de la mort de Thésée, fondé sur ce voyage fabuleux, donne lieu à Phèdre de faire une déclaration d'amour qui devient une des principales causes de son malheur, et qu'elle n'aurait jamais osé faire tant qu'elle aurait cru que son mari était vivant.

Au reste, je n'ose encore assurer que cette pièce soit en effet la meilleure de mes tragédies. Je laisse aux lecteurs et au temps à décider de son véritable prix. Ce que je puis assurer, c'est que je n'en ai point fait où la vertu soit plus mise en jour que dans celle-ci. Les moindres fautes y sont sévèrement punies; la seule pensée du crime y est regardée avec autant d'horreur que le crime même; les faiblesses de l'amour y passent pour de vraies faiblesses; les passions n'y sont présentées aux yeux que pour montrer tout le désordre dont elles sont cause; et le vice y est peint partout avec des couleurs qui en font connaître et haïr la difformité. C'est là proprement le dut que tout homme qui travaille pour le public doit se proposer, et c'est ce que les premiers poètes tragiques avaient en vue sur toute chose. Leur théâtre était une école où la vertu n'était pas moins bien enseignée que dans les écoles des philosophes. Aussi Aristote a bien voulu donner des règles du poème dramatique, et Socrate, le plus sage des philosophes, ne dédaignait pas de mettre la main aux tragédies d'Euripide. Il serait à souhaiter que nos ouvrages fussent aussi solides et aussi pleins d'utiles instructions que ceux de ces poètes. Ce serait peut-être un moyen de réconcilier la tragédie avec quantité de personnes célèbres par leur piété et par leur doctrine, qui l'ont condamnée dans ces derniers temps et qui en jugeraient sans doute plus favorablement, si les auteurs songeaient autant à instruire leurs spectateurs qu'à les divertir, et s'ils suivaient en cela la véritable intention de la tragédie.

ACTEURS

THÉSÉE, fils d'Égée, roi d'Athènes.
PHÈDRE, femme de Thésée, fille de Minos et de Pasiphaé.
HIPPOLYTE, fils de Thésée et d'Antiope, reine des Amazones.
ARICIE, princesse du sang royal d'Athènes.
ŒNONE, nourrice et confidente de Phèdre.
THÉRAMÈNE, gouverneur d'Hippolyte.
ISMÈNE, confidente d'Aricie.
PANOPE, femme de la suite de Phèdre.
GARDES.

La scène est à Trézène, ville du Péloponnèse.

ACTEURS

THÉSÉE, fils d'Égée, roi d'Athènes.
PHÈDRE, femme de Thésée, fille de Minos et de Pasiphaé.
HIPPOLYTE, fils de Thésée, et d'Antiope, reine des Amazones.
ARICIE, princesse du sang royal d'Athènes.
ŒNONE, nourrice et confidente de Phèdre.
THÉRAMÈNE, gouverneur d'Hippolyte.
ISMÈNE, confidente d'Aricie.
PANOPE, femme de la suite de Phèdre.
GARDES.

La scène est à Trézène, ville du Péloponnèse.

PHÈDRE

ACTE PREMIER

SCÈNE I. — HIPPOLYTE, THÉRAMÈNE

HYPPOLYTE

Le dessein en est pris : je pars, cher Théramène,
Et quitte le séjour de l'aimable Trézène.
Dans le doute mortel dont je suis agité,
Je commence à rougir de mon oisiveté.
Depuis plus de six mois éloigné de mon père,
J'ignore le destin d'une tête si chère;
J'ignore jusqu'aux lieux qui le peuvent cacher.

THÉRAMÈNE

Et dans quels lieux, Seigneur, l'allez-vous donc chercher?
Déjà pour satisfaire à votre juste crainte,
J'ai couru les deux mers que sépare Corinthe;
J'ai demandé Thésée aux peuples de ces bords
Où l'on voit l'Achéron se perdre chez les morts [3];
J'ai visité l'Élide, et laissant le Ténare,
Passé jusqu'à la mer qui vit tomber Icare [4].
Sur quel espoir nouveau, dans quels heureux climats
Croyez-vous découvrir la trace de ses pas?
Qui sait même, qui sait si le roi votre père
Veut que de son absence on sache le mystère?
Et si, lorsque avec vous nous tremblons pour ses jours,
Tranquille et nous cachant de nouvelles amours,
Ce héros n'attend point qu'une amante abusée [5]...

HIPPOLYTE

Cher Théramène, arrête, et respecte Thésée.
De ses jeunes erreurs désormais revenu,
Par un indigne obstacle il n'est point retenu;
Et fixant de ses vœux l'inconstance fatale,
Phèdre depuis longtemps ne craint plus de rivale.
Enfin en le cherchant je suivrai mon devoir,
Et je fuirai ces lieux que je n'ose plus voir.

THÉRAMÈNE

Hé! depuis quand, Seigneur, craignez-vous la présence
De ces paisibles lieux si chers à votre enfance,
Et dont je vous ai vu préférer le séjour
Au tumulte pompeux d'Athène [6] et de la cour?
Quel péril, ou plutôt quel chagrin vous en chasse?

HYPPOLYTE

Cet heureux temps n'est plus. Tout a changé de face
Depuis que sur ces bords les dieux ont envoyé
La fille de Minos et de Pasiphaé.

THÉRAMÈNE

J'entends. De vos douleurs la cause m'est connue.
Phèdre ici vous chagrine et blesse votre vue.
Dangereuse marâtre, à peine elle vous vit,
Que votre exil d'abord signala son crédit.
Mais sa haine sur vous autrefois attachée,
Ou s'est évanouie, ou s'est bien relâchée.
Et d'ailleurs quels périls vous peut faire courir
Une femme mourante, et qui cherche à mourir?
Phèdre, atteinte d'un mal qu'elle s'obstine à taire,
Lasse enfin d'elle-même et du jour qui l'éclaire,
Peut-elle contre vous former quelques desseins?

HIPPOLYTE

Sa vaine inimitié n'est pas ce que je crains.
Hippolyte en partant fuit une autre ennemie :
Je fuis, je l'avouerai, cette jeune Aricie,
Reste d'un sang fatal conjuré contre nous.

THÉRAMÈNE

Quoi? vous-même, Seigneur, la persécutez-vous?
Jamais l'aimable sœur des cruels Pallantides
Trempa-t-elle aux complots de ses frères perfides?
Et devez-vous haïr ses innocents appas?

HIPPOLYTE

Si je la haïssais, je ne la fuirais pas.

THÉRAMÈNE

Seigneur, m'est-il permis d'expliquer votre fuite?
Pourriez-vous n'être plus ce superbe Hippolyte
Implacable ennemi des amoureuses lois,
Et d'un joug que Thésée a subi tant de fois?

Vénus, par votre orgueil si longtemps méprisée,
Voudrait-elle à la fin justifier Thésée?
Et vous mettant au rang du reste des mortels,
Vous a-t-elle forcé d'encenser ses autels?
Aimeriez-vous, Seigneur?

HIPPOLYTE

Ami, qu'oses-tu dire?
Toi qui connais mon cœur depuis que je respire,
Des sentiments d'un cœur si fier, si dédaigneux,
Peux-tu me demander le désaveu honteux?
C'est peu qu'avec son lait une mère amazone
M'a fait sucer encor cet orgueil qui t'étonne.
Dans un âge plus mûr moi-même parvenu,
Je me suis applaudi quand je me suis connu.
Attaché près de moi par un zèle sincère,
Tu me contais alors l'histoire de mon père.
Tu sais combien mon âme, attentive à ta voix
S'échauffait aux récits de ses nobles exploits,
Quand tu me dépeignais ce héros intrépide
Consolant les mortels de l'absence d'Alcide,
Les monstres étouffés et les brigands punis,
Procruste, Cercyon, et Scirron, et Sinnis,
Et les os dispersés du géant d'Épidaure [7],
Et la Crète fumant du sang du Minotaure.
Mais quand tu récitais des faits moins glorieux,
Sa foi partout offerte et reçue en cent lieux,
Hélène à ses parents dans Sparte dérobée,
Salamine témoin des pleurs de Péribée,
Tant d'autres, dont les noms lui sont même échappés,
Trop crédules esprits que sa flamme a trompés;
Ariane aux rochers contant ses injustices,
Phèdre enlevée enfin sous de meilleurs auspices;
Tu sais comme, à regret écoutant ce discours,
Je te pressais souvent d'en abréger le cours,
Heureux si j'avais pu ravir à la mémoire
Cette indigne moitié d'une si belle histoire!
Et moi-même, à mon tour, je me verrais lié?
Et les dieux jusque-là m'auraient humilié?
Dans mes lâches soupirs d'autant plus méprisable,
Qu'un long amas d'honneurs rend Thésée excusable,
Qu'aucuns monstres par moi domptés jusqu'aujourd'hui,

Ne m'ont acquis le droit de faillir comme lui.
Quand même ma fierté pourrait s'être adoucie,
Aurais-je pour vainqueur dû choisir Aricie?
Ne souviendrait-il plus à mes sens égarés
De l'obstacle éternel qui nous a séparés?
Mon père la réprouve, et par des lois sévères,
Il défend de donner des neveux à ses frères :
D'une tige coupable il craint un rejeton;
Il veut avec leur sœur ensevelir leur nom,
Et que jusqu'au tombeau soumise à sa tutelle,
Jamais les feux d'hymen ne s'allument pour elle.
Dois-je épouser ses droits contre un père irrité?
Donnerai-je l'exemple à la témérité?
Et dans un fol amour ma jeunesse embarquée...

THÉRAMÈNE

Ah! Seigneur, si votre heure est une fois marquée,
Le ciel de nos raisons ne sait point s'informer.
Thésée ouvre vos yeux en voulant les fermer;
Et sa haine, irritant une flamme rebelle,
Prête à son ennemie une grâce nouvelle.
Enfin, d'un chaste amour pourquoi vous effrayer?
S'il a quelque douceur, n'osez-vous l'essayer?
En croirez-vous toujours un farouche scrupule?
Craint-on de s'égarer sur les traces d'Hercule?
Quels courages Vénus n'a-t-elle pas domptés?
Vous-même où seriez-vous, vous qui la combattez,
Si toujours Antiope à ses lois opposée
D'une pudique ardeur n'eût brûlé pour Thésée?
Mais que sert d'affecter un superbe discours?
Avouez-le, tout change; et depuis quelques jours,
On vous voit moins souvent, orgueilleux et sauvage,
Tantôt faire voler un char sur le rivage,
Tantôt, savant dans l'art par Neptune inventé [8],
Rendre docile au frein un coursier indompté.
Les forêts de nos cris moins souvent retentissent;
Chargés d'un feu secret, vos yeux s'appesantissent.
Il n'en faut point douter : vous aimez, vous brûlez;
Vous périssez d'un mal que vous dissimulez.
La charmante Aricie a-t-elle su vous plaire?

HIPPOLYTE

Théramène, je pars, et vais chercher mon père.

THÉRAMÈNE

Ne verrez-vous point Phèdre avant que de partir,
Seigneur?

HIPPOLYTE

C'est mon dessein : tu peux l'en avertir.
Voyons-la, puisque ainsi mon devoir me l'ordonne.
Mais quel nouveau malheur trouble sa chère Œnone?

SCÈNE II. — HIPPOLYTE, ŒNONE, THÉRAMÈNE

ŒNONE

Hélas! Seigneur, quel trouble au mien peut être égal?
La reine touche presque à son terme fatal.
En vain à l'observer jour et nuit je m'attache;
Elle meurt dans mes bras d'un mal qu'elle me cache.
Un désordre éternel règne dans son esprit;
Son chagrin inquiet l'arrache de son lit :
Elle veut voir le jour, et sa douleur profonde
M'ordonne toutefois d'écarter tout le monde...
Elle vient...

HIPPOLYTE

Il suffit : je la laisse en ces lieux,
Et ne lui montre point un visage odieux.

SCÈNE III. — PHÈDRE, ŒNONE

PHÈDRE

N'allons point plus avant. Demeurons, chère Œnone.
Je ne me soutiens plus; ma force m'abandonne.
Mes yeux sont éblouis du jour que je revoi,
Et mes genoux tremblants se dérobent sous moi.
Hélas!

(Elle s'assied.)

ŒNONE

Dieux tout-puissants, que nos pleurs vous apaisent!

PHÈDRE

Que ces vains ornements, que ces voiles me pèsent!
Quelle importune main, en formant tous ces nœuds,
A pris soin sur mon front d'assembler mes cheveux?
Tout m'afflige et me nuit, et conspire à me nuire.

ŒNONE

Comme on voit tous ses vœux l'un l'autre se détruire!
Vous-même, condamnant vos injustes desseins,

Tantôt à vous parer vous excitiez nos mains;
Vous-même, rappelant votre force première,
Vous vouliez vous montrer et revoir la lumière,
Vous la voyez, Madame, et prête à vous cacher,
Vous haïssez le jour que vous veniez chercher!

PHÈDRE

Noble et brillant auteur d'une triste famille [9],
Toi, dont ma mère osait se vanter d'être fille,
Qui peut-être rougis du trouble où tu me vois,
Soleil, je te viens voir pour la dernière fois!

ŒNONE

Quoi! vous ne perdrez point cette cruelle envie?
Vous verrai-je toujours, renonçant à la vie,
Faire de votre mort les funestes apprêts?

PHÈDRE

Dieux! que ne suis-je assise à l'ombre des forêts!
Quand pourrai-je, au travers d'une noble poussière,
Suivre de l'œil un char fuyant dans la carrière?

ŒNONE

Quoi, Madame?

PHÈDRE

Insensée, où suis-je? et qu'ai-je dit?
Où laissé-je égarer mes vœux et mon esprit?
Je l'ai perdu : les dieux m'en ont ravi l'usage.
Œnone, la rougeur me couvre le visage :
Je te laisse trop voir mes honteuses douleurs,
Et mes yeux, malgré moi, se remplissent de pleurs.

ŒNONE

Ah! s'il vous faut rougir, rougissez d'un silence
Qui de vos maux encore aigrit la violence.
Rebelle à tous nos soins, sourde à tous nos discours,
Voulez-vous sans pitié laisser finir vos jours?
Quelle fureur les borne au milieu de leur course?
Quel charme ou quel poison en a tari la source?
Les ombres par trois fois ont obscurci les cieux
Depuis que le sommeil n'est entré dans vos yeux;
Et le jour a trois fois chassé la nuit obscure
Depuis que votre corps languit sans nourriture.
A quel affreux dessein vous laissez-vous tenter?
De quel droit sur vous-même osez-vous attenter?

Vous offensez les dieux auteurs de votre vie,
Vous trahissez l'époux à qui la foi vous lie,
Vous trahissez enfin vos enfants malheureux,
Que vous précipitez sous un joug rigoureux.
Songez qu'un même jour leur ravira leur mère,
Et rendra l'espérance au fils de l'étrangère,
A ce fier ennemi de vous, de votre sang,
Ce fils qu'une Amazone a porté dans son flanc,
Cet Hippolyte...

PHÈDRE

Ah! dieux!

ŒNONE

Ce reproche vous touche?

PHÈDRE

Malheureuse, quel nom est sorti de ta bouche?

ŒNONE

Eh bien! votre colère éclate avec raison :
J'aime à vous voir frémir à ce funeste nom.
Vivez donc : que l'amour, le devoir, vous excite;
Vivez, ne souffrez pas que le fils d'une Scythe,
Accablant vos enfants d'un empire odieux,
Commande au plus beau sang de la Grèce et des dieux.
Mais ne différez point : chaque moment vous tue.
Réparez promptement votre force abattue,
Tandis que de vos jours, prêts à se consumer,
Le flambeau dure encore, et peut se rallumer.

PHÈDRE

J'en ai trop prolongé la coupable durée.

ŒNONE

Quoi? de quelques remords êtes-vous déchirée?
Quel crime a pu produire un trouble si pressant?
Vos mains n'ont point trempé dans le sang innocent [10].

PHÈDRE

Grâces au ciel, mes mains ne sont point criminelles.
Plût aux dieux que mon cœur fût innocent comme elles!

ŒNONE

Et quel affreux projet avez-vous enfanté
Dont votre cœur encor doive être épouvanté?

PHÈDRE

Je t'en ai dit assez. Épargne-moi le reste.
Je meurs, pour ne point faire un aveu si funeste.

ŒNONE

Mourez donc, et gardez un silence inhumain;
Mais pour fermer vos yeux cherchez une autre main.
Quoiqu'il vous reste à peine une faible lumière,
Mon âme chez les morts descendra la première [11];
Mille chemins ouverts y conduisent toujours,
Et ma juste douleur choisira les plus courts.
Cruelle, quand ma foi vous a-t-elle déçue?
Songez-vous qu'en naissant mes bras vous ont reçue?
Mon pays, mes enfants, pour vous j'ai tout quitté.
Réserviez-vous ce prix à ma fidélité?

PHÈDRE

Quel fruit espères-tu de tant de violence?
Tu frémiras d'horreur si je romps le silence.

ŒNONE

Et que me direz-vous qui ne cède, grands dieux!
A l'horreur de vous voir expirer à mes yeux?

PHÈDRE

Quand tu sauras mon crime, et le sort qui m'accable,
Je n'en mourrai pas moins, j'en mourrai plus coupable.

ŒNONE

Madame, au nom des pleurs que pour vous j'ai versés,
Par vos faibles genoux que je tiens embrassés,
Délivrez mon esprit de ce funeste doute.

PHÈDRE

Tu le veux. Lève-toi.

ŒNONE

Parlez : je vous écoute.

PHÈDRE

Ciel! que lui vais-je dire? et par où commencer?

ŒNONE

Par de vaines frayeurs cessez de m'offenser.

PHÈDRE

O haine de Vénus! O fatale colère!
Dans quels égarements l'amour jeta ma mère!

ŒNONE

Oublions-les Madame, et qu'à tout l'avenir
Un silence éternel cache ce souvenir.

PHÈDRE

Ariane, ma sœur, de quel amour blessée
Vous mourûtes aux bords où vous fûtes laissée!

ŒNONE

Que faites-vous, Madame? et quel mortel ennui
Contre tout votre sang vous anime aujourd'hui?

PHÈDRE

Puisque Vénus le veut, de ce sang déplorable
Je péris la dernière et la plus misérable.

ŒNONE

Aimez-vous?

PHÈDRE

De l'amour j'ai toutes les fureurs.

ŒNONE

Pour qui?

PHÈDRE

Tu vas ouïr le comble des horreurs.
J'aime... A ce nom fatal, je tremble, je frissonne.
J'aime...

ŒNONE

Qui?

PHÈDRE

Tu connais ce fils de l'Amazone,
Ce prince si longtemps par moi-même opprimé?

ŒNONE

Hippolyte? Grands dieux!

PHÈDRE

C'est toi qui l'as nommé!

ŒNONE

Juste ciel! tout mon sang dans mes veines se glace!
O désespoir! ô crime! ô déplorable race!
Voyage infortuné! Rivage malheureux,
Fallait-il approcher de tes bords dangereux [12]?

PHÈDRE

Mon mal vient de plus loin. A peine au fils d'Égée

Sous ses lois de l'hymen je m'étais engagée,
Mon repos, mon bonheur semblait être affermi,
Athènes me montra mon superbe ennemi.
Je le vis, je rougis, je pâlis à sa vue;
Un trouble s'éleva dans mon âme éperdue;
Mes yeux ne voyaient plus, je ne pouvais parler,
Je sentis tout mon corps et transir et brûler.
Je reconnus Vénus et ses feux redoutables,
D'un sang qu'elle poursuit, tourments inévitables.
Par des vœux assidus je crus les détourner :
Je lui bâtis un temple, et pris soin de l'orner;
De victimes moi-même à toute heure entourée,
Je cherchais dans leurs flancs ma raison égarée.
D'un incurable amour remèdes impuissants!
En vain sur les autels ma main brûlait l'encens :
Quand ma bouche implorait le nom de la déesse,
J'adorais Hippolyte, et le voyant sans cesse,
Même au pied des autels que je faisais fumer,
J'offrais tout à ce dieu que je n'osais nommer.
Je l'évitais partout. O comble de misère!
Mes yeux le retrouvaient dans les traits de son père.
Contre moi-même enfin j'osai me révolter :
J'excitai mon courage à le persécuter.
Pour bannir l'ennemi dont j'étais idolâtre,
J'affectai les chagrins d'une injuste marâtre;
Je pressai son exil, et mes cris éternels
L'arrachèrent du sein et des bras paternels.
Je respirais, Œnone; et depuis son absence,
Mes jours moins agités coulaient dans l'innocence;
Soumise à mon époux, et cachant mes ennuis,
De son fatal hymen je cultivais les fruits.
Vaines précautions! Cruelle destinée!
Par mon époux lui-même à Trézène amenée,
J'ai revu l'ennemi que j'avais éloigné :
Ma blessure trop vive aussitôt a saigné.
Ce n'est plus une ardeur dans mes veines cachée :
C'est Vénus toute entière à sa proie attachée [13].
J'ai conçu pour mon crime une juste terreur.
J'ai pris la vie en haine et ma flamme en horreur;
Je voulais en mourant prendre soin de ma gloire,
Et dérober au jour une flamme si noire.
Je n'ai pu soutenir tes larmes, tes combats;

Je t'ai tout avoué; je ne m'en repens pas,
Pourvu que de ma mort respectant les approches,
Tu ne m'affliges plus par d'injustes reproches,
Et que tes vains secours cessent de rappeler
Un reste de chaleur tout prêt à s'exhaler.

SCÈNE IV. — PHÈDRE, ŒNONE, PANOPE

PANOPE

Je voudrais vous cacher une triste nouvelle,
Madame, mais il faut que je vous la révèle :
La mort vous a ravi votre invincible époux,
Et ce malheur n'est plus ignoré que de vous.

ŒNONE

Panope, que dis-tu?

PANOPE

Que la reine abusée
En vain demande au ciel le retour de Thésée,
Et que par des vaisseaux arrivés dans le port,
Hippolyte son fils vient d'apprendre sa mort.

PHÈDRE

Ciel!

PANOPE

Pour le choix d'un maître Athènes se partage :
Au prince votre fils l'un donne son suffrage,
Madame, et de l'État l'autre oubliant les lois,
Au fils de l'étrangère ose donner sa voix.
On dit même qu'au trône une brigue insolente
Veut placer Aricie et le sang de Pallante.
J'ai cru de ce péril vous devoir avertir.
Déjà même Hippolyte est tout prêt à partir;
Et l'on craint, s'il paraît dans ce nouvel orage,
Qu'il n'entraîne après lui tout un peuple volage.

ŒNONE

Panope, c'est assez; la reine qui t'entend
Ne négligera point cet avis important.

SCÈNE V. — PHÈDRE, ŒNONE

ŒNONE

Madame, je cessais de vous presser de vivre,
Déjà même au tombeau, je songeais à vous suivre;

Pour vous en détourner je n'avais plus de voix;
Mais ce nouveau malheur vous prescrit d'autres lois.
Votre fortune change et prend une autre face :
Le roi n'est plus, Madame, il faut prendre sa place.
Sa mort vous laisse un fils à qui vous vous devez,
Esclave s'il vous perd, et roi si vous vivez.
Sur qui, dans son malheur, voulez-vous qu'il s'appuie?
Ses larmes n'auront plus de main qui les essuie,
Et ses cris innocents, portés jusques aux dieux,
Iront contre sa mère irriter ses aïeux.
Vivez, vous n'avez plus de reproche à vous faire :
Votre flamme devient une flamme ordinaire.
Thésée en expirant vient de rompre les nœuds
Qui faisaient tout le crime et l'horreur de vos feux.
Hippolyte pour vous devient moins redoutable,
Et vous pouvez le voir sans vous rendre coupable.
Peut-être, convaincu de votre aversion,
Il va donner un chef à la sédition :
Détrompez son erreur, fléchissez son courage.
Roi de ces bords heureux, Trézène est son partage,
Mais il sait que les lois donnent à votre fils
Les superbes remparts que Minerve a bâtis [14].
Vous avez l'un et l'autre une juste ennemie :
Unissez-vous tous deux pour combattre Aricie.

PHÈDRE

Eh bien! à tes conseils je me laisse entraîner.
Vivons, si vers la vie on peut me ramener,
Et si l'amour d'un fils, en ce moment funeste,
De mes faibles esprits peut ranimer le reste.

ACTE DEUXIÈME

SCÈNE I. — ARICIE, ISMÈNE

ARICIE

Hippolyte demande à me voir en ce lieu?
Hippolyte me cherche, et veut me dire adieu?
Ismène, dis-tu vrai? N'es-tu point abusée?

ISMÈNE

C'est le premier effet de la mort de Thésée.
Préparez-vous, Madame, à voir de tous côtés
Voler vers vous les cœurs par Thésée écartés.

Aricie à la fin de son sort est maîtresse,
Et bientôt à ses pieds verra toute la Grèce.

ARICIE

Ce n'est donc point, Ismène, un bruit mal affermi?
Je cesse d'être esclave, et n'ai plus d'ennemi?

ISMÈNE

Non, Madame, les dieux ne vous sont plus contraires
Et Thésée a rejoint les mânes de vos frères.

ARICIE

Dit-on quelle aventure a terminé ses jours?

ISMÈNE

On sème de sa mort d'incroyables discours.
On dit que, ravisseur d'une amante nouvelle,
Les flots ont englouti cet époux infidèle.
On dit même, et ce bruit est partout répandu,
Qu'avec Pirithoüs aux enfers descendu,
Il a vu le Cocyte et les rivages sombres,
Et s'est montré vivant aux infernales ombres,
Mais qu'il n'a pu sortir de ce triste séjour,
Et repasser les bords qu'on passe sans retour [15].

ARICIE

Croirai-je qu'un mortel avant sa dernière heure
Peut pénétrer des morts la profonde demeure?
Quel charme l'attirait sur ces bords redoutés?

ISMÈNE

Thésée est mort, Madame, et vous seule en doutez :
Athènes en gémit, Trézène en est instruite
Et déjà pour son roi reconnaît Hippolyte;
Phèdre, dans ce palais, tremblante pour son fils,
De ses amis troublés demande les avis.

ARICIE

Et tu crois que pour moi plus humain que son père,
Hippolyte rendra ma chaîne plus légère;
Qu'il plaindra mes malheurs?

ISMÈNE

Madame, je le croi.

ARICIE

L'insensible Hippolyte est-il connu de toi?
Sur quel frivole espoir penses-tu qu'il me plaigne,
Et respecte en moi seule un sexe qu'il dédaigne?
Tu vois depuis quel temps il évite nos pas,
Et cherche tous les lieux où nous ne sommes pas.

ISMÈNE

Je sais de ses froideurs tout ce que l'on récite;
Mais j'ai vu près de vous ce superbe Hippolyte,
Et même, en le voyant, le bruit de sa fierté
A redoublé pour lui ma curiosité.
Sa présence à ce bruit n'a point paru répondre :
Dès vos premiers regards je l'ai vu se confondre;
Ses yeux, qui vainement voulaient vous éviter,
Déjà pleins de langueur ne pouvaient vous quitter.
Le nom d'amant peut-être offense son courage;
Mais il en a les yeux, s'il n'en a le langage.

ARICIE

Que mon cœur, chère Ismène, écoute avidement
Un discours qui peut-être a peu de fondement!
O toi qui me connais, te semblait-il croyable
Que le triste jouet d'un sort impitoyable,
Un cœur toujours nourri d'amertume et de pleurs,
Dût connaître l'amour et ses folles douleurs?
Reste du sang d'un roi noble fils de la terre [16],
Je suis seule échappée aux fureurs de la guerre.
J'ai perdu, dans la fleur de leur jeune saison,
Six frères... Quel espoir d'une illustre maison!
Le fer moissonna tout, et la terre humectée
But à regret le sang des neveux d'Érechthée.
Tu sais, depuis leur mort, quelle sévère loi
Défend à tous les Grecs de soupirer pour moi :
On craint que de la sœur les flammes téméraires
Ne raniment un jour la cendre de ses frères.
Mais tu sais bien aussi de quel œil dédaigneux
Je regardais ce soin d'un vainqueur soupçonneux;
Tu sais que de tout temps à l'amour opposée,
Je rendais souvent grâce à l'injuste Thésée,
Dont l'heureuse rigueur secondait mes mépris.
Mes yeux alors, mes yeux n'avaient pas vu son fils.
Non que par les yeux seuls lâchement enchantée,

J'aime en lui sa beauté, sa grâce tant vantée,
Présents dont la nature a voulu l'honorer,
Qu'il méprise lui-même et qu'il semble ignorer;
J'aime, je prise en lui de plus nobles richesses,
Les vertus de son père, et non point les faiblesses.
J'aime, je l'avouerai, cet orgueil généreux
Qui jamais n'a fléchi sous le joug amoureux.
Phèdre en vain s'honorait des soupirs de Thésée :
Pour moi, je suis plus fière et fuis la gloire aisée
D'arracher un hommage à mille autres offert,
Et d'entrer dans un cœur de toutes parts ouvert.
Mais de faire fléchir un courage inflexible,
De porter la douleur dans une âme insensible,
D'enchaîner un captif de ses fers étonné,
Contre un joug qui lui plaît vainement mutiné,
C'est là ce que je veux, c'est là ce qui m'irrite.
Hercule à désarmer coûtait moins qu'Hippolyte,
Et vaincu plus souvent, et plus tôt surmonté,
Préparait moins de gloire aux yeux qui l'ont dompté.
Mais, chère Ismène, hélas! quelle est mon imprudence!
On ne m'opposera que trop de résistance.
Tu m'entendras peut-être, humble dans mon ennui,
Gémir du même orgueil que j'admire aujourd'hui.
Hippolyte aimerait? Par quel bonheur extrême
Aurais-je pu fléchir...

ISMÈNE

Vous l'entendrez lui-même :
Il vient à vous.

SCÈNE II. — HIPPOLYTE, ARICIE, ISMÈNE

HIPPOLYTE

Madame, avant que de partir,
J'ai cru de votre sort vous devoir avertir.
Mon père ne vit plus. Ma juste défiance
Présageait les raisons de sa trop longue absence :
La mort seule bornant ses travaux éclatants
Pouvait à l'univers le cacher si longtemps.
Les dieux livrent enfin à la Parque homicide
L'ami, le compagnon, le successeur d'Alcide.
Je crois que votre haine, épargnant ses vertus,
Écoute sans regret ces noms qui lui sont dus.

Un espoir adoucit ma tristesse mortelle :
Je puis vous affranchir d'une austère tutelle.
Je révoque des lois dont j'ai plaint la rigueur.
Vous pouvez disposer de vous, de votre cœur,
Et dans cette Trézène, aujourd'hui mon partage,
De mon aïeul Pitthée autrefois l'héritage [17],
Qui m'a sans balancer reconnu pour son roi,
Je vous laisse aussi libre et plus libre que moi.

ARICIE

Modérez des bontés dont l'excès m'embarrasse.
D'un soin si généreux honorer ma disgrâce,
Seigneur, c'est me ranger, plus que vous ne pensez,
Sous ces austères lois dont vous me dispensez.

HIPPOLYTE

Du choix d'un successeur Athènes incertaine,
Parle de vous, me nomme, et le fils de la reine.

ARICIE

De moi, Seigneur?

HIPPOLYTE

Je sais, sans vouloir me flatter,
Qu'une superbe loi semble me rejeter :
La Grèce me reproche une mère étrangère.
Mais si pour concurrent je n'avais que mon frère,
Madame, j'ai sur lui de véritables droits
Que je saurais sauver du caprice des lois.
Un frein plus légitime arrête mon audace :
Je vous cède, ou plutôt je vous rends une place,
Un sceptre que jadis vos aïeux ont reçu
De ce fameux mortel que la terre a conçu [18].
L'adoption le mit entre les mains d'Égée.
Athènes, par mon père accrue et protégée,
Reconnut avec joie un roi si généreux,
Et laissa dans l'oubli vos frères malheureux.
Athènes dans ses murs maintenant vous rappelle.
Assez elle a gémi d'une longue querelle,
Assez dans ses sillons votre sang englouti
A fait fumer le champ dont il était sorti.
Trézène m'obéit. Les campagnes de Crète
Offrent au fils de Phèdre une riche retraite.
L'Attique est votre bien. Je pars, et vais pour vous
Réunir tous les vœux partagés entre nous.

ARICIE

De tout ce que j'entends étonnée et confuse,
Je crains presque, je crains qu'un songe ne m'abuse.
Veillé-je? Puis-je croire un semblable dessein?
Quel dieu, Seigneur, quel dieu l'a mis dans votre sein?
Qu'à bon droit votre gloire en tous lieux est semée!
Et que la vérité passe la renommée!
Vous-même, en ma faveur, vous voulez vous trahir!
N'était-ce pas assez de ne me point haïr?
Et d'avoir si longtemps pu défendre votre âme
De cette inimitié...

HIPPOLYTE

Moi, vous haïr, Madame?
Avec quelques couleurs qu'on ait peint ma fierté,
Croit-on que dans ses flancs un monstre m'ait porté?
Quelles sauvages mœurs, quelle haine endurcie
Pourrait, en vous voyant, n'être point adoucie?
Ai-je pu résister au charme décevant...

ARICIE

Quoi, Seigneur?

HIPOLLYTE

Je me suis engagé trop avant.
Je vois que la raison cède à la violence.
Puisque j'ai commencé de rompre le silence,
Madame, il faut poursuivre, il faut vous informer
D'un secret que mon cœur ne peut plus renfermer.
Vous voyez devant vous un prince déplorable,
D'un téméraire orgueil exemple mémorable.
Moi qui contre l'amour fièrement révolté,
Aux fers de ses captifs ai longtemps insulté,
Qui des faibles mortels déplorant les naufrages,
Pensais toujours du bord contempler les orages [19],
Asservi maintenant sous la commune loi,
Par quel trouble me vois-je emporté loin de moi?
Un moment a vaincu mon audace imprudente;
Cette âme si superbe est enfin dépendante.
Depuis près de six mois, honteux, désespéré,
Portant partout le trait dont je suis déchiré [20],
Contre vous, contre moi, vainement je m'éprouve :
Présente, je vous fuis, absente, je vous trouve;
Dans le fond des forêts votre image me suit;

La lumière du jour, les ombres de la nuit,
Tout retrace à mes yeux les charmes que j'évite;
Tout vous livre à l'envi le rebelle Hippolyte.
Moi-même, pour tout fruit de mes soins superflus,
Maintenant je me cherche et ne me trouve plus.
Mon arc, mes javelots, mon char, tout m'importune;
Je ne me souviens plus des leçons de Neptune;
Mes seuls gémissements font retentir les bois,
Et mes coursiers oisifs ont oublié ma voix.
Peut-être le récit d'un amour si sauvage
Vous fait en m'écoutant rougir de votre ouvrage.
D'un cœur qui s'offre à vous quel farouche entretien!
Quel étrange captif pour un si beau lien!
Mais l'offrande à vos yeux en doit être plus chère.
Songez que je vous parle une langue étrangère [21],
Et ne rejetez pas des vœux mal exprimés
Qu'Hippolyte sans vous n'aurait jamais formés.

SCÈNE III. — HIPPOLYTE, ARICIE, THÉRAMÈNE, ISMÈNE

THÉRAMÈNE

Seigneur, la reine vient, et je l'ai devancée.
Elle vous cherche.

HIPPOLYTE

Moi?

THÉRAMÈNE

J'ignore sa pensée.
Mais on vous est venu demander de sa part.
Phèdre veut vous parler avant votre départ.

HIPPOLYTE

Phèdre? Que lui dirai-je? Et que peut-elle attendre...

ARICIE

Seigneur, vous ne pouvez refuser de l'entendre.
Quoique trop convaincu de son inimitié,
Vous devez à ses pleurs quelque ombre de pitié.

HIPPOLYTE

Cependant vous sortez, et je pars, et j'ignore
Si je n'offense point les charmes que j'adore.
J'ignore si ce cœur que je laisse en vos mains...

ARICIE

Partez, Prince, et suivez vos généreux desseins :
Rendez de mon pouvoir Athènes tributaire,
J'accepte tous les dons que vous me voulez faire;
Mais cet empire enfin si grand, si glorieux,
N'est pas de vos présents le plus cher à mes yeux.

SCÈNE IV. — HIPPOLYTE, THÉRAMÈNE

HIPPOLYTE

Ami, tout est-il prêt? Mais la reine s'avance.
Va, que pour le départ tout s'arme en diligence.
Fais donner le signal, cours, ordonne, et revien
Me délivrer bientôt d'un fâcheux entretien.

SCÈNE V. — PHÈDRE, HIPPOLYTE, ŒNONE

PHÈDRE, *à Œnone.*

Le voici. Vers mon cœur tout mon sang se retire.
J'oublie, en le voyant, ce que je viens lui dire.

ŒNONE

Souvenez-vous d'un fils qui n'espère qu'en vous.

PHÈDRE

On dit qu'un prompt départ vous éloigne de nous,
Seigneur. A vos douleurs je viens joindre mes larmes;
Je vous viens pour un fils expliquer mes alarmes.
Mon fils n'a plus de père, et le jour n'est pas loin
Qui de ma mort encor doit le rendre témoin.
Déjà mille ennemis attaquent son enfance;
Vous seul pouvez contre eux embrasser sa défense.
Mais un secret remords agite mes esprits :
Je crains d'avoir fermé votre oreille à ses cris;
Je tremble que sur lui votre juste colère
Ne poursuive bientôt une odieuse mère.

HIPPOLYTE

Madame, je n'ai point des sentiments si bas.

PHÈDRE

Quand vous me haïriez, je ne m'en plaindrais pas,
Seigneur. Vous m'avez vue attachée à vous nuire;
Dans le fond de mon cœur vous ne pouviez pas lire.
A votre inimitié j'ai pris soin de m'offrir;
Aux bords que j'habitais je n'ai pu vous souffrir;

En public, en secret, contre vous déclarée,
J'ai voulu par des mers en être séparée;
J'ai même défendu, par une expresse loi,
Qu'on osât prononcer votre nom devant moi.
Si pourtant à l'offense on mesure la peine,
Si la haine peut seule attirer votre haine,
Jamais femme ne fut plus digne de pitié,
Et moins digne, Seigneur, de votre inimitié.

HIPPOLYTE

Des droits de ses enfants une mère jalouse
Pardonne rarement au fils d'une autre épouse,
Madame, je le sais. Les soupçons importuns
Sont d'un second hymen les fruits les plus communs.
Tout autre aurait pour moi pris les mêmes ombrages,
Et j'en aurais peut-être essuyé plus d'outrages.

PHÈDRE

Ah! Seigneur, que le ciel, j'ose ici l'attester,
De cette loi commune a voulu m'excepter!
Qu'un soin bien différent me trouble et me dévore!

HIPPOLYTE

Madame, il n'est pas temps de vous troubler encore.
Peut-être votre époux voit encore le jour;
Le ciel peut à nos pleurs accorder son retour.
Neptune le protège, et ce dieu tutélaire
Ne sera pas en vain imploré par mon père [22].

PHÈDRE

On ne voit point deux fois le rivage des morts,
Seigneur. Puisque Thésée a vu les sombres bords,
En vain vous espérez qu'un dieu vous le renvoie,
Et l'avare Achéron ne lâche point sa proie.
Que dis-je? Il n'est point mort, puisqu'il respire en vous.
Toujours devant mes yeux je crois voir mon époux.
Je le vois, je lui parle, et mon cœur... je m'égare,
Seigneur; ma folle ardeur malgré moi se déclare.

HIPPOLYTE

Je vois de votre amour l'effet prodigieux.
Tout mort qu'il est, Thésée est présent à vos yeux,
Toujours de son amour votre âme est embrasée.

PHÈDRE

Oui, Prince, je languis, je brûle pour Thésée.

Je l'aime, non point tel que l'ont vu les enfers,
Volage adorateur de mille objets divers,
Qui va du dieu des morts déshonorer la couche,
Mais fidèle, mais fier, et même un peu farouche,
Charmant, jeune, traînant tous les cœurs après soi,
Tel qu'on dépeint nos dieux, ou tel que je vous voi.
Il avait votre port, vos yeux, votre langage,
Cette noble pudeur colorait son visage,
Lorsque de notre Crète il traversa les flots,
Digne sujet des vœux des filles de Minos.
Que faisiez-vous alors? Pourquoi, sans Hippolyte,
Des héros de la Grèce assembla-t-il l'élite?
Pourquoi, trop jeune encor, ne pûtes-vous alors
Entrer dans le vaisseau qui le mit sur nos bords?
Par vous aurait péri le monstre de la Crète,
Malgré tous les détours de sa vaste retraite.
Pour en développer l'embarras incertain,
Ma sœur du fil fatal eût armé votre main.
Mais non, dans ce dessein je l'aurais devancée.
L'amour m'en eût d'abord inspiré la pensée.
C'est moi, Prince, c'est moi, dont l'utile secours
Vous eût du Labyrinthe enseigné les détours.
Que de soins m'eût coûtés cette tête charmante!
Un fil n'eût point assez rassuré votre amante :
Compagne du péril qu'il vous fallait chercher,
Moi-même devant vous j'aurais voulu marcher,
Et Phèdre au labyrinthe avec vous descendue
Se serait avec vous retrouvée ou perdue.

HIPPOLYTE

Dieux! qu'est-ce que j'entends? Madame, oubliez-vous
Que Thésée est mon père, et qu'il est votre époux?

PHÈDRE

Et sur quoi jugez-vous que j'en perds la mémoire,
Prince? Aurais-je perdu tout le soin de ma gloire?

HIPPOLYTE

Madame, pardonnez. J'avoue, en rougissant,
Que j'accusais à tort un discours innocent.
Ma honte ne peut plus soutenir votre vue,
Et je vais...

PHÈDRE

Ah! cruel, tu m'as trop entendue!

Je t'en ai dit assez pour te tirer d'erreur.
Eh bien! connais donc Phèdre et toute sa fureur.
J'aime. Ne pense pas qu'au moment que je t'aime,
Innocente à mes yeux, je m'approuve moi-même,
Ni que du fol amour qui trouble ma raison,
Ma lâche complaisance ait nourri le poison.
Objet infortuné des vengeances célestes,
Je m'abhorre encor plus que tu ne me détestes.
Les dieux m'en sont témoins, ces dieux qui dans mon flanc
Ont allumé le feu fatal à tout mon sang;
Ces dieux qui se sont fait une gloire cruelle
De séduire le cœur d'une faible mortelle.
Toi-même en ton esprit rapelle le passé.
C'est peu de t'avoir fui, cruel, je t'ai chassé :
J'ai voulu te paraître odieuse, inhumaine,
Pour mieux te résister, j'ai recherché ta haine.
De quoi m'ont profité mes inutiles soins?
Tu me haïssais plus, je ne t'aimais pas moins.
Tes malheurs te prêtaient encor de nouveaux charmes.
J'ai langui, j'ai séché, dans les feux, dans les larmes.
Il suffit de tes yeux pour t'en persuader,
Si tes yeux un moment pouvaient me regarder.
Que dis-je? Cet aveu que je te viens de faire,
Cet aveu si honteux, le crois-tu volontaire?
Tremblante pour un fils que je n'osais trahir,
Je te venais prier de ne le point haïr.
Faibles projets d'un cœur trop plein de ce qu'il aime!
Hélas! je ne t'ai pu parler que de toi-même!
Venge-toi, punis-moi d'un odieux amour;
Digne fils du héros qui t'a donné le jour,
Délivre l'univers d'un monstre qui t'irrite.
La veuve de Thésée ose aimer Hippolyte!
Crois-moi, ce monstre affreux ne doit point t'échapper.
Voilà mon cœur : c'est là que ta main doit frapper.
Impatient déjà d'expier son offense,
Au-devant de ton bras je le sens qui s'avance.
Frappe. Ou si tu le crois indigne de tes coups,
Si ta haine m'envie un supplice si doux,
Ou si d'un sang trop vil ta main serait trempée,
Au défaut de ton bras prête-moi ton épée [23].
Donne.

ŒNONE

Que faites-vous, Madame? Justes dieux!
Mais on vient. Évitez des témoins odieux;
Venez, rentrez, fuyez une honte certaine.

SCÈNE VI. — HIPPOLYTE, THÉRAMÈNE

THÉRAMÈNE

Est-ce Phèdre qui fuit, ou plutôt qu'on entraîne?
Pourquoi, Seigneur, pourquoi ces marques de douleur?
Je vous vois sans épée, interdit, sans couleur?

HIPPOLYTE

Théramène, fuyons. Ma surprise est extrême.
Je ne puis sans horreur me regarder moi-même.
Phèdre... Mais non, grands dieux! qu'en un profond oubli
Cet horrible secret demeure enseveli.

THÉRAMÈNE

Si vous voulez partir, la voile est préparée.
Mais Athènes, Seigneur, s'est déjà déclarée;
Ses chefs ont pris les voix de toutes ses tribus :
Votre frère l'emporte, et Phèdre a le dessus.

HIPPOLYTE

Phèdre?

THÉRAMÈNE

Un héraut chargé des volontés d'Athènes
De l'État en ses mains vient remettre les rênes.
Son fils est roi, Seigneur.

HIPPOLYTE

Dieux, qui la connaissez,
Est-ce donc sa vertu que vous récompensez?

THÉRAMÈNE

Cependant un bruit sourd veut que le roi respire.
On prétend que Thésée a paru dans l'Épire.
Mais moi, qui l'y cherchai, Seigneur, je sais trop bien...

HIPPOLYTE

N'importe, écoutons tout et ne négligeons rien.
Examinons ce bruit, remontons à sa source;
S'il ne mérite pas d'interrompre ma course,
Partons; et quelque prix qu'il en puisse coûter,
Mettons le sceptre aux mains dignes de le porter.

ACTE TROISIÈME

SCÈNE I. — PHÈDRE, ŒNONE

PHÈDRE

Ah ! que l'on porte ailleurs les honneurs qu'on m'envoie.
Importune, peux-tu souhaiter qu'on me voie?
De quoi viens-tu flatter mon esprit désolé?
Cache-moi bien plutôt; je n'ai que trop parlé.
Mes fureurs au dehors ont osé se répandre :
J'ai dit ce que jamais on ne devait entendre.
Ciel ! comme il m'écoutait ! Par combien de détours
L'insensible a longtemps éludé mes discours !
Comme il ne respirait qu'une retraite prompte !
Et combien sa rougeur a redoublé ma honte !
Pourquoi détournais-tu mon funeste dessein?
Hélas ! quand son épée allait chercher mon sein,
A-t-il pâli pour moi? me l'a-t-il arrachée?
Il suffit que ma main l'ait une fois touchée,
Je l'ai rendue horrible à ses yeux inhumains,
Et ce fer malheureux profanerait ses mains.

ŒNONE

Ainsi, dans vos malheurs, ne songeant qu'à vous plaindre,
Vous nourrissez un feu qu'il vous faudrait éteindre.
Ne vaudrait-il pas mieux, digne sang de Minos,
Dans de plus nobles soins chercher votre repos,
Contre un ingrat qui plaît recourir à la fuite,
Régner, et de l'État embrasser la conduite?

PHÈDRE

Moi, régner? Moi, ranger un État sous ma loi,
Quand ma faible raison ne règne plus sur moi?
Lorsque j'ai de mes sens abandonné l'empire?
Quand sous un joug honteux à peine je respire?
Quand je me meurs?

ŒNONE

                    Fuyez.

PHÈDRE

                              Je ne le puis quitter.

ŒNONE

Vous l'osâtes bannir, vous n'osez l'éviter?

PHÈDRE

Il n'est plus temps. Il sait mes ardeurs insensées.
De l'austère pudeur les bornes sont passées.
J'ai déclaré ma honte aux yeux de mon vainqueur,
Et l'espoir malgré moi s'est glissé dans mon cœur.
Toi-même rappelant ma force défaillante,
Et mon âme déjà sur mes lèvres errante,
Par tes conseils flatteurs tu m'as su ranimer;
Tu m'as fait entrevoir que je pouvais l'aimer.

ŒNONE

Hélas ! de vos malheurs innocente ou coupable,
De quoi pour vous sauver n'étais-je point capable?
Mais si jamais l'offense irrita vos esprits,
Pouvez-vous d'un superbe oublier les mépris?
Avec quels yeux cruels sa rigueur obstinée
Vous laissait à ses pieds peu s'en faut prosternée !
Que son farouche orgueil le rendait odieux !
Que Phèdre en ce moment n'avait-elle mes yeux !

PHÈDRE

Œnone, il peut quitter cet orgueil qui te blesse.
Nourri dans les forêts, il en a la rudesse.
Hippolyte, endurci par de sauvages lois,
Entend parler d'amour pour la première fois;
Peut-être sa surprise a causé son silence,
Et nos plaintes peut-être ont trop de violence.

ŒNONE

Songez qu'une barbare en son sein l'a formé.

PHÈDRE

Quoique Scythe et barbare, elle a pourtant aimé.

ŒNONE

Il a pour tout le sexe une haine fatale.

PHÈDRE

Je ne me verrai point préférer de rivale.
Enfin, tous ces conseils ne sont plus de saison :
Sers ma fureur, Œnone, et non point ma raison.
Il oppose à l'amour un cœur inaccessible;
Cherchons pour l'attaquer quelque endroit plus sensible.
Les charmes d'un empire ont paru le toucher;
Athènes l'attirait, il n'a pu s'en cacher;

Déjà de ses vaisseaux la pointe était tournée,
Et la voile flottait aux vents abandonnée,
Va trouver de ma part ce jeune ambitieux,
Œnone; fais briller la couronne à ses yeux.
Qu'il mette sur son front le sacré diadème;
Je ne veux que l'honneur de l'attacher moi-même.
Cédons-lui ce pouvoir que je ne puis garder.
Il instruira mon fils dans l'art de commander,
Peut-être il voudra bien lui tenir lieu de père.
Je mets sous son pouvoir et le fils et la mère.
Pour le fléchir enfin tente tous les moyens :
Tes discours trouveront plus d'accès que les miens;
Presse, pleure, gémis, plains-lui Phèdre mourante [24],
Ne rougis point de prendre une voix suppliante.
Je t'avouerai de tout; je n'espère qu'en toi.
Va : j'attends ton retour pour disposer de moi.

SCÈNE II. — PHÈDRE, *seule.*

O toi, qui vois la honte où je suis descendue,
Implacable Vénus, suis-je assez confondue?
Tu ne saurais plus loin pousser ta cruauté,
Ton triomphe est parfait, tous tes traits ont porté.
Cruelle, si tu veux une gloire nouvelle,
Attaque un ennemi qui te soit plus rebelle.
Hippolyte te fuit, et bravant ton courroux
Jamais à tes autels n'a fléchi les genoux.
Ton nom semble offenser ses superbes oreilles.
Déesse, venge-toi; nos causes sont pareilles.
Qu'il aime... Mais déjà tu reviens sur tes pas,
Œnone? On me déteste, on ne t'écoute pas?

SCÈNE III. — PHÈDRE, ŒNONE

ŒNONE

Il faut d'un vain amour étouffer la pensée,
Madame. Rappelez votre vertu passée :
Le roi, qu'on a cru mort, va paraître à vos yeux;
Thésée est arrivé, Thésée est en ces lieux.
Le peuple pour le voir court et se précipite.
Je sortais par votre ordre, et cherchais Hippolyte,
Lorsque jusques au ciel mille cris élancés...

PHÈDRE

Mon époux est vivant, Œnone, c'est assez.

J'ai fait l'indigne aveu d'un amour qui l'outrage;
Il vit; je ne veux pas en savoir davantage.

ŒNONE

Quoi?

PHÈDRE

Je te l'ai prédit, mais tu n'as pas voulu.
Sur mes justes remords tes pleurs ont prévalu.
Je mourais ce matin digne d'être pleurée;
J'ai suivi tes conseils, je meurs déshonorée.

ŒNONE

Vous mourez?

PHÈDRE

Juste ciel! qu'ai-je fait aujourd'hui?
Mon époux va paraître, et son fils avec lui.
Je verrai le témoin de ma flamme adultère
Observer de quel front j'ose aborder son père,
Le cœur gros de soupirs qu'il n'a point écoutés,
L'œil humide de pleurs par l'ingrat rebutés.
Penses-tu que sensible à l'honneur de Thésée
Il lui cache l'ardeur dont je suis embrasée?
Laissera-t-il trahir et son peuple et son roi?
Pourra-t-il contenir l'horreur qu'il a pour moi?
Il se tairait en vain. Je sais mes perfidies,
Œnone, et ne suis point de ces femmes hardies
Qui goûtant dans le crime une tranquille paix,
Ont su se faire un front qui ne rougit jamais.
Je connais mes fureurs, je les rappelle toutes.
Il me semble déjà que ces murs, que ces voûtes
Vont prendre la parole, et prêts à m'accuser,
Attendent mon époux pour le désabuser.
Mourons. De tant d'horreurs qu'un trépas me délivre.
Est-ce un malheur si grand que de cesser de vivre?
La mort aux malheureux ne cause point d'effroi;
Je ne crains que le nom que je laisse après moi.
Pour mes tristes enfants quel affreux héritage!
Le sang de Jupiter doit enfler leur courage [25];
Mais, quelque juste orgueil qu'inspire un sang si beau,
Le crime d'une mère est un pesant fardeau.
Je tremble qu'un discours, hélas! trop véritable,
Un jour ne leur reproche une mère coupable.

Je tremble qu'opprimés de ce poids odieux
L'un ni l'autre jamais n'osent lever les yeux.

ŒNONE

Il n'en faut point douter, je les plains l'un et l'autre;
Jamais crainte ne fut plus juste que la vôtre.
Mais à de tels affronts pourquoi les exposer?
Pourquoi contre vous-même allez-vous déposer?
C'en est fait : on dira que Phèdre, trop coupable,
De son époux trahi fuit l'aspect redoutable.
Hippolyte est heureux qu'aux dépens de vos jours
Vous-même en expirant appuyez ses discours.
A votre accusateur que pourrai-je répondre?
Je serai devant lui trop facile à confondre.
De son triomphe affreux je le verrai jouir,
Et conter votre honte à qui voudra l'ouïr.
Ah! que plutôt du ciel la flamme me dévore!
Mais, ne me trompez point, vous est-il cher encore?
De quel œil voyez-vous ce prince audacieux?

PHÈDRE

Je le vois comme un monstre effroyable à mes yeux.

ŒNONE

Pourquoi donc lui céder une victoire entière?
Vous le craignez.., Osez l'accuser la première
Du crime dont il peut vous charger aujourd'hui.
Qui vous démentira? Tout parle contre lui :
Son épée en vos mains heureusement laissée,
Votre trouble présent, votre douleur passée,
Son père par vos cris dès longtemps prévenu,
Et déjà son exil par vous-même obtenu.

PHÈDRE

Moi, que j'ose opprimer et noircir l'innocence!

ŒNONE

Mon zèle n'a besoin que de votre silence.
Tremblante comme vous, j'en sens quelques remords;
Vous me verriez plus prompte affronter mille morts.
Mais puisque je vous perds sans ce triste remède,
Votre vie est pour moi d'un prix à qui tout cède.
Je parlerai. Thésée, aigri par mes avis,
Bornera sa vengeance à l'exil de son fils.
Un père, en punissant, Madame, est toujours père,

Un supplice léger suffit à sa colère.
Mais le sang innocent dût-il être versé,
Que ne demande point votre honneur menacé?
C'est un trésor trop cher pour oser le commettre.
Quelque loi qu'il vous dicte, il faut vous y soumettre,
Madame, et pour sauver votre honneur combattu,
Il faut immoler tout, et même la vertu.
On vient; je vois Thésée.

PHÈDRE

Ah! je vois Hippolyte;
Dans ses yeux insolents, je vois ma perte écrite.
Fais ce que tu voudras, je m'abandonne à toi.
Dans le trouble où je suis, je ne puis rien pour moi.

SCÈNE IV. — THÉSÉE, PHÈDRE, HIPPOLYTE, THÉRAMÈNE, ŒNONE

THÉSÉE

La fortune à mes yeux cesse d'être opposée,
Madame, et dans vos bras met...

PHÈDRE

Arrêtez, Thésée,
Et ne profanez point des transports si charmants :
Je ne mérite plus ces doux empressements;
Vous êtes offensé. La fortune jalouse
N'a pas en votre absence épargné votre épouse.
Indigne de vous plaire et de vous approcher,
Je ne dois désormais songer qu'à me cacher.

SCÈNE V. — THÉSÉE, HIPPOLYTE, THÉRAMÈNE

THÉSÉE

Quel est l'étrange accueil qu'on fait à votre père,
Mon fils?

HIPPOLYTE

Phèdre peut seule expliquer ce mystère.
Mais si mes vœux ardents vous peuvent émouvoir,
Permettez-moi, Seigneur, de ne la plus revoir;
Souffrez que pour jamais le tremblant Hippolyte
Disparaisse des lieux que votre épouse habite.

THÉSÉE

Vous, mon fils, me quitter?

HIPPOLYTE

Je ne la cherchais pas;
C'est vous qui sur ces bords conduisîtes ses pas.
Vous daignâtes, Seigneur, aux rives de Trézène
Confier en partant Aricie et la reine;
Je fus même chargé du soin de les garder.
Mais quels soins désormais peuvent me retarder?
Assez dans les forêts mon oisive jeunesse
Sur de vils ennemis a montré son adresse.
Ne pourrai-je, en fuyant un indigne repos,
D'un sang plus glorieux teindre mes javelots?
Vous n'aviez pas encore atteint l'âge où je touche,
Déjà plus d'un tyran, plus d'un monstre farouche,
Avait de votre bras senti la pesanteur;
Déjà, de l'insolence heureux persécuteur,
Vous aviez des deux mers assuré les rivages.
Le libre voyageur ne craignait plus d'outrages;
Hercule, respirant sur le bruit de vos coups,
Déjà de son travail se reposait sur vous.
Et moi, fils inconnu d'un si glorieux père,
Je suis même encor loin des traces de ma mère.
Souffrez que mon courage ose enfin s'occuper;
Souffrez, si quelque monstre a pu vous échapper,
Que j'apporte à vos pieds sa dépouille honorable,
Ou que d'un beau trépas la mémoire durable,
Éternisant des jours si noblement finis,
Prouve à tout l'avenir que j'étais votre fils.

THÉSÉE

Que vois-je? Quelle horreur dans ces lieux répandue
Fait fuir devant mes yeux ma famille éperdue?
Si je reviens si craint et si peu désiré,
O ciel! de ma prison pourquoi m'as-tu tiré?
Je n'avais qu'un ami; son imprudente flamme
Du tyran de l'Épire allait ravir la femme;
Je servais à regret ses desseins amoureux;
Mais le sort irrité nous aveuglait tous deux.
Le tyran m'a surpris sans défense et sans armes.
J'ai vu Pirithoüs, triste objet de mes larmes,
Livré par ce barbare à des monstres cruels
Qu'il nourrissait du sang des malheureux mortels.
Moi-même, il m'enferma dans des cavernes sombres,

Lieux profonds et voisins de l'empire des ombres [26].
Les dieux, après six mois, enfin m'ont regardé :
J'ai su tromper les yeux de qui j'étais gardé.
D'un perfide ennemi j'ai purgé la nature :
A ses monstres lui-même a servi de pâture.
Et lorsque avec transport je pense m'approcher
De tout ce que les dieux m'ont laissé de plus cher;
Que dis-je? quand mon âme, à soi-même rendue,
Vient se rassasier d'une si chère vue,
Je n'ai pour tout accueil que des frémissements :
Tout fuit, tout se refuse à mes embrassements;
Et moi-même, éprouvant la terreur que j'inspire,
Je voudrais être encor dans les prisons d'Épire.
Parlez. Phèdre se plaint que je suis outragé.
Qui m'a trahi? Pourquoi ne suis-je pas vengé?
La Grèce, à qui mon bras fut tant de fois utile,
A-t-elle au criminel accordé quelque asile?
Vous ne répondez point! Mon fils, mon propre fils,
Est-il d'intelligence avec mes ennemis?
Entrons. C'est trop garder un doute qui m'accable.
Connaissons à la fois le crime et le coupable.
Que Phèdre explique enfin le trouble où je la voi.

SCÈNE VI. — HIPPOLYTE, THÉRAMÈNE

HIPPOLYTE

Où tendait ce discours qui m'a glacé d'effroi?
Phèdre, toujours en proie à sa fureur extrême,
Veut-elle s'accuser et se perdre elle-même?
Dieux! que dira le roi! Quel funeste poison
L'amour a répandu sur toute sa maison!
Moi-même, plein d'un feu que sa haine réprouve,
Quel il m'a vu jadis, et quel il me retrouve!
De noirs pressentiments viennent m'épouvanter.
Mais l'innocence enfin n'a rien à redouter.
Allons, cherchons ailleurs par quelle heureuse adresse
Je pourrai de mon père émouvoir la tendresse,
Et lui dire un amour qu'il peut vouloir troubler,
Mais que tout son pouvoir ne saurait ébranler.

ACTE QUATRIÈME

SCÈNE I. — THÉSÉE, ŒNONE

THÉSÉE

Ah ! qu'est-ce que j'entends ? Un traître, un téméraire,
Préparait cet outrage à l'honneur de son père ?
Avec quelle rigueur, Destin, tu me poursuis !
Je ne sais où je vais, je ne sais où je suis.
O tendresse ! ô bonté trop mal récompensée !
Projets audacieux ! détestable pensée !
Pour parvenir au but de ses noires amours,
L'insolent de la force empruntait le secours !
J'ai reconnu le fer, instrument de sa rage,
Ce fer dont je l'armai pour un plus noble usage.
Tous les liens du sang n'ont pu le retenir !
Et Phèdre différait à le faire punir !
Le silence de Phèdre épargnait le coupable !

ŒNONE

Phèdre épargnait plutôt un père déplorable.
Honteuse du dessein d'un amant furieux
Et du feu criminel qu'il a pris dans ses yeux,
Phèdre mourait, Seigneur, et sa main meurtrière
Éteignait de ses yeux l'innocente lumière.
J'ai vu lever le bras, j'ai couru la sauver ;
Moi seule à votre amour j'ai su la conserver,
Et plaignant à la fois son trouble et vos alarmes,
J'ai servi malgré moi d'interprète à ses larmes.

THÉSÉE

Le perfide ! il n'a pu s'empêcher de pâlir ;
De crainte, en m'abordant, je l'ai vu tressaillir.
Je me suis étonné de son peu d'allégresse ;
Ses froids embrassements ont glacé ma tendresse.
Mais ce coupable amour dont il est dévoré
Dans Athènes déjà s'était-il déclaré ?

ŒNONE

Seigneur, souvenez-vous des plaintes de la reine :
Un amour criminel causa toute sa haine.

THÉSÉE

Et ce feu dans Trézène a donc recommencé ?

ŒNONE

Je vous ai dit, Seigneur, tout ce qui s'est passé.
C'est trop laisser la reine à sa douleur mortelle;
Souffrez que je vous quitte et me range auprès d'elle.

SCÈNE II. — THÉSÉE, HIPPOLYTE

THÉSÉE

Ah! le voici. Grands dieux! à ce noble maintien
Quel œil ne serait pas trompé comme le mien?
Faut-il que sur le front d'un profane adultère
Brille de la vertu le sacré caractère?
Et ne devrait-on pas à des signes certains
Reconnaître le cœur des perfides humains?

HIPPOLYTE

Puis-je vous demander quel funeste nuage,
Seigneur, a pu troubler votre auguste visage?
N'osez-vous confier ce secret à ma foi?

THÉSÉE

Perfide, oses-tu bien te montrer devant moi?
Monstre, qu'a trop longtemps épargné le tonnerre,
Reste impur des brigands dont j'ai purgé la terre,
Après que le transport d'un amour plein d'horreur
Jusqu'au lit de ton père a porté sa fureur,
Tu m'oses présenter une tête ennemie!
Tu parais dans des lieux pleins de ton infamie,
Et ne vas pas chercher, sous un ciel inconnu,
Des pays où mon nom ne soit point parvenu!
Fuis, traître! Ne viens point braver ici ma haine,
Et tenter un courroux que je retiens à peine.
C'est bien assez pour moi de l'opprobre éternel
D'avoir pu mettre au jour un fils si criminel,
Sans que ta mort encor, honteuse à ma mémoire,
De mes nobles travaux vienne souiller la gloire.
Fuis; et si tu ne veux qu'un châtiment soudain
T'ajoute aux scélérats qu'a punis cette main,
Prends garde que jamais l'astre qui nous éclaire
Ne te voie en ces lieux mettre un pied téméraire.
Fuis, dis-je; et sans retour précipitant tes pas,
De ton horrible aspect purge tous mes États.
Et toi, Neptune, et toi, si jadis mon courage
D'infâmes assassins nettoya ton rivage,

Souviens-toi que pour prix de mes efforts heureux
Tu promis d'exaucer le premier de mes vœux.
Dans les longues rigueurs d'une prison cruelle
Je n'ai point imploré ta puissance immortelle.
Avare du secours que j'attends de tes soins,
Mes vœux t'ont réservé pour de plus grands besoins :
Je t'implore aujourd'hui. Venge un malheureux père.
J'abandonne ce traître à toute ta colère;
Étouffe dans son sang ses désirs effrontés :
Thésée à tes fureurs connaîtra tes bontés.

HIPPOLYTE

D'un amour criminel Phèdre accuse Hippolyte!
Un tel excès d'horreur rend mon âme interdite;
Tant de coups imprévus m'accablent à la fois
Qu'ils m'ôtent la parole et m'étouffent la voix.

THÉSÉE

Traître, tu prétendais qu'en un lâche silence
Phèdre ensevelirait ta brutale insolence.
Il fallait, en fuyant, ne pas abandonner
Le fer qui dans ses mains aide à te condamner;
Ou plutôt il fallait, comblant ta perfidie,
Lui ravir tout d'un coup la parole et la vie.

HIPPOLYTE

D'un mensonge si noir justement irrité,
Je devrais faire ici parler la vérité,
Seigneur; mais je supprime un secret qui vous touche.
Approuvez le respect qui me ferme la bouche,
Et sans vouloir vous-même augmenter vos ennuis,
Examinez ma vie, et songez qui je suis.
Quelques crimes toujours précèdent les grands crimes.
Quiconque a pu franchir les bornes légitimes
Peut violer enfin les droits les plus sacrés;
Ainsi que la vertu, le crime a ses degrés,
Et jamais on n'a vu la timide innocence
Passer subitement à l'extrême licence.
Un jour seul ne fait point d'un mortel vertueux
Un perfide assassin, un lâche incestueux.
Élevé dans le sein d'une chaste héroïne,
Je n'ai point de son sang démenti l'origine.
Pitthée, estimé sage entre tous les humains,

Daigna m'instruire encore au sortir de ses mains.
Je ne veux point me peindre avec trop d'avantage;
Mais si quelque vertu m'est tombée en partage,
Seigneur, je crois surtout avoir fait éclater
La haine des forfaits qu'on ose m'imputer.
C'est par là qu'Hippolyte est connu dans la Grèce.
J'ai poussé la vertu jusques à la rudesse.
On sait de mes chagrins l'inflexible rigueur.
Le jour n'est pas plus pur que le fond de mon cœur.
Et l'on veut qu'Hippolyte épris d'un feu profane...

THÉSÉE

Oui, c'est ce même orgueil, lâche, qui te condamne.
Je vois de tes froideurs le principe odieux :
Phèdre seule charmait tes impudiques yeux,
Et pour tout autre objet ton âme indifférente
Dédaignait de brûler d'une flamme innocente.

HIPPOLYTE

Non, mon père, ce cœur, c'est trop vous le celer,
N'a point d'un chaste amour dédaigné de brûler.
Je confesse à vos pieds ma véritable offense :
J'aime, j'aime, il est vrai, malgré votre défense.
Aricie à ses lois tient mes vœux asservis;
La fille de Pallante a vaincu votre fils.
Je l'adore, et mon âme, à vos ordres rebelle,
Ne peut ni soupirer ni brûler que pour elle.

THÉSÉE

Tu l'aimes? Ciel! Mais non, l'artifice est grossier;
Tu te feins criminel pour te justifier.

HIPPOLYTE

Seigneur, depuis six mois je l'évite, et je l'aime.
Je venais, en tremblant, vous le dire à vous-même.
Hé quoi! de votre erreur rien ne vous peut tirer?
Par quel affreux serment faut-il vous rassurer?
Que la terre, le ciel, que toute la nature...

THÉSÉE

Toujours les scélérats ont recours au parjure.
Cesse, cesse, et m'épargne un importun discours,
Si ta fausse vertu n'a point d'autre secours.

HIPPOLYTE

Elle vous paraît fausse et pleine d'artifice
Phèdre au fond de son cœur me rend plus de justice.

THÉSÉE

Ah! que ton impudence excite mon courroux!

HIPPOLYTE

Quel temps à mon exil, quel lieu prescrivez-vous?

THÉSÉE

Fusses-tu par delà les colonnes d'Alcide,
Je me croirais encor trop voisin d'un perfide.

HIPPOLYTE

Chargé du crime affreux dont vous me soupçonnez,
Quels amis me plaindront, quand vous m'abandonnez?

THÉSÉE

Va chercher des amis dont l'estime funeste
Honore l'adultère, applaudisse à l'inceste,
Des traîtres, des ingrats sans honneur et sans loi,
Dignes de protéger un méchant tel que toi.

HIPPOLYTE

Vous me parlez toujours d'inceste et d'adultère.
Je me tais. Cependant Phèdre sort d'une mère,
Phèdre est d'un sang, Seigneur, vous le savez trop bien,
De toutes ces horreurs plus rempli que le mien.

THÉSÉE

Quoi? ta rage à mes yeux perd toute retenue?
Pour la dernière fois, ôte-toi de ma vue.
Sors, traître; n'attends pas qu'un père furieux
Te fasse avec opprobre arracher de ces lieux.

SCÈNE III. — THÉSÉE, *seul.*

Misérable, tu cours à ta perte infaillible!
Neptune, par le fleuve aux dieux mêmes terrible [27],
M'a donné sa parole, et va l'exécuter.
Un dieu vengeur te suit, tu ne peux l'éviter.
Je t'aimais; et je sens que malgré ton offense,
Mes entrailles pour toi se troublent par avance.
Mais à te condamner tu m'as trop engagé.
Jamais père en effet fut-il plus outragé?
Justes dieux, qui voyez la douleur qui m'accable,
Ai-je pu mettre au jour un enfant si coupable?

SCÈNE IV. — THÉSÉE, PHÈDRE

PHÈDRE

Seigneur, je viens à vous, pleine d'un juste effroi.
Votre voix redoutable a passé jusqu'à moi.
Je crains qu'un prompt effet n'ait suivi la menace.
S'il en est temps encore, épargnez votre race,
Respectez votre sang, j'ose vous en prier.
Sauvez-moi de l'horreur de l'entendre crier [28];
Ne me préparez point la douleur éternelle
De l'avoir fait répandre à la main paternelle.

THÉSÉE

Non, Madame, en mon sang ma main n'a point trempé;
Mais l'ingrat toutefois ne m'est point échappé.
Une immortelle main de sa perte est chargée;
Neptune me la doit, et vous serez vengée.

PHÈDRE

Neptune vous la doit! Quoi? vos vœux irrités...

THÉSÉE

Quoi! craignez-vous déjà qu'ils ne soient écoutés?
Joignez-vous bien plutôt à mes vœux légitimes.
Dans toute leur noirceur retracez-moi ses crimes;
Échauffez mes transports trop lents, trop retenus.
Tous ses crimes encor ne vous sont point connus.
Sa fureur contre vous se répand en injures;
Votre bouche, dit-il, est pleine d'impostures;
Il soutient qu'Aricie a son cœur, a sa foi,
Qu'il l'aime.

PHÈDRE

Quoi, Seigneur!

THÉSÉE

Il l'a dit devant moi,
Mais je sais rejeter un frivole artifice.
Espérons de Neptune une prompte justice.
Je vais moi-même encore au pied de ses autels
Le presser d'accomplir ses serments immortels.

SCÈNE V. — PHÈDRE, *seule.*

Il sort. Quelle nouvelle a frappé mon oreille?
Quel feu mal étouffé dans mon cœur se réveille?

Quel coup de foudre, ô ciel! et quel funeste avis!
Je volais tout entière au secours de son fils,
Et m'arrachant des bras d'Œnone épouvantée,
Je cédais au remords dont j'étais tourmentée.
Qui sait même où m'allait porter ce repentir?
Peut-être à m'accuser j'aurais pu consentir;
Peut-être, si la voix ne m'eût été coupée,
L'affreuse vérité me serait échappée.
Hippolyte est sensible, et ne sent rien pour moi!
Aricie a son cœur! Aricie a sa foi!
Ah, dieux! Lorsqu'à mes vœux l'ingrat inexorable
S'armait d'un œil si fier, d'un front si redoutable,
Je pensais qu'à l'amour son cœur toujours fermé
Fût contre tout mon sexe également armé.
Une autre cependant a fléchi son audace;
Devant ses yeux cruels une autre a trouvé grâce.
Peut-être a-t-il un cœur facile à s'attendrir;
Je suis le seul objet qu'il ne saurait souffrir,
Et je me chargerais du soin de le défendre?

SCÈNE VI. — PHÈDRE, ŒNONE

PHÈDRE

Chère Œnone, sais-tu ce que je viens d'apprendre?

ŒNONE

Non; mais je viens tremblante, à ne vous point mentir.
J'ai pâli du dessein qui vous a fait sortir;
J'ai craint une fureur à vous-même fatale.

PHÈDRE

Œnone, qui l'eût cru? j'avais une rivale!

ŒNONE

Comment?

PHÈDRE

Hippolyte aime, et je n'en puis douter.
Ce farouche ennemi qu'on ne pouvait dompter,
Qu'offensait le respect, qu'importunait la plainte,
Ce tigre, que jamais je n'abordai sans crainte,
Soumis, apprivoisé, reconnaît un vainqueur :
Aricie a trouvé le chemin de son cœur.

ŒNONE

Aricie?

PHÈDRE

Ah! douleur non encore éprouvée!
A quel nouveau tourment je me suis réservée!
Tout ce que j'ai souffert, mes craintes, mes transports,
La fureur de mes feux, l'horreur de mes remords,
Et d'un cruel refus l'insupportable injure,
N'était qu'un faible essai du tourment que j'endure.
Ils s'aiment! Par quel charme ont-ils trompé mes yeux?
Comment se sont-ils vus? depuis quand? dans quels lieux?
Tu le savais. Pourquoi me laissais-tu séduire?
De leur furtive ardeur ne pouvais-tu m'instruire?
Les a-t-on vus souvent se parler, se chercher?
Dans le fond des forêts allaient-ils se cacher?
Hélas! ils se voyaient avec pleine licence.
Le ciel de leurs soupirs approuvait l'innocence;
Ils suivaient sans remords leur penchant amoureux;
Tous les jours se levaient clairs et sereins pour eux.
Et moi, triste rebut de la nature entière,
Je me cachais au jour, je fuyais la lumière.
La mort est le seul dieu que j'osais implorer.
J'attendais le moment où j'allais expirer;
Me nourrissant de fiel, de larmes abreuvée,
Encor dans mon malheur de trop près observée,
Je n'osais dans mes pleurs me noyer à loisir.
Je goûtais en tremblant ce funeste plaisir,
Et sous un front serein déguisant mes alarmes,
Il fallait bien souvent me priver de mes larmes.

ŒNONE

Quel fruit recevront-ils de leurs vaines amours?
Ils ne se verront plus.

PHÈDRE

Ils s'aimeront toujours!
Au moment que je parle, ah! mortelle pensée!
Ils bravent la fureur d'une amante insensée.
Malgré ce même exil qui va les écarter,
Ils font mille serments de ne se point quitter.
Non, je ne puis souffrir un bonheur qui m'outrage,
Œnone; prends pitié de ma jalouse rage;
Il faut perdre Aricie, il faut de mon époux
Contre un sang odieux réveiller le courroux.
Qu'il ne se borne pas à des peines légères :

Le crime de la sœur passe celui des frères.
Dans mes jaloux transports je le veux implorer.
Que fais-je? Où ma raison se va-t-elle égarer?
Moi jalouse! Et Thésée est celui que j'implore!
Mon époux est vivant, et moi je brûle encore!
Pour qui? Quel est le cœur où prétendent mes vœux?
Chaque mot sur mon front fait dresser mes cheveux.
Mes crimes désormais ont comblé la mesure.
Je respire à la fois l'inceste et l'imposture;
Mes homicides mains, promptes à me venger,
Dans le sang innocent brûlent de se plonger.
Misérable! et je vis? et je soutiens la vue
De ce sacré soleil dont je suis descendue?
J'ai pour aïeul le père et le maître des dieux;
Le ciel, tout l'univers est plein de mes aïeux;
Où me cacher? Fuyons dans la nuit infernale.
Mais que dis-je? Mon père y tient l'urne fatale;
Le sort, dit-on, l'a mise en ses sévères mains :
Minos juge aux enfers tous les pâles humains.
Ah! combien frémira son ombre épouvantée,
Lorsqu'il verra sa fille à ses yeux présentée,
Contrainte d'avouer tant de forfaits divers,
Et des crimes peut-être inconnus aux enfers!
Que diras-tu, mon père, à ce spectacle horrible?
Je crois voir de ta main tomber l'urne terrible,
Je crois te voir, cherchant un supplice nouveau,
Toi-même, de ton sang devenir le bourreau.
Pardonne! Un dieu cruel a perdu ta famille :
Reconnais sa vengeance aux fureurs de ta fille.
Hélas! du crime affreux dont la honte me suit,
Jamais mon triste cœur n'a recueilli le fruit;
Jusqu'au dernier soupir de malheurs poursuivie,
Je rends dans les tourments une pénible vie.

ŒNONE

Hé! repoussez, Madame, une injuste terreur!
Regardez d'un autre œil une excusable erreur.
Vous aimez. On ne peut vaincre sa destinée.
Par un charme fatal vous fûtes entraînée.
Est-ce donc un prodige inouï parmi nous?
L'amour n'a-t-il encor triomphé que de vous?
La faiblesse aux humains n'est que trop naturelle;

Mortelle, subissez le sort d'une mortelle.
Vous vous plaignez d'un joug imposé dès longtemps :
Les dieux mêmes, les dieux, de l'Olympe habitants,
Qui d'un bruit si terrible épouvantent les crimes,
Ont brûlé quelquefois de feux illégitimes.

PHÈDRE

Qu'entends-je? Quels conseils ose-t-on me donner?
Ainsi donc jusqu'au bout tu veux m'empoisonner,
Malheureuse? Voilà comme tu m'as perdue.
Au jour que je fuyais c'est toi qui m'as rendue;
Tes prières m'ont fait oublier mon devoir;
J'évitais Hippolyte, et tu me l'as fait voir.
De quoi te chargeais-tu? Pourquoi ta bouche impie
A-t-elle, en l'accusant, osé noircir sa vie?
Il en mourra peut-être, et d'un père insensé
Le sacrilège vœu peut-être est exaucé.
Je ne t'écoute plus. Va-t'en, monstre exécrable;
Va, laisse-moi le soin de mon sort déplorable.
Puisse le juste ciel dignement te payer;
Et puisse ton supplice à jamais effrayer
Tous ceux qui, comme toi, par de lâches adresses,
Des princes malheureux nourrissent les faiblesses,
Les poussent au penchant où leur cœur est enclin,
Et leur osent du crime aplanir le chemin!
Détestables flatteurs, présent le plus funeste
Que puisse faire aux rois la colère céleste!

ŒNONE, *seule.*

Ah! dieux! pour la servir j'ai tout fait, tout quitté,
Et j'en reçois ce prix? Je l'ai bien mérité.

ACTE CINQUIÈME

SCÈNE I. — HIPPOLYTE, ARICIE, ISMÈNE

ARICIE

Quoi! vous pouvez vous taire en ce péril extrême?
Vous laissez dans l'erreur un père qui vous aime?
Cruel, si de mes pleurs méprisant le pouvoir,
Vous consentez sans peine à ne me plus revoir,
Partez, séparez-vous de la triste Aricie;
Mais du moins en partant assurez votre vie,
Défendez votre honneur d'un reproche honteux,
Et forcez votre père à révoquer ses vœux.

Il en est temps encor. Pourquoi, par quel caprice,
Laissez-vous le champ libre à votre accusatrice?
Éclaircissez Thésée.

HIPPOLYTE

Hé! que n'ai-je point dit!
Ai-je dû mettre au jour l'opprobre de son lit?
Devais-je, en lui faisant un récit trop sincère,
D'une indigne rougeur couvrir le front d'un père?
Vous seule avez percé ce mystère odieux.
Mon cœur pour s'épancher n'a que vous et les dieux.
Je n'ai pu vous cacher, jugez si je vous aime,
Tout ce que je voulais me cacher à moi-même.
Mais songez sous quel sceau je vous l'ai révélé.
Oubliez, s'il se peut, que je vous ai parlé,
Madame, et que jamais une bouche si pure
Ne s'ouvre pour conter cette horrible aventure.
Sur l'équité des dieux osons nous confier :
Ils ont trop d'intérêt à me justifier;
Et Phèdre, tôt ou tard de son crime punie,
N'en saurait éviter la juste ignominie.
C'est l'unique respect que j'exige de vous.
Je permets tout le reste à mon libre courroux.
Sortez de l'esclavage où vous êtes réduite;
Osez me suivre, osez accompagner ma fuite;
Arrachez-vous d'un lieu funeste et profané
Où la vertu respire un air empoisonné;
Profitez, pour cacher votre prompte retraite,
De la confusion que ma disgrâce y jette.
Je vous puis de la fuite assurer les moyens :
Vous n'avez jusqu'ici de gardes que les miens;
De puissants défenseurs prendront notre querelle,
Argos nous tend les bras, et Sparte nous appelle;
A nos amis communs portons nos justes cris,
Ne souffrons pas que Phèdre, assemblant nos débris,
Du trône paternel nous chasse l'un et l'autre,
Et promette à son fils ma dépouille et la vôtre.
L'occasion est belle, il la faut embrasser...
Quelle peur vous retient? Vous semblez balancer?
Votre seul intérêt m'inspire cette audace.
Quand je suis tout de feu, d'où vous vient cette glace?
Sur les pas d'un banni craignez-vous de marcher?

ARICIE

Hélas! qu'un tel exil, Seigneur, me serait cher!
Dans quels ravissements, à votre sort liée,
Du reste des mortels je vivrais oubliée!
Mais n'étant point unis par un lien si doux,
Me puis-je avec honneur dérober avec vous?
Je sais que sans blesser l'honneur le plus sévère,
Je me puis affranchir des mains de votre père :
Ce n'est point m'arracher du sein de mes parents,
Et la fuite est permise à qui fuit ses tyrans.
Mais vous m'aimez, Seigneur, et ma gloire alarmée...

HIPPOLYTE

Non, non, j'ai trop de soin de votre renommée.
Un plus noble dessein m'amène devant vous :
Fuyez vos ennemis, et suivez votre époux.
Libres dans nos malheurs, puisque le ciel l'ordonne,
Le don de notre foi ne dépend de personne.
L'hymen n'est point toujours entouré de flambeaux.
Aux portes de Trézène, et parmi ces tombeaux,
Des princes de ma race antiques sépultures,
Est un temple sacré formidable aux parjures [29].
C'est là que les mortels n'osent jurer en vain :
Le perfide y reçoit un châtiment soudain;
Et craignant d'y trouver la mort inévitable,
Le mensonge n'a point de frein plus redoutable.
Là, si vous m'en croyez, d'un amour éternel
Nous irons confirmer le serment solennel;
Nous prendrons à témoin le dieu qu'on y révère;
Nous le prierons tous deux de nous servir de père.
Des dieux les plus sacrés j'attesterai le nom;
Et la chaste Diane, et l'auguste Junon,
Et tous les dieux enfin, témoins de mes tendresses,
Garantiront la foi de mes saintes promesses.

ARICIE

Le roi vient. Fuyez, Prince, et partez promptement.
Pour cacher mon départ je demeure un moment.
Allez, et laissez-moi quelque fidèle guide,
Qui conduise vers vous ma démarche timide.

SCÈNE II. — THÉSÉE, ARICIE, ISMÈNE

THÉSÉE

Dieux ! éclairez mon trouble, et daignez à mes yeux
Montrer la vérité, que je cherche en ces lieux !

ARICIE

Songe à tout, chère Ismène, et sois prête à la fuite.

SCÈNE III. — THÉSÉE, ARICIE

THÉSÉE

Vous changez de couleur, et semblez interdite,
Madame. Que faisait Hippolyte en ce lieu ?

ARICIE

Seigneur, il me disait un éternel adieu.

THÉSÉE

Vos yeux ont su dompter ce rebelle courage,
Et ses premiers soupirs sont votre heureux ouvrage.

ARICIE

Seigneur, je ne vous puis nier la vérité :
De votre injuste haine il n'a pas hérité;
Il ne me traitait point comme une criminelle.

THÉSÉE

J'entends; il vous jurait une amour éternelle.
Ne vous assurez point sur ce cœur inconstant,
Car à d'autres que vous il en jurait autant.

ARICIE

Lui, Seigneur?

THÉSÉE

Vous deviez le rendre moins volage :
Comment souffriez-vous cet horrible partage?

ARICIE

Et comment souffrez-vous que d'horribles discours
D'une si belle vie osent noircir le cours?
Avez-vous de son cœur si peu de connaissance?
Discernez-vous si mal le crime et l'innocence?
Faut-il qu'à vos yeux seuls un nuage odieux
Dérobe sa vertu qui brille à tous les yeux?
Ah ! c'est trop le livrer à des langues perfides.
Cessez; repentez-vous de vos vœux homicides;

Craignez, seigneur, craignez que le ciel rigoureux
Ne vous haïsse assez pour exaucer vos vœux.
Souvent dans sa colère il reçoit nos victimes,
Ses présents sont souvent la peine de nos crimes.

THÉSÉE

Non, vous voulez en vain couvrir son attentat;
Votre amour vous aveugle en faveur de l'ingrat.
Mais j'en crois des témoins certains, irréprochables :
J'ai vu, j'ai vu couler des larmes véritables.

ARICIE

Prenez garde, Seigneur : vos invincibles mains
Ont de monstres sans nombre affranchi les humains,
Mais tout n'est pas détruit, et vous en laissez vivre
Un... Votre fils, Seigneur, me défend de poursuivre.
Instruite du respect qu'il veut vous conserver,
Je l'affligerais trop si j'osais achever.
J'imite sa pudeur, et fuis votre présence
Pour n'être pas forcée à rompre le silence.

SCÈNE IV. — THÉSÉE, *seul.*

Quelle est donc sa pensée? et que cache un discours
Commencé tant de fois, interrompu toujours?
Veulent-ils m'éblouir par une feinte vaine?
Sont-ils d'accord tous deux pour me mettre à la gêne?
Mais moi-même, malgré ma sévère rigueur,
Quelle plaintive voix crie au fond de mon cœur?
Une pitié secrète et m'afflige et m'étonne.
Une seconde fois interrogeons Œnone.
Je veux de tout le crime être mieux éclairci.
Gardes, qu'Œnone sorte, et vienne seule ici.

SCÈNE V. — THÉSÉE, PANOPE

PANOPE

J'ignore le projet que la reine médite,
Seigneur, mais je crains tout du transport qui l'agite.
Un mortel désespoir sur son visage est peint,
La pâleur de la mort est déjà sur son teint.
Déjà, de sa présence, avec honte chassée,
Dans la profonde mer Œnone s'est lancée.
On ne sait point d'où part ce dessein furieux,
Et les flots pour jamais l'ont ravie à nos yeux.

THÉSÉE

Qu'entends-je?

PANOPE

Son trépas n'a point calmé la reine :
Le trouble semble croître en son âme incertaine.
Quelquefois, pour flatter ses secrètes douleurs,
Elle prend ses enfants et les baigne de pleurs;
Et soudain, renonçant à l'amour maternelle,
Sa main avec horreur les repousse loin d'elle.
Elle porte au hasard ses pas irrésolus;
Son œil tout égaré ne nous reconnaît plus.
Elle a trois fois écrit, et changeant de pensée,
Trois fois elle a rompu sa lettre commencée.
Daignez la voir, Seigneur, daignez la secourir.

THÉSÉE

O ciel! Œnone est morte, et Phèdre veut mourir?
Qu'on rappelle mon fils, qu'il vienne se défendre;
Qu'il vienne me parler, je suis prêt de l'entendre.
Ne précipite point tes funestes bienfaits,
Neptune; j'aime mieux n'être exaucé jamais.
J'ai peut-être trop cru des témoins peu fidèles,
Et j'ai trop tôt vers toi levé mes mains cruelles.
Ah! de quel désespoir mes vœux seraient suivis!

SCÈNE VI. — THÉSÉE, THÉRAMÈNE

THÉSÉE

Théramène, est-ce toi? Qu'as-tu fait de mon fils?
Je te l'ai confié dès l'âge le plus tendre.
Mais d'où naissent les pleurs que je te vois répandre?
Que fait mon fils?

THÉRAMÈNE

O soins tardifs et superflus!
Inutile tendresse! Hippolyte n'est plus.

THÉSÉE

Dieux!

THÉRAMÈNE

J'ai vu des mortels périr le plus aimable,
Et j'ose dire encor, Seigneur, le moins coupable.

THÉSÉE

Mon fils n'est plus? Hé quoi! quand je lui tends les bras,

Les dieux impatients ont hâté son trépas!
Quel coup me l'a ravi? quelle foudre soudaine?

THÉRAMÈNE

A peine nous sortions des portes de Trézène,
Il était sur son char. Ses gardes affligés
Imitaient son silence, autour de lui rangés;
Il suivait tout pensif le chemin de Mycènes;
Sa main sur ses chevaux laissait flotter les rênes;
Ses superbes coursiers, qu'on voyait autrefois
Pleins d'une ardeur si noble obéir à sa voix,
L'œil morne maintenant et la tête baissée,
Semblaient se conformer à sa triste pensée.
Un effroyable cri, sorti du fond des flots,
Des airs en ce moment a troublé le repos;
Et du sein de la terre, une voix formidable
Répond en gémissant à ce cri redoutable.
Jusqu'au fond de nos cœurs notre sang s'est glacé;
Des coursiers attentifs le crin s'est hérissé.
Cependant, sur le dos de la plaine liquide,
S'élève à gros bouillons une montagne humide;
L'onde approche, se brise, et vomit à nos yeux,
Parmi des flots d'écume, un monstre furieux.
Son front large est armé de cornes menaçantes;
Tout son corps est couvert d'écailles jaunissantes;
Indomptable taureau, dragon impétueux,
Sa croupe se recourbe en replis tortueux [30].
Ses longs mugissements font trembler le rivage.
Le ciel avec horreur voit ce monstre sauvage,
La terre s'en émeut, l'air en est infecté;
Le flot qui l'apporta recule épouvanté.
Tout fuit; et sans s'armer d'un courage inutile,
Dans le temple voisin chacun cherche un asile.
Hippolyte lui seul, digne fils d'un héros,
Arrête ses coursiers, saisit ses javelots,
Pousse au monstre, et d'un dard lancé d'une main sûre,
Il lui fait dans le flanc une large blessure.
De rage et de douleur le monstre bondissant
Vient aux pieds des chevaux tomber en mugissant,
Se roule, et leur présente une gueule enflammée
Qui les couvre de feu, de sang et de fumée.
La frayeur les emporte, et sourds à cette fois,

Ils ne connaissent plus ni le frein ni la voix;
En efforts impuissants leur maître se consume;
Ils rougissent le mors d'une sanglante écume.
On dit qu'on a vu même, en ce désordre affreux,
Un dieu qui d'aiguillons pressait leur flanc poudreux [31].
A travers des rochers la peur les précipite.
L'essieu crie et se rompt : l'intrépide Hippolyte
Voit voler en éclats tout son char fracassé;
Dans les rênes lui-même, il tombe embarrassé.
Excusez ma douleur. Cette image cruelle
Sera pour moi de pleurs une source éternelle.
J'ai vu, Seigneur, j'ai vu votre malheureux fils
Traîné par les chevaux que sa main a nourris.
Il veut les rappeler, et sa voix les effraie;
Ils courent; tout son corps n'est bientôt qu'une plaie.
De nos cris douloureux la plaine retentit.
Leur fougue impétueuse enfin se ralentit;
Ils s'arrêtent non loin de ces tombeaux antiques
Où des rois ses aïeux sont les froides reliques.
J'y cours en soupirant, et sa garde me suit.
De son généreux sang la trace nous conduit,
Les rochers en sont teints, les ronces dégouttantes
Portent de ses cheveux les dépouilles sanglantes.
J'arrive, je l'appelle, et me tendant la main,
Il ouvre un œil mourant qu'il referme soudain :
« Le ciel, dit-il, m'arrache une innocente vie.
« Prends soin après ma mort de la triste Aricie.
« Cher ami, si mon père un jour désabusé
« Plaint le malheur d'un fils faussement accusé,
« Pour apaiser mon sang et mon ombre plaintive,
« Dis-lui qu'avec douceur il traite sa captive,
« Qu'il lui rende... » A ce mot, ce héros expiré
N'a laissé dans mes bras qu'un corps défiguré,
Triste objet, où des dieux triomphe la colère.
Et que méconnaîtrait l'œil même de son père.

THÉSÉE

O mon fils! cher espoir que je me suis ravi!
Inexorables dieux, qui m'avez trop servi!
A quels mortels regrets ma vie est réservée!

THÉRAMÈNE

La timide Aricie est alors arrivée.

Elle venait, Seigneur, fuyant votre courroux,
A la face des dieux l'accepter pour époux.
Elle approche; elle voit l'herbe rouge et fumante;
Elle voit (quel objet pour les yeux d'une amante!)
Hippolyte étendu, sans forme et sans couleur.
Elle veut quelque temps douter de son malheur,
Et ne connaissant plus ce héros qu'elle adore,
Elle voit Hippolyte, et le demande encore.
Mais trop sûre à la fin qu'il est devant ses yeux,
Par un triste regard elle accuse les dieux,
Et froide, gémissante, et presque inanimée,
Aux pieds de son amant elle tombe pâmée.
Ismène est auprès d'elle; Ismène, tout en pleurs,
La rappelle à la vie, ou plutôt aux douleurs.
Et moi, je suis venu, détestant la lumière,
Vous dire d'un héros la volonté dernière,
Et m'acquitter, Seigneur, du malheureux emploi
Dont son cœur expirant s'est reposé sur moi.
Mais j'aperçois venir sa mortelle ennemie.

SCÈNE DERNIÈRE. — THÉSÉE, PHÈDRE, THÉRAMÈNE, PANOPE, Gardes

THÉSÉE

Eh bien! vous triomphez, et mon fils est sans vie.
Ah! que j'ai lieu de craindre, et qu'un cruel soupçon
L'excusant dans mon cœur, m'alarme avec raison!
Mais, Madame, il est mort, prenez votre victime :
Jouissez de sa perte, injuste ou légitime.
Je consens que mes yeux soient toujours abusés.
Je le crois criminel, puisque vous l'accusez.
Son trépas à mes pleurs offre assez de matières
Sans que j'aille chercher d'odieuses lumières,
Qui ne pouvant le rendre à ma juste douleur,
Peut-être ne feraient qu'accroître mon malheur.
Laissez-moi, loin de vous, et loin de ce rivage,
De mon fils déchiré fuir la sanglante image.
Confus, persécuté d'un mortel souvenir,
De l'univers entier, je voudrais me bannir.
Tout semble s'élever contre mon injustice;
L'éclat de mon nom même augmente mon supplice.
Moins connu des mortels, je me cacherais mieux.
Je hais jusques aux soins dont m'honorent les dieux,

Et je m'en vais pleurer leurs faveurs meurtrières,
Sans plus les fatiguer d'inutiles prières.
Quoi qu'ils fissent pour moi, leur funeste bonté
Ne me saurait payer de ce qu'ils m'ont ôté.

PHÈDRE

Non, Thésée, il faut rompre un injuste silence;
Il faut à votre fils rendre son innocence.
Il n'était point coupable.

THÉSÉE

Ah! père infortuné!
Et c'est sur votre foi que je l'ai condamné!
Cruelle, pensez-vous être assez excusée...

PHÈDRE

Les moments me sont chers, écoutez-moi, Thésée,
C'est moi qui sur ce fils chaste et respectueux
Osai jeter un œil profane, incestueux.
Le ciel mit dans mon sein une flamme funeste;
La détestable Œnone a conduit tout le reste.
Elle a craint qu'Hippolyte, instruit de ma fureur,
Ne découvrît un feu qui lui faisait horreur.
La perfide, abusant de ma faiblesse extrême,
S'est hâtée à vos yeux de l'accuser lui-même.
Elle s'en est punie, et fuyant mon courroux,
A cherché dans les flots un supplice trop doux.
Le fer aurait déjà tranché ma destinée;
Mais je laissais gémir la vertu soupçonnée.
J'ai voulu, devant vous exposant mes remords,
Par un chemin plus lent descendre chez les morts.
J'ai pris, j'ai fait couler dans mes brûlantes veines
Un poison que Médée apporta dans Athènes [32].
Déjà jusqu'à mon cœur le venin parvenu
Dans ce cœur expirant jette un froid inconnu,
Déjà je ne vois plus qu'à travers un nuage
Et le ciel et l'époux que ma présence outrage;
Et la mort, à mes yeux dérobant la clarté,
Rend au jour qu'ils souillaient toute sa pureté.

PANOPE

Elle expire, Seigneur.

THÉSÉE

D'une action si noire

Que ne peut avec elle expirer la mémoire !
Allons, de mon erreur, hélas ! trop éclaircis,
Mêler nos pleurs au sang de mon malheureux fils !
Allons de ce cher fils embrasser ce qui reste,
Expier la fureur d'un vœu que je déteste.
Rendons-lui les honneurs qu'il a trop mérités,
Et pour mieux apaiser ses mânes irrités,
Que malgré les complots d'une injuste famille
Son amante aujourd'hui me tienne lieu de fille[33] !

ESTHER

TRAGÉDIE [1]

ESTHER

Esther a été créée le 26 janvier 1689 à la Maison royale de Saint-Louis, fondée à Saint-Cyr par Madame de Maintenon pour l'éducation de jeunes filles nobles mais sans fortune. Les pensionnaires de l'épouse de Louis XIV avaient manifesté, dès la fondation de la maison (en 1686), un talent certain pour le théâtre. La nièce de la fondatrice, Mme de Caylus, assurait même qu'en plus des œuvres saintes de leur Supérieure, Mme de Brinon, elles avaient interprété *Andromaque* avec un naturel qui inquiétait leurs éducatrices.

Ce qui est sûr, c'est que cette tragédie en musique, à la représentation de laquelle collaboraient Bérain (le successeur de Vigarani) pour la décoration et Jean-Baptiste Moreau pour la musique, a été jouée plusieurs fois devant le Roi et la Cour avec un succès considérable. Les souverains anglais exilés, Jacques II et Marie de Modène, y assistèrent plusieurs fois, et Mme de Sévigné, admise à l'une des dernières représentations de la saison, ne tarit pas d'éloges sur la beauté de l'œuvre et sur la splendeur de la salle. La tragédie a été publiée en mars, avec une préface qui représente sans doute, dans l'esprit de Racine, une poétique de la tragédie en musique, genre devenu digne, sous sa main, du théâtre des Grecs. Il n'avait connu de succès, dans ce genre, après la tentative de *Phaéton* (1683), qu'avec l'*Idylle sur la Paix* représentée en 1685, avec une musique de Lully, chez Colbert de Seignelay, à Sceaux : mais que pouvait lui apporter en gloire cette soixantaine de vers de convention à côté de ce que recueillaient les opéras de Quinault? En 1689, Quinault était mort, suivant de peu Lully dans la tombe. Racine pouvait légitimement espérer courir une nouvelle carrière théâtrale, consacrée à la double louange du Roi et de Dieu. *Esther,* loin de constituer un « retour », consommait la rupture du poète avec la tragédie profane, et lui permettait de briller dans un genre voisin de l'opéra, apprécié du souverain et de la Cour, mais ne développant pas les « lieux communs de morale lubrique » reprochés encore par Boileau à Lully et Quinault plusieurs années après leur mort.

Le sujet d'*Esther* a probablement été suggéré à Racine. Il n'avait rien d'original. Il avait été porté à la scène, en France, une demi-douzaine de fois. Montchrestien, en 1601, et Du Ryer, en 1644, l'avaient utilisé avec bonheur. L'exclusion de fait des sujets religieux dans le théâtre français d'après la Fronde ne pouvait gêner Racine, dans une pièce qui se présentait d'abord comme une œuvre de collège, et dont la représentation fut longtemps interdite aux comédiens professionnels.

Le livre d'*Esther* est en partie deutérocanonique : la version grecque dite des Septante l'a considérablement enrichi, ajoutant des épisodes (songe de Mardochée), des textes poétiques (prière d'Esther) et des détails pittoresques. Il présente la particularité d'être refermé sur lui-même et de fournir au dramaturge un récit complet, construit à la manière d'un drame, avec une exposition, un conflit intéressant un petit nombre de personnages, une scène de crise (le banquet d'Esther) comportant déjà le quiproquo exploité par Racine aux scènes 5 et 6 de l'acte III. Le roi perse, que la bible latine désigne sous le nom d'Assuérus et que la tradition recueillie par Racine confond avec Darius Ier (521-486), est probablement Xerxès (485-465), nom que lui donne le texte hébreu, plutôt qu'Artaxerxès (465-424), comme le voudrait la version grecque. Ces hésitations sont significatives. Le roi des Perses ne représente ici que l'instrument de la Providence divine. Esther et Mardochée sont l'image du peuple de Dieu, pécheur et persécuté, mais gardant obstinément sa foi messianique. La fête des Purim, instituée en souvenir de la victoire sur l' « impie Aman », est une sorte de carnaval juif, où les enfants jouent traditionnellement un rôle important. Il n'est peut-être pas inutile de rappeler enfin que la messe du deuxième mercredi de carême, composée au moment où Rome était près de tomber aux mains des Lombards (VIIIe s.), comporte la lecture de la prière de Mardochée. On sait que Pépin le Bref et Charlemagne ont alors aidé le pape à rétablir la situation, affirmant ainsi la prééminence de la nouvelle Jérusalem en même temps que la vocation de la France comme fille aînée de l'Église.

Au texte transparent du livre d'*Esther* Racine n'a ajouté aucun élément important. Il a substitué un songe d'Assuérus au songe de Mardochée, réduit à un seul les deux banquets auxquels l'héroïne conviait Assuérus et Aman et réduit à une simple allusion la vengeance à venir des Juifs. En revanche, il a exploité à fond les scènes lyriques et surtout les effets de théâtre qui figuraient déjà dans le texte sacré : l'évanouissement d'Esther aux pieds du roi, l'épisode du banquet et l'arrestation d'Aman. Avec le nombre d'actrices dont il disposait, les somptueux décors changeants qui lui étaient fournis, la beauté de la musique chorale, il pouvait rivaliser avec le dernier opéra à la mode, *Thétis et Pélée* de Fontenelle et Collasse et reprendre la tradition du théâtre à machines autrefois illustré par Corneille avec *Andromède* et *La Toison d'or,* sans toutefois céder aux attraits de la profusion ornementale et des changements trop merveilleux raillés par Boileau et La Bruyère. La disposition d'*Esther* est simple et claire : trois actes nettement séparés, trois tableaux distincts, trois épisodes successifs, chacun d'eux encadré par un récit en dialogue et un chant choral. Une semblable clarté règne dans le dialogue, où alternent récits, morceaux didactiques et prières inspirées. Au-delà de l'opéra à l'italienne, c'est à l'oratorio que l'œuvre de Racine doit peut-être l'essentiel de son inspiration.

J. M.

PRÉFACE [2]

La célèbre maison de Saint-Cyr ayant été principalement établie pour élever dans la piété un fort grand nombre de jeunes demoiselles rassemblées de tous les endroits du royaume, on n'y a rien oublié de tout ce qui pouvait contribuer à les rendre capables de servir Dieu dans les différents états où il lui plaira de les appeler. Mais en leur montrant les choses essentielles et nécessaires, on ne néglige pas de leur apprendre celles qui peuvent servir à leur polir l'esprit et à leur former le jugement. On a imaginé pour cela plusieurs moyens qui, sans les détourner de leur travail et de leurs exercices ordinaires, les instruisent en les divertissant; on leur met, pour ainsi dire, à profit leurs heures de récréation. On leur fait faire entre elles, sur leurs principaux devoirs, des conversations ingénieuses qu'on leur a composées exprès, ou qu'elles-mêmes composent sur-le-champ. On les fait parler sur les histoires qu'on leur a lues, ou sur les importantes vérités qu'on leur a enseignées. On leur fait réciter par cœur et déclamer les plus beaux endroits des meilleurs poètes, et cela leur sert surtout à les défaire de quantité de mauvaises prononciations qu'elles pourraient avoir apportées de leurs provinces. On a soin aussi de faire apprendre à chanter à celles qui ont de la voix, et on ne leur laisse pas perdre un talent qui les peut amuser innocemment, et qu'elles peuvent employer un jour à chanter les louanges de Dieu.

Mais la plupart des plus excellents vers de notre langue ayant été composés sur des matières fort profanes, et nos plus beaux airs étant sur des paroles extrêmement molles et efféminées, capables de faire des impressions dangereuses sur de jeunes esprits, les personnes illustres qui ont bien voulu prendre la principale direction de cette maison ont souhaité qu'il y eût quelque ouvrage qui, sans avoir tous ces défauts, pût produire une partie de ces bons effets. Elles me firent l'honneur de me communiquer leur dessein, et même de me demander si je ne pourrais pas faire sur quelque sujet de piété et de morale une espèce de poème où le chant fût mêlé avec le récit, le tout lié par une action qui rendît la chose plus vive et moins capable d'ennuyer.

Je leur proposai le sujet d'Esther, qui les frappa d'abord, cette histoire leur paraissant pleine de grandes leçons d'amour de Dieu, et de détachement du monde au milieu du monde même. Et je crus de mon côté que je trouverais assez de facilité à traiter ce sujet; d'autant plus qu'il me sembla que sans altérer aucune des circonstances tant soit peu considérables de l'Écriture sainte, ce qui serait, à mon avis, une espèce de sacrilège, je pourrais remplir toute mon action avec les seules scènes que Dieu lui-même, pour ainsi dire, a préparées.

J'entrepris donc la chose, et je m'aperçus qu'en travaillant sur le plan qu'on m'avait donné, j'exécutais en quelque sorte un dessein qui m'avait souvent passé dans l'esprit, qui était de lier, comme dans les anciennes tragédies grecques, le chœur et le chant avec l'action, et d'employer à chanter les louanges du vrai Dieu cette partie du chœur que les païens employaient à chanter les louanges de leurs fausses divinités.

A dire vrai, je ne pensais guère que la chose dût être aussi publique qu'elle l'a été. Mais les grandes vérités de l'Écriture, et la manière sublime dont elles y sont énoncées, pour peu qu'on les présente, même imparfaitement, aux yeux des hommes, sont si propres à les frapper, et d'ailleurs ces jeunes demoiselles ont déclamé et chanté cet ouvrage avec tant de grâce, tant de modestie et tant de piété, qu'il n'a pas été possible qu'il demeurât renfermé dans le secret de leur maison. De sorte qu'un divertissement d'enfants est devenu le sujet de l'empressement de toute la cour; le roi lui-même, qui en avait été touché, n'ayant pu refuser à tout ce qu'il y a de plus grands seigneurs de les y mener, et ayant eu la satisfaction de voir par le plaisir qu'ils y ont pris, qu'on se peut aussi bien divertir aux choses de piété qu'à tous les spectacles profanes.

Au reste, quoique j'aie évité soigneusement de mêler le profane avec le sacré, j'ai cru néanmoins que je pouvais emprunter deux ou trois traits d'Hérodote, pour mieux peindre Assuérus; car j'ai suivi le sentiment de plusieurs savants interprètes de l'Écriture, qui tiennent que ce roi est le même que le fameux Darius, fils d'Hystaspe, dont parle cet historien. En effet, ils en rapportent quantité de preuves, dont quelques-unes me paraissent des démonstrations. Mais je n'ai pas jugé à propos de croire ce même Hérodote sur sa parole, lorsqu'il dit que les Perses n'élevaient ni temples, ni autels, ni statues à leurs dieux, et qu'ils ne se servaient point de libations dans leurs sacrifices. Son témoignage est expressément détruit par l'Écriture, aussi bien que par Xénophon, beaucoup mieux instruit que lui des mœurs et des affaires de la Perse, et enfin par Quinte-Curce.

On peut dire que l'unité de lieu est observée dans cette pièce, en ce que toute l'action se passe dans le palais d'Assuérus. Cependant, comme on voulait rendre ce divertissement plus agréable à des enfants, en jetant quelque variété dans les décorations, cela a été cause que je n'ai pas gardé cette unité avec la même rigueur que j'ai fait autrefois dans mes tragédies.

Je crois qu'il est bon d'avertir ici que bien qu'il y ait dans *Esther* des personnages d'hommes, ces personnages n'ont pas laissé d'être représentés par des filles avec toute la bienséance de leur sexe. La chose leur a été d'autant plus aisée qu'anciennement les habits des Persans et des Juifs étaient de longues robes qui tombaient jusqu'à terre.

Je ne puis me résoudre à finir cette préface sans rendre à celui qui a fait la musique la justice qui lui est due, et sans confesser franchement que ses chants ont fait un des plus grands agréments de la pièce. Tous les connaisseurs demeurent d'accord que depuis longtemps on n'a point entendu d'airs plus touchants ni plus convenables aux paroles. Quelques personnes ont trouvé la musique du dernier chœur un peu longue, quoique très belle. Mais qu'aurait-on dit de ces jeunes Israélites qui avaient tant fait de vœux à Dieu pour être délivrées de l'horrible péril où elles étaient si, ce péril étant passé, elles lui en avaient rendu de médiocres actions de grâces? Elles auraient directement péché contre la louable coutume de leur nation, où l'on ne recevait de Dieu aucun bienfait signalé qu'on ne l'en remerciât sur-le-champ par de fort longs cantiques : témoin ceux de Marie, sœur de Moïse, de Débora et de Judith, et tant d'autres dont l'Écriture est pleine. On dit même que les Juifs, encore aujourd'hui, célèbrent par de grandes actions de grâces le jour où leurs ancêtres furent délivrés par Esther de la cruauté d'Aman.

NOMS DES PERSONNAGES

ASSUÉRUS, roi de Perse.
ESTHER, reine de Perse.
MARDOCHÉE, oncle d'Esther.
AMAN, favori d'Assuérus.
ZARÈS, femme d'Aman.
HYDASPE, officier du palais intérieur d'Assuérus.
ASAPH, autre officier d'Assuérus.
ÉLISE, confidente d'Esther.
THAMAR, Israélite de la suite d'Esther.
GARDES DU ROI ASSUÉRUS.
CHŒUR DE JEUNES FILLES ISRAÉLITES.

La scène est à Suse, dans le palais d'Assuérus.

LA PIÉTÉ fait le Prologue.

ESTHER

PROLOGUE

LA PIÉTÉ [3]

Du séjour bienheureux de la Divinité
Je descends dans ce lieu par la Grâce habité*.
L'Innocence s'y plaît, ma compagne éternelle,
Et n'a point sous les cieux d'asile plus fidèle.
Ici, loin du tumulte, aux devoirs les plus saints
Tout un peuple naissant est formé par mes mains.
Je nourris dans son cœur la semence féconde
Des vertus dont il doit sanctifier le monde.
Un roi qui me protège, un roi victorieux,
A commis à mes soins ce dépôt précieux.
C'est lui qui rassembla ces colombes timides,
Éparses en cent lieux, sans secours et sans guides;
Pour elles à sa porte élevant ce palais,
Il leur y fit trouver l'abondance et la paix.
Grand Dieu, que cet ouvrage ait place en ta mémoire.
Que tous les soins qu'il prend pour soutenir ta gloire
Soient gravés de ta main au livre où sont écrits
Les noms prédestinés des rois que tu chéris.
Tu m'écoutes; ma voix ne t'est point étrangère :
Je suis la Piété, cette fille si chère,
Qui t'offre de ce roi les plus tendres soupirs.
Du feu de ton amour j'allume ses désirs.
Du zèle qui pour toi l'enflamme et le dévore
La chaleur se répand du couchant à l'aurore.
Tu le vois tous les jours devant toi prosterné,
Humilier ce front de splendeur couronné,
Et confondant l'orgueil par d'augustes exemples,
Baiser avec respect le pavé de tes temples.
De ta gloire animé, lui seul de tant de rois
S'arme pour ta querelle, et combat pour tes droits.
Le perfide intérêt, l'aveugle jalousie,

* La maison de Saint-Cyr.

S'unissent contre toi pour l'affreuse hérésie;
La discorde en fureur frémit de toutes parts,
Tout semble abandonner tes sacrés étendards,
Et l'enfer, couvrant tout de ses vapeurs funèbres,
Sur les yeux les plus saints a jeté ses ténèbres.
Lui seul, invariable et fondé sur la foi,
Ne cherche, ne regarde, et n'écoute que toi,
Et bravant du démon l'impuissant artifice,
De la religion soutient tout l'édifice.
Grand Dieu, juge ta cause, et déploie aujourd'hui
Ce bras, ce même bras qui combattait pour lui,
Lorsque des nations à sa perte animées
Le Rhin vit tant de fois disperser les armées.
Des mêmes ennemis je reconnais l'orgueil;
Ils viennent se briser contre le même écueil.
Déjà, rompant partout leurs plus fermes barrières,
Du débris de leurs forts il couvre ses frontières.
Tu lui donnes un fils prompt à le seconder,
Qui sait combattre, plaire, obéir, commander;
Un fils qui, comme lui suivi de la victoire,
Semble à gagner son cœur borner toute sa gloire;
Un fils à tous ses vœux avec amour soumis,
L'éternel désespoir de tous ses ennemis;
Pareil à ces esprits que ta Justice envoie,
Quand son roi lui dit : « Pars » il s'élance avec joie,
Du tonnerre vengeur s'en va tout embraser,
Et tranquille à ses pieds revient le déposer.
Mais tandis qu'un grand roi venge ainsi mes injures,
Vous qui goûtez ici des délices si pures,
S'il permet à son cœur un moment de repos,
A vos yeux innocents appelez ce héros;
Retracez-lui d'Esther l'histoire glorieuse,
Et sur l'impiété la foi victorieuse.
Et vous, qui vous plaisez aux folles passions
Qu'allument dans vos cœurs les vaines fictions,
Profanes amateurs de spectacles frivoles,
Dont l'oreille s'ennuie au son de mes paroles,
Fuyez de mes plaisirs la sainte austérité :
Tout respire ici Dieu, la paix, la vérité.

ACTE PREMIER

Le théâtre représente l'appartement d'Esther.

SCÈNE I. — ESTHER, ÉLISE

ESTHER

Est-ce toi, chère Élise? O jour trois fois heureux!
Que béni soit le ciel qui te rend à mes vœux,
Toi qui, de Benjamin comme moi descendue,
Fus de mes premiers ans la compagne assidue,
Et qui d'un même joug souffrant l'oppression,
M'aidais à soupirer les malheurs de Sion!
Combien ce temps encore est cher à ma mémoire!
Mais toi, de ton Esther ignorais-tu la gloire?
Depuis plus de dix mois que je te fais chercher,
Quel climat, quel désert a donc pu te cacher?

ÉLISE

Au bruit de votre mort justement éplorée,
Du reste des humains je vivais séparée,
Et de mes tristes jours n'attendais que la fin,
Quand tout à coup, Madame, un prophète divin :
« C'est pleurer trop longtemps une mort qui t'abuse,
« Lève-toi, m'a-t-il dit; prends ton chemin vers Suse;
« Là tu verras d'Esther la pompe et les honneurs,
« Et sur le trône assis le sujet de tes pleurs.
« Rassure, ajouta-t-il, tes tribus alarmées,
« Sion : le jour approche où le Dieu des armées
« Va de son bras puissant faire éclater l'appui;
« Et le cri de son peuple est monté jusqu'à lui [4] ».
Il dit; et moi, de joie et d'horreur pénétrée,
Je cours. De ce palais j'ai su trouver l'entrée.
O spectacle! O triomphe admirable à mes yeux,
Digne en effet du bras qui sauva nos aïeux [5]!
Le fier Assuérus couronne sa captive,
Et le Persan superbe est aux pieds d'une Juive!
Par quels secrets ressorts, par quel enchaînement
Le ciel a-t-il conduit ce grand événement?

ESTHER

Peut-être on t'a conté la fameuse disgrâce
De l'altière Vasthi, dont j'occupe la place,
Lorsque le roi, contre elle enflammé de dépit,

La chassa de son trône, ainsi que de son lit.
Mais il ne put sitôt en bannir la pensée.
Vasthi régna longtemps sur son âme offensée.
Dans ses nombreux États il fallut donc chercher
Quelque nouvel objet qui l'en pût détacher.
De l'Inde à l'Hellespont ses esclaves coururent :
Les filles de l'Égypte à Suse comparurent;
Celles mêmes du Parthe et du Scythe indompté
Y briguèrent le sceptre offert à la beauté.
On m'élevait alors, solitaire et cachée,
Sous les yeux vigilants du sage Mardochée.
Tu sais combien je dois à ses heureux secours.
La mort m'avait ravi les auteurs de mes jours.
Mais lui, voyant en moi la fille de son frère,
Me tint lieu, chère Élise, et de père et de mère.
Du triste état des Juifs jour et nuit agité,
Il me tira du sein de mon obscurité,
Et sur mes faibles mains fondant leur délivrance,
Il me fit d'un empire accepter l'espérance.
A ses desseins secrets, tremblante, j'obéis;
Je vins, mais je cachai ma race et mon pays.
Qui pourrait cependant t'exprimer les cabales
Que formait en ces lieux ce peuple de rivales,
Qui toutes, disputant un si grand intérêt,
Des yeux d'Assuérus attendaient leur arrêt?
Chacune avait sa brigue et de puissants suffrages :
L'une d'un sang fameux vantait les avantages;
L'autre, pour se parer de superbes atours,
Des plus adroites mains empruntait le secours.
Et moi, pour toute brigue et pour tout artifice,
De mes larmes au ciel j'offrais le sacrifice.
Enfin, on m'annonça l'ordre d'Assuérus.
Devant ce fier monarque, Élise, je parus.
Dieu tient le cœur des rois entre ses mains puissantes;
Il fait que tout prospère aux âmes innocentes,
Tandis qu'en ses projets l'orgueilleux est trompé.
De mes faibles attraits le roi parut frappé;
Il m'observa longtemps dans un sombre silence,
Et le ciel, qui pour moi fit pencher la balance,
Dans ce temps-là sans doute agissait sur son cœur.
Enfin avec des yeux où régnait la douceur :
« Soyez reine », dit-il; et dès ce moment même,

De sa main sur mon front posa son diadème.
Pour mieux faire éclater sa joie et son amour,
Il combla de présents tous les grands de sa cour,
Et même ses bienfaits, dans toutes ses provinces,
Invitèrent le peuple aux noces de leurs princes.
Hélas ! durant ces jours de joie et de festins,
Quelle était en secret ma honte, et mes chagrins !
« Esther, disais-je, Esther dans la pourpre est assise,
La moitié de la terre à son sceptre est soumise,
Et de Jérusalem l'herbe cache les murs !
Sion, repaire affreux de reptiles impurs,
Voit de son temple saint les pierres dispersées,
Et du Dieu d'Israël les fêtes sont cessées ! »

ÉLISE

N'avez-vous point au roi confié vos ennuis?

ESTHER

Le roi, jusqu'à ce jour, ignore qui je suis.
Celui par qui le ciel règle ma destinée
Sur ce secret encor tient ma langue enchaînée.

ÉLISE

Mardochée? Eh ! peut-il approcher de ces lieux?

ESTHER

Son amitié pour moi le rend ingénieux.
Absent, je le consulte; et ses réponses sages
Pour venir jusqu'à moi trouvent mille passages.
Un père a moins de soin du salut de son fils.
Déjà même, déjà, par ses secrets avis,
J'ai découvert au roi les sanglantes pratiques
Que formaient contre lui deux ingrats domestiques [6].
Cependant mon amour pour notre nation
A rempli ce palais de filles de Sion,
Jeunes et tendres fleurs par le sort agitées,
Sous un ciel étranger comme moi transplantées.
Dans un lieu séparé de profanes témoins,
Je mets à les former mon étude et mes soins ;
Et c'est là que fuyant l'orgueil du diadème,
Lasse de vains honneurs, et me cherchant moi-même,
Aux pieds de l'Éternel je viens m'humilier,
Et goûter le plaisir de me faire oublier.
Mais à tous les Persans je cache leurs familles.

Il faut les appeler. Venez, venez, mes filles,
Compagnes autrefois de ma captivité,
De l'antique Jacob jeune postérité.

SCÈNE II. — ESTHER, ÉLISE, LE CHŒUR [7]

UNE DES ISRAÉLITES *chante derrière le théâtre.*

Ma sœur, quelle voix nous appelle?

UNE AUTRE

J'en reconnais les agréables sons :
C'est la reine.

TOUTES DEUX

Courons, mes sœurs, obéissons.
La reine nous appelle :
Allons, rangeons-nous auprès d'elle.

TOUT LE CHŒUR, *entrant sur la scène par plusieurs endroits différents.*

La reine nous appelle;
Allons, rangeons-nous auprès d'elle.

ÉLISE

Ciel! quel nombreux essaim d'innocentes beautés
S'offre à mes yeux en foule, et sort de tous côtés!
Quelle aimable pudeur sur leur visage est peinte!
Prospérez, cher espoir d'une nation sainte.
Puissent jusques au ciel vos soupirs innocents
Monter comme l'odeur d'un agréable encens!
Que Dieu jette sur vous des regards pacifiques!

ESTHER

Mes filles, chantez-nous quelqu'un de ces cantiques
Où vos voix si souvent se mêlant à mes pleurs
De la triste Sion célèbrent les malheurs.

UNE ISRAÉLITE *seule chante.*

Déplorable Sion, qu'as-tu fait de ta gloire?
Tout l'univers admirait ta splendeur :
Tu n'es plus que poussière; et de cette grandeur
Il ne nous reste plus que la triste mémoire.
Sion, jusques au ciel élevée autrefois,
Jusqu'aux enfers maintenant abaissée,
Puissé-je demeurer sans voix,
Si dans mes chants ta douleur retracée
Jusqu'au dernier soupir n'occupe ma pensée!

TOUT LE CHŒUR

O rives du Jourdain ! ô champs aimés des cieux !
Sacrés monts, fertiles vallées,
Par cent miracles signalées !
Du doux pays de nos aïeux
Serons-nous toujours exilées ?

UNE ISRAÉLITE, *seule.*

Quand verrai-je, ô Sion ! relever tes remparts,
Et de tes tours les magnifiques faîtes ?
Quand verrai-je de toutes parts
Les peuples en chantant accourir à tes fêtes ?

TOUT LE CHŒUR

O rives du Jourdain ! ô champs aimés des cieux !
Sacrés monts, fertiles vallées,
Par cent miracles signalées !
Du doux pays de nos aïeux
Serons-nous toujours exilées ?

SCÈNE III. — ESTHER, MARDOCHÉE, ÉLISE, LE CHŒUR

ESTHER

Quel profane en ce lieu s'ose avancer vers nous ?
Que vois-je ? Mardochée ? O mon père, est-ce vous ?
Un ange du Seigneur, sous son aile sacrée,
A donc conduit vos pas, et caché votre entrée ?
Mais d'où vient cet air sombre, et ce cilice affreux,
Et cette cendre enfin qui couvre vos cheveux ?
Que nous annoncez-vous ?

MARDOCHÉE

O reine infortunée !
O d'un peuple innocent barbare destinée !
Lisez, lisez l'arrêt détestable, cruel...
Nous sommes tous perdus, et c'est fait d'Israël !

ESTHER

Juste ciel ! tout mon sang dans mes veines se glace.

MARDOCHÉE

On doit de tous les Juifs exterminer la race.
Au sanguinaire Aman nous sommes tous livrés ;
Les glaives, les couteaux, sont déjà préparés ;
Toute la nation à la fois est proscrite.

Aman, l'impie Aman, race d'Amalécite,
A pour ce coup funeste armé tout son crédit,
Et le roi, trop crédule, a signé cet édit.
Prévenu contre nous par cette bouche impure,
Il nous croit en horreur à toute la nature.
Ses ordres sont donnés, et dans tous ses États,
Le jour fatal est pris pour tant d'assassinats.
Cieux, éclairerez-vous cet horrible carnage?
Le fer ne connaîtra ni le sexe ni l'âge :
Tout doit servir de proie aux tigres, aux vautours,
Et ce jour effroyable arrive dans dix jours.

ESTHER

O Dieu, qui vois former des desseins si funestes,
As-tu donc de Jacob abandonné les restes?

UNE DES PLUS JEUNES ISRAÉLITES

Ciel, qui nous défendra, si tu ne nous défends?

MARDOCHÉE

Laissez les pleurs, Esther, à ces jeunes enfants.
En vous est tout l'espoir de vos malheureux frères.
Il faut les secourir; mais les heures sont chères :
Le temps vole et bientôt amènera le jour
Où le nom des Hébreux doit périr sans retour.
Toute pleine du feu de tant de saints prophètes,
Allez, osez au roi déclarer qui vous êtes.

ESTHER

Hélas! ignorez-vous quelles sévères lois
Aux timides mortels cachent ici les rois?
Au fond de leur palais leur majesté terrible
Affecte à leurs sujets de se rendre invisible,
Et la mort est le prix de tout audacieux
Qui sans être appelé se présente à leurs yeux,
Si le roi dans l'instant, pour sauver le coupable,
Ne lui donne à baiser son sceptre redoutable.
Rien ne met à l'abri de cet ordre fatal,
Ni le rang, ni le sexe, et le crime est égal.
Moi-même, sur son trône à ses côtés assise,
Je suis à cette loi, comme une autre, soumise,
Et, sans le prévenir, il faut, pour lui parler,
Qu'il me cherche, ou du moins qu'il me fasse appeler.

MARDOCHÉE

Quoi! lorsque vous voyez périr votre patrie,
Pour quelque chose, Esther, vous comptez votre vie!
Dieu parle, et d'un mortel vous craignez le courroux!
Que dis-je? Votre vie, Esther, est-elle à vous?
N'est-elle pas au sang dont vous êtes issue?
N'est-elle pas à Dieu dont vous l'avez reçue?
Et qui sait, lorsqu'au trône il conduisit vos pas,
Si pour sauver son peuple, il ne vous gardait pas?
Songez-y bien : ce Dieu ne vous a pas choisie
Pour être un vain spectacle aux peuples de l'Asie,
Ni pour charmer les yeux des profanes humains;
Pour un plus noble usage il réserve ses saints.
S'immoler pour son nom et pour son héritage,
D'un enfant d'Israël voilà le vrai partage.
Trop heureuse pour lui de hasarder vos jours!
Et quel besoin son bras a-t-il de nos secours?
Que peuvent contre lui tous les rois de la terre?
En vain ils s'uniraient pour lui faire la guerre :
Pour dissiper leur ligue il n'a qu'à se montrer;
Il parle, et dans la poudre il les fait tous rentrer [8].
Au seul son de sa voix la mer fuit, le ciel tremble;
Il voit comme un néant tout l'univers ensemble,
Et les faibles mortels, vains jouets du trépas,
Sont tous devant ses yeux comme s'ils n'étaient pas [9].
S'il a permis d'Aman l'audace criminelle,
Sans doute qu'il voulait éprouver votre zèle.
C'est lui qui m'excitant à vous oser chercher,
Devant moi, chère Esther, a bien voulu marcher,
Et s'il faut que sa voix frappe en vain vos oreilles,
Nous n'en verrons pas moins éclater ses merveilles.
Il peut confondre Aman, il peut briser nos fers
Par la plus faible main qui soit dans l'univers.
Et vous, qui n'aurez point accepté cette grâce,
Vous périrez peut-être, et toute votre race.

ESTHER

Allez. Que tous les Juifs dans Suse répandus,
A prier avec vous jour et nuit assidus,
Me prêtent de leurs vœux le secours salutaire,
Et pendant ces trois jours gardent un jeûne austère.
Déjà la sombre nuit a commencé son tour [10] :

Demain, quand le soleil rallumera le jour,
Contente de périr, s'il faut que je périsse,
J'irai pour mon pays m'offrir en sacrifice.
Qu'on s'éloigne un moment.
(Le chœur se retire vers le fond du théâtre.)

SCÈNE IV. — ESTHER, ÉLISE, LE CHŒUR [11]

ESTHER

O mon souverain Roi,
Me voici donc tremblante et seule devant Toi!
Mon père mille fois m'a dit dans mon enfance
Qu'avec nous tu juras une sainte alliance,
Quand pour te faire un peuple agréable à tes yeux
Il plut à ton amour de choisir nos aïeux.
Même tu leur promis de ta bouche sacrée
Une postérité d'éternelle durée.
Hélas! ce peuple ingrat a méprisé ta loi;
La nation chérie a violé sa foi;
Elle a répudié son époux et son père,
Pour rendre à d'autres dieux un honneur adultère.
Maintenant elle sert sous un maître étranger.
Mais c'est peu d'être esclave, on la veut égorger.
Nos superbes vainqueurs, insultant à nos larmes,
Imputent à leurs dieux le bonheur de leurs armes,
Et veulent aujourd'hui qu'un même coup mortel
Abolisse ton nom, ton peuple et ton autel.
Ainsi donc un perfide, après tant de miracles,
Pourrait anéantir la foi de tes oracles,
Ravirait aux mortels le plus cher de tes dons,
Le saint que tu promets, et que nous attendons?
Non, non, ne souffre pas que ces peuples farouches,
Ivres de notre sang, ferment les seules bouches
Qui dans tout l'univers célèbrent tes bienfaits,
Et confonds tous ces dieux qui ne furent jamais.
Pour moi, que tu retiens parmi ces infidèles,
Tu sais combien je hais leurs fêtes criminelles,
Et que je mets au rang des profanations
Leur table, leurs festins et leurs libations;
Que même cette pompe où je suis condamnée,
Ce bandeau dont il faut que je paraisse ornée
Dans ces jours solennels à l'orgueil dédiés,
Seule et dans le secret je le foule à mes pieds;

Qu'à ces vains ornements je préfère la cendre,
Et n'ai de goût qu'aux pleurs que tu me vois répandre.
J'attendais le moment marqué dans ton arrêt,
Pour oser de ton peuple embrasser l'intérêt.
Ce moment est venu; ma prompte obéissance
Va d'un roi redoutable affronter la présence.
C'est pour toi que je marche; accompagne mes pas
Devant ce fier lion qui ne te connaît pas,
Commande en me voyant que son courroux s'apaise,
Et prête à mes discours un charme qui lui plaise.
Les orages, les vents, les cieux te sont soumis;
Tourne enfin sa fureur contre nos ennemis.

SCÈNE V. — LE CHŒUR [12]

(Toute cette scène est chantée)

UNE ISRAÉLITE, *seule.*

Pleurons et gémissons, mes fidèles compagnes.
A nos sanglots donnons un libre cours.
Levons les yeux vers les saintes montagnes
D'où l'innocence attend tout son secours.
O mortelles alarmes!
Tout Israël périt. Pleurez, mes tristes yeux,
Il ne fut jamais sous les cieux
Un si juste sujet de larmes.

TOUT LE CŒUR

O mortelles alarmes!

UNE AUTRE ISRAÉLITE

N'était-ce pas assez qu'un vainqueur odieux
De l'auguste Sion eût détruit tous les charmes,
Et traîné ses enfants captifs en mille lieux?

TOUT LE CHŒUR

O mortelles alarmes!

LA MÊME ISRAÉLITE

Faibles agneaux livrés à des coups furieux,
Nos soupirs sont nos seules armes.

TOUT LE CHŒUR

O mortelles alarmes!

UNE ISRAÉLITE

Arrachons, déchirons tous ces vains ornements
Qui parent notre tête.

UNE AUTRE

Revêtons-nous d'habillements
Conformes à l'horrible fête
Que l'impie Aman nous apprête.

TOUT LE CHŒUR

Arrachons, déchirons tous ces vains ornements
Qui parent notre tête.

UNE ISRAÉLITE, *seule*.

Quel carnage de toutes parts !
On égorge à la fois les enfants, les vieillards,
Et la sœur, et le frère,
Et la fille, et la mère,
Le fils dans les bras de son père.
Que de corps entassés ! Que de membres épars,
Privés de sépulture !
Grand Dieu ! tes saints sont la pâture
Des tigres et des léopards.

UNE DES PLUS JEUNES ISRAÉLITES

Hélas ! si jeune encore,
Par quel crime ai-je pu mériter mon malheur ?
Ma vie à peine a commencé d'éclore.
Je tomberai comme une fleur
Qui n'a vu qu'une aurore.
Hélas ! si jeune encore,
Par quel crime ai-je pu mériter mon malheur ?

UNE AUTRE

Des offenses d'autrui malheureuses victimes,
Que nous servent, hélas ! ces regrets superflus ?
Nos pères ont péché, nos pères ne sont plus,
Et nous portons la peine de leurs crimes.

TOUT LE CHŒUR

Le Dieu que nous servons est le Dieu des combats :
Non, non, il ne souffrira pas
Qu'on égorge ainsi l'innocence.

UNE ISRAÉLITE, *seule.*

Hé quoi ! dirait l'impiété,
Où donc est-il ce Dieu si redouté
Dont Israël nous vantait la puissance?

UNE AUTRE

Ce Dieu jaloux, ce Dieu victorieux,
Frémissez, peuples de la terre,
Ce Dieu jaloux, ce Dieu victorieux,
Est le seul qui commande aux cieux.
Ni les éclairs ni le tonnerre
N'obéissent point à vos dieux.

UNE AUTRE

Il renverse l'audacieux.

UNE AUTRE

Il prend l'humble sous sa défense.

TOUT LE CHŒUR

Le Dieu que nous servons est le Dieu des combats :
Non, non, il ne souffrira pas
Qu'on égorge ainsi l'innocence.

DEUX ISRAÉLITES

O Dieu, que la gloire couronne,
Dieu, que la lumière environne,
Qui voles sur l'aile des vents,
Et dont le trône est porté par les anges !

DEUX AUTRES DES PLUS JEUNES

Dieu, qui veux bien que de simples enfants
Avec eux chantent tes louanges !

TOUT LE CHŒUR

Tu vois nos pressants dangers :
Donne à ton nom la victoire;
Ne souffre point que ta gloire
Passe à des dieux étrangers.

UNE ISRAÉLITE, *seule.*

Arme-toi, viens nous défendre :
Descends, tel qu'autrefois la mer te vit descendre.
Que les méchants apprennent aujourd'hui

A craindre ta colère;
Qu'ils soient comme la poudre et la paille légère
Que le vent chasse devant lui.

TOUT LE CHŒUR

Tu vois nos pressants dangers :
Donne à ton nom la victoire;
Ne souffre point que ta gloire
Passe à des dieux étrangers.

ACTE DEUXIÈME

Le théâtre représente la chambre où est le trône d'Assuérus.

SCÈNE I. — AMAN, HYDASPE

AMAN

Hé quoi? lorsque le jour ne commence qu'à luire,
Dans ce lieu redoutable oses-tu m'introduire?

HYDASPE

Vous savez qu'on s'en peut reposer sur ma foi,
Que ces portes, Seigneur, n'obéissent qu'à moi.
Venez. Partout ailleurs on pourrait nous entendre.

AMAN

Quel est donc le secret que tu me veux apprendre?

HYDASPE

Seigneur, de vos bienfaits mille fois honoré,
Je me souviens toujours que je vous ai juré
D'exposer à vos yeux par des avis sincères
Tout ce que ce palais renferme de mystères.
Le roi d'un noir chagrin paraît enveloppé :
Quelque songe effrayant cette nuit l'a frappé;
Pendant que tout gardait un silence paisible,
Sa voix s'est fait entendre avec un cri terrible.
J'ai couru. Le désordre était dans ses discours.
Il s'est plaint d'un péril qui menaçait ses jours :
Il parlait d'ennemi, de ravisseur farouche;
Même le nom d'Esther est sorti de sa bouche.
Il a dans ces horreurs passé toute la nuit.
Enfin, las d'appeler un sommeil qui le fuit,
Pour écarter de lui ces images funèbres,
Il s'est fait apporter ces annales célèbres
Où les faits de son règne avec soin amassés

Par de fidèles mains chaque jour sont tracés.
On y conserve écrits le service et l'offense,
Monuments éternels d'amour et de vengeance.
Le roi, que j'ai laissé plus calme dans son lit,
D'une oreille attentive écoute ce récit.

AMAN

De quel temps de sa vie a-t-il choisi l'histoire?

HYDASPE

Il revoit tous ces temps si remplis de sa gloire,
Depuis le fameux jour qu'au trône de Cyrus
Le choix du sort plaça l'heureux Assuérus.

AMAN

Ce songe, Hydaspe, est donc sorti de son idée?

HYDASPE

Entre tous les devins fameux dans la Chaldée,
Il a fait assembler ceux qui savent le mieux
Lire en un songe obscur les volontés des cieux...
Mais quel trouble vous-même aujourd'hui vous agite?
Votre âme en m'écoutant paraît tout interdite.
L'heureux Aman a-t-il quelques secrets ennuis?

AMAN

Peux-tu le demander dans la place où je suis?
Haï, craint, envié, souvent plus misérable
Que tous les malheureux que mon pouvoir accable!

HYDASPE

Hé! qui jamais du ciel eut des regards plus doux?
Vous voyez l'univers prosterné devant vous.

AMAN

L'univers? Tous les jours un homme... un vil esclave
D'un front audacieux me dédaigne et me brave.

HYDASPE

Quel est cet ennemi de l'État et du roi?

AMAN

Le nom de Mardochée est-il connu de toi?

HYDASPE

Qui? Ce chef d'une race abominable, impie?

AMAN

Oui, lui-même.

HYDASPE

Hé, Seigneur! d'une si belle vie
Un si faible ennemi peut-il troubler la paix?

AMAN

L'insolent devant moi ne se courba jamais.
En vain de la faveur du plus grand des monarques
Tout révère à genoux les glorieuses marques.
Lorsque d'un saint respect tous les Persans touchés
N'osent lever leurs fronts à la terre attachés,
Lui, fièrement assis, et la tête immobile,
Traite tous ces honneurs d'impiété servile,
Présente à mes regards un front séditieux,
Et ne daignerait pas au moins baisser les yeux.
Du palais cependant il assiège la porte :
A quelque heure que j'entre, Hydaspe, ou que je sorte,
Son visage odieux m'afflige et me poursuit,
Et mon esprit troublé le voit encor la nuit.
Ce matin j'ai voulu devancer la lumière :
Je l'ai trouvé couvert d'une affreuse poussière,
Revêtu de lambeaux, tout pâle; mais son œil
Conservait sous la cendre encor le même orgueil.
D'où lui vient, cher ami, cette impudente audace?
Toi, qui dans ce palais vois tout ce qui se passe,
Crois-tu que quelque voix ose parler pour lui?
Sur quel roseau fragile a-t-il mis son appui?

HYDASPE

Seigneur, vous le savez, son avis salutaire
Découvrit de Tharès le complot sanguinaire.
Le roi promit alors de le récompenser.
Le roi depuis ce temps paraît n'y plus penser.

AMAN

Non, il faut à tes yeux dépouiller l'artifice.
J'ai su de mon destin corriger l'injustice.
Dans les mains des Persans jeune enfant apporté,
Je gouverne l'empire où je fus acheté;
Mes richesses des rois égalent l'opulence;
Environné d'enfants, soutiens de ma puissance,
Il ne manque à mon front que le bandeau royal.
Cependant, des mortels aveuglement fatal!
De cet amas d'honneurs la douceur passagère

Fait sur mon cœur à peine une atteinte légère;
Mais Mardochée, assis aux portes du palais,
Dans ce cœur malheureux enfonce mille traits,
Et toute ma grandeur me devient insipide,
Tandis que le soleil éclaire ce perfide.

HYDASPE

Vous serez de sa vue affranchi dans dix jours :
La nation entière est promise aux vautours.

AMAN

Ah ! que ce temps est long à mon impatience !
C'est lui, je te veux bien confier ma vengeance,
C'est lui qui, devant moi refusant de ployer,
Les a livrés au bras qui les va foudroyer.
C'était trop peu pour moi d'une telle victime :
La vengeance trop faible attire un second crime.
Un homme tel qu'Aman, lorsqu'on l'ose irriter,
Dans sa juste fureur ne peut trop éclater.
Il faut des châtiments dont l'univers frémisse;
Qu'on tremble en comparant l'offense et le supplice;
Que les peuples entiers dans le sang soient noyés.
Je veux qu'on dise un jour aux siècles effrayés :
« Il fut des Juifs, il fut une insolente race;
« Répandus sur la terre, ils en couvraient la face :
« Un seul osa d'Aman attirer le courroux,
« Aussitôt de la terre ils disparurent tous ».

HYDASPE

Ce n'est donc pas, Seigneur, le sang amalécite,
Dont la voix à les perdre en secret vous excite?

AMAN

Je sais que, descendu de ce sang malheureux,
Une éternelle haine a dû m'armer contre eux;
Qu'ils firent d'Amalec un indigne carnage;
Que jusqu'aux vils troupeaux, tout éprouva leur rage;
Qu'un déplorable reste à peine fut sauvé.
Mais, crois-moi, dans le rang où je suis élevé,
Mon âme, à ma grandeur toute entière attachée,
Des intérêts du sang est faiblement touchée,
Mardochée est coupable, et que faut-il de plus?
Je prévins donc contre eux l'esprit d'Assuérus :
J'inventai des couleurs, j'armai la calomnie,

J'intéressai sa gloire; il trembla pour sa vie.
Je les peignis puissants, riches, séditieux,
Leur dieu même ennemi de tous les autres dieux.
« Jusqu'à quand souffre-t-on que ce peuple respire,
« Et d'un culte profane infecte votre empire?
« Étrangers dans la Perse, à nos lois opposés,
« Du reste des humains ils semblent divisés,
« N'aspirent qu'à troubler le repos où nous sommes,
« Et détestés partout, détestent tous les hommes.
« Prévenez, punissez leurs insolents efforts;
« De leur dépouille enfin grossissez vos trésors. »
Je dis, et l'on me crut. Le roi, dès l'heure même,
Mit dans ma main le sceau de son pouvoir suprême :
« Assure, me dit-il, le repos de ton roi;
« Va, perds ces malheureux : leur dépouille est à toi ».
Toute la nation fut ainsi condamnée.
Du carnage avec lui je réglai la journée.
Mais de ce traître enfin le trépas différé
Fait trop souffrir mon cœur de son sang altéré.
Un je ne sais quel trouble empoisonne ma joie.
Pourquoi dix jours encor faut-il que je le voie?

HYDASPE

Et ne pouvez-vous pas d'un mot l'exterminer?
Dites au roi, Seigneur, de vous l'abandonner.

AMAN

Je viens pour épier le moment favorable.
Tu connais, comme moi, ce prince inexorable;
Tu sais combien, terrible en ses soudains transports,
De nos desseins souvent il rompt tous les ressorts.
Mais à me tourmenter ma crainte est trop subtile :
Mardochée à ses yeux est une âme trop vile.

HYDASPE

Que tardez-vous? Allez, et faites promptement
Élever de sa mort le honteux instrument.

AMAN

J'entends du bruit; je sors. Toi, si le roi m'appelle...

HYDASPE

Il suffit.

SCÈNE II. — ASSUÉRUS, HYDASPE, ASAPH, SUITE D'ASSUÉRUS

ASSUÉRUS

Ainsi donc, sans cet avis fidèle,
Deux traîtres dans son lit assassinaient leur roi?
Qu'on me laisse, et qu'Asaph seul demeure avec moi.

SCÈNE III. — ASSUÉRUS, ASAPH [13]

ASSUÉRUS, *assis sur son trône.*

Je veux bien l'avouer : de ce couple perfide
J'avais presque oublié l'attentat parricide;
Et j'ai pâli deux fois au terrible récit
Qui vient d'en retracer l'image à mon esprit.
Je vois de quel succès leur fureur fut suivie,
Et que dans les tourments ils laissèrent la vie,
Mais ce sujet zélé qui, d'un œil si subtil,
Sut de leur noir complot développer le fil,
Qui me montra sur moi leur main déjà levée,
Enfin par qui la Perse avec moi fut sauvée,
Quel honneur pour sa foi, quel prix a-t-il reçu?

ASAPH

On lui promit beaucoup : c'est tout ce que j'ai su.

ASSUÉRUS

O d'un si grand service oubli trop condamnable!
Des embarras du trône effet inévitable!
De soins tumultueux un prince environné
Vers de nouveaux objets est sans cesse entraîné;
L'avenir l'inquiète, et le présent le frappe,
Mais plus prompt que l'éclair, le passé nous échappe;
Et de tant de mortels à toute heure empressés
A nous faire valoir leurs soins intéressés,
Il ne s'en trouve point qui, touchés d'un vrai zèle,
Prennent à notre gloire un intérêt fidèle,
Du mérite oublié nous fassent souvenir;
Trop prompts à nous parler de ce qu'il faut punir!
Ah! que plutôt l'injure échappe à ma vengeance,
Qu'un si rare bienfait à ma reconnaissance!
Et qui voudrait jamais s'exposer pour son roi?
Ce mortel qui montra tant de zèle pour moi
Vit-il encore?

ASAPH

Il voit l'astre qui vous éclaire.

ASSUÉRUS

Et que n'a-t-il plus tôt demandé son salaire?
Quel pays reculé le cache à mes bienfaits?

ASAPH

Assis le plus souvent aux portes du palais,
Sans se plaindre de vous ni de sa destinée,
Il y traîne, Seigneur, sa vie infortunée.

ASSUÉRUS

Et je dois d'autant moins oublier la vertu,
Qu'elle-même s'oublie. Il se nomme, dis-tu?

ASAPH

Mardochée est le nom que je viens de vous lire.

ASSUÉRUS

Et son pays?

ASAPH

Seigneur, puisqu'il faut vous le dire,
C'est un de ces captifs à périr destinés,
Des rives du Jourdain sur l'Euphrate amenés.

ASSUÉRUS

Il est donc Juif? O ciel, sur le point que la vie
Par mes propres sujets m'allait être ravie,
Un Juif rend par ses soins leurs efforts impuissants!
Un Juif m'a préservé du glaive des Persans!
Mais puisqu'il m'a sauvé, quel qu'il soit, il n'importe.
Holà, quelqu'un!

SCÈNE IV. — ASSUÉRUS, HYDASPE, ASAPH

HYDASPE

Seigneur?

ASSUÉRUS

Regarde à cette porte,
Vois s'il s'offre à tes yeux quelque grand de ma cour.

HYDASPE

Aman à votre porte a devancé le jour.

ASSUÉRUS

Qu'il entre. Ses avis m'éclaireront peut-être.

SCÈNE V. — ASSUÉRUS, AMAN, HYDASPE, ASAPH

ASSUÉRUS

Approche, heureux appui du trône de ton maître,
Ame de mes conseils, et qui seul tant de fois
Du sceptre dans ma main as soulagé le poids.
Un reproche secret embarrasse mon âme.
Je sais combien est pur le zèle qui t'enflamme :
Le mensonge jamais n'entra dans tes discours,
Et mon intérêt seul est le but où tu cours.
Dis-moi donc : que doit faire un prince magnanime
Qui veut combler d'honneurs un sujet qu'il estime?
Par quel gage éclatant, et digne d'un grand roi,
Puis-je récompenser le mérite et la foi?
Ne donne point de borne à ma reconnaissance :
Mesure tes conseils sur ma vaste puissance.

AMAN, *tout bas.*

C'est pour toi-même, Aman, que tu vas prononcer;
Et quel autre que toi peut-on récompenser?

ASSUÉRUS

Que penses-tu?

AMAN

Seigneur, je cherche, j'envisage
Des monarques persans la conduite et l'usage.
Mais à mes yeux en vain je les rappelle tous;
Pour vous régler sur eux, que sont-ils près de vous?
Votre règne aux neveux doit servir de modèle.
Vous voulez d'un sujet reconnaître le zèle;
L'honneur seul peut flatter un esprit généreux.
Je voudrais donc, Seigneur, que ce mortel heureux,
De la pourpre aujourd'hui paré comme vous-même,
Et portant sur le front le sacré diadème,
Sur un de vos coursiers pompeusement orné,
Aux yeux de vos sujets dans Suse fût mené;
Que pour comble de gloire et de magnificence,
Un Seigneur éminent en richesse, en puissance,
Enfin de votre empire après vous le premier,
Par la bride guidât son superbe coursier;
Et lui-même, marchant en habits magnifiques,
Criât à haute voix dans les places publiques :
« Mortels, prosternez-vous : c'est ainsi que le roi
« Honore le mérite, et couronne la foi ».

ASSUÉRUS

Je vois que la sagesse elle-même t'inspire.
Avec mes volontés ton sentiment conspire.
Va, ne perds point de temps : ce que tu m'as dicté,
Je veux de point en point qu'il soit exécuté.
La vertu dans l'oubli ne sera plus cachée.
Aux portes du palais prends le Juif Mardochée :
C'est lui que je prétends honorer aujourd'hui.
Ordonne son triomphe, et marche devant lui.
Que Suse par ta voix de son nom retentisse,
Et fais à son aspect que tout genou fléchisse.
Sortez tous.

AMAN

Dieux!

SCÈNE VI. — ASSUÉRUS, *seul.*

Le prix est sans doute inouï :
Jamais d'un tel honneur un sujet n'a joui;
Mais plus la récompense est grande et glorieuse,
Plus même de ce Juif la race est odieuse,
Plus j'assure ma vie, et montre avec éclat
Combien Assuérus redoute d'être ingrat.
On verra l'innocent discerné du coupable;
Je n'en perdrai pas moins ce peuple abominable,
Leurs crimes...

SCÈNE VII. — ASSUÉRUS, ESTHER, ÉLISE, THAMAR PARTIE DU CHŒUR

(Esther entre, s'appuyant sur Élise; quatre Israélites soutiennent sa robe.)

ASSUÉRUS

Sans mon ordre on porte ici ses pas?
Quel mortel insolent vient chercher le trépas?
Gardes... C'est vous, Esther! Quoi? sans être attendue?

ESTHER

Mes filles, soutenez votre reine éperdue :
Je me meurs.

(Elle tombe évanouie.)

ASSUÉRUS

Dieux puissants! quelle étrange pâleur
De son teint tout à coup efface la couleur?

Esther, que craignez-vous? Suis-je pas votre frère [14]?
Est-ce pour vous qu'est fait un ordre si sévère?
Vivez; le sceptre d'or que vous tend cette main
Pour vous de ma clémence est un gage certain.

ESTHER

Quelle voix salutaire ordonne que je vive,
Et rappelle en mon sein mon âme fugitive?

ASSUÉRUS

Ne connaissez-vous pas la voix de votre époux?
Encore un coup, vivez, et revenez à vous.

ESTHER

Seigneur, je n'ai jamais contemplé qu'avec crainte
L'auguste majesté sur votre front empreinte;
Jugez combien ce front irrité contre moi
Dans mon âme troublée a dû jeter d'effroi.
Sur ce trône sacré qu'environne la foudre
J'ai cru vous voir tout prêt à me réduire en poudre.
Hélas! sans frissonner, quel cœur audacieux
Soutiendrait les éclairs qui partaient de vos yeux?
Ainsi du Dieu vivant la colère étincelle...

ASSUÉRUS

O soleil! ô flambeaux de lumière immortelle!
Je me trouble moi-même, et sans frémissement
Je ne puis voir sa peine et son saisissement.
Calmez, reine, calmez la frayeur qui vous presse.
Du cœur d'Assuérus souveraine maîtresse,
Éprouvez seulement son ardente amitié.
Faut-il de mes États vous donner la moitié?

ESTHER

Hé! se peut-il qu'un roi craint de la terre entière,
Devant qui tout fléchit et baise la poussière,
Jette sur son esclave un regard si serein,
Et m'offre sur son cœur un pouvoir souverain?

ASSUÉRUS

Croyez-moi, chère Esther, ce sceptre, cet empire,
Et ces profonds respects que la terreur inspire,
A leur pompeux éclat mêlent peu de douceur,
Et fatiguent souvent leur triste possesseur.
Je ne trouve qu'en vous je ne sais quelle grâce

Qui me charme toujours et jamais ne me lasse.
De l'aimable vertu doux et puissants attraits!
Tout respire en Esther l'innocence et la paix.
Du chagrin le plus noir elle écarte les ombres,
Et fait des jours sereins de mes jours les plus sombres.
Que dis-je? sur ce trône assis auprès de vous,
Des astres ennemis j'en crains moins le courroux,
Et crois que votre front prête à mon diadème
Un éclat qui le rend respectable aux dieux même.
Osez donc me répondre, et ne me cachez pas
Quel sujet important conduit ici vos pas.
Quel intérêt, quels soins vous agitent, vous pressent?
Je vois qu'en m'écoutant vos yeux au ciel s'adressent.
Parlez : de vos désirs le succès est certain
Si ce succès dépend d'une mortelle main.

ESTHER

O bonté qui m'assure autant qu'elle m'honore!
Un intérêt pressant veut que je vous implore :
J'attends ou mon malheur ou ma félicité,
Et tout dépend, Seigneur, de votre volonté.
Un mot de votre bouche, en terminant mes peines,
Peut rendre Esther heureuse entre toutes les reines.

ASSUÉRUS

Ah! que vous enflammez mon désir curieux!

ESTHER

Seigneur, si j'ai trouvé grâce devant vos yeux,
Si jamais à mes vœux vous fûtes favorable,
Permettez avant tout qu'Esther puisse à sa table
Recevoir aujourd'hui son souverain seigneur,
Et qu'Aman soit admis à cet excès d'honneur.
J'oserai devant lui rompre ce grand silence,
Et j'ai pour m'expliquer besoin de sa présence.

ASSUÉRUS

Dans quelle inquiétude, Esther, vous me jetez!
Toutefois qu'il soit fait comme vous souhaitez.
(A ceux de sa suite.)
Vous, que l'on cherche Aman, et qu'on lui fasse entendre
Qu'invité chez la reine il ait soin de s'y rendre.

HYDASPE

Les savants Chaldéens, par votre ordre appelés,
Dans cet appartement, Seigneur, sont assemblés.

ASSUÉRUS

Princesse, un songe étrange occupe ma pensée.
Vous-même en leur réponse êtes intéressée.
Venez, derrière un voile écoutant leurs discours,
De vos propres clartés me prêter le secours.
Je crains pour vous, pour moi, quelque ennemi perfide.

ESTHER

Suis-moi, Thamar. Et vous, troupe jeune et timide,
Sans craindre ici les yeux d'une profane cour,
A l'abri de ce trône attendez mon retour.

SCÈNE VIII. — ÉLISE, PARTIE DU CHŒUR

(Cette scène est partie déclamée sans chant, et partie chantée[15]*.)*

ÉLISE

Que vous semble, mes sœurs, de l'état où nous sommes?
D'Esther, d'Aman, qui le doit emporter?
Est-ce Dieu, sont-ce les hommes,
Dont les œuvres vont éclater?
Vous avez vu quelle ardente colère
Allumait de ce roi le visage sévère.

UNE DES ISRAÉLITES

Des éclairs de ses yeux l'œil était ébloui.

UNE AUTRE

Et sa voix m'a paru comme un tonnerre horrible.

ÉLISE

Comment ce courroux si terrible
En un moment s'est-il évanoui?

UNE DES ISRAÉLITES *chante.*

Un moment a changé ce courage inflexible;
Le lion rugissant est un agneau paisible.
Dieu, notre Dieu sans doute a versé dans son cœur
Cet esprit de douceur.

LE CHŒUR *chante.*

Dieu, notre Dieu sans doute a versé dans son cœur
Cet esprit de douceur.

LA MÊME ISRAÉLITE *chante.*

Tel qu'un ruisseau docile
Obéit à la main qui détourne son cours,
Et laissant de ses eaux partager le secours,
Va rendre tout un champ fertile,
Dieu, de nos volontés arbitre souverain,
Le cœur des rois est ainsi dans ta main!

ÉLISE

Ah! que je crains, mes sœurs, les funestes nuages
Qui de ce prince obscurcissent les yeux!
Comme il est aveuglé du culte de ses dieux!

UNE ISRAÉLITE

Il n'atteste jamais que leurs noms odieux.

UNE AUTRE

Aux feux inanimés dont se parent les cieux,
Il rend de profanes hommages.

UNE AUTRE

Tout son palais est plein de leurs images.

LE CHŒUR *chante.*

Malheureux! vous quittez le maître des humains,
Pour adorer l'ouvrage de vos mains!

UNE ISRAÉLITE *chante.*

Dieu d'Israël, dissipe enfin cette ombre.
Des larmes de tes saints quand seras-tu touché?
Quand sera le voile arraché
Qui sur tout l'univers jette une nuit si sombre?
Dieu d'Israël, dissipe enfin cette ombre :
Jusqu'à quand seras-tu caché?

UNE DES PLUS JEUNES ISRAÉLITES

Parlons plus bas, mes sœurs. Ciel! si quelque infidèle
Écoutant nos discours, nous allait déceler!

ÉLISE

Quoi? fille d'Abraham, une crainte mortelle
Semble déjà vous faire chanceler?
Hé! si l'impie Aman, dans sa main homicide

Faisant luire à vos yeux un glaive menaçant,
A blasphémer le nom du Tout-Puissant
Voulait forcer votre bouche timide?

UNE AUTRE ISRAÉLITE

Peut-être Assuérus, frémissant de courroux,
Si nous ne courbons les genoux
Devant une muette idole,
Commandera qu'on nous immole :
Chère sœur, que choisirez-vous?

LA JEUNE ISRAÉLITE

Moi! je pourrais trahir le Dieu que j'aime?
J'adorerais un dieu sans force et sans vertu,
Reste d'un tronc par les vents abattu,
Qui ne peut se sauver lui-même?

LE CHŒUR *chante.*

Dieux impuissants, dieux sourds, tous ceux qui vous implorent,
Ne seront jamais entendus.
Que les démons, et ceux qui les adorent,
Soient à jamais détruits et confondus!

UNE ISRAÉLITE *chante.*

Que ma bouche et mon cœur, et tout ce que je suis,
Rendent honneur au Dieu qui m'a donné la vie.
Dans les craintes, dans les ennuis,
En ses bontés mon âme se confie.
Veut-il par mon trépas que je le glorifie?
Que ma bouche et mon cœur, et tout ce que je suis,
Rendent honneur au Dieu qui m'a donné la vie.

ÉLISE

Je n'admirai jamais la gloire de l'impie.

UNE AUTRE ISRAÉLITE

Au bonheur du méchant qu'une autre porte envie.

ÉLISE

Tous ses jours paraissent charmants;
L'or éclate en ses vêtements;
Son orgueil est sans borne ainsi que sa richesse;
Jamais l'air n'est troublé de ses gémissements;
Il s'endort, il s'éveille au son des instruments;
Son cœur nage dans la mollesse.

UNE AUTRE ISRAÉLITE

Pour comble de prospérité,
Il espère revivre en sa postérité,
Et d'enfants à sa table une riante troupe
Semble boire avec lui la joie à pleine coupe.

LE CHŒUR *(Tout ce reste est chanté)*

Heureux, dit-on, le peuple florissant
Sur qui ces biens coulent en abondance!
Plus heureux le peuple innocent
Qui dans le Dieu du ciel a mis sa confiance!

UNE ISRAÉLITE, *seule.*

Pour contenter ses frivoles désirs,
L'homme insensé vainement se consume :
Il trouve l'amertume
Au milieu des plaisirs.

UNE AUTRE, *seule.*

Le bonheur de l'impie est toujours agité;
Il erre à la merci de sa propre inconstance.
Ne cherchons la félicité
Que dans la paix de l'innocence.

LA MÊME, *avec une autre.*

O douce paix!
O lumière éternelle!
Beauté toujours nouvelle!
Heureux le cœur épris de tes attraits!
O douce paix!
O lumière éternelle!
Heureux le cœur qui ne te perd jamais!

LE CHŒUR

O douce paix!
O lumière éternelle!
Beauté toujours nouvelle!
O douce paix!
Heureux le cœur qui ne te perd jamais!

LA MÊME, *seule.*

Nulle paix pour l'impie. Il la cherche, elle fuit;
Et le calme en son cœur ne trouve point de place.
Le glaive au dehors le poursuit;
Le remords au dedans le glace.

UNE AUTRE

La gloire des méchants en un moment s'éteint.
L'affreux tombeau pour jamais les dévore.
Il n'en est pas ainsi de celui qui te craint :
Il renaîtra, mon Dieu, plus brillant que l'aurore.

LE CHŒUR

O douce paix!
Heureux le cœur qui ne te perd jamais!

ÉLISE, *sans chanter.*

Mes sœurs, j'entends du bruit dans la chambre prochaine;
On nous appelle : allons rejoindre notre reine.

ACTE TROISIÈME

Le théâtre représente les jardins d'Esther, et un des côtés du salon où se fait le festin.

SCÈNE I. — AMAN, ZARÈS

ZARÈS

C'est donc ici d'Esther le superbe jardin,
Et ce salon pompeux est le lieu du festin.
Mais tandis que la porte en est encor fermée,
Écoutez les conseils d'une épouse alarmée.
Au nom du sacré nœud qui me lie avec vous,
Dissimulez, Seigneur, cet aveugle courroux;
Éclaircissez ce front où la tristesse est peinte :
Les rois craignent surtout le reproche et la plainte.
Seul entre tous les grands par la reine invité,
Ressentez donc aussi cette félicité.
Si le mal vous aigrit, que le bienfait vous touche,
Je l'ai cent fois appris de votre propre bouche :
Quiconque ne sait pas dévorer un affront,
Ni de fausses couleurs se déguiser le front,
Loin de l'aspect des rois qu'il s'écarte, qu'il fuie.
Il est des contretemps qu'il faut qu'un sage essuie;
Souvent avec prudence un outrage enduré
Aux honneurs les plus hauts a servi de degré.

AMAN

O douleur! ô supplice affreux à la pensée!
O honte qui jamais ne peut être effacée!

Un exécrable Juif, l'opprobre des humains,
S'est donc vu de la pourpre habillé par mes mains!
C'est peu qu'il ait sur moi remporté la victoire;
Malheureux, j'ai servi de héraut à sa gloire!
Le traître! il insultait à ma confusion.
Et tout le peuple même, avec dérision,
Observant la rougeur qui couvrait mon visage,
De ma chute certaine en tirait le présage.
Roi cruel! ce sont là les jeux où tu te plais.
Tu ne m'as prodigué tes perfides bienfaits
Que pour me faire mieux sentir ta tyrannie,
Et m'accabler enfin de plus d'ignominie.

ZARÈS

Pourquoi juger si mal de son intention?
Il croit récompenser une bonne action.
Ne faut-il pas, Seigneur, s'étonner au contraire
Qu'il en ait si longtemps différé le salaire?
Du reste, il n'a rien fait que par votre conseil.
Vous-même avez dicté tout ce triste appareil;
Vous êtes après lui le premier de l'empire.
Sait-il toute l'horreur que ce Juif vous inspire?

AMAN

Il sait qu'il me doit tout, et que pour sa grandeur,
J'ai foulé sous les pieds remords, crainte, pudeur;
Qu'avec un cœur d'airain exerçant sa puissance,
J'ai fait taire les lois et gémir l'innocence;
Que pour lui des Persans bravant l'aversion,
J'ai chéri, j'ai cherché la malédiction,
Et pour prix de ma vie à leur haine exposée,
Le barbare aujourd'hui m'expose à leur risée!

ZARÈS

Seigneur, nous sommes seuls. Que sert de se flatter?
Ce zèle que pour lui vous fîtes éclater,
Ce soin d'immoler tout à son pouvoir suprême,
Entre nous, avaient-ils d'autre objet que vous-même?
Et sans chercher plus loin, tous ces Juifs désolés,
N'est-ce pas à vous seul que vous les immolez?
Et ne craignez-vous point que, quelque avis funeste...
Enfin la cour nous hait, le peuple nous déteste.
Ce Juif même, il le faut confesser malgré moi,

Ce Juif, comblé d'honneurs, me cause quelque effroi :
Les malheurs sont souvent enchaînés l'un à l'autre,
Et sa race toujours fut fatale à la vôtre.
De ce léger affront songez à profiter.
Peut-être la fortune est prête à vous quitter;
Aux plus affreux excès son inconstance passe.
Prévenez son caprice avant qu'elle se lasse.
Où tendez-vous plus haut? Je frémis quand je voi
Les abîmes profonds qui s'offrent devant moi.
La chute désormais ne peut être qu'horrible.
Osez chercher ailleurs un destin plus paisible;
Regagnez l'Hellespont et ces bords écartés
Où vos aïeux errants jadis furent jetés,
Lorsque des Juifs contre eux la vengeance allumée
Chassa tout Amalec de la triste Idumée [16].
Aux malices du sort enfin dérobez-vous.
Nos plus riches trésors marcheront devant nous :
Vous pouvez du départ me laisser la conduite,
Surtout de vos enfants j'assurerai la fuite.
N'ayez soin cependant que de dissimuler.
Contente, sur vos pas vous me verrez voler :
La mer la plus terrible et la plus orageuse
Est plus sûre pour nous que cette cour trompeuse.
Mais à grands pas vers vous je vois quelqu'un marcher.
C'est Hydaspe.

SCÈNE II. — AMAN, ZARÈS, HYDASPE

HYDASPE

Seigneur, je courais vous chercher.
Votre absence en ces lieux suspend toute la joie,
Et pour vous y conduire Assuérus m'envoie.

AMAN

Et Mardochée est-il aussi de ce festin?

HYDASPE

A la table d'Esther portez-vous ce chagrin?
Quoi! toujours de ce Juif l'image vous désole?
Laissez-le s'applaudir d'un triomphe frivole.
Croit-il d'Assuérus éviter la rigueur?
Ne possédez-vous pas son oreille et son cœur?
On a payé le zèle, on punira le crime,
Et l'on vous a, Seigneur, orné votre victime.

Je me trompe, ou vos vœux par Esther secondés
Obtiendront plus encor que vous ne demandez.

AMAN

Croirai-je le bonheur que ta bouche m'annonce?

HYDASPE

J'ai des savants devins entendu la réponse :
Ils disent que la main d'un perfide étranger
Dans le sang de la reine est prête à se plonger,
Et le roi, qui ne sait où trouver le coupable,
N'impute qu'aux seuls Juifs ce projet détestable.

AMAN

Oui, ce sont, cher ami, des monstres furieux.
Il faut craindre surtout leur chef audacieux.
La terre avec horreur dès longtemps les endure,
Et l'on n'en peut trop tôt délivrer la nature.
Ah! je respire enfin. Chère Zarès, adieu!

HYDASPE

Les compagnes d'Esther s'avancent vers ce lieu.
Sans doute leur concert va commencer la fête.
Entrez et recevez l'honneur qu'on vous apprête.

SCÈNE III. — ÉLISE, LE CHŒUR

(Ceci se récite sans chant.)

UNE DES ISRAÉLITES

C'est Aman.

UNE AUTRE

C'est lui-même, et j'en frémis, ma sœur.

LA PREMIÈRE

Mon cœur de crainte et d'horreur se resserre.

L'AUTRE

C'est d'Israël le superbe oppresseur.

LA PREMIÈRE

C'est celui qui trouble la terre.

ÉLISE

Peut-on en le voyant ne le connaître pas?
L'orgueil et le dédain sont peints sur son visage.

UNE ISRAÉLITE

On lit dans ses regards sa fureur et sa rage.

UNE AUTRE

Je croyais voir marcher la mort devant ses pas.

UNE DES PLUS JEUNES

Je ne sais si ce tigre a reconnu sa proie,
Mais, en nous regardant, mes sœurs, il m'a semblé
Qu'il avait dans les yeux une barbare joie
Dont tout mon sang est encore troublé.

ÉLISE

Que ce nouvel honneur va croître son audace!
Je le vois, mes sœurs, je le voi :
A la table d'Esther l'insolent près du roi
A déjà pris sa place.

UNE DES ISRAÉLITES

Ministres du festin, de grâce, dites-nous,
Quel mets à ce cruel, quel vin préparez-vous?

UNE AUTRE

Le sang de l'orphelin,

UNE TROISIÈME

Les pleurs des misérables,

LA SECONDE

Sont ses mets les plus agréables;

LA TROISIÈME

C'est son breuvage le plus doux.

ÉLISE

Chères sœurs, suspendez la douleur qui vous presse.
Chantons, on nous l'ordonne, et que puissent nos chants
Du cœur d'Assuérus adoucir la rudesse,
Comme autrefois David, par ses accords touchants,
Calmait d'un roi jaloux la sauvage tristesse!

(Tout le reste de cette scène est chanté.)

UNE ISRAÉLITE

Que le peuple est heureux,
Lorsqu'un roi généreux,
Craint dans tout l'univers, veut encore qu'on l'aime!
Heureux le peuple! heureux le roi lui-même!

TOUT LE CHŒUR

O repos! ô tranquillité!
O d'un parfait bonheur assurance éternelle,

Quand la suprême autorité
Dans ses conseils a toujours auprès d'elle
La justice et la vérité!

UNE ISRAÉLITE

(Ces quatre stances sont chantées alternativement par une voix seule et par tout le chœur.)

Rois, chassez la calomnie [17].
Ses criminels attentats
Des plus paisibles États
Troublent l'heureuse harmonie.

Sa fureur, de sang avide,
Poursuit partout l'innocent.
Rois, prenez soin de l'absent
Contre sa langue homicide.

De ce monstre si farouche
Craignez la feinte douceur.
La vengeance est dans son cœur,
Et la pitié dans sa bouche.

La fraude adroite et subtile
Sème de fleurs son chemin;
Mais sur ses pas vient enfin
Le repentir inutile.

UNE ISRAÉLITE, *seule.*

D'un souffle l'aquilon écarte les nuages,
Et chasse au loin la foudre et les orages.
Un roi sage, ennemi du langage menteur,
Écarte d'un regard le perfide imposteur.

UNE AUTRE

J'admire un roi victorieux,
Que sa valeur conduit triomphant en tous lieux;
Mais un roi sage et qui hait l'injustice,
Qui sous la loi du riche impérieux
Ne souffre point que le pauvre gémisse,
Est le plus beau présent des cieux.

UNE AUTRE

La veuve en sa défense espère.

UNE AUTRE

De l'orphelin il est le père;

TOUTES ENSEMBLE

Et les larmes du juste implorant son appui
Sont précieuses devant lui.

UNE ISRAÉLITE, *seule.*

Détourne, roi puissant, détourne tes oreilles
De tout conseil barbare et mensonger,
Il est temps que tu t'éveilles :
Dans le sang innocent ta main va se plonger
Pendant que tu sommeilles.
Détourne, roi puissant, détourne tes oreilles
De tout conseil barbare et mensonger.

UNE AUTRE

Ainsi puisse sous toi trembler la terre entière !
Ainsi puisse à jamais contre tes ennemis
Le bruit de ta valeur te servir de barrière !
S'ils t'attaquent, qu'ils soient en un moment soumis;
Que de ton bras la force les renverse;
Que de ton nom la terreur les disperse;
Que tout leur camp nombreux soit devant tes soldats
Comme d'enfants une troupe inutile;
Et si par un chemin il entre en tes États,
Qu'il en sorte par plus de mille.

SCÈNE IV. — ASSUÉRUS, ESTHER, AMAN, ÉLISE, LE CHŒUR

ASSUÉRUS, *à Esther.*

Oui, vos moindres discours ont des grâces secrètes;
Une noble pudeur à tout ce que vous faites
Donne un prix que n'ont point ni la pourpre ni l'or.
Quel climat renfermait un si rare trésor?
Dans quel sein vertueux avez-vous pris naissance?
Et quelle main si sage éleva votre enfance?
Mais dites promptement ce que vous demandez :
Tous vos désirs, Esther, vous seront accordés,
Dussiez-vous, je l'ai dit et veux bien le redire,
Demander la moitié de ce puissant empire.

ESTHER

Je ne m'égare point dans ces vastes désirs.
Mais, puisqu'il faut enfin expliquer mes soupirs,
Puisque mon roi lui-même à parler me convie,
(Elle se jette aux pieds du roi.)

J'ose vous implorer, et pour ma propre vie,
Et pour les tristes jours d'un peuple infortuné
Qu'à périr avec moi vous avez condamné.

ASSUÉRUS, *la relevant.*

A périr? Vous? Quel peuple? Et quel est ce mystère?

AMAN, *tout bas.*

Je tremble!

ESTHER

Esther, seigneur, eut un Juif pour son père;
De vos ordres sanglants vous savez la rigueur.

AMAN

Ah! dieux!

ASSUÉRUS

Ah! de quel coup me percez-vous le cœur?
Vous la fille d'un Juif? Hé quoi? tout ce que j'aime,
Cette Esther, l'innocence et la sagesse même,
Que je croyais du ciel les plus chères amours,
Dans cette source impure aurait puisé ses jours?
Malheureux!

ESTHER

Vous pouvez rejeter ma prière;
Mais je demande au moins que, pour grâce dernière,
Jusqu'à la fin, Seigneur, vous m'entendiez parler,
Et que surtout Aman n'ose point me troubler.

ASSUÉRUS

Parlez.

ESTHER

O Dieu, confonds l'audace et l'imposture!
Ces Juifs, dont vous voulez délivrer la nature,
Que vous croyez, Seigneur, le rebut des humains,
D'une riche contrée autrefois souverains,
Pendant qu'ils n'adoraient que le Dieu de leurs pères,
Ont vu bénir le cours de leurs destins prospères.
Ce Dieu, maître absolu de la terre et des cieux,
N'est point tel que l'erreur le figure à vos yeux.
L'Éternel est son nom, le monde est son ouvrage;
Il entend les soupirs de l'humble qu'on outrage,
Juge tous les mortels avec d'égales lois,
Et du haut de son trône interroge les rois.
Des plus fermes États la chute épouvantable,

Quand il veut, n'est qu'un jeu de sa main redoutable.
Les Juifs à d'autres dieux osèrent s'adresser :
Rois peuples, en un jour tout se vit disperser.
Sous les Assyriens leur triste servitude
Devint le triste prix de leur ingratitude.
Mais pour punir enfin nos maîtres à leur tour,
Dieu fit choix de Cyrus avant qu'il vît le jour [18],
L'appela par son nom, le promit à la terre,
Le fit naître, et soudain l'arma de son tonnerre,
Brisa les fiers remparts et les portes d'airain,
Mit des superbes rois la dépouille en sa main,
De son temple détruit vengea sur eux l'injure;
Babylone paya nos pleurs avec usure.
Cyrus, par lui vainqueur, publia ses bienfaits,
Regarda notre peuple avec des yeux de paix,
Nous rendit et nos lois et nos fêtes divines,
Et le temple sortait déjà de ses ruines.
Mais, de ce roi si sage héritier insensé,
Son fils interrompit l'ouvrage commencé,
Fut sourd à nos douleurs : Dieu rejeta sa race,
Le retrancha lui-même, et vous mit en sa place.
Que n'espérions-nous point d'un roi si généreux!
« Dieu regarde en pitié son peuple malheureux,
Disions-nous : un roi règne, ami de l'innocence. »
Partout du nouveau prince on vantait la clémence;
Les Juifs partout de joie en poussèrent des cris.
Ciel! verra-t-on toujours par de cruels esprits
Des princes les plus doux l'oreille environnée,
Et du bonheur public la source empoisonnée?
Dans le fond de la Thrace un barbare enfanté
Est venu dans ces lieux souffler la cruauté;
Un ministre ennemi de votre propre gloire...

AMAN

De votre gloire! Moi? Ciel! Le pourriez-vous croire?
Moi, qui n'ai d'autre objet ni d'autre dieu...

ASSUÉRUS

Tais-toi!
Oses-tu donc parler sans l'ordre de ton roi?

ESTHER

Notre ennemi cruel devant vous se déclare :
C'est lui; c'est ce ministre infidèle et barbare

Qui d'un zèle trompeur à vos yeux revêtu,
Contre notre innocence arma votre vertu.
Et quel autre, grand Dieu ! qu'un Scythe impitoyable,
Aurait de tant d'horreurs dicté l'ordre effroyable?
Partout l'affreux signal en même temps donné
De meurtres remplira l'univers étonné.
On verra, sous le nom du plus juste des princes,
Un perfide étranger désoler vos provinces,
Et dans ce palais même, en proie à son courroux,
Le sang de vos sujets regorger jusqu'à vous !
Et que reproche aux Juifs sa haine envenimée?
Quelle guerre intestine avons-nous allumée?
Les a-t-on vus marcher parmi vos ennemis?
Fut-il jamais au joug esclaves plus soumis?
Adorant dans leurs fers le Dieu qui les châtie,
Pendant que votre main, sur eux appesantie,
A leurs persécuteurs les livrait sans secours,
Ils conjuraient ce Dieu de veiller sur vos jours,
De rompre des méchants les trames criminelles,
De mettre votre trône à l'ombre de ses ailes,
N'en doutez point, Seigneur, il fut votre soutien.
Lui seul mit à vos pieds le Parthe et l'Indien,
Dissipa devant vous les innombrables Scythes,
Et renferma les mers dans vos vastes limites;
Lui seul aux yeux d'un Juif découvrit le dessein
De deux traîtres tout prêts à vous percer le sein.
Hélas ! ce Juif jadis m'adopta pour sa fille.

ASSUÉRUS

Mardochée?

ESTHER

Il restait seul de notre famille.
Mon père était son frère. Il descend comme moi
Du sang infortuné de notre premier roi.
Plein d'une juste horreur pour un Amalécite,
Race que notre Dieu de sa bouche a maudite,
Il n'a devant Aman pu fléchir les genoux,
Ni lui rendre un honneur qu'il ne croit dû qu'à vous.
De là contre les Juifs et contre Mardochée
Cette haine, Seigneur, sous d'autres noms cachée.
En vain de vos bienfaits Mardochée est paré.
A la porte d'Aman est déjà préparé

D'un infâme trépas l'instrument exécrable.
Dans une heure au plus tard ce vieillard vénérable,
Des portes du palais par son ordre arraché,
Couvert de votre pourpre y doit être attaché.

ASSUÉRUS

Quel jour mêlé d'horreur vient effrayer mon âme?
Tout mon sang de colère et de honte s'enflamme.
J'étais donc le jouet... Ciel, daigne m'éclairer.
Un moment sans témoins cherchons à respirer.
Appelez Mardochée : il faut aussi l'entendre.
(Le roi s'éloigne.)

UNE ISRAÉLITE

Vérité que j'implore, achève de descendre!

SCÈNE V. — ESTHER, AMAN, LE CHŒUR

AMAN, *à Esther.*

D'un juste étonnement je demeure frappé.
Les ennemis des Juifs m'ont trahi, m'ont trompé.
J'en atteste du ciel la puissance suprême,
En les perdant j'ai cru vous assurer vous-même.
Princesse, en leur faveur employez mon crédit :
Le roi, vous le voyez, flotte encore interdit.
Je sais par quels ressorts on le pousse, on l'arrête,
Et fais, comme il me plaît, le calme et la tempête.
Les intérêts des Juifs déjà me sont sacrés.
Parlez. Vos ennemis aussitôt massacrés,
Victimes de la foi que ma bouche vous jure,
De ma fatale erreur répareront l'injure.
Quel sang demandez-vous?

ESTHER

Va, traître, laisse-moi.
Les Juifs n'attendent rien d'un méchant tel que toi.
Misérable, le Dieu vengeur de l'innocence
Tout prêt à te juger tient déjà sa balance!
Bientôt son juste arrêt te sera prononcé.
Tremble! son jour approche, et ton règne est passé.

AMAN

Oui, ce Dieu, je l'avoue, est un Dieu redoutable.
Mais veut-il que l'on garde une haine implacable?
C'en est fait : mon orgueil est forcé de plier;

L'inexorable Aman est réduit à prier.
(Il se jette à ses pieds.)
Par le salut des Juifs, par ces pieds que j'embrasse,
Par ce sage vieillard, l'honneur de votre race,
Daignez d'un roi terrible apaiser le courroux :
Sauvez Aman, qui tremble à vos sacrés genoux!

SCÈNE VI. — ASSUÉRUS, ESTHER, AMAN, ÉLISE, GARDES, LE CHŒUR

ASSUÉRUS

Quoi? le traître sur vous porte ses mains hardies?
Ah! dans ses yeux confus je lis ses perfidies,
Et son trouble, appuyant la foi de vos discours,
De tous ses attentats me rappelle le cours.
Qu'à ce monstre à l'instant l'âme soit arrachée,
Et que devant sa porte, au lieu de Mardochée,
Apaisant par sa mort et la terre et les cieux,
De mes peuples vengés il repaisse les yeux.
(Aman est emmené par les gardes.)

SCÈNE VII. — ASSUÉRUS, ESTHER, MARDOCHÉE, ÉLISE, LE CHŒUR

ASSUÉRUS *continue en s'adressant à Mardochée.*

Mortel chéri du ciel, mon salut et ma joie,
Aux conseils des méchants ton roi n'est plus en proie.
Mes yeux sont dessillés, le crime est confondu;
Viens briller près de moi dans le rang qui t'est dû.
Je te donne d'Aman les biens et la puissance :
Possède justement son injuste opulence.
Je romps le joug funeste où les Juifs sont soumis;
Je leur livre le sang de tous leurs ennemis;
A l'égal des Persans je veux qu'on les honore,
Et que tout tremble au nom du Dieu qu'Esther adore.
Rebâtissez son temple, et peuplez vos cités :
Que vos heureux enfants dans leurs solennités
Consacrent de ce jour le triomphe et la gloire,
Et qu'à jamais mon nom vive dans leur mémoire.

SCÈNE VIII. — ASSUÉRUS, ESTHER, MARDOCHÉE, ASAPH, ÉLISE, LE CHŒUR

ASSUÉRUS

Que veut Asaph?

ASAPH

Seigneur, le traître est expiré,
Par le peuple en fureur à moitié déchiré.
On traîne, on va donner en spectacle funeste
De son corps tout sanglant le misérable reste.

MARDOCHÉE

Roi, qu'à jamais le Ciel prenne soin de vos jours !
Le péril des Juifs presse et veut un prompt secours.

ASSUÉRUS

Oui, je t'entends. Allons, par des ordres contraires,
Révoquer d'un méchant les ordres sanguinaires.

ESTHER

O Dieu, par quelle route inconnue aux mortels
Ta sagesse conduit ses desseins éternels !

SCÈNE DERNIÈRE [19] — LE CHŒUR

TOUT LE CHŒUR

Dieu fait triompher l'innocence :
Chantons, célébrons sa puissance.

UNE ISRAÉLITE

Il a vu contre nous les méchants s'assembler,
Et notre sang prêt à couler.
Comme l'eau sur la terre ils allaient le répandre.
Du haut du ciel sa voix s'est fait entendre;
L'homme superbe est renversé;
Ses propres flèches l'ont percé.

UNE AUTRE

J'ai vu l'impie adoré sur la terre;
Pareil au cèdre, il cachait dans les cieux
Son front audacieux;
Il semblait à son gré gouverner le tonnerre,
Foulait aux pieds ses ennemis vaincus.
Je n'ai fait que passer, il n'était déjà plus.

UNE AUTRE

On peut des plus grands rois surprendre la justice.
Incapables de tromper,
Ils ont peine à s'échapper
Des pièges de l'artifice.

Un cœur noble ne peut soupçonner en autrui
La bassesse et la malice
Qu'il ne sent point en lui.

UNE AUTRE

Comment s'est calmé l'orage?

UNE AUTRE

Quelle main salutaire a chassé le nuage?

TOUT LE CHŒUR

L'aimable Esther a fait ce grand ouvrage.

UNE ISRAÉLITE, *seule*.

De l'amour de son Dieu son cœur s'est embrasé.
Au péril d'une mort funeste
Son zèle ardent s'est exposé :
Elle a parlé; le Ciel a fait le reste.

DEUX ISRAÉLITES

Esther a triomphé des filles des Persans.
La nature et le ciel à l'envi l'ont ornée.

L'UNE DES DEUX

Tout ressent de ses yeux les charmes innocents.
Jamais tant de beauté fut-elle couronnée?

L'AUTRE

Les charmes de son cœur sont encor plus puissants.
Jamais tant de vertu fut-elle couronnée?

TOUTES DEUX, *ensemble*.

Esther a triomphé des filles des Persans.
La nature et le ciel à l'envi l'ont ornée.

UNE ISRAÉLITE, *seule*.

Ton Dieu n'est plus irrité;
Réjouis-toi, Sion, et sors de la poussière;
Quitte les vêtements de ta captivité,
Et reprends ta splendeur première.
Les chemins de Sion à la fin sont ouverts :
Rompez vos fers,
Tribus captives;
Troupes fugitives,
Repassez les monts et les mers;
Rassemblez-vous des bouts de l'univers.

TOUT LE CHŒUR

Rompez vos fers,
Tribus captives;
Troupes fugitives,
Repassez les monts et les mers;
Rassemblez-vous des bouts de l'univers.

UNE ISRAÉLITE, *seule.*

Je reverrai ces campagnes si chères.

UNE AUTRE

J'irai pleurer au tombeau de mes pères.

TOUT LE CHŒUR

Repassez les monts et les mers;
Rassemblez-vous des bouts de l'univers.

UNE ISRAÉLITE, *seule.*

Relevez, relevez les superbes portiques
Du temple où notre Dieu se plaît d'être adoré.
Que de l'or le plus pur son autel soit paré,
Et que du sein des monts le marbre soit tiré.
Liban, dépouille-toi de tes cèdres antiques;
Prêtres sacrés, préparez vos cantiques.

UNE AUTRE

Dieu descend et revient habiter parmi nous;
Terre, frémis d'allégresse et de crainte,
Et vous, sous sa majesté sainte,
Cieux, abaissez-vous!

UNE AUTRE

Que le Seigneur est bon! Que son joug est aimable!
Heureux qui dès l'enfance en connaît la douceur!
Jeune peuple, courez à ce maître adorable.
Les biens les plus charmants n'ont rien de comparable
Aux torrents de plaisirs qu'il répand dans un cœur.
Que le Seigneur est bon! Que son joug est aimable!
Heureux qui dès l'enfance en connaît la douceur!

UNE AUTRE

Il s'apaise, il pardonne,
Du cœur ingrat qui l'abandonne
Il attend le retour;

Il excuse notre faiblesse.
A nous chercher même il s'empresse.
Pour l'enfant qu'elle a mis au jour
Une mère a moins de tendresse.
Ah! qui peut avec lui partager notre amour?

TROIS ISRAÉLITES

Il nous fait remporter une illustre victoire.

L'UNE DES TROIS

Il nous a révélé sa gloire.

TOUTES TROIS ENSEMBLE

Ah! qui peut avec lui partager notre amour?

TOUT LE CHŒUR

Que son nom soit béni! Que son nom soit chanté;
Que l'on célèbre ses ouvrages
Au delà des temps et des âges,
Au delà de l'éternité!

ATHALIE

TRAGÉDIE
tirée de l'Écriture sainte [1]

ATHALIE

Athalie n'a pas connu d'abord les brillantes représentations qui avaient signalé *Esther,* du moins aux yeux de la Cour. La tragédie n'a été jouée dans des conditions dignes d'elle qu'après la mort de Racine : en 1702 chez Mme de Maintenon, avec une distribution princière (le fils de la Palatine jouant Abner, celui du duc de Guiches Joas, la duchesse de Bourgogne Josabet et Mme de Chailly Athalie); en 1716 à la Comédie-Française, avec Mlle Desmares dans le rôle d'Athalie et Mlle Duclos dans celui de Josabet; Beaubour jouait alors Joad, rôle repris ensuite par Baron, qui l'avait déjà tenu aux représentations de 1702. Les représentations de 1691 furent plutôt des répétitions : les demoiselles y jouaient sans costumes ni décors, avec un simple clavecin pour servir le musicien J.-B. Moreau. Cette sévérité doit sans doute être mise en rapport avec une nouvelle campagne de l'Église contre le théâtre, dont devait témoigner bientôt la lettre de Bossuet au Père Caffaro. L'œuvre suscita dès avant sa publication, en mars, des interprétations allégoriques : Quesnel et Basnage de Beauval y voyaient un plaidoyer en faveur de Port-Royal. On y a vu de nos jours une allusion aux affaires d'Angleterre, Joas représentant l'héritier des souverains détrônés, le futur Jacques III. Ces interprétations ne doivent certes pas faire oublier que le Roi, persécuteur des jansénistes, a hautement approuvé la tragédie de Racine, ni qu'à la date de sa représentation les tentatives françaises de restauration du roi d'Angleterre avaient pitoyablement échoué. Elles manifestent néanmoins la richesse du « mythe » biblique mis en œuvre par le poète et son accord profond avec la sensibilité religieuse et politique de son siècle.

Racine dut être déçu des conditions qui présidaient à la création de sa dernière œuvre, véritable opéra sacré en cinq actes, où la scène ne restait jamais vide, et qui permettait, par ses ouvertures de rideaux et de portes, par le nombre des personnages et par le mouvement des deux derniers actes, des effets de théâtre dignes des opéras lullistes (*Cadmus* ou *Alceste*), et dont Voltaire devait se souvenir plusieurs fois.

Le sujet, au reste, contrairement à celui d'*Esther,* pouvait apparaître comme relativement neuf. On ne lui a trouvé que deux précédents : une *Athalia* jouée en 1658 au collège de Clermont et une *Athalie,* représentée en 1683 au collège de Tiron dans le Perche. L'épisode choisi par Racine est beaucoup plus sûrement historique que l'histoire d'Esther. Emprunté au quatrième livre des *Rois* et au second des *Chroniques,* il est daté du milieu du IXe siècle avant Jésus-Christ. L'histoire était difficile à cerner, difficile aussi à faire comprendre à de jeunes actrices, voire à des spectateurs ou à des lecteurs cultivés. Elle se situait en effet au cœur de la période de deux siècles où les héritiers de Salomon ont créé un schisme, séparant le royaume de Juda, c'est-à-dire les deux tribus de Juda et de Benjamin, avec pour capitale Jérusalem, du royaume d'Israël, qui comprenait les dix autres tribus, avec pour capitale Samarie. Les premiers seuls doivent assurer la lignée royale bénie par Dieu, et dont un lointain descendant doit être Jésus-Christ. Athalie est fille du roi d'Israël Achab et de Jézabel, une princesse tyrienne. Elle a épousé, vers 850, le roi de Juda Joram, lui-même meurtrier de tous ses frères par désir de garder seul le pouvoir. Quelque temps après, un officier qui a pris le pouvoir en Israël, Jéhu, met à mort Ochosias, fils d'Athalie et roi de Juda, et tous les descendants d'Achab, ainsi que la mère d'Athalie, Jézabel. Transportée de rage, Athalie fait périr tous les enfants d'Ochosias et règne seule à Jérusalem. Mais un des petits-fils d'Athalie a été préservé du massacre par une sœur d'Ochosias, Josabet, épouse du prêtre Joad. Cet enfant est Joas, destiné à régner quarante ans à Jérusalem, avant de mourir assassiné en raison de ses reniements et du meurtre de Zacharie fils de Joad.

Le récit biblique est rude. La main de Dieu s'y fait plus lourde que partout ailleurs. Il a l'allure d'une théomachie (Jéhovah contre Baal) et fait sa part grande à l'esprit de vertige, qui pousse les personnages à la folie et au meurtre. Il était paradoxal de le choisir pour une représentation de collège. Cependant, Racine en a respecté l'économie générale. Salomith et Abner mis à part, il n'a ajouté aucun personnage essentiel. Du moins a-t-il considérablement enrichi l'histoire : le songe de l'héroïne lui appartient; il s'inspire d'ailleurs plutôt de la tradition du songe tragique français que des songes bibliques; on y retrouve, en particulier, des souvenirs du songe d'Hérode dans la *Marianne* de Tristan (1636). La conversation d'Athalie avec le jeune Eliacin est inspirée d'*Ion,* tragédie politico-religieuse d'Euripide. Racine a prêté à Joad le don de prophétie : il s'en est expliqué dans sa préface. Il a enfin introduit dans son récit le thème du trésor caché dans le temple. Une action qui frappe les sens et touche le cœur, des poèmes et des discours qui, permettant au spectateur de réfléchir sur la signification providentielle des événements, font apparaître les humains comme des acteurs de Dieu de même que les personnages sont acteurs du dramaturge, des éléments prophétiques enfin évoquant, comme le *Discours sur l'Histoire universelle,* les « ratés » aussi bien que le sens ultime de l'Histoire : tout cela met en évidence un dessein pédagogique immense.

Ce dessein en implique un autre, qui souvent ne fait qu'un

avec lui : l'invention d'une sorte d'opéra sacré, beaucoup plus subtil et complexe que l'oratorio d'*Esther*. La continuité de la représentation suppose que le temps du jeu scénique se confond avec le temps de l'action. C'est le temps d'une cérémonie, la fête des Prémices, mais à laquelle le dénouement confère une signification nouvelle, en substituant à l'histoire cyclique des fêtes, où les hommes peuvent s'assoupir, l'histoire unique du Salut, où l'événement est irremplaçable et impose l'attention et l'éveil. Cette dimension de l'œuvre est soulignée par la concentration des effets qui s'y rencontrent. Les protagonistes, nombreux, appartiennent pourtant au cercle étroit d'une famille et de son entourage immédiat. Ils sont souvent présents et souvent présents ensemble. Les groupes de prêtres et lévites, la suite d'Athalie, le chœur des jeunes filles interviennent dans l'action, où ils prennent des rôles variés. L'animation de l'ensemble, fort long (1816 vers; *Phèdre* en compte 1654), est assurée en particulier par le nombre des entrées et des sorties (35 scènes; *Phèdre* en compte 30). La concentration et l'intensité des effets, dans *Athalie,* sont exceptionnelles. Jamais sans doute Racine n'avait été plus proche du « théâtre total » à l'antique tel qu'il le rêvait. Mais avec cette œuvre à grand spectacle, qui opposait (non certes sans nuances) les bons récompensés et les méchants punis, et qui se donnait une fin à la fois sanglante et heureuse, le poète ouvrait la voie à l'esthétique dont le triomphe devait s'affirmer au siècle suivant avec Crébillon, Houdard de la Motte et Voltaire.

J. M.

PRÉFACE [a]

Tout le monde sait que le royaume de Juda était composé de deux tribus, de Juda et de Benjamin, et que les dix autres tribus qui se révoltèrent contre Roboam composaient le royaume d'Israël. Comme les rois de Juda étaient de la maison de David, et qu'ils avaient dans leur partage la ville et le temple de Jérusalem, tout ce qu'il y avait de prêtres et de lévites se retirèrent auprès d'eux, et leur demeurèrent toujours attachés. Car, depuis que le temple de Salomon fut bâti, il n'était plus permis de sacrifier ailleurs, et tous ces autres autels qu'on élevait à Dieu sur des montagnes, appelés par cette raison dans l'Écriture les hauts lieux, ne lui étaient point agréables. Ainsi le culte légitime ne subsistait plus que dans Juda. Les dix tribus, excepté un très petit nombre de personnes, étaient ou idolâtres ou schismatiques.

Au reste, ces prêtres et ces lévites faisaient eux-mêmes une tribu fort nombreuse. Ils furent partagés en diverses classes pour servir tour à tour dans le temple, d'un jour de sabbat à l'autre. Les prêtres étaient de la famille d'Aaron; et il n'y avait que ceux de cette famille, lesquels pussent exercer la sacrificature. Les lévites leur étaient subordonnés, et avaient soin, entre autres choses, du chant, de la préparation des victimes, et de la garde du temple. Ce nom de lévite ne laisse pas d'être donné quelquefois indifféremment à tous ceux de la tribu. Ceux qui étaient en semaine avaient, ainsi que le grand-prêtre, leur logement dans les portiques ou galeries dont le temple était environné, et qui faisaient partie du temple même. Tout l'édifice s'appelait en général le lieu saint; mais on appelait plus particulièrement de ce nom cette partie du temple intérieur où étaient le chandelier d'or, l'autel des parfums et les tables des pains de proposition; et cette partie était encore distinguée du Saint des Saints, où était l'arche, et où le grand-prêtre seul avait droit d'entrer une fois l'année. C'était une tradition assez constante que la montagne sur laquelle le temple fut bâti était la même montagne où Abraham avait autrefois offert en sacrifice son fils Isaac.

J'ai cru devoir expliquer ici ces particularités, afin que ceux à qui l'histoire de l'Ancien Testament ne sera pas assez présente n'en soient point arrêtés en lisant cette tragédie. Elle a pour sujet Joas reconnu et mis sur le trône; et j'aurais dû dans les règles l'intituler Joas; mais la plupart du monde n'en ayant entendu parler que sous le nom d'Athalie, je n'ai pas jugé à propos de la leur présenter sous un autre titre puisque d'ailleurs Athalie y joue un personnage si considérable, et que c'est sa mort qui termine la pièce. Voici une partie des principaux événements qui devancèrent cette grande action.

Joram, roi de Juda, fils de Josaphat, et le septième roi de la race de David, épousa Athalie, fille d'Achab et de Jézabel qui régnaient en Israël, fameux l'un et l'autre, mais principalement Jézabel, par leurs sanglantes persécutions contre les prophètes. Athalie, non moins impie que sa mère, entraîna bientôt le roi son mari dans l'idolâtrie et fit même construire dans Jérusalem un temple à Baal, qui était le dieu du pays de Tyr et de Sidon, où Jézabel avait pris naissance. Joram, après avoir vu périr par les mains des Arabes et des Philistins tous les princes ses enfants, à la réserve d'Ochosias, mourut lui-même misérablement d'une longue maladie qui lui consuma les entrailles. Sa mort funeste n'empêcha pas Ochosias d'imiter son impiété et celle d'Athalie sa mère. Mais ce prince, après avoir régné seulement un an, étant allé rendre visite au roi d'Israël, frère d'Athalie, fut enveloppé dans la ruine de la maison d'Achab, et tué par l'ordre de Jéhu, que Dieu avait fait sacrer par ses prophètes pour régner sur Israël et pour être le ministre de ses vengeances. Jéhu extermina toute la postérité d'Achab, et fit jeter par les fenêtres Jézabel, qui, selon la prédiction d'Élie, fut mangée des chiens dans la vigne de ce même Naboth qu'elle avait fait mourir autrefois pour s'emparer de son héritage. Athalie, ayant appris à Jérusalem tous ces massacres, entreprit de son côté d'éteindre entièrement la race royale de David, en faisant mourir tous les enfants d'Ochosias, ses petits-fils. Mais heureusement Josabeth, sœur d'Ochosias et fille de Joram, mais d'une autre mère qu'Athalie, étant arrivée lorsqu'on égorgeait les princes ses neveux, elle trouva moyen de dérober du milieu des morts le petit Joas, encore à la mamelle, et le confia avec sa nourrice au grand-prêtre son mari, qui les cacha tous deux dans le temple, où l'enfant fut élevé secrètement jusqu'au jour qu'il fut proclamé roi de Juda. L'*Histoire des Rois* dit que ce fut la septième année d'après. Mais le texte grec des *Paralipomènes,* que Sévère Sulpice a suivi, dit que ce fut la huitième. C'est ce qui m'a autorisé à donner à ce prince neuf à dix ans, pour le mettre déjà en état de répondre aux questions qu'on lui fait.

Je crois ne lui avoir rien fait dire qui soit au-dessus de la portée d'un enfant de cet âge qui a de l'esprit et de la mémoire. Mais, quand j'aurais été un peu au-delà, il faut considérer que c'est ici un enfant tout extraordinaire, élevé dans le temple par un grand-prêtre qui, le regardant comme l'unique espérance de sa nation, l'avait instruit de bonne heure dans tous les devoirs de la religion et de la royauté. Il n'en était pas de même des enfants des Juifs que de la plupart des nôtres : on leur apprenait les saintes Lettres, non seulement dès qu'ils avaient atteint l'usage de la raison, mais, pour me servir de l'expression de saint Paul, dès la mamelle. Chaque Juif était obligé d'écrire une fois en sa vie, de sa propre main, le volume de la Loi tout entier. Les rois étaient même obligés de l'écrire deux fois et il leur était enjoint de l'avoir continuellement devant les yeux. Je puis dire ici que la France voit en la personne d'un prince de huit ans et demi, qui fait aujourd'hui ses plus chères délices, un exemple illustre de ce que peut dans un enfant un heureux naturel aidé d'une excellente éducation, et que si j'avais donné au petit Joas la même vivacité et le même discernement qui brillent dans les reparties de ce jeune prince, on m'aurait accusé avec raison d'avoir péché contre les règles de la vraisemblance.

L'âge de Zacharie, fils du grand-prêtre, n'étant point marqué, on peut lui supposer, si l'on veut, deux ou trois ans de plus qu'à Joas.

J'ai suivi l'explication de plusieurs commentateurs fort habiles, qui prouvent, par le texte même de l'Écriture, que tous ces soldats à qui Joïada, ou Joad, comme il est appelé dans Josèphe, fit prendre les armes consacrées à Dieu par David, étaient autant de prêtres et de lévites, aussi bien que les cinq centeniers qui les commandaient. En effet, disent ces interprètes, tout devait être saint dans une si sainte action, et aucun profane n'y devait être employé. Il s'y agissait non seulement de conserver le sceptre dans la maison de David, mais encore de conserver à ce grand roi cette suite de descendants dont devait naître le Messie : « Car ce Messie tant de fois promis comme fils d'Abraham, devait « être aussi le fils de David et de tous les rois de Juda. » De là vient que l'illustre et savant prélat* de qui j'ai emprunté ces paroles appelle Joas le précieux reste de la maison de David. Josèphe en parle dans les mêmes termes, et l'Écriture dit expressément que Dieu n'extermina pas toute la famille de Joram, voulant conserver à David la lampe qu'il lui avait promise. Or cette lampe, qu'était-ce autre chose que la lumière qui devait être un jour révélée aux nations?

L'histoire ne spécifie point le jour où Joas fut proclamé. Quelques interprètes veulent que ce fût un jour de fête. J'ai choisi celle de la Pentecôte, qui était l'une des trois grandes fêtes des Juifs. On y célébrait la mémoire de la publication de la loi sur le mont de Sinaï, et on y offrait aussi à Dieu les premiers pains de la nouvelle moisson : ce qui faisait qu'on la nommait encore la fête des prémices. J'ai songé que ces circonstances me fourniraient quelque variété pour les chants du chœur.

* M. de Meaux.

Ce chœur est composé de jeunes filles de la tribu de Lévi, et je mets à leur tête une fille que je donne pour sœur à Zacharie. C'est elle qui introduit le chœur chez sa mère. Elle chante avec lui, porte la parole pour lui, et fait enfin les fonctions de ce personnage des anciens chœurs qu'on appelait le coryphée. J'ai aussi essayé d'imiter des anciens cette continuité d'action qui fait que leur théâtre ne demeure jamais vide, les intervalles des actes n'étant marqués que par des hymnes et par des moralités du chœur, qui ont rapport à ce qui se passe.

On me trouvera peut-être un peu hardi d'avoir osé mettre sur la scène un prophète inspiré de Dieu, et qui prédit l'avenir. Mais j'ai eu la précaution de ne mettre dans sa bouche que des expressions tirées des prophètes mêmes. Quoique l'Écriture ne dise pas en termes exprès que Joïada ait eu l'esprit de prophétie, comme elle le dit de son fils, elle le représente comme un homme tout plein de l'esprit de Dieu. Et d'ailleurs ne paraît-il pas, par l'Évangile, qu'il a pu prophétiser en qualité de souverain pontife? Je suppose donc qu'il voit en esprit le funeste changement de Joas qui, après trente ans d'un règne fort pieux, s'abandonna aux mauvais conseils des flatteurs, et se souilla du meurtre de Zacharie, fils et successeur de ce grand-prêtre. Ce meurtre, commis dans le temple, fut une des principales causes de la colère de Dieu contre les Juifs, et de tous les malheurs qui leur arrivèrent dans la suite. On prétend même que depuis ce jour-là les réponses de Dieu cessèrent entièrement dans le sanctuaire. C'est ce qui m'a donné lieu de faire prédire de suite à Joad et la destruction du temple et la ruine de Jérusalem. Mais comme les prophètes joignent d'ordinaire les consolations aux menaces, et que d'ailleurs il s'agit de mettre sur le trône un des ancêtres du Messie, j'ai pris occasion de faire entrevoir la venue de ce consolateur, après lequel tous les anciens justes soupiraient. Cette scène, qui est une espèce d'épisode, amène très naturellement la musique, par la coutume qu'avaient plusieurs prophètes d'entrer dans leurs saints transports au son des instruments : témoin cette troupe de prophètes qui vinrent au-devant de Saül avec des harpes et des lyres qu'on portait devant eux; et témoin Élisée lui-même, qui, étant consulté sur l'avenir par le roi de Juda et par le roi d'Israël, dit, comme fait ici Joad : *Adducite mihi psaltem*. Ajoutez à cela que cette prophétie sert beaucoup à augmenter le trouble dans la pièce, par la consternation et par les différents mouvements où elle jette le chœur et les principaux acteurs.

LES NOMS DES PERSONNAGES

JOAS, roi de Juda, fils d'Ochosias.
ATHALIE, veuve de Joram, aïeule de Joas.
JOAD, autrement JOIADA, grand-prêtre.
JOSABET, tante de Joas, femme du grand-prêtre.
ZACHARIE, fils de Joad et de Josabet.
SALOMITH, sœur de Zacharie.
ABNER, l'un des principaux officiers des rois de Juda.
AZARIAS, ISMAEL, ET LES TROIS AUTRES CHEFS des Prêtres et des Lévites.
MATHAN, prêtre apostat, sacrificateur de Baal.
NABAL, confident de Mathan.
AGAR, femme de la suite d'Athalie.
TROUPE DE PRÊTRES ET DE LÉVITES.
SUITE D'ATHALIE.
LA NOURRICE DE JOAS.
CHŒUR DE JEUNES FILLES DE LA TRIBU DE LÉVI.

La scène est dans le temple de Jérusalem, dans un vestibule de l'appartement du grand-prêtre.

ATHALIE

ACTE PREMIER

SCÈNE I. — JOAD, ABNER

ABNER

Oui, je viens dans son temple adorer l'Éternel.
Je viens, selon l'usage antique et solennel,
Célébrer avec vous la fameuse journée
Où sur le mont Sina la loi nous fut donnée [3].
Que les temps sont changés ! Sitôt que de ce jour
La trompette sacrée annonçait le retour,
Du temple, orné partout de festons magnifiques,
Le peuple saint en foule inondait les portiques;
Et tous, devant l'autel avec ordre introduits,
De leurs champs dans leurs mains portant les nouveaux [fruits
Au Dieu de l'univers consacraient ces prémices.
Les prêtres ne pouvaient suffire aux sacrifices.
L'audace d'une femme, arrêtant ce concours,
En des jours ténébreux a changé ces beaux jours.
D'adorateurs zélés à peine un petit nombre
Ose des premiers temps nous retracer quelque ombre.
Le reste pour son Dieu montre un oubli fatal,
Ou même, s'empressant aux autels de Baal [4],
Se fait initier à ses honteux mystères,
Et blasphème le nom qu'ont invoqué leurs pères.
Je tremble qu'Athalie, à ne vous rien cacher,
Vous-même de l'autel vous faisant arracher,
N'achève enfin sur vous ses vengeances funestes,
Et d'un respect forcé ne dépouille les restes.

JOAD

D'où vous vient aujourd'hui ce noir pressentiment?

ABNER

Pensez-vous être saint et juste impunément?
Dès longtemps elle hait cette fermeté rare
Qui rehausse en Joad l'éclat de la tiare;
Dès longtemps votre amour pour la religion

Est traité de révolte et de sédition.
Du mérite éclatant cette reine jalouse
Hait surtout Josabet votre fidèle épouse.
Si du grand-prêtre Aaron Joad est successeur,
De notre dernier roi Josabet est la sœur.
Mathan, d'ailleurs, Mathan, ce prêtre sacrilège,
Plus méchant qu'Athalie, à toute heure l'assiège,
Mathan, de nos autels infâme déserteur,
Et de toute vertu zélé persécuteur.
C'est peu que, le front ceint d'une mitre étrangère,
Ce lévite à Baal prête son ministère :
Ce temple l'importune, et son impiété
Voudrait anéantir le Dieu qu'il a quitté.
Pour vous perdre il n'est point de ressorts qu'il n'invente :
Quelquefois il vous plaint, souvent même il vous vante;
Il affecte pour vous une fausse douceur,
Et par là de son fiel colorant la noirceur,
Tantôt à cette reine il vous peint redoutable,
Tantôt voyant pour l'or sa soif insatiable,
Il lui feint qu'en un lieu que vous seul connaissez,
Vous cachez des trésors par David amassés.
Enfin depuis deux jours, la superbe Athalie
Dans un sombre chagrin paraît ensevelie.
Je l'observais hier, et je voyais ses yeux
Lancer sur le lieu saint des regards furieux;
Comme si, dans le fond de ce vaste édifice,
Dieu cachait un vengeur armé pour son supplice.
Croyez-moi, plus j'y pense, et moins je puis douter
Que sur vous son courroux ne soit prêt d'éclater,
Et que de Jézabel la fille sanguinaire
Ne vienne attaquer Dieu jusqu'en son sanctuaire.

JOAD

Celui qui met un frein à la fureur des flots
Sait aussi des méchants arrêter les complots.
Soumis avec respect à sa volonté sainte,
Je crains Dieu, cher Abner, et n'ai point d'autre crainte.
Cependant je rends grâce au zèle officieux
Qui sur tous mes périls vous fait ouvrir les yeux.
Je vois que l'injustice en secret vous irrite,
Que vous avez encor le cœur israélite.
Le ciel en soit béni ! Mais ce secret courroux,

Cette oisive vertu, vous en contentez-vous?
La foi qui n'agit point, est-ce une foi sincère?
Huit ans déjà passés, une impie étrangère
Du sceptre de David usurpe tous les droits,
Se baigne impunément dans le sang de nos rois,
Des enfants de son fils détestable homicide,
Et même contre Dieu lève son bras perfide;
Et vous, l'un des soutiens de ce tremblant État,
Vous, nourri dans les camps du saint roi Josaphat,
Qui sous son fils Joram commandiez nos armées,
Qui rassurâtes seul nos villes alarmées,
Lorsque d'Ochosias le trépas imprévu
Dispersa tout son camp à l'aspect de Jéhu :
« Je crains Dieu, dites-vous, sa vérité me touche. »
Voici comme ce Dieu vous répond par ma bouche :
« Du zèle de ma loi que sert de vous parer?
« Par de stériles vœux pensez-vous m'honorer?
« Quel fruit me revient-il de tous vos sacrifices?
« Ai-je besoin du sang des boucs et des génisses?
« Le sang de vos rois crie, et n'est point écouté.
« Rompez, rompez tout pacte avec l'impiété,
« Du milieu de mon peuple exterminez les crimes,
« Et vous viendrez alors m'immoler vos victimes [5]. »

ABNER

Hé! que puis-je au milieu de ce peuple abattu?
Benjamin est sans force, et Juda sans vertu :
Le jour qui de leur roi vit éteindre la race [6]
Éteignit tout le feu de leur antique audace.
« Dieu même, disent-ils, s'est retiré de nous :
De l'honneur des Hébreux autrefois si jaloux,
Il voit sans intérêt leur grandeur terrassée,
Et sa miséricorde à la fin s'est lassée.
On ne voit plus pour nous ses redoutables mains
De merveilles sans nombre effrayer les humains;
L'arche sainte est muette, et ne rend plus d'oracles. »

JOAD

Et quel temps fut jamais si fertile en miracles?
Quand Dieu par plus d'effets montra-t-il son pouvoir?
Auras-tu donc toujours des yeux pour ne point voir,
Peuple ingrat? Quoi? toujours les plus grandes merveilles
Sans ébranler ton cœur frapperont tes oreilles?

Faut-il, Abner, faut-il vous rappeler le cours
Des prodiges fameux accomplis en nos jours?
Des tyrans d'Israël les célèbres disgrâces,
Et Dieu trouvé fidèle en toutes ses menaces;
L'impie Achab détruit, et de son sang trempé
Le champ que par le meurtre il avait usurpé;
Près de ce champ fatal Jézabel immolée,
Sous les pieds des chevaux cette reine foulée,
Dans son sang inhumain les chiens désaltérés,
Et de son corps hideux les membres déchirés;
Des prophètes menteurs la troupe confondue,
Et la flamme du ciel sur l'autel descendue;
Élie aux éléments parlant en souverain,
Les cieux par lui fermés et devenus d'airain,
Et la terre trois ans sans pluie et sans rosée;
Les morts se ranimant à la voix d'Élisée?
Reconnaissez, Abner, à ces traits éclatants,
Un Dieu tel aujourd'hui qu'il fut dans tous les temps.
Il sait, quand il lui plaît, faire éclater sa gloire,
Et son peuple est toujours présent à sa mémoire.

ABNER

Mais où sont ces honneurs à David tant promis,
Et prédits même encore à Salomon son fils?
Hélas! nous espérions que de leur race heureuse
Devait sortir de rois une suite nombreuse,
Que sur toute tribu, sur toute nation,
L'un d'eux établirait sa domination,
Ferait cesser partout la discorde et la guerre,
Et verrait à ses pieds tous les rois de la terre [7].

JOAD

Aux promesses du ciel pourquoi renoncez-vous?

ABNER

Ce roi fils de David, où le chercherons-nous?
Le Ciel même peut-il réparer les ruines
De cet arbre séché jusque dans ses racines?
Athalie étouffa l'enfant même au berceau.
Les morts, après huit ans, sortent-ils du tombeau?
Ah! si dans sa fureur elle s'était trompée;
Si du sang de nos rois quelque goutte échappée...

JOAD

Eh bien! que feriez-vous?

ABNER

O jour heureux pour moi!
De quelle ardeur j'irais reconnaître mon roi!
Doutez-vous qu'à ses pieds nos tribus empressées...
Mais pourquoi me flatter de ces vaines pensées?
Déplorable héritier de ces rois triomphants,
Ochosias restait seul avec ses enfants;
Par les traits de Jéhu je vis percer le père,
Vous avez vu les fils massacrés par la mère.

JOAD

Je ne m'explique point; mais, quand l'astre du jour
Aura sur l'horizon fait le tiers de son tour,
Lorsque la troisième heure aux prières rappelle [8],
Retrouvez-vous au temple avec ce même zèle.
Dieu pourra vous montrer par d'importants bienfaits
Que sa parole est stable et ne trompe jamais.
Allez : pour ce grand jour il faut que je m'apprête,
Et du temple déjà l'aube blanchit le faîte.

ABNER

Quel sera ce bienfait que je ne comprends pas?
L'illustre Josabet porte vers vous ses pas.
Je sors, et vais me joindre à la troupe fidèle
Qu'attire de ce jour la pompe solennelle.

SCÈNE II. — JOAD, JOSABET

JOAD

Les temps sont accomplis, Princesse : il faut parler,
Et votre heureux larcin ne se peut plus celer.
Des ennemis de Dieu la coupable insolence,
Abusant contre lui de ce profond silence,
Accuse trop longtemps ses promesses d'erreur.
Que dis-je? Le succès animant leur fureur,
Jusque sur notre autel votre injuste marâtre
Veut offrir à Baal un encens idolâtre.
Montrons ce jeune roi que vos mains ont sauvé,
Sous l'aile du Seigneur dans le temple élevé.
De nos princes hébreux il aura le courage,
Et déjà son esprit a devancé son âge.

Avant que son destin s'explique par ma voix,
Je vais l'offrir au Dieu par qui règnent les rois.
Aussitôt assemblant nos lévites, nos prêtres,
Je leur déclarerai l'héritier de leurs maîtres.

JOSABET

Sait-il déjà son nom et son noble destin?

JOAD

Il ne répond encor qu'au nom d'Éliacin [9],
Et se croit quelque enfant rejeté par sa mère,
A qui j'ai par pitié daigné servir de père.

JOSABET

Hélas! de quel péril je l'avais su tirer!
Dans quel péril encore est-il prêt de rentrer!

JOAD

Quoi! déjà votre foi s'affaiblit et s'étonne?

JOSABET

A vos sages conseils, Seigneur, je m'abandonne.
Du jour que j'arrachai cet enfant à la mort,
Je remis en vos mains tout le soin de son sort.
Même, de mon amour craignant la violence,
Autant que je le puis j'évite sa présence,
De peur qu'en le voyant quelque trouble indiscret
Ne fasse avec mes pleurs échapper mon secret.
Surtout j'ai cru devoir aux larmes, aux prières,
Consacrer ces trois jours et ces trois nuits entières.
Cependant aujourd'hui puis-je vous demander
Quels amis vous avez prêts à vous seconder?
Abner, le brave Abner viendra-t-il nous défendre?
A-t-il près de son roi fait serment de se rendre?

JOAD

Abner, quoiqu'on se pût assurer sur sa foi,
Ne sait pas même encor si nous avons un roi.

JOSABET

Mais à qui de Joas confiez-vous la garde?
Est-ce Obed, est-ce Ammon que cet honneur regarde?
De mon père sur eux les bienfaits répandus...

JOAD

A l'injuste Athalie ils se sont tous vendus.

JOSABET

Qui donc opposez-vous contre ses satellites?

JOAD

Ne vous l'ai-je pas dit? Nos prêtres, nos lévites.

JOSABET

Je sais que, près de vous en secret assemblé,
Par vos soins prévoyants leur nombre est redoublé;
Que pleins d'amour pour vous, d'horreur pour Athalie,
Un serment solennel par avance les lie
A ce fils de David qu'on leur doit révéler.
Mais quelque noble ardeur dont ils puissent brûler,
Peuvent-ils de leur roi venger seuls la querelle?
Pour un si grand ouvrage est-ce assez de leur zèle?
Doutez-vous qu'Athalie, au premier bruit semé
Qu'un fils d'Ochosias est ici renfermé,
De ses fiers étrangers assemblant les cohortes,
N'environne le temple, et n'en brise les portes?
Suffira-t-il contre eux de vos ministre saints,
Qui, levant au Seigneur leurs innocentes mains,
Ne savent que gémir et prier pour nos crimes,
Et n'ont jamais versé que le sang des victimes?
Peut-être dans leurs bras Joas percé de coups...

JOAD

Et comptez-vous pour rien Dieu, qui combat pour nous?
Dieu, qui de l'orphelin protège l'innocence,
Et fait dans la faiblesse éclater sa puissance;
Dieu, qui hait les tyrans, et qui dans Jezraël
Jura d'exterminer Achab et Jézabel;
Dieu, qui frappant Joram, le mari de leur fille,
A jusque sur son fils poursuivi leur famille;
Dieu, dont le bras vengeur, pour un temps suspendu,
Sur cette race impie est toujours étendu?

JOSABET

Et c'est sur tous ces rois sa justice sévère
Que je crains pour le fils de mon malheureux frère.
Qui sait si cet enfant, par leur crime entraîné,
Avec eux en naissant ne fut pas condamné?
Si Dieu, le séparant d'une odieuse race,
En faveur de David voudra lui faire grâce.
Hélas! l'état horrible où le ciel me l'offrit

Revient à tout moment effrayer mon esprit.
De princes égorgés la chambre était remplie.
Un poignard à la main, l'implacable Athalie
Au carnage animait ses barbares soldats,
Et poursuivait le cours de ses assassinats.
Joas, laissé pour mort, frappa soudain ma vue.
Je me figure encor sa nourrice éperdue,
Qui devant les bourreaux s'était jetée en vain
Et faible le tenait renversé sur son sein.
Je le pris tout sanglant. En baignant son visage,
Mes pleurs du sentiment lui rendirent l'usage,
Et soit frayeur encore, ou pour me caresser,
De ses bras innocents je me sentis presser.
Grand Dieu ! que mon amour ne lui soit point funeste !
Du fidèle David c'est le précieux reste.
Nourri dans ta maison en l'amour de ta loi,
Il ne connaît encor d'autre père que toi.
Sur le point d'attaquer une reine homicide,
A l'aspect du péril si ma foi s'intimide,
Si la chair et le sang, se troublant aujourd'hui,
Ont trop de part aux pleurs que je répands pour lui,
Conserve l'héritier de tes saintes promesses,
Et ne punis que moi de toutes mes faiblesses !

JOAD

Vos larmes, Josabet, n'ont rien de criminel;
Mais Dieu veut qu'on espère en son soin paternel.
Il ne recherche point, aveugle en sa colère,
Sur le fils qui le craint l'impiété du père [10].
Tout ce qui reste encor de fidèles Hébreux
Lui viendront aujourd'hui renouveler leurs vœux.
Autant que de David la race est respectée,
Autant de Jézabel la fille est détestée.
Joas les touchera par sa noble pudeur,
Où semble de son sang reluire la splendeur,
Et Dieu, par sa voix même appuyant notre exemple,
De plus près à leur cœur parlera dans son temple.
Deux infidèles rois tour à tour l'ont bravé :
Il faut que sur le trône un roi soit élevé,
Qui se souvienne un jour qu'au rang de ses ancêtres
Dieu l'a fait remonter par la main de ses prêtres,
L'a tiré par leur main de l'oubli du tombeau,

Et de David éteint rallumé le flambeau.
Grand Dieu! si tu prévois qu'indigne de sa race,
Il doive de David abandonner la trace,
Qu'il soit comme le fruit en naissant arraché,
Ou qu'un souffle ennemi dans sa fleur a séché!
Mais si ce même enfant, à tes ordres docile,
Doit être à tes desseins un instrument utile,
Fais qu'au juste héritier le sceptre soit remis;
Livre à mes faibles mains ses puissants ennemis;
Confonds dans ses conseils une reine cruelle.
Daigne, daigne, mon Dieu, sur Mathan et sur elle
Répandre cet esprit d'imprudence et d'erreur [11],
De la chute des rois funeste avant-coureur!
L'heure me presse. Adieu. Des plus saintes familles
Votre fils et sa sœur vous amènent les filles.

SCÈNE III. — JOSABET, ZACHARIE, SALOMITH, LE CHŒUR

JOSABET

Cher Zacharie, allez, ne vous arrêtez pas,
De votre auguste père accompagnez les pas.
O filles de Lévi, troupe jeune et fidèle,
Que déjà le Seigneur embrase de son zèle,
Qui venez si souvent partager mes soupirs,
Enfants, ma seule joie en mes longs déplaisirs,
Ces festons dans vos mains et ces fleurs sur vos têtes,
Autrefois convenaient à nos pompeuses fêtes.
Mais, hélas! en ces temps d'opprobre et de douleurs,
Quelle offrande sied mieux que celle de nos pleurs?
J'entends déjà, j'entends la trompette sacrée,
Et du temple bientôt on permettra l'entrée.
Tandis que je me vais préparer à marcher,
Chantez, louez le Dieu que vous venez chercher.

SCÈNE IV. — LE CHŒUR

TOUT LE CHŒUR *chante.*

Tout l'univers est plein de sa magnificence.
Qu'on adore ce Dieu, qu'on l'invoque à jamais!
Son empire a des temps précédé la naissance.
Chantons, publions ses bienfaits.

UNE VOIX, *seule.*

En vain l'injuste violence
Au peuple qui le loue imposerait silence;
Son nom ne périra jamais.
Le jour annonce au jour sa gloire et sa puissance;
Tout l'univers est plein de sa magnificence :
Chantons, publions ses bienfaits.

TOUT LE CHŒUR *répète.*

Tout l'univers est plein de sa magnificence :
Chantons, publions ses bienfaits.

UNE VOIX, *seule.*

Il donne aux fleurs leur aimable peinture;
Il fait naître et mûrir les fruits;
Il leur dispense avec mesure
Et la chaleur des jours et la fraîcheur des nuits;
Le champ qui les reçut les rend avec usure.

UNE AUTRE

Il commande au soleil d'animer la nature,
Et la lumière est un don de ses mains;
Mais sa loi sainte, sa loi pure
Est le plus riche don qu'il ait fait aux humains.

UNE AUTRE

O mont de Sinaï, conserve la mémoire
De ce jour à jamais auguste et renommé,
Quand sur ton sommet enflammé,
Dans un nuage épais le Seigneur enfermé
Fit luire aux yeux mortels un rayon de sa gloire.
Dis-nous : pourquoi ces feux et ces éclairs [12],
Ces torrents de fumée, et ce bruit dans les airs,
Ces trompettes et ce tonnerre?
Venait-il renverser l'ordre des éléments?
Sur ses antiques fondements
Venait-il ébranler la terre?

UNE AUTRE

Il venait révéler aux enfants des Hébreux
De ses préceptes saints la lumière immortelle.
Il venait à ce peuple heureux
Ordonner de l'aimer d'une amour éternelle.

TOUT LE CHŒUR

O divine, ô charmante loi!
O justice! ô bonté suprême!
Que de raisons, quelle douceur extrême
D'engager à ce Dieu son amour et sa foi!

UNE VOIX, *seule.*

D'un joug cruel il sauva nos aïeux,
Les nourrit au désert d'un pain délicieux;
Il nous donne ses lois, il se donne lui-même.
Pour tant de biens, il commande qu'on l'aime.

LE CHŒUR

O justice! ô bonté suprême!

LA MÊME VOIX

Des mers pour eux il entr'ouvrit les eaux,
D'un aride rocher fit sortir des ruisseaux;
Il nous donne ses lois, il se donne lui-même.
Pour tant de biens, il commande qu'on l'aime.

LE CHŒUR

O divine, ô charmante loi!
Que de raisons, quelle douceur extrême
D'engager à ce Dieu son amour et sa foi!

UNE AUTRE VOIX, *seule.*

Vous qui ne connaissez qu'une crainte servile,
Ingrats, un Dieu si bon ne peut-il vous charmer?
Est-il donc à vos cœurs, est-il si difficile
Et si pénible de l'aimer?
L'esclave craint le tyran qui l'outrage,
Mais des enfants l'amour est le partage.
Vous voulez que ce Dieu vous comble de bienfaits,
Et ne l'aimer jamais?

TOUT LE CHŒUR

O divine, ô charmante loi!
O justice, ô bonté suprême!
Que de raisons, quelle douceur extrême
D'engager à ce Dieu son amour et sa foi!

ACTE DEUXIÈME

SCÈNE I. — JOSABET, SALOMITH, LE CHŒUR

JOSABET

Mes filles, c'est assez; suspendez vos cantiques.
Il est temps de nous joindre aux prières publiques.
Voici notre heure : allons célébrer ce grand jour,
Et devant le Seigneur paraître à notre tour.

SCÈNE II. — JOSABET, ZACHARIE, SALOMITH, LE CHŒUR

JOSABET

Mais que vois-je? Mon fils, quel sujet vous ramène?
Où courez-vous ainsi tout pâle et hors d'haleine?

ZACHARIE

O ma mère!

JOSABET

Eh bien, quoi?

ZACHARIE

Le temple est profané...

JOSABET

Comment?

ZACHARIE

Et du Seigneur l'autel abandonné.

JOSABET

Je tremble. Hâtez-vous d'éclaircir votre mère.

ZACHARIE

Déjà, selon la loi, le grand-prêtre mon père,
Après avoir au Dieu qui nourrit les humains,
De la moisson nouvelle offert les premiers pains,
Lui présentait encore entre ses mains sanglantes
Des victimes de paix les entrailles fumantes;
Debout à ses côtés le jeune Éliacin
Comme moi le servait en long habit de lin;
Et cependant du sang de la chair immolée
Les prêtres arrosaient l'autel et l'assemblée.
Un bruit confus s'élève, et du peuple surpris
Détourne tout à coup les yeux et les esprits.
Une femme... Peut-on la nommer sans blasphème?
Une femme... C'était Athalie elle-même.

JOSABET

Ciel!

ZACHARIE

Dans un des parvis, aux hommes réservé,
Cette femme superbe entre, le front levé,
Et se préparait même à passer les limites
De l'enceinte sacrée ouverte aux seuls lévites.
Le peuple s'épouvante et fuit de toutes parts.
Mon père... Ah! quel courroux animait ses regards!
Moïse à Pharaon parut moins formidable :
« Reine, sors, a-t-il dit, de ce lieu redoutable,
« D'où te bannit ton sexe et ton impiété.
« Viens-tu du Dieu vivant braver la majesté? »
La reine alors, sur lui jetant un œil farouche,
Pour blasphémer sans doute ouvrait déjà la bouche.
J'ignore si de Dieu l'ange se dévoilant
Est venu lui montrer un glaive étincelant;
Mais sa langue en sa bouche à l'instant s'est glacée,
Et toute son audace a paru terrassée.
Ses yeux, comme effrayés, n'osaient se détourner;
Surtout, Éliacin paraissait l'étonner.

JOSABET

Quoi donc? Éliacin a paru devant elle?

ZACHARIE

Nous regardions tous deux cette reine cruelle,
Et d'une égale horreur nos cœurs étaient frappés,
Mais les prêtres bientôt nous ont enveloppés.
On nous a fait sortir. J'ignore tout le reste,
Et venais vous conter ce désordre funeste.

JOSABET

Ah! de nos bras sans doute elle vient l'arracher,
Et c'est lui qu'à l'autel sa fureur vient chercher.
Peut-être en ce moment, l'objet de tant de larmes...
Souviens-toi de David, Dieu qui vois mes alarmes!

SALOMITH

Quel est-il, cet objet des pleurs que vous versez?

ZACHARIE

Les jours d'Éliacin seraient-ils menacés?

SALOMITH

Aurait-il de la reine attiré la colère?

ZACHARIE

Que craint-on d'un enfant sans support et sans père?

JOSABET

Ah! la voici. Sortons. Il la faut éviter.

SCÈNE III. — ATHALIE, ABNER, AGAR, SUITE D'ATHALIE

AGAR

Madame, dans ces lieux pourquoi vous arrêter?
Ici tous les objets vous blessent, vous irritent.
Abandonnez ce temple aux prêtres qui l'habitent;
Fuyez tout ce tumulte, et dans votre palais
A vos sens agités venez rendre la paix.

ATHALIE

Non, je ne puis : tu vois mon trouble et ma faiblesse.
Va, fais dire à Mathan qu'il vienne, qu'il se presse,
Heureuse si je puis trouver par son secours
Cette paix que je cherche et qui me fuit toujours!

(Elle s'assied.)

SCÈNE IV. — ATHALIE, ABNER, SUITE D'ATHALIE

ABNER

Madame, pardonnez si j'ose le défendre.
Le zèle de Joad n'a point dû vous surprendre :
Du Dieu que nous servons tel est l'ordre éternel;
Lui-même il nous traça son temple et son autel,
Aux seuls enfants d'Aaron commit ses sacrifices,
Aux lévites marqua leur place et leurs offices,
Et surtout défendit à leur postérité,
Avec tout autre dieu toute société.
Hé quoi? vous de nos rois et la femme et la mère,
Êtes-vous à ce point parmi nous étrangère?
Ignorez-vous nos lois? et faut-il qu'aujourd'hui...
Voici votre Mathan; je vous laisse avec lui.

ATHALIE

Votre présence, Abner, est ici nécessaire.
Laissons là de Joad l'audace téméraire,
Et tout ce vain amas de superstitions
Qui ferment votre temple aux autres nations.
Un sujet plus pressant excite mes alarmes.
Je sais que dès l'enfance élevé dans les armes,

Abner a le cœur noble, et qu'il rend à la fois
Ce qu'il doit à son Dieu, ce qu'il doit à ses rois.
Demeurez.

SCÈNE V. — ATHALIE, ABNER, MATHAN, SUITE D'ATHALIE

MATHAN

Grande reine, est-ce ici votre place?
Quel trouble vous agite, et quel effroi vous glace?
Parmi vos ennemis que venez-vous chercher?
De ce temple profane osez-vous approcher?
Avez-vous dépouillé cette haine si vive...

ATHALIE

Prêtez-moi l'un et l'autre une oreille attentive.
Je ne veux point ici rappeler le passé,
Ni vous rendre raison du sang que j'ai versé.
Ce que j'ai fait, Abner, j'ai cru le devoir faire.
Je ne prends point pour juge un peuple téméraire;
Quoi que son insolence ait osé publier,
Le ciel même a pris soin de me justifier.
Sur d'éclatants succès ma puissance établie
A fait jusqu'aux deux mers respecter Athalie. [13]
Par moi Jérusalem goûte un calme profond.
Le Jourdain ne voit plus l'Arabe vagabond
Ni l'altier Philistin, par d'éternels ravages,
Comme au temps de vos rois, désoler ses rivages;
Le Syrien me traite et de reine et de sœur.
Enfin de ma maison le perfide oppresseur,
Qui devait jusqu'à moi pousser sa barbarie,
Jéhu, le fier Jéhu, tremble dans Samarie;
De toutes parts pressé par un puissant voisin, [14]
Que j'ai su soulever contre cet assassin,
Il me laisse en ces lieux souveraine maîtresse.
Je jouissais en paix du fruit de ma sagesse,
Mais un trouble importun vient, depuis quelques jours,
De mes prospérités interrompre le cours.
Un songe (me devrais-je inquiéter d'un songe?)
Entretient dans mon cœur un chagrin qui le ronge.
Je l'évite partout, partout il me poursuit.
C'était pendant l'horreur d'une profonde nuit.
Ma mère Jézabel devant moi s'est montrée,

Comme au jour de sa mort pompeusement parée.
Ses malheurs n'avaient point abattu sa fierté;
Même elle avait encor cet éclat emprunté
Dont elle eut soin de peindre et d'orner son visage,
Pour réparer des ans l'irréparable outrage.
« Tremble, m'a-t-elle dit, fille digne de moi;
« Le cruel Dieu des Juifs l'emporte aussi sur toi.
« Je te plains de tomber dans ses mains redoutables,
« Ma fille ». En achevant ces mots épouvantables,
Son ombre vers mon lit a paru se baisser;
Et moi je lui tendais les mains pour l'embrasser,
Mais je n'ai plus trouvé qu'un horrible mélange
D'os et de chairs meurtris et traînés dans la fange,
Des lambeaux pleins de sang et des membres affreux
Que des chiens dévorants se disputaient entre eux.

ABNER

Grand Dieu!

ATHALIE

Dans ce désordre à mes yeux se présente
Un jeune enfant couvert d'une robe éclatante,
Tels qu'on voit des Hébreux les prêtres revêtus.
Sa vue a ranimé mes esprits abattus;
Mais lorsque revenant de mon trouble funeste,
J'admirais sa douceur, son air noble et modeste,
J'ai senti tout à coup un homicide acier
Que le traître en mon sein a plongé tout entier.
De tant d'objets divers le bizarre assemblage
Peut-être du hasard vous paraît un ouvrage.
Moi-même quelque temps honteuse de ma peur,
Je l'ai pris pour l'effet d'une sombre vapeur.
Mais de ce souvenir mon âme possédée
A deux fois en dormant revu la même idée;
Deux fois mes tristes yeux se sont vu retracer
Ce même enfant toujours tout prêt à me percer.
Lasse enfin des horreurs dont j'étais poursuivie,
J'allais prier Baal de veiller sur ma vie,
Et chercher du repos au pied de ses autels.
Que ne peut la frayeur sur l'esprit des mortels?
Dans le temple des Juifs un instinct m'a poussée,
Et d'apaiser leur Dieu j'ai conçu la pensée;
J'ai cru que des présents calmeraient son courroux,

Que ce Dieu, quel qu'il soit, en deviendrait plus doux.
Pontife de Baal, excusez ma faiblesse.
J'entre; le peuple fuit; le sacrifice cesse;
Le grand-prêtre vers moi s'avance avec fureur.
Pendant qu'il me parlait, ô surprise! ô terreur!
J'ai vu ce même enfant dont je suis menacée,
Tel qu'un songe effrayant l'a peint à ma pensée.
Je l'ai vu : son même air, son même habit de lin,
Sa démarche, ses yeux, et tous ses traits enfin:
C'est lui-même. Il marchait à côté du grand-prêtre;
Mais bientôt à ma vue on l'a fait disparaître.
Voilà quel trouble ici m'oblige à m'arrêter,
Et sur quoi j'ai voulu tous deux vous consulter.
Que présage, Mathan, ce prodige incroyable?

MATHAN

Ce songe et ce rapport, tout me semble effroyable [15].

ATHALIE

Mais cet enfant fatal, Abner, vous l'avez vu :
Quel est-il? de quel sang? et de quelle tribu?

ABNER

Deux enfants à l'autel prêtaient leur ministère :
L'un est fils de Joad, Josabet est sa mère;
L'autre m'est inconnu.

MATHAN

Pourquoi délibérer?
De tous les deux, madame, il se faut assurer.
Vous savez pour Joad mes égards, mes mesures,
Que je ne cherche point à venger mes injures,
Que la seule équité règne en tous mes avis,
Mais lui-même, après tout, fût-ce son propre fils,
Voudrait-il un moment laisser vivre un coupable?

ABNER

De quel crime un enfant peut-il être capable?

MATHAN

Le ciel nous le fait voir un poignard à la main :
Le ciel est juste et sage, et ne fait rien en vain.
Que cherchez-vous de plus?

ABNER

Mais, sur la foi d'un songe,

Dans le sang d'un enfant voulez-vous qu'on se plonge?
Vous ne savez encor de quel père il est né,
Quel il est.

MATHAN

On le craint, tout est examiné.
A d'illustres parents s'il doit son origine,
La splendeur de son sort doit hâter sa ruine;
Dans le vulgaire obscur si le sort l'a placé,
Qu'importe qu'au hasard un sang vil soit versé?
Est-ce aux rois à garder cette lente justice?
Leur sûreté souvent dépend d'un prompt supplice.
N'allons point les gêner d'un soin embarrassant :
Dès qu'on leur est suspect, on n'est plus innocent.

ABNER

Hé quoi, Mathan? d'un prêtre est-ce là le langage?
Moi, nourri dans la guerre aux horreurs du carnage,
Des vengeances des rois ministres rigoureux,
C'est moi qui prête ici ma voix au malheureux!
Et vous, qui lui devez des entrailles de père,
Vous, ministre de paix dans les temps de colère,
Couvrant d'un zèle faux votre ressentiment,
Le sang à votre gré coule trop lentement [16]?
Vous m'avez commandé de vous parler sans feinte,
Madame : quel est donc ce grand sujet de crainte?
Un songe, un faible enfant que votre œil prévenu
Peut-être sans raison croit avoir reconnu.

ATHALIE

Je le veux croire, Abner; je puis m'être trompée.
Peut-être un songe vain m'a trop préoccupée.
Eh bien! il faut revoir cet enfant de plus près;
Il en faut à loisir examiner les traits.
Qu'on les fasse tous deux paraître en ma présence.

ABNER

Je crains...

ATHALIE

Manquerait-on pour moi de complaisance?
De ce refus bizarre où seraient les raisons?
Il pourrait me jeter en d'étranges soupçons.
Que Josabet, vous dis-je, ou Joad les amène.
Je puis, quand je voudrai, parler en souveraine.

Vos prêtres, je veux bien, Abner, vous l'avouer,
Des bontés d'Athalie ont lieu de se louer.
Je sais sur ma conduite et contre ma puissance
Jusqu'où de leurs discours ils portent la licence.
Ils vivent cependant, et leur temple est debout.
Mais je sens que bientôt ma douceur est à bout.
Que Joad mette un frein à son zèle sauvage
Et ne m'irrite point par un second outrage.
Allez.

SCÈNE VI. — ATHALIE, MATHAN, SUITE D'ATHALIE

MATHAN

Enfin je puis parler en liberté;
Je puis dans tout son jour mettre la vérité.
Quelque monstre naissant dans ce temple s'élève,
Reine; n'attendez pas que le nuage crève.
Abner chez le grand-prêtre a devancé le jour;
Pour le sang de ses rois vous savez son amour,
Et qui sait si Joad ne veut point en leur place
Substituer l'enfant dont le ciel vous menace,
Soit son fils, soit quelque autre...

ATHALIE

Oui, vous m'ouvrez les yeux;
Je commence à voir clair dans cet avis des cieux.
Mais je veux de mon doute être débarrassée.
Un enfant est peu propre à trahir sa pensée;
Souvent d'un grand dessein un mot nous fait juger.
Laissez-moi, cher Mathan, le voir, l'interroger.
Vous, cependant, allez; et sans jeter d'alarmes,
A tous mes Tyriens faites prendre les armes.

SCÈNE VII. — JOAS, ATHALIE, JOSABET, ZACHARIE, SALOMITH, ABNER, DEUX LÉVITES, LE CHŒUR, SUITE D'ATHALIE.

JOSABET, *aux deux lévites.*

O vous, sur ces enfants si chers, si précieux,
Ministres du Seigneur, ayez toujours les yeux.

ABNER, *à Josabet.*

Princesse, assurez-vous, je les prends sous ma garde.

ATHALIE

O ciel! plus j'examine, et plus je le regarde...

C'est lui! D'horreur encor tous mes sens sont saisis.
Épouse de Joad, est-ce là votre fils?

JOSABET

Qui? Lui, madame?

ATHALIE

Lui.

JOSABET

Je ne suis point sa mère.
Voilà mon fils.

ATHALIE

Et vous, quel est donc votre père?
Jeune enfant, répondez.

JOSABET

Le ciel jusqu'aujourd'hui...

ATHALIE

Pourquoi vous pressez-vous de répondre pour lui?
C'est à lui de parler.

JOSABET

Dans un âge si tendre
Quel éclaircissement en pouvez-vous attendre?

ATHALIE

Cet âge est innocent; son ingénuité
N'altère point encor la simple vérité.
Laissez-le s'expliquer sur tout ce qui le touche.

JOSABET, *tout bas.*

Daigne mettre, grand Dieu, ta sagesse en sa bouche!

ATHALIE

Comment vous nommez-vous?

JOAS

J'ai nom Éliacin.

ATHALIE

Votre père?

JOAS

Je suis, dit-on, un orphelin,
Entre les bras de Dieu jeté dès ma naissance
Et qui de mes parents n'eus jamais connaissance.

ATHALIE

Vous êtes sans parents?

JOAS

Ils m'ont abandonné.

ATHALIE

Comment? et depuis quand?

JOAS

Depuis que je suis né.

ATHALIE

Ne sait-on pas au moins quel pays est le vôtre?

JOAS

Ce temple est mon pays; je n'en connais point d'autre.

ATHALIE

Où dit-on que le sort vous a fait rencontrer?

JOAS

Parmi des loups cruels prêts à me dévorer.

ATHALIE

Qui vous mit dans ce temple?

JOAS

Une femme inconnue,
Qui ne dit point son nom, et qu'on n'a point revue.

ATHALIE

Mais de vos premiers ans quelles mains ont pris soin?

JOAS

Dieu laissa-t-il jamais ses enfants au besoin?
Aux petits des oiseaux il donne leur pâture,
Et sa bonté s'étend sur toute la nature.
Tous les jours je l'invoque, et d'un soin paternel
Il me nourrit des dons offerts sur son autel.

ATHALIE

Quel prodige nouveau me trouble, et m'embarrasse?
La douceur de sa voix, son enfance, sa grâce,
Font insensiblement à mon inimitié
Succéder... Je serais sensible à la pitié [17]?

ABNER

Madame, voilà donc cet ennemi terrible,
De vos songes menteurs l'imposture est visible,

A moins que la pitié qui semble vous troubler
Ne soit ce coup fatal qui vous faisait trembler.

ATHALIE, *à Joas et à Josabet.*

Vous sortez?

JOSABET

Vous avez entendu sa fortune.
Sa présence à la fin pourrait être importune.

ATHALIE

Non; revenez. Quel est tous les jours votre emploi?

JOAS

J'adore le Seigneur; on m'explique sa loi;
Dans son livre divin on m'apprend à la lire,
Et déjà de ma main je commence à l'écrire.

ATHALIE

Que vous dit cette loi?

JOAS

Que Dieu veut être aimé,
Qu'il venge tôt ou tard son saint nom blasphémé,
Qu'il est le défenseur de l'orphelin timide,
Qu'il résiste au superbe et punit l'homicide.

ATHALIE

J'entends. Mais tout ce peuple enfermé dans ce lieu,
A quoi s'occupe-t-il?

JOAS

Il loue, il bénit Dieu.

ATHALIE

Dieu veut-il qu'à toute heure on prie, on le contemple?

JOAS

Tout profane exercice est banni de son temple.

ATHALIE

Quels sont donc vos plaisirs?

JOAS

Quelquefois à l'autel
Je présente au grand-prêtre ou l'encens ou le sel,
J'entends chanter de Dieu les grandeurs infinies.
Je vois l'ordre pompeux de ses cérémonies.

ATHALIE

Hé quoi? vous n'avez point de passe-temps plus doux?
Je plains le triste sort d'un enfant tel que vous.
Venez dans mon palais, vous y verrez ma gloire.

JOAS

Moi? Des bienfaits de Dieu je perdrais la mémoire?

ATHALIE

Non, je ne vous veux pas contraindre à l'oublier.

JOAS

Vous ne le priez point.

ATHALIE

Vous le pourrez prier.

JOAS

Je verrais cependant en invoquer un autre?

ATHALIE

J'ai mon Dieu que je sers, vous servirez le vôtre;
Ce sont deux puissants dieux.

JOAS

Il faut craindre le mien :
Lui seul est Dieu, Madame, et le vôtre n'est rien.

ATHALIE

Les plaisirs près de moi vous chercheront en foule.

JOAS

Le bonheur des méchants comme un torrent s'écoule.

ATHALIE

Ces méchants, qui sont-ils?

JOSABET

Hé, Madame! excusez
Un enfant...

ATHALIE, *à Josabet.*

J'aime à voir comme vous l'instruisez.
Enfin, Éliacin, vous avez su me plaire;
Vous n'êtes point sans doute un enfant ordinaire.
Vous voyez, je suis reine, et n'ai point d'héritier :
Laissez là cet habit, quittez ce vil métier;
Je veux vous faire part de toutes mes richesses;
Essayez dès ce jour l'effet de mes promesses.

A ma table, partout, à mes côtés assis,
Je prétends vous traiter comme mon propre fils.

JOAS

Comme votre fils?

ATHALIE

Oui... Vous vous taisez?

JOAS

Quel père
Je quitterais! et pour...

ATHALIE

Eh bien?

JOAS

Pour quelle mère!

ATHALIE, *à Josabet.*

Sa mémoire est fidèle, et dans tout ce qu'il dit
De vous et de Joad je reconnais l'esprit.
Voilà comme infectant cette simple jeunesse,
Vous employez tous deux le calme où je vous laisse.
Vous cultivez déjà leur haine et leur fureur;
Vous ne leur prononcez mon nom qu'avec horreur.

JOSABET

Peut-on de nos malheurs leur dérober l'histoire?
Tout l'univers les sait; vous-même en faites gloire.

ATHALIE

Oui, ma juste fureur, et j'en fais vanité,
A vengé mes parents sur ma postérité.
J'aurais vu massacrer et mon père et mon frère,
Du haut de son palais précipiter ma mère,
Et dans un même jour égorger à la fois
Quel spectacle d'horreur! quatre-vingts fils de rois;
Et pourquoi? Pour venger je ne sais quels prophètes
Dont elle avait puni les fureurs indiscrètes [18];
Et moi, reine sans cœur, fille sans amitié,
Esclave d'une lâche et frivole pitié,
Je n'aurais pas du moins à cette aveugle rage
Rendu meurtre pour meurtre, outrage pour outrage,
Et de votre David traité tous les neveux
Comme on traitait d'Achab les restes malheureux?
Où serais-je aujourd'hui, si domptant ma faiblesse

Je n'eusse d'une mère étouffé la tendresse,
Si de mon propre sang ma main versant des flots
N'eût par ce coup hardi réprimé vos complots?
Enfin de votre Dieu l'implacable vengeance
Entre nos deux maisons rompit toute alliance.
David m'est en horreur, et les fils de ce roi,
Quoique nés de mon sang, sont étrangers pour moi.

JOSABET

Tout vous a réussi. Que Dieu voie, et nous juge!

ATHALIE

Ce Dieu, depuis longtemps votre unique refuge,
Que deviendra l'effet de ses prédictions?
Qu'il vous donne ce roi promis aux nations,
Cet enfant de David, votre espoir, votre attente...
Mais nous nous reverrons. Adieu. Je sors contente :
J'ai voulu voir, j'ai vu.

ABNER, *à Josabet.*

Je vous l'avais promis,
Je vous rends le dépôt que vous m'avez commis.

SCÈNE VIII. — JOAS, JOSABET, ZACHARIE, SALOMITH, JOAD, ABNER, LÉVITES, LE CHŒUR

JOSABET, *à Joad.*

Avez-vous entendu cette superbe reine,
Seigneur?

JOAD

J'entendais tout, et plaignais votre peine.
Ces lévites et moi prêts à vous secourir,
Nous étions avec vous résolus de périr.
(A Joas, en l'embrassant.)
Que Dieu veille sur vous, enfant dont le courage
Vient de rendre à son nom ce noble témoignage.
Je reconnais, Abner, ce service important.
Souvenez-vous de l'heure où Joad vous attend.
Et nous, dont cette femme impie et meurtrière
A souillé les regards et troublé la prière,
Rentrons, et qu'un sang pur, par mes mains épanché,
Lave jusques au marbre où ses pas ont touché.

SCÈNE IX. — LE CHŒUR

UNE DES FILLES DU CHŒUR

Quel astre à nos yeux vient de luire?
Quel sera quelque jour cet enfant merveilleux?
Il brave le faste orgueilleux,
Et ne se laisse point séduire
A tous ses attraits périlleux.

UNE AUTRE

Pendant que du dieu d'Athalie
Chacun court encenser l'autel,
Un enfant courageux publie
Que Dieu lui seul est éternel,
Et parle comme un autre Élie
Devant cette autre Jézabel [19].

UNE AUTRE

Qui nous révélera ta naissance secrète,
Cher enfant? Es-tu fils de quelque saint prophète?

UNE AUTRE

Ainsi l'on vit l'aimable Samuel
Croître à l'ombre du tabernacle [20].
Il devint des Hébreux l'espérance et l'oracle;
Puisses-tu, comme lui, consoler Israël!

UNE AUTRE *chante.*

O bienheureux mille fois
L'enfant que le Seigneur aime,
Qui de bonne heure entend sa voix,
Et que ce Dieu daigne instruire lui-même!
Loin du monde élevé, de tous les dons des cieux
Il est orné dès sa naissance,
Et du méchant l'abord contagieux
N'altère point son innocence.

TOUT LE CHŒUR

Heureuse, heureuse l'enfance
Que le Seigneur instruit et prend sous sa défense!

LA MÊME VOIX, *seule.*

Tel en un secret vallon,
Sur le bord d'une onde pure,
Croît, à l'abri de l'aquilon,
Un jeune lis, l'amour de la nature.

Loin du monde élevé, de tous les dons des cieux
Il est orné dès sa naissance;
Et du méchant l'abord contagieux
N'altère point son innocence.

TOUT LE CHŒUR

Heureux, heureux mille fois
L'enfant que le Seigneur rend docile à ses lois!

UNE VOIX, *seule.*

Mon Dieu, qu'une vertu naissante
Parmi tant de périls marche à pas incertains!
Qu'une âme qui te cherche et veut être innocente
Trouve d'obstacle à ses desseins!
Que d'ennemis lui font la guerre!
Où se peuvent cacher tes saints?
Les pécheurs couvrent la terre.

UNE AUTRE

O palais de David, et sa chère cité,
Mont fameux, que Dieu même a longtemps habité,
Comment as-tu du ciel attiré la colère?
Sion, chère Sion, que dis-tu quand tu vois
Une impie étrangère
Assise, hélas! au trône de tes rois?

TOUT LE CHŒUR

Sion, chère Sion, que dis-tu quand tu vois
Une impie étrangère
Assise, hélas! au trône de tes rois?

LA MÊME VOIX *continue.*

Au lieu des cantiques charmants
Où David t'exprimait ses saints ravissements,
Et bénissait son Dieu, son Seigneur et son père,
Sion, chère Sion, que dis-tu quand tu vois
Louer le dieu de l'impie étrangère,
Et blasphémer le nom qu'ont adoré tes rois?

UNE VOIX, *seule.*

Combien de temps, Seigneur, combien de temps encore
Verrons-nous contre toi les méchants s'élever?
Jusque dans ton saint temple ils viennent te braver.
Ils traitent d'insensé le peuple qui t'adore.

Combien de temps, Seigneur, combien de temps encore
Verrons-nous contre toi les méchants s'élever?

UNE AUTRE

« Que vous sert, disent-ils, cette vertu sauvage?
De tant de plaisirs si doux
Pourquoi fuyez-vous l'usage?
Votre Dieu ne fait rien pour vous. »

UNE AUTRE

« Rions, chantons, dit cette troupe impie;
De fleurs en fleurs, de plaisirs en plaisirs,
Promenons nos désirs.
Sur l'avenir insensé qui se fie!
De nos ans passagers le nombre est incertain.
Hâtons-nous aujourd'hui de jouir de la vie,
Qui sait si nous serons demain? »

TOUT LE CHŒUR

Qu'ils pleurent, ô mon Dieu! qu'ils frémissent de crainte,
Ces malheureux, qui de ta cité sainte
Ne verront point l'éternelle splendeur.
C'est à nous de chanter, nous à qui tu révèles
Tes clartés immortelles;
C'est à nous de chanter tes dons et ta grandeur.

UNE VOIX, *seule.*

De tous ces vains plaisirs où leur âme se plonge
Que leur restera-t-il? Ce qui reste d'un songe
Dont on a reconnu l'erreur.
A leur réveil, ô réveil plein d'horreur!
Pendant que le pauvre à ta table
Goûtera de ta paix la douceur ineffable,
Ils boiront dans la coupe affreuse, inépuisable,
Que tu présenteras, au jour de ta fureur,
A toute la race coupable.

TOUT LE CHŒUR

O réveil plein d'horreur!
O songe peu durable!
O dangereuse erreur!

ACTE TROISIÈME

SCÈNE I. — MATHAN, NABAL, LE CHŒUR

MATHAN

Jeunes filles, allez : qu'on dise à Josabet
Que Mathan veut ici lui parler en secret.

UNE DES FILLES DU CHŒUR

Mathan! O Dieu du ciel, puisses-tu le confondre!

NABAL

Hé quoi? tout se disperse et fuit sans vous répondre!

MATHAN

Approchons.

SCÈNE II. — ZACHARIE, MATHAN, NABAL

ZACHARIE

Téméraire, où voulez-vous passer?
Au delà de ce lieu gardez-vous d'avancer :
C'est des ministres saints la demeure sacrée,
Les lois à tout profane en défendent l'entrée.
Qui cherchez-vous? Mon père, en ce jour solennel,
De l'idolâtre impur fuit l'aspect criminel,
Et devant le Seigneur maintenant prosternée,
Ma mère en ce devoir craint d'être détournée.

MATHAN

Mon fils, nous attendrons; cessez de vous troubler.
C'est votre illustre mère à qui je veux parler :
Je viens ici chargé d'un ordre de la reine.

SCÈNE III. — MATHAN, NABAL

NABAL

Leurs enfants ont déjà leur audace hautaine.
Mais que veut Athalie en cette occasion?
D'où naît dans ses conseils cette confusion?
Par l'insolent Joad ce matin offensée,
Et d'un enfant fatal en songe menacée,
Elle allait immoler Joad à son courroux,
Et dans ce temple enfin placer Baal et vous.
Vous m'en aviez déjà confié votre joie,
Et j'espérais ma part d'une si riche proie.
Qui fait changer ainsi ses vœux irrésolus?

MATHAN

Ami, depuis deux jours je ne la connais plus.
Ce n'est plus cette reine éclairée, intrépide,
Élevée au-dessus de son sexe timide,
Qui d'abord accablait ses ennemis surpris,
Et d'un instant perdu connaissait tout le prix.
La peur d'un vain remords trouble cette grande âme.
Elle flotte, elle hésite, en un mot : elle est femme.
J'avais tantôt rempli d'amertume et de fiel
Son cœur déjà saisi des menaces du ciel;
Elle-même, à mes soins confiant sa vengeance,
M'avait dit d'assembler sa garde en diligence.
Mais, soit que cet enfant devant elle amené,
De ses parents, dit-on, rebut infortuné,
Eût d'un songe effrayant diminué l'alarme,
Soit qu'elle eût même en lui vu je ne sais quel charme,
J'ai trouvé son courroux chancelant, incertain,
Et déjà remettant sa vengeance à demain.
Tous ses projets semblaient l'un l'autre se détruire.
« Du sort de cet enfant je me suis fait instruire,
« Ai-je dit; on commence à vanter ses aïeux;
« Joad de temps en temps le montre aux factieux,
« Le fait attendre aux Juifs comme un autre Moïse,
« Et d'oracles menteurs s'appuie et s'autorise. »
Ces mots ont fait monter la rougeur sur son front.
Jamais mensonge heureux n'eût un effet si prompt.
« Est-ce à moi de languir dans cette incertitude?
« Sortons, a-t-elle dit, sortons d'inquiétude.
« Vous-même à Josabet prononcez cet arrêt :
« Les feux vont s'allumer, et le fer est tout prêt;
« Rien ne peut de leur temple empêcher le ravage,
« Si je n'ai de leur foi cet enfant pour otage. »

NABAL

Eh bien! pour un enfant qu'ils ne connaissent pas,
Que le hasard peut-être a jeté dans leurs bras,
Voudront-ils que leur temple, enseveli sous l'herbe...

MATHAN

Ah! de tous les mortels connais le plus superbe.
Plutôt que dans mes mains par Joad soit livré
Un enfant qu'à son Dieu Joad a consacré,
Tu lui verras subir la mort la plus terrible.

D'ailleurs pour cet enfant leur attache est visible.
Si j'ai bien de la reine entendu le récit,
Joad sur sa naissance en sait plus qu'il ne dit.
Quel qu'il soit, je prévois qu'il leur sera funeste;
Ils le refuseront. Je prends sur moi le reste,
Et j'espère qu'enfin de ce temple odieux
Et la flamme et le fer vont délivrer mes yeux.

NABAL

Qui peut vous inspirer une haine si forte?
Est-ce que de Baal le zèle vous transporte?
Pour moi, vous le savez, descendu d'Ismaël [21],
Je ne sers ni Baal, ni le dieu d'Israël.

MATHAN

Ami, peux-tu penser que d'un zèle frivole
Je me laisse aveugler pour une vaine idole,
Pour un fragile bois que, malgré mon secours,
Les vers sur son autel consument tous les jours [22]?
Né ministre du Dieu qu'en ce temple on adore,
Peut-être que Mathan le servirait encore,
Si l'amour des grandeurs, la soif de commander,
Avec son joug étroit pouvaient s'accommoder.
Qu'est-il besoin, Nabal, qu'à tes yeux je rappelle
De Joad et de moi la fameuse querelle,
Quand j'osai contre lui disputer l'encensoir,
Mes brigues, mes combats, mes pleurs, mon désespoir?
Vaincu par lui, j'entrai dans une autre carrière,
Et mon âme à la cour s'attacha tout entière.
J'approchai par degrés de l'oreille des rois,
Et bientôt en oracle on érigea ma voix.
J'étudiai leur cœur, je flattai leurs caprices,
Je leur semai de fleurs les bords des précipices.
Près de leurs passions rien ne me fut sacré;
De mesure et de poids je changeais à leur gré.
Autant que de Joad l'inflexible rudesse
De leur superbe oreille offensait la mollesse,
Autant je les charmais par ma dextérité,
Dérobant à leurs yeux la triste vérité,
Prêtant à leurs fureurs des couleurs favorables,
Et prodigue surtout du sang des misérables.
Enfin au dieu nouveau qu'elle avait introduit
Par les mains d'Athalie un temple fut construit.

Jérusalem pleura de se voir profanée;
Des enfants de Lévi la troupe consternée
En poussa vers le ciel des hurlements affreux.
Moi seul, donnant l'exemple aux timides Hébreux,
Déserteur de leur loi, j'approuvai l'entreprise,
Et par là de Baal méritai la prêtrise.
Par là je me rendis terrible à mon rival :
Je ceignis la tiare, et marchai son égal.
Toutefois, je l'avoue, en ce comble de gloire,
Du Dieu que j'ai quitté l'importune mémoire
Jette encore en mon âme un reste de terreur,
Et c'est ce qui redouble et nourrit ma fureur.
Heureux si sur son temple achevant ma vengeance,
Je puis convaincre enfin sa haine d'impuissance,
Et parmi le débris, le ravage et les morts,
A force d'attentats perdre tous mes remords!
Mais voici Josabet.

SCÈNE IV. — JOSABET, MATHAN, NABAL

MATHAN

Envoyé par la reine,
Pour rétablir le calme et dissiper la haine,
Princesse, en qui le ciel mit un esprit si doux,
Ne vous étonnez pas si je m'adresse à vous.
Un bruit, que j'ai pourtant soupçonné de mensonge,
Appuyant les avis qu'elle a reçus en songe,
Sur Joad, accusé de dangereux complots,
Allait de sa colère attirer tous les flots.
Je ne veux point ici vous vanter mes services.
De Joad contre moi je sais les injustices,
Mais il faut à l'offense opposer les bienfaits.
Enfin je viens chargé de paroles de paix.
Vivez, solennisez vos fêtes sans ombrage.
De votre obéissance elle ne veut qu'un gage :
C'est (pour l'en détourner j'ai fait ce que j'ai pu)
Cet enfant sans parents qu'elle dit qu'elle a vu.

JOSABET

Éliacin!

MATHAN

J'en ai pour elle quelque honte.
D'un vain songe peut-être elle fait trop de compte.

Mais vous vous déclarez ses mortels ennemis,
Si cet enfant sur l'heure en mes mains n'est remis.
La reine impatiente attend votre réponse.

JOSABET

Et voilà de sa part la paix qu'on nous annonce!

MATHAN

Pourriez-vous un moment douter de l'accepter?
D'un peu de complaisance est-ce trop l'acheter?

JOSABET

J'admirais si Mathan, dépouillant l'artifice,
Avait pu de son cœur surmonter l'injustice,
Et si de tant de maux le funeste inventeur
De quelque ombre de bien pouvait être l'auteur.

MATHAN

De quoi vous plaignez-vous? Vient-on avec furie
Arracher de vos bras votre fils Zacharie?
Quel est cet autre enfant si cher à votre amour?
Ce grand attachement me surprend à mon tour.
Est-ce un trésor pour vous si précieux, si rare?
Est-ce un libérateur que le ciel vous prépare?
Songez-y : vos refus pourraient me confirmer
Un bruit sourd que déjà l'on commence à semer.

JOSABET

Quel bruit?

MATHAN

Que cet enfant vient d'illustre origine,
Qu'à quelque grand projet votre époux le destine.

JOSABET

Et Mathan, par ce bruit qui flatte sa fureur...

MATHAN

Princesse, c'est à vous à me tirer d'erreur.
Je sais que du mensonge implacable ennemie,
Josabet livrerait même sa propre vie,
S'il fallait que sa vie à sa sincérité
Coûtât le moindre mot contre la vérité.
Du sort de cet enfant on n'a donc nulle trace?
Une profonde nuit enveloppe sa race?
Et vous-même ignorez de quels parents issu,
De quelles mains Joad en ses bras l'a reçu?

Parlez : je vous écoute, et suis prêt à vous croire;
Au Dieu que vous servez, Princesse, rendez gloire.

JOSABET

Méchant, c'est bien à vous d'oser ainsi nommer
Un Dieu que votre bouche enseigne à blasphémer.
Sa vérité par vous peut-elle être attestée,
Vous, malheureux, assis dans la chaire empestée,
Où le mensonge règne et répand son poison,
Vous, nourri dans la fourbe et dans la trahison?

SCÈNE V. — JOAD, JOSABET, MATHAN, NABAL

JOAD

Où suis-je? De Baal ne vois-je pas le prêtre?
Quoi, fille de David, vous parlez à ce traître?
Vous souffrez qu'il vous parle? Et vous ne craignez pas
Que du fond de l'abîme entr'ouvert sous ses pas
Il ne sorte à l'instant des feux qui vous embrasent,
Ou qu'en tombant sur lui ces murs ne vous écrasent?
Que veut-il? De quel front cet ennemi de Dieu
Vient-il infecter l'air qu'on respire en ce lieu?

MATHAN

On reconnaît Joad à cette violence.
Toutefois il devrait montrer plus de prudence,
Respecter une reine, et ne pas outrager
Celui que de son ordre elle a daigné charger.

JOAD

Eh bien! que nous fait-elle annoncer de sinistre?
Quel sera l'ordre affreux qu'apporte un tel ministre?

MATHAN

J'ai fait à Josabet savoir sa volonté.

JOAD

Sors donc de devant moi, monstre d'impiété.
De toutes les horreurs, va, comble la mesure.
Dieu s'apprête à te joindre à la race parjure,
Abiron et Dathan, Doëg, Architophel [23].
Les chiens, à qui son bras a livré Jézabel,
Attendant que sur toi sa fureur se déploie,
Déjà sont à ta porte et demandent leur proie.

MATHAN *(Il se trouble)*.

Avant la fin du jour... on verra qui de nous...
Doit... Mais sortons, Nabal.

NABAL

Où vous égarez-vous?
De vos sens étonnés quel désordre s'empare?
Voilà votre chemin.

SCÈNE VI. — JOAD, JOSABET

JOSABET

L'orage se déclare.
Athalie en fureur demande Éliacin.
Déjà de sa naissance et de votre dessein
On commence, Seigneur, à percer le mystère :
Peu s'en faut que Mathan ne m'ait nommé son père.

JOAD

Au perfide Mathan qui l'aurait révélé?
Votre trouble à Mathan n'a-t-il point trop parlé?

JOSABET

J'ai fait ce que j'ai pu pour m'en rendre maîtresse.
Cependant, croyez-moi, Seigneur, le péril presse.
Réservons cet enfant pour un temps plus heureux.
Tandis que les méchants délibèrent entre eux,
Avant qu'on l'environne, avant qu'on nous l'arrache,
Une seconde fois souffrez que je le cache.
Les portes, les chemins lui sont encore ouverts.
Faut-il le transporter aux plus affreux déserts?
Je suis prête; je sais une secrète issue
Par où, sans qu'on le voie, et sans être aperçue,
De Cédron avec lui traversant le torrent,
J'irai dans le désert où jadis en pleurant,
Et cherchant comme nous son salut dans la fuite,
David d'un fils rebelle évita la poursuite [24].
Je craindrai moins pour lui les lions et les ours...
Mais pourquoi de Jéhu refuser le secours?
Je vous ouvre peut-être un avis salutaire.
Faisons de ce trésor Jéhu dépositaire.
On peut dans ses États le conduire aujourd'hui,
Et le chemin est court qui mène jusqu'à lui.
Jéhu n'a point un cœur farouche, inexorable;
De David à ses yeux le nom est favorable.

Hélas ! est-il un roi si dur et si cruel,
A moins qu'il n'eût pour mère une autre Jézabel,
Qui d'un tel suppliant ne plaignît l'infortune?
Sa cause à tous les rois n'est-elle pas commune?

JOAD

Quels timides conseils m'osez-vous suggérer?
En l'appui de Jéhu pourriez-vous espérer?

JOSABET

Dieu défend-il tout soin et toute prévoyance?
Ne l'offense-t-on point par trop de confiance?
A ses desseins sacrés employant les humains,
N'a-t-il pas de Jéhu lui-même armé les mains?

JOAD

Jéhu, qu'avait choisi sa sagesse profonde,
Jéhu, sur qui je vois que votre espoir se fonde,
D'un oubli trop ingrat a payé ses bienfaits.
Jéhu laisse d'Achab l'affreuse fille en paix,
Suit des rois d'Israël les profanes exemples,
Du vil dieu de l'Égypte a conservé les temples;
Jéhu, sur les hauts lieux enfin osant offrir
Un téméraire encens que Dieu ne peut souffrir,
N'a pour servir sa cause et venger ses injures
Ni le cœur assez droit, ni les mains assez pures.
Non, non : c'est à Dieu seul qu'il nous faut attacher.
Montrons Éliacin, et loin de le cacher,
Que du bandeau royal sa tête soit ornée :
Je veux même avancer l'heure déterminée,
Avant que de Mathan le complot soit formé.

SCÈNE VII. — JOAD, JOSABET, AZARIAS, *suivi du Chœur et de plusieurs lévites.*

JOAD

Eh bien, Azarias, le temple est-il fermé?

AZARIAS

J'en ai fait devant moi fermer toutes les portes.

JOAD

N'y reste-t-il que vous et vos saintes cohortes?

AZARIAS

De ses parvis sacrés j'ai deux fois fait le tour.
Tout a fui, tous se sont séparés sans retour,

Misérable troupeau qu'a dispersé la crainte,
Et Dieu n'est plus servi que dans la tribu sainte.
Depuis qu'à Pharaon ce peuple est échappé,
Une égale terreur ne l'avait point frappé.

JOAD

Peuple lâche, en effet, et né pour l'esclavage,
Hardi contre Dieu seul! Poursuivons notre ouvrage.
Mais qui retient encor ces enfants parmi nous?

UNE DES FILLES DU CHŒUR

Hé! pourrions-nous, Seigneur, nous séparer de vous?
Dans le temple de Dieu sommes-nous étrangères?
Vous avez près de vous nos pères et nos frères.

UNE AUTRE

Hélas! si pour venger l'opprobre d'Israël.
Nos mains ne peuvent pas, comme autrefois Jahel *,
Des ennemis de Dieu percer la tête impie,
Nous lui pouvons du moins immoler notre vie.
Quand vos bras combattront pour son temple attaqué,
Par nos larmes du moins il peut être invoqué.

JOAD

Voilà donc quels vengeurs s'arment pour ta querelle,
Des prêtres, des enfants, ô Sagesse éternelle!
Mais, si tu les soutiens, qui peut les ébranler?
Du tombeau, quand tu veux, tu sais nous rappeler,
Tu frappes et guéris, tu perds et ressuscites.
Ils ne s'assurent point en leurs propres mérites,
Mais en ton nom sur eux invoqué tant de fois,
En tes serments jurés au plus saint de leurs rois,
En ce temple où tu fais ta demeure sacrée,
Et qui doit du soleil égaler la durée.
Mais d'où vient que mon cœur frémit d'un saint effroi?
Est-ce l'Esprit divin qui s'empare de moi?
C'est lui-même! il m'échauffe, il parle; mes yeux s'ouvrent,
Et les siècles obscurs devant moi se découvrent.
Lévites, de vos sons prêtez-moi les accords,
Et de ses mouvements secondez les transports.

LE CHŒUR *chante au son de toute la symphonie des instruments.*

Que du Seigneur la voix se fasse entendre,
Et qu'à nos cœurs son oracle divin

* Jug. C. 4.

Soit ce qu'à l'herbe tendre
Est, au printemps, la fraîcheur du matin.

JOAD

Cieux, écoutez ma voix : Terre, prête l'oreille.
Ne dis plus, ô Jacob, que ton Seigneur sommeille!
Pécheurs, disparaissez : le Seigneur se réveille.

(Ici recommence la symphonie, et Joad aussitôt reprend la parole.)

Comment en un plomb vil * l'or pur s'est-il changé?
Quel est dans le lieu saint ce pontife égorgé **?
Pleure, Jérusalem, pleure, cité perfide,
Des prophètes divins malheureuse homicide :
De son amour pour toi ton Dieu s'est dépouillé;
Ton encens à ses yeux est un encens souillé.
Où menez-vous ces enfants et ces femmes ***?
Le Seigneur a détruit la reine des cités;
Ses prêtres sont captifs, ses rois sont rejetés.
Dieu ne veut plus qu'on vienne à ses solennités.
Temple, renverse-toi; cèdres, jetez des flammes.
Jérusalem, objet de ma douleur,
Quelle main en ce jour a ravi tous tes charmes [25]?
Qui changera mes yeux en deux sources de larmes
Pour pleurer ton malheur?

AZARIAS

O saint temple!

JOSABET

O David!

LE CHŒUR

Dieu de Sion, rappelle,
Rappelle en sa faveur tes antiques bontés.

(La symphonie recommence encore, et Joad, un moment après, l'interrompt.)

JOAD

Quelle Jérusalem nouvelle ****
Sort du fond du désert, brillante de clartés,
Et porte sur le front une marque immortelle?

* Joas.
** Zaccharie.
*** Captivité de Babylone.
**** L'Église.

Peuples de la terre, chantez :
Jérusalem renaît plus brillante et plus belle.
D'où lui viennent de tous côtés
Ces enfants * qu'en son sein elle n'a point portés ?
Lève, Jérusalem, lève ta tête altière :
Regarde tous ces rois de ta gloire étonnés,
Les rois des nations, devant toi prosternés,
De tes pieds baisent la poussière ;
Les peuples à l'envi marchent à ta lumière.
Heureux qui pour Sion d'une sainte ferveur
Sentira son âme embrasée !
Cieux, répandez votre rosée,
Et que la terre enfante son Sauveur [26] !

JOSABET

Hélas ! d'où nous viendra cette insigne faveur,
Si les rois de qui doit descendre ce Sauveur...

JOAD

Préparez, Josabet, le riche diadème
Que sur son front sacré David porta lui-même.
(Aux lévites.)
Et vous, pour vous armer, suivez-moi dans ces lieux
Où se garde caché, loin des profanes yeux,
Ce formidable amas de lances et d'épées
Qui du sang philistin jadis furent trempées,
Et que David vainqueur, d'ans et d'honneurs chargé,
Fit consacrer au Dieu qui l'avait protégé.
Peut-on les employer pour un plus noble usage ?
Venez, je veux moi-même en faire le partage.

SCÈNE VIII. — SALOMITH, LE CHŒUR

SALOMITH

Que de craintes, mes sœurs, que de troubles mortels !
Dieu tout-puissant, sont-ce là les prémices,
Les parfums et les sacrifices
Qu'on devait en ce jour offrir sur tes autels ?

UNE DES FILLES DU CHŒUR

Quel spectacle à nos yeux timides !
Qui l'eût cru qu'on dût voir jamais
Les glaives meurtriers, les lances homicides,
Briller dans la maison de paix ?

* Les Gentils.

UNE AUTRE

D'ou vient que, pour son Dieu pleine d'indifférence,
Jérusalem se tait en ce pressant danger?
D'où vient, mes sœurs, que pour nous protéger
Le brave Abner au moins ne rompt pas le silence?

SALOMITH

Hélas! dans une cour où l'on n'a d'autres lois
Que la force et la violence,
Où les honneurs et les emplois
Sont le prix d'une aveugle et basse obéissance,
Ma sœur, pour la triste innocence
Qui voudrait élever la voix?

UNE AUTRE

Dans ce péril, dans ce désordre extrême,
Pour qui prépare-t-on le sacré diadème?

SALOMITH

Le Seigneur a daigné parler.
Mais ce qu'à son prophète il vient de révéler,
Qui pourra nous le faire entendre?
S'arme-t-il pour nous défendre?
S'arme-t-il pour nous accabler?

TOUT LE CHŒUR *chante.*

O promesse! ô menace! ô ténébreux mystère!
Que de maux, que de biens sont prédits tour à tour!
Comment peut-on avec tant de colère
Accorder tant d'amour?

UNE VOIX, *seule.*

Sion ne sera plus; une flamme cruelle
Détruira tous ses ornements.

UNE AUTRE VOIX

Dieu protège Sion; elle a pour fondements
Sa parole éternelle.

LA PREMIÈRE

Je vois tout son éclat disparaître à mes yeux.

LA SECONDE

Je vois de toutes parts sa clarté répandue.

LA PREMIÈRE

Dans un gouffre profond Sion est descendue.

LA SECONDE

Sion a son front dans les cieux.

LA PREMIÈRE

Quel triste abaissement !

LA SECONDE

Quelle immortelle gloire !

LA PREMIÈRE

Que de cris de douleur !

LA SECONDE

Que de chants de victoire !

UNE TROISIÈME

Cessons de nous troubler : notre Dieu quelque jour
Dévoilera ce grand mystère.

TOUTES TROIS

Révérons sa colère ;
Espérons en son amour.

UNE AUTRE

D'un cœur qui t'aime,
Mon Dieu, qui peut troubler la paix ?
Il cherche en tout ta volonté suprême,
Et ne se cherche jamais.
Sur la terre, dans le ciel même,
Est-il d'autre bonheur que la tranquille paix
D'un cœur qui t'aime ?

ACTE QUATRIÈME

SCÈNE I. — JOAS, JOSABET, ZACHARIE, SALOMITH, UN LÉVITE, LE CHŒUR

SALOMITH

D'un pas majestueux, à côté de ma mère,
Le jeune Éliacin s'avance avec mon frère.
Dans ces voiles, mes sœurs, que portent-ils tous deux ?
Quel est ce glaive enfin qui marche devant eux ?

JOSABET, *à Zacharie.*

Mon fils, avec respect posez sur cette table
De notre sainte loi le livre redoutable.
Et vous aussi, posez, aimable Éliacin,
Cet auguste bandeau près du livre divin.
Lévite, il faut placer, Joad ainsi l'ordonne,
Le glaive de David auprès de sa couronne.

JOAS

Princesse, quel est donc ce spectacle nouveau?
Pourquoi ce livre saint, ce glaive, ce bandeau?
Depuis que le Seigneur m'a reçu dans son temple,
D'un semblable appareil je n'ai point vu d'exemple.

JOSABET

Tous vos doutes, mon fils, bientôt s'éclairciront.

JOAS

Vous voulez essayer ce bandeau sur mon front?
Ah! Princesse, gardez d'en profaner la gloire.
Du roi qui l'a porté respectez la mémoire.
Un malheureux enfant aux ours abandonné...

JOSABET, *lui essayant le diadème.*

Laissez, mon fils : je fais ce qui m'est ordonné.

JOAS

Mais j'entends les sanglots sortir de votre bouche!
Princesse, vous pleurez! Quelle pitié vous touche?
Est-ce qu'en holocauste aujourd'hui présenté,
Je dois, comme autrefois la fille de Jephté [27],
Du Seigneur, par ma mort, apaiser la colère?
Hélas! un fils n'a rien qui ne soit à son père.

JOSABET

Voici qui vous dira les volontés des cieux.
Ne craignez rien. Et nous, sortons tous de ces lieux.

SCÈNE II. — JOAS, JOAD

JOAS, *courant dans les bras du grand-prêtre.*

Mon père!

JOAD

Eh bien, mon fils?

JOAS

Qu'est-ce donc qu'on prépare?

JOAD

Il est juste, mon fils, que je vous le déclare :
Il faut que vous soyez instruit, même avant tous,
Des grands desseins de Dieu sur son peuple et sur vous.
Armez-vous d'un courage et d'une foi nouvelle :
Il est temps de montrer cette ardeur et ce zèle
Qu'au fond de votre cœur mes soins ont cultivés,

Et de payer à Dieu ce que vous lui devez.
Sentez-vous cette noble et généreuse envie?

JOAS

Je me sens prêt, s'il veut, de lui donner ma vie.

JOAD

On vous a lu souvent l'histoire de nos rois.
Vous souvient-il, mon fils, quelles étroites lois
Doit s'imposer un roi digne du diadème?

JOAS

Un roi sage, ainsi Dieu l'a prononcé lui-même *,
Sur la richesse et l'or ne met point son appui,
Craint le Seigneur son Dieu, sans cesse a devant lui
Ses préceptes, ses lois, ses jugements sévères,
Et d'injustes fardeaux n'accable point ses frères.

JOAD

Mais sur l'un de ces rois s'il fallait vous régler,
A qui choisiriez-vous, mon fils, de ressembler?

JOAS

David, pour le Seigneur plein d'un amour fidèle,
Me paraît des grands rois le plus parfait modèle.

JOAD

Ainsi dans leurs excès vous n'imiteriez pas
L'infidèle Joram, l'impie Ochosias?

JOAS

O mon père!

JOAD

Achevez, dites : que vous en semble?

JOAS

Puisse périr comme eux quiconque leur ressemble.
Mon père, en quel état vous vois-je devant moi?

JOAD, *se prosternant à ses pieds.*

Je vous rends le respect que je dois à mon roi.
De votre aïeul David, Joas, rendez-vous digne.

JOAS

Joas? Moi?

JOAD

Vous saurez par quelle grâce insigne

* Deut. C. 17.

D'une mère en fureur Dieu trompant le dessein,
Quand déjà son poignard était dans votre sein,
Vous choisit, vous sauva du milieu du carnage.
Vous n'êtes pas encore échappé de sa rage.
Avec la même ardeur qu'elle voulut jadis
Perdre en vous le dernier des enfants de son fils,
A vous faire périr sa cruauté s'attache,
Et vous poursuit encor sous le nom qui vous cache.
Mais sous vos étendards j'ai déjà su ranger
Un peuple obéissant et prompt à vous venger.
Entrez, généreux chefs des familles sacrées,
Du ministère saint tour à tour honorées.

SCÈNE III. — JOAS, JOAD, AZARIAS, ISMAEL, ET LES TROIS AUTRES CHEFS DES LÉVITES

JOAD *continue.*

Roi, voilà vos vengeurs contre vos ennemis.
Prêtres, voilà le roi que je vous ai promis.

AZARIAS

Quoi? c'est Éliacin?

ISMAEL

Quoi? cet enfant aimable...

JOAD

Est des rois de Juda l'héritier véritable,
Dernier né des enfants du triste Ochosias,
Nourri, vous le savez, sous le nom de Joas.
De cette fleur si tendre et sitôt moissonnée
Tout Juda, comme vous, plaignant la destinée,
Avec ses frères morts le crut enveloppé.
Du perfide couteau comme eux il fut frappé;
Mais Dieu d'un coup mortel sut détourner l'atteinte,
Conserva dans son cœur la chaleur presque éteinte,
Permit que des bourreaux trompant l'œil vigilant,
Josabet dans son sein l'emportât tout sanglant,
Et n'ayant de son vol que moi seul pour complice,
Dans le temple cachât l'enfant et la nourrice.

JOAS

Hélas! de tant d'amour et de tant de bienfaits,
Mon père, quel moyen de m'acquitter jamais?

JOAD

Gardez pour d'autres temps cette reconnaissance.
Voilà donc votre roi, votre unique espérance.
J'ai pris soin jusqu'ici de vous le conserver :
Ministres du Seigneur, c'est à vous d'achever.
Bientôt de Jézabel la fille meurtrière,
Instruite que Joas voit encor la lumière,
Dans l'horreur du tombeau viendra le replonger.
Déjà, sans le connaître, elle veut l'égorger.
Prêtres saints, c'est à vous de prévenir sa rage.
Il faut finir des Juifs le honteux esclavage,
Venger vos princes morts, relever votre loi,
Et faire aux deux tribus reconnaître leur roi.
L'entreprise, sans doute, est grande et périlleuse.
J'attaque sur son trône une reine orgueilleuse,
Qui voit sous ses drapeaux marcher un camp nombreux
De hardis étrangers, d'infidèles Hébreux;
Mais ma force est au Dieu dont l'intérêt me guide :
Songez qu'en cet enfant tout Israël réside.
Déjà ce Dieu vengeur commence à la troubler,
Déjà, trompant ses soins, j'ai su vous rassembler.
Elle nous croit ici sans armes, sans défense.
Couronnons, proclamons Joas en diligence.
De là, du nouveau prince intrépides soldats,
Marchons en invoquant l'arbitre des combats,
Et réveillant la foi dans les cœurs endormie,
Jusque dans son palais cherchons notre ennemie.
Et quels cœurs si plongés dans un lâche sommeil,
Nous voyant avancer dans ce saint appareil,
Ne s'empresseront pas à suivre notre exemple?
Un roi, que Dieu lui-même a nourri dans son temple,
Le successeur d'Aaron de ses prêtres suivi,
Conduisant au combat les enfants de Lévi,
Et dans ces mêmes mains, des peuples révérées,
Les armes au Seigneur par David consacrées?
Dieu sur ses ennemis répandra sa terreur.
Dans l'infidèle sang baignez-vous sans horreur;
Frappez et Tyriens, et même Israélites.
Ne descendez-vous pas de ces fameux lévites
Qui lorsqu'au dieu du Nil le volage Israël
Rendit dans le désert un culte criminel,
De leurs plus chers parents saintement homicides,

Consacrèrent leurs mains dans le sang des perfides,
Et par ce noble exploit vous acquirent l'honneur
D'être seuls employés aux autels du Seigneur?
Mais je vois que déjà vous brûlez de me suivre.
Jurez donc, avant tout, sur cet auguste livre,
A ce roi que le ciel vous redonne aujourd'hui,
De vivre, de combattre, et de mourir pour lui.

AZARIAS

Oui, nous jurons ici pour nous, pour tous nos frères,
De rétablir Joas au trône de ses pères,
De ne poser le fer entre nos mains remis,
Qu'après l'avoir vengé de tous ses ennemis.
Si quelque transgresseur enfreint cette promesse,
Qu'il éprouve, grand Dieu, ta fureur vengeresse :
Qu'avec lui ses enfants, de ton partage exclus,
Soient au rang de ces morts que tu ne connais plus !

JOAD

Et vous, à cette loi, votre règle éternelle,
Roi, ne jurez-vous pas d'être toujours fidèle?

JOAS

Pourrais-je à cette loi ne pas me conformer?

JOAD

O mon fils ! de ce nom j'ose encor vous nommer,
Souffrez cette tendresse et pardonnez aux larmes
Que m'arrachent pour vous de trop justes alarmes.
Loin du trône nourri, de ce fatal honneur,
Hélas ! vous ignorez le charme empoisonneur.
De l'absolu pouvoir vous ignorez l'ivresse,
Et des lâches flatteurs la voix enchanteresse.
Bientôt ils vous diront que les plus saintes lois,
Maîtresses du vil peuple, obéissent aux rois,
Qu'un roi n'a d'autre frein que sa volonté même,
Qu'il doit immoler tout à sa grandeur suprême,
Qu'aux larmes, au travail le peuple est condamné
Et d'un sceptre de fer veut être gouverné,
Que s'il n'est opprimé, tôt ou tard il opprime.
Ainsi de piège en piège, et d'abîme en abîme,
Corrompant de vos mœurs l'aimable pureté,
Ils vous feront enfin haïr la vérité,
Vous peindront la vertu sous une affreuse image.

Hélas! ils ont des rois égaré le plus sage [28].
Promettez sur ce livre, et devant ces témoins,
Que Dieu fera toujours le premier de vos soins,
Que sévère aux méchants, et des bons le refuge,
Entre le pauvre et vous vous prendrez Dieu pour juge,
Vous souvenant, mon fils, que caché sous ce lin,
Comme eux vous fûtes pauvre, et comme eux orphelin.

JOAS

Je promets d'observer ce que la loi m'ordonne.
Mon Dieu, punissez-moi si je vous abandonne.

JOAD

Venez : de l'huile sainte il faut vous consacrer.
Paraissez, Josabet : vous pouvez vous montrer.

SCÈNE IV. — JOAS, JOAD, JOSABET, ZACHARIE, AZARIAS, etc., SALOMITH, LE CHŒUR.

JOSABET, *embrassant Joas.*

O Roi, fils de David!

JOAS

O mon unique mère!
Venez, cher Zacharie, embrasser votre frère.

JOSABET, *à Zacharie.*

Aux pieds de votre roi, prosternez-vous, mon fils.

JOAD, *pendant qu'ils s'embrassent.*

Enfants, ainsi toujours puissiez-vous être unis [29]!

JOSABET, *à Joas.*

Vous savez donc quel sang vous a donné la vie?

JOAS

Et je sais quelle main sans vous me l'eût ravie.

JOSABET

De votre nom, Joas, je puis donc vous nommer.

JOAS

Joas ne cessera jamais de vous aimer.

LE CHŒUR

Quoi? c'est là...

JOSABET

C'est Joas.

JOAD

Écoutons ce lévite.

SCÈNE V. — JOAS, JOSABET, JOAD, etc., UN LÉVITE.

UN LÉVITE

J'ignore contre Dieu quel projet on médite,
Mais l'airain menaçant frémit de toutes parts [30];
On voit luire des feux parmi des étendards,
Et sans doute Athalie assemble son armée.
Déjà même au secours toute voie est fermée;
Déjà le sacré mont où le temple est bâti
D'insolents Tyriens est partout investi.
L'un d'eux, en blasphémant, vient de nous faire entendre
Qu'Abner est dans les fers et ne peut nous défendre.

JOSABET, *à Joas.*

Cher enfant, que le ciel en vain m'avait rendu,
Hélas! pour vous sauver j'ai fait ce que j'ai pu.
Dieu ne se souvient plus de David votre père!

JOAD, *à Josabet.*

Quoi? vous ne craignez pas d'attirer sa colère
Sur vous et sur ce roi si cher à votre amour?
Et quand Dieu, de vos bras l'arrachant sans retour,
Voudrait que de David la maison fut éteinte,
N'êtes-vous pas ici sur la montagne sainte
Où le père des Juifs * sur son fils innocent
Leva sans murmurer un bras obéissant,
Et mit sur un bûcher ce fruit de sa vieillesse,
Laissant à Dieu le soin d'accomplir sa promesse,
Et lui sacrifiant, avec ce fils aimé,
Tout l'espoir de sa race en lui seul renfermé [31]?
Amis, partageons-nous : qu'Ismaël en sa garde
Prenne tout le côté que l'orient regarde;
Vous, le côté de l'ourse, et vous, de l'occident;
Vous, le midi. Qu'aucun, par un zèle imprudent,
Découvrant mes desseins, soit prêtre, soit lévite,

* Abraham.

Ne sorte avant le temps, et ne se précipite;
Et que chacun enfin, d'un même esprit poussé,
Garde en mourant le poste où je l'aurai placé.
L'ennemi nous regarde, en son aveugle rage,
Comme de vils troupeaux réservés au carnage,
Et croit ne rencontrer que désordre et qu'effroi.
Qu'Azarias partout accompagne le roi.
(A Joas.)
Venez, cher rejeton d'une vaillante race,
Remplir vos défenseurs d'une nouvelle audace;
Venez du diadème à leurs yeux vous couvrir,
Et périssez du moins en roi, s'il faut périr.
Suivez-le, Josabet.
(A un lévite.)
Vous, donnez-moi ces armes.
Enfants, offrez à Dieu vos innocentes larmes.

SCÈNE VI. — SALOMITH, LE CHŒUR

TOUT LE CHŒUR *chante.*

Partez, enfants d'Aaron, partez :
Jamais plus illustre querelle
De vos aïeux n'arma le zèle.
Partez, enfants d'Aaron, partez :
C'est votre roi, c'est Dieu pour qui vous combattez.

UNE VOIX, *seule.*

Où sont les traits que tu lances,
Grand Dieu, dans ton juste courroux?
N'es-tu plus le Dieu jaloux?
N'es-tu plus le Dieu des vengeances [32]?

UNE AUTRE

Où sont, Dieu de Jacob, tes antiques bontés?
Dans l'horreur qui nous environne,
N'entends-tu que la voix de nos iniquités?
N'es-tu plus le Dieu qui pardonne?

TOUT LE CHŒUR

Où sont, Dieu de Jacob, tes antiques bontés?

UNE VOIX, *seule.*

C'est à toi que dans cette guerre
Les flèches des méchants prétendent s'adresser.

« Faisons, disent-ils, cesser
« Les fêtes de Dieu sur la terre;
« De son joug importun délivrons les mortels,
« Massacrons tous ses saints, renversons ses autels,
« Que de son nom, que de sa gloire
« Il ne reste plus de mémoire,
« Que ni lui ni son Christ ne règnent plus sur nous [33]. »

TOUT LE CHŒUR

Où sont les traits que tu lances,
Grand Dieu, dans ton juste courroux?
N'es-tu plus le Dieu jaloux?
N'es-tu plus le Dieu des vengeances?

UNE VOIX, *seule.*

Triste reste de nos rois,
Chère et dernière fleur d'une tige si belle,
Hélas! sous le couteau d'une mère cruelle
Te verrons-nous tomber une seconde fois?
Prince aimable, dis-nous si quelque ange, au berceau,
Contre tes assassins prit soin de te défendre,
Ou si dans la nuit du tombeau
La voix du Dieu vivant a ranimé ta cendre.

UNE AUTRE

D'un père et d'un aïeul contre toi révoltés,
Grand Dieu, les attentats lui sont-ils imputés?
Est-ce que sans retour ta pitié l'abandonne?

LE CHŒUR

Où sont, Dieu de Jacob, tes antiques bontés?
N'es-tu plus le Dieu qui pardonne?

UNE DES FILLES DU CHŒUR, *sans chanter.*

Chères sœurs, n'entendez-vous pas
Des cruels Tyriens la trompette qui sonne?

SALOMITH

J'entends même les cris des barbares soldats,
Et d'horreur j'en frissonne.
Courons, fuyons, retirons-nous
A l'ombre salutaire
Du redoutable sanctuaire.

ACTE CINQUIÈME

SCÈNE I. — ZACHARIE, SALOMITH, LE CHŒUR

SALOMITH

Cher Zacharie, eh bien, que nous apprenez-vous?

ZACHARIE

Redoublez au Seigneur votre ardente prière,
Peut-être nous touchons à notre heure dernière.
Pour l'horrible combat, ma sœur, l'ordre est donné.

SALOMITH

Que fait Joas?

ZACHARIE

Joas vient d'être couronné.
Le grand-prêtre a sur lui répandu l'huile sainte.
O ciel! dans tous les yeux quelle joie était peinte
A l'aspect de ce roi racheté du tombeau!
Ma sœur, on voit encor la marque du couteau.
On voit paraître aussi la fidèle nourrice,
Qui cachée en un coin de ce vaste édifice,
Gardait ce cher dépôt, et n'avait de ses soins
Que les yeux de ma mère et que Dieu pour témoins.
Nos lévites pleuraient de joie et de tendresse,
Et mêlaient leurs sanglots à leurs cris d'allégresse.
Lui, parmi ces transports, affable et sans orgueil,
A l'un tendait la main, flattait l'autre de l'œil,
Jurait de se régler par leurs avis sincères,
Et les appelait tous ses pères ou ses frères.

SALOMITH

Ce secret au dehors est-il aussi semé?

ZACHARIE

Ce secret dans le temple est encor renfermé.
Des enfants de Lévi la troupe partagée
Dans un profond silence aux portes s'est rangée.
Tous doivent à la fois précipiter leurs pas,
Et crier pour signal : « Vive le roi Joas! »
Mais mon père défend que le roi se hasarde,
Et veut qu'Azarias demeure pour sa garde.
Cependant Athalie, un poignard à la main,
Rit des faibles remparts de nos portes d'airain.
Pour les rompre, elle attend les fatales machines,

Et ne respire enfin que sang et que ruines.
Quelques prêtres, ma sœur, ont d'abord proposé
Qu'en un lieu souterrain, par nos pères creusé,
On renfermât du moins notre arche précieuse.
« O crainte, a dit mon père, indigne, injurieuse!
« L'arche qui fit tomber tant de superbes tours,
« Et força le Jourdain de rebrousser son cours,
« Des dieux des nations tant de fois triomphante,
« Fuirait donc à l'aspect d'une femme insolente! »
Ma mère, auprès du roi, dans un trouble mortel,
L'œil tantôt sur ce prince et tantôt vers l'autel,
Muette, et succombant sous le poids des alarmes,
Aux yeux les plus cruels arracherait des larmes.
Le roi de temps en temps la presse entre ses bras,
La flatte... Chères sœurs, suivez toutes mes pas;
Et s'il faut aujourd'hui que notre roi périsse,
Allons, qu'un même sort avec lui nous unisse.

SALOMITH

Quelle insolente main frappe à coups redoublés?
Qui fait courir ainsi ces lévites troublés?
Quelle précaution leur fait cacher leurs armes?
Le temple est-il forcé?

ZACHARIE

Dissipez vos alarmes :
Dieu nous envoie Abner.

SCÈNE II. — JOAD, JOSABET, ZACHARIE, SALOMITH, ABNER, ISMAEL, DEUX LÉVITES, etc.

JOAD

En croirai-je mes yeux,
Cher Abner? Quel chemin a pu jusqu'en ces lieux
Vous conduire au travers d'un camp qui nous assiège?
On disait que d'Achab la fille sacrilège
Avait, pour assurer ses projets inhumains,
Chargé d'indignes fers vos généreuses mains.

ABNER

Oui, Seigneur, elle a craint mon zèle et mon courage.
Mais c'est le moindre prix que me gardait sa rage.
Dans l'horreur d'un cachot, par son ordre enfermé,
J'attendais que, le temple en cendre consumé,

De tant de flots de sang non encore assouvie,
Elle vînt m'affranchir d'une importune vie,
Et retrancher des jours qu'aurait dû mille fois
Terminer la douleur de survivre à mes rois.

JOAD

Par quel miracle a-t-on obtenu votre grâce?

ABNER

Dieu dans ce cœur cruel sait seul ce qui se passe.
Elle m'a fait venir, et d'un air égaré :
« Tu vois de mes soldats tout ce temple entouré,
« Dit-elle; un feu vengeur va le réduire en cendre,
« Et ton Dieu contre moi ne le saurait défendre.
« Ses prêtres toutefois, mais il faut se hâter,
« A deux conditions peuvent se racheter :
« Qu'avec Éliacin on mette en ma puissance
« Un trésor dont je sais qu'ils ont la connaissance,
« Par votre roi David autrefois amassé,
« Sous le sceau du secret au grand-prêtre laissé.
« Va, dis-leur qu'à ce prix je leur permets de vivre ».

JOAD

Quel conseil, cher Abner, croyez-vous qu'on doit suivre?

ABNER

Et tout l'or de David, s'il est vrai qu'en effet
Vous gardiez de David quelque trésor secret,
Et tout ce que des mains de cette reine avare
Vous avez pu sauver et de riche et de rare,
Donnez-le. Voulez-vous que d'impurs assassins
Viennent briser l'autel, brûler les chérubins,
Et portant sur notre arche une main téméraire
De votre propre sang souiller le sanctuaire?

JOAD

Mais siérait-il, Abner, à des cœurs généreux
De livrer au supplice un enfant malheureux,
Un enfant que Dieu même à ma garde confie,
Et de nous racheter aux dépens de sa vie?

ABNER

Hélas! Dieu voit mon cœur. Plût à ce Dieu puissant
Qu'Athalie oubliât un enfant innocent,
Et que du sang d'Abner sa cruauté contente

Crût calmer par ma mort le ciel qui la tourmente!
Mais que peuvent pour lui vos inutiles soins?
Quand vous périrez tous, en périra-t-il moins?
Dieu vous ordonne-t-il de tenter l'impossible?
Pour obéir aux lois d'un tyran inflexible,
Moïse, par sa mère au Nil abandonné,
Se vit, presque en naissant, à périr condamné;
Mais Dieu, le conservant contre toute espérance,
Fit par le tyran même élever son enfance.
Qui sait ce qu'il réserve à votre Éliacin,
Et si lui préparant un semblable destin,
Il n'a point de pitié déjà rendu capable
De nos malheureux rois l'homicide implacable?
Du moins, et Josabet comme moi l'a pu voir,
Tantôt à son aspect je l'ai vu s'émouvoir;
J'ai vu de son courroux tomber la violence.
Princesse, en ce péril, vous gardez le silence!
Hé quoi! pour un enfant qui vous est étranger
Souffrez-vous que sans fruit Joad laisse égorger
Vous, son fils, tout ce peuple, et que le feu dévore
Le seul lieu sur la terre où Dieu veut qu'on l'adore?
Que feriez-vous de plus, si des rois vos aïeux
Ce jeune enfant était un reste précieux?

JOSABET, *tout bas à Joad.*

Pour le sang de ses rois vous voyez sa tendresse :
Que ne lui parlez-vous?

JOAD

Il n'est pas temps, Princesse.

ABNER

Le temps est cher, Seigneur, plus que vous ne pensez.
Tandis qu'à me répondre ici vous balancez,
Mathan près d'Athalie étincelant de rage,
Demande le signal et presse le carnage.
Faut-il que je me mette à vos sacrés genoux?
Au nom du lieu si saint qui n'est ouvert qu'à vous,
Lieu terrible où de Dieu la majesté repose,
Quelque dure que soit la loi qu'on vous impose,
De ce coup imprévu songeons à nous parer.
Donnez-moi seulement le temps de respirer.
Demain, dès cette nuit, je prendrai des mesures
Pour assurer le temple et venger ses injures.

Mais je vois que mes pleurs et que mes vains discours
Pour vous persuader sont un faible secours;
Votre austère vertu n'en peut être frappée.
Eh bien! trouvez-moi donc quelque arme, quelque épée,
Et qu'aux portes du temple, où l'ennemi m'attend,
Abner puisse du moins mourir en combattant.

JOAD

Je me rends. Vous m'ouvrez un avis que j'embrasse :
De tant de maux, Abner, détournons la menace.
Il est vrai, de David un trésor est resté;
La garde en fut commise à ma fidélité.
C'était des tristes Juifs l'espérance dernière,
Que mes soins vigilants cachaient à la lumière.
Mais puisqu'à votre reine il le faut découvrir,
Je vais la contenter, nos portes vont s'ouvrir.
De ses plus braves chefs qu'elle entre accompagnée;
Mais de nos saints autels qu'elle tienne éloignée
D'un ramas d'étrangers l'indiscrète fureur.
Du pillage du temple épargnez-moi l'horreur.
Des prêtres, des enfants lui feraient-ils quelque ombre?
De sa suite avec vous qu'elle règle le nombre.
Et quand à cet enfant si craint, si redouté,
De votre cœur, Abner, je connais l'équité :
Je vous veux devant elle expliquer sa naissance;
Vous verrez s'il le faut remettre en sa puissance,
Et je vous ferai juge entre Athalie et lui.

ABNER

Ah! je le prends déjà, Seigneur, sous mon appui.
Ne craignez rien. Je cours vers celle qui m'envoie.

SCÈNE III. — JOAD, JOSABET, ISMAEL, ZACHARIE, etc.

JOAD

Grand Dieu! voici ton heure, on t'amène ta proie.
Ismaël, écoutez.

(Il lui parle à l'oreille.)

JOSABET

Puissant maître des cieux,
Remets-lui le bandeau dont tu couvrais ses yeux,
Lorsque lui dérobant tout le fruit de son crime,
Tu cachas dans mon sein cette tendre victime.

JOAD

Allez, sage Ismaël, ne perdez point de temps;
Suivez de point en point ces ordres importants;
Surtout qu'à son entrée, et que sur son passage
Tout d'un calme profond lui présente l'image.
Vous, enfants, préparez un trône pour Joas.
Qu'il s'avance suivi de nos sacrés soldats.
Faites venir aussi sa fidèle nourrice,
Princesse, et de vos pleurs que la source tarisse.
(A un lévite.)
Vous, dès que cette reine, ivre d'un fol orgueil,
De la porte du temple aura passé le seuil,
Qu'elle ne pourra plus retourner en arrière,
Prenez soin qu'à l'instant la trompette guerrière
Dans le camp ennemi jette un subit effroi.
Appelez tout le peuple au secours de son roi,
Et faites retentir jusques à son oreille
De Joas conservé l'étonnante merveille.
Il vient.

SCÈNE IV. — JOAS, JOAD, JOSABET, TROUPE DE PRÊTRES ET DE LÉVITES, etc.

JOAD, *continue.*

Lévites saints, prêtres de notre Dieu,
Partout sans vous montrer environnez ce lieu,
Et laissant à mes soins gouverner votre zèle,
Pour paraître attendez que ma voix vous appelle.
(Ils se cachent tous.)
Roi, je crois qu'à vos vœux cet espoir est permis,
Venez voir à vos pieds tomber vos ennemis.
Celle dont la fureur poursuivit votre enfance
Vers ces lieux à grands pas pour vous perdre s'avance.
Mais ne la craignez point. Songez qu'autour de vous
L'ange exterminateur est debout avec nous.
Montez sur votre trône, et... Mais la porte s'ouvre :
Permettez un moment que ce voile vous couvre [34].
(Il tire un rideau.)
Vous changez de couleur, Princesse?

JOSABET

Ah! sans pâlir,

Puis-je voir d'assassins le temple se remplir?
Quoi? ne voyez-vous pas quelle nombreuse escorte...

JOAD

Je vois que du saint temple on referme la porte :
Tout est en sûreté.

SCÈNE V. — ATHALIE, JOAS, *caché derrière le rideau,* JOAD, JOSABET, ABNER, SUITE D'ATHALIE.

ATHALIE, *à Joad.*

Te voilà, séducteur,
De ligues, de complots pernicieux auteur,
Qui dans le trouble seul a mis tes espérances,
Éternel ennemi des suprêmes puissances.
En l'appui de ton Dieu tu t'étais reposé.
De ton espoir frivole es-tu désabusé?
Il laisse en mon pouvoir et son temple et ta vie.
Je devrais sur l'autel où ta main sacrifie
Te... Mais du prix qu'on m'offre il faut me contenter.
Ce que tu m'as promis, songe à l'exécuter :
Cet enfant, ce trésor qu'il faut qu'on me remette,
Où sont-ils?

JOAD

Sur-le-champ tu seras satisfaite :
Je te les vais montrer l'un et l'autre à la fois.
(Le rideau se tire.)
Paraissez, cher enfant, digne sang de nos rois.
Connais-tu l'héritier du plus saint des monarques,
Reine? De ton poignard connais du moins ces marques.
Voilà ton roi, ton fils, le fils d'Ochosias.
Peuples, et vous, Abner, reconnaissez Joas.

ABNER

Ciel!

ATHALIE, *à Joad.*

Perfide!

JOAD

Vois-tu cette Juive fidèle
Dont tu sais bien qu'alors il suçait la mamelle?

Il fut par Josabet à ta rage enlevé.
Ce temple le reçut, et Dieu l'a conservé.
Des trésors de David voilà ce qui me reste.

ATHALIE

Ta fourbe à cet enfant, traître, sera funeste.
D'un fantôme odieux, soldats, délivrez-moi.

JOAD

Soldats du Dieu vivant, défendez votre roi.

(Ici le fond du théâtre s'ouvre : on voit le dedans du temple, et les lévites armés sortent de tous côtés sur la scène.)

ATHALIE

Où suis-je? O trahison! ô reine infortunée!
D'armes et d'ennemis je suis environnée.

JOAD

Tes yeux cherchent en vain, tu ne peux échapper,
Et Dieu de toutes parts a su t'envelopper.
Ce Dieu que tu bravais en nos mains t'a livrée.
Rends-lui compte du sang dont tu t'es enivrée.

ATHALIE

Quoi? la peur a glacé mes indignes soldats?
Lâche Abner, dans quel piège as-tu conduit mes pas!

ABNER

Reine, Dieu m'est témoin...

ATHALIE

Laisse là ton Dieu, traître,
Et venge-moi!

ABNER, *se jetant aux pieds de Joas.*

Sur qui? Sur Joas! sur mon maître!

ATHALIE

Lui Joas? lui ton roi? Songez, méchants, songez
Que mes armes encor vous tiennent assiégés.
J'entends à haute voix tout mon camp qui m'appelle.
On vient à mon secours. Tremblez, troupe rebelle!

SCÈNE VI. — ISMAEL, JOAS, JOAD, ATHALIE, etc.

ISMAEL, *à Joad.*

Seigneur, le temple est libre et n'a plus d'ennemis :
L'étranger est en fuite, et le Juif est soumis.
Comme le vent dans l'air dissipe la fumée,
La voix du Tout-Puissant a chassé cette armée.
Nos lévites, du haut de nos sacrés parvis,
D'Ochosias au peuple ont annoncé le fils,
Ont conté son enfance au glaive dérobée,
Et la fille d'Achab dans le piège tombée.
Partout en même temps la trompette a sonné,
Et ses sons et leurs cris dans son camp étonné
Ont répandu le trouble et la terreur subite
Dont Gédéon frappa le fier Madianite [35].
Les Tyriens, jetant armes et boucliers,
Ont par divers chemins disparu les premiers.
Quelques Juifs éperdus ont aussi pris la fuite;
Mais de Dieu sur Joas admirant la conduite,
Le reste à haute voix s'est pour lui déclaré.
Enfin, d'un même esprit tout le peuple inspiré,
Femmes, vieillards, enfants, s'embrassant avec joie,
Bénissent le Seigneur et celui qu'il envoie.
Tous chantent de David le fils ressuscité.
Baal est en horreur dans la sainte cité,
De son temple profane on a brisé les portes;
Mathan est égorgé.

ATHALIE

Dieu des Juifs, tu l'emportes!
Oui, c'est Joas. Je cherche en vain à me tromper;
Je reconnais l'endroit où je le fis frapper;
Je vois d'Ochosias et le port et le geste :
Tout me retrace enfin un sang que je déteste.
David, David triomphe; Achab seul est détruit.
Impitoyable Dieu, toi seul as tout conduit!
C'est toi qui, me flattant d'une vengeance aisée,
M'as vingt fois en un jour à moi-même opposée,
Tantôt pour un enfant excitant mes remords,
Tantôt m'éblouissant de tes riches trésors
Que j'ai craint de livrer aux flammes, au pillage.

Qu'il règne donc ce fils, ton soin et ton ouvrage,
Et que pour signaler son empire nouveau,
On lui fasse en mon sein enfoncer le couteau !
Voici ce qu'en mourant lui souhaite sa mère.
Que dis-je, souhaiter? Je me flatte, j'espère
Qu'indocile à ton joug, fatigué de ta loi,
Fidèle au sang d'Achab, qu'il a reçu de moi,
Conforme à son aïeul, à son père semblable,
On verra de David l'héritier détestable
Abolir tes honneurs, profaner ton autel,
Et venger Athalie, Achab et Jézabel [36].

JOAD

Qu'à l'instant hors du temple elle soit emmenée,
Et que la sainteté n'en soit pas profanée.
Allez sacrés vengeurs de vos princes meurtris,
De leur sang par sa mort faire cesser les cris.
Si quelque audacieux embrasse sa querelle,
Qu'à la fureur du glaive on le livre avec elle.

SCÈNE VII. — JOAS, JOAD, JOSABET, ABNER, etc.

JOAS

Dieu, qui voyez mon trouble et mon affliction,
Détournez loin de moi sa malédiction,
Et ne souffrez jamais qu'elle soit accomplie :
Faites que Joas meure avant qu'il vous oublie.

JOAD, *aux lévites.*

Appelez tout le peuple, et montrons-lui son roi :
Qu'il lui vienne en ses mains renouveler sa foi.
Roi, prêtres, peuple, allons, pleins de reconnaissance,
De Jacob avec Dieu confirmer l'alliance,
Et saintement confus de nos égarements,
Nous rengager à lui par de nouveaux serments.
Abner, auprès du roi reprenez votre place.
Eh bien, de cette impie a-t-on puni l'audace?

SCÈNE DERNIÈRE. — UN LÉVITE, JOAS, JOAD, etc.

LE LÉVITE

Le fer a de sa vie expié les horreurs.

Jérusalem, longtemps en proie à ses fureurs,
De son joug odieux à la fin soulagée,
Avec joie en son sang la regarde plongée.

JOAD

Par cette fin terrible, et due à ses forfaits,
Apprenez, roi des Juifs, et n'oubliez jamais
Que les rois dans le ciel ont un juge sévère,
L'innocence un vengeur, et l'orphelin un père.

DOSSIER : RACINE AUJOURD'HUI

L'œuvre de Racine n'est pas, aujourd'hui, d'un accès immédiat : outre ses difficultés propres, elle n'est jamais perçue qu'à travers le prisme du « mythe racinien ». C'est pourtant une œuvre vivante et ce mythe s'est profondément transformé depuis une trentaine d'années. Ce théâtre, dont le public (lecteur ou spectateur) est assez restreint, a suscité de nombreuses recherches, exégèses et mises en scènes, et de vives polémiques. Son rôle, dans la vie culturelle d'aujourd'hui, est très particulier. Perçu comme le parangon de cet art, de cette culture que l'on nomme, de façon ambiguë, « classique », Racine est souvent mis à la question — à la torture parfois : à travers lui, c'est le soubassement de la culture moderne que l'on interroge. Une écriture simple et pourtant harmonieuse, une dramaturgie dépouillée et pourtant lourde de passions : ces paradoxes qui fondent le théâtre racinien ont été énoncés depuis longtemps; et longtemps on y a vu des modèles de poésie pure et de parfaite analyse du cœur humain. Pour le temps présent, avec l'avènement des sciences humaines, après des génocides qui ont remis en question tout humanisme, cela ne pouvait plus aller de soi. Fallait-il abandonner Racine, n'y voir plus qu'un monument d'un temps révolu? Ou bien fallait-il voir dans sa transparence une invite à de nouvelles lectures, occasions pour une « civilisation » traumatisée de faire un retour sur elle-même? Ces deux tendances coexistent. L'abondance et la richesse des recherches montrent que, pour les exégètes et pour le public cultivé, la seconde tend à l'emporter.

Le présent dossier voudrait donner un aperçu de ces mutations, de ces interrogations qui pèsent sur la lecture de Racine aujourd'hui. Il est forcément limité : dans le temps, à la génération présente — en gros, depuis la Seconde Guerre mondiale [1*]; dans son propos, aux critiques et aux mises en scène — mais il y aurait à voir aussi l'image scolaire de Racine, son image dans les « media », son influence sur les écrivains... Enfin, ce n'est pas un état présent des études raciniennes, mais une esquisse; et c'est un « dossier » : on n'y donne guère de conclusions, on espère surtout y avoir indiqué des « documents » significatifs; au lecteur de les apprécier et de poursuivre l'enquête le cas échéant.

A. V.

* Voir *Notes,* pour l'ensemble du « Dossier : Racine aujourd'hui », page 865.

RACINE ET LA CRITIQUE MODERNE

Novatrice, polémique ou prudente, la critique racinienne contemporaine reste parmi les plus abondantes et diversifiées qui soient; elle est, de ce fait, exemplaire. Le théâtre de Racine a toujours été un sujet de querelles. Dans les trente dernières années, il a provoqué deux polémiques, assez vives l'une et l'autre pour déborder le cadre restreint du monde des Lettres et toucher un (relativement) vaste public. Dans ces controverses, ce n'est pas la grandeur de l'œuvre qui est en jeu : on dispute de ses significations. De fait, le théâtre racinien a valeur de test pour les diverses démarches de la critique; à travers son analyse et ses interprétations, ce sont le statut de la critique et ses rapports avec les sciences humaines qui ont été mis en cause, et même, au-delà, le statut de la littérature, son enseignement, et en fin de compte les rapports entre savoirs et idéologies.

En rendre compte en quelques pages tient un peu de la gageure. C'est pourquoi, avant de résumer les études les plus importantes [1], il est indispensable d'esquisser un rapide historique, accompagné d'une orientation bibliographique, de façon à s'appuyer sur des faits, et à permettre à qui le souhaite de trouver aisément plus ample information.

ESQUISSE D'HISTORIQUE

La critique racinienne a produit depuis 1945 un nombre impressionnant de publications [2], très variées dans leur orientation et leur forme : de grandes thèses, de grandes éditions, mais aussi des pamphlets, de très nombreux essais, une multitude d'articles. Si l'on considère leur répartition chronologique, on peut discerner trois phases.

● Après la Seconde Guerre mondiale, jusqu'à 1960 environ, il s'opère une révision profonde de la connaissance de Racine. Quels que soient les genres critiques pratiqués, tout est exploré avec des regards neufs : la biographie, la lettre du texte, la dramaturgie.

Il y a d'abord une floraison d'essais : privilégiant méthodiquement certains points de vue, ils élaborent des interprétations souvent brillantes; ainsi G. Poulet analyse le temps racinien, J. Starobinski le thème du regard, E. Vinaver la façon dont Racine éveille l'émotion chez le spectateur, etc. Vient ensuite le

« temps fort » de cette première période, marqué par une polémique et la parution de plusieurs grandes études.

La polémique éclate à l'occasion d'une reprise de *Bérénice* mise en scène par J.-L. Barrault. Elle oppose d'abord (dans les *Cahiers Renaud-Barrault,* 1955, n° 8 à 11), des écrivains, mais ils débattent de problèmes de critique : H. de Montherlant, dans un provocant paradoxe, réduit Racine à un pur poète dont les réussites tiendraient toutes en 27 vers — qu'il ne cite d'ailleurs pas — perles parfaites prises dans une lourde gangue. A. Malraux riposte en soulignant l'inconséquence de cette lecture anthologique, puisque le sens et l'effet d'une pièce naissent de l'ensemble, non d'un fragment isolé. Peu après, J. Vilar, sollicité de monter à son tour une tragédie de Racine au T.N.P., avoue ses hésitations et les rassemble dans un questionnaire publié dans la presse, qui suscite une foule de réponses, souvent indignées, de critiques, d'écrivains et de simples lecteurs. La question centrale est de savoir si Racine a encore une raison d'être dans la seconde moitié du XXe siècle, s'il y a un « vrai » public pour ses œuvres. J.-L. Barrault répond : « La grande masse est plus sensible que vous ne croyez à Racine ». Or, au même moment, paraissent des études importantes qui, à divers égards, affirment toutes qu'il y a encore beaucoup à apprendre et à trouver chez Racine : ainsi le recueil de J. Pommier, les thèses de C. Mauron, L. Goldmann et R. Picard, l'étude de R. Jasinski.

• Cette abondance de débats et de travaux, aux perspectives et aux conclusions très diverses, est riche de conflits virtuels; la seconde période (les années 1960, avec un apogée en 1965-66) sera celle d'une violente polémique à propos de l'interprétation de textes raciniens et plus généralement des conceptions de la critique littéraire. Il ne paraît pas de grands ouvrages critiques nouveaux, mais on commence à rééditer les précédents. Les genres alors en vogue, au sujet de Racine, sont le pamphlet et l'article plus ou moins vitrioliques. Une nouvelle conception des fonctions et des modalités de la critique (et par conséquent de l'enseignement) littéraire se manifeste — voir, pour en rester à notre corpus, les articles de R. Barthes : « Histoire ou littérature » et « Les deux critiques », repris dans *Sur Racine* et *Essais critiques*. Ses tenants affirment l'opposition entre les illusions d'une critique traditionnelle « positiviste » et une « nouvelle » critique qui avoue ses implications idéologiques [3]. Racine n'est pas ici seul en cause, mais il est un sujet de discussions privilégié. Pour ce qui le concerne directement, les hostilités commencent lors d'une nouvelle édition de la thèse de R. Picard : dans un bref avant-propos, celui-ci récuse les interprétations de C. Mauron, L. Goldmann, R. Jasinski. Un peu plus tard la publication du *Sur Racine* de R. Barthes suscite de sa part une condamnation sans appel (dans des articles d'abord, puis dans le pamphlet *Nouvelle Critique ou nouvelle imposture*?). R. Barthes répond *(Critique et Vérité)*; d'autres (S. Doubrowsky notamment) interviendront.

Quel est l'enjeu? A travers l'analyse du théâtre racinien, on débat de ce que sont les études littéraires : s'agit-il d'une science, ou au moins d'une discipline « objective »? Ou bien n'est-ce qu'un jeu d'interprétations déterminées par la situation et les visées du critique? Y a-t-il alors *un* sens assuré des œuvres? Qu'enseigner? Et quelle est la fonction idéologique de ces recherches, de cet enseignement?

Avec quelque recul, on constate combien dans ce débat rien n'était simple ni clair. Les ruptures déclarées sont parfois contredites par certaines parentés profondes. Par exemple, L. Goldmann se déclare marxiste, s'opposant à cela à R. Picard; mais l'un et l'autre se réclament d'une connaissance « positive », objective, ce que rejette R. Barthes, pourtant proche à certains égards de L. Goldmann...

En fait, à un moment de crise (de l'université, entre autres) Racine a servi de révélateur, a fait surgir les questions-clefs : modèle de la culture « classique », il a joué un rôle de test lorsque s'est posée la question de la pérennité et de la signification de celle-ci.

• Après 1968, la crise ayant éveillé des doutes — au moins méthodiques, la configuration des productions critiques sur Racine change. Les courants antérieurs se prolongent, mais plus discrètement. Les publications qui caractérisent ce temps sont d'une part des travaux savants, notamment anglo-saxons (la *Concordance des poésies et du théâtre de Racine* par Freemann et Batson et l'édition critique d'*Andromaque* par Knight et Barnwell par exemple); d'autre part, des retours de la critique racinienne sur elle-même et sur ses querelles (J. J. Roubine, A. Bonzon, L. Goldmann). On note également dans les toutes dernières années, une attention accrue portée à la rhétorique de Racine (travaux de G. Declercq par ex.), et un fort essor de la réflexion sur les liens entre la biographie et l'œuvre raciniennes, en relation avec les questions renouvelées concernant le statut du biographique dans les études littéraires, et même artistiques et historiques en général.

ORIENTATION BIBLIOGRAPHIQUE

Cette orientation n'est qu'un point de départ pour le travail personnel; n'y figurent pas certains ouvrages (notamment des travaux d'érudition) indiqués dans la bibliographie générale, même s'ils sont mentionnés dans le texte du dossier.

1° *Sur la critique racinienne.*

Outre l'ouvrage de J. J. Roubine : *Lectures de Racine,* Paris, A. Colin, coll. U2, 1971 et le livre de synthèse de J. Rohou cité en bibliographie générale, on peut consulter aussi :
M. Descotes; *Racine,* Bordeaux, Ducros, 1969, et A. Bonzon : *La Nouvelle critique et Racine,* Paris, Nizet, 1970 — tous deux assez réservés quant à la nouvelle critique. A l'opposé : Goldmann : *Situation de la critique racinienne,* Paris, l'Arche, 1971. Voir également : R. C. Knight; *Racine, modern jugements,* Londres Mac Millan, 1969 et les *Actes* du colloque 1972 du C.M.R. 17, revue *Marseille,* 1973.

2° *Sur les « querelles ».*

Pour la querelle de 1955, voir les *Cahiers Renaud-Barrault* n° 8 (Claudel : *Conversation sur Racine,* et H. de Montherlant : *Racine Langouste*), n° 10 (A. Malraux : *Réponse à H. de Montherlant*) et n° 11 (F. Mauriac, *La querelle de Racine*); voir les « petites nouvelles » et le questionnaire de J. Vilar, et les réponses, dans *Les Lettres Françaises,* mars-avril 1956.

Pour la querelle des années 1960 :
R. Barthes : *Sur Racine,* Paris, Le Seuil, coll. Pierres Vives, 1963; *Essais critiques,* Seuil, coll. Tel Quel, 1964; *Critique et Vérité,* Seuil, coll. Tel Quel. 1966.
S. Doubrovsky : *Pourquoi la nouvelle critique?* Paris, Mercure de France, 1966.
R. Picard : *Nouvelle critique ou nouvelle imposture?* Paris, Pauvert, coll. Libertés, 1965.

Voir aussi le cas échéant, J. P. Weber : *Néocritique et paléocritique ou contre Picard,* Pauvert, coll. Libertés, 1966, ainsi que le journal *Le Monde* aux dates du 12-06-1963 (compte rendu de *Sur Racine* par P. H. Simon), 14-03-1964 (réponse de R. Picard aux articles de R. Barthes sur les « deux critiques ») et novembre 1965 (série de lettres ouvertes).

3° *Principaux points de vue critiques.*

a) *Études biographiques :*

J. Pommier : *Aspects de Racine,* Paris, Nizet, 1954.

R. Jasinski : *Vers le vrai Racine,* Paris, A. Colin, 1958.

R. Picard : *La carrière de Jean Racine,* Paris, Gallimard, 1956, rééd. augm. 1961. Cet ouvrage en un sens participe aussi des approches sociologiques ; A. Viala : *Racine, La stratégie du caméléon,* Paris, Seghers, 1990.

b) *Approches sociologiques :*

L. Goldmann : *Le dieu caché,* Paris, Gallimard, 1956, rééd. 1959, éd. commode Gallimard, coll. Tel, 1976. Ce qui concerne directement Racine est repris dans *Racine,* L'Arche, 1956, rééd. 1970. On peut classer ici P. Butler : *Classicisme et baroque dans l'œuvre de Racine,* Paris, Nizet, 1958.

c) *Approche psychologique :*

C. Mauron : *L'inconscient dans l'œuvre et la vie de Jean Racine,* Gap, Ophrys, éd. de la Fac. d'Aix-en-Provence, 1957 ; rééd. Paris, Corti, 1969 ; *Phèdre,* Paris, Corti, 1968 ; J. Rohou, *Jean Racine,* Paris, Fayard, 1991.

d) *Essais d'analyse textuelle :*

Ils sont légion. Citons d'abord deux présentations d'éditions, celle de R. Picard pour l'édition Pléiade (1951) et celle de R. Barthes pour l'éd. C.F.L. (1960), reprise dans *Sur Racine.* Ensuite quelques travaux qui, à divers égards, participent d'une approche thématique :

G. Poulet : « Notes sur le temps racinien », in *Études sur le temps humain,* Paris, Plon, 1950 ; et « Racine poète des clartés sombres » in *Mesures de l'instant,* id., 1968.

J. Starobinski : « Racine et la poétique du regard » in *L'œil vivant,* Paris, Gallimard, 1968 (mais l'étude sur Racine date de 1954).

J. D. Hubert : *Les secrets témoins,* Paris, Nizet, 1956.

E. Vinaver : *Racine et la poésie tragique,* Paris, Nizet, 1961.

Enfin on peut classer ici — avec les réserves qui s'imposent — des travaux récents qui ne se veulent pas des essais, mais, dans des perspectives très différentes, sont des analyses textuelles :

O. de Mourgues : *Autonomie de Racine* Paris, Corti, 1967 (édité d'abord en anglais la même année).

D. Kaisergruber (et alii) : *Phèdre de Racine, pour une sémiotique,* Paris, Larousse, 1972.

A. Niderst : *Les tragédies de Racine, diversité et unité,* Paris, Nizet, 1975.

J. Scherer, *Racine et/ou la cérémonie,* Paris, PUF, 1982.

APPROCHES DE RACINE

APPROCHES BIOGRAPHIQUES

— La critique racinienne est sans cesse confrontée à un petit nombre de mythes ; l'expression par l'œuvre des passions de la vie et la transposition sur le théâtre du monde de la Cour sont parmi les plus tenaces. La critique moderne ne pouvait manquer de les soumettre à un nouvel examen. C est le but que se fixait J. Pommier en présentant ses *Aspects de Racine* (1954 ; recueil d'études parues dans les dix années précédentes) comme « un effort pour réviser certaines idées reçues ». Il pose (entre autres) trois questions essentielles quant à la biographie : que sait-on au juste du « moi » de Racine ? Comment expliquer son silence après *Phèdre ?* Quels rapports entretient-il avec Port-Royal et le Jansénisme ?

— R. Picard, dans sa thèse sur la *Carrière de Racine* (Gallimard, 1956) ira aussi loin que possible dans cette voie. Partant des documents d'époque qui nous sont parvenus (répertoriés dans son *Corpus Racinianum),* il étudie la situation sociale de Racine. De l'examen des documents, il conclut tout d'abord que Port-Royal n'a pas exercé — même sous forme de « mauvaise conscience » — une influence déterminante sur son élève :

> *« Que Racine soit « de Port-Royal » n'implique pas qu'il y ait subi une influence morale ou religieuse dont en fait il ne semble même pas avoir eu à se dégager. Il n'a peut-être pris là que quelques traits un peu extérieurs comme par exemple la méfiance des Jésuites. Mais de l'enseignement de ses maîtres, il a tiré des connaissances plutôt qu'une vision du monde ou une conception du salut. Port-Royal reste pour lui le curieux repaire de vieilles parentes un peu étranges qui ont dirigé son enfance, bien plus qu'un centre spirituel » (éd. 1961, p. 49).*

Envisageant la condition sociale des écrivains au XVIIe siècle, il constate que le métier de poète était mal considéré, et que, si être poète de cour passait encore, être auteur de théâtre...

> *« Au lieu de se demander, comme on fait d'ordinaire, pour quelles raisons l'auteur de* Phèdre *a quitté le théâtre en 1677, il faudrait bien plutôt essayer de comprendre pourquoi il n'a pas craint, en 1664, de compromettre peut-être sa situation de poète courtisan en se risquant dans une profession aussi décriée que celle d'auteur de théâtre » (p. 80).*

Au fil de son enquête minutieuse, qui constitue la meilleure source d'informations sur la biographie racinienne, il passe au crible les conditions de création de chaque pièce et les étapes de la réussite sociale. Il en conclut qu'il n'y a pas de liens nécessaires entre la vie et l'œuvre et que, d'autre part, il est vain de vouloir chercher en celle-ci un mouvement continu :

> « *C'est parce qu'ils réduisent obstinément Racine à un de ses aspects — plus ou moins arbitrairement choisi — que certains critiques se permettent de condamner telle ou telle de ses œuvres qui ne rentre pas dans la perspective où ils se sont placés. En fait, la création racinienne est, dans sa diversité, merveilleusement égale à elle-même (...). On ne peut, sous prétexte qu'on est sensible à la perfection de l'œuvre dans son ensemble, affirmer qu'elle ne pouvait être plus vaste, que la verve créatrice de l'auteur était épuisée, et faire ainsi des limites contingentes où les hasards de la biographie ont enfermé l'artiste, les limites nécessaires de sa création* » (*p. 301*).

R. Picard considère donc le théâtre racinien comme une création purement littéraire et non comme une aventure existentielle et nie, d'autre part, que le milieu où se fait l'éducation ait une influence déterminante. Ces positions, dont on voit qu'elles engagent, au-delà de Racine, une conception de la littérature et de l'homme, sont radicalement opposées à celles de la plupart des autres exégètes de Racine de la même période.

— Et au premier chef, de R. Jasinski : celui-ci, dans sa volumineuse étude intitulée *Vers le vrai Racine* (1958) envisage « les jonctions que l'on peut discerner, ou présumer, ou chercher, entre la vie et l'œuvre » (p. XVII). Avec beaucoup d'érudition, il étudie, pour chaque tragédie, les sources littéraires mais surtout les sources biographiques. Ainsi, pour *Andromaque*, par exemple, dont il reconnaît que « les origines (sont) les plus obscures », il conclut que

> « *le premier noyau de la tragédie, autour duquel s'est agrégé le reste de l'action est constitué par la passion de Pyrrhus pour Andromaque, celle-ci inspirée très directement par la passion longtemps insatisfaite de Racine pour la Du Parc* » (*p. 184*).

Allant plus loin encore, il en vient à voir dans la même action des échos de la situation d'Henriette d'Angleterre (p. 220) et à supposer, d'autre part, un amour de Racine pour une inconnue en 1665. Il est vrai que la première phrase de l'ouvrage est :

> « *Nos suggestions ne se donnent pas pour vérités démontrées. Elles s'efforcent de grouper en faisceau des vraisemblances, des possibilités. L'histoire littéraire n'est pas une science.* » (*p. IX*).

Enfin, la conclusion appelle à la révision d'« un procès inique entre tous » (p. 561) celui qui déclare méchant l'homme Racine, dont les tragédies seraient pourtant l'expression de si pénibles déchirements intérieurs... Pour les études biographiques qui ont fait l'objet de nouveaux débats tout récents, voir en cette fin de section.

APPROCHES SOCIOLOGIQUES

Les études biographiques s'avèrent vite limitées quant à l'explication des textes eux-mêmes; celle-ci suppose d'autres perspectives, et l'une des premières qui s'offre est de chercher ce qui dans l'œuvre relève de l'idéologie ou de la sensibilité d'un milieu, d'une époque. A certains égards, J. Pommier et R. Picard envisageaient déjà une telle étude d'ordre sociologique. Mais c'est surtout dans la thèse de L. Goldmann que ce type d'explication trouve une pleine expression.

— Se réclamant du marxisme, L. Goldmann vise à construire, pour les études littéraires, une « science positive... opposée à l'essayisme » aussi bien qu'au « scientisme[4] ». Sa démarche consiste à définir d'abord un concept-clef, une totalité qui permette, en dépassant l'érudition empirique, de saisir le lien entre fait social et fait littéraire, « une réalité qui n'est plus purement individuelle et qui s'exprime à travers les œuvres » (p. 24-25), et qu'il nomme « vision du monde ». Il la définit comme :

> *« un ensemble d'aspirations, de sentiments et d'idées qui réunit les membres d'un groupe et les oppose aux autres groupes » (p. 26).*

Dans le cas de Racine (étudié avec Pascal et Kant), il s'agit de la *vision tragique*. Celle-ci traduit les inquiétudes du groupe janséniste : dans la noblesse de robe, longtemps alliée privilégiée du pouvoir royal, se développe, lorsque l'absolutisme réduit son rôle et ses prérogatives, une angoisse dont le jansénisme est la manifestation, et dont ces œuvres sont l'expression la plus achevée, la plus cohérente. Le monde est considéré comme radicalement mauvais; l'homme ne peut y vivre, mais il ne peut non plus se tourner vers Dieu, car la divinité n'intervient pas pour l'aider, se tient « cachée » (d'où le titre de l'ouvrage).

La méthode de L. Goldmann est donc génétique, mais elle est aussi structurale : en même temps qu'il examine les origines de l'œuvre, il y recherche des constantes. Cela le conduit à caractériser les tragédies de Racine comme diverses figures d'un conflit entre deux entités : le « monde » et le « personnage tragique ». Ainsi par exemple, dans *Britannicus,* Junie est le seul personnage tragique, étranger à un monde où s'agitent des fauves (Néron, Agrippine) et leurs proies (Britannicus); à l'inverse, dans *Bérénice,* le personnage tragique se dédouble (Titus et Bérénice), Antiochus restant, seul, le personnage mondain qui cherche des accommodements, et Rome, représentée par Paulin, était le dieu qui observe, qui juge et qui exige.

Selon l'interprétation de L. Goldmann, l'œuvre de Racine évolue donc, autour de cette structure fondamentale, parallèlement à la situation du groupe janséniste. Tant que ce dernier est en conflit avec le pouvoir, Racine écrit des « tragédies du refus » du monde *(Andromaque, Britannicus, Bérénice);* lorsque se dessine une réconciliation, avec la « Paix de l'Église » de 1670, il donne des pièces qui ne sont plus des tragédies, mais des « drames », drames « intramondains » puisqu'ils expriment l'espoir de trouver un moyen de vivre dans le monde *(Bajazet, Mithridate, Iphigénie). Phèdre,* tragédie du « juste pécheur », incarnation de la contradiction janséniste essentielle en un personnage tragique par excellence, correspond à la fin des illusions sur la possibilité d'un compromis. *Esther* et *Athalie,* « drames sacrés », représentent un univers étranger au jansénisme,

« dans lequel Dieu est victorieux et présent dans le monde *» (p. 440).*

— On peut rattacher à cette perspective sociologique l'étude par P. Butler des rapports entre *Classicisme et Baroque dans l'œuvre de Racine* (éd. 1959, thèse présentée en 1958). La perspective est différente, aussi bien que les références idéologiques. Mais il s'agit bien de partir de concepts d'ordre sociologique considérés comme des « systèmes de coordonnées complexes et mouvants » (p. 17), et de tenter de « définir la position ou les positions successives d'un écrivain à l'intérieur de ceux-ci » (id.). Après avoir défini l' « âge baroque », l'esthétique et l'éthique qui le fondent, il montre comment Racine se caractérise par un effort de rupture avec celle-ci. Ce sont cette fois les désillusions de la « morale de caste » baroque (aristocratique) qui font l'essence du tragique racinien.

Dans l'un et l'autre cas, donc, l'œuvre est expliquée au moyen de démarches inspirées des sciences sociales. Ce qu'elle exprime, selon ces interprétations, ce n'est pas tant les déchirements d'un individu, que les inquiétudes d'une société, ou d'un groupe social en quête d'une éthique nouvelle.

APPROCHE PSYCHOCRITIQUE

— A peu près dans le même temps, C. Mauron avançait une explication fondée sur l'étude de *L'Inconscient dans l'œuvre et la vie de J. Racine* et qui, sur plusieurs points, rejoint les conclusions de L. Goldmann.

C. Mauron employe une méthode qu'il a nommée *psychocritique*. Elle emprunte à la psychanalyse :

> *« ses concepts, ses résultats, ses méthodes même — pour expliquer une détermination psychologique. Mais sa recherche aura son but propre »* (éd. Corti, 1969) *(p. 18).*

En effet, il ne s'agit pas d'une thérapeutique pour un vivant, mais de l'étude d'une œuvre pour mieux la comprendre. C. Mauron précise, en outre, que cette méthode n'éclaire que l'un des facteurs qui déterminent l'œuvre. D'autre part, il limite l'objet de son investigation à la « structure psychique largement observable et analysable » (p. 19) de l'auteur, une zone qui n'est donc ni le « tempérament », ni le tuf archaïque des profondeurs de l'inconscient. Cette structure psychique n'est pas figée, elle est dynamique, évolutive, comme un « champ de forces ». Pour en dégager les constantes, il faut partir des obsessions manifestes, telles qu'elles apparaissent sous la diversité des situations :

> *« Dans l'œuvre de Racine, les obsessions les plus apparentes sont, comme il est assez naturel, des situations dramatiques, par exemple : « un homme oscille entre une femme virile et une tendre amante » ou « une menace de mort pèse sur l'enfant » (p. 20).*

Pour conduire son étude, C. Mauron élabore en premier lieu un schéma général du théâtre racinien, en ramenant les sujets des tragédies (moins *La Thébaïde, Alexandre* et *Esther)* à leur plus simple expression. Les « héros » sont les personnages de jeunes hommes, qui offrent au moi de l'auteur l'occasion de se manifester (Pyrrhus, Néron, Xipharès, Achille...). Ils se trouvent pris dans une contradiction entre leur attirance vers un être jeune et aimable, et leur crainte à l'égard d'une « mère » agressive. Mais ce schéma révèle aussi une évolution, dans laquelle *Mithridate* occupe une place à part, puisque la figure du « Père », absente jusque-là, y réapparaît et exerce l'autorité et le droit de punir :

> « Mithridate *et le retour du père coïncident avec une inversion des agressivités. Avant cette tragédie, la menace vient des femmes agressives (...)*

L'unique danger provient, pour Pyrrhus, d'Hermione et des Grecs qui la soutiennent, pour Néron, d'Agrippine et de son parti dans Rome, pour Bajazet, de Roxane qui le tient en son pouvoir. Dans la seconde moitié du schéma au contraire, la menace vient du père qui a droit de vie et de mort sur les autres personnages. Mithridate, Agamemnon, Thésée, Joad, peuvent frapper ou frappent, sur l'ordre ou avec l'aide d'un dieu. Les femmes agressives, cependant — Eriphile, Phèdre, Athalie — passent au rang de coupables châtiées. Je simplifie, mais l'inversion est nette : elle paraît liée au retour du père et confirme la position centrale de Mithridate » *(p. 29).*

C. Mauron examine ensuite, successivement, les diverses tragédies. Il aboutit à l'image d'un psychisme racinien proche de la structure œdipienne, mais marqué d'une obsession :

« *Ainsi, dans ses grandes lignes, la structure sous-jacente que nous cherchons à entrevoir ressemblerait moins à une situation œdipienne (père, mère et fils) qu'à une situation obsessionnelle (fils pris en faute par un parent)* » *(p. 167).*

La biographie, étudiée dans une seconde partie, fournira l'explication de cette culpabilité obsessionnelle : le conflit vécu par Racine et transposé dans son œuvre, c'est la rupture avec Port-Royal. Ce conflit intériorisé explique *Phèdre* et le silence qui suit :

« *Racine tâtonne à la recherche d'une adaptation affective, cependant, lorsqu'il écrit* Phèdre, *il semble pencher dangereusement vers des mécanismes d'auto-punition. Le moi amoureux s'abandonne à l'identification avec une mère infernale, coupable et châtiée ; l'autre partie du moi, désexualisée, et identifiée au père, se voit tout naturellement confier le rôle de juge et de bourreau. L'inceste risque ainsi de se commettre et de se punir à la fois intérieurement, de façon obsessionnelle, toutes les énergies étant absorbées dans ce corps à corps. A notre sens, c'est l'imminence d'un tel danger qui a provoqué la réaction du moi social, épris surtout de sécurité, et c'est ce demi-châtiment, compensé par une demi-sauvegarde, que représente la retraite du poète en 1678* » *(p. 160).*

Par ailleurs, C. Mauron consacrera une étude particulière à *Phèdre,* développant ces vues, pour prouver que sa méthode peut s'appliquer aussi à une pièce isolée.

Ces transpositions-ci n'ont guère de similitudes avec celles qu'avançait R. Jasinski. La méthode et les conclusions sont à l'opposé de celles de R. Picard; certaines interprétations, au contraire, rejoignent celles de L. Goldmann (ainsi l'appréciation du rôle de Port-Royal, la position-clef de *Mithridate*) de même que la méthode veut rendre compte également de la genèse et des structures, comme celle de L. Goldmann.

ESSAIS D'ANALYSES TEXTUELLES

Outre de tels grands travaux savants, la critique racinienne moderne a produit de nombreux essais qui, dans un effort de critique interne, proposent des interprétations de Racine à partir de l'examen des thèmes, des procédés, des structures. Les citer tous est impossible; voici les plus « stimulants ».

— G. Poulet, qui consacre à près de vingt ans de distance deux études à Racine, envisage le « temps racinien », marqué par l'obsession du passé :

> *« La création continuée*[5] *du monde implique la création d'un être qui se prolonge en arrière, et l'existence ne consiste pas seulement à vivre, mais à avoir vécu »* (Études sur le temps humain, *I, p. 105, 1950*).

— Les analyses de J. D. Hubert (*Les Secrets Témoins,* 1956) sont à bien des égards proches de ces vues. Étudiant comment Racine « intègre par des métaphores, les unités de temps et de lieu à l'intérieur et à la structure de chaque pièce » (p. 30), de façon à renforcer la cohérence de celle-ci, J. D. Hubert montre dans *Andromaque* l'obsession du sac de Troie, dans *Britannicus* la lutte entre le passé glorieux que représente Auguste, et le passé criminel d'Agrippine :

> *« Dans cette lutte sans merci dont l'enjeu est l'âme de l'empereur, ce sont évidemment les forces malfaisantes du passé qui finissent par triompher, et qui créent un monstre fait à leur image » (p. 102).*

— Constatant lui aussi que Racine faisait siennes les unités et transformait leurs contraintes en ressources, E. Vinaver étudie quelle émotion Racine cherche à éveiller chez le spectateur, quel est l'effet et l'essence de sa poésie tragique. Il constate que Racine atteint au *pathétique,* et qu'à travers l'ingénieux mécanisme de ses tragédies il donne une

> *« vision sans cesse approfondie de la misère de l'homme, une compréhension toujours plus complète de l'inéluctable de la vie »* (Racine et la Poésie tragique, *1961, p. 42*).

— Pour J. Starobinski aussi la tragédie racinienne est dépourvue de tout espoir. Il y envisage le thème du regard. Il constate d'abord que dans la dramaturgie de Racine, le regard supplante le geste. Or :

> « *Le regard racinien est une avidité malheureuse. La satisfaction lui est toujours refusée ; il reste inassouvi. Ce n'est pas sans raison que Racine a repris aux Anciens cette métaphore viscérale : « se rassasier d'une si chère vue ». Mais la satiété est impossible. Les yeux cherchent les yeux, et même lorsqu'ils obtiennent la réponse attendue, quelque chose manque. Il faut regarder encore, retourner à cette trompeuse pâture, poursuivre un bonheur qui n'achève jamais d'être conquis. Il faut que les amants se voient et se revoient sans cesse. Les voici liés à la servitude de la* répétition : *recommencement infini, réassurance fragile. Leur bonheur a quelque chose d'une interminable agonie* » (L'Œil vivant, *éd. 1968, p. 81-82*).

— Enfin, parmi ces essais d'interprétation, il faut faire une place particulière aux analyses de R. Barthes qui furent au cœur de la querelle des critiques.

Le premier — le seul qui nous intéresse ici — des trois textes qui composent le *Sur Racine* (Le Seuil, 1963) s'intitule « L'homme racinien ». C'est en quelque sorte un essai d'anthropologie structurale — sur le modèle des travaux de C. Lévi-Strauss — appliquée à la littérature. R. Barthes y décrit la « population » des tragédies de Racine. Il commence par l'inscrire dans son « territoire », en étudiant l'espace tragique racinien, dans lequel il distingue trois lieux : l'antichambre, où se déroule l'action visible; la chambre, où se prennent les décisions; l'extérieur, où surviennent les événements, où l'on meurt.

Dans cet espace se meut un groupe de personnages que R. Barthes, réduisant les onze tragédies à un seul modèle structurel, nomme « la horde » :

> « *Que l'on fasse des onze tragédies une tragédie essentielle, que l'on dispose dans une sorte de constellation exemplaire cette tribu d'une cinquantaine de personnages tragiques qui habitent la tragédie racinienne, et l'on y retrouve les figures et les actions de la horde primitive : le père, propriétaire inconditionnel de la vie des fils (Amurat, Mithridate, Agamemnon, Thésée, Mardochée, Joad, Agrippine même) ; les femmes, à la fois mères, sœurs et amantes, toujours convoitées, rarement obtenues (Andromaque, Junie, Atalide, Monime) ; les frères, toujours ennemis parce qu'ils se disputent l'héritage d'un père qui n'est pas tout à fait mort et revient les punir (Étéocle et Polynice, Néron et Britannicus, Pharnace et Xipharès) ; le fils enfin, déchiré jusqu'à la mort entre la terreur du père et la nécessité de le détruire (Pyrrhus, Néron, Titus, Pharnace, Athalie). L'inceste, la rivalité des frères, le meurtre du père, la subversion des fils, voilà les actions fondamentales du théâtre racinien* » *(p. 20-21)*.

R. Barthes entreprend donc de constituer cette « tragédie essentielle » — méthode vivement critiquée par R. Picard — et d'en étudier les figures (le « père ») et les situations (la « scène érotique », la « faute ») en recourant à un vocabulaire psychanalytique — il se déclare d'ailleurs débiteur de C. Mauron.

Il esquisse de la sorte une dramaturgie organisée autour d'une « relation fondamentale » :

> *« Le rapport essentiel est un rapport d'autorité, l'amour ne sert qu'à le révéler. Ce rapport est si général, si formel pourrait-on dire, que je n'hésiterai pas à le représenter sous l'espèce d'une double équation :*
> *A a tout pouvoir sur B*
> *A aime B qui ne l'aime pas » (p. 34-35).*

Cette relation se manifeste dans une thématique où le fantasme racinien sélectionne une forme particulière de la « dialectique du bourreau et de la victime » :

> *« La scène érotique est théâtre dans le théâtre, elle cherche à rendre le moment le plus vivant mais aussi le plus fragile de la lutte, celui où l'ombre va être pénétrée d'éclat. Car il s'agit ici d'une véritable inversion de la métaphore courante : dans le fantasme racinien, ce n'est pas la lumière qui est noyée d'ombre, l'ombre n'envahit pas. C'est le contraire : l'ombre se transperce de lumière, l'ombre se corrompt, résiste et s'abandonne » (p. 32).*

Tels sont les « grands tableaux raciniens » : l'enlèvement de Junie, le rapt d'Ériphile, ou la « nuit enflammée » où Titus, devant le bûcher de son père décide d'être empereur, tandis qu'au même instant Bérénice croit qu'il ordonne leurs épousailles.

Ayant ainsi tracé la structure de la tragédie racinienne, R. Barthes, dans une seconde partie, examine les onze tragédies [6] qu'il considère comme des variations sur ces données fondamentales. Il montre toutes les formes que peut y prendre l'agression, seule dynamique possible dans une telle structure :

> *« Le langage dessine le monde délicieux et terrible des revirements infinis et infiniment possibles ; d'où souvent chez Racine une sorte de marivaudage patient de l'agression : le héros se fait exagérément sot pour entretenir la contention, pour retarder le temps atroce du silence. Car le silence est irruption d'un faire véritable, effondrement de tout l'appareil tragique » (p. 67).*

***

TRAVAUX RÉCENTS

Parmi les travaux les plus récents, un clivage s'est dessiné sur la manière d'aborder l'œuvre de Racine en ce qui concerne les exégèses, non les travaux d'érudition.

L'ouvrage d'O. de Mourgues, *Autonomie de Racine,* est assez représentatif d'une première tendance. L'auteur propose une lecture structurale prudente. Assez réservée à l'égard des thèses de C. Mauron et L. Goldmann, O. de Mourgues considère que la valeur esthétique de l'œuvre tient à sa « cohérence structurale » ; elle étudie donc la dramaturgie de Racine en faisant la part des caractères millénaires du genre, puis des topiques du siècle pour tenter de cerner enfin la spécificité de Racine.

A l'opposé, A. Niderst (*Les Tragédies de Racine, unité et diversité,* 1975) refuse toute synthèse, toute « tragédie essentielle » et donc l'analyse structurale, pour affirmer la diversité de Racine. Ce théâtre, selon lui, oscille entre optimisme et pessimisme, stylisation et réalisme. La conclusion peut surprendre : Racine ne pourrait plus guère vivre à la scène car

> *« sa technique dramatique semble conventionnelle, et les effets assez simples. C'est plutôt à la lecture que Racine résiste ou même enthousiasme » (p. 186)*
> (cf. Dossier mises en scène).

Reprenant ces vues dans un petit ouvrage de synthèse sur les tragédies de Racine (P.U.F., Que sais-je ? 1978) il insiste davantage sur la valeur de *Phèdre* comme la tragédie racinienne fondamentale, dont les autres pièces seraient, en quelque sorte, des premières approches.

Enfin l'analyse de *Phèdre* par D. et D. Kaisergruber et J. Lempert adopte un point de vue tout autre ; il s'agit de rendre compte du « fonctionnement systématique du texte et de ses marques de discours ». Cette approche sémiologique envisage la pièce comme signe et vecteur idéologique, en rendant compte de ses structures et des rapports entre celles-ci et la représentation. Mais la sémiotique de *Phèdre* attend — et suppose — une sémiologie de Racine et de son temps.

Plus intéressant parce que plus productif apparaît le point de vue adopté par Jacques Scherer dans son *Racine et/ou la cérémonie.* Il récuse l'opposition entre structure et histoire, qui selon lui anime la réflexion des critiques qui l'ont précédé, et réfléchit sur la notion même de *cérémonie,* dans son ambivalence : le sens de ce terme porte avec lui tantôt l'idée de grandeur et de transcendance, tantôt celle de gestes ritualisés mais insincères. A partir de cela, il entreprend de lire les pièces de Racine selon cette dualité contradictoire, qui en est l'élément dynamique en termes dramatiques. Il refuse d'y voir une unité essentielle, sauf à la limiter à l'exploration diversifiée de cette contradiction, qui constitue à la fois le propre du théâtre tragique, et le sens du théâtre « noble » dans la société de ce temps.

Dans les toutes dernières années, les travaux sur Racine ont connu un regain d'intensité. On y relève le travail synthétique de J. Morel sur l'ensemble des dimensions de la vie et l'œuvre de Racine, ou encore une étude de J. Rohou sur *L'évolution du tragique racinien* (Paris, Sedes, 1991), qui envisage les données dramaturgiques mais surtout se fonde sur une perspective psychanalytique, en reprenant l'idée que les onze tragédies de Racine reposent sur une même structure.

On y relève aussi et surtout une série de retours sur les questions de biographie. Elles ont donné lieu à quelques polémiques, qui montrent que Racine reste bien une « pierre de touche » pour la recherche et la critique. Et ces débats ou discords ne portent pas sur des informations nouvelles : pour l'essentiel, la connaissance aujourd'hui possible des éléments biographiques raciniens semble stabilisée. En fait, c'est à un moment où la recherche s'interroge de façon neuve sur la part que l'on peut faire au biographique dans l'interprétation des créations littéraires. En une même année sont ainsi parus trois récits de la vie de Jean Racine. L'un est dû à Rose Vincent, *L'Enfant de Port-Royal* (1991) : le titre dit assez le choix interprétatif qui y est fait; pour le tour général de l'ouvrage, il se rapproche de la biographie à tendance hagiographique.

A l'opposé, d'une certaine façon, *Racine, la stratégie du caméléon* (1990) inclut la réflexion sur le biographique dans l'analyse sociologique : la thèse centrale en est que, privé de cadre familial, Racine a été conduit à se forger, sans en avoir conscience, un éthos apte à s'assimiler les habitus des milieux où sa vie l'a fait circuler et s'intégrer; s'est ainsi constituée une capacité à sentir et exprimer les attentes de ces milieux, qui le rend capable de percevoir intuitivement les mouvements de pensée et de sensibilité dans lesquels il se trouve pris, et auxquels son œuvre répond. Le style anti-hagiographique de cette étude va de pair avec cette perspective : les qualités et l'intérêt d'une œuvre littéraire et théâtrale (celle de Racine ayant ici valeur exemplaire) ne supposent pas que l'homme soit un saint ou un génie; la biographie sociale de l'écrivain devient alors le lieu ou dialoguent une époque et une forme de réaction de la personnalité à un état des données collectives. Pour sa part, Jean Rohou a donné une biographie plus classique. Au répertoire des faits, il associe cependant l'interprétation psychanalytique qui lui paraît donner une lumière éclairante de l'œuvre.

LES MISES EN SCÈNE MODERNES DE RACINE

« Affronter le monstre », « Bête noire des metteurs en scène » : de telles expressions, lieux communs dans le monde des théâtres aujourd'hui — au moins depuis les déclarations de J. Vilar en 1956 — à propos de Racine, traduisent la situation nouvelle de cette œuvre qui fut un temps un pilier du répertoire. Interpréter Racine semble être tenu, par les acteurs et les metteurs en scène, ou bien pour une sorte d'épreuve initiatique, ou bien pour une consécration. Pour le public... il est plus difficile d'en juger. On peut constater néanmoins que, presqu'à chaque fois, une nouvelle mise en scène de Racine suscite des polémiques. Mais quand les critiques s'expriment dans leurs articles, le public, lui, manifeste autrement son enthousiasme ou sa réprobation : que l'on joue à guichets fermés ou devant les banquettes, cela a une signification; mais même dans une salle bien garnie, il peut y avoir des incidents et des bruits divers révélateurs. Il faut en outre, aujourd'hui, prendre en compte les retransmissions à la radio et à la télévision; or les indices d'écoute mesurent l'audience, et non le succès...

Pourtant, si l'on veut apprécier sainement la vie présente des œuvres de Racine en tant que spectacles, c'est bien leur accueil auprès du public qui importe d'abord, et autant que les formes que prend la représentation. Les deux sont si intimement liés que nous ne pouvons envisager ici l'un sans l'autre. Mais il faudrait un fort gros ouvrage pour reproduire et analyser toutes les données qui permettent d'évaluer le retentissement du théâtre racinien pour la génération présente. Contentons-nous, donc, de donner des éléments d'appréciation en répondant aux questions les plus impératives, avant d'évoquer quelques exemples significatifs des formes et des difficultés des mises en scène modernes [1].

L'ŒUVRE ET LE PUBLIC

Les questions se pressent : Est-ce que l'on joue Racine aujourd'hui? Où? Pour qui? Quelles pièces?...

Voyons ce qu'il en est du nombre de représentations.

• A la Comédie-Française, où Racine est en quelque sorte « chez lui », il y a eu, de 1945 à mai 1978, 1 190 représentations au total (sans compter les représentations partielles, d'ailleurs rares). Mieux vaut compter ici les représentations que les mises en scène, puisque certaines de celles-ci sont utilisées longtemps, et à des années d'intervalle parfois. La tendance qui se dessine est que le « Français » joue moins Racine, que les périodes sans aucune mise en scène nouvelle, ou même sans aucune représentation, se font plus fréquentes et plus longues.

• Pour les théâtres issus de la « Décentralisation » de 1947, qui touchent essentiellement la province et la banlieue parisienne, la statistique générale établie sur 25 années (1947-1972) indique 26 mises en scène de pièces de Racine. Ici, le décompte complet des représentations n'a pas été possible, tous les chiffres n'ayant pas été communiqués; à titre purement indicatif et sous toutes réserves, la moyenne obtenue à partir des chiffres connus est de 35 représentations pour chaque mise en scène. Il est intéressant d'observer le rang de Racine dans le classement des auteurs joués dans ces théâtres : 9e, alors que Molière est 1er (136 m.e.s.) et Corneille 10e (24) [2] (Source : Revue de l'A.T.A.C.).

• Enfin il y a eu un nombre assez important de mises en scène dans d'autres théâtres, essentiellement à Paris, et pour des festivals : d'après nos pointages [3], une cinquantaine. Il faut ajouter que de nombreuses mises en scène ont fait l'objet d'enregistrements pour la radio, et que toutes les grandes pièces de Racine ont été télévisées.

Cette approche statistique — approximative — permet de distinguer nettement quelles pièces sont le plus souvent représentées.

• A la Comédie-Française : *Andromaque* (306 rep.) — *Britannicus* (264) — *Phèdre* (145) — *Athalie* (121) — *Bérénice* (114) — *Bajazet* (76) — *Mithridate* (74) — *Les Plaideurs* (35) — *Iphigénie* (32) — *Esther* (23) — *La Thébaïde* et *Alexandre* (0).

• Dans les théâtres de la « Décentralisation » (il s'agit cette fois du nombre de mises en scène) : *Les Plaideurs* (7) — *Britannicus* (6) — *Andromaque* et *Phèdre* (5) — *Bérénice* (3) — *Bajazet* et *Athalie* (1) — les autres (0).

Ces chiffres — qui n'ont pas de prétention à la statistique exhaustive, répétons-le — fournissent, à condition de les considérer avec circonspection, des renseignements précieux quant à la vitalité des diverses pièces. Trois remarques s'imposent :

1. Certaines différences entre ces classements s'expliquent par les statuts différents des théâtres. *Les Plaideurs,* par exemple, se prêtent bien à des spectacles à vocation pédagogique, ce qui explique leur rang dans les théâtres de la « Décentralisation »; ainsi en 1954-1955, la Compagnie de l'Ouest les représentait groupés avec *Le Médecin malgré lui* (43 rep.). A l'inverse, le bon rang d'*Athalie* parmi les pièces jouées à la Comédie-Française est dû à deux mises en scène qui, à treize ans d'intervalle (1955 et 1968) eurent un bon accueil auprès d'un public heureux de retrouver une œuvre rarement jouée.

2. Ces corrections faites, il apparaît nettement un groupe de pièces qui constituent l'essentiel de l'image de Racine aujourd'hui : *Andromaque, Britannicus* et *Phèdre* représentées très régulièrement, *Bérénice* et *Athalie,* jouées plus rarement mais avec souvent un certain retentissement.

3. Enfin, ce tableau présente des traits d'une remarquable homogénéité. D'une part, le classement des pièces jouées dans les salles autres que le « Français » et les théâtres de la « Décentralisation » confirme exactement celui que nous venons de mentionner (voir note 3). D'autre part, les proportions entre les nombres de représentations de Molière, Racine et Corneille à la Comédie-Française et celles des nombres de mises en scène dans les théâtres de la Décentralisation sont bien identiques : Racine est joué un peu plus que Corneille, et quatre à cinq fois moins que Molière.

Ainsi se dessine, à gros traits, l'image du théâtre racinien aujourd'hui. La moitié des pièces qui le composent sont jouées très rarement; leur représentation prend alors l'aspect d'un effort de redécouverte ou de réhabilitation : ce fut le cas récemment pour *Esther* (au Théâtre d'Orsay, 1978), ou pour *La Thébaïde* (au Nouveau carré, 1978), comme ce l'avait été quelques années plus tôt pour *Bajazet.* En fin de compte, si l'on représente assez régulièrement Racine, ce n'est jamais de façon permanente, continue : ni à la Comédie-Française, ni ailleurs, il n'est plus un pilier du répertoire.

La vie d'une œuvre théâtrale étant soumise à la double influence des initiatives des hommes de théâtre et de l'attente du public, les premières déterminent surtout les formes des mises en scène, mais l'influence du public est essentielle quand à la possibilité même de celles-ci.

Or il est très difficile de caractériser le public de Racine dans cette seconde partie du XXe siècle. En 1956, J. Vilar et J. L. Barrault se querellaient sur l'existence d'un public populaire pour ce théâtre. Il est certain que les spectateurs habituels des pièces de Racine aujourd'hui sont relativement déterminés par leur statut social, et qu'il s'agit surtout d'intellectuels — au sens large du terme : aussi bien des étudiants, enseignants, cadres, que le « monde des Lettres et des Arts ». Il est, hélas, impossible de savoir, par ailleurs, qui a ou non changé de chaîne lorsqu'une pièce de Racine était programmée à la télévision.

Mais il y a deux faits intéressants à observer. Le premier est que certains théâtres ont des relations suivies avec des associations culturelles, des comités d'entreprise, etc. : en un mot des organisations qui touchent un public plus « populaire ». Ainsi il semble que la réalisation de *Bérénice* au Théâtre de la Cité de Villeurbanne, en 1966, répondait à un certain désir d'un public disons « large » de l'agglomération lyonnaise. De même, les renseignements fournis par le Théâtre des Quartiers d'Ivry, pour la mise en scène de *Phèdre* par A. Vitez (1975), indiquent qu'il y avait parmi le public une fraction non négligeable (un quart environ) d'habitants de cette banlieue populaire de Paris. Un second fait révélateur est la réalisation ou non de tournées. Il en est de diverses sortes. La Comédie-Française fait souvent de grandes tournées à l'étranger, qui contribuent à un rayonnement de la culture française dans lequel Racine occupe une place importante. Mais il convient ici de considérer les tournées en France de troupes venues de théâtres de province, ainsi que les festivals. La tournée, comme les reprises, est un signe de succès, d'élargissement du public. En ce qui concerne les festivals, si certains (Nancy, Avignon) touchent surtout un public déjà acquis, d'autres, et en particulier les festivals d'été, drainent un public qui souvent ne fréquente guère les théâtres en temps ordinaire, ou en est privé. Si l'on considère ces représentations-là, on constate que Racine, depuis 1945, a été assez régulièrement présent, de Sète à Sisteron, de Carcassonne en Arles; certaines troupes jouant un rôle essentiel à cet égard (J. Deschamps, par ex.).

On peut en conclure que, si le « grand » public ne goûte pas le théâtre racinien au point que celui-ci soit représenté de façon permanente [4], il éprouve tout de même le désir d'expérimenter quelquefois la variété particulière d'émotion esthétique qu'il peut en attendre. Il est remarquable d'ailleurs que, Racine ayant écrit très peu de pièces, il se fasse une sélection si rigoureuse : car dans la liste des spectacles de tournées — en France — et de festivals, on retrouve très exactement la répartition décrite ci-dessus.

Nous n'avons pu encore rassembler assez d'éléments pour avancer des chiffres concernant les effectifs du public de Racine [5]. Mais un fait semble caractériser les dernières années : l'utilisation des petites salles. La mise en scène de pièces de Racine dans des salles qui n'offrent guère que 100 à 200 places est devenue chose courante. Ce n'est que de temps à autre qu'une grande compagnie ou un grand metteur en scène — i.e. « célèbre » — entreprend une réalisation aux dimensions d'une grande salle. J. Vilar avait déjà souligné en 1956 [6] combien il était difficile de concevoir une mise en scène racinienne dans un espace trop vaste, mais ce n'est pas la seule explication de cette tendance : il semble aussi que le public des « amateurs » de Racine soit assez restreint en nombre pour trouver place en de petites salles, fût-ce au prix de quelque inconfort [7] ou d'une prolongation du programme. Ce même public, généralement bien informé, laissant désertes ou presque les salles qui donnent « un Racine » qui le déçoit. Mais ce public-là n'excède guère quelques milliers de personnes (au Petit Odéon en 1974 chaque spectacle du cycle Racine eut environ 2 500 spectateurs en tout; à Ivry en 1975, guère plus de 4 000).

On peut alors penser qu'il s'opère une dichotomie entre les amateurs avertis et le grand public : ceux-là fréquentent Racine; celui-ci ne le rencontre qu'assez rarement, et semble en attendre surtout une expérience originale du fait théâtral.

Quelle expérience? Celle d'un contact avec le modèle du classicisme? Ou au contraire celle d'une vision nouvelle, ou insolite, d'une œuvre forcément plus ou moins mal connue — et « cataloguée » — ne serait-ce qu'à travers les livres de classe? C'est la deuxième question essentielle quant à la vie de Racine sur scène aujourd'hui.

FORMES ET DIFFICULTÉS DES MISES EN SCÈNE MODERNES DE RACINE

On peut alors distinguer deux périodes : l'une où l'on s'interroge sur la signification de ce théâtre et où l'on met en question la diction du texte; l'autre où toute la conception du théâtre racinien est reconsidérée.

• Dès 1939, G. Baty avait ouvert une perspective neuve à propos de *Phèdre*. Il y voyait une tragédie janséniste. La légende antique et le XVIIe siècle n'étant que les deux « panneaux latéraux d'un triptyque » :

> *« le panneau central, l'essentiel, c'est l'âme de Phèdre, chrétienne, hérétique et torturée. Non plus Trézène. Non plus Versailles. Port-Royal. »* (Rideau Baissé, *p. 187*).

L'interprétation janséniste de Phèdre n'était pas neuve en elle-même. Mais G. Baty, de façon très conséquente, construisait à partir de là une mise en scène qui devait allier « l'âpreté janséniste » à la noblesse du Grand Siècle, avec en lointain écho « le grondement assourdi des instincts au fond des abîmes légendaires ». Le jeu des acteurs devait concilier violence et stylisation. Aussi s'inspirait-il d'une diction artificielle proche de l'oratorio. Les décors et les costumes étaient « d'une imprécise antiquité, telle que l'imaginait le XVIIe siècle ». La pièce était jouée sans entracte.

Ces réflexions partaient d'une question simple : comment restaurer la sensibilité du spectateur moderne au théâtre de Racine? Elles mettaient donc en jeu, à la fois, les quatre « degrés de culture » qui interviennent dans un tel spectacle : le modèle antique, le siècle de Racine, l'interprète et la « lecture » qu'il propose (ici, l'interprétation « janséniste »), et le spectateur.

De fait, pendant une dizaine d'années, on n'alla guère audelà d'une telle recherche; à vrai dire, on resta plutôt en deçà. Quand J. L. Barrault et J. Vilar éveillèrent de nouvelles querelles, en 1955-1957, ils touchaient bien à des questions essentielles : Faut-il jouer Racine? Peut-on? Doit-on, si l'on s'adresse à un public populaire? se demandait J. Vilar. Oui, oui, et oui, répondait J. L. Barrault [8]. Mais dans les mises en scène qu'ils proposaient l'un et l'autre, il n'y avait pas de recherche fondamentalement nouvelle. J. L. Barrault interrogeait le vers racinien, mais sa mise en scène de *Bérénice,* par exemple, voulait faire saisir que *Bérénice* est « de l'essence de théâtre, comme on dit de l'essence de rose » (*Cahiers Renaud-Barrault* no 8, 1956, p. 96). La scène s'ordonnait autour d'

> *« un hexagone rigoureux, recouvert de céramique bistre (...). Un paravent à trois côtés, aux rouges pompéiens, arrête l'œil. Chaque côté esi percé d'une porte nue : celle de Titus, celle de Bérénice, celle d'Antiochus. Tout autour de cet espace réduit, le plus grand espace imprécis, qui se*

perd dans les tonalités noir aubergine : écran mis à la disposition de l'imagination du spectateur.
Costumes d'une simplicité extrême d'une élégance raffinée. Pas un meuble. Pas un siège » (Ibid. p. 95).

Un tel choix ne rendait plus compte des jeux des divers degrés de culture, mais imposait la perception propre du metteur en scène. L'œuvre ne foisonne plus alors de significations... d'où l' « écran mis à la disposition de l'imagination »...

J. Vilar, de son côté, mettant en scène *Phèdre*, n'imposait pas son point de vue de metteur en scène. Ce faisant, il allait à contre-courant, puisque le théâtre moderne se caractérise par le rôle décisif du metteur en scène (le public va voir « la » *Bérénice* de Barrault, ou de Planchon...) tandis que l'acteur est davantage un exécutant. J. Vilar laissa ses vedettes (M. Casarès, Phèdre, et A. Cuny, Thésée) jouer, l'une sur le mode passionné, l'autre de façon « distanciée », avec une diction stylisée. Ce qui valut à cette mise en scène de vives critiques :

> *« Vilar s'est visiblement lavé les mains (...) Mais en* laissant faire, *Vilar ne pouvait ignorer que la* Phèdre *qui s'élaborerait sans lui ne serait nullement une* Phèdre *négative, la preuve d'une impossibilité, mais au contraire une* Phèdre *lourde de tous les préjugés passés. La punition de Vilar, ce ne sont pas les réticences d'une critique qui a dû le confirmer dans son refus de Racine, depuis longtemps professé, c'est la passivité de son public, qui applaudit une mise en scène sans signature »*

R. Barthes : *« Dire Racine »,* Théâtre populaire *n° 29, 1958, (repris dans* Sur Racine, *p. 142).*

***

• Au cours des vingt dernières années (1959-1978), les représentations raciniennes vont offrir une image plus riche, à tout le moins plus diverse. Il faut souligner le lien entre les exégèses et la mise en scène. Les travaux de L. Goldmann, par exemple, proposent des interprétations qui rejoignent les propositions de G. Baty, et il est significatif que les polémiques des années 1955-1958 soient contemporaines du profond renouvellement de la critique racinienne. De même, la querelle des critiques des années 1960 est précédée et suivie de vifs débats à propos de mises en scène comme celles de *Phèdre* par J. Meyer (Com.-Française, 1959), *Bérénice* par R. Planchon (Th. de la Cité, 1966) et *Britannicus* par J. P. Miquel (Com.-Française, 1978). Le plus souvent, d'ailleurs, les metteurs en scène indiquent dans leurs textes pour programme les exégèses qui ont servi à leur interprétation.

Dès lors, toute la mise en scène, tout cet ensemble de signes visuels et sonores (jeu et diction des acteurs, décors, costumes, éclairages, musique) fait référence à l'un des « degrés de culture » mis en jeu, instaurant ainsi un réseau particulier de significations. Ces signes scéniques pourront être une explication du texte, voire même faire pléonasme, ou au contraire indiquer des rapprochements possibles entre la pièce de Racine et d'autres données de notre culture. A côté de mises en scène qui, utilisant un cadre « antique » conventionnel, proposent l'image d'un Racine chantre des passions, il en est qui « modernisent » cette œuvre en accompagnant le texte de références au XXe siècle, et d'autres qui présentent Racine et le XVIIe siècle comme notre « antiquité classique ». Une dernière tendance doit être mentionnée : celle qui consiste à mettre en question le théâtre racinien, voire à le « mettre en pièces »... ; elle manifeste à l'évidence une des fonctions essentielles de celui-ci aujourd'hui : il est l'emblème d'une culture; en le mettant « à la question », c'est cette culture qu'on interroge.

Voici quelques illustrations de ces tendances.

1. Racine « mis en pièces ».

Certaines mises en scène récentes donnent à voir le rapport de leur réalisateur avec les classiques, la façon dont il règle ses comptes avec Racine, pris comme le parangon de ceux-ci. Ainsi les représentations de *Britannicus* (Nouvelle Comédie, 1975) et *Andromaque* (Biothéâtre, 1975) mis en scène par D. Mesguich, et *Britannicus* (Biothéâtre, 1975) mis en scène par Y. Gourvil. Le jeu explicite le texte à l'excès, le pléonasme devient parfois canularesque : quand Oreste s'écrie : « Mais quelle épaisse nuit... », Pylade brise un projecteur. On montre un Britannicus homosexuel (Mesguich), ou bien on le met hors jeu, sous l'apparence d'un « petit classique » mal en point qui traîne à terre... Mais l'irrespect n'est pas forcément agression : dans le « cycle Racine » du Petit Odéon (1974) J. P. Roussillon et les Comédiens Français proposaient, sur deux actes d'*Andromaque,* un exercice qui se détournait de la « représentation » pour offrir une expérimentation : interruptions et retours en arrière, acteurs interchangeables...; théâtre « laboratoire ». Un tel « cycle » établissait des rapports particuliers avec le public : une salle fort petite, fréquentée par des habitués, ou au moins des spectateurs « avertis »;

l'expérience proposée se donnait comme une réflexion collective.

Mais au total ces mises en scène sont assez rares; à l'opposé, la représentation de Racine selon les « traditions » est encore bien vivante.

2. Traditions raciniennes.

Parler d'*une* tradition serait impropre; elle est si multiforme que le pluriel s'impose. De plus, tradition ne signifie pas ici répétition et sclérose : mais on peut employer ce terme pour désigner des réalisations qui, fort diverses à bien des égards, offrent une problématique commune à trois points de vue : Racine y est considéré avant tout comme un peintre des passions, on y utilise un cadre antique conventionnel, et le jeu et la diction des acteurs s'organisent selon le problème que R. Barthes évoquait pour la mise en scène de J. Vilar : une hésitation — ou une tension — entre la comédie bourgeoise et l'oratorio.

Andromaque, *m.e.s. de P. Dux, Comédie-Française, 1964.*

Ce spectacle, avant d'être donné à Paris, fut présenté au cours d'une tournée en U.R.S.S. Le décor est réduit à un minimum, afin de laisser toute la place au texte : un plateau nu, où une esquisse de spirale à degrés dessine un lieu scénique en forme d'ove. Les costumes évoquent de façon très conventionnelle l'antiquité, avec une convention tout aussi manifeste des teintes (la sombre Hermione, la claire Andromaque). L'ouverture se fait sur des sonneries de trompette. On joue sans entracte : à la fin de chaque acte, un spot isole le personnage qui dit la dernière réplique et un changement d'éclairage fait l'enchaînement avec l'acte suivant. Le jeu et la diction sont proches de la « comédie bourgeoise » : chaque fois qu'Oreste exprime son amitié pour Pylade, il pose la main sur son bras ou son épaule. Pour le salut final, le rideau se relève sur les quatre protagonistes, qui se tiennent tournés chacun vers celui qu'il poursuit de son amour (la célèbre « chaîne »). Cette mise en scène eut un accueil mitigé.

Phèdre, *m.e.s. de P. Bourseiller (C.D.N. du Sud-Est, 1974).*

P. Bourseiller veut rendre compte de toute la violence passionnelle de ce personnage qui « épuise l'émotion ». Décors et costumes évoquent à peine un lointain passé, et valent surtout comme signes : un vague promontoire, avec un arbre de fer, isolé; un sol de marbre noir où jouent des taches colorées, où se reflètent des ombres vivantes.

On peut rapprocher de cette mise en scène celles de :

La Thébaïde, *par J. C. Fall (Nouveau Carré, 1978).*

Décor de grands plans nus, lumières crues, costumes austères et

vaguement guerriers; diction lente, parfois musicale; jeu retenu, un peu hiératique; volonté d'exprimer un désert brûlé par la passion — ici : la haine.
Ainsi que le travail de J. Gillibert sur *Bajazet* (cycle racine au petit Odéon), qui, dénonçant la primauté accordée au verbe tentait de révéler la violence de l'œuvre; et celui de M. Hermon (idem) sur *Phèdre* — avec deux Œnones, deux « Parques » — envisagée comme l' « exploration impitoyable d'une conscience délirante ».

En effet, quelles que soient les différences entre ces réalisations elles se rattachent à une même perspective : l'interprétation psychologique — ou psychocritique, ou psychanalytique — de l'œuvre de Racine. L'évocation, très codée, de l'antiquité, d'un passé vague, mais lointain, établit une équivalence entre l'ancien, l'archaïque, et les pulsions primitives, tenus pour d'autant plus violentes qu'elles sont plus « primitives », cette vision de Racine violent, cruel, étant le trait le plus généralement admis du « mythe racinien » aujourd'hui, à la scène ou dans les critiques.

A l'inverse, certains metteurs en scène, au lieu d'éloigner ce théâtre dans le temps, le rapprochent de nous et proposent un

3. Racine « modernisé ».

L'accent est alors mis sur une interprétation plus politique que psychologique; encore faut-il nuancer : les implications psychologiques ne sont pas exclues; mais ce sont les aspects socio-politiques que privilégient ces mises en scène qui installent Racine dans le xxe siècle.

Britannicus, *m.e.s. de J. P. Miquel,-Comédie Française, 1978.*
Le programme porte en sous-titre : « La prise du pouvoir ». Celle-ci aurait pu être représentée par la prise du pouvoir par Louis XIV; mais c'était alors entrer dans le jeu des clefs, un peu comme le faisait R. Jasinski dans son exégèse. Et l'explicitation du texte par la mise en scène eût été plus complexe. Ici, le dispositif scénique, utilisant largement le vaste plateau du « Français », veut avant tout impressionner : des degrés à l'arrière-plan, et d'amples dégagements; au premier plan côté cour, une immense statue impériale. Le texte joué est celui de l'édition originale, augmenté de la scène entre Burrhus et Narcisse mentionnée par Louis Racine dans ses *Mémoires*. Les acteurs sont vêtus de façon moderne : smoking, habit, robe de soirée. Autour de Burrhus, des figurants représentent un cabinet ministériel. Octavie est présente, en personnage muet (le : « Et vous, qu'on se retire ! » — II,1 — s'adresse à elle).

Cette mise en scène suscita d'assez vives querelles : outre les prises de position dans la presse, il y eut dans la salle des incidents divers, si bien qu'on a pu évoquer une — modeste — « bataille d'*Hernani* ».

Esther, *m.e.s. de J. Baillon, Théâtre d'Orsay, petite salle, 1978.*
Le décor représente une cave; on est à Prague, au lendemain des accords de Munich, comme l'expliquent le programme et une voix « off ». Un groupe de femmes juives, contraintes de se cacher, jouent, pour tromper l'angoisse, « une sorte de fête d'Esther[9] dérisoire en jouant le texte de Racine ». Le metteur en scène voudrait instaurer une mélopée triste, ponctuée d'humour grinçant, notamment quand apparaît Aman. Ce spectacle, qui ne donne plus vraiment la pièce de Racine, mais en propose une réappropriation, eut un accueil mitigé.

Chacune des perspectives évoquées ci-dessus aboutit à une même question : si l'on s'enferme dans le texte, on perd ses implications historiques, politiques ou psychologiques, en en faisant un pur jeu scénique. Mais la « tradition » psychologique ou l' « actualisation » politique ne peuvent pas rendre compte, de façon manifeste, sur scène, de tout ce qui rattache Racine à son temps. Or c'est une interrogation essentielle pour le public contemporain. Aussi, divers metteurs en scène ont tenté, dans les vingt dernières années, de replacer Racine en son siècle, espérant libérer par là toute la richesse des significations de son œuvre.

4. Racine « en son siècle ».

Phèdre, *m.e.s. de J. Meyer, Comédie-Française, 1959.*
Tentative de reconstitution de l'univers versaillais, et de son cérémonial. Décors très chargés, costumes « grand siècle » (cependant on y discerne, stylisés, les concours de cuirasses : les héros restent sous les armes). Les attitudes sont plutôt hiératiques. Mais les gestes soulignent tout de même le texte — III, I : Ismène s'agenouille devant Aricie; au dénouement, lorsque Phèdre expire, Panope l'allonge doucement, la tête sur ses genoux, tandis que le rideau descend lentement. Cette « reconstitution » fut assez mal accueillie.

Faisant référence à la même époque, mais d'un autre style :

Phèdre, *m.e.s. d'A. Vitez, Théâtre des Quartiers d'Ivry 1975.*
Vitez utilise lui aussi des costumes versaillais avec perruques et lourdes robes (que Phèdre saccage : « Que ces vains ornements...) A. Vitez voudrait avant tout suggérer : « Que l'on puisse tout

imaginer en dessous. Ainsi nous jouerons à la fois le « contenu » de la pièce et sa forme. Ce serait une erreur d'expliquer. » Il joue lui-même Thésée et se montre, en marge, dans les scènes où sa mémoire est évoquée. Certains passages sont chantés, accompagnés par le violon de Théramène et l'épinette d'Aricie.

La mise en scène qui eut, sans doute, le plus de retentissement :

Bérénice, *m.e.s. de R. Planchon, Théâtre de la Cité, Villeurbanne, 1966, reprise en 1969-1970, jouée à Paris, Th. G. Baty.*

R. Planchon refuse de voir dans Bérénice une élégie :

« Certes l'action de Bérénice *est simple, mais est-elle pour autant dépourvue d'événements? Non. Des manifestations ont lieu dans Rome, des délégations se pressent au Palais, etc. Si on additionne ces événements extérieurs, on s'aperçoit qu'ils sont nombreux. Mais ce ne sont pas les seuls. Devant nous des malentendus surgissent, des coups de théâtre, etc. ».*

(Texte de programme de Bérénice.*)*

Il dénonce aussi l' « affadissement psychologique » qu'on fait trop souvent subir à Racine, et rappelle, par exemple, que la suivante d'une reine est elle-même une grande dame, et qu'il est donc faux de « jouer bourgeoisement madame et sa bonne ».

R. Planchon a voulu que les éléments visuels immédiats, décor et costumes, évoquent le XVIIᵉ siècle. Mais sans aucun souci de reconstitution historique : le temps évoqué, c'est celui de Louis XIII, celui, pour nous, des lectures de jeunesse *(Les Trois Mousquetaires)*, celui dont l'image est la plus répandue s'agissant du XVIIᵉ siècle, aujourd'hui. Et dans ce temps de Louis XIII, R. Planchon voit le « bon temps » auquel rêvaient Racine et ses contemporains, le type-cadre de ces tragédies. Le décor comporte trois éléments principaux : côté jardin, une menuiserie bleu sombre, avec une porte qui conduit vers le monde des « affaires »; côté cour, la porte de Bérénice s'ouvre sur un couloir, tapissé de fourrure beige à longs poils qui se prolonge sur un praticable que surmonte un dais de tissus à festons bleus; de lourds rideaux l'encadrent; au fond, en angle, un ensemble de miroirs — le XVIIᵉ siècle, c'est aussi immédiatement pour le public du XXᵉ siècle, la galerie des glaces — disposés, avec des décalages, de façon à permettre des jeux de reflets multiples. La scénographie s'organise selon des lignes droites et des angles aigus, les quelques rares déplacements en courbe qui subsistent prenant ainsi une valeur particulière. La diction ne recherche pas d'effets mélodiques, mais suit les structures sémantiques du texte. Les gestes ne sont pas conventionnels : R. Planchon a poussé les acteurs à aller jusqu'au bout de leur jeu :

c'est ainsi qu'à l'a. V, s. 5, Bérénice exaspérée arrache les rideaux de sa porte... L'élégie est loin...

Certains de ces partis pris se retrouvent dans :

Athalie, *m.e.s. de R. Planchon, T.N.P., Villeurbanne, 1980.*
Cette mise en scène est associée à celle de *Dom Juan* qui utilise les mêmes éléments de décor et les mêmes acteurs, dans une recherche sur la symbolique de la religion et de la mort.
Les costumes mêlent des références au XVIIe siècle (pour les personnages qui appartiennent au monde de la politique) et bibliques (pour l'ordre de la religion). Le décor est dominé par une coupole énorme, inspirée des églises de la Contre-Réforme. Côtés et fond sont tantôt clos de panneaux sombres, tantôt ouverts sur des toiles peintes d'extérieurs. L'action mouvementée d'*Athalie* est mise en relief (cris, courses) et certains éléments des récits extérieurs à la scène sont rendus visibles (l'investissement du temple est figuré par des soldats armés de canons se détachant en silhouettes sur le fond de la scène). Les actes s'enchaînent sans séparation. Les musiques sont modernes. La diction brise la ligne mélodique de l'alexandrin. Les chœurs sont récités et non chantés.

Cette mise en scène veut rendre compte des multiples significations d'*Athalie* : poème religieux janséniste, affrontement de deux conceptions politiques, angoisse de la mort et de la vengeance. Elle prend souvent un aspect onirique. Elle s'ouvre sur une scène où Mathan et ses sbires agressent les jeunes filles du chœur et dont le texte est fait de vers des chœurs et du récit de Mathan à Nabal (A. III, sc. 3). De même, R. Planchon a introduit le personnage d'un ange qui prononce les répliques du chœur et de Joas (joué par un enfant) où s'exprime la parole de Dieu, sur un mode très hiératique. Un cercueil est présent à l'avant de la scène où, moment onirique, Joas immole, au final, Athalie tandis qu'un immense ostensoir descend des cintres. Enfin, les personnages tourmentés d'Athalie, Mathan et Josabeth, attirent plus l'attention que Joad, figé dans ses certitudes. La référence au XVIIe est utilisée ici comme un moyen d'accéder à une dimension mythique (ainsi que les jeunes filles sont *à la fois* des pensionnaires de Saint-Cyr, qui pouffent et se distraient et le chœur tragique).
Cette mise en scène peut être qualifiée, pour sa violence, ses contrastes, son caractère de jeu théâtral souligné, de « baroque ».

La référence au XVIIe siècle, si elle manifeste les implications politiques et sociales de ce théâtre, n'impose pas cette perspective comme seule interprétation possible. Ces évocations sont faites, bien entendu, d'une large part de convention. Mais il semble que ces mises en scène, mieux que d'autres, rendent sensible la multiplicité des significations de ces œuvres.

Pour rendre compte de la diversité des représentations de Racine aujourd'hui, il faut considérer aussi deux cas extrêmes. Il advient que Racine soit représenté confondu avec son modèle antique : la mise en scène de *Phèdre* par D. Llorca (Carré Thorigny, 1973) proposait un spectacle nourri à la fois de Racine et d'Euripide; preuve, s'il en est, que le XVIIe siècle peut être perçu comme « notre antiquité classique »; illustration aussi du fait qu'un passé lointain, indistinct, mais archaïque, est tenu comme un moyen de signifier la violence des passions. Il advient aussi que soient données des représentations télévisuelles de Racine : la mise en scène de *Bérénice* par R. Rouleau — avec des costumes évoquant des uniformes du milieu du XXe siècle et un décor vaguement antique — révèle certaines caractéristiques de l'attitude du spectateur moderne, dont le goût est fortement déterminé par la télévision (usage des gros plans, mouvements de caméra, etc.). Ces deux exemples illustrent les deux difficultés essentielles de la représentation de Racine : d'une part la confusion entre les divers « degrés de culture » mis en jeu; d'autre part les réticences que ce théâtre où le texte s'impose d'abord peut rencontrer à une époque où justement la prééminence du texte est souvent mise en question, et ce, entre autres, parce que l'audiovisuel, les média, ont instauré l'habitude de lire des images.

Mais en même temps, on est en droit de penser que c'est là que se joue le devenir de ce théâtre : moins pratiqué dans l'École, moins lu, c'est dans la mesure où il est représenté, et *vu,* qu'il vit vraiment.

A cet égard, les mises en scène qui en font apparaître la plus grande richesse et diversité de significations sont sans doute les plus intéressantes. Racine, aujourd'hui moins que jamais, ne va pas de soi (c'est pourquoi il nous a paru opportun, pour esquisser ce tableau, de considérer d'abord les références que ses mises en scène affichent par le décor, les costumes, etc. — en outre, à défaut du spectacle même, elles « parlent » à l'esprit — mais il y aurait une enquête aussi intéressante à faire en considérant, par exemple, les exégèses auxquelles elles s'attachent).

Si, dans les trente dernières années, il apparaît, de façon paradoxale, que le théâtre racinien est victime d'une relative désaffection alors même que la critique racinienne est foisonnante, peut-être se dessine-t-il, dans les toutes dernières années, un regain d'intérêt.

On en retiendra ici quelques exemples, en soulignant les contrastes.

Bérénice, *m.e.s. de Klaus Michaël Gruber, Comédie Française, 1984.*

Le décor donne à voir une crypte voûtée, une grande pierre blanchâtre est l'objet marquant; devant fume de l'encens, et la fumée s'élève vers une ouverture bleue, un cercle de ciel, vers lequel aucun personnage ne lèvera jamais les yeux. Bérénice (Ludmilla Mikaël) arrive par une porte que ferme un simple rideau; elle est vêtue d'une robe étroite, semblable à des bandelettes; Antiochus, lui, porte une sorte de sombre linceul; Titus, en cuirasse et tunique, se distingue d'eux, mais tous trois jouent dans un registre qui souligne la lassitude et le désenchantement : Titus, athlétique pourtant, se courbe, fléchit, Bérénice se fige. La diction tire le texte racinien vers l'harmonie funèbre. L'ensemble donne une impression de renoncement des personnages, et de malaise, comme dans une cérémonie morbide.

La Thébaïde, *m.e.s. de Yannis Kobbos, Comédie Française, 1995.*

Dans un décor qui laisse entrevoir au lointain une ville mi-antique mi-moderne, symbole de la collectivité dont les héros sont les porteurs d'enjeux, une demi-voûte et une colonne esquissée écrasent les personnages de leur masse. Souvent agenouillés ou accroupis au premier plan, dans une lumière atténuée, ils disent leur texte en le psalmodiant (Jocaste, Antigone) ou en cédant peu à peu à un délire pulsionnel (Polynice, Etéocle, ce dernier en venant même, quand il entend les propos de son frère, à tomber dans une sorte de transe épileptique), là aussi, l'ambiance est avant tout mortifère.

Ces deux productions de la Comédie Française, quoiqu'à dix ans d'intervalle, indiquent une continuité dans la représentation d'un univers funèbre, ralenti, et dans le choix d'un théâtre de cérémonial. Ils s'opposent en cela à d'autres mises en scène fondées sur un dynamisme soutenu (mises en scène qui peuvent pour autant s'opposer entre elles aussi).

Andromaque, *m.e.s. de Daniel Mesguich, T.N.-Lille, 1993.*

Dans un univers visuel qui fait songer aux grandes plantations du sud des Etats-Unis avant la Guerre de Sécession, des personnages aux costumes stylisés mi-coloniaux mi-antiques s'affrontent dans une lumière rare. Le langage retenu, posé et pesé se brise à divers instants, pour dire des pulsions : ainsi il laisse voir comment Andromaque s'interdit difficilement de ressentir un attrait pour Pyrrhus.

La même année, *Andromaque* (m. e. s. de Marc Favier) était jouée en plein air dans les châteaux de La Motte Tilly et d'Assier, avec foules de figurants, jeux de lumières et musiques, et contrastes soulignés entre les jeux de l'amour (Hermione en robe de bergère versaillaise de l'époque de Marie-Antoinette minaudante) et ceux des engrenages morbides (la même Hermione en furie à la fin).

Ainsi il semble que se soit instauré un débat à distance entre les metteurs en scène de Racine aujourd'hui, les uns misant sur la cérémonie et le jeu avec les effets de sourdine, les autres, sans doute plus marqués par les essais de Planchon et de Vitez, tirant davantage parti des mouvements, de la dynamique, des effets de contrepoint qu'offre le théâtre racinien. Sans doute, les moyens techniques des salles et des troupes y ont leur part : la Comédie-Française dispose de décors et de machines qui nantissent le spectacle d'une puissance que des salles plus petites recherchent davantage dans l'animation du jeu, mais cette raison ne peut être décisive à elle seule. Planchon au T.N.P. disposait de moyens techniques élaborés et avait choisi aussi de donner de l'animation à sa scénographie pour *Athalie.* C'est peut-être plutôt dans le rôle dévolu à Racine dans la vie théâtrale présente qu'il faut chercher le sens de ces contrastes. Tandis qu'on redécouvre la puissance du spectaculaire dans le théâtre de Molière, tandis qu'on redécouvre (par les mises en scène de Jean Marie Villégier notamment) des œuvres un peu oubliées de Corneille et d'autres auteurs plus baroques (Rotrou), Racine reste par excellence le classique auquel s'affronter, et face auquel le choix vaut test : cérémonial ou spectaculaire dans la scénographie équivalent à une autre question, un autre choix de donner à voir une destinée d'avance sue ou des tentatives — dérisoires forcément — d'agir de la part de personnages qui s'imaginent encore libres.

Cette puissance dévolue à son théâtre par la dualité des interprétations est proportionnelle à la fréquence accrue de ces dernières. Si l'on ne peut établir à ce jour de statistiques exactes, on doit au moins relever que pour les saisons 1994-1995 et 1995-1996, la Comédie-Française ne propose pas moins de quatre pièces de Racine : *La Thébaïde* (voir ci-dessus), *Bajazet* (qui vient à l'affiche à l'heure où sont écrites ces lignes) et, en prévision, *Andromaque, Britannicus,* et peut-être une *Athalie* (voir le n° de l'été 1995 de la Revue de la Comédie Française). Au même moment, D. Mesguich travaille à préparer une mise en scène de *Bérénice.*

VARIANTES

Pour que ce cahier de variantes permette de suivre le travail de retouche ou de remodelage de son texte auquel Racine s'est livré au fil des éditions, nous l'avons établi selon les principes suivants :

1. Sous le titre de chaque pièce nous donnons la référence de l'édition originale; lorsqu'une variante est donnée sans indication de date, c'est qu'elle ne figure que dans celle-ci.

2. Dans les autres cas, nous indiquons avec la date de l'originale celle de la dernière édition donnant cet état du texte.

3. Les éditions intermédiaires ne donnent guère de leçons propres : nous les avons indiquées avec leur date particulière.

4. Nous ne faisons pas figurer comme variantes les coquilles et fautes d'impression manifestes.

LA THÉBAIDE

(1re édition : 1664)

(Acteurs) Un soldat Grec
Un page
v. 5 « Il devait bien plutôt les fermer pour jamais
– 6 Que de favoriser le plus noir des forfaits. » (1664-87)
v. 15 (A un page)
« Que l'on aille au plus vite avertir la princesse »
v. 17 « Il faut, il faut courir après ces inhumains. » (1664-87)
v. 19 « Nous voici donc, Olympe, à ce jour détestable » (1664-87)
v. 23 « O toi, qui que tu sois, qui rends le jour au [monde. » (1664-87)
v. 28 « Le seul sang de Laïus les a rendus vulgaires » (1664-87)
v. 34 L'édition de 1664 comptait quatre vers de plus ici :
« Ce sang en leur donnant la lumière céleste,
Leur donna pour le crime une pente funeste;
Et leurs cœurs, infectés de ce fatal poison,
S'ouvrirent à la haine avant qu'à la raison. »
v. 37 « Allons, chère Antigone, allons tout de ce pas » (1664-87)

v. 45 « Madame, qu'avez-vous? Et quel mal si caché...
– JOCASTE
47 Ah! mon fils, de quel sang êtes-vous là taché?
(revenez-vous taché? 1676-1687
Est-ce de votre frère ou n'est-ce point du vôtre? »

v. 49 « Polynice à mes yeux ne s'est point présenté,
– Et l'on s'est peu battu d'un et d'autre côté.
52 Seulement, quelques Grecs, d'un insolent [courage,
M'ayant osé d'abord disputer le passage, »
(État intermédiaire : 1676-1687 :
« Du camp des Argiens une troupe hardie
M'a voulu de nos murs disputer la sortie. »)
v. 55 « Mais pourquoi donc sortir avecque votre [armée?
– 56 Quel est ce mouvement qui m'a tant alarmée? » (1664-87)
v. 58 L'édition de 1664 ajoutait ici :
« Je n'ai que trop langui derrière une muraille;
Je brûlais de me voir en un champ de bataille.
Lorsque l'on peut paraître au milieu des hasards,

Un grand cœur est honteux de garder des
[remparts.
J'étais las d'endurer que le fier Polynice
Me reprochât tout haut cet indigne exercice,
Et criât aux Thébains afin de les gagner
Que je laissais aux fers ceux qui me font régner. » (1664-87)
(Variante de ce vers, 1687 :
« Que je laissais périr ceux qui me font régner. »)

v. 69 « L'insolent Polynice et ses Grecs orgueilleux
– 70 Laisseront Thèbes libre, ou mourront à ses
[yeux. »
Dans l'édition de 1664, la réponse de Jocaste
[commençait
par ces huit vers, qui furent ensuite supprimés :
« Vous préserve le ciel d'une telle victoire!
Thèbes ne veut point voir une action si noire.
Laissez-là son salut et n'y songez jamais;
La guerre vaut bien mieux que cette affreuse paix.
Dure-t-elle à jamais cette cruelle guerre
Dont le flambeau fatal désole cette terre!
Prolongez nos malheurs, augmentez-les toujours,
Plutôt qu'un si grand crime en arrête le cours!

v. 71 « Vous-même d'un tel sang souillerez-vous vos
[armes? » (1664-87)

v. 77 « Vous pouvez vous montrer généreux
[tout à fait,
Contenter votre frère et régner en effet.

ÉTÉOCLE

v. 70 Appelez-vous régner lui céder ma couronne.
80 Quand le sang et le peuple à la fois me la
[donne? » (1664-87)

v. 81 « Vous savez bien, mon fils, que le choix et le
[sang »

v. 86 « Il voulut que tous deux vous en fussiez les rois.
– 87 A ces conditions vous voulûtes souscrire. » (1664-87)

v. 91 L'édition de 1664 comportait 16 vers de plus
avant ceux-ci :
« Il est vrai, je promis ce que voulut mon père.
Pour un trône est-il rien qu'on refuse de faire?
On promet tout, Madame, afin d'y parvenir;
Mais on ne songe après qu'à s'y bien maintenir.
J'étais alors sujet et dans l'obéissance,
Et je tiens aujourd'hui la suprême puissance.

Ce que je fis alors ne m'est plus une loi :
Le devoir d'un sujet n'est pas celui d'un roi.
D'abord que sur sa tête il reçoit la couronne,
Un roi sort à l'instant de sa propre personne.
L'intérêt du public doit devenir le sien,
Il doit tout à l'État et ne se doit plus rien.

JOCASTE

Au moins doit-il, mon fils, quelque chose à sa
[gloire,
Dont le soin ne doit pas sortir de sa mémoire;
Et quand ce nouveau rang l'affranchirait des
[lois,
Au moins doit-il tenir sa parole à des rois.

ÉTÉOCLE

Polynice à ce titre aurait tort de prétendre :
Thèbes sous son pouvoir n'a point voulu se
[rendre. »
(Ce dernier vers subsiste tel quel jusqu'en 1687.)

v. 145 « Et que le diadème ait pour vous tant
[d'attraits, »
v. 147 « Accordez quelque trêve à sa douleur amère. » (1664-87)
v. 153 « Dans cette occasion rien ne peut m'émouvoir. » (1664-87)
v. 154 « Madame, sans sortir vous le pouvez bien voir. »
v. 159 « Je ferai plus encore, et pour faire connaître » (1664-87)
v. 163 « Si le peuple le veut, je lui cède ma place; (1664-87)
– 164 Mais qu'il se rende aussi, si le peuple le chasse. » (1664-76)

v. 167 CRÉON « Au Roi »
v. 179 « Comme il a de l'honneur autant que du
[courage. » (1664 et 87)
v. 211 « Vous les verriez toujours, l'un à l'autre
[contraire,
– Détruire aveuglément ce qu'aurait fait un frère,
213 L'un sur l'autre toujours former quelque
[attentat. » (1664-87)
v. 220 « Et par de grands dégâts signalent leur passage »
v. 225 « Et qu'en vous éloignant du trône où vous
[tendez,
– Elle rend pour jamais, vos desseins avortés.
227 Comme après mes enfants le droit de la
[naissance »

v. 243 « Tant que pour ennemi le Roi n'aura qu'un
[frère,
Sa personne, Créon, me sera toujours chère. » (1664-87)
v. 285 « Aussi bien mes devoirs redoublent vos
[mépris. » (1664-87)
v. 287 « Vous savez que le Roi m'appelle à son service. »
v. 296 « Appelons au plus vite Hémon et votre frère. »
v. 307 « Hé quoi? Vous me plaignez votre aimable
[présence? » (1664-87)
v. 339 « Oui, je prévoyais bien qu'une âme si fidèle »
v. 350 L'édition de 1664 ajoutait huit vers :
« Lorsqu'on se sent pressé d'une main
[inconnue,
On la craint sans réserve, on hait sans retenue :
Dans tous ces mouvements, le cœur n'est pas
[contraint,
Et se sent soulagé de haïr ce qu'il craint.
Mais voyant attaquer mon pays et mon frère,
La main qui l'attaquait n'en était pas moins
[chère;
Mon cœur, qui ne voyait que mes frères et vous,
Ne haïssait personne, et je vous craignais tous. »
v. 370 L'édition de 1664 comptait entre ces deux vers
– 371 [huit vers de plus :
« Je le chéris toujours encore qu'il m'oublie.

HÉMON

Non, non, son amitié ne s'est point affaiblie :
Il vous chérit encor; mais ses yeux ont appris
Que mon amour pour vous est bien d'un autre
[prix.
Quoique son amitié surpasse l'ordinaire,
Il voit combien l'amant l'emporte sur le frère.
Et qu'auprès de l'amour dont je ressens l'ardeur,
La plus forte amitié n'est au plus que tiédeur.

ANTIGONE

(371) Mais enfin si sur lui j'avais le moindre empire, »
v. 400 « Tout notre sang doit-il subir votre colère? » (1664-87)
v. 407 « Je l'attends cette mort et je l'attends sans
[plaintes;
– 408 Et s'il faut avouer le sujet de mes craintes », (1664-76)
v. 438 L'édition de 1664 comptait ici vingt vers de plus :
« Aussi quand jusqu'à vous j'osai porter ma
[flamme,

Vos yeux seuls imprimaient la terreur dans mon [âme;
Et je craignais bien plus d'offenser vos appas
Que le courroux des dieux que je n'offensais pas.

ANTIGONE

Autant que votre amour, votre erreur est [extrême,
Et vous les offensiez beaucoup plus que moi-[même.
Quelque rigueur pour vous qui parût en mes [yeux,
Hélas! ils approuvaient ce qui fâchait les dieux.
Oui, ces dieux, ennemis de toute ma famille,
Aussi bien que le père en détestaient la fille.
Vous aimâtes, Hémon, l'objet de leur courroux,
Et leur haine pour moi s'étendit jusqu'à vous.
C'est là de nos malheurs le funeste principe;
Fuyez, Hémon, fuyez de la fille d'Œdipe.
Tâchez de n'aimer plus, pour plaire aux [immortels,
Et la fille est la sœur de tant de criminels.
Le crime en sa famille...

HÉMON

Ah! Madame, leur crime
Ne fait que relever votre vertu sublime,
Puisque par un effort dont les dieux sont jaloux,
Vous brillez d'un éclat qui ne vient que de vous. »

v. 442 L'édition de 1664 ajoutait quatre vers :
« Plût aux dieux seulement que votre amant [fidèle
Pût avoir de leur haine une cause nouvelle,
Et que pour vous aimer méritant leur courroux,
Il pût mourir encor pour être aimé de vous! »

v. 447 « Mais peut-être en ce point notre frayeur est [vaine. »

v. 453 « Et que lassé de voir tant répandre de sang. »

v. 510 « Et son cœur n'aime plus qu'à répandre du [sang. »

v. 518 L'édition de 1664 ajoutait quatre vers :
« Il revient; mais, hélas! c'est pour notre [supplice.
Je ne vois point mon frère en voyant Polynice.
En vain il se présente à mes yeux éperdus :
Je ne le connais point, il ne me connaît plus. »

v. 521 « Dites que de mon rang le lâche usurpateur » (1664-87)

v. 522 L'édition de 1664 ajoutait quatre vers :
« De votre changement ce traître est le [complice :
Parce qu'il me déteste, il veut qu'on me haïsse.
Aussi, sans imiter votre exemple aujourd'hui,
Votre haine ne fait que m'aigrir contre lui. »

v. 528 « Que de lui faire enfin cette injuste prière. »

v. 547 « Ce jour-ci tout entier n'est-il pas de la trêve? »

v. 554 « Vous l'appelez tyran, vous l'êtes plus que lui. » (1664-87)

SCÈNE IV

UN SOLDAT « GREC »

v. 565 « Et les Thébains, conduits par Créon et leur roi, » (1664-87)

v. 577 « Le courage me manque et je n'y puis courir. » (1664-87)

v. 590 « Si pourtant on peut l'être avecque tant [d'ennuis. » (1664-87)

v. 606 « Lorsque dedans mes bras vous l'avez amené? »

v. 616 L'édition de 1664 ajoutait quatre vers :
« D'un triomphe si beau vient-il de s'honorer?
Qui des deux dois-je plaindre, et qui dois-je [abhorrer?
Ou n'ont-ils point tous deux, en mourant sur la [place,
Confirmé par leur sang la céleste menace? »

v. 622 « Pour l'État et pour nous s'est lui-même immolé.
– 623 Je sortais pour fléchir Hémon et Polynice. » (1664-87)

v. 625 « Je leur criais d'attendre et d'arrêter leur pas :
– Mais loin de s'arrêter, ils ne m'entendaient pas.
627 Ils ont couru tous deux vers le champ de bataille. » (1664-87)

v. 636 « Au milieu des deux camps est avancé sans [crainte. »

v. 674 L'édition de 1664 ajoutait quatre vers :
« Ce sont eux dont la main suspend la barbarie
De deux camps animés d'une égale furie,
Et si de tant de sang ils n'étaient point lassés,
A leur bouillante rage ils les auraient laissés. »

v. 679 « Il a mis cette nuit quelque trêve à mes larmes, » (1664-87)

v. 684 « Mais combien chèrement me vend-il cette joie ! »

v. 692 L'édition de 1664 ajoutait quatre vers :
« En vain tous les mortels s'épuiseraient le flanc.

Ils veulent se baigner dedans leur propre sang.
Tous deux voulant régner, il faut que l'un périsse.
L'un a pour lui le peuple, et l'autre la justice. »

v. 696 « Nous ôte tout le fruit du sang de Ménécée; » (1664-87)

v. 705 « Mais de quelques soldats, tant des Grecs que des [nôtres, » (1664-87)

v. 709 « Quand du fils de Créon le funeste trépas
– 710 Des Thébains et des Grecs a retenu le bras. » (1664-87)

v. 744 « Faites servir son sang, sans y joindre le [vôtre. » (1664-76)

v. 753 « Ah! dans ces ennemis » (1664-76)

v. 786 « Et ne reviendra pas que le sceptre à la main. »

v. 789 « On ne dit pas pourquoi; mais il s'engage aussi
De vous attendre au camp, ou de venir ici.

CRÉON

791 Sans doute qu'il est las d'une guerre si lente, » (1664-87)

v. 810 « Attendez-le plutôt, et voyez-le en ces lieux. »

v. 824 « De voir que ce grand cœur pour la paix se [déclare. »

v. 834 L'édition de 1664 ajoutait quatre vers :
« Et j'abandonnerais avec bien moins de peine
Le soin de mon salut que celui de ma haine.
J'assurerais ma gloire en courant au trépas;
Mais on la perd, Attale, en ne se vengeant pas. »

v. 845 « Tout mon sang me conduit au rang de mes [aïeux, » (1664-87)

v. 852 « Je lui fis refuser l'empire à Polynice. » (1664-87)

v. 854 « Et je le mis au trône afin de l'en chasser » (1664-87)

v. 858 « Pourquoi par vos conseils s'embrassent-ils [tous deux? » (1664-87)

v. 864 « Hémon m'abandonna pour suivre Polynice. » (1664-76)

v. 885 « Quelque haine qu'on ait pour un fier ennemi. » (1664-76)

v. 907 « Je sais que Polynice est d'une humeur altière. »

v. 920 L'édition de 1664 ne comprenait pas les v. 921 à 924 et donnait des v. 920, 925, 926 la version :
« Et déjà nous l'étions avecque violence;
Nous le sommes au trône aussi bien qu'au [berceau
Et le serons peut-être encor dans le tombeau. » (1664-87)

v. 928 « Voulut de nos parents venger ainsi l'inceste. »

v. 930 « Tout ce qu'a de plus noir et la haine et [l'amour. » (1664-87)

v. 933 « Plus il approche, et plus il allume ses feux. »

v. 956 L'édition de 1664 donnait de ces vers un état

– différent et en ajoutait quatre autres :

958 « La paix est trop cruelle avecque Polynice :
Sa présence aigrirait ses charmes les plus doux,
Et la guerre, Seigneur, nous plaît avecque vous. (1664-87)
La rage d'un tyran est une affreuse guerre;
Tout ce qui lui déplait il le porte par terre;
Du plus beau de leur sang il prive les États,
Et ses moindres rigueurs sont d'horribles [combats. »

v. 965 « Mais quelqu'un vient.

SCÈNE II :

ÉTÉOCLE, CRÉON, ATTALE

ÉTÉOCLE

Eh bien! Sont-ils bien près d'ici? »

v. 1032 L'édition de 1664 ajoutait quatre vers :
« La fière ambition qui règne dans leur cœur
N'écoute de conseils que ceux de la fureur.
Leur sang même, infecté de sa funeste haleine,
Ou ne leur parle plus, ou leur parle de haine. »

v. 1042 « Est-ce dessus des morts que vous voulez [régner? »

v. 1053 « Si je suis violent, c'est que je suis contraint, »

v. 1054 L'édition de 1664 ajoutait quatre vers :
« Je ne me connais plus en ce malheur extrême :
En m'arrachant du trône on m'arrache à moi-[même.
Tant que j'en suis dehors, je ne suis plus à moi;
Pour être vertueux, il faut que je sois roi. »

v. 1089 « Et sans être ni doux ni cruels à demi, » (1664-76)

v. 1095 « Aussi bien ce n'est point que l'amitié vous [tienne, »

v. 1111 Dans l'édition de 1664, ce vers était précédé de vingt autres, supprimés en 1676, et attribué à Hémon avec une variante :

JOCASTE

« Un exil innocent vaut mieux qu'une couronne
Que le crime noircit, que le parjure donne.
Votre bannissement vous rendra glorieux,
Et le trône, mon fils, vous rendrait odieux.
Si vous n'y montez pas, c'est le crime d'un autre.
Mais si vous y montez, ce sera par le vôtre.
Conservez votre gloire.

ANTIGONE

Ah! mon frère, en effet,
Pouvez-vous concevoir cet horrible forfait?
Ainsi donc tout à coup l'honneur vous [abandonne?
O dieux! est-il si doux de porter la couronne?
Et pour le seul plaisir d'en être revêtu,
Peut-on se dépouiller de toute sa vertu?
Si la vertu jamais eût régné en votre âme,
En feriez-vous au trône un sacrifice infâme?
Quand on l'ose immoler, on la connaît bien peu;
Et la victime, hélas! vaut bien plus que le dieu.

HÉMON

Seigneur, sans vous livrer à ce malheur extrême,
Le ciel à vos désirs offre le diadème;
Vous pouvez, sans répandre une goutte de sang,
Dès que vous le voudrez monter à ce haut rang,
(1111) Puisque le roi d'Argos vous cède une couronne. »

v. 1119 HÉMON

« Qu'on le tienne, Seigneur, d'un beau-père ou [d'un père, »

v. 1121 « Hémon, la différence est trop grande pour [moi. »

v. 1132 « Être roi, cher Hémon, et l'être à juste titre »

v. 1164 « Ah! ta chute bientôt précédera la mienne. » (1664-87)

v. 1191 CRÉON

« Heureux emportement!

ANTIGONE

Hélas! rien ne les touche! »

v. 1196 « Et n'obéissez pas à leur rage inhumaine.
– 1197 C'est leur être cruels que de les contenter. »

v. 1260 L'édition de 1664 ajoutait douze vers :

« Quand on est au tombeau, tous nos tourments [s'apaisent :
Quand on est furieux, tous nos crimes nous [plaisent;
Des plus cruels malheurs le trépas vient à bout;
La fureur ne sent rien; mais la douleur sent tout.
Cette vive douleur, dont je suis la victime,
Ressent la mort de l'un, et de l'autre le crime.
Le sort de tous les deux me déchire le cœur;
Et plaignant le vaincu, je pleure le vainqueur.
A ce cruel vainqueur, quel accueil dois-je faire?
S'il est mon frère, Olympe, il a tué mon frère.
La nature est confuse et se tait aujourd'hui :
Elle n'ose parler pour lui, ni contre lui. »

v. 1267 « Et ce qui le rendait agréable à mes yeux. »

v. 1311 « Que d'une égale ardeur ils y couraient tous [deux »

v. 1323 « Et la seule fureur précipitant leur bras, » (1664-87)

v. 1328 « Leurs ordres absolus qui nous retenaient [tous; » (1664-87)

v. 1480 « Et vous mourez ainsi, beau sujet de mes [feux! »

v. 1505 « Accordez-le à mes vœux, accordez-le à mes [crimes. »

ALEXANDRE LE GRAND
(1re édition : 1666)

v. 20 « Aille jusqu'en son camp lui demander des [fers? » (1666-87)

v. 52 L'édition de 1666 ajoutait ici quatre vers :
« Mes yeux de leur conquête ont-ils fait un [mystère?
Vîtes-vous ses soupirs d'un regard de colère?
Et lorsque devant vous ils se sont présentés,
Jamais comme ennemis les avez-vous traités? »

v. 60 « Le vainqueur de l'Asie a pu vous désarmer; » (1666-76)

v. 90 « D'un seul de ses regards il peut vaincre [Alexandre. » (1666-87)

v. 96 « Si vous l'aimez, aidez-le à démentir ses yeux. »

v. 172 « A peine connaissait un si faible ennemi. » (1666-87)

v. 180 « Que cette paix trompeuse a jetés dans ses [fers. » (1666-72)

v. 186 « De quelque vain hommage on peut le [satisfaire. » (1666-76)

v. 193 « N'attirons point sur nous les effets de sa rage; » (1666-87)

v. 228 Après ce vers, l'édition de 1666 portait :

TAXILE

« Votre fierté, Seigneur, s'accorde avec la sienne.

PORUS

J'aime la gloire; et c'est tout ce qu'aime la Reine.

TAXILE

Son cœur vous est acquis.

PORUS

J'empêcherai du moins
Qu'aucun maître étranger ne l'enlève à mes soins.

TAXILE

(229) Mais enfin croyez-vous que l'amour vous [ordonne » (1666-76)

v. 239 « La jalouse fierté que son nom m'inspirait » (1666-76)

v. 241 « Mon cœur dans les transports de cette jalousie
– 242 Le voyait à regret occupé dans l'Asie; » (1666-76)

v. 248 « Lui refuser la paix qu'il vous veut présenter. » (1676-87)

v. 257 « Quoi? Taxile me fuit! Quelle cause
[imprévue... » (1666-72)

v. 261 « Mais quittons-le, Madame, et puisqu'il veut se
[rendre, (1666-87)

– 262 Laissons-le avec sa sœur adorer Alexandre. »

v. 277 « Eh bien! Madame, aidez-le à vous trahir vous-
[même, »

v. 303 « Mon cœur dans un rival vous cherche un
[défenseur » (1666-72)

v. 486 « Sous le joug d'Alexandre ont vu ployer leurs
[têtes.

– 487 Après tant de sujets à ses armes soumis, » (1666-72)

v. 491 « Pour secouer le joug, les yeux toujours
[ouverts; » (1666-72)

v. 493 « Le Bactrien conquis reprend son diadème »
(L'édition de 1672 donne un état
[intermédiaire :
« Quelques rois ont déjà repris leurs
[diadèmes »)

v. 511 « Je soutiendrai ma gloire, et répondant en roi,

– 512 Je vais parler ici pour la Reine et pour moi. » (1666-72)

v. 590 « Attaquer, conquérir, et rendre les couronnes. » (1666-87)

v. 597 « Quoi? voulez-vous, au gré de votre
[impatience... » (1666-72)

v. 606 « De ses nouveaux amis n'embrasse la
[querelle. » (1666-72)

v. 608 « Vous comptent hautement au rang de leurs
[amis.

– 609 Ils se vantent déjà qu'un roi qui les respecte... » (1666-87)

v. 627 « O Dieux!

– PORUS

Son changement me dérobe un appui

628 Que je connaissais trop pour m'assurer sur lui. » (1666-76)

v. 667 « Voulez-vous qu'en mourant ce cœur
[infortuné » (1666-72)

v. 690 « D'une égale fierté l'une et l'autre animées, » (1666-76)

v. 710 L'édition de 1666 comportait ici vingt vers de
[plus :
« Ah! Madame, s'il m'aime, il le témoigne mal.
Ses lâches soins ne font qu'avancer son rival.

Il devait dans un champ, plein d'une noble envie,
Lui disputer mon cœur, et le soin de ma vie,
Balancer mon estime, et comme lui courir
Bien moins pour me sauver que pour me [conquérir.

CLÉOFILE

D'un refus si honteux il craint peu les [reproches;
Il n'a point du combat évité les approches,
Il en eût partagé la gloire et le danger,
Mais Porus avec lui ne veut rien partager.
Il aurait cru trahir son illustre colère
Que d'attendre un moment le secours de mon [frère.

AXIANE

Un si lent défenseur, quel que soit son amour,
Se serait fait, Madame, attendre plus d'un jour.
Non, non, vous jouissez d'une pleine assurance,
Votre amant, votre frère étaient d'intelligence.
Le lâche, qui dans l'âme était déjà rendu,
Ne cherchait qu'à nous vendre après s'être [vendu.
Et vous m'osez encor parler de votre frère?
Ah! de ce camp, Madame, ouvrez-moi la [barrière. »

v. 719 « Si vous cherchez Porus, sans nous [abandonner, » (1666-72)

v. 753 « Qu'il avait refusé, lâche? Pour ta patrie,
– 754 Ton infâme courage attend donc qu'on le prie? »

v. 764 « Enchaîne ta maîtresse avecque ton rival. » (1666-87)

v. 776 « Un sceptre que Porus devait moins hasarder. » (1666-87)

v. 778 « Mais vous venez de voir Alexandre [vainqueur. » (1672)

v. 817 « Le font bientôt connaître. Et certes son [visage »

v. 821 « Il sortait du combat. Et tout couvert de [gloire, » (1666-72)

v. 889 « Les beautés de l'Asie à mes yeux présentées, » (1666-72)

v. 901 « Veulent-ils donc toujours douter de leur [victoire? »

v. 949 « Mais un reste des siens, ralliés dans leur fuite,
A du soldat vainqueur arrêté la poursuite.
– Leurs bras à quelque effort semblent se préparer.

ALEXANDRE

952 Observez leur dessein sans les désespérer. »
(Les éditions de 1672 et 1676 donnent deux états intermédiaires pour les vers 951 et 952 :
1672 — v. 952 : « Qu'on ne leur laisse point le [temps de respirer. »
1676 — v. 951 : « A lui vendre leur mort semblent se préparer. »

v. 1069 « Il est vrai que j'ai plaint le sort de vos [provinces. » (1666-76)

v. 1178 « D'un lâche, et d'un héros faisait la [différence. »

v. 1205 Dans l'édition de 1666, la réplique de Taxile comptait quatre vers de plus avant celui-ci (supprimés en 76) :
« Eh bien! n'en parlons plus. Les soupirs et les [larmes
Contre tant de mépris sont d'impuissantes [armes;
Mais c'est user, Madame, avec trop de rigueur
Du pouvoir que vos yeux vous donnent sur [mon cœur.
Tout amant que je suis, vous oubliez peut-être »

v. 1249 « Quoi? ma sœur, on se bat? Porus vient de [paraître? » (1666-87)

v. 1269 « Quoi? vous craignez Porus même après sa [défaite?
Ma victoire à vos yeux semble-t-elle imparfaite?
– Non, non, c'est un captif qui n'a pu m'éviter,
1272 Lui-même à son vainqueur il se vient présenter. » (1666-87)

v. 1375 « Vous attend en ces lieux et veut que dans [l'oubli » (1666-72)

v. 1340 « Qui d'eux-mêmes *(sic)* en cent lieux ont laissé [la moitié,
– 1341 Par leurs gémissements vous font assez [connaître. »
(L'édition de 1672 donne le v. 1340 dans son état définitif, le v. 1341 tel que ci-dessus, et, pour le v. 1339 :
« Vos soldats qui, tout blancs, excitant la [pitié, »)

v. 1376 Entre ce vers et le suivant, trente-deux vers de l'édition de 1666 ont été supprimés :

« Je croyais que touché de mes justes alarmes
Vous sauveriez Porus...

ALEXANDRE

Que j'écoute vos larmes,
Tandis que votre cœur, au lieu de s'émouvoir,
Désespère Taxile et brave mon pouvoir?
Pensez-vous, après tout, que j'ignore son [crime?
C'est moi dont la faveur le noircit et l'opprime,
Vous le verriez sans moi d'un œil moins irrité.
Mais on n'en croira pas votre injuste fierté.
Porus est son captif. Avant qu'on le ramène,
Consultez votre amour, consultez votre haine.
Vous le pouvez d'un mot ou sauver ou punir :
Madame, prononcez ce qu'il doit devenir.

AXIANE

Hélas! que voulez-vous que ma douleur [prononce?
Pour sauver mon amant, faut-il que j'y [renonce?
Faut-il, pour obéir aux ordres du vainqueur,
Que je livre à Taxile ou Porus ou mon cœur?
Pourquoi m'ordonnez-vous un choix si [difficile?
Abandonnez mes jours au pouvoir de Taxile,
J'y consens. Ne peut-il se venger à son tour?
Qu'il contente sa haine, et non pas son amour.
Punissez le mépris d'une fière princesse,
Qui d'un cœur endurci le haïra sans cesse.

CLÉOFILE

Et pourquoi ces mépris qu'il n'a pas mérités,
Lui qui semble adorer jusqu'à vos cruautés?
Pourquoi garder toujours cette haine enflammée?

AXIANE

C'est pour vous avoir crue, et pour m'avoir [aimée.
Je connais vos desseins. Votre esprit alarmé
Veut éteindre un courroux par vous-même [allumé.
Vous me craignez enfin. Mais qu'il vienne, ce [frère,
Il saura quelle main l'expose à ma colère :
Heureuse si je puis lui donner aujourd'hui
Plus de haine pour vous que je n'en ai pour lui! »

v. 1405 « Le voici. Consultons-le en ce péril extrême.
– 1406 Je veux à son secours n'appeler que lui-même. »
L'édition de 1672 donne un état intermédiaire du v. 1405 :
« Il vient. Il faut l'entendre en ce péril [extrême. »

v. 1413 « Axiane, elle seule à mes bontés rebelle, » (1666-76)

v. 1481 « Vous seul vous l'ignorez, mais ma joie est [extrême » (1672)

v. 1483 Avant ce vers, dans l'édition de 1666, Porus en prononçait quatre autres adressés à Axiane :
« Ah ! Madame, sur moi laissez tomber leurs [coups.
Ne troublez point un sort que vous rendez si [doux.
Vous m'allez regretter. Quelle plus grande [gloire
Pouvait à mes soupirs accorder la victoire? »

ANDROMAQUE
(1re édition : 1668)

v. 12 « Presque aux yeux de Mycène écarta nos
[vaisseaux. » (1668-73)
v. 31 « Par quels charmes, après tant de tourments
[soufferts,
– 32 Peut-il vous inviter à rentrer dans ses fers? » (1668-87)
v. 38 « Ami, n'insulte point un malheureux qui
[t'aime » (1668-73)
v. 52 « Voulut, en l'oubliant, venger tous ses
[mépris. » (1668-73)
v. 58 « Dans ce calme trompeur j'arrivai dans la
[Grèce; » (1668-73)
v. 66 « Me fait courir moi-même au piège que
[j'évite. » (1668-73)
v. 98 « Je me livre en aveugle au transport qui
[m'entraîne. » (1668-87)
v. 104 « Me rendra-t-il, Pylade, un cœur qu'il m'a
[ravi? » (1668-76)
v. 113 « Il lui cache son fils, il menace sa tête, » (1668-87)
v. 122 « Épouser ce qu'il hait, et perdre ce qu'il
[aime. » (1668-73)
v. 124 « Ses attraits offensés et ses yeux sans
[pouvoir? » (1668-73)
v. 127 « Et croit que trop heureux d'apaiser sa
[rigueur, » (1668-73)
v. 144 « Souffrez que je me flatte en secret de leur
[choix, » (1668-73)
v. 184 « D'ordonner des captifs que le sort m'a
[soumis? » (1668-76)
v. 243 « Et je saurai peut-être accorder en ce jour » (1668-76)
v. 303 « Que feriez-vous, hélas ! d'un cœur
[infortuné » (1668-73)
v. 380 « Nos cœurs... » (1668-76)
v. 449 « Pensez-vous que des yeux toujours ouverts
[aux larmes
– 450 Songent à balancer le pouvoir de vos charmes? » (1668-73)
v. 455 « Pourquoi tant de froideurs? Pourquoi cette
[fierté? » (1668-73)
v. 478 « Ait suspendu les soins dont vous charge la
[Grèce? » (1668-73)

v. 505 « Non, non, ne pensez pas qu'Hermione dispose
D'un sang sur qui la Grèce aujourd'hui se
[repose;

– Mais vous-même, est-ce ainsi que vous exécutez
508 Les vœux de tant d'États que vous représentez? » (1668-73)

v. 515 « ... Ainsi donc il ne me reste rien
Qu'à venir prendre ici la place du Troyen :
Nous sommes ennemis, lui des Grecs, moi le
[vôtre;

– Pyrrhus protège l'un, et je vous livre l'autre.

HERMIONE

Hé quoi? Dans vos chagrins sans raison affermi
520 Vous croirez-vous toujours, Seigneur, mon
[ennemi? » (1668-73)

v. 531 « Ouvrez les yeux. Songez qu'Oreste est devant
[vous, » (1668-73)

v. 584 « Au nom de Ménélas, allez lui faire entendre » (1668-76)

v. 628 A la suite de ce vers, l'édition de 1668 portait ces quatre autres (supprimés en 1676) :
« Et qui l'aurait pensé qu'une si noble audace
D'un long abaissement prendrait sitôt la place?
Que l'on pût sitôt vaincre un poison si charmant?
Mais Pyrrhus, quand il veut, sait vaincre en un
[moment. »

v. 670 « Qu'Andromaque en secret n'en sera pas
jalouse? » (1668-76)

v. 719 « Faîtes taire, Seigneur, ce transport inquiet. » (1668-76)

v. 722 « Tout dépend de Pyrrhus, et surtout
d'Hermione. » (1668-73)

v. 752 « Au lieu de l'enlever, Seigneur, je la fuirais. » (1668-73)

v. 783 « Cher Pylade, crois-moi, mon tourment me
[suffit. » (1668-87)

v. 863 « Par les mains de son père, hélas! j'ai vu
[percer » (1668-76)

v. 895 « Qu'attendez-vous? Forcez ce silence obstiné. » (1668-87)

v. 904 « Dieu! n'en reste-t-il pas du moins quelque
[pitié? » (1668-76)

v. 1018 « Hélas! Il m'en souvient, le jour que son
[courage » (1668-73)

v. 1034 « Le fer, que ce cruel tient levé sur la tête. » (1668-73)

. 1 108 « S'il le faut, je consens que tu parles de moi. » (1668-76)

v. 1252 L'édition de 1668 comptait ensuite quatre vers
[de plus :
« Mais que dis-je? Ah! plutôt permettez que
[j'espère.
Excusez un amant que trouble sa misère,
Qui tout prêt d'être heureux, envie encor le sort
D'un ingrat, condamné par vous-même à la
[mort. » (1668-76)

v. 1285 « Et que sans consulter ni mon cœur ni le
[vôtre, » (1668-76)

v. 1327 « Votre grand cœur sans doute attend après
[mes pleurs,
– 1328 Pour aller dans ses bras jouir de mes douleurs. » (1668-76)

v. 1341 « Madame, je sais trop à quel excès de rage (1668-76)
– 1342 L'ardeur de vous venger emporta mon courage. » (1668-73)

v. 1377 « Ton cœur, impatient de revoir sa Troyenne, » (1668-76)

v. 1387 « Seigneur, vous l'entendez. Gardez de
[négliger » (1668-73)

v. 1399 « Ai-je vu ses regards se troubler un moment? » (1668-76)
(L'édition de 1687 donne un état intermédiaire :
« L'ai-je vu s'attendrir, se troubler un
[moment? »)

v. 1435 « Et d'un œil qui déjà dévorait son espoir. » (1668-76)

v. 1467 « Il craint les Grecs, il craint l'univers en
[courroux » (1668-76)

v. 1493 Dans l'édition de 1668, le début de la scène 3
[était :

SCNÈE III : ORESTE, ANDROMAQUE, HERMIONE, CÉPHISE, SOLDATS D'ORESTE

ORESTE

« Madame, c'en est fait, partons en diligence,
Venez dans mes vaisseaux goûter votre
[vengeance.
Voyez cette captive : elle peut mieux que moi
Vous apprendre qu'Oreste a dégagé sa foi.

HERMIONE

O Dieux! c'est Andromaque!

ANDROMAQUE

Oui, c'est cette princesse
Deux fois veuve, et deux fois l'esclave de la
[Grèce,

Mais qui jusque dans Sparte ira vous braver
[tous,
Puisqu'elle voit son fils à couvert de vos coups.
Du crime de Pyrrhus complice manifeste,
J'attends son châtiment. Car je vois bien
[qu'Oreste,
Engagé par votre ordre à cet assassinat,
Vient de ce triste exploit vous céder tout l'éclat.
Je ne m'attendais pas que le ciel en colère
Pût, sans perdre mon fils, accroître ma misère,
Et gardât à mes yeux quelque spectacle encor
Qui fît couler mes pleurs pour un autre
[qu'Hector.
Vous avez trouvé seule une sanglante voie
De suspendre en mon cœur le souvenir de Troie.
Plus barbare aujourd'hui qu'Achille et que son
[fils,
Vous me faites pleurer mes plus grands
[ennemis;
Et, ce que n'avaient pu promesse ni menace,
Pyrrhus de mon Hector semble avoir pris la
[place.
Je n'ai que trop, Madame, éprouvé son
[courroux :
J'aurais plus de sujet de m'en plaindre que vous.
Pour dernière rigueur ton amitié cruelle,
Pyrrhus, à mon époux me rendait infidèle.
Je t'en allais punir. Mais le ciel m'est témoin
Que je ne poussais pas ma vengeance si loin;
Et sans verser ton sang ni causer tant d'alarmes,
Il ne t'en eût coûté peut-être que des larmes.

HERMIONE

Quoi? Pyrrhus est donc mort?

ORESTE

Oui, nos Grecs irrités... »

v. 1520 L'édition de 1668 portait entre ce vers et le
[vers 1524 :
« Le Troyen est sauvé. Mais partons, le temps
[presse;
L'Épire tôt ou tard satisfera la Grèce.
Cependant j'ai voulu qu'Andromaque
[aujourd'hui
Honorât mon triomphe et répondît de lui.
Du peuple épouvanté la foule fugitive

M'a laissé sans obstacle enlever ma captive,
Et regagner ces lieux, où bientôt nos amis »

N. B. L'édition de 1673 supprime ces deux passages; mais le nom d'Andromaque figure encore dans la liste des personnages de cette scène.

v. 1532 « D'une mort, que les Grecs n'ont fait qu'exécuter » (1668-76)

v. 1564 Dans l'édition de 1668, Hermione ajoutait, à l'intention d'Andromaque :
« Allons, Madame, allons. C'est moi qui vous [délivre.
Pyrrhus ainsi l'ordonne, et vous pouvez me [suivre.
De nos derniers devoirs allons nous dégager.
Montrons qui de nous deux saura mieux le [venger. »

v. 1591 « Commande qu'on le venge; et peut-être [qu'encor
– 1592 Elle poursuit sur nous la vengeance d'Hector. » (1668-87)

v. 1598 « A son dernier courroux je ne puis plus [survivre. »

LES PLAIDEURS
(1re édition : 1669)

v. 161 L'intimité : « Quoi donc? »

v. 638 Après ce vers, l'édition de 1669 comportait ces [deux répliques :

PETIT-JEAN

« Je vous entends. Oui, mais d'une première [cause,
Monsieur, à l'avocat revient-il quelque chose?

LÉANDRE

Ah, fi! Garde-toi bien d'en vouloir rien [toucher.
C'est la cause d'honneur, on l'achète bien cher.
On sème des billets par toute la famille;
Et le petit garçon, et la petite fille,
Oncle, tante, cousins, tout vient, jusques au [chat,
Dormir au plaidoyer de Monsieur l'avocat. »

v. 651 Dans l'édition de 1669, il y avait :
« Et dans une poursuite à vous-même funeste
Vous en voulez encore absorber tout le reste.
Ne vaudrait-il pas mieux, sans soucis, sans [chagrins,
Et de vos revenus régalant vos voisins,
Vivre en père jaloux du bien de sa famille,
Pour en laisser un jour le fonds à votre fille;
Que de nourrir un tas d'officiers affamés
Qui moisonnent les champs que vous avez semés,
Dont la main toujours pleine, et toujours [indigente,
S'engraisse impunément de vos chapons de [rente?
Le beau plaisir d'aller, tout mourant de [sommeil,
A la porte d'un juge attendre son réveil,
Et d'essuyer le vent qui vous souffle aux [oreilles,
Tandis que Monsieur dort, et cuve vos [bouteilles!
Ou bien, si vous entrez, de passer tout un jour
A compter, en grondant, les carreaux de sa cour!
Hé! Monsieur, croyez-moi, quittez cette [misère. »

BRITANNICUS
(1re édition : 1670)

v. 27 « Rome, depuis trois ans, par ses soins [gouvernée, » (1670-76)

v. 117 « Allez avec César vous éclaircir du moins. » (1670-76)

v. 228 « Le sang de nos aïeux qui brille dans Junie? » (1670-87)

v. 274 « Lorsque Néron lui-même annonce sa ruine, »

v. 315 « Tant que l'on vous verra d'une voix [suppliante » (1670-87)

v. 322 « Je renonce aux grandeurs où j'étais [destiné. » (1670-76)

v. 324 « Sont autant d'inconnus qu'écarte ma misère,
– 325 Et ma jeunesse même éloigne loin de moi »

v. 365 « Ils l'écoutent lui seul; et qui suivrait leurs [pas, »

v. 387 « Belle, sans ornement, dans le simple [appareil » (1670-76)

v. 602 « Digne de l'univers à qui vous les devez. » (1670-76)

v. 642 « Quand l'empire semblait suivre son [hyménée : » (1670-76)

ACTE III (après le v. 648) — Louis Racine, dans ses *Mémoires*, donne le texte de toute une scène entre Burrhus et Narcisse, qui, dit-il, fut supprimée sur les conseils de Boileau avant la représentation.

v. 749 « Rome et tous vos soldats honorent ses [aïeux; »

v. 761 « Mais si dans sa fierté votre cœur affermi » (1670-76)

v. 780 « Eh bien, Burrhus, Néron découvre son [génie. »

v. 846 « Se vit exclus d'un rang vainement prétendu. » (1670-76)

v. 931 « Pour exciter César par la gloire pénible » (1670-76)

v. 1000 « Ah! n'en voilà que trop pour me faire [comprendre, »

v. 1087 « Vous le voyez, c'est lui que la cour [envisage. »

v. 1431 « Rome, sur les autels, prodiguant les [victimes, » (1670-76)

v. 1514 Après ce vers, dans l'édition de 1670, la réponse de Britannicus était :

« Lui, me trahir? Hé quoi! vous voulez donc, [Madame,
Qu'à d'éternels soupçons j'abandonne mon [âme?
Seul de tous mes amis Narcisse m'est resté.
L'a-t-on vu de mon père oublier la bonté?
S'est-il rendu, Madame, indigne de la mienne?
Néron de temps en temps souffre qu'il [l'entretienne,
Je le sais. Mais il peut, sans violer sa foi,
Tenir lieu d'interprète entre Néron et moi.
Et pourquoi voulez-vous... »

v. 1627 L'édition de 1670 comportait ici une scène entière de plus, à laquelle Racine fait allusion dans sa préface, et qu'il a supprimée, malgré ses justifications :
« Le voici. Vous verrez si je suis sa complice.
Demeurez.

SCÈNE VI : NÉRON, AGRIPPINE, JUNIE, BURRHUS

NÉRON, *à Junie*

De vos pleurs j'approuve la justice.
Mais, Madame, évitez ce spectacle odieux;
Moi-même en frémissant j'en détourne les yeux.
Il est mort. Tôt ou tard il faut qu'on vous [l'avoue.
Ainsi de nos desseins, la Fortune se joue :
Quand nous nous rapprochons, le ciel nous [désunit.

JUNIE

J'aimais Britannicus, Seigneur, je vous l'ai dit.
Si de quelque pitié ma misère est suivie,
Qu'on me laisse chercher dans le sein d'Octavie
Un entretien conforme à l'état où je suis.

NÉRON

Belle Junie, allez; moi-même je vous suis.
Je vais, par tous les soins que la tendresse [inspire
Vous... »

v. 1645 « Madame il vous trompait, et son cœur offensé » (1670-76)

v. 1657 « Tu te fatigueras d'entendre tes forfaits; » (1670-76)

BÉRÉNICE
(1re édition : 1671)

v. 31 « Ah! puisqu'il faut partir, partons sans lui [déplaire :
– 32 Je me suis tu longtemps, je puis encor me [taire. » (1671-87)
v. 47 « Non, loin de s'offenser, elle pourra me [plaindre. »
v. 51 « Eh bien, entrerons-nous? »
v. 68 « De disparaître aux yeux d'une cour qui [l'accable. » (1671-76)
v. 145 « Aujourd'hui que les dieux semblent me [présager
– 146 Un honneur qu'avec lui je prétends partager. »
v. 163 « Eh bien, il a repris sa tendresse première? »
v. 183 « Au nom des dieux, parlez; c'est trop [longtemps se taire. »
v. 206 « Mais, puisque après cinq ans j'ose me [déclarer, »
v. 212 « J'espérai d'y verser mon sang après mes [larmes, »
v. 299 « Tu verras le Sénat m'apporter ses hommages,
– 300 Et le peuple de fleurs couronner nos images. »
v. 312 « Dieux! avec quel respect et quelle [complaisance »
v. 320 « De son règne naissant consacre les prémices.
– Je prétends quelque part à des souhaits si doux.
322 Phénice, allons nous joindre aux vœux qu'on [fait pour nous. » (1671-87)
v. 356 « Paulin : je me propose un plus ample [théâtre. » (1671-87)
v. 409 « Et vous pourriez, Seigneur, sans blesser nos [regards, » (1671-87)
v. 439 « Avec tout mon amour, Paulin, et tous ses [charmes, »
v. 482 « Que la perte d'un cœur qu'elle a trop mérité »
v. 515 « Ma main avec plaisir apprit à se répandre. »
v. 555 « De vos nobles desseins, Seigneur, qu'il vous [souvienne. »

v. 580 « Ce cœur, depuis huit jours n'a-t-il rien à me [dire? »

v. 591 « Pourquoi des immortels attester la [puissance? » (1671-87)

v. 600 « Plût aux dieux que mon père, hélas! vécût encore! » (1671-87)

v. 615 « Moi, qui mourrais le jour qu'on viendrait [m'interdire »

v. 628 « Madame, je me perds d'autant plus que j'y [pense. »

v. 828 « Ah! je respire Arsace, et tu me rends la vie. » (1671-87)

v. 850 « Enfin, Seigneur, vous n'êtes point parti. » (1671-87)

v. 923 « Allons, il faut partir. Continuons, Arsace. »

v. 1161 « Vous les verriez toujours, jaloux de leur [devoir,

– 1162 De tous les autres nœuds oublier le pouvoir. »

v. 1162 Les vers 1162 à 1166 tels qu'ils figurent ici ont [été

– 1166 ajoutés dans l'édition de 1676.

v. 1220 « Seigneur de vos adieux la nouvelle est semée. » (1671-87)

v. 1236 « Allez, Seigneur, allez vous montrer à sa vue. » (1671-87)

v. 1247 « Allons, Seigneur, passons dans la chambre [prochaine :

– 1248 Venez voir le sénat. »

v. 1254 L'édition de 1671 comportait ensuite :

SCÈNE IX : ANTIOCHUS, ARSACE

ANTIOCHUS

« Arsace, que dis-tu de toute ma conduite?
Rien ne pouvait tantôt s'opposer à ma fuite.
Bérénice et Titus offensaient mes regards :
Je partais pour jamais. Voilà comme je pars.
Je rentre, et dans les pleurs je retrouve la Reine.
J'oublie en même temps ma vengeance et sa [haine;
Je m'attendris aux pleurs qu'un rival fait couler;
Moi-même à son secours je le viens appeler;
Et si sa diligence eût secondé mon zèle,
J'allais, victorieux, la conduire auprès d'elle.
Malheureux que je suis! avec quelle chaleur
J'ai travaillé sans cesse à mon propre malheur!
C'en est trop. De Titus porte-lui les promesses,

Arsace. Je rougis de toutes mes faiblesses.
Désespéré, confus, à moi-même odieux,
Laisse-moi ; je me veux cacher même à tes
[yeux. »

v. 1324 « Ces chiffres, où nos noms enlacés l'un dans
[l'autre », (1671-87)
v. 1369 « Je m'attendris, Madame, à toutes les douleurs » (1671-87)
v. 1397 « Et je vois bien qu'après tous les pas que j'ai
[faits, » (1671-87)
v. 1429 « Je crois tout : je connais votre amour.
– 1430 Mais vous, connaissez-moi, Seigneur, à votre
[tour. » (1671-87)
v. 1441 « Mais croiriez-vous, Seigneur, en ce moment
[fatal, » (1671-87)

BAJAZET
(1re édition : 1672)

v. 3 « Et depuis quand, Seigneur, entre-t-on en ces [lieux, » (1672-87)

v. 22 « Il parlait de laisser Babylone tranquille. »

v. 63 « Mais si dans ce combat le destin plus [puissant » (1672-76)

v. 151 « Et l'espoir achevant d'ébranler leur devoir. »

v. 169 « Du père d'Amurat Atalide la nièce,
– Qui même avec ses fils partagea sa tendresse,
171 Et fut dans ce palais élevée avec eux. »

v. 230 « Le conseil le plus prompt est le plus [nécessaire. »

v. 279 « Pour l'entendre à mes yeux m'assurer de sa [foi,
– 280 Je l'ai fait en secret amener devant moi. »

v. 283 « Mes yeux ne trouvaient point ce trouble, [cette ardeur,
– 284 Que leur avait promis un discours trop flatteur. »

v. 317 « Quel que soit mon amour, si dans cette [journée, »

v. 398 « Mais, Zaïre, je puis attendre son passage. »

v. 448 « Que quand je vous servais, j'ai servi mon [époux. »

v. 512 « Songez-vous dès longtemps que vous ne [seriez plus? »

v. 655 « O courage! ô vertus! ô trop constante foi! »

v. 785 « Allez, Seigneur, tentez cette dernière voie.

BAJAZET

– 786 Eh bien! Mais quels discours voulez-vous que [j'emploie? »

v. 872 « Déjà dans un vaisseau sur l'Euxin préparé, » (1672-87)

v. 901 « Allons, retirons-nous, ne troublons point sa [joie. » (1672-87)

v. 943 « Et je serais heureux, si je pouvais goûter
– 944 Quelque bonheur, au prix qu'il vient de m'en [coûter. »

v. 1026 « J'ai prononcé sa grâce, et j'en crois sa [promesse.

BAJAZET

– Oui, je vous ai promis et je m'en souviendrai,
Que fidèle à vos soins autant que je vivrai,

1029 Mon respect éternel, ma juste complaisance... »
(Pour ces trois derniers vers : 1672-87)

v. 1226 « Ce n'est que pour ses jours qu'elle est [inquiétée. »

v. 1249 « Sans doute j'ai trouvé le parti qu'il faut [prendre. »

v. 1301 Après ce vers, il y avait :
« Tu n'as pas eu besoin de tout ton artifice,
Et je veux bien te faire encor cette justice,
Toi-même, je m'assure, as rougi plus d'un jour,
Du peu qu'il t'en coûtait pour tromper tant [d'amour. » (1672-87)

v. 1308 « Mais dans quels souvenirs me laissé-je égarer? »

v. 1411 « Qu'il n'est pas condamné, puisqu'on veut le [confondre. » (1672-87)

v. 1479 « D'un amour appuyé sur tant de confiance. »

v. 1494 « J'aime, je le confesse. Et devant qu'à ma vue,
– 1495 Prévenant mon espoir vous fussiez apparue, »

v. 1515 « Loin de vous abuser par des promesses [feintes. »

v. 1518 « Plus l'effet de vos soins, plus ma gloire [étaient proches. »

v. 1526 « Contenté votre gloire et payé vos bontés. »

v. 1545 « De ton cœur par sa mort viens me voir [m'assurer. »

v. 1557 « Si mon cœur l'avait crue, il ne serait qu'à [vous. »
Et il y avait après ce vers :
« Confessant vos bienfaits, reconnaissant vos [charmes,
Elle a pour me fléchir employé jusqu'aux larmes.
Toute prête vingt fois à se sacrifier,
Par sa mort elle-même a voulu nous lier. »

v. 1617 « Jouissez du bonheur dont ma mort vous [répond. »

v. 1658 « Je cours tout ce palais; et même dès l'entrée »

v. 1672 « Juste ciel, l'innocence a trouvé votre appui. »

v. 1683 « Connaissez, a-t-il dit, l'ordre de votre maître,
– Perfides; et voyant le sang que j'ai versé,
1685 Voyez ce que m'enjoint son amour offensé. »

v. 1695 « Ne le saviez-vous pas?

ATALIDE

O ciel!

OSMIN

Cette furie »

v. 1697 « Avait à ce perfide abandonné ses jours. »

MITHRIDATE
(1re édition : 1673)

v. 15 « Vous, Seigneur ! Quoi ? l'amour de régner en [sa place » (1673-87)
v. 61 « Hélas ! j'appris encor dans ce temps odieux »
v. 90 « Virent d'abord Pharnace au pied de ses [remparts. » (1673-87)
v. 132 « Mais on vient. Cours, ami, c'est la Reine [elle-même. » (1673-87)
v. 218 « Tous les malheurs du fils ne vous occupaient [guère. »
v. 255 « Puis-je, en vous proposant mes plus chers [intérêts,
– 256 Vous découvrir ici mes sentiments secrets ? » (1673-87)
v. 262 « A son heureux empire était encore unie. » (1673-87)
v. 281 « Seigneur, je n'ai qu'un cœur. Tout ce que je [puis faire, » (1673-87)
v. 290 « D'un pays que la guerre et leur camp [environne. » (1673-87)
v. 295 « Si vous-même laissant ces vains déguisements
– 296 Vous m'aviez expliqué vos propres sentiments. » (1673-87)
v. 351 « Mais nous en parlerons peut-être en d'autres [temps. » (1673-87)
v. 503 « Et s'offrit d'assurer, par un hymen prochain, » (1673-76)
v. 533 « Ni qu'en vous revoyant, mon funeste retour
– 534 Marquât mon infortune, et non pas mon [amour. »
v. 683 « Les plaisirs d'un espoir, qui ne vous dura [guère, » (1673-87)
v. 687 « Vous n'en sauriez, Seigneur, rappeler la [mémoire, » (1673-87)
v. 704 « Que désormais partout vous fuyez ma [présence, » (1673-87)
v. 751 « Cours par un prompt trépas abréger ta misère.
– 752 Toutefois observons et Pharnace, et mon père. » (1673-87)
v. 755 « Venez, Princes, venez. Enfin l'heure est [venue »
v. 757 « A mes justes desseins je vois tout conspirer. » (1673-87)
v. 784 « Le seul nom de Pompée assure sa conquête. » (1673-87)

v. 877 « Fondait sur trente États son règne
[florissant. » (1673-87)

v. 898 « Exposer votre nom aux mépris de sa cour? »

v. 904 « Et courir dans des bras qu'on nous tend avec
[joie? »

v. 967 « Seigneur, dût-on offrir mille morts à ma vue, » (1673-87)

v. 1006 « Je ne vas désormais penser qu'à nous
[venger. » (1673-76)

v. 1018 « Qu'arme contre son frère un dessein envieux, » (1673-87)

v. 1301 « Sans chercher de si loin un odieux époux. »

v. 1331 « Du jour qu'on m'imposa pour vous ce
[diadème. » (1673-87)

v. 1377 « Et que d'un plein effet vos vœux seraient
[suivis, » (1673-87)

v. 1406 Après ce vers, il y avait :
« Mon amour trop longtemps tient ma gloire
[captive.
Qu'elle périsse seule, et que mon fils me suive.
Un peu de fermeté punissant ses refus
Me va mettre en état de ne la craindre plus. » (1673-87)

v. 1422 « Seigneur, tous vos soldats ne veulent plus
[partir. » (1673-87)

v. 1474 « Xipharès est sans vie, il n'en faut point
[douter. »

v. 1480 « Rome tient maintenant la victoire assurée ! » (1673-87)

v. 1514 « Et ce poison vous dit les volontés du Roi. » (1673-87)

v. 1549 « Vous l'allez voir, Madame. Et j'ose
[m'assurer » (1673-87)

v. 1580 « Du palais, à ces mots, il leur ouvre les
[portes. » (1673-87)

v. 1619 « Xipharès, qu'une troupe rebelle,
– Qui craignait son courage, et connaissait son
[zèle,
1621 Malgré tous ses efforts avait enveloppé, » (1673-87)

v. 1660 « Et de jours malheureux plus rempli leur
[histoire. » (1673-87)

v. 1675 « Vivez, Seigneur, vivez, pour nous voir l'un
[et l'autre
– 1676 Sacrifier toujours notre bonheur au vôtre; » (1673-87)

v. 1692 L'édition de 1673 comportait en plus, après ce
[vers, ceux-ci :

« Le Parthe qu'ils gardaient pour triomphe [dernier,
Seul encor sous le joug refuse de plier;
Allez le joindre. Allez chez ce peuple [indomptable
Porter de mon débris le reste redoutable.
J'espère, et je m'en forme un présage certain,
Que leurs champs bienheureux boiront le sang [romain;
Et si quelque vengeance à ma mort est promise,
Que c'est à leur valeur que le ciel l'a remise. »

IPHIGÉNIE
(1re édition : 1675)

v. 491 « Enfin mes faibles yeux cherchèrent la clarté; » (1675-76)

v. 529 « Que je vous plains, Madame ! et que pour [votre vie... » (1675-87)

v. 936 « Et votre nom, Seigneur, la conduit à la mort. »

v. 1038 L'édition de 1675, et toutes les éditions antérieures à 1697, portent après ce vers :
« Quel trouble ! quel torrent de mots injurieux
Accusait à la fois les hommes et les dieux !
Ah ! que vous auriez vu, sans que je vous le die,
De combien votre amour m'est plus cher que la [vie ! »

v. 1339 « Vous croyez qu'approuvant vos desseins [odieux » (1675-87)

v. 1615 « Non, Madame, il suffit que vous nous [commandiez : » (1675-87)

v. 1618 « Contre tant d'ennemis qui pourra vous [défendre? » (1675-87)

v. 1684 « Ne te couvriront pas de ces vaisseaux brisés. » (1675-87)

v. 1716 « Non, Madame, elle vit, et les dieux sont [contents. » (1675-87)

PHÈDRE
(1re édition : 1677)

Titre : « Phèdre et Hippolyte »

v. 32 « Au tumulte pompeux d'Athènes, de la Cour? »
N. B. : L'édition de 1687 porte «d'Athènes et de la Cour ». Celle de 1697 élimine l' « s » pour éviter de prolonger le vers sur 13 syllabes.

v. 43 « Et d'ailleurs quel péril vous peut faire [courir »

v. 809 « Presse, pleure, gémis, peins-lui Phèdre [mourante. » (1677-87)

v. 968 « J'ai su tromper les yeux par qui j'étais gardé. » (1677-87)

v. 1005 « Je ne sais où je vas, je ne sais où je suis. »

v. 1048 « Jusqu'au lit de ton père a porté ta fureur. » (1677-87)

v. 1071 « Avares du secours que j'attends de tes soins » (1677-87)

v. 1502 « Sa main sur les chevaux laissait flotter les [rênes. » (1677-87)

v. 1541 « A travers les rochers la peur les précipite. »

ESTHER

De ses premières éditions en 1689 à sa réédition en 1697, *Esther* ne présente pas de variante.

ATHALIE
(1re édition : 1691)

v. 43 « Pour vous perdre il n'est point de ressorts [qu'il ne joue;
– 44 Quelquefois il vous plaint, souvent même il [vous loue. »
v. 92 « Et vous viendrez alors m'immoler vos [victimes. » (1691-92)
v. 186 « Dans quel péril encore il est prêt de rentrer ! » (1691-92)
v. 209 « Je sais que près de vous en secret [rassemblé, » (1691-92)
v. 369 Ces deux vers ne figuraient pas dans les éditions
– 370 antérieures à 1697.
v. 782 – 794 Ces vers ne figuraient pas dans l'édition de [1691.
v. 804 – 809 Idem.
v. 1154 Les éditions antérieures à 1697 portent « en un jour ». L'édition de 1697 donne : « en ce jour » qui n'est pas très conforme au jeu des temps, mais possible dans la prophétie.
v. 1195 – 1204 Ces vers ne figuraient pas dans l'édition [de 1691.

NOTE SUR LES DIFFICULTÉS DE LANGUE ET DE STYLE

Donner à la fin de cette édition une étude d'ensemble de ces difficultés nous paraîtrait vain : elle serait aussi volumineuse que le texte lui-même. Nous préférons donc orienter le travail du lecteur. Celui-ci pourra se reporter au tome VIII de l'étidion Mesnard (coll. des Grands Écrivains de la France). A défaut, il est bon de s'habituer à reconnaître les termes et les constructions qui font difficulté, dans la langue de l'époque ou dans les emplois particuliers de Racine. Voici quelques exemples.

• *Vocabulaire.*

Des mots comme :
« admirer, avouer, carrière, connaître, déclarer, découvrir, empire, fier, intelligence, morfondre, querelle, regorger, superbe, timide, triste », etc.,
présentent, toujours ou parfois, des sens différents de ceux que nous leur connaissons. Pour comprendre ces termes — et ceux, très nombreux, que nous ne mentionnons pas ici — consulter les dictionnaires usuels de la langue classique :

— le Littré bien sûr.

— G. Cayrou : *Le Français classique.*

— J. Dubois et R. Laganne : *Dictionnaire de la langue française classique.*

Pour un examen plus approfondi, utiliser les dictionnaires du XVIIe siècle : Richelet, Furetière, et le dictionnaire de l'Académie de 1694.

• *Syntaxe.*

L'emploi des pronoms est souvent guidé par le sens et non par des accords rigoureux. On trouve couramment un pronom pluriel pour un antécédent singulier, masculin pour féminin... Exemple : *Britannicus* v. 249 et suiv. : « Rome » repris par « ils » et « leurs ». Le pronom réfléchi est souvent sous-entendu; également le verbe « être ». Outre qu'elle obéit souvent au sens et non à la règle, la syntaxe racinienne est marquée par le souvenir des constructions latines. Consulter notamment :

— F. Brunot : *Histoire de la langue française*, t. III et IV.

— A. Haase : *Syntaxe française du XVIIe siècle.*

— Vaugelas : *Remarques sur la langue française;* éd. Larousse, 1969.

• *Style.*

Les difficultés tiennent plus souvent à des faits de style qu'à des faits de langue. Les exigences de la versification expliquent certains cas où l'accord verbe-sujet n'est pas fait : le maintien d'un singulier pour le verbe facilite la rime. Idem pour certaines graphies. Mais surtout, l'écriture de Racine suit souvent le mouvement de la parole :

Captive, toujours triste, importune à moi-même,
Pouvez-vous souhaiter qu'Andromaque vous aime?

Dans cette phrase, la syntaxe se plie aux rapprochements qui « font » le mouvement de la pensée, et la qualité propre de tels vers.

Consulter :

— P. Larthomas : *Le langage dramatique,* Paris, A. Colin, 1972.

— L. Spitzer : « Die Klassische Dampfüng in Racines stil », *Archivium Romanum,* vol. XII, n° 4, Genève 1928; traduit dans les *Études de style* (trad. E. Kaufholz, A. Coulon, M. Foucault, Paris, Gallimard, 1972) : « L'effet de sourdine dans le style de Racine. »

— P. France : *Racine's Rhetoric,* Oxford, Clarendon Press, 1965 (envisage surtout l'usage des figures de rhétorique; distingue rhétorique décorative et rhétorique fonctionnelle; montre que le décoratif est rarement gratuit).

— Les relevés de vocabulaire de Freeman et Batson (*Concordance du théâtre et des poésies de Racine,* N.-Y. Cornell Univ. Press, 1968, 2 vol.) et de Guiraud et Hartle (*Index du vocabulaire du théâtre classique,* II : Racine, Paris Klincksieck, 1955 ; donne les relevés pour chaque pièce) sont utiles pour des études d'ordre stylistique et thématique par les indications qu'ils donnent non du sens des mots, mais de leurs occurrences et fréquences d'emploi.

— J.-G. Cahen, *Le vocabulaire de J. Racine,* Paris, Droz, 1946. (Certaines conclusions de cette étude sont discutables, en particulier une trop grande insistance sur le caractère abstrait de ce vocabulaire — voir sa critique par J. Pommier in *Aspects de Racine,* Paris, Nizet, 1954, p. 209 sqq — mais elle met en lumière des faits de style intéressants : nombre restreint de mots utilisés, rareté des archaïsmes, des néologismes, des références corporelles.)

NOTES

NOTES POUR *LA THÉBAIDE*

1. A consulter, au besoin : M. Edwards : *La Thébaïde,* Paris, Nizet, 1965 (Texte de l'édition originale, avec une étude des variantes). J. Brody : « Racine's *Thébaïde :* an analysis », *French Studies* XIII, 1959, p. 199-213. Voir également les références dans la bibliographie du dossier « Critiques ».

2. François de Beauvilliers, duc de Saint-Aignan (1610-1687), se mêlait d'art et de littérature. Membre de l'Académie en 1663, ordonnateur des « Plaisirs de l'Ile Enchantée ». Il connaissait Racine depuis l'*Ode de la Renommée aux Muses.* Il avait montré de la bravoure pendant la guerre contre l'Espagne, et durant la Fronde dans les armées royales.

3. Cette préface fut écrite pour l'édition de 1676. Les références en sont claires. L'humaniste hollandais Heinsius avait édité en 1611 les tragédies de Sénèque.

4. Nous adoptons les graphies modernes; à noter cependant que le vers 1509 n'est juste qu'avec la graphie Iocaste. Par ailleurs la liste des acteurs de 1664 comprenait « un soldat *grec* », et : « un *page* et des gardes ».

5. Le mythe d'Œdipe est trop connu pour qu'il faille en rappeler ici les grandes lignes, et les modifications qu'y apporte Racine. Notons cependant qu'il mentionne la mort d'Œdipe sans évoquer son exil à Athènes près de Thésée (voir v. 86). La chronologie des faits suppose qu'Étéocle a régné un an, refusé de céder sa place, et que Polynice, revenu après six mois de préparatifs (v. 308), assiège la ville depuis six mois. La journée tragique est celle où les Thébains viennent de recevoir un renfort (v. 192) qui bouleverse le rapport des forces.

6. Créon est frère de Jocaste, mais il est aussi cousin de Laïos, premier mari de celle-ci et père d'Œdipe; c'est à ce titre qu'il a rang dans l'ordre de succession à la couronne, ainsi que ses fils.

7. Me préservent.

8. Sous-entendu : « que vous, qui agissez ainsi ». De même, au vers 532, sous-entendu : « que les siens ».

9. Les Thébains sont des Grecs eux aussi. Racine a supprimé cette opposition dans la liste des acteurs, aux v. 51, 703, 710; mais elle subsiste encore aux v. 795 et 1354. On la retrouvera dans *Andromaque.*

10. Ces mots sont prononcés à part.

11. Étéocle porte la main à son épée. Dans un premier état de ce passage, les épées étaient tirées sur scène, ce que Racine a modifié, par souci de bienséance (voir Lettre à Le Vasseur, nov. 1663).

12. Une lettre à Le Vasseur indique qu'il y avait à l'origine plus de stances. Par souci de vraisemblance, Racine les a diminuées, à regret.

13. Comme souvent, ces utilités ne sont pas mentionnées dans la liste des personnages en début de scène; il faut les supposer présents. Cf. acte I, sc. 1; v. 15-16.

NOTES POUR *ALEXANDRE LE GRAND*

1. Peu d'études utiles et commodes... Mentionnons : J. Pommier : *Le tricentenaire d'Alexandre, Mélanges,* 1967; H. T. Barnwell : « La gloire dans les tragédies de Racine », III, *Jeunesse de Racine,* janvier 1962, p. 5-27.

2. Cette épître dédicatoire n'a pas été conservée dans les éditions collectives. Le parallèle entre Louis XIV et Alexandre est un lieu commun du temps : on peut en voir une illustration monumentale dans la série des tapisseries conçues par Le Brun aux Gobelins.

Les allusions de cette épître renvoient aux *Macchabées I,* 1, 3, et à Plutarque : *Œuvres Morales* et *Vie d'Alexandre,* XV.

3. Cette préface fut allégée dès l'édition séparée de 1672. Les passages supprimés sont ici entre crochets. Références : Quinte-Curce : *Histoire d'Alexandre,* VIII, 9 à 14 (pour Porus : 13 et 14).

4. Préface de l'édition de 1676. Références, outre Quinte-Curce; Sénèque : *Consolation à Helvia* 13, et Justin : *Histoire Universelle,* XII, 7-9. Dans les éditions de 1676 et 1687, cette préface comptait une quinzaine de lignes en plus, consacrées à un parallèle entre Cléofile et Cléopâtre.

5. Taxile était d'après Quinte-Curce le nom que prenaient les princes des Indes en montant sur le trône (cf. César ou Pharaon). Le prince soumis à Alexandre se nommait Omphis. Axiane est de l'invention de Racine.

6. Dans ce passage où abonde le style galant, il semble difficile pourtant qu' « objet » désigne Axiane; c'est plutôt Porus, ou bien l'amour d'Axiane pour celui-ci.

7. [Sujets.]

8. Écho du *Cid,* v. 1258.

9. Racine emploie assez fréquemment ce terme, sans que le changement de genre fasse toujours une distinction de sens. (cf. v. 27, 176, 1146).

10. Alexandre avait tiré Abdalonyme, descendant des rois de Tyr, de la pauvreté pour le faire monter sur le trône de Tyr. On trouve des allusions semblables dans le *Télémaque*.

11. L'allusion est chez Quinte-Curce (VIII, 10) : dans un cas, Bacchus, par ex.; dans l'autre, Hercule.

12. L'Inde; c'est d'abord le fleuve, d'où le masculin, y compris dans le nom du pays.

13. L'Asie, vue comme extrémité du monde.

14. Une tradition fait d'Alexandre un descendant de Zeus.

15. Alexandre fut longtemps arrêté devant le rocher d'Aorne, au pied duquel coule l'Indus, par une farouche résistance (Quinte-Curce, VIII, 11).

16. C'est la seule allusion de la pièce au mythe des fabuleuses richesses de l'Inde.

17. Mériter d'être « captif » d'Axiane en évitant de l'être d'Alexandre.

18. [Aux combats.]

19. N'irritez pas cette colère extrême.

20. Voir épître (note 2), réf. : *Macchabées I,* 1, 3.

21. Ou bien est-ce que...

22. Construction impersonnelle (comme : suffit-il...).

23. Ce passage est imité de Quinte-Curce, IX, 3-4.

24. De fait après la défaite de Porus, l'armée refusa de poursuivre.

25. Le mot est dans Plutarque : *Vie d'Alexandre,* LX.

NOTES POUR *ANDROMAQUE*

1. A consulter : D. Mornet, *Andromaque,* Paris, 1947; éditions d'*Andromaque* par A. Ubersfeld, Paris, éd. sociales, 1961, et par R. C. Knight et H. T. Barnwell, Genève, Droz, 1977.

2. Éd. de 1668 et 1673. *Madame* est Henriette d'Angleterre, duchesse d'Orléans.

3. Éd. de 1668 et de 1673. Références des textes cités : Virgile, *Énéide,* III, v. 292-293, 301, 303 à 305, 320 à 332; Horace, *Art poétique,* v. 119-121; Aristote, *Poétique,* XIII. Selon Louis Racine et Brossette, Pyrrhus avait paru trop violent aux yeux du prince de Condé.

4. Éd. de 1676. Références : Ronsard, *Franciade,* I, v. 141 à 146 (cf. éd. Laumonier, t. XVI, p. 8 qui renvoie particulièrement à la *Chronique de Saint-Denis* (XIIIe s.) et aux *Illustrations de Gaule* de J. Lemaire de Belges (1513)); Hérodote, II, 113 à 115; *Iliade,* XXI, 167. A la fin de cette préface, Racine fait allusion à *Œdipe Roi* de Sophocle et aux *Phéniciennes* d'Euripide, et aux scolies de l'édition de Sophocle (1568) sur laquelle Racine avait travaillé.

5. Cette séparation, de l'invention de Racine, justifie le dialogue d'exposition entre deux amis qu'Euripide, dans *Iphigénie en Tauride* et dans *Oreste,* présente comme inséparables. La variante de 1676 (*Épire* substitué à *Mycène*) permet l'évocation du lieu où se trouvent les personnages.

6. La « mélancolie » d'Oreste rappelle le « tristis Orestes » d'Horace (*Art poétique,* v. 124).

7. Voir la seconde préface et la note 4.

8. Souvenir de Virgile, *Énéide,* II, v. 275-276.

9. Oreste et Hermione sont cousins et du sang des Atrides.

10. Cet « asile » contraindrait la mère et le fils à la séparation; l'hypothèse des v. 339-340 est plus optimiste.

11. Lointain rappel du rôle menaçant de Ménélas, et de la fuite d'Hermione et Oreste, chez Euripide. Autres souvenirs du rôle de Ménélas dans l'*Andromaque* grecque : v. 445-448, 582-590, 927 et suiv.

12. Il s'agit des Scythes. Racine s'inspire librement d'*Iphigénie en Tauride* en modifiant le sens de cet épisode de la vie d'Oreste.

13. Souvenir de Virgile, *Énéide,* III, v. 490 et de Sénèque, *Troyennes,* v. 462 et suiv.

14. *Tantôt :* tout-à-l'heure, en promettant à Oreste de lui livrer Astyanax. Au vers précédent, on comprend : « Pourquoi en *avoir fait* éclater le dessein. »

15. Le texte définitif (*Hermione* et non *d'Hermione*) souligne que dans l'esprit de Pylade c'est Pyrrhus qui est à craindre et les regards de Pyrrhus qu'il faut fuir.

16. Pyrrhus *destine* Oreste à présider à son mariage et Oreste lui en fait grief; mais le même Pyrrhus ne sait pas s'il a vraiment *dessein* d'épouser Hermione.

17. Thème traditionnel dans le théâtre du début du siècle : les malheurs qui s'abattent sur les innocents leur sont un encouragement à les mériter par un beau crime.

18. Dans *Iphigénie en Tauride* et dans *Oreste,* un semblable combat de générosité pousse Pylade à affronter les mêmes périls qu'Oreste et Oreste à l'en écarter.

19. Souvenir de l'*Iliade,* XXIV, v. 767 et suiv.

20. Cette île-refuge est un souvenir d'Euripide.

21. Ce tombeau est le cénotaphe évoqué par Virgile (cf. *Préface*).

22. Cette mort de Priam « ensanglantant l'autel » vient de Pausanias et surtout de Virgile (*Énéide,* II, v. 501-502). L'ensemble de l'évocation est homérique (*Iliade,* XXII) et virgilienne (*Énéide,* II).

23. Les adieux d'Hector et Andromaque viennent de l'*Iliade,* VI. Montchrestien les avait représentés dans son *Hector* (1604).

24. Annonce d'une consultation d'allure rituelle, qui inspirera à Andromaque la décision exprimée au v. 1098.

25. Souvenir d'Homère, *Odyssée,* IV, v. 1 et suiv.

26. *Polyxène :* tradition suivie par Euripide dans les *Troyennes* et dans *Hécube* et par Sénèque dans ses *Troyennes.*

27. Racine a renoncé à faire paraître Andromaque au dénouement, comme elle le faisait à la création. La princesse « deux fois veuve » demeure bien un personnage pathétique, mais n'est plus un personnage tragique (voir *Variantes*). Quand Racine écrira *Iphigénie,* il gardera au contraire en scène le personnage sauvé et n'évoquera qu'en récit la mort d'Ériphile.

28. Dans l'*Énéide,* III, v. 330 et suiv., Virgile associait déjà les thèmes du mariage d'Hermione et Pyrrhus/Néoptolème, des Furies poursuivant Oreste et du meurtre de Pyrrhus par Oreste.

NOTES POUR *LES PLAIDEURS*

1. Pièce souvent négligée par la critique. On peut mentionner : R. Garapon : « *Les Plaideurs,* comédie burlesque » (*L'information littéraire,* 1954, n° 3). T. Consonni : « Le thème de la folie dans *Les Plaideurs* » (*Jeunesse de Racine,* 1967, p. 74-81). M. Gutwirth : *J. Racine, un itinéraire poétique* (a le mérite de tenter de réintégrer *Les Plaideurs* dans l'ensemble de la production de Racine).

2. Éditée dès 1669, la pièce fut reprise dans les éditions collectives, mais, distinction des genres oblige, elle y était rejetée en fin de volume. Dans l'*Avis,* Racine fait allusion à un procès dont rien ne permet de croire qu'il concernait son prieuré. Quand aux auteurs de « sales équivoques », si les intentions exactes sont inconnues, il est tentant d'y reconnaître Molière : *La Folle Querelle,* satire d'*Andromaque* que celui-ci avait jouée, expliquerait bien l'ire de Racine. Les comédiens italiens partageaient avec Molière la salle du Palais-Royal; Scaramouche se rendit en Italie de 1668 à 1670. Le texte de cet avis était légèrement différent en 1669 de l'état définitif, mais cela n'en affecte pas le sens.

3. Les noms de Dandin et de Chicanneau viennent de Rabelais. Dans la langue juridique, on nomme « l'intimé » celui qui est cité à comparaître dans un procès en appel. Le nom de la comtesse est assez parlant...

4. Faire l'important, comme les postillons qui faisaient claquer leur fouet pour réclamer le passage.

5. Dans un théâtre, le portier percevait le prix des places.

6. Il désigne le sac dans lequel on transportait, roulés, les dossiers.

7. Expressions du Palais. Elles abondent dans le texte. Un bon dictionnaire éclaire le sens de la plupart. Voici un très sommaire lexique des plus obscures :

v. 212 : un « arrêt sur requête » est une décision obtenue en saisissant directement les juges, sans que l'adversaire soit entendu.

v. 220 et 227 : « appointement », jugement préparatoire où on examine les dossiers.

v. 223 : pièces affirmatives ; et les pièces opposées; communication d'un acte notarié.

v. 224 : « transport » sur les lieux du délit ; « interlocutoire » : ordonnance d'enquête.

v. 226 : Décision de la chancellerie; en vieux français, la forme est masculine et féminine.

v. 233 : « civile », c'est-à-dire formulée avec civilité.

v. 626 : « amené sans scandale » : conduire discrètement un prévenu devant le juge.

8. La femme du Lieutenant Criminel Tardieu, d'une avarice extrême, aurait agi ainsi. A noter que ces personnages font le sujet

d'un ensemble d'anecdotes dont on trouve trace chez Tallemant des Réaux *(Historiettes)*, chez Molière *(L'Avare)* et chez Boileau, *Satire contre les femmes*.

9. Écho parodique du *Cid* (v. 35) avec un jeu de mots sur « exploit » (ici, exploit d'huissier, qui lui vaut des coups). On trouve de tels échos aussi aux v. 368 (*C*. 266) et 599 (*C*. 227).

10. Souvenir très probable de Rabelais, *Pantagruel* l. IV.

11. Peut-on signaler une source d'inspiration possible? Parmi toutes les variétés imaginables de procès ridicules, celui-ci fait songer à une des lois spécifiées dans l'Ancien Testament, *Exode*, 22-5 : « Si un homme laisse paître son bétail dans le champ d'autrui... ». *Les animaux malades de la Peste* font aussi grand procès pour un peu de foin. Mesnard signale un poème en langage poitevin de 1610, sur un même thème. Mais à ce compte, on pourrait aussi chercher les formes anciennes de la chanson populaire « Mon père avait un champ de pois... », et tant d'autres... Il s'agit sans doute d'un vieux thème, avec des sources archaïques.

12. Ce personnage serait inspiré de la comtesse de Crissé, qui avait été frappée d'une telle interdiction.

13. Interjection d'impatience.

14. Il faut sans doute entendre ici « lier » au sens figuré, comme l'expression « lier les mains » du v. 247, et qu'il se fasse un quiproquo avec le sens propre, tel que l'emploie Petit-Jean au v. 298.

15. Une tradition veut que Boileau ait assisté à une telle scène chez son frère, greffier, et qu'il ait fourni l'idée à Racine.

16. Traité de procédure souvent réédité au XVIIe s. La dernière édition datait de 1666.

17. Dandin apparaît à la lucarne du grenier. *Les Guêpes* indiquent un jeu de scène similaire. Tallemant rapporte un trait semblable de Portail, conseiller au Parlement (*Historiettes*, éd. A. Adam, t. I, p. 185).

18. Il y a de tels traits chez Furetière *(Roman bourgeois)*. Mais là encore Racine puise sans doute dans un fond commun d'anecdotes. Le nom du père Cordon pourrait être une déformation de Gordon, célèbre confesseur de Louis XIII, et/ou un jeu sur : Cordon/cordelier.

19. Cf. Furetière : *Le déjeuner d'un procureur* (1664); mais là encore, le trait est aussi bien de tradition.

20. Petite difficulté de mise en scène : jusque-là l'Intimé tient son rôle d'huissier. Il faut donc supposer un jeu de scène par lequel il se dépouille de sa robe. On constate une fois de plus que Racine, dans ses éditions, ne donne aucune indication scénique quand le jeu peut se déduire du texte.

21. Allusion aux chapons, réputés, du Maine, mais aussi sans doute au trait, déjà présent dans le *Pantagruel*, contre les Manceaux, accusé de faire métier de faux témoins (cf. v. 167).

22. On a beaucoup cherché des clefs, pour toute cette scène : Gautier, dit « La gueule », Patru, etc. Mais l'imitation du *Pro Quinctio* de Cicéron semble bien être chose fréquente au Palais en ce temps.

23. V. 742 à 754 : on trouve ici successivement des références à Lucain : *Pharsale,* I, 128. Aristote : *Politica* (L'Intimé mélange Grec et Latin) qui est, bien sûr, « le péripatétique ». V. 751 : Pausanias (la description de Corinthe est un des 10 livres de son *Voyage en Grèce.* Rebuffe : jurisconsulte Français (1487-1557). « Jacques » est sans doute J. Cujas (1520-1590). Armeno Pul (ou Harmenopoulos) : jurisconsulte grec du XIVe s., auteur du *Promptuarium juris civilis* (manuel de lois).

24. *Digeste :* recueil de décisions de jurisconsultes composé sur l'ordre de l'empereur Justinien. Mais l'Intimé imagine ses références : au chapitre « De la violence » (ch. XVI du l. XLIII) un paragraphe « Des Chapons » commencerait par « Si quelque chien... »; on indiquait ainsi les références aux recueils juridiques, par les premiers mots du passage.

25. Il ne peut s'agir d'Adam Billault, comme le suggèrent Mesnard et ses imitateurs : celui-ci était connu plus par le monde des Lettres que par le petit peuple, bien qu'il soit un poète populaire; il y aurait là extension abusive du terme « populaire ». En fait, les trois répliques de Petit-Jean font à l'évidence une seule phrase, et il appelle son rival « maître » par dérision. Adam serait donc le prénom de l'Intimé.

26. Ovide; *Métamorphoses,* I, 6-7. (Citation augmentée de « Graeci »).

27. Satire des jugements sans proportions; Dandin est mal réveillé.

28. Souvenir d'Aristophane.

29. Cf., plus tard, *Le Malade Imaginaire,* où T. Diafoirus convie Angélique à une dissection (Acte II, n. 5).

NOTES POUR *BRITANNICUS*

1. Sur trois aspects importants de la pièce, voir : P. Bonnet : « Les diverses manières d'appeler Néron » *(Jeunesse de Racine,* 1969, p. 44 et suiv.) qui examine les noms donnés à Néron (César, Domitius, etc.) et montre que leur emploi indique un but précis; J. Brody, « Les yeux de César » (*Studies in XVII*th *French lit.*, 1962), sur le thème du regard; G. Gouton, « *Britannicus,* tragédie des cabales » (*Mélanges, Lebègue,* 1969, p. 266).

2. Vitart, était intendant de la famille de Chevreuse, liée à Port-Royal, où le jeune duc avait étudié. Celui-ci avait épousé la fille de Colbert, à qui fait allusion le second paragraphe.

3. Références : Tacite, *Annales,* XIII, 1 et XII, 4; Sénèque, *Apocolokyntose,* VIII; Longin (« pour me servir de la pensée d'un ancien ») *Traité du Sublime,* XII; Cicéron, *La République,* VI, 16; Térence, prologue de *L'Eunnuque,* v. 22-23 (On commence à jouer/il s'écrie...) — pour Térence, il s'agissait de Luscius de Lavinium, pour Racine, de Corneille — et *Les Adelphes,* v. 99 (« Nul ne fut jamais plus injuste qu'un incapable »); Aulu-Gelle, *Nuits Attiques,* I, 12.

4. Corneille dans *Héraclius* prolonge ainsi le règne de Phocas. Pour certains détails de la chronologie des événements, nous donnons une note groupée pour les vers 1120 et suiv. (note 26).

5. Racine a malgré tout supprimé cette scène en 1676 (voir var.).

6. Allusions, successivement, aux héros de Corneille : Attila, Agésilas, César (dans *La mort de Pompée*) et Cornélie *(ibid.)*.

7. En 1676, Racine récrit sa préface, en lui ôtant à peu près tout caractère polémique, mais en y augmentant les références à Tacite (ce qui remplace adroitement la polémique). Il est à noter que plusieurs expressions employées par Racine dans cette seconde préface s'inspirent de tournures utilisées par Perrot d'Ablancourt dans sa traduction des *Annales*. Cela ne signifie nullement que Racine n'avait pas lu Tacite en latin (il le cite et traduit lui-même certains passages); mais il trouve chez d'Ablancourt des exemples du beau style — tout différent de celui des traductions de Coëffeteau. Sur ce point, voir R. Zuber, *Les Belles Infidèles,* A. Colin, 1967, p. 286-287. Les références à Tacite, *Annales,* de cette préface sont : XIV, 56 « Naturellement doué pour voiler sa haine sous de feintes caresses »; XIII, 47 « Jusque-là Néron s'efforça de voiler ses débauches et ses crimes »; XIII, 12 « fatalité, ou goût du fruit défendu; il était à craindre qu'il ne débauchât des femmes de haut rang; XIII, 1; XIII, 2 (deux fois; ces passages sont traduits par Racine); XIII, 2 « qui, excitée par les folies d'un pouvoir malfaisant avait mis Pallas de son parti »; XII, 26; XIII, 15 (trad. p. R.). Pour les autres références, voir notes première préface.

8. Octave, qui devint empereur sous le nom d'Auguste, conquit le pouvoir par la force.

9. Ces détails, aussi bien la présence d'Agrippine, cachée, au Sénat (v. 95), que la réception des ambassadeurs d'Arménie à l'occasion de laquelle Sénèque poussa Néron à écarter Agrippine du trône, sont dans Tacite (XIII, 5).

10. Les pouvoirs des consuls, dans la Rome impériale, étaient réduits à peu de choses, mais la fonction conservait du prestige, et représentait, en théorie, la continuité du pouvoir républicain. Racine indique ici un arrière-plan politique précis : Néron a obtenu, avant l'arrivée d'Agrippine, l'aval des consuls, donc du peuple et du Sénat.

11. Le laisser agir de lui-même.

12. Burrhus est la « créature » d'Agrippine, qui lui reproche d'oublier le passé et d'inverser les rôles.

13. Tacite soulignait cette particularité : elle est fille de Germanicus, (neveu de Tibère), sœur de Caligula, épouse de Claude, mère de Néron.

14. Pallas, Narcisse et Calliste, affranchis de l'empereur Claude qui, de caractère faible, se laissait mener par eux.

15. Racine projette ici sur le monde romain des conceptions du XVIIe s. L'adoption était à Rome un mode de succession légitime et, Junie, descendante d'Auguste, n'a pas vraiment de droits, comme l'indiquent d'ailleurs les vers 840 à 850. Mais, outre les qualités de vraisemblance, cette situation augmente la tension dramatique.

16. Les injures qui vous sont faites.

17. Il faut entendre bien sûr que Britannicus ne se résigne pas.

18. La mise en scène de J.-P. Miquel (Comédie-Française, 1978) veut que ces mots s'adressent à Octavie, présente et silencieuse. Les éditions du XVIIe s. mentionnent la présence de gardes et jamais celle d'Octavie.

19. Auguste répudia Scribonie pour épouser Livie, qui se sépara de Tibérius Claudius Nero, dont elle avait déjà un fils, qui sera l'empereur Tibère. Celui-ci répudia Julie, fille d'Auguste et de Scribonie, accusée d'immoralité.

20. Certains éditeurs, suivant en cela Mesnard, voient ici ce mot avec le sens de « daemon »; on le retrouve pourtant au v. 800 avec le sens plus courant de « naturel ». Dans le doute, nous gardons la graphie la plus simple, sans majuscule.

21. Narcisse avait poussé Claude à répudier Messaline, et c'est sans doute à ce succès-là qu'il fait allusion. Cette réplique fut parfois supprimée par les acteurs, qui craignaient de choquer les bienséances.

22. Racine, d'après les *Mémoires* de son fils — qui en donne le texte — aurait supprimé ici, avant même la représentation, une assez longue scène entre Burrhus et Narcisse. Elle ne figure dans aucune des éditions du XVIIe s., nous ne la reproduisons donc pas. On en retrouve certains éléments épars dans la suite du texte (v. 785-86 notamment).

23. Nul bénéfice, mais seulement du repentir, pour tout résultat.

24. Sous la République, le tribun commandait une légion; sous

l'Empire il est subordonné au légat : la connotation est donc ici péjorative.

25. Selon Tacite (XIV, 9) des astrologues lui avaient prédit qu'elle serait tuée par Néron, (cf. v. 1692).

26. A Auguste succéda Tibère, qu'il avait adopté, puis Caligula, fils de Germanicus et petit-neveu de Tibère. Après quoi accéda au pouvoir Claude, frère de Germanicus, et père de Britannicus. Quand Claude répudia Messaline, Agrippine intrigua pour se faire épouser, avec l'aide de Pallas. Comme elle était (voir. n. 13) sa nièce, il fallut un *senatus consulte* pour autoriser ce mariage. Elle fit épouser Octavie à son fils (Domitius) d'un premier lit, puis le fit adopter par Claude, qui lui donna le nom de Néron (Claude, comme Tibère, Caligula, Agrippine, était descendant de T.C. Nero). A la mort de Claude, qu'elle empoisonna, elle le fit acclamer comme empereur par l'armée (v. 1191). Racine suit ici Tacite (XII).

27. Elle laissa voir le cadavre, donc connaître la mort.

28. Sénèque et Suétone rapportent ce trait.

29. Trait tiré de Tacite (III, 65) : Tibère, tyrannique et soupçonneux, réprimait férocement toute ombre de complot (que d'ailleurs l'aristocratie multipliait contre lui).

30. Tout le récit s'inspire de Tacite (XIII, 16). Néron verse quelques gouttes avant de boire, selon le rituel d'offrande aux dieux, garants de la sincérité du serment.

31. L'épilepsie. Le détail est dans Tacite.

32. C'est une de ces allusions à des prolongements connus des spectateurs cultivés que Racine affectionne; Néron fera mourir sa mère, Sénèque, son épouse Poppée, multipliera les excès, se suicidera enfin.

33. Racine, qui invente ces faits, semble retrouver des images bibliques : quand Jézabel mourut, il rejaillit de son sang sur « les chevaux de Jéhu — que Dieu avait désigné pour la châtier — et des siens ».

NOTES POUR *BÉRÉNICE*

1. A consulter : G. Antoine, *Bérénice,* cours, C.D.U., 1956; J. Morel, *A propos de Bérénice,* Mélanges offerts à R. Pintard, Strasbourg, 1975.

2. L'épître ne figure que dans l'édition originale. Racine offre la pièce à Colbert après avoir dédié *Britannicus* à son gendre le duc de Chevreuse. Le ministre avait assisté à une représentation de *Bérénice* donnée devant le roi et la cour à l'occasion du mariage du duc de Nevers et de Mlle de Thianges (décembre 1670).

3. Références : Suétone, *Titus,* VII; Virgile, *Énéide,* IV; Horace, *Art poétique,* v. 23; Sophocle, *Ajax, Philoctète, Œdipe-Roi.* Racine fait allusion au procédé de la *contaminatio* familier à Térence. La réponse du musicien à Philippe vient de Plutarque, *Comment on pourra discerner le flatteur d'avec l'ami.* Les dernières lignes de la préface constituent une réponse de Racine à la *Critique de Bérénice* de l'abbé de Villars.

4. Le spectateur est informé en six vers des éléments historiques et des éléments inventés de la tragédie (voir, à l'index, *Comagène*). Ces indications seront précisées à loisir aux scènes 3 et 4 du premier acte.

5. Souvenir possible de la fausse mort de Sévère dans *Polyeucte.*

6. *Vous :* La première édition portait *lui.* Le texte nouveau suppose que Bérénice oublie un instant qu'elle ne s'adresse pas directement à Antiochus.

7. Thème fréquent dans les tragédies françaises à sujet romain. Cf. Corneille, *Pompée, Nicomède, Sertorius,* et ici les scènes II, 2 et 5, III, 1, IV, 4.

8. Sur ces allusions, voir l'index aux noms cités. Les « fruits illégitimes » du v. 379 font peut-être référence à Césarion ou Ptolomée XVI, fils de César et de Cléopâtre, qu'Octave fit mettre à mort après Actium.

9. Suétone, *Vespasien,* VI. Voir à l'index les mots *Idumée* et *Vespasien.*

10. *En secret :* Dans l'intimité d'une conversation seul à seul, et non plus au sénat.

11. Il s'agit des *appas* de la gloire.

12. Titus avait été élevé à la cour de Néron auprès de Britannicus et avait assisté à la mort du jeune prince. Ses débauches de jeunesse faisaient craindre de retrouver en lui un autre Néron (Suétone, *Titus,* II et VII).

13. La « bienveillance » prêtée à Titus par Suétone est habilement expliquée par Racine comme un fruit de son amour pour Bérénice.

14. *Cette journée :* Le jour où naquit le mutuel amour de Titus et Bérénice.

15. En 79, année de son couronnement, Titus n'a plus que deux ans à vivre. Le vers est donc objectivement ironique. Effet inverse en IV, 4, v. 1036.

16. Cette réplique est un aparté. Le procédé est rare dans les rôles de confidents. Aussi Paulin, représentant ici la volonté de Rome, est-il plus qu'un confident.

17. L'amour n'est donc plus source de vertus comme en II, 2.

18. Habileté dramaturgique, permettant de préserver l'unicité du lieu sans blesser la vraisemblance.

19. Titus envisage un suicide stoïcien, et non une mort de langueur. Son projet sera justifié en V, 6, v. 1390 et suiv. Voir à ce sujet Sénèque, *Lettres à Lucilius,* LXX.

20. Allusions au supplice infligé à Régulus par les Carthaginois, au châtiment du fils de Manlius Torquatus, à la mort des deux fils de Brutus qui avaient conspiré en faveur de Tarquin. Ces deux derniers exemples de vertu romaine sont évoqués au livre VI de l'*Énéide*. Ils devaient être familiers aux Français du XVIIe s., qui connaissaient la dissertation de Balzac sur *le Romain*.

21. Titus s'adresse à sa suite.

22. L'expression « dégager sa promesse » est assez ambiguë pour qu'Antiochus l'interprète comme annonçant un retour décidé de Titus à Bérénice.

23. Même habileté qu'au v. 1041. Bérénice a refusé de recevoir Titus. Elle va tenter de s'enfuir, comme vient de faire Antiochus.

NOTES POUR *BAJAZET*

1. A consulter : l'édition de *Bajazet* par Xavier de Courville, Paris, Seuil, coll. « Mises en scènes », 1947; W. G. Moore, « Le *Bajazet* de Racine », *Rev. des Sciences humaines,* 1949; E. Van der Starre, *Racine et le théâtre de l'ambiguité.* Étude sur *Bajazet,* Leyde, 1966; J. Brody, « *Bajazet,* or the Tragedy of Roxane », *Romanic Review,* déc. 1969.

2. La première préface est celle de l'édition originale (1672); la seconde lui a été substituée en 1676; le dernier paragraphe de celle-ci fut supprimé après 1687; nous avons préféré le faire figurer dans le texte plutôt que dans les variantes. La plupart des difficultés de ces préfaces sont éclairées dans l'introduction et dans l'index. Le chevalier de Nantouillet, premier maître d'hôtel de Monsieur, était un ami de Racine et de Boileau. Jean de La Haye a succédé à M. de Césy en 1641. La seconde préface utilise librement hors de son contexte une formule de Tacite, *Annales,* I, 47 (que Racine traduit, cite et paraphrase). Racine s'autorise de l'exemple d'Eschyle qui, avec *Les Perses,* avait donné une tragédie à sujet contemporain. Le suicide évoqué dans le paragraphe supprimé de la seconde préface est celui du jeune frère de Mustafa, héros malheureux de la tragédie de Mairet citée dans l'introduction.

3. Le lieu de l'action, selon l'indication liminaire, est le *sérail.* Dans le texte de la tragédie, Racine lui substitue souvent le terme de *palais.*

4. Le siège de Bagdad a eu lieu en 1638; mais c'est en 1635, au retour du siège d'Érivan, que Bajazet a été assassiné.

5. En 1622, les janissaires ont assassiné Osman II, frère d'Amurat. Celui-ci dut être d'une sévérité inouïe pour échapper à leur tutelle. Racine présente Acomat comme complice des janissaires.

6. Honneur réservé, selon Ricaut, à la femme « assez heureuse pour avoir conçu ».

7. La jalousie mutuelle du sultan et du vizir est en effet une tradition turque.

8. Le mufti et les ulémas. L'étendard de Mahomet est le symbole de l'autorité religieuse et guerrière.

9. Sur les faits ici évoqués, voir l'index aux noms cités. Bajazet Ier est l'ancêtre homonyme du héros de Racine.

10. La porte d'Andrinople, évoquée probablement dans le rapport de M. de Césy. L'usage a été attesté depuis par J. de Hammer dans son *Histoire de l'Empire ottoman* (1835).

11. Prophétie involontaire. Ce « spectacle sanglant » sera envisagé par Roxane dans sa dernière entrevue avec Bajazet (v. 1544 et suiv.).

12. Phrase de syntaxe précise, mais complexe. Il ne s'agit plus, entre Amurat et Bajazet, de rivalité amoureuse et de secrètes intrigues, mais d'un combat politique mené en pleine lumière.

13. L'amour-tendresse a violé le serment de vengeance que le dépit avait inspiré à Roxane.

14. Billet en vers libres, conforme à la tradition, mais dont les six derniers vers constituent une stance régulière.

15. Réplique en aparté.

16. Contrairement à l'édition Mesnard, nous incluons dans la numérotation les trois vers de la lettre, et non seulement les deux derniers.

17. Par amour pour Bajazet, Roxane a renoncé à la sécurité qui entourait son existence à elle.

18, Le *débris* est ce qui demeure après une catastrophe.

19. Cet *espoir* est celui de la liberté.

20. Roxane se croit encore maîtresse du cœur d'Amurat.

21. Rappel des propos d'Acomat aux v. 169 et suiv. Racine fait d'Atalide (comme il faisait de Junie) une fille de famille princière. Roxane, à côté d'elle, n'est qu'une roturière.

NOTES POUR *MITHRIDATE*.

1. Les analyses les plus poussées restent celles de Goldmann et Mauron (voir dossier « Critiques »). Au besoin consulter le *Mithridate Eupator* de T. Reinach (1890).

2. Cette préface a été enrichie considérablement, en 1676, pour réfuter des critiques, en particulier celles de Donneau de Visé (*Mercure Galant,* 14 juin 1673). Les passages ajoutés sont entre crochets. Références : Florus, *Abrégé de l'Histoire romaine,* III, 5; Plutarque, *Vie de Pompée,* XLI; Dion Cassius, *Histoire romaine,* XXVII, 11; Appien, *Histoire romaine, Guerre de Mithridate,* CIX; Plutarque, *Vie de Lucullus,* XVIII. Le texte d'Amyot a été retouché par Racine, pour le rendre plus facilement compréhensible, mais aussi pour éliminer quelques détails peu favorables à Monime — le goût des richesses par exemple. La trahison de Stratonice est rapportée par Appien et par Plutarque (*Vie de Pompée,* XXXVI). Tous deux rapportent aussi la mort de Pharnace.

Un détail de mise au point du texte de cette préface : dans l'édition d'origine, on trouve (1re phrase) la graphie « conter » qui correspond aussi bien à « faire le compte » qu'à « faire le récit » en Français classique. « Sans compter » faisant de nos jours un syntagme figé, nous employons cette graphie; mais les deux sens sont possibles.

3. Chez Molière on trouve (*Les Fâcheux,* I, 1, v. 1) : « Sous quel astre bon dieu! faut-il que je soit né » ... L'interjection marque un registre différent, mais il semble bien que de telles formules appartiennent au même fond commun du style soutenu (auquel *Les Fâcheux,* comédie-ballet de cour, se rattachent).

4. *En lui :* Avec lui.

5. Racine rattache semble-t-il Monime à la lignée du Philopoemen, chef de guerre achéen, qui fut adoré après sa mort (en 183 av. J.-C.).

6. Elle désigne le diadème, ou « bandeau » royal.

7. Toutes les éditions du XVIIe s. donnent « des », qui fait difficulté pour la syntaxe certes, mais non « ses » ou « deux », qu'on peut supposer.

8. Les historiens (Appien, Dion Cassius) n'en nomment qu'un, Macharès, que Mithridate fit périr après le combat nocturne contre Pompée.

9. Entendre « Monime, préférant Pharnace... ». Racine emploie « Amour » au masc. ou au fém. selon les besoins de la versification.

10. L'ordre ne peut s'adresser à Monime. Il faut donc supposer l'intervention de gardes ou serviteurs, d'une « suite », au moins en coulisse ici. On sait que les éditions du XVIIe s. ne mentionnent pas ces « utilités » quand le sens du texte suffit à indiquer le jeu. (cf. *La Thébaïde,* note dernière).

11. Le pronom réfléchi est sous-entendu (voir n. sur « Langue et style »).

12. Je ne croirais à la sincérité de vos serments que si...

13. Ce vers fait difficulté car la syntaxe, de façon typique, y est soumise aux exigences de la parole. Il faut sous-entendre : « je suis ». Il est d'autres interprétations possibles, ni plus ni moins satisfaisantes; mais celle-ci a l'avantage d'être appuyée sur un latinisme, dont on sait la fréquence en ce temps, c'est pourquoi nous ponctuons ainsi.

14. Le peuple — « futile » — suivait le char de triomphe du général vainqueur.

15. La « Guerre sociale » (90-88 av. J.-C.) avait pris fin 25 ans auparavant. Les cités voisines de Rome, insurgées contre elle, avaient envoyé une ambassade demander du secours à Mithridate.

16. A me poursuivre.

17. Appien indique un tel massacre.

18. Mithridate a recours à un procédé semblable à celui d'Harpagon dans l'*Avare*. Mais cela tient au fait que les situations dramatiques forment un fond commun où puisent comédie et tragédie.

19. Langage galant : les beautés comme les dieux méritent des sacrifices; celui-ci est « triste » : il ne mérite pas d'être agréé.

20. L'édition de 1697 porte « retentir » qui fait non-sens, et vient d'une faute d'impression.

21. Toutes les éditions avant 1697 comprenaient quatre vers de plus, qui offrent une nuance intéressante (v. var.).

22. La place de cette indication scénique est importante; nous suivons exactement l'édition de 1697 : c'est le seul « Écoutez » qui s'adresse à Arcas. De façon nette, c'est une annonce de l'envoi du poison à l'acte suivant. De nombreuses éditions modernes, suivant en cela Mesnard, font porter cette indication sur tout ce début de réplique : l'effet dramatique serait alors différent puisque « Ciel Courons ! » traduit des préoccupations militaires; l'annonce ne reposerait que sur la fin de la réplique. Mithridate a pris sa décision, en un instant, alors qu'il hésitait quelques secondes plus tôt.

23. Génie protecteur; ce terme fait un ensemble lexical cohérent avec « discorde » et « furie ».

24. Elle s'adresse à Phœdime, et à ses suivantes, que le texte n'indique pas présentes mais que, selon la convention déjà mentionnée, il faut supposer présentes et actives.

25. L'édition de 1697 donne « envoyant », contre les précédentes, qui portent « enviant », qui seul offre un sens conséquent.

26. La didascalie n'est pas dans les éditions de 1673 à 1687. En 1697, il y a « ... sa tendresse... », et en marge : « en montrant Xipharès ». L'indication n'a été introduite que parce que les mots « tendresse » et « amitié » pouvaient ici prêter à confusion quand aux personnages auxquels ils s'appliquent.

27. La première édition offre ici une variante intéressante. Quand à Pharnace, il sera vaincu par César (bataille de Zela, « Veni, Vidi, Vici ») puis mourra en combattant le gouverneur de la province du Bosphore.

NOTES POUR *IPHIGÉNIE*

1. Sur les circonstances de la représentation, voir J. Vanuxem, « Racine, les machines et les fêtes », *Revue d'Hist. Litt.*, juill.-sept. 1954; sur *Alceste,* voir J. Vanuxem, « Les projets de Racine », *Actes du 1er Congrès international racinien,* 1962, p. 53 et suiv. Thérèse Goyet a consacré à la comparaison des *Iphigénie* de Rotrou et de Racine un article minutieux (*Mélanges offerts à Georges Mongrédien,* Paris, 1974, p. 385 et suiv.).

2. Références : Horace, *Satires,* II, 3, v. 199-200 (Iphigénie victime de la folie ambitieuse); Lucrèce, *De la Nature,* I, v. 84 et suiv. (Iphigénie victime de la « superstition » : « Ainsi à Aulis les chefs des Grecs ont souillé du meurtre honteux d'Iphianassa l'autel de la vierge déesse des carrefours »); Eschyle, *Agamemnon,* v. 1555 et suiv. (évocation ironique de la rencontre du père et de sa fille au bord de l'Achéron); Euripide, *Iphigénie à Aulis, Iphigénie en Tauride;* Ovide, *Métamorphoses,* XII, v. 24 et suiv.; Pausanias, *Corinthiaques;* Homère, *Iliade,* IX, v. 141-147; Virgile, *Bucoliques,* X; Quintilien, *Institution oratoire,* X, 1; Parthenius de Nicée, *Des Passions amoureuses,* XXI (évocation des amours d'Achille et de la fille du roi de Lesbos; le héros met à profit le tendre sentiment de la jeune fille pour se rendre maître de la ville, et fait ensuite lapider la malheureuse); Aristote, *Poétique,* chap. XII. Sur la querelle d'*Alceste,* voir l'introduction. Louis Racine a publié le plan d'un premier acte rédigé par Racine pour une *Iphigénie en Tauride* et dont le manuscrit est conservé à la Bibliothèque nationale.

3. Le thème du malheur des grands, présent aux premiers vers de l'œuvre d'Euripide, est traditionnellement repris dans les tragédies de la Renaissance et largement développé dans l'*Iphigénie* de Rotrou.

4. Les « injures » adressées aux dieux sont traditionnelles. Molière s'en est moqué dans la *Critique de l'École des Femmes.*

5. La leçon de 1697, *par ce meurtre,* est manifestement une coquille.

6. Idées débattues par les théologiens à propos des sacrifices de Jephté et d'Abraham. Voir à ce sujet la thèse de Raymond Lebègue sur la tragédie religieuse française à la Renaissance (Paris, 1929).

7. Achille, demi-dieu par sa naissance, a l'ambition d'égaler les dieux eux-mêmes.

8. Allusion au serment demandé par Tyndare, père d'Hélène, à ses prétendants. Euripide place ces arguments dans la bouche de Ménélas lui-même.

9. La leçon de 1697, *avons quitté,* est manifestement une coquille.

10. Ériphile se rendait à Troie pour y être instruite de ses origines (voir plus loin les v. 441 et suiv.). Ici comme dans les vers suivants, Racine invente. Le lecteur a pourtant l'impression qu'il s'appuie sur des textes. La cohérence de l'ensemble demeure parfaite.

11. Ces « transports » s'exprimaient sur scène dans la tragédie d'Euripide.

12. Iphigénie craint pour Achille.

13. Racine transforme la légende originelle. Achille est parti pour Troie à l'invitation des chefs grecs, notamment d'Ulysse.

14. Achille est fils de la déesse Thétis, et son père Pélée est petit-fils de Zeus.

15. Achille, en épousant Iphigénie, devient solidaire des Atrides, et leur honneur l'intéresse directement.

16. En croyant plaider pour la libération d'Ériphile, Iphigénie annonce involontairement sa mort.

17. Ces vers inaugurent la longue série des reproches d'Achille à Agamemnon, qui éclateront surtout en IV, 6. Le ton en rappelle le premier chant de l'*Iliade*.

18. Nous n'imprimons pas ici les quatre vers supprimés par Racine en 1697 et rétablis dans les éditions posthumes. La suite des idées ne paraît pas en souffrir.

19. Selon la tradition, Chiron, chargé de l'éducation d'Achille, le nourrissait de la chair des lions et des sangliers et de la moelle des ours. (*Bibliothèque* d'Apollodore, III, 14).

20. Souvenir d'un vers célèbre de *Venceslas* de Rotrou : « S'il est temps de partir, mon âme est toute prête » (V, 4, v. 1599). De même, le v. 1240 s'inspire du v. 1602 de *Venceslas :* « Je mourrai plus que vous du coup qui vous tuera ». La tragédie de Rotrou met en scène un roi que les crimes de son fils obligent à le condamner à mort, et qui renonce enfin à ce sacrifice.

21. Selon certaines traditions, c'est à Clytemnestre que la fille d'Hélène et de Thésée aurait été confiée.

22. Prophétie involontaire. Jeu analogue en V, 4, v. 1657.

23. Clytemnestre s'interrompt en apercevant sa fille.

24. Entre ce vers et le suivant, un blanc est nécessaire pour permettre l'ultime embrassement de la fille et de la mère.

25. L'atrocité du crime d'Atrée, qui fit boire à son frère Thyeste le sang de ses enfants égorgés, aurait, selon Sénèque, fait reculer le soleil d'horreur (*Thyeste,* v. 785 et suiv.).

26. Agamemnon n'ose « avouer » Achille, c'est-à-dire approuver publiquement son attitude.

27. Habile rappel de la légende communément admise.

NOTES POUR *PHÈDRE*

1. A consulter : L'édition de *Phèdre* par J. L. Barrault, Seuil, coll. « mises en scène », 1946; Th. Maulnier, Lecture de *Phèdre,* Paris, Gallimard, 1943 (rééd. 1967); Charles Mauron, *Phèdre,* Paris, Corti, 1968. (Voir dossier « Racine aujourd'hui ».)

2. Références de la préface : Aristote, *Poétique,* chap. XIII : Euripide, *Hippolyte,* v. 885-886 et Sénèque, *Phèdre,* v. 892 (le billet de la Phèdre grecque et les paroles de la Phèdre latine parlent en effet de violences physiques); Virgile, *Énéide,* VII, v. 761 et suiv.; Plutarque, *Vie de Thésée;* Pausanias, *Description de la Grèce,* I, 17 (c'est Pausanias qui parle de l'enlèvement de la femme du roi d'Épire; Plutarque parle de la fille de ce même roi); à propos de Socrate mettant la main aux tragédies d'Euripide, Diogène Laerce, *Vies et opinions des philosophes illustres,* II, 5. Les dernières lignes font allusion aux *Traités de la comédie* du prince de Conti et de Nicole, respectivement publiés en 1666 et 1667; le second venait d'être réimprimé en 1675 (voir l'édition de ce *Traité* de Nicole procurée par G. Couton, Belles-Lettres, 1961); Racine rêve, avec *Phèdre,* de se réconcilier avec les Messieurs de Port-Royal.

3. L'Achéron, fleuve des enfers, est homonyme d'un fleuve d'Épire, comme l'indique la préface de Racine.

4. La mer icarienne, voisine de l'île de Samos.

5. Vers à signification prophétique, faisant allusion, pour le spectateur averti, à l'aventure de Thésée et Pirithoüs chez le roi d'Épire.

6. La correction de 1697 est justifiée par l'euphonie. (Voir *variantes.*)

7. Le « géant d'Épidaure » est Périphétès. Pour les autres noms, voir l'index.

8. Neptune a enseigné aux Grecs l'art de la cavalerie.

9. Pasiphaé est en effet fille d'Hélios (le Soleil) et de Perséis.

10. Vers affirmatif. La nourrice ne doute pas de l'innocence de sa maîtresse.

11. Ce vers, comme le v. 198, a valeur prophétique.

12. Les bords de Trézène : ce vers s'éclaire à la lecture de la tirade qui suit.

13. Nous gardons l'orthographe *toute* conformément à l'usage classique, le mot étant senti comme adjectif.

14. Les remparts d'Athènes. Minerve est le nom latin de la déesse Athéna.

15. C'est la légende commune, à laquelle Plutarque et Pausanias substituent l'aventure épirote. Racine joue sur l'ambiguïté, comme il le faisait dès le v. 12 à propos de l'Achéron.

16. Erechthée, fils de Vulcain/Héphaistos et de la Terre. Selon Apollodore, *Bibliothèque,* III, 14, le dieu poursuivait Minerve/Athéna, qui se refusait à lui. La semence divine tomba à terre, et un enfant

naquit de cette union imprévue. Mais Minerve/Athéna le reconnut et jura de protéger la ville d'Érechthée. Adopté par le premier souverain de l'Attique, Cécrops, Érechthée eut pour fils Pandion. Celui-ci à son tour eut deux enfants, Pallas et Égée. Dans sa tragédie, Racine suit la tradition, attestée par Apollodore, selon laquelle Égée est seulement enfant *adoptif* de Pandion.

17. Pitthée, frère d'Atrée et de Thyeste, réputé pour sa sagesse, était roi de Trézène. C'est là l'héritage incontestable d'Hippolyte.

18. Cécrops, homme-serpent né de la terre, ou Érechthée/Érichtonios, ancêtre direct des Pallantides.

19. C'est la traduction du « Suave mari magno » de Lucrèce (*De la Nature*, II, 1).

20. Souvenir du sonnet adapté de Bembo par Ronsard dans les *Amours de Cassandre*, « Comme un chevreuil... ».

21. Le langage amoureux est étranger à Hippolyte, qui s'est voué à Diane. C'est la tradition pastorale du berger ou de la bergère insensible que poursuit ici Racine.

22. Vers ironique. Hippolyte, sans le savoir, annonce ici sa propre mort.

23. Jeu de scène : Phèdre s'empare de l'épée du jeune homme.

24. La leçon *plains-lui*, qui est celle de 1697, nous paraît préférable à celle des éditions précédentes, qui lui est généralement préférée (*peins-lui*).

25. Par Tantale et Aethra, sa fille, Thésée descend de Jupiter.

26. Tradition présente chez Plutarque et chez Pausanias. Racine souligne les analogies entre l'Épire et les enfers qu'il trouvait chez les mythographes.

27. Les Anciens juraient par le Styx, fleuve des enfers.

28. Souvenir du sang d'Abel dans la Genèse.

29. Il s'agit du temple de Neptune ou du temple de Zeus Orkios. Voir P. J. Yarrow, dans *Modern Lang. Notes*, 1957, p. 194 et suiv. et G. Couton, *Revue des Sciences Hum.*, 1963, p. 305 et suiv.

30. Souvenir de la mort de Laocoon chez Virgile, *Énéide*, II, v. 208, et sans doute des *Sosies* de Rotrou, où les serpents envoyés par Junon pour tuer Hercule enfant font « autour de ses bras cent replis tortueux » (V, 5).

31. Ce dieu est Neptune. Cet « on-dit » rappelle celui qui évoque une apparition de Diane à la fin d'*Iphigénie*.

32. Hommage probable à Corneille, et au dénouement de sa *Médée*.

33. Cette adoption fait cesser la lutte des Pallantides et de Thésée. Elle donne aussi à Thésée une pleine légitimité. Ces vers de Thésée, parfois supprimés à la représentation, sont indispensables à l'achèvement de l'action tragique.

NOTES POUR *ESTHER*

1. A consulter : J. Orcibal, La genèse d'*Esther* et d'*Athalie*, Paris, 1950; J. Pommier, La genèse d'*Esther* et d'*Athalie*, à propos d'un livre récent (article repris dans *Aspects de Racine*, Paris, 1954, p. 221 et suiv.).

2. Références : Hérodote, *Histoires*, III, 85-88; Isaac Le Maistre de Saci, trad. du livre d'*Esther*, 1688 (Assuérus serait Darius fils d'Hystaspe); Xénophon, *Cyropédie*, III et VII; Quinte-Curce, *Histoire d'Alexandre*, V, 2. Les cantiques évoqués à la fin de la préface se trouvent dans l'*Exode*, XV, les *Juges*, V et *Judith*, XVI.

3. Dans ce prologue, qui était récité par Mme de Caylus, Racine fait allusion aux missions étrangères encouragées par Louis XIV, à la guerre de la Ligue d'Augsbourg (conduite par le prince protestant Guillaume d'Orange) et aux récents exploits du Grand Dauphin, qui avait participé à la prise de Philisbourg à l'automne 1688. Le vers 36 est probablement dirigé contre Innocent XI, que Louis XIV accusait de favoriser la Ligue.

4. Souvenir du psaume 101, ainsi que l'atteste une des indications marginales portées par le poète ou un de ses familiers sur un exemplaire d'*Esther* conservé à la bibliothèque de Toulouse.

5. Cyrus le Grand, qui libéra le peuple juif après la prise de Babylone (539 av. J.-C.).

6. Il s'agit de Bagathan et Tharès, deux eunuques royaux, gardes des portes du palais (*Esther*, II, 21-22).

7. L'exemplaire de Toulouse indique comme sources de cette scène les psaumes 136 et 140 et les premiers versets du livre des *Lamentations* (attribué à Jérémie).

8. Thème et image fréquemment repris dans les *Psaumes* (Ps. 2, 33, etc.); Racine fait évidemment allusion à la Ligue d'Augsbourg.

9. Traduction littérale d'un verset d'Isaïe (XL, 17); l'exemplaire de Toulouse donne d'autres sources, beaucoup plus lointaines, ce qui semble donner raison à Raymond Picard, qui refuse l'attribution de ces notes à Racine lui-même.

10. Indication temporelle précise. L'acte second commencera à l'aube du jour suivant.

11. Cette prière emprunte des éléments aux deux prières de Mardochée et d'Esther ajoutées tardivement au texte primitif du livre, et que la Bible latine rejette en appendice. L'image de l'infidélité conjugale appliquée aux relations de Dieu et de son peuple apparaît chez tous les prophètes, notamment Osée, Jérémie et Ézéchiel. Le psaume 72, cité en marge de l'exemplaire de Toulouse, ne l'évoque qu'en un mot.

12. La scène mêle diverses inspirations *(Jérémie, Livre des Lamentations, Psaumes)*. Le thème des vers 334-335 vient de Jérémie, XXXI, 29 et d'Ézéchiel, XVIII, 2.

13. Cette scène et la suivante suivent de très près le récit biblique, en lui-même fort théâtral (*Esther,* VI).

14. Le terme de *frère* n'apparaît que dans les additions grecques au texte primitif. Les prophètes emploient le mot pour désigner toutes les relations fondées sur l'amitié et la confiance.

15. L'exemplaire de Toulouse renvoie justement, pour cette scène, non seulement à divers psaumes, mais aussi aux *Proverbes,* XXI, 1 (image du ruisseau aux v. 729 et suiv.) et au *Deutéronome,* XXXII, 25 (v. 816).

16. Racine, comme Saci, s'appuie sur une des additions de la bible grecque, qui présente Aman comme un Macédonien. Voir l'index au mot *Amalécite.*

17. Toute la fin de cette scène est directement adressée à Louis XIV. Racine s'en est souvenu au moment de sa disgrâce, ainsi que l'atteste sa lettre à Mme de Maintenon du 4 mars 1698.

18. Cyrus, libérateur du peuple juif, est dit « le christ (c'est-à-dire l'oint) de Dieu », *Isaïe,* XLV. Bossuet avait rappelé la vocation de Cyrus et son rôle providentiel dans l'*Oraison funèbre* du prince de Condé (1686).

19. Cette dernière scène, comme le soulignent les annotations à l'exemplaire de Toulouse, est entièrement inspirée par les *Psaumes,* notamment le psaume 36 sur le sort du juste opposé à celui de l'impie, le psaume 78 qui flétrit les exactions des persécuteurs d'Israël et la série des psaumes de louange et d'action de grâces (102 à 105). Les derniers vers traduisent la doxologie finale du psaume 105 : « Benedictus Dominus, Deus Israël, a saeculo et usque in saeculum », doxologie fermant le quatrième livre du psautier (le troisième dans la Bible romaine).

NOTES POUR *ATHALIE*

1. En plus des ouvrages cités dans la note liminaire d'*Esther,* on consultera l'édition de la tragédie par G. Le Roy, Seuil, coll. « Mises en scène », 1952, et le livre de G. Mongrédien, *Athalie,* Paris, Malfère, coll. « Les grands événements littéraires », 1929. Les tragédies de collège s'inspirant du même sujet ont été étudiées par R. Lebègue, *Revue d'Histoire du Théâtre,* 1948-49, II et par V. L. Saulnier, *Rev. d'Hist. Litt.*, 1949, I.

2. La Bibliothèque nationale conserve des *Remarques sur Athalie* (qu'on pourra lire notamment dans l'édition procurée par Raymond Picard à la N.R.F.) qui constituent sans doute un document de travail préparatoire à la rédaction de la préface. Racine fait allusion ici, en plus des textes bibliques (à noter que les *Paralipomènes* sont les mêmes livres que nous appelons plus communément les *Chroniques*), à l'œuvre du théologien Lightfoot, dont les *Œuvres* avaient été publiées en 1686, au *Discours sur l'Histoire universelle* de Bossuet, I, 6 (1681), aux *Antiquités judaïques* de Josèphe (IX, 7) et à l'*Évangile* de Jean, XI, 51.

3. Le Décalogue fut dicté par Dieu à Moïse sur le mont Sinaï (*Exode,* XX).

4. Voir l'index au nom de Baal.

5. Souvenirs du psaume 49 et du premier chapitre d'Isaïe.

6. Nous gardons *leur roi* au singulier. C'est du roi à venir qu'il s'agit (le Christ).

7. C'est le Messie annoncé en particulier dans le psaume 71.

8. C'est l'heure de l'office de *Tierce* pour un chrétien (entre 8 et 9 heures).

9. Nom biblique, apparaissant au second livre des *Rois* et chez Isaïe.

10. C'est la négation, présente chez Jérémie et Ézéchiel, de l'adage des raisins verts. Voir les v. 334-335 d'*Esther* et *la note* 12.

11. Cet esprit est dit aussi « esprit de vertige », évoqué par Bossuet dans le *Discours,* et dont le représentant est Saül.

12. Nous mettons deux points après « dis-nous ». L'édition de 1695 présente ici une virgule, qui paraît bien correspondre à une indication rythmique.

13. Les *deux mers* sont la mer Rouge et la Méditerranée (*Exode,* XXIII, 31).

14. Azaël, roi de Syrie.

15. *Rapport* est ici synonyme de *ressemblance.*

16. Exemple remarquable d'hyperbate, c'est-à-dire de cette liberté dans l'organisation de la phrase que Boileau a définie en traduisant le chap. XVIII de Longin.

17. Athalie n'est pas *sensible à la pitié :* elle entend la voix du sang (voir Clifton Cherpack, *The Call of Blood in French classical Tragedy,* Baltimore, 1958).

18. Tous ces faits sont contés au chap. x du second livre des *Rois* (le quatrième dans la Bible latine).

19. Au chap. XXI du premier livre des *Rois*.

20. Au chap. III du premier livre de *Samuel* (premier livre des *Roie* dans la Bible latine).

21. Nabal est présenté par Racine comme un de ces Ismaélites « idolâtres » qu'évoquent ses notes sur *Athalie*. Ismaël, fils d'Agar et d'Abraham, est l'ancêtre des tribus arabes nomades que Mahomet devait convertir à l'adoration du Dieu unique.

22. Souvenir du chap. XLIV d'Isaïe.

23. Voir l'index à ces mots.

24. Absalon. Voir l'index.

25. Nous gardons la leçon « en *ce* jour », qui répond bien à la vision prophétique de Joad.

26. Ces derniers vers traduisent Isaïe, XLV, 8. *Rorate, coeli, desuper...* revient en antienne à plusieurs reprises pendant la période de l'Avent.

27. Racine songe peut-être ici à *Jephté*, tragédie en latin de Buchanan (v. 1540). Voir l'index à ce nom.

28. Ce roi est sans doute Salomon. Mais c'est par faiblesse pour ses épouses et concubines que Salomon s'est éloigné de Dieu. Les flatteurs ici évoqués sont de tradition dans la tragédie française comme dans les *Institutions* poétiques. C'est sans doute aux enfants royaux que s'adresse Racine, dans un esprit proche de celui de Bossuet.

29. Le vers est objectivement ironique, Zacharie devant être un jour massacré par ordre de Joas.

30. Les trompettes guerrières.

31. Évocation du sacrifice d'Isaac. Racine se souvient probablement de la tragédie de Théodore de Bèze, *Abraham sacrifiant* (1550).

32. C'est-à-dire le dieu de la justice. Voir le début du psaume 93 et le verset XXXII, 35 du *Deutéronome* où Dieu déclare se réserver le droit de faire justice.

33. Le Christ est celui que l'huile sainte a consacré, comme va l'être Joas à la scène suivante, autrement dit le roi choisi par Dieu.

34. Souvenir des rideaux qui, dans le théâtre des années 1630-1640, pouvaient cacher ou dévoiler un élément de la décoration.

35. Voir l'index à ces noms.

36. La prophétie se vérifiera. Voir le chap. XXIV du deuxième livre des *Chroniques*.

NOTES SUR LE DOSSIER : RACINE AUJOURD'HUI

NOTE SUR : « RACINE AUJOURD'HUI »

1. Pour un aperçu d'ensemble, du XVIIe siècle à nos jours, voir : J. J. Roubine : *Lectures de Racine,* Paris, A. Colin, 1971.

●

NOTES POUR « RACINE ET LA CRITIQUE MODERNE »

1. Pour décider de leur importance, nous considérons la fréquence des références faites à chaque ouvrage dans l'intertexte que constitue la critique racinienne moderne.

2. Les bibliographies ci-jointes en donnent un aperçu. Pour constituer ce dossier, nous avons pris en compte plus de cent titres, et tout cela est loin d'être exhaustif.

3. Nous sommes contraints de simplifier à l'extrême. Pour des vues plus précises, voir l'orientation bibliographique.

4. P. 8 de l'édition 1976, coll. Tel. Nous donnerons désormais les pages entre parenthèses sans autre précision lorsqu'il s'agira de renvoyer à une édition mentionnée dans l'orientation bibliographique sans risque de confusion.

5. G. Poulet vient d'évoquer une mutation dans la conception du monde et de sa création au milieu du XVIIe siècle.

6. Rappelons qu'il s'agissait à l'origine de présentations pour une édition.

●

NOTES POUR LES MISES EN SCÈNE MODERNES DE RACINE

1. Deux faits, parmi d'autres, illustrent la vitalité et la diversité du théâtre racinien dans le présent immédiat : en 1978, Racine est joué dans six festivals d'été (dont *Phèdre,* au Marais, par la Comédie-Française, avec un sol fait de sel, et *Britannicus,* à Versailles, en costumes à l'antique); en 1980, R. Planchon monte *Athalie* (voir p. 791) et A. Vitez *Bérénice* (décors et costumes « XVIIe siècle », mais gestuelle et diction agressives).

2. Nos pointages pour 1972-1980 confirment une même tendance.

3. Forcément incomplets, d'autant plus que toutes les mises en scène n'ont pas laissé de traces, que des théâtres disparaissent sans

laisser d'archives. C'est pourquoi nous ne donnons qu'à titre purement indicatif le classement suivant : *Phèdre* (15), *Andromaque* et *Britannicus* (10), *Bérénice* (6), *Athalie* (4), *Esther* (4, dont deux oratorios), etc.

4. Ce qu'atteste sa place modeste dans les classements d'auteurs ci-dessus, de même que la rareté des retransmissions télévisées. Il convient cependant de faire intervenir comme correctif le petit nombre des pièces de Racine — qui rend d'ailleurs d'autant plus remarquable le fait qu'il devance Corneille.

5. Chose d'autant plus difficile que le système des abonnements, très répandu aujourd'hui, complique les décomptes.

6. Au cours d'une conférence-débat en Sorbonne, publiée ensuite sous le titre « Petites nouvelles » (voir bibliographie du dossier des « Critiques modernes »).

7. Lorsqu'il advient que le coefficient de remplissage de la salle excède 100...

8. Mêmes références que pour les déclarations de J. Vilar (cf. n. 6).

9. Fête de la tradition judaïque, avec des mascarades ridiculisant les ennemis.

10. Il n'y a pas d'ouvrages d'ensemble permettant de compléter commodément les données de cette enquête. Outre les références citées ici, indiquons simplement un excellent fonds Racine et « mises en scène » à la Bibliothèque G. Baty (I.E.T., Centre Censier, Paris).

Nous avons utilisé comme sources, outre les documents cités, les données d'archives auxquelles certains théâtres ont bien voulu nous permettre d'accéder *(Comédie-Française, Odéon, T.N.P., Théâtre du Quartier d'Ivry, Carré Thorigny)*, ce dont nous remercions ici leurs directeurs, administrateurs, archivistes.

INDEX NOMINUM

N.B. : Cet index comprend tous les noms propres cités dans les tragédies de Racine (pour la comédie des *Plaideurs,* on se reportera aux notes), exception faite de ceux des « acteurs ». Il a été rendu possible par l'existence de la *Concordance* des œuvres de Racine due à Br. C. Freeman et A. Batson (1968). Des précisions ont été données sur les lieux et les personnes quand elles ont paru utiles à l'intelligence immédiate du texte. Les noms fréquemment cités dans une œuvre donnée ne sont accompagnés, sauf quand leur répétition présente un intérêt pour une étude thématique, que de l'indication du premier vers où ils apparaissent, suivie de *etc.*

AARON, frère aîné de Moïse et premier grand-prêtre en Israël (*Exode,* 29) : *Athalie,* 33, etc.

ABIRON, petit-fils de Ruben, qui se révolta contre Moïse avec son frère Datan et que Dieu, pour son châtiment, engloutit dans la terre avec sa famille (*Nombres,* 16) : *Athalie,* 1037.

ABRAHAM : *Esther,* 752.

ACHAB, roi d'Israël (IXe siècle av. J.-C.), époux de Jézabel et père d'Athalie et d'Ochosias (*Rois* I, 16 et suiv.) : *Athalie,* 113, *etc.*

ACHÉRON, fleuve des Enfers, homonyme d'un fleuve d'Épire : *Phèdre,* 12 et 626.

ACHILLE : *Andromaque,* 146, etc.

ACHITOPHEL, conseiller de David qui s'unit à la révolte d'Absalon contre son père, et se suicida quand le jeune prince refusa de suivre ses conseils (*Samuel* II, 17) : *Athalie,* 1037.

AFRICAINS : *Bajazet,* 479 et 1104.

AGAMEMNON : *Andromaque,* 178, 274, 1160.

AGRIPPA, dit Postumus, petit-fils d'Auguste, exécuté sur l'ordre de Tibère (Tacite, *Annales,* I, 6) : *Britannicus,* 865.

AGRIPPA, Hérode Agrippa II, frère de Bérénice (voir l'introduction à cette pièce) : *Bérénice,* 191.

ALCIDE, patronyme d'Hercule-Héraklès : *Phèdre,* 78, 470, 1141.

AMALÉCITES, tribu nomade descendant d'Amalec petit-fils d'Esaü (*Genèse,* 36; *Exode,* 17). Aman est agagite; l'épithète désigne

après la défaite d'Athalie et son prêtre Mathan égorgé (*Rois* II, 11) : *Athalie,* 18, etc.

BABYLONE, capitale du royaume de Nabuchodonosor II, qui y emmena en captivité une partie des habitants de Jérusalem (587 av. J.-C.); Cyrus y entra en vainqueur et libérateur des Juifs en 539. La Babylone souvent citée dans *Bajazet* est en réalité Bagdad, située comme elle dans la vallée de l'Euphrate : *Bajazet,* 17, etc.; *Esther,* 1069.

BAJAZET, Bajazet Ier, empereur ottoman vaincu par Tamerlan en 1402 dans la plaine d'Ankara : *Bajazet,* 456.

BENJAMIN, dernier des fils de Jacob, éponyme d'une des douze tribus d'Israël : *Esther,* 3; *Athalie,* 94.

BESSUS, satrape de Bactriane, meurtrier de son souverain Darius III Codoman. Alexandre punit sa trahison en le faisant exécuter (Quinte-Curce, *Histoire d'Alexandre,* IV-VII) : *Alexandre,* 802.

BOSPHORE, est dans *Mithridate* le Bosphore Cimmérien, aujourd'hui détroit de Kertch, entre la mer Noire et la mer d'Azov. Le royaume du Bosphore, cédé à Mithridate vers 115 av. J.-C., fut donné en 63 par Pompée à Pharnace, fils de Mithridate : *Mithridate,* 76, etc.

BYZANCE, BYZANTINS, noms antiques gardés par Racine, dans *Bajazet,* pour désigner Constantinople et ses habitants : *Bajazet,* 10, etc.

CAIUS, CALIGULA, prénom et surnom de C. Caesar Augustus Germanicus Caligula, petit-fils et successeur de l'empereur Tibère, qui sombra dans une folie sanguinaire après quelques mois de règne heureux (Suétone, *Vies des douze Césars,* Caligula, 15) : *Britannicus,* 40; *Bérénice,* 397.

CALCHAS : *Iphigénie,* 56, *etc.*

CAPITOLE : *Bérénice,* 691; *Mithridate,* 796, etc.

CASSANDRE : *Andromaque,* 190.

CÉDRON, cours d'eau de Judée, séparant Jérusalem du mont des Oliviers. David dut passer ce torrent pour échapper à la poursuite d'Absalon, son fils révolté (*Samuel* II, 15) : *Athalie,* 1061.

CERCYON, brigand légendaire de la région d'Eleusis, tué par Thésée; l'énumération des monstres châtiés par ce héros (Cercyon, Procruste, Scirron, Sinnis et le géant Périphétès

LAIUS, père d'Œdipe et premier époux de Jocaste : *Thébaïde,* 28, *etc.*

LARISSE, Larissa, ville de Thessalie, capitale des États d'Achille : *Iphigénie,* 1375.

LESBOS, LESBIENS : *Iphigénie,* 155, etc.

LÉVI, l'une des douze tribus d'Israël, constituant la caste sacerdotale du peuple hébreu : *Athalie,* 299, *etc.*

LIBAN : *Esther,* 1259.

LOCUSTE, empoisonneuse, appelée par Agrippine pour hâter la mort de Claude (Tacite, *Annales,* XII, 66) et par Néron pour faire mourir Britannicus (ouvr. cit., XIII, 15). « La mort fut aussi prompte que si elle avait été provoquée par le fer », écrit Tacite (voir le v. 1630 de *Britannicus*) : *Britannicus,* v. 1392.

MADIANITE, peuple vaincu par Gédéon qui, sous l'inspiration divine, le frappa de terreur par le son des cors, le bruit de cruches brisées et les cris de son armée (*Juges*, VII, 9 à 22) : *Athalie,* 1756.

MALLIEN, peuple de l'Inde vaincu par Alexandre : *Alexandre,* 1321.

MÉDÉE, magicienne et épouse de Jason, qui, après la mort de ses enfants, se réfugia à Athènes auprès d'Égée (voir la *Médée* de Corneille (1635)) : *Phèdre,* 1638.

MÉGÈRE, une des Furies : *Iphigénie,* 1675.

MÉNÉCÉE : *Thébaïde,* 178, *etc.*

MÉNÉLAS : *Andromaque,* 41, etc.; *Iphigénie,* 53, etc.

MINERVE, nom latin d'Athéna, généralement préféré par les poètes français du XVIIe siècle : *Phèdre,* 360.

MINOS, père de Phèdre et juge des Enfers : *Phèdre,* 36, etc.

MINOTAURE, fils de Pasiphaé et d'un taureau et donc demi-frère de Phèdre : *Phèdre,* 82.

MOISE : *Athalie,* 403, *etc.*

MYCÈNE(S) : *Thébaïde,* 99 et 798; *Andromaque,* 12 (variante); *Iphigénie,* 130, etc.

NEPTUNE, dieu de la mer et inventeur de l'art de la cavalerie : *Iphigénie,* 9 et 839; *Phèdre,* 131, etc.

NÉRON : *Bérénice*, 353, etc.

TABLE DES MATIÈRES

THÉÂTRE COMPLET DE RACINE

DOSSIER RACINE AUJOURD'HUI

*

Aubin Imprimeur
LIGUGÉ, POITIERS

Dépôt légal : juillet 1995
Dépôt légal de la 1re édition : 1er trimestre 1985
N° d'impression : L 49569
Imprimé en France